A-Z LONDON

KT-421-750

CONTENTS

REFERENCE

Motorway **M1**	Railway — Tunnel / Level Crossing / Station
A Road **A2**	Docklands Light Railway — Station **DLR**
Under Construction	Underground Station ●
Proposed	Croydon Tramlink — Tunnel / Station
B Road **B408**	(Est. Open 2000) The boarding of Tramlink trains at stations may be limited to a single direction, indicated by the arrow.
Dual Carriageway	
One Way Street	Church or Chapel †
Traffic flow on A Roads is indicated by a heavy line on the drivers' left.	Disabled Toilet ♿
Junction Name MARBLE ARCH	Fire Station ■
Pedestrianized Road	Hospital **H**
Restricted Access	House Numbers A & B Roads only 57 22 19 48
Track & Footpath	
Residential Walkway	Information Centre **i**
Map Continuation 56 / Large Scale Map Pages 140	National Grid Reference ⁵30
	Police Station ▲
Built Up Area BANK STREET	Post Office ★

SCALE

Pages 4-138
2.88 inches to 1 Mile

0 ... ¼ ... ½ ... ¾ Mile
0 ... 250 ... 500 ... 750 Metres ... 1 Kilometre

1:22,000 or 4.55cm to 1km

Copyright of Geographers' A-Z Map Company Limited

Head Office : Fairfield Road, Borough Green, Sevenoaks, Kent TN15 8PP   Tel: 01732 781000
Showrooms : 44 Gray's Inn Road, London WC1X 8HX   Tel: 020 7440 9500

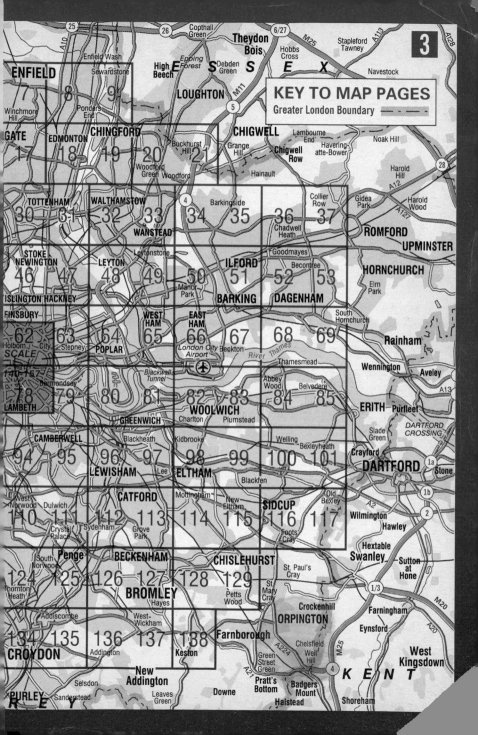

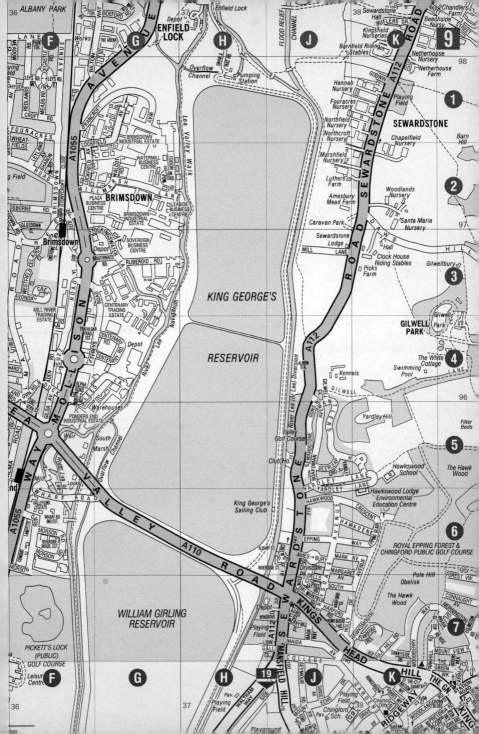

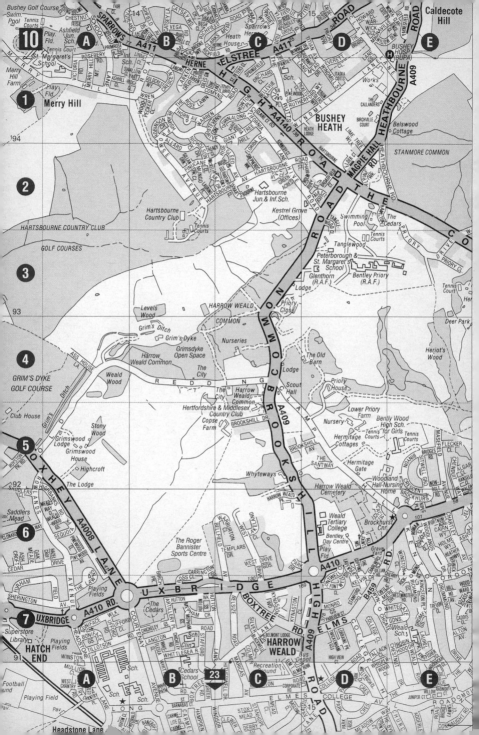

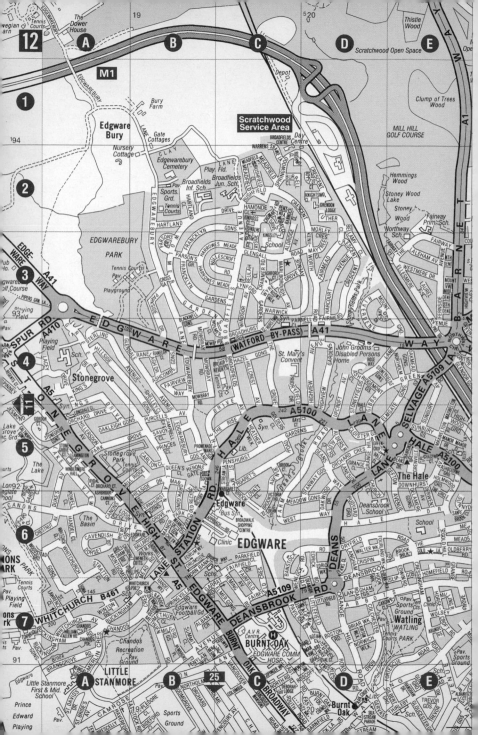

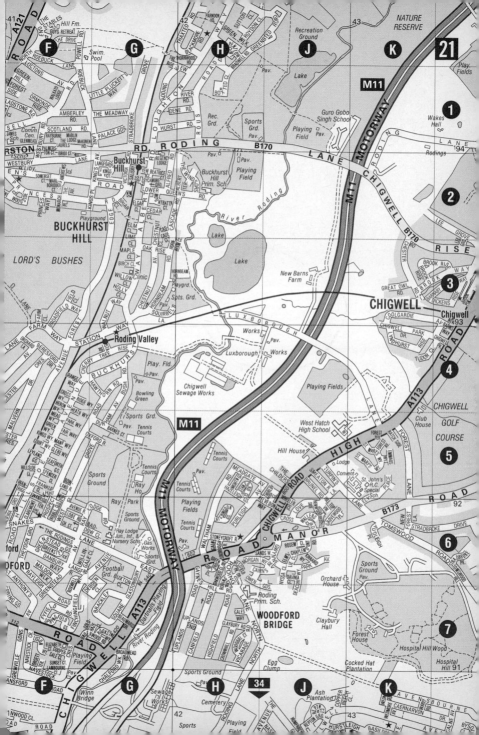

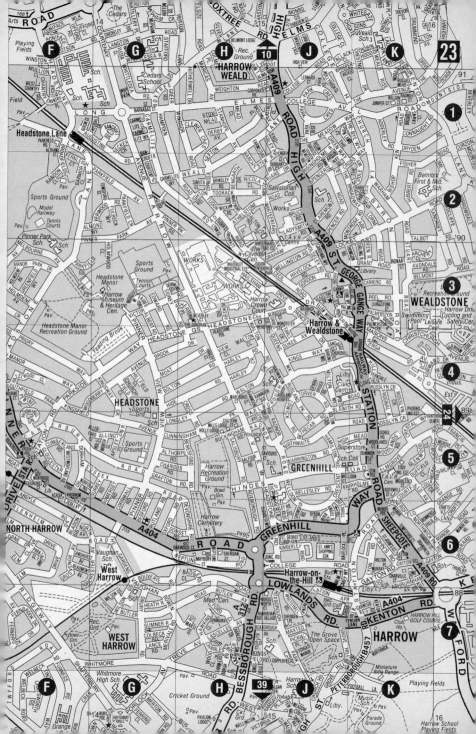

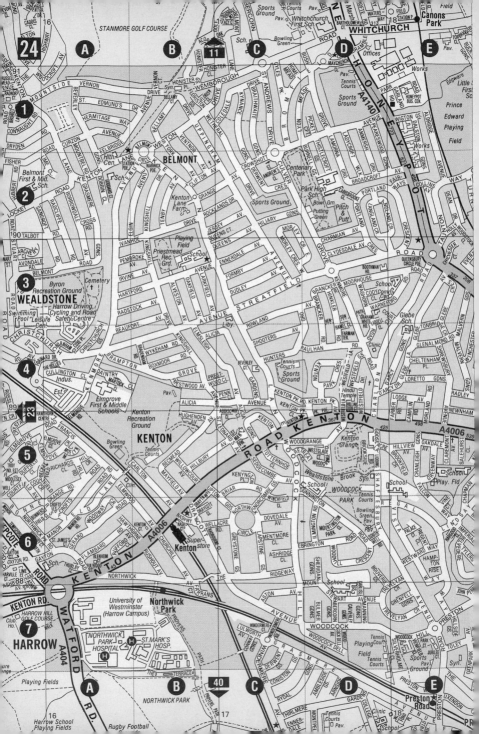

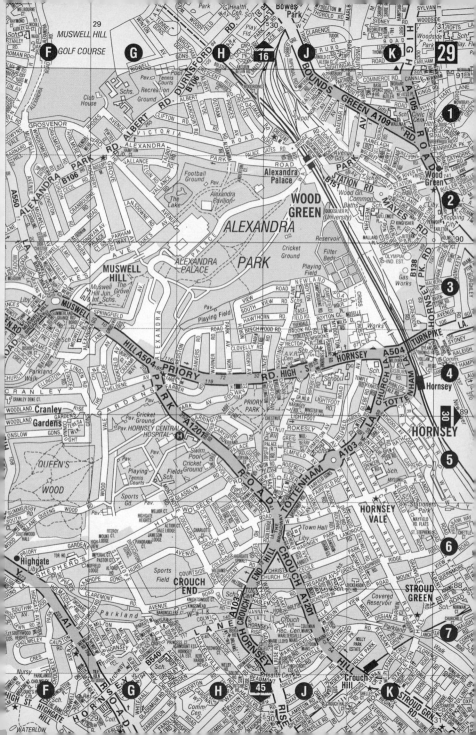

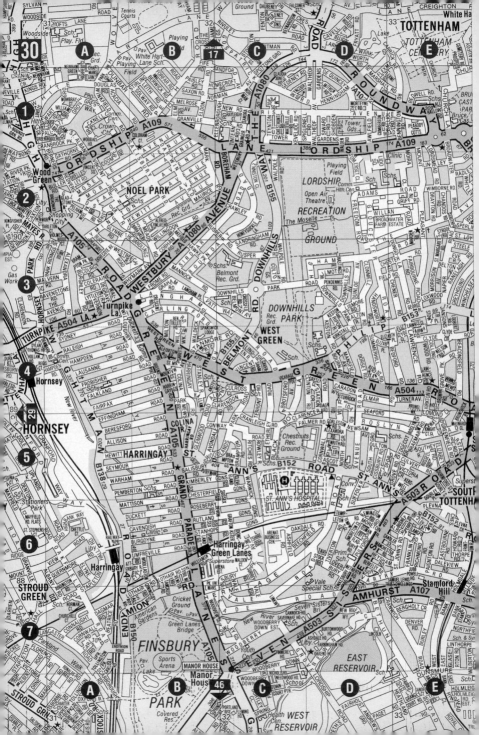

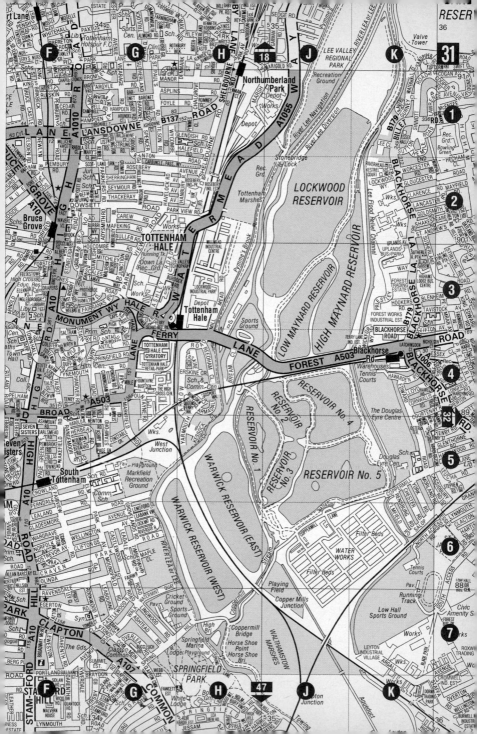

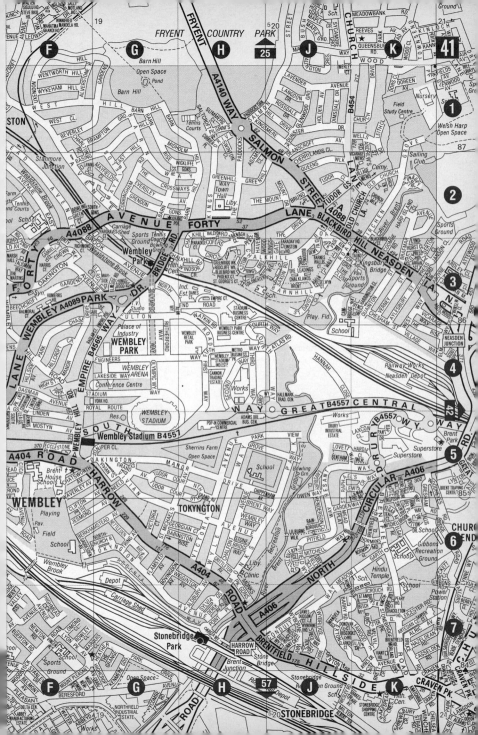

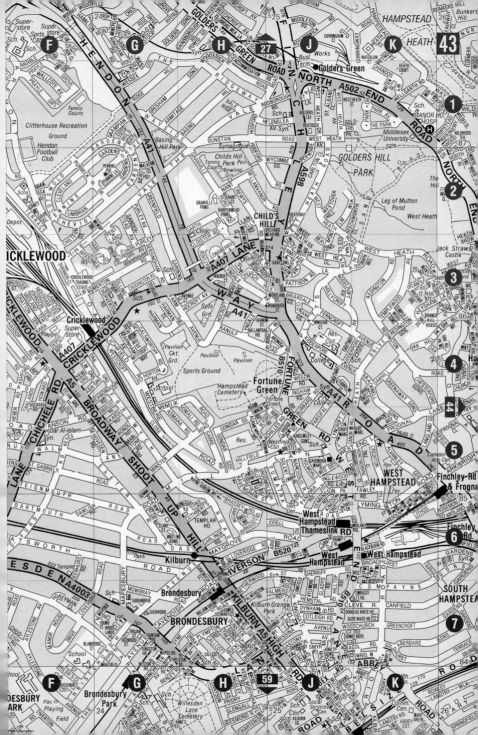

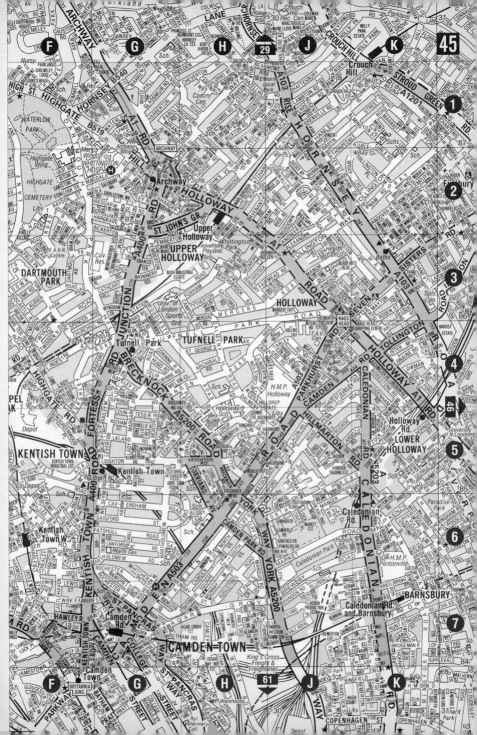

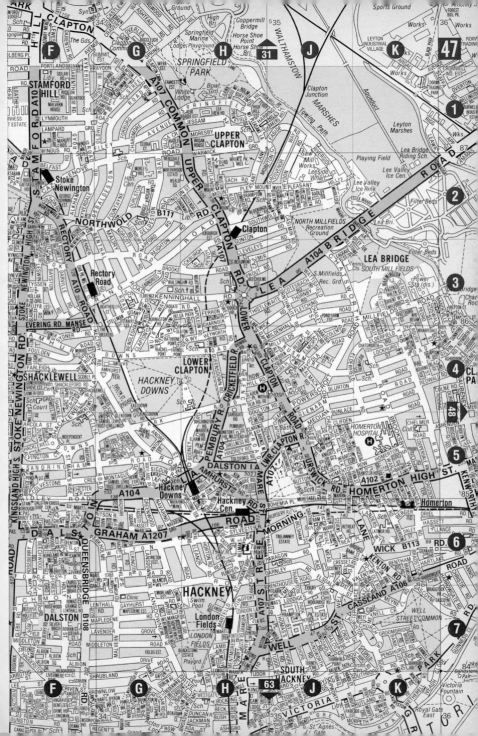

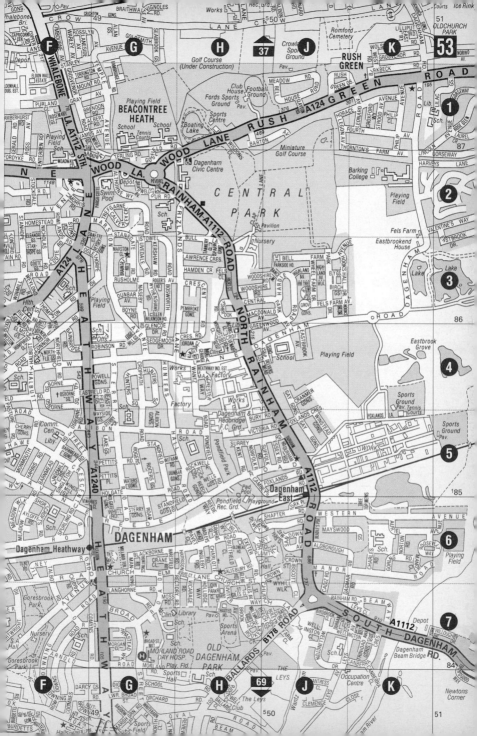

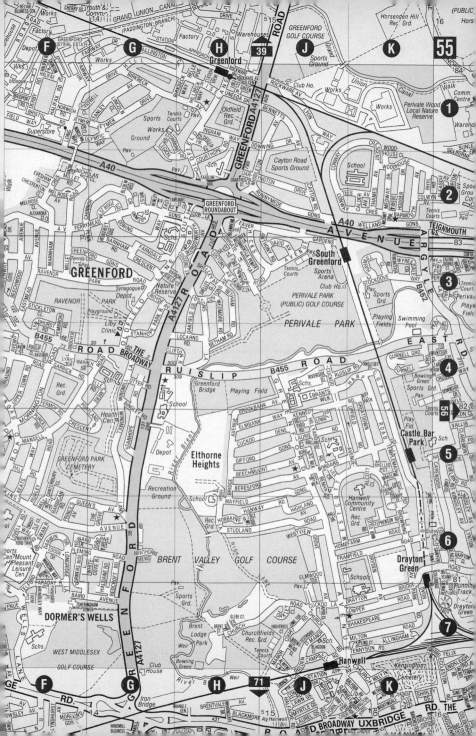

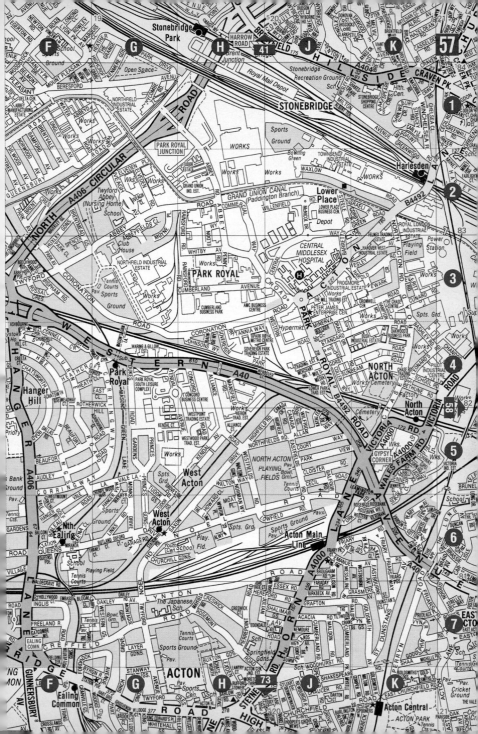

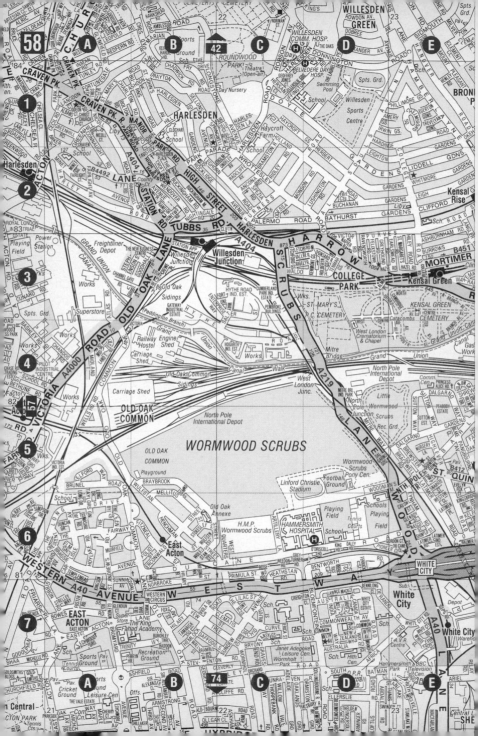

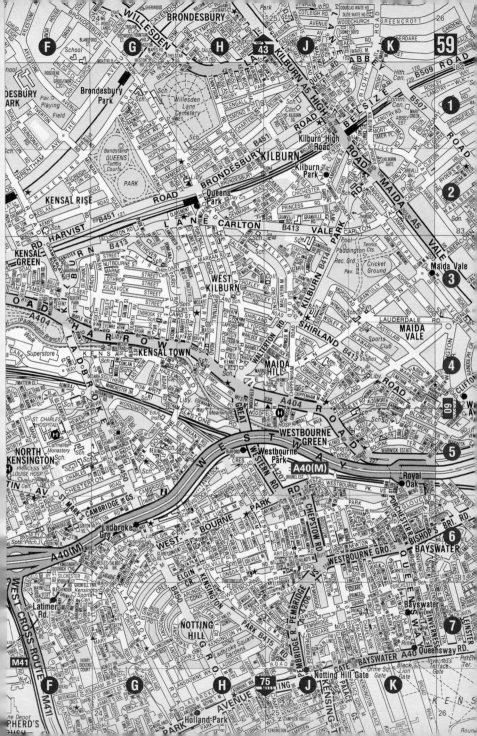

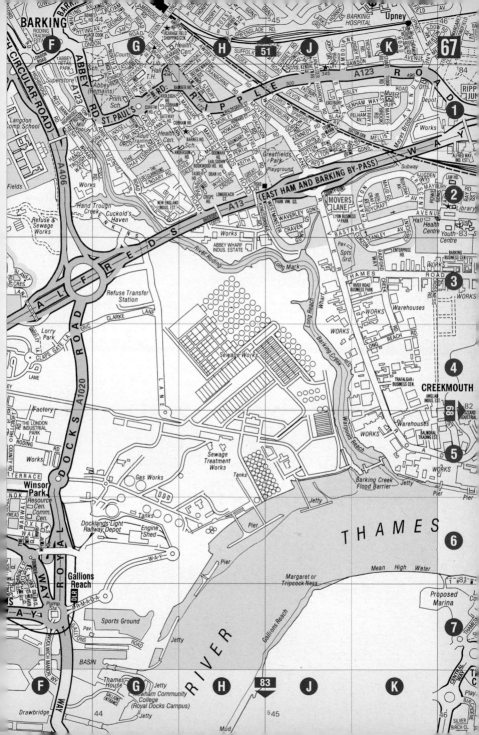

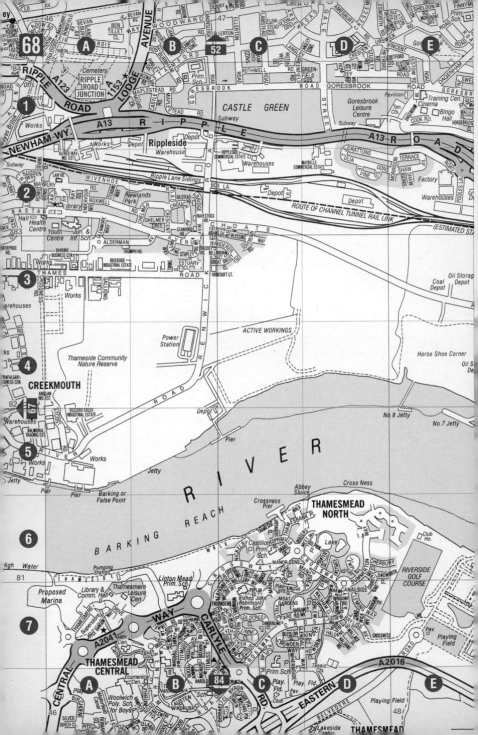

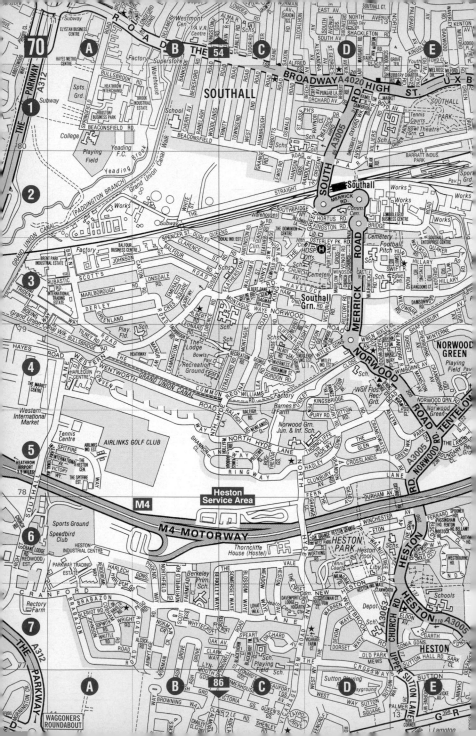

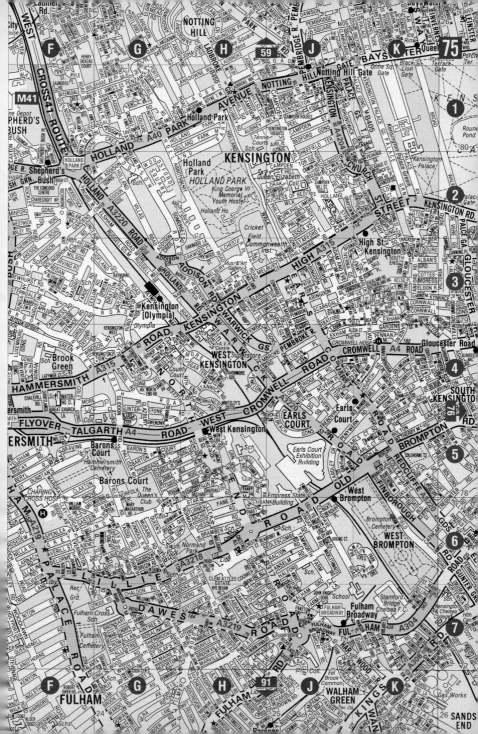

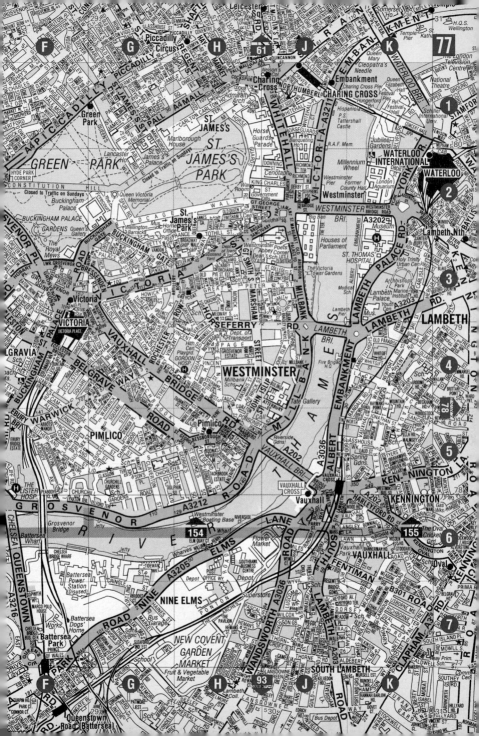

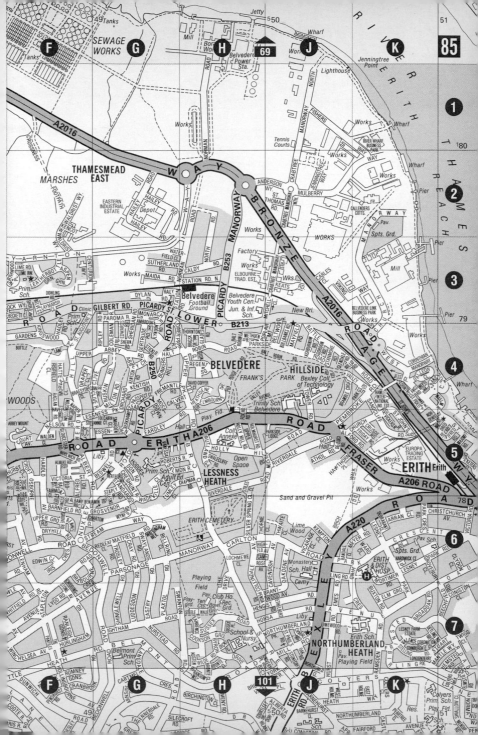

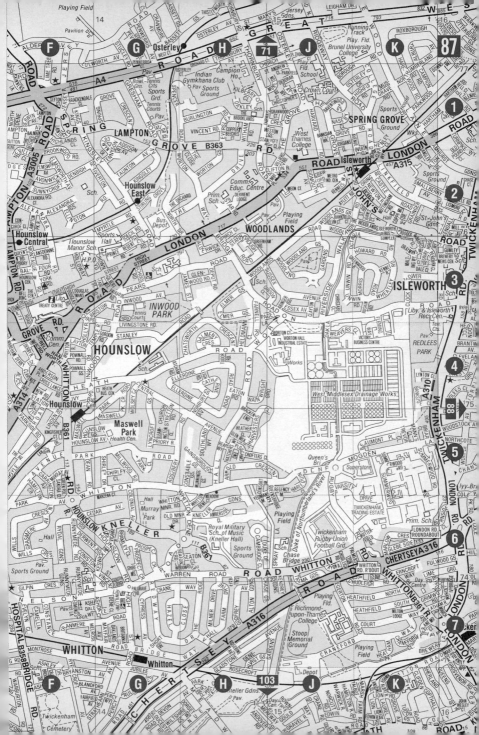

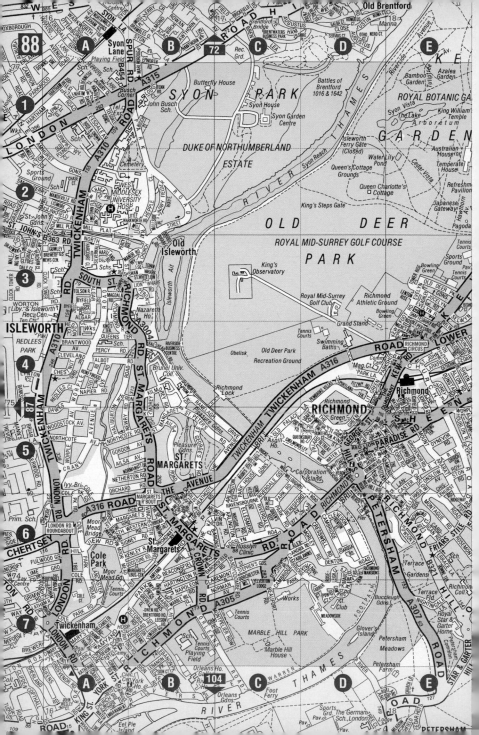

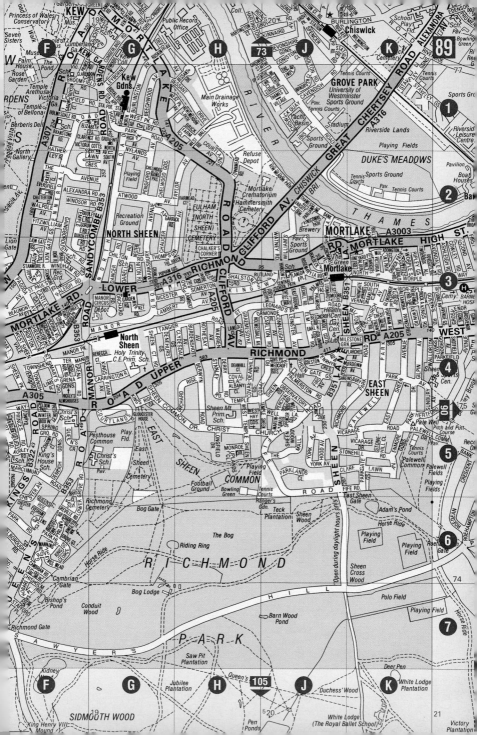

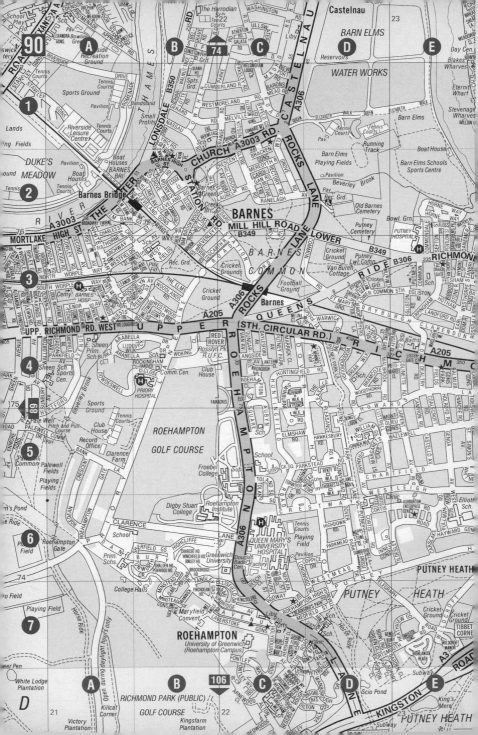

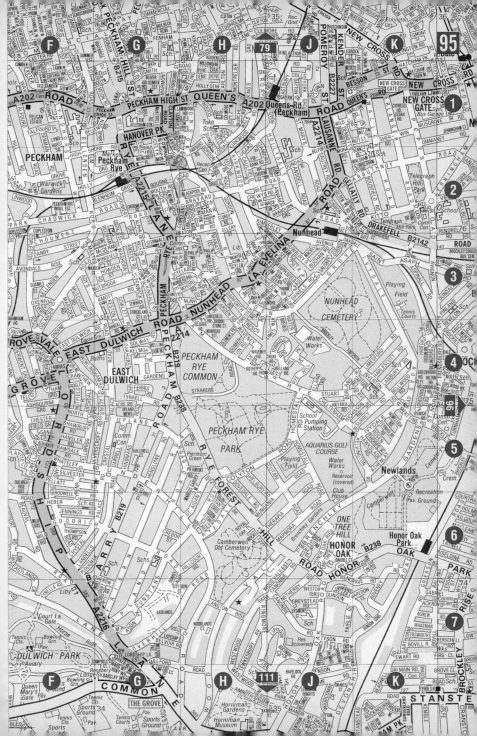

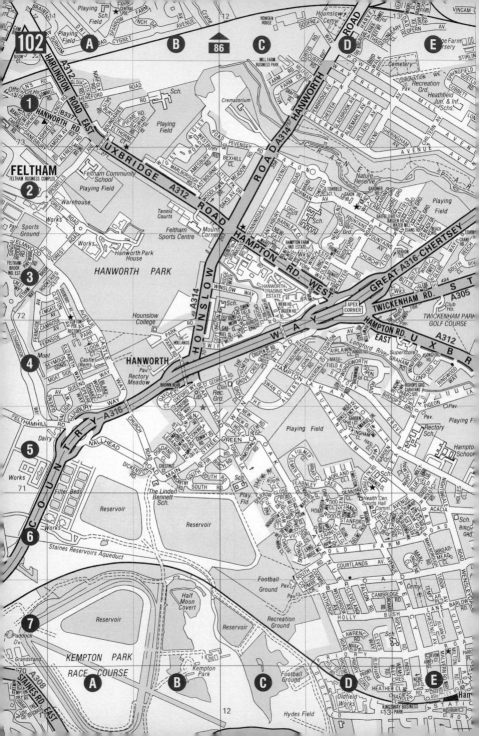

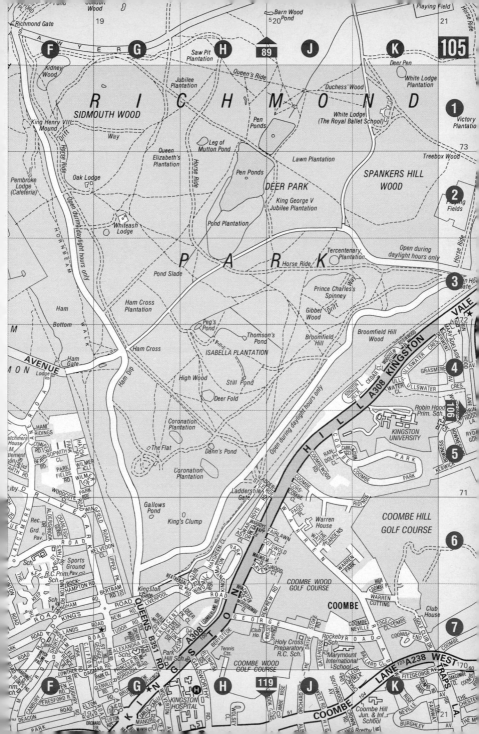

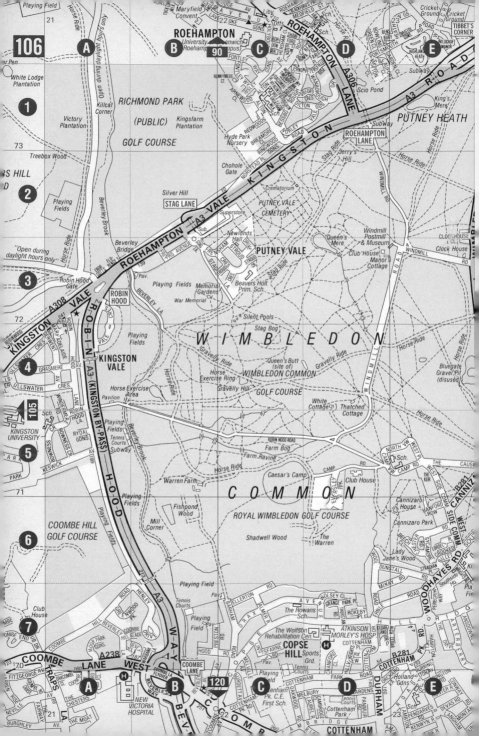

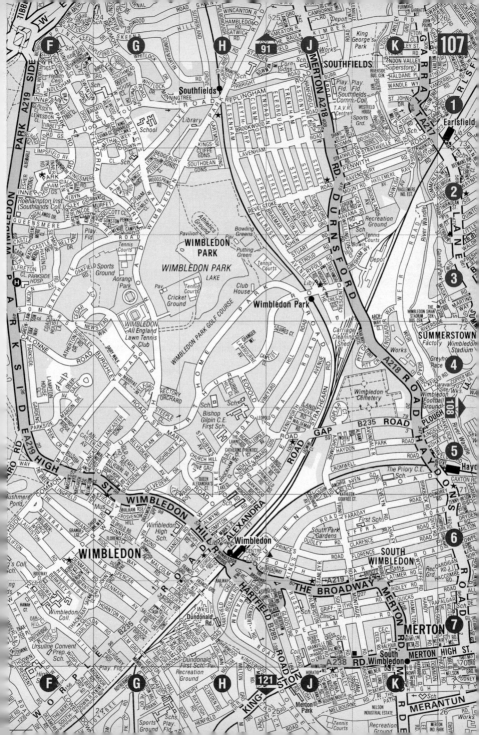

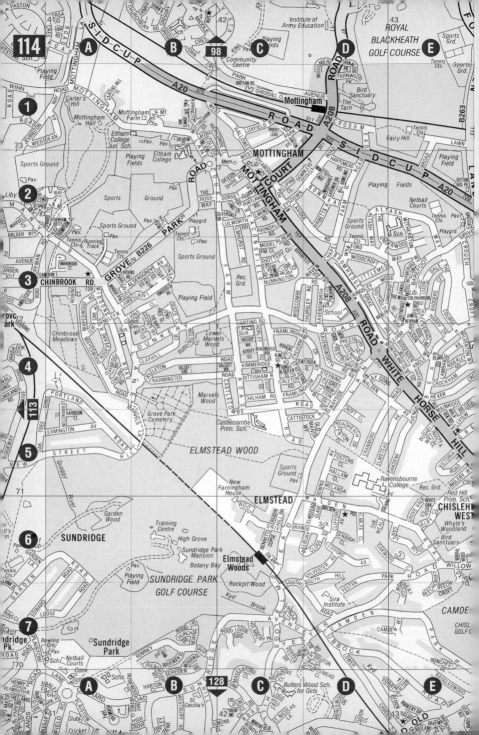

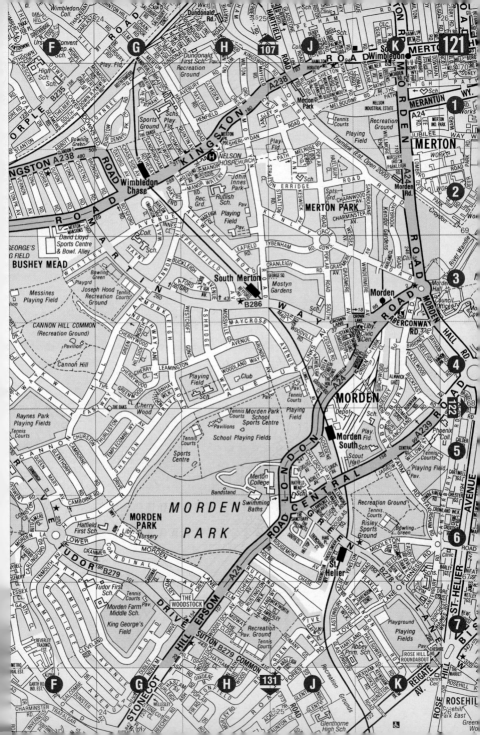

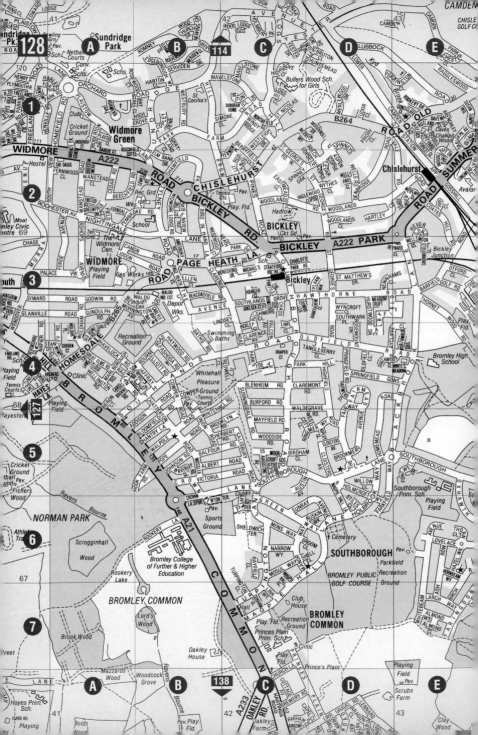

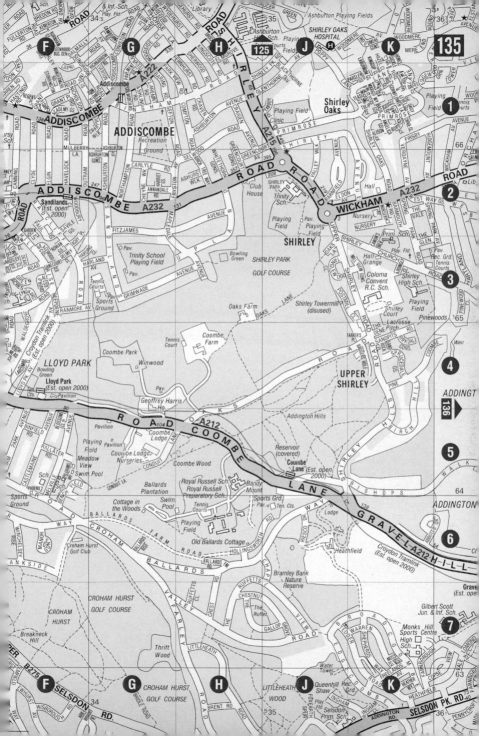

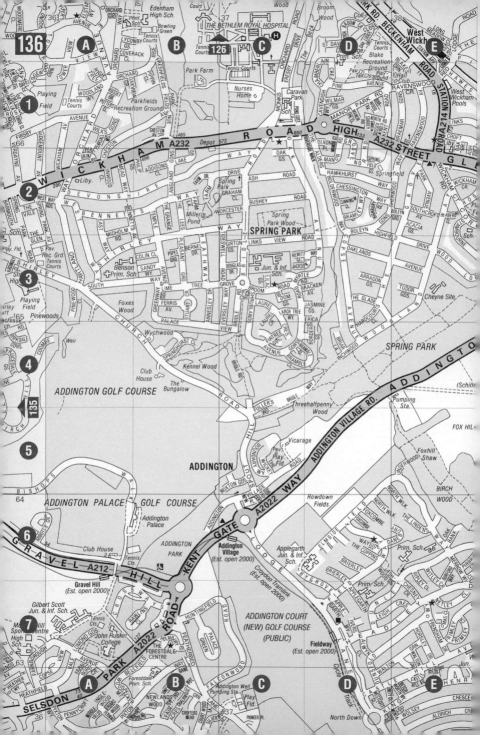

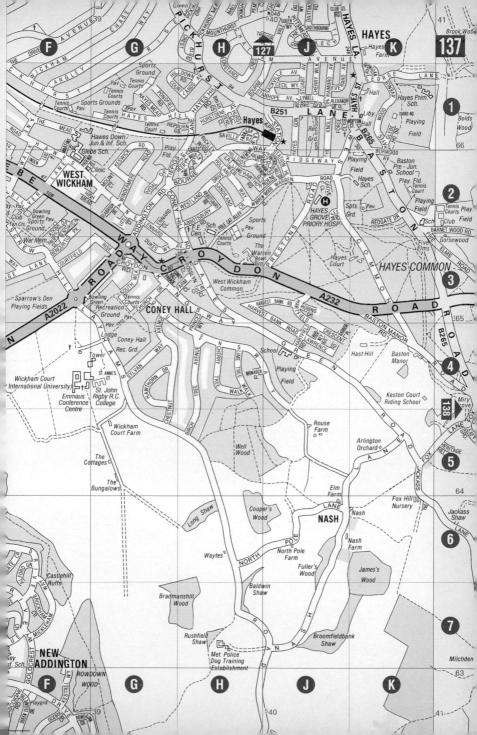

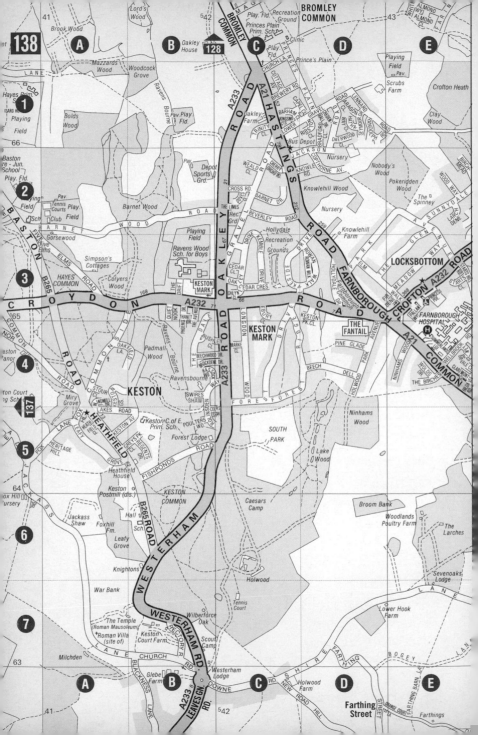

LARGE SCALE SECTION

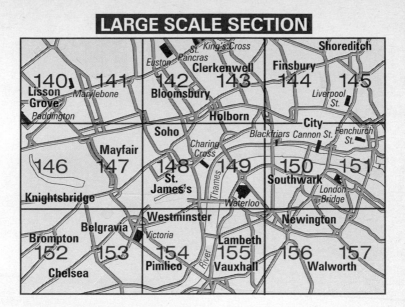

REFERENCE

Motorway	–A40(M)–	**Buildings**	
		Hospital	
A Road	A41	Open to the Public	
		Places of Interest	
B Road	B524	**Church or Chapel**	†
Dual Carriageway		**Fire Station**	■
One Way Street	→	**Information Centre**	🛈
Traffic flow on A Roads is indicated by a heavy line on the drivers' left.		**National Grid Reference**	^{5}27
		Police Station	▲
House Numbers A & B Roads only	37 3 / 20 14	**Post Office**	★
Footpath	– – – – –	**Railway Station**	⇌
Page Continuation	Large Scale **146** **76**	**Docklands Light Railway Station**	DLR
		Underground Station	⊖

SCALE

5¾ inches to 1 mile   **1:11,000**   **9.1cm to 1km**

0 50 100   200   300 Yards ¼   ½ Mile

0 50 100   200   300   400   500   750 Metres   1 Kilometre

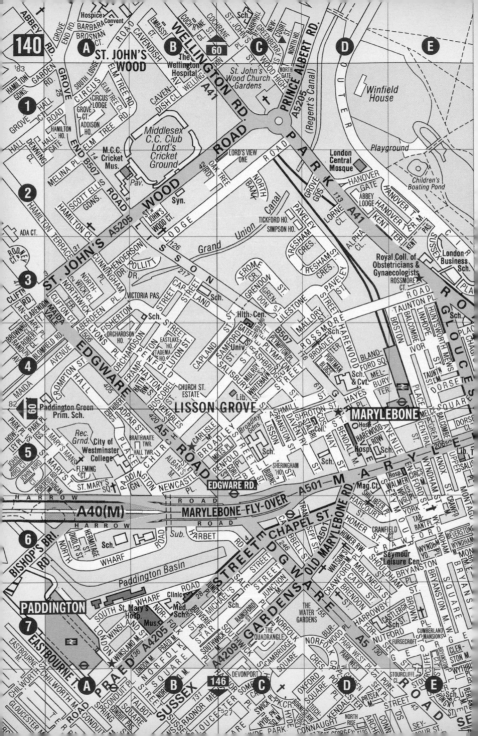

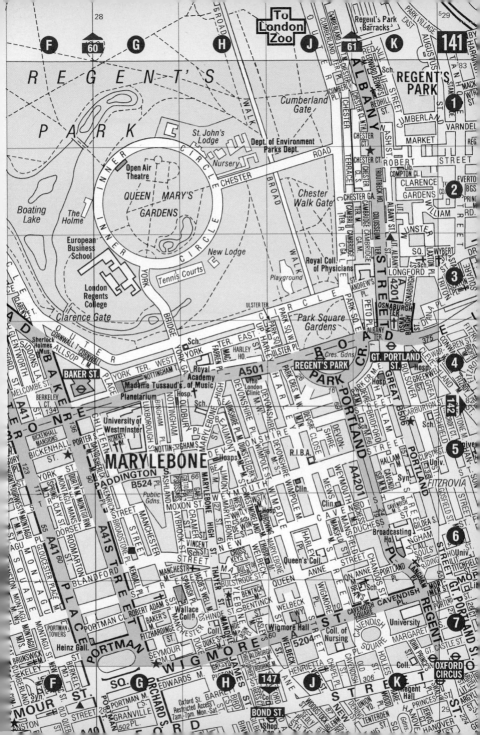

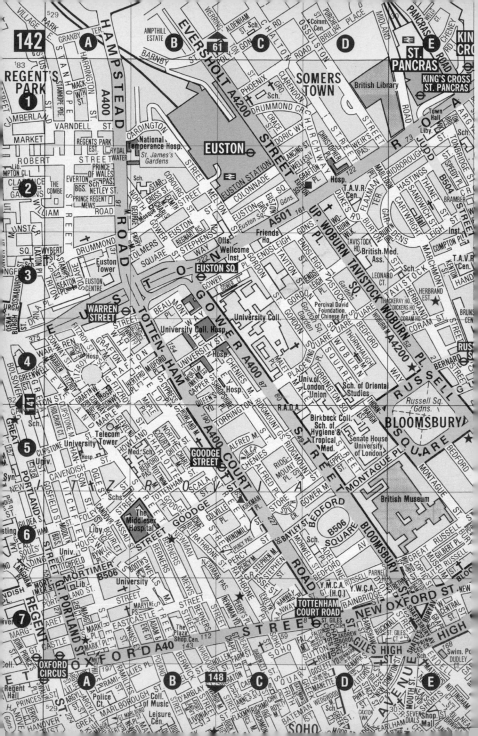

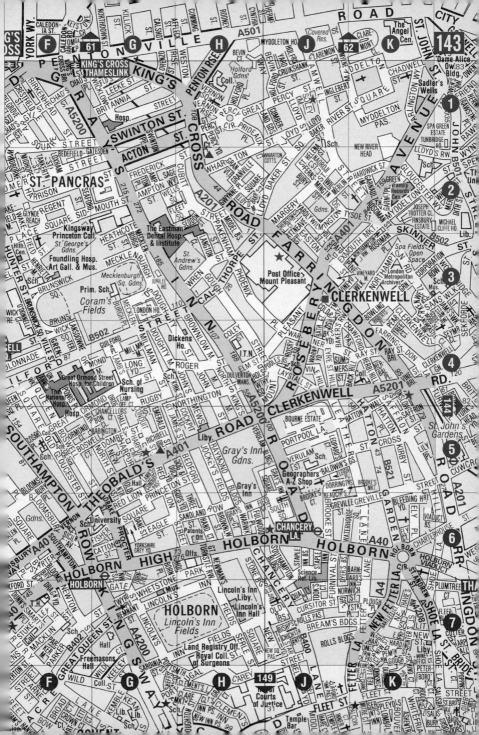

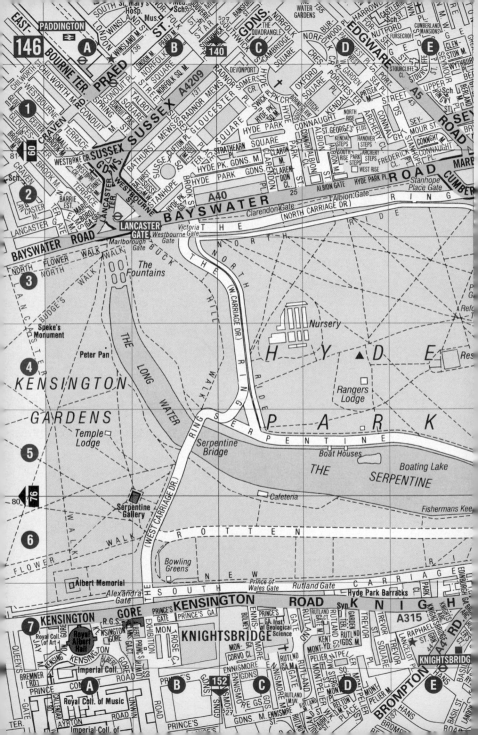

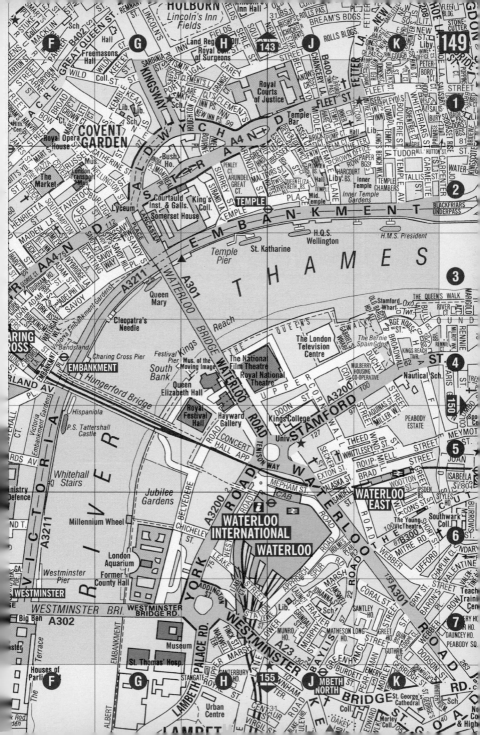

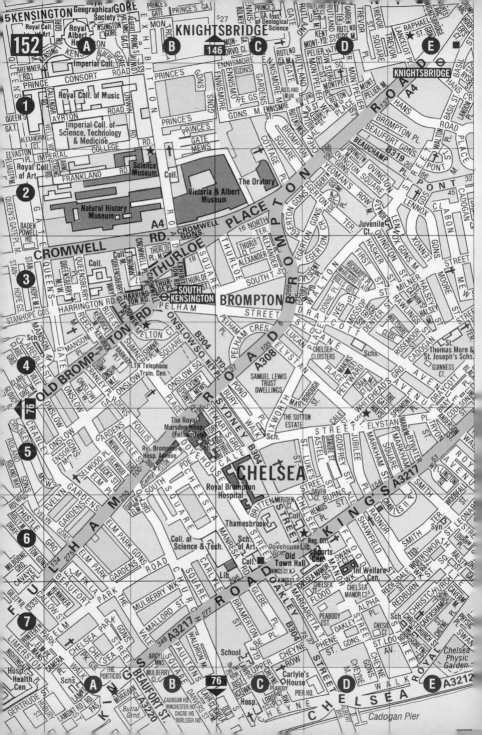

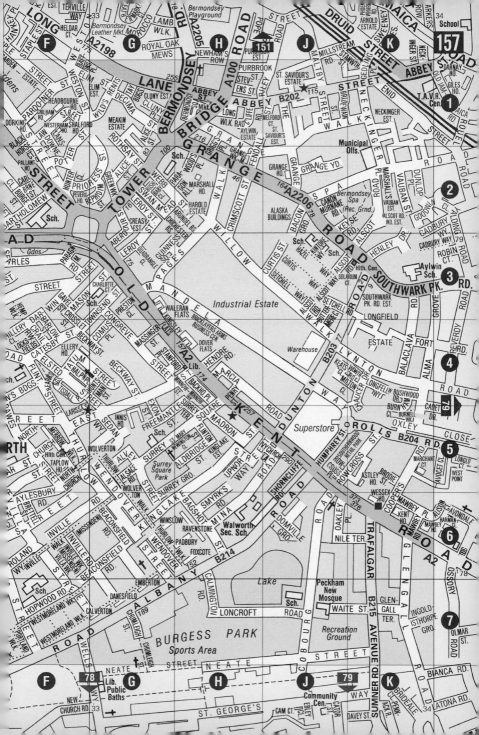

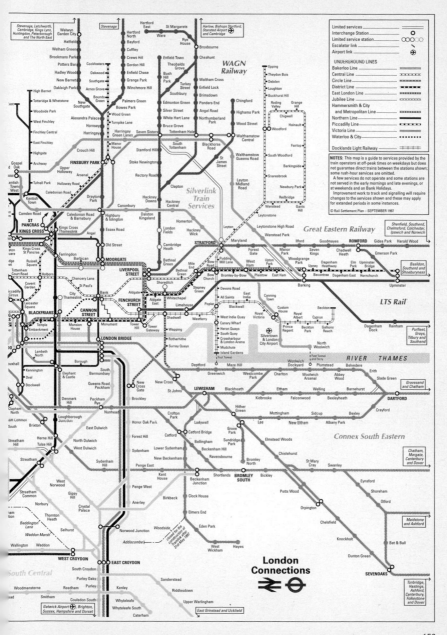

London Connections

159

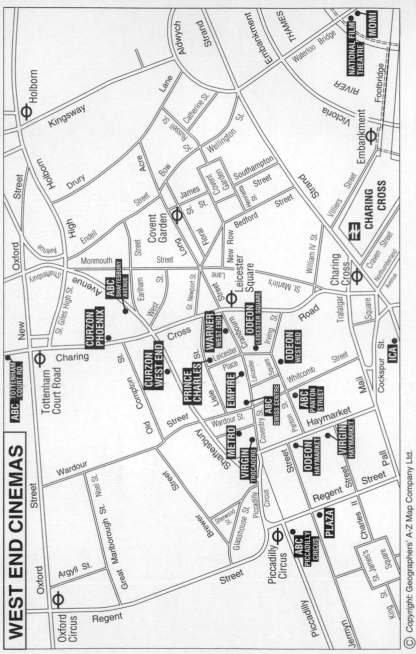

WEST END CINEMAS

MOMI

NATIONAL FILM THEATRE

CHARING CROSS

ICA

ABC TOTTENHAM COURT RD.

ABC SHAFTESBURY AVENUE

CURZON PHOENIX

CURZON WEST END

WARNER WEST END

ODEON LEICESTER SQUARE

ODEON WEST END

PRINCE CHARLES

EMPIRE

ABC SWISS CENTRE

ABC PANTON STREET

METRO

VIRGIN TROCADERO

ODEON HAYMARKET

VIRGIN HAYMARKET

PLAZA

ABC PICCADILLY CIRCUS

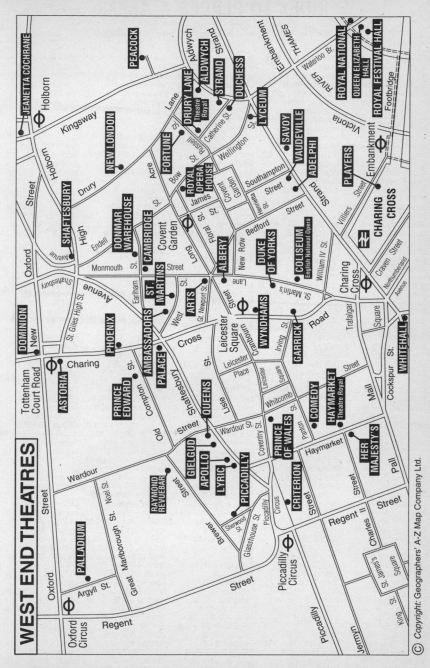

WEST END THEATRES

PEACOCK

JEANETTA COCHRANE
Holborn

Holborn
Kingsway

NEW LONDON

Drury

Street

Holborn

Oxford

Street

SHAFTESBURY

Avenue

High

Endell

Monmouth

St.

DONMAR
WAREHOUSE

CAMBRIDGE

Covent
Garden

St. Martins

St.

Lane

Aldwych

DRURY LANE
Theatre Royal

ALDWYCH

STRAND

DUCHESS

Strand

Theatre
Royal St.

Russell

St.

FORTUNE

Bow

Acre

ROYAL
OPERA
HOUSE

James

St.

Catherine St.

Wellington

St.

Floral

St.

Southampton

Covent
Garden

Bedford

Street

Henrietta

St.

LYCEUM

SAVOY

VAUDEVILLE

ADELPHI

Strand

THAMES

Embankment

RIVER

Waterloo Br.

THAMES

Victoria

Embankment

ROYAL NATIONAL

QUEEN ELIZABETH
HALL

ROYAL FESTIVAL HALL

Footbridge

PLAYERS

Embankment

CHARING
CROSS

Villiers

Street

Craven Street

Northumberland

Avenue

DOMINION

New

Street

St. Giles High St.

SHAFTESBURY

Avenue

Tottenham
Court Road

Charing

ASTORIA

PRINCE
EDWARD

Compton

St.

PHOENIX

Earlham

St.

AMBASSADORS

PALACE

ST.
MARTINS

ARTS

West

St.

Gt. Newport St.

Cross

Shaftesbury

Old

Street

Wardour

Street

ALBERY

DUKE
OF YORKS

COLISEUM
English National Opera

Long

New Row

WYNDHAMS

GARRICK

St. Martin's

Cranbourn

Irving

St.

Leicester
Square

Leicester
Place

Lisle

Wardour St.

Coventry St.

Whitcomb

St.

William IV St.

Charing
Cross

Trafalgar

Square

CHARING
CROSS

Northumberland

Avenue

WHITEHALL

Cockspur

St.

QUEENS

PRINCE
OF WALES

COMEDY

HAYMARKET
Theatre Royal

Haymarket

HER
MAJESTY'S

Mall

Street

Pall

RAYMOND
REVUEBAR

GIELGUD

APOLLO

LYRIC

PICCADILLY

CRITERION

Street

Regent

Street

Charles

St.

St. James's
Square

Street

Brewer

Sherwood

St.

Glasshouse

St.

Piccadilly

Piccadilly
Circus

Piccadilly
Circus

Street

Piccadilly

King

St.

Jermyn

PALLADIUM

Argyll St.

Great Marlborough St.

Noel

St.

Street

Wardour

Street

Oxford

Regent

Oxford
Circus

© Copyright: Geographers' A-Z Map Company Ltd.

INDEX TO PLACES & AREAS

Names in this index shown in CAPITAL LETTERS, followed by their Postcode District(s), are Posttowns.

Index to Places & Areas

INDEX TO STREETS

ALSO INCLUDING INDUSTRIAL ESTATES, JUNCTION NAMES & SELECTED SUBSIDIARY ADDRESSES

HOW TO USE THIS INDEX

1. Each street name is followed by its Postal District (or, if outside the London Postal Districts, by its Posttown or Postal Locality), and then by its map reference;
e.g. Abbeville Rd. *SW4* —6G **93** is in the South West 4 Postal District and is found in square 6G on page **93**. The page number being shown in bold type.
A strict alphabetical order is followed in which Av., Rd., St. etc. (though abbreviated) are read in full and as part of the street name; e.g. Abbotstone Rd. appears after Abbots Ter. but before Abbot St.

2. Streets and a selection of Subsidiary names not shown on the Maps, appear in this index in *Italics* with the thoroughfare to which it is connected shown in brackets;
e.g. *Abbeydale Ct. S'hall* —6F **55** (off Dormers Rise)

3. The page references shown in brackets indicate those streets that appear on the large scale map pages 140-157; e.g. Abbey Lodge. *NW1* —3C **60** (2D **140**) appears in the large scale section in square 2D on page **140** and, where space allows, also appears in square 3C on page **60**.

4. With the now general usage of Postcodes for addressing mail, it is not recommended that this index be used for such a purpose.

GENERAL ABBREVIATIONS

All : Alley	Chyd : Churchyard	Ga : Gate	M : Mews	Sta : Station
App : Approach	Circ : Circle	Gt : Great	Mt : Mount	St : Street
Arc : Arcade	Cir : Circus	Grn : Green	N : North	Ter : Terrace
Av : Avenue	Clo : Close	Gro : Grove	Pal : Palace	Trad : Trading
Bk : Back	Comn : Common	Ho : House	Pde : Parade	Up : Upper
Boulevd : Boulevard	Cotts : Cottages	Ind : Industrial	Pk : Park	Vs : Villas
Bri : Bridge	Ct : Court	Junct : Junction	Pas : Passage	Wlk : Walk
B'way : Broadway	Cres : Crescent	La : Lane	Pl : Place	W : West
Bldgs : Buildings	Dri : Drive	Lit : Little	Quad : Quadrant	Yd : Yard
Bus : Business	E : East	Lwr : Lower	Rd : Road	
Cvn : Caravan	Embkmt : Embankment	Mnr : Manor	Shop : Shopping	
Cen : Centre	Est : Estate	Mans : Mansions	S : South	
Chu : Church	Gdns : Gardens	Mkt : Market	Sq : Square	

POSTTOWN AND POSTAL LOCALITY ABBREVIATIONS

Act V : Acton Vale Ind. Pk.	*Croy* : Croydon	*Hanw* : Hanworth	*N Mald* : New Malden	*Stan* : Stanmore
Bark : Barking	*Dag* : Dagenham	*Harr* : Harrow	*N Har* : North Harrow	*S'leigh* : Stoneleigh
B'side : Barkingside	*Dart* : Dartford	*Har W* : Harrow Weald	*N'holt* : Northolt	*Sun* : Sunbury-on-Thames
B'hurst : Barnehurst	*Dit H* : Ditton Hill	*Hay* : Hayes (Middlesex)	*N Hth* : Northumberland Heath	*Surb* : Surbiton
Barn : Barnet	*E Barn* : East Barnet	*Hayes* : Hayes (Surrey)	*Orp* : Orpington	*Sutt* : Sutton
Beck : Beckenham	*Eastc* : Eastcote	*H End* : Hatch End	*Pet W* : Petts Wood	*Swan* : Swanley
Bedd : Beddington	*E Mol* : East Molesey	*High Bar* : High Barnet	*Pinn* : Pinner	*Tedd* : Teddington
Belv : Belvedere	*Edgw* : Edgware	*Houn* : Hounslow	*Purf* : Purfleet	*Th Dit* : Thames Ditton
Bex : Bexley	*Els* : Elstree	*Ilf* : Ilford	*Purl* : Purley	*T Hth* : Thornton Heath
Bexh : Bexleyheath	*Enf* : Enfield	*Iswth* : Isleworth	*Rain* : Rainham	*Twic* : Twickenham
Bren : Brentford	*Eps* : Epsom	*Kent* : Kenton	*Rich* : Richmond	*Wall* : Wallington
Brom : Bromley	*Eri* : Erith	*Kes* : Keston	*R'way* : Ridgeway, The	*W'stone* : Wealdstone
Buck H : Buckhurst Hill	*Ewe* : Ewell	*Kew* : Kew	*Romf* : Romford	*Well* : Welling
Bush : Bushey	*Farn* : Farnborough (Kent)	*King T* : Kingston Upon Thames	*Ruis* : Ruislip	*Wemb* : Wembley
Cars : Carshalton	*F'boro* : Farnborough (Hants)	*L Hth* : Little Heath	*Rush G* : Rush Green	*W Ewe* : West Ewell
Chad H : Chadwell Heath	*Felt* : Feltham	*Lou* : Loughton	*St P* : St Pauls Cray	*W'way E* : Westway Estate
Cheam : Cheam	*Gnfd* : Greenford	*Mawn* : Mawneys	*S'hall* : Southall	*W Wick* : West Wickham
Chig : Chigwell	*Hack* : Hackbridge	*Mitc* : Mitcham	*S Croy* : South Croydon	*Whit* : Whitton
Chst : Chislehurst	*Ham* : Ham	*Mit J* : Mitcham Junction	*S Harr* : South Harrow	*Wilm* : Wilmington
Cockf : Cockfosters	*Hamp* : Hampton	*Mord* : Morden	*S Ruis* : South Ruislip	*Wfd G* : Woodford Green
Col R : Collier Row	*Hamp H* : Hampton Hill	*New Ad* : New Addington	*Short* : Shortlands	*Wor Pk* : Worcester Park
Cray : Crayford	*Hamp W* : Hampton Wick	*New Bar* : New Barnet	*Sidc* : Sidcup	

INDEX TO STREETS

Abberley M. *SW4* —3F **93**
Abbess Clo. *E6* —5C **66**
Abbess Clo. *SW2* —1B **110**
Abbeville M. *SW4* —4H **93**
Abbeville Rd. *N8* —4H **29**
Abbeville Rd. *SW4* —6G **93**
Abbey Av. *Wemb* —2E **56**
Abbey Bus. Cen. *SW8* —1G **93**
Abbey Clo. *N'holt* —3D **54**
Abbey Clo. *Pinn* —3A **22**
Abbey Ct. *Hamp* —7E **102**
Abbey Cres. *Belv* —4G **85**

Abbeydale Ct. *E17* —3F **33**
Abbeydale Ct. S'hall —6F **55**
 (off Dormers Rise)
Abbeydale Rd. *Wemb* —1F **57**
Abbey Dri. *SW17* —5E **108**
Abbey Est. *NW8* —1K **59**
Abbeyfield Est. *SE16* —4J **79**
Abbeyfield Rd. *SE16* —4J **79**
 (in two parts)
Abbeyfields Clo. *NW10* —2G **57**
Abbey Gdns. *NW8* —2A **60**
Abbey Gdns. *SE16* —4G **79**

Abbey Gdns. *W6* —6G **75**
Abbey Gro. *SE2* —4B **84**
Abbey Hill Rd. *Sidc* —2C **116**
Abbey La. *E15* —2E **64**
Abbey La. *Beck* —7C **112**
Abbey La. Commercial Est. *E15*
 —2G **65**
Abbey Life Ct. *E16* —5K **65**
Abbey Lodge. *NW1*
 —3C **60** (2D **140**)
Abbey Manufacturing Est. *Wemb*
 —1F **57**

Abbey M. *E17* —5C **32**
Abbey Mt. *Belv* —5F **85**
Abbey Orchard St. *SW1*
 —3H **77** (1C **154**)
Abbey Orchard St. Est. *SW1*
 —3H **77** (1D **154**)
Abbey Pde. *NW10* —3F **57**
Abbey Pde. SW19 —7A **108**
 (off Merton High St.)
Abbey Pk. *Beck* —7C **112**
Abbey Retail Pk. *Bark* —1F **67**
Abbey Rd. *E15* —2F **65**

Abbey Rd. *NW6 & NW8* —7K **43**
Abbey Rd. *NW10* —2H **57**
Abbey Rd. *SE2 & Belv* —4D **84**
Abbey Rd. *SW19* —7A **108**
Abbey Rd. *Bark* —7F **51**
Abbey Rd. *Bexh* —4E **100**
Abbey Rd. *Croy* —3B **134**
Abbey Rd. *Enf* —5K **7**
Abbey Rd. *Ilf* —5H **35**
Abbey St. *E13* —4J **65**
Abbey St. *SE1* —3E **78** (1H **157**)
Abbey Ter. *SE2* —4C **84**

Adelaide Rd. *Ilf* —2F **51**
Adelaide Rd. *Rich* —4F **89**
Adelaide Rd. *S'hall* —4C **70**
Adelaide Rd. *Surb* —5E **118**
Adelaide Rd. *Tedd* —6K **103**
Adelaide St. *WC2*
   —7J **61** (3E **148**)
Adelaide Ter. *Bren* —5D **72**
Adelaide Wlk. *SW9* —4A **94**
Adela St. *W10* —4G **59**
Adelina Gro. *E1* —5J **63**
Adelina M. *SW12* —1H **109**
Adeline Pl. *WC1*
   —5H **61** (6D **142**)
Adelphi Ct. *W4* —6K **73**
Adelphi Ter. *WC2*
   —7J **61** (3F **149**)
Adeney Clo. *W6* —6F **75**
Aden Gro. *N16* —4D **46**
Adenmore Rd. *SE6* —7C **96**
Aden Rd. *Enf* —4F **9**
Aden Rd. *Ilf* —7F **35**
Aden Ter. *N16* —4D **46**
Adie Rd. *W6* —3E **74**
Adine Rd. *E13* —4K **65**
Adler St. *E1* —6G **63**
Adley St. *E5* —5A **48**
Adlington Clo. *N18* —5K **17**
Admaston Rd. *SE18* —7G **83**
Admiral Cl. *SW10* —1A **92**
  (off Admiral Sq.)
Admiral Ct. *Cars* —1C **132**
Admiral Ho. *Tedd* —4A **104**
Admiral Hyson Ind. Est. *SE16*
   —5H **79**
Admiral M. *W10* —4F **59**
Admiral Pl. *SE16* —1A **80**
Admirals Clo. *E18* —4K **33**
Admiral Seymour Rd. *SE9*
   —4D **98**
Admiral Sq. *SW10* —1A **92**
Admiral St. *SE8* —1C **96**
Admirals Wlk. *NW3* —3A **44**
Admirals Way. *E14* —2C **80**
Admiralty Clo. *SE8* —7C **80**
Admiral Wlk. *W9* —5J **59**
Adolf St. *SE6* —4D **112**
Adolphus Rd. *N4* —2B **46**
Adolphus St. *SE8* —7B **80**
Adpar St. *W2* —5B **60** (5A **140**)
Adrian Av. *NW2* —1D **42**
Adrian Ho. *N1* —1K **61**
  (off Barnsbury Est.)
Adrian Ho. *SW8* —7J **77**
  (off Wyvil Rd.)
Adrian M. *SW10* —6K **75**
Adrienne Av. *S'hall* —4D **54**
Aduent Way. *N18* —5D **18**
Advance Rd. *SE27* —4C **110**
Adys Lawn. *NW2* —6D **42**
Ady's Rd. *SE15* —3F **95**
Aerodrome Rd. *NW9 & NW4*
   —3B **26**
Aerodrome Way. *Houn* —6A **70**
Aeroville. *NW9* —2A **26**
Affleck St. *N1* —2K **61** (1G **143**)
Afghan Rd. *SW11* —2C **92**
Agamemnon Rd. *NW6* —5H **43**
Agar Gro. *NW1* —7G **45**
Agar Gro. Est. *NW1* —7H **45**
Agar Pl. *NW1* —7G **45**
Agar St. *WC2* —7J **61** (3E **148**)
Agate Clo. *E16* —6B **66**
Agate Rd. *W6* —3E **74**

Agatha Clo. *E1* —1H **79**
Agaton Rd. *SE9* —2G **115**
Agave Rd. *NW2* —4E **42**
Agdon St. *EC1* —4B **62** (3A **144**)
Agincourt Rd. *NW3* —4D **44**
Agnes Av. *Ilf* —4E **50**
Agnes Clo. *E6* —7E **66**
Agnesfield Clo. *N12* —6H **15**
Agnes Gdns. *Dag* —4D **52**
Agnes Rd. *W3* —1B **74**
Agnes St. *E14* —6B **64**
Agnew Rd. *SE23* —7K **95**
Agricola Pl. *Enf* —5A **8**
Aidan Clo. *Dag* —3E **52**
Aigburth Mans. *SW9* —7A **78**
  (off Mowll St.)
Aileen Wlk. *E15* —7H **49**
Ailsa Av. *Twic* —5A **88**
Ailsa Rd. *Twic* —5B **88**
Ailsa St. *E14* —5E **64**
Ainger M. *NW3* —7D **44**
  (off Ainger Rd.)
Ainger Rd. *NW3* —7D **44**
Ainsdale Clo. *Orp* —7H **129**
Ainsdale Cres. *Pinn* —3E **22**
Ainsdale Dri. *SE1* —5G **79**
Ainsdale Rd. *W5* —4D **56**
Ainsley Av. *Romf* —6H **37**
Ainsley Clo. *N9* —1K **17**
Ainsley St. *E2* —3H **63**
Ainslie Ct. *Wemb* —2E **56**
Ainslie Wlk. *SW12* —7F **93**
Ainslie Wood Cres. *E4* —5J **19**
Ainslie Wood Gdns. *E4* —4J **19**
Ainslie Wood Rd. *E4* —5H **19**
Ainsty Est. *SE16* —2K **79**
Ainsty St. *SE16* —2J **79**
Ainsworth Clo. *NW2* —3C **42**
Ainsworth Clo. *SE15* —2E **94**
Ainsworth Rd. *E9* —7J **47**
Ainsworth Rd. *Croy* —2B **134**
Ainsworth Way. *NW8* —1K **59**
Aintree Av. *E6* —1C **66**
Aintree Cres. *Ilf* —2G **35**
Aintree Est. *SW6* —7G **75**
  (off Aintree St.)
Aintree Rd. *Gnfd* —2B **56**
Aintree St. *SW6* —7G **75**
Airbourne Ho. *Wall* —4G **133**
  (off Maldon Rd.)
Air Call Bus. Cen. *NW9* —3K **25**
Airdrie Clo. *N1* —7K **45**
Airdrie Clo. *Hayes* —5C **54**
Airedale Av. *W4* —4B **74**
Airedale Av. S. *W4* —5B **74**
Airedale Rd. *SW12* —7D **92**
Airedale Rd. *W5* —3C **72**
Airlie Gdns. *W8* —1J **75**
Airlie Gdns. *Ilf* —1F **51**
Airlinks Ind. Est. *Houn* —5A **70**
Air St. *W1* —7G **61** (3B **148**)
Airthrie Rd. *Ilf* —2B **52**
Aisgill Av. *W14* —5H **75**
  (in two parts)
Aisher Rd. *SE28* —7C **68**
Aislibie Rd. *E12* —4C **97**
Aiten Pl. *W6* —4C **74**
Aitken Clo. *E8* —1G **63**
Aitken Clo. *Mitc* —7D **122**
Aitken Rd. *SE6* —2D **112**
Ajax Av. *NW9* —3A **26**
Ajax Rd. *NW6* —5H **43**
Akabusi Clo. *Croy* —6G **125**
Akehurst St. *SW15* —6C **90**
Akenside Rd. *NW3* —5B **44**

Akerman Rd. *SW9* —2B **94**
Akerman Rd. *Surb* —6C **118**
Alabama St. *SE18* —7H **83**
Alacross Rd. *W5* —2C **72**
Aland Ct. *SE16* —3A **80**
Alan Dri. *Barn* —6B **4**
Alan Gdns. *Romf* —7G **37**
Alan Hocken Way. *E15* —2G **65**
Alan Rd. *SW19* —5G **107**
Alanthus Clo. *SE12* —6J **97**
Alaska Bldgs. *SE1*
   —3F **79** (2J **157**)
Alaska St. *SE1* —1A **78** (5J **149**)
Alba Clo. *Hayes* —4B **54**
Albacore Cres. *SE13* —6D **96**
Alba Gdns. *NW11* —6G **27**
Albany. *N12* —6E **14**
Albany. *W1* —7G **61** (3A **148**)
Albany Clo. *N15* —4B **30**
Albany Clo. *SW14* —4H **89**
Albany Clo. *Bex* —7C **100**
Albany Ct. *E4* —5G **19**
Albany Ct. *E10* —7C **32**
Albany Ct. *NW9* —1K **25**
Albany Ct. *Yd. W1*
   —7G **61** (3B **148**)
Albany Cres. *Edgw* —7B **12**
Albany M. *N1* —7A **46**
Albany M. *SE5* —6C **78** (7D **156**)
Albany M. *Brom* —6J **113**
Albany M. *King T* —6D **104**
Albany M. *Sutt* —5K **131**
Albany Pas. *Rich* —5E **88**
Albany Pl. *N7* —4A **46**
Albany Pl. *Bren* —6D **72**
Albany Reach. *Th Dit* —5A **118**
Albany Rd. *E10* —7C **32**
Albany Rd. *E12* —4B **50**
Albany Rd. *E17* —6A **32**
Albany Rd. *N4* —6A **30**
Albany Rd. *N18* —5C **18**
Albany Rd. *SE5* —6C **78** (7D **156**)
Albany Rd. *SW19* —5K **107**
Albany Rd. *W13* —7B **56**
Albany Rd. *Belv* —6F **85**
Albany Rd. *Bex* —7C **100**
Albany Rd. *Bren* —6D **72**
Albany Rd. *Chst* —5F **115**
Albany Rd. *N Mald* —4K **119**
Albany Rd. *Rich* —5F **89**
Albany Rd. *Romf* —6F **37**
Albany Rd. *NW11* —2F **61** (1J **141**)
Albany Ter. *Rich* —5F **89**
  (off Albany Pas.)
Albany, The. *Wfd G* —4C **20**
Albany View. *Buck H* —1D **20**
Alba Pl. *W11* —6H **59**
Albatross. *NW9* —2B **26**
Albatross Ct. *SE8* —6B **80**
  (off Childers St.)
Albatross St. *SE18* —7J **83**
Albatross Way. *SE16* —2K **79**
Albemarle. *SW19* —2F **107**
Albemarle App. *Ilf* —6F **35**
Albemarle Av. *Twic* —1D **102**
Albemarle Gdns. *Ilf* —6F **35**
Albemarle Gdns. *N Mald*
   —4K **119**
Albemarle Pk. *Beck* —1D **126**
Albemarle Pk. *Stan* —5H **11**
Albemarle Rd. *Beck* —1D **126**
Albemarle Rd. *E Barn* —7H **5**

Albemarle St. *W1*
   —7F **61** (3K **147**)
Albemarle Way. *EC1*
   —4B **62** (4A **144**)
Albemarle Ho. *SW9* —3A **94**
Albermarle Ho. *SW9* —3A **94**
Alberon Gdns. *NW11* —4H **27**
Alberta Av. *Sutt* —4G **131**
Alberta Est. *SE17*
   —5B **78** (5B **156**)
Alberta Rd. *Enf* —6A **8**
Alberta Rd. *Eri* —1J **101**
Alberta St. *SE17*
   —5B **78** (5A **156**)
Albert Av. *E4* —4H **19**
Albert Av. *SW8* —7K **77**
Albert Bigg Point. *E15* —1E **64**
  (off Godfrey St.)
Albert Bri. *SW3 & SW11*
   —6C **76** (7D **152**)
Albert Bri. Rd. *SW11* —7C **76**
Albert Carr Gdns. *SW16* —5J **109**
Albert Clo. *E9* —1H **63**
Albert Clo. *N22* —1H **29**
Albert Cotts. *E1* —5G **63**
  (off Deal St.)
Albert Ct. *E7* —4J **49**
Albert Ct. *SW7* —2B **76** (7A **146**)
Albert Cres. *E4* —4H **19**
Albert Dane Cen. *S'hall* —3C **70**
Albert Dri. *SW19* —2G **107**
Albert Embkmt. *SE1*
   —5J **77** (6F **155**)
Albert Gdns. *E1* —6K **63**
Albert Ga. *SW1* —2D **76** (6F **147**)
Albert Gro. *SW20* —1F **121**
Albert Hall Mans. *SW7*
   —2B **76** (7A **146**)
Albert Ho. *E18* —3K **33**
  (off Albert Rd.)
Albert M. *N4* —1K **45**
Albert M. *SE4* —4A **96**
Albert M. *W8* —3A **76**
Albert Pl. *N3* —1J **27**
Albert Pl. *N17* —3F **31**
Albert Pl. *W8* —2K **75**
Albert Rd. *E10* —2E **48**
Albert Rd. *E16* —1C **82**
Albert Rd. *E17* —5C **32**
Albert Rd. *E18* —3K **33**
Albert Rd. *N4* —1K **45**
Albert Rd. *N15* —6E **30**
Albert Rd. *N22* —1G **29**
Albert Rd. *NW4* —4F **27**
Albert Rd. *NW6* —2H **59**
Albert Rd. *NW7* —5G **13**
Albert Rd. *SE9* —3C **114**
Albert Rd. *SE20* —6K **111**
Albert Rd. *SE25* —4G **125**
Albert Rd. *W5* —4B **56**
Albert Rd. *Barn* —4F **5**
Albert Rd. *Belv* —5F **85**
Albert Rd. *Bex* —6G **101**
Albert Rd. *Brom* —5B **128**
Albert Rd. *Buck H* —2G **21**
Albert Rd. *Dag* —1G **53**
Albert Rd. *Hamp* —5G **103**
Albert Rd. *Harr* —3G **23**
Albert Rd. *Houn* —4E **86**
Albert Rd. *Ilf* —3F **51**
Albert Rd. *King T* —2F **119**
Albert Rd. *Mitc* —3D **122**
Albert Rd. *N Mald* —4B **120**
Albert Rd. *Rich* —5E **88**
Albert Rd. *S'hall* —3B **70**
Albert Rd. *Sutt* —5B **132**

Albert Rd. *Tedd* —6K **103**
Albert Rd. *Twic* —1K **103**
Albert Rd. Est. *Belv* —5F **85**
Albert Sq. *E15* —5G **49**
Albert Sq. *SW8* —7K **77**
Albert Starr Ho. *SE8* —4K **79**
  (off Haddonfield)
Albert St. *N12* —5F **15**
Albert St. *NW1* —1F **61**
Albert Studios. *SW11* —1D **92**
Albert Ter. *NW1* —1E **60**
Albert Ter. *NW10* —1J **57**
Albert Ter. *Buck H* —2G **21**
Albert Ter. M. *NW1* —1E **60**
Albert Victoria Ho. *N22* —1A **30**
  (off Pellatt Gro.)
Albert Wlk. *E16* —2E **82**
Albert Westcott Ho. *SE17*
   —5B **78** (5B **156**)
Albert Whicker Ho. *E17* —4E **32**
Albert Yd. *SE19* —6F **111**
Albion Av. *N10* —1E **28**
Albion Av. *SW8* —2H **93**
Albion Clo. *W2* —7C **60** (2D **146**)
Albion Clo. *Romf* —6K **37**
Albion Dri. *E8* —7F **47**
  (in two parts)
Albion Est. *SE16* —2K **79**
Albion Gdns. *W6* —4D **74**
Albion Ga. *W2* —7C **60** (2D **146**)
Albion Gro. *N16* —4E **46**
Albion Ho. *E16* —1F **83**
  (off Church St.)
Albion M. *N1* —1A **62**
Albion M. *NW6* —7H **43**
Albion M. *W2* —7C **60** (2D **146**)
Albion M. *W6* —4D **74**
Albion Pl. *EC1* —5B **62** (5A **144**)
Albion Pl. *EC2* —5D **62** (6F **145**)
Albion Pl. *SE25* —3G **125**
Albion Pl. *W6* —4D **74**
Albion Rd. *E17* —3E **32**
Albion Rd. *N16* —4D **46**
Albion Rd. *N17* —2F **31**
Albion Rd. *Bexh* —4F **101**
Albion Rd. *Houn* —4E **86**
Albion Rd. *King T* —1J **119**
Albion Rd. *Sutt* —6B **132**
Albion Rd. *Twic* —1J **103**
Albion Sq. *E8* —7F **47**
Albion St. *SE16* —2J **79**
Albion St. *W2* —7C **60** (1D **146**)
Albion St. *Croy* —1B **134**
Albion Ter. *E4* —4J **9**
Albion Ter. *E8* —7F **47**
Albion Vs. Rd. *SE26* —3J **111**
Albion Way. *EC1*
   —5C **62** (6C **144**)
Albion Way. *SE13* —4E **96**
Albion Way. *Wemb* —3G **41**
Albion Yd. *N1* —2J **61**
Albrighton Rd. *SE22* —3E **94**
Albuhera Clo. *Enf* —1F **7**
Albury Av. *Bexh* —2E **100**
Albury Av. *Iswth* —7K **71**
Albury Clo. *Hamp* —6F **103**
Albury Ct. *N'holt* —3A **54**
  (off Canberra Dri.)
Albury Ct. *Sutt* —4A **132**
Albury Dri. *Pinn* —1A **22**
Albury M. *E12* —1A **50**
Albury St. *SE8* —6C **80**
Albyfield. *Brom* —4D **128**
Albyn Rd. *SE8* —1C **96**
Alcester Cres. *E5* —2H **47**

Alcester Rd. *Wall* —4F **133**
Alcock Clo. *Wall* —7H **133**
Alcock Rd. *Houn* —7B **70**
Alconbury. *Bexh* —5H **101**
Alconbury Rd. *E5* —2G **47**
Alcorn Clo. *Sutt* —2J **131**
Alcott Clo. *W7* —5K **55**
Alcuin Ct. *Stan* —7H **11**
Aldam Pl. *N16* —2F **47**
Aldborough Ct. *Ilf* —5K **35**
(off Aldborough Rd. N.)
Aldborough Rd. *Dag* —6J **53**
Aldborough Rd. N. *Ilf* —5K **35**
Aldborough Rd. S. *Ilf* —1J **51**
Aldbourne Rd. *W12* —1B **74**
Aldbridge St. *SE17*
—5E **78** (5H **157**)
Aldburgh M. *W1* —6E **60** (7H **141**)
Aldbury Av. *Wemb* —7H **41**
Aldbury M. *N9* —7J **7**
Aldebert Ter. *SW8* —7J **77**
Aldeburgh Clo. *E5* —2H **47**
Aldeburgh Pl. *Wfd G* —4D **20**
Aldeburgh St. *SE10* —5J **81**
Alden Av. *E15* —4H **65**
Alden Ct. *Croy* —3E **134**
Aldenham St. *NW1*
—2G **61** (1B **142**)
Aldensley Rd. *W6* —3D **74**
Alderbrook Rd. *SW12* —6F **93**
Alderbury Rd. *SW13* —6C **74**
Alder Clo. *SE15* —6F **79**
Alder Gro. *NW2* —2C **42**
Aldergrove Gdns. *Houn* —2C **86**
Alderholt Way. *SE15* —7E **78**
Alder Ho. *SE4* —3C **96**
Alder Ho. *SE15* —6F **79**
(off Alder Clo.)
Alder Lodge. *SW6* —1F **91**
Alderman Av. *Bark* —3A **68**
Aldermanbury. *EC2*
—6C **62** (7D **144**)
Aldermanbury Sq. *EC2*
—5C **62** (6D **144**)
Alderman Judge Mall. *King T*
—2E **118**
Aldermans Hill. *N13* —4D **16**
Aldermans Wlk. *EC2*
—5E **62** (6G **145**)
Aldermary Rd. *Brom* —1J **127**
Alder M. *N19* —2G **45**
Alderminster Rd. *SE1* —5G **79**
Aldermoor Rd. *SE6* —3B **112**
Alderney Av. *Houn* —7F **71**
Alderney Gdns. *N'holt* —7D **38**
Alderney Ho. *Enf* —1E **8**
Alderney Rd. *E1* —4K **63**
Alderney St. *SW1*
—4F **77** (4K **153**)
Alder Rd. *SW14* —3K **89**
Alder Rd. *Sidc* —3K **115**
Alders Av. *Wfd G* —6B **20**
Aldersbrook Av. *Enf* —2K **7**
Aldersbrook Dri. *King T* —6F **105**
Aldersbrook La. *E12* —3D **50**
Aldersbrook Rd. *E11 & E12*
—2K **49**
Alders Clo. *E11* —2K **49**
Alders Clo. *W5* —3D **72**
Alders Clo. *Edgw* —5D **12**
Aldersey Gdns. *Bark* —6H **51**
Aldersford Clo. *SE4* —5K **95**
Aldersgate St. *EC1*
—5C **62** (5C **144**)
Aldersgrove Av. *SE9* —3B **114**

Aldershot Rd. *NW6* —1H **59**
Aldersmead Av. *Croy* —6K **125**
Aldersmead Rd. *Beck* —7A **112**
Alderson Pl. *S'hall* —1G **71**
Alderson St. *W10* —4G **59**
Alders Rd. *Edgw* —5D **12**
Alders, The. *N21* —6G **7**
Alders, The. *SW16* —4G **109**
Alders, The. *Felt* —4C **102**
Alders, The. *Houn* —6D **70**
Alders, The. *W Wick* —2D **136**
Alderton Clo. *NW10* —3K **41**
Alderton Cres. *NW4* —5D **26**
Alderton Rd. *SE24* —3C **94**
Alderton Rd. *Croy* —7F **125**
Alderton Way. *NW4* —5D **26**
Alderville Rd. *SW6* —2H **91**
Alder Wlk. *Ilf* —5G **51**
Alderwick Dri. *Houn* —3H **87**
Alderwood Rd. *SE9* —6H **99**
Aldford St. *W1* —1E **76** (4H **147**)
Aldgate. *EC3* —6E **62** (1H **151**)
Aldgate. (Junct.) —6F **63**
(off Aldgate Barrs)
Aldgate Av. *E1* —6F **63** (7J **145**)
Aldgate Barrs. *E1*
—6F **63** (7K **145**)
Aldgate High St. *EC3*
—6F **63** (1J **151**)
Aldham Ho. *SE4* —1B **96**
Aldine Ct. *W12* —2E **74**
(off Aldine St.)
Aldine Pl. *W12* —2E **74**
Aldine St. *W12* —2E **74**
Aldington Clo. *Dag* —1C **52**
Aldington Ct. *E8* —7G **47**
Aldington Rd. *SE18* —3B **82**
Aldis M. *SW17* —5C **108**
Aldis St. *SW17* —5C **108**
Aldred Rd. *NW6* —5J **43**
Aldren Rd. *SW17* —3A **108**
Aldrich Cres. *New Ad* —7E **136**
Aldriche Way. *E4* —6K **19**
Aldrich Gdns. *Sutt* —3H **131**
Aldrich Ter. *SW18* —2A **108**
Aldridge Av. *Edgw* —3C **12**
Aldridge Av. *Ruis* —2A **38**
Aldridge Av. *Stan* —1E **24**
Aldridge Rise. *N Mald* —7A **120**
Aldridge Rd. Vs. *W11* —5H **59**
Aldridge Wlk. *N14* —7D **6**
Aldrington Rd. *SW16* —5G **109**
Aldsworth Clo. *W9* —4K **59**
Aldwick Clo. *SE9* —3H **115**
Aldwick Rd. *Croy* —3K **133**
Aldworth Gro. *SE13* —6E **96**
Aldworth Rd. *E15* —7G **49**
Aldwych. *WC2* —6K **61** (2G **149**)
Aldwych Av. *Ilf* —4G **35**
Aldwyn Ho. *SW8* —7J **77**
(off Davidson Gdns.)
Alers Rd. *Bexh* —5D **100**
Alesia Clo. *N22* —7D **16**
Alestan Beck Rd. *E16* —6B **66**
Alexa Ct. *W8* —4K **75**
Alexa Ct. *Sutt* —6J **131**
Alexander Av. *NW10* —7D **42**
Alexander Clo. *Barn* —4G **5**
Alexander Clo. *Brom* —1J **137**
Alexander Clo. *Sidc* —6J **99**
Alexander Clo. *S'hall* —1G **71**
Alexander Clo. *Twic* —2K **103**
Alexander Ct. *SE16* —1B **80**
Alexander Ct. *Beck* —1F **127**
Alexander Ct. *Stan* —3F **25**

Alexander Evans M. *SE23*
—2K **111**
Alexander Fleming Ho. *SE1*
—3C **78** (2C **156**)
Alexander M. *W2* —6K **59**
Alexander Pl. *SW7*
—4C **76** (3C **152**)
Alexander Rd. *N19* —3J **45**
Alexander Rd. *Bexh* —2D **100**
Alexander Rd. *Chst* —6F **115**
Alexander Sq. *SW3*
—4C **76** (3C **152**)
Alexander St. *W2* —6J **59**
Alexander Studios. SW11 —*4B 92*
(off Haydon Way)
Alexandra Av. *N22* —1H **29**
Alexandra Av. *SW11* —1E **92**
Alexandra Av. *W4* —7K **73**
Alexandra Av. *Harr* —1D **38**
Alexandra Av. *S'hall* —7D **54**
Alexandra Av. *Sutt* —3J **131**
Alexandra Clo. *Harr* —3E **38**
Alexandra Cotts. *SE14* —1B **96**
Alexandra Ct. *N14* —5B **6**
Alexandra Ct. *SW7*
—3A **76** (1A **152**)
Alexandra Ct. *Gnfd* —2F **55**
Alexandra Ct. *Houn* —2F **87**
Alexandra Cres. *Brom* —6H **113**
Alexandra Dri. *SE19* —5E **110**
Alexandra Dri. *Surb* —7G **119**
Alexandra Gdns. *N10* —4F **29**
Alexandra Gdns. *W4* —7A **74**
Alexandra Gdns. *Cars* —7E **132**
Alexandra Gdns. *Houn* —2F **87**
Alexandra Gro. *N4* —1B **46**
Alexandra Gro. *N12* —5E **14**
Alexandra M. *N2* —3D **28**
Alexandra M. *SW19* —6H **107**
Alexandra Pal. Way. *N22* —4G **29**
Alexandra Pde. *Harr* —4F **39**
Alexandra Pk. Rd. *N10* —2F **29**
Alexandra Pk. Rd. *N22* —1G **29**
Alexandra Pl. *NW8* —1A **60**
Alexandra Pl. *SE25* —5D **124**
Alexandra Pl. *Croy* —1E **134**
Alexandra Rd. *E6* —3E **66**
Alexandra Rd. *E10* —3E **48**
Alexandra Rd. *E17* —6B **32**
Alexandra Rd. *E18* —3K **33**
Alexandra Rd. *N8* —3A **30**
Alexandra Rd. *N9* —7C **8**
Alexandra Rd. *N10* —1F **29**
Alexandra Rd. *N15* —5D **30**
Alexandra Rd. *NW4* —4F **27**
Alexandra Rd. *NW8* —1A **60**
Alexandra Rd. *SE26* —6K **111**
Alexandra Rd. *SW14* —3K **89**
Alexandra Rd. *SW19* —6H **107**
Alexandra Rd. *W4* —2K **73**
Alexandra Rd. *Bren* —6D **72**
Alexandra Rd. *Chad H* —6E **36**
Alexandra Rd. *Croy* —1E **134**
Alexandra Rd. *Enf* —4E **8**
Alexandra Rd. *Houn* —2F **87**
Alexandra Rd. *King T* —7G **105**
Alexandra Rd. *Mitc* —7C **108**
Alexandra Rd. *Rich* —2F **89**
Alexandra Rd. *Th Dit* —5A **118**
Alexandra Rd. *Twic* —6C **88**
Alexandra Rd. Ind. Est. *Enf* —4E **8**
Alexandra Sq. *Mord* —5J **121**
Alexandra St. *E16* —5J **65**
Alexandra St. *SE14* —7A **80**
Alexandra Wlk. *SE19* —5E **110**

Alexandra Yd. *E9* —1K **63**
Alexandria Rd. *W13* —7A **56**
Alexis St. *SE16* —4G **79**
Alfan La. *Dart* —5K **117**
Alfearn Rd. *E5* —4J **47**
Alford Grn. *New Ad* —6F **137**
Alford Ho. *N6* —6G **29**
Alford Pl. *N1* —2C **62** (1D **144**)
Alford Rd. *Eri* —5J **85**
Alfoxton Av. *N15* —4B **30**
Alfreda St. *SW11* —1F **93**
Alfred Clo. *W4* —4K **73**
Alfred Finlay Ho. *N22* —2B **30**
Alfred Gdns. *S'hall* —7C **54**
Alfred Ho. *E9* —5A **48**
(off Homerton Rd.)
Alfred M. *W1* —5H **61** (5C **142**)
Alfred Pl. *WC1* —5H **61** (5C **142**)
Alfred Prior Ho. *E12* —4E **50**
Alfred Rd. *E15* —5H **49**
Alfred Rd. *SE25* —5G **125**
Alfred Rd. *SW8* —1H **93**
Alfred Rd. *W2* —5J **59**
Alfred Rd. *W3* —1J **73**
Alfred Rd. *Belv* —5F **85**
Alfred Rd. *Buck H* —2G **21**
Alfred Rd. *Felt* —2A **102**
Alfred Rd. *King T* —3E **118**
Alfred Rd. *Sutt* —5A **132**
Alfred's Gdns. *Bark* —2J **67**
Alfred St. *E3* —3B **64**
Alfred's Way. *Bark* —3F **67**
Alfred's Way Ind. Est. *Bark*
—2A **68**
Alfreton Clo. *SW19* —3F **107**
Alfriston. *Surb* —6D **119**
Alfriston Av. *Croy* —7J **123**
Alfriston Av. *Harr* —6E **22**
Alfriston Clo. *Surb* —5F **119**
Alfriston Rd. *SW11* —5D **92**
Algar Clo. *Iswth* —3A **88**
Algar Clo. *Stan* —5E **10**
Algar Ho. *SE1* —2B **78** (7A **150**)
Algar Rd. *Iswth* —3A **88**
Algarve Rd. *SW18* —1K **107**
Algernon Rd. *NW4* —6C **26**
Algernon Rd. *NW6* —1J **59**
Algernon Rd. *SE13* —4D **96**
Algiers Rd. *SE13* —4C **96**
Alibon Gdns. *Dag* —5G **53**
Alibon Rd. *Dag* —5F **53**
Alice Burrell Cen. E10 —*2E 48*
(off Sidmouth Rd.)
Alice Ct. *SW15* —4H **91**
Alice Gilliatt Ct. W14 —*6H 75*
(off Star Rd.)
Alice La. *E3* —1B **64**
Alice M. *Tedd* —5K **103**
Alice St. *SE1* —3E **78** (2G **157**)
Alice Thompson Clo. *SE12*
—2A **114**
Alice Walker Clo. *SE24* —4B **94**
Alice Way. *Houn* —4F **87**
Alicia Av. *Harr* —4B **24**
Alicia Clo. *Harr* —5C **24**
Alicia Gdns. *Harr* —4B **24**
Alicia Ho. *Well* —1B **100**
Alie St. *E1* —6F **63** (1K **151**)
Alington Cres. *NW9* —7J **25**
Alington Gro. *Wall* —7G **133**
Alison Clo. *E6* —6E **66**
Alison Clo. *Croy* —1K **135**
Alison Ct. *SE1* —5G **79** (6K **157**)
Aliwal Rd. *SW11* —4C **92**
Alkerden Rd. *W4* —5A **74**

Alkham Rd. *N16* —2F **47**
Allan Barclay Clo. *N15* —6F **31**
Allan Clo. *N Mald* —5K **119**
Allandale Av. *N3* —3G **27**
Allanson Ct. *E10* —2C **48**
Allan Way. *W3* —5J **57**
Allard Cres. *Bush* —1B **10**
Allard Gdns. *SW4* —5H **93**
Allardyce St. *SW4* —4K **93**
Allbrook Clo. *Tedd* —5J **103**
Allcroft Rd. *NW5* —5E **44**
Allenby Clo. *Gnfd* —3E **54**
Allenby Rd. *SE23* —3A **112**
Allenby Rd. *S'hall* —5D **54**
Allen Clo. *Mitc* —1G **123**
Allen Ct. *E17* —6C **32**
(off Yunus Khan Clo.)
Allen Ct. *Gnfd* —5K **39**
Allendale Av. *S'hall* —6E **54**
Allendale Clo. *SE5* —2D **94**
Allendale Clo. *SE26* —5K **111**
Allendale Rd. *Gnfd* —6B **40**
Allen Edwards Dri. *SW8* —1J **93**
Allenford Ho. *SW15* —6A **90**
(off Tunworth Cres.)
Allen Rd. *E3* —1B **64**
Allen Rd. *N16* —4E **46**
Allen Rd. *Beck* —2K **125**
Allen Rd. *Croy* —1A **134**
Allensbury Pl. *NW1* —7H **45**
Allen St. *W8* —3J **75**
Allenswood Rd. *SE9* —3C **98**
Allerford Ct. *Harr* —5G **23**
Allerford Rd. *SE6* —3D **112**
Allerton Rd. *N16* —2C **46**
Allerton Wlk. *N7* —2K **45**
Allestree Rd. *SW6* —7G **75**
Alleyn Cres. *SE21* —2D **110**
Alleyndale Rd. *Dag* —2C **52**
Alleyn Pk. *SE21* —2D **110**
Alleyn Pk. *S'hall* —5E **70**
Alleyn Rd. *SE21* —3D **110**
Allfarthing La. *SW18* —6K **91**
Allgood Clo. *Mord* —6F **121**
Allgood St. *E2* —2F **63** (1K **145**)
Allhallows La. *EC4*
—7D **62** (3E **150**)
Allhallows Rd. *E6* —5C **66**
All Hallows Rd. *N17* —1E **30**
Alliance Clo. *Wemb* —4D **40**
Alliance Ct. *W3* —5H **57**
Alliance Rd. *E13* —5A **66**
Alliance Rd. *SE18* —6A **84**
Alliance Rd. *W3* —4H **57**
Allied Ind. Est. *W3* —2A **74**
Allied Way. *W3* —2A **74**
Allingham Clo. *W7* —7K **55**
Allingham St. *N1* —2C **62**
Allington Av. *N17* —6K **17**
Allington Clo. *SW19* —5F **107**
Allington Clo. *Gnfd* —7G **39**
Allington Ct. *SW8* —2G **93**
Allington Ct. *Enf* —5E **8**
Allington Rd. *NW4* —5D **26**
Allington Rd. *W10* —3G **59**
Allington Rd. *Harr* —5G **23**
Allington St. *SW1*
—3F **77** (2K **153**)
Allison Clo. *SE10* —1E **96**
Allison Gro. *SE21* —1E **110**
Allison Rd. *N8* —5A **30**
Allison Rd. *W3* —6J **57**
Allitsen Rd. *NW8* —2C **60**
Allnutt Way. *SW4* —5H **93**

Andwell Clo. SE2 —2B 84
Anerley Gro. SE19 —7F 111
Anerley Hill. SE19 —6F 111
Anerley Pk. SE20 —7G 111
Anerley Pk. Rd. SE20 —7H 111
Anerley Rd. SE19 & SE20
—7G 111
Anerley Sta. Rd. SE20 —1H 125
Anerley St. SW11 —2D 92
Anerley Vale. SE19 —7F 111
Aneurin Bevan Ct. NW2 —2D 42
Aneurin Bevan Ho. N11 —7C 16
Anfield Clo. SW12 —7G 93
Angela Davies Ind. Est. SW9
—4B 94
Angel. (Junct.) —2A 62
Angel All. E1 —6F 63 (7K 145)
Angel Clo. N18 —4A 18
Angel Corner Pde. N18 —5B 18
Angel Ct. EC2 —6D 62 (7F 145)
Angel Ct. SW1 —1G 77 (5B 148)
Angel Edmonton. (Junct.)
—5B 18
Angelfield. Houn —5F 87
Angel Ga. EC1 —3B 62 (1B 144)
Angel Hill. Sutt —3K 131
(in two parts)
Angel Hill Dri. Sutt —3K 131
Angelica Dri. E6 —5E 66
Angelica Gdns. Croy —1K 135
Angel La. E15 —6F 49
Angell Pk. Gdns. SW9 —3A 94
Angell Rd. SW9 —2A 94
Angel M. N1 —2A 62
Angel Pas. EC4 —7D 62 (3E 150)
Angel Pl. N18 —5B 18
Angel Pl. SE1 —2D 78 (6E 150)
Angel Rd. N18 —5B 18
Angel Rd. Harr —6J 23
Angel Rd. Th Dit —7A 118
Angel Sq. EC1 —2A 62
Angel St. EC1 —6C 62 (7C 144)
Angel Wlk. W6 —4E 74
Angel Way. Romf —5K 37
Angel Yd. N6 —1E 44
Angerstein La. SE3 —1H 97
Angle Grn. Dag —1C 52
Anglers Clo. Rich —4C 104
Angler's La. NW5 —6F 45
Anglers Reach. Surb —5D 118
Anglers, The. King T —3D 118
(off High St. Kingston upon
Thames,)
Anglesea Av. SE18 —4F 83
Anglesea Rd. SE18 —4F 83
Anglesea Rd. King T —4D 118
Anglesey Ct. W7 —4K 55
Anglesey Ct. Rd. Cars —6E 132
Anglesey Gdns. Cars —6E 132
Anglesey Rd. Enf —4C 8
Anglesmede Cres. Pinn —3E 22
Anglesmede Way. Pinn —3E 22
Angles Rd. SW16 —4J 109
Anglia Clo. N17 —7C 18
Anglian Ind. Est. Bark —4K 67
Anglian Rd. E11 —3F 49
Anglia Wlk. E6 —1E 66
(off Napier Rd.)
Anglo Rd. E3 —2B 64
Angrave Ct. E8 —1F 63
Angrave Pas. E8 —1F 63
Angus Dri. Ruis —4A 38
Angus Gdns. NW9 —1K 25
Angus Ho. SW2 —7H 93
Angus Rd. E13 —3A 66

Angus St. SE14 —7A 80
Anhalt Rd. SW11 —7C 76
Ankerdine Cres. SE18 —7F 83
Anlaby Rd. Tedd —5J 103
Anley Rd. W14 —2F 75
Anmersh Gro. Stan —1D 24
Annabel Clo. E14 —6D 64
Anna Clo. E8 —1F 63
Annandale Rd. SE10 —6H 81
Annandale Rd. W4 —5A 74
Annandale Rd. Croy —2G 135
Annandale Rd. Sidc —7J 99
Annan Way. Romf —1K 37
Anne Boleyn Ct. SE9 —6H 99
Anne Boleyn's Wlk. King T
—5E 104
Anne Boleyn's Wlk. Sutt —7F 131
Anne Case M. N Mald —3A 120
Anne of Cleeves Ct. SE9 —6H 99
Annesley Av. NW9 —3K 25
Annesley Clo. NW10 —3A 42
Annesley Dri. Croy —3B 136
Annesley Ho. SW9 —7A 78
Annesley Rd. SE3 —1K 97
Annesley Wlk. N19 —2G 45
Anne St. E13 —4J 65
Anne Sutherland Ho. Beck
—7A 112
Annette Clo. Harr —2J 23
Annette Rd. N7 —3K 45
Annetts Cres. N1 —7C 46
Annie Besant Clo. E3 —1B 64
Annie Taylor Ho. E12 —4E 50
(off Walton Rd.)
Anning St. EC2 —4E 62 (3H 145)
Annington Rd. N2 —3D 28
Annis Rd. E9 —6A 48
Ann La. SW10 —6B 76
Ann Moss Way. SE16 —3J 79
Ann's Clo. SW1
—2D 76 (7F 147)
Ann's Pl. E1 —5F 63 (6J 145)
Ann St. SE18 —5G 83
(in two parts)
Annsworthy Av. T Hth —3D 124
Annsworthy Cres. SE25 —2D 124
Ann Way. SE19 —7B 110
Ansar Gdns. E17 —5A 32
(off Markhouse Rd.)
Ansdell Rd. SE15 —2J 95
Ansdell St. W8 —3K 75
Ansdell Ter. W8 —3K 75
Ansell Gro. Cars —1E 132
Ansell Rd. SW17 —3C 108
Anselm Clo. Croy —3F 135
Anselm Rd. SW6 —6J 75
Ansford Rd. Pinn —1D 22
Ansford Rd. Brom —5E 112
Ansleigh Pl. W11 —7F 59
Anson Clo. Romf —2H 37
Anson Rd. N7 —4G 45
Anson Rd. NW2 —4D 42
Anson Ter. N'holt —6F 39
Anstey Ct. W3 —2H 73
Anstey Rd. SE15 —3H 95
Anstey Wlk. N15 —4B 30
Anstice Clo. W4 —7A 74
Anstridge Path. SE9 —6H 99
Anstridge Rd. SE9 —6H 99
Antelope Rd. SE18 —3D 82
Anthony Clo. NW7 —4F 13
Anthony Rd. SE25 —6G 125
Anthony Rd. Gnfd —3J 55
Anthony Rd. Well —1A 100

Anthony St. E1 —6H 63
Antigua Wlk. SE19 —5D 110
Antill Rd. E3 —3A 64
Antill Rd. N15 —4G 31
Antill Ter. E1 —6K 63
Antlers Hill. E4 —5J 9
Anton Cres. Sutt —3J 131
Antoneys Clo. Pinn —2B 22
Anton St. E8 —5G 47
Antrim Gro. NW3 —6D 44
Antrim Rd. NW3 —6D 44
Antrobus Clo. Sutt —5H 131
Antrobus Rd. W4 —4J 73
Anvil Clo. SW16 —7G 109
Anworth Clo. Wfd G —6E 20
Apeldoorn Dri. Wall —7J 133
Apex Clo. Beck —1D 126
Apex Corner. (Junct.) —4E 12
(Edgware)
Apex Corner. (Junct.) —3D 102
(Hanworth)
Apex Ct. W13 —7A 56
Aplin Way. Iswth —1J 87
Apollo Av. Brom —1K 127
Apollo Bus. Cen. SE8 —5K 79
Apollo Ho. N6 —7D 28
Apollo Pl. E11 —3G 49
Apollo Pl. SW10 —7B 76
Apollo Way. SE28 —3H 83
Apostle Way. T Hth —2B 124
Apothecary St. EC4
—6B 62 (1A 150)
Appach Rd. SW2 —6A 94
Appleby Clo. E4 —6K 19
Appleby Clo. N15 —5D 30
Appleby Clo. Twic —2H 103
Appleby Rd. E8 —7G 47
Appleby Rd. E16 —6H 65
Appleby St. E2 —2F 63
Appledore Av. Bexh —1J 101
Appledore Av. Ruis —3A 38
Appledore Clo. SW17 —2D 108
Appledore Clo. Brom —5J 127
Appledore Clo. Edgw —1G 25
Appledore Cres. Sidc —3J 115
Appleford Rd. W10 —4G 59
Apple Garth. Bren —4D 72
Applegarth. New Ad —7D 136
(in two parts)
Applegarth Dri. Ilf —4K 35
Applegarth Rd. SE28 —1B 84
Applegarth Rd. W14 —3F 75
Apple Gro. Enf —3K 7
Apple Mkt. King T —2D 118
Apple Rd. E11 —3G 49
Appleton Gdns. N Mald —6C 120
Appleton Rd. SE9 —3C 98
Appleton Sq. Mitc —1C 122
Appletree Clo. SE20 —1H 125
Appletree Gdns. Barn —4H 5
Apple Tree Yd. SW1
—1G 77 (4B 148)
Applewood Clo. N20 —1H 15
Applewood Clo. NW2 —3D 42
Appold St. EC2 —5E 62 (5G 145)
Apprentice Way. E5 —4H 47
Approach Clo. N16 —4E 46
Approach Rd. E2 —2J 63
Approach Rd. SW20 —2E 120
Approach Rd. Barn —4G 5
Approach Rd. Edgw —6B 12
Approach, The. NW4 —5F 27
Approach, The. W3 —6K 57
Approach, The. Enf —2C 8
Aprey Gdns. NW4 —4E 26

April Clo. W7 —7J 55
April Glen. SE23 —3K 111
April St. E8 —4F 47
Apsley Clo. Harr —5G 23
Apsley Rd. SE25 —4H 125
Apsley Rd. N Mald —3J 119
Apsley Way. NW2 —2C 42
Apsley Way. W1
—2E 76 (6H 147)
Aquila St. NW8 —2B 60
Aquinas St. SE1 —1A 78 (5K 149)
Arabella Dri. SW15 —4A 90
Arabia Clo. E4 —7K 9
Arabin Rd. SE4 —4A 96
Aragon Av. Th Dit —5A 118
Aragon Clo. Brom —1D 138
Aragon Clo. Enf —1E 6
Aragon Dri. Ruis —1B 38
Aragon M. E1 —1G 79
Aragon Rd. King T —5E 104
Aragon Rd. Mord —6F 121
Aragon Tower. SE8 —4B 80
Arandora Cres. Romf —7B 36
Aran Dri. Stan —4H 11
Arbery Rd. E3 —3A 64
Arbor Clo. Beck —2D 126
Arbor Ct. N16 —2D 46
Arborfield Clo. SW2 —1K 109
Arbor Rd. E4 —3A 20
Arbour Rd. Enf —3E 8
Arbour Sq. E1 —6K 63
Arbroath Rd. SE9 —3C 98
Arbury Ct. SE20 —1H 125
Arbury Ter. SE26 —3H 111
Arbuthnot La. Bex —6E 100
Arbuthnot Rd. SE14 —2K 95
Arbutus St. E8 —1F 63
Arcade. The. E14 —6D 64
Arcade, The. E17 —4C 32
Arcade, The. EC2
—5E 62 (6G 145)
Arcade, The. Bark —7G 51
Arcadia Av. N3 —1J 27
Arcadia Clo. Cars —4E 132
Arcadia Ct. E1 —6F 63 (7J 145)
Arcadian Av. Bex —6E 100
Arcadian Clo. Bex —6E 100
Arcadian Gdns. N22 —7E 16
Arcadian Rd. Bex —6E 100
Arcadia St. E14 —6C 64
Archangel St. SE16 —2K 79
Archbishop's Pl. SW2 —7K 93
Archdale Bus. Cen. Harr —2G 39
Archdale Ct. W12 —1D 74
Archdale Pl. N Mald —3H 119
Archdale Rd. SE22 —5F 95
Archel Rd. W14 —6H 75
Archer Clo. King T —7E 104
Archer Ho. N13 —1B 72
(off Sherwood Clo.)
Archer M. Hamp —6G 103
Archer Rd. SE25 —4H 125
Archer Rd. Orp —5K 129
Archers Ct. Brom —4K 127
Archers Dri. Enf —2D 8
Archers Lodge. SE16 —5G 79
(off Culloden Clo.)
Archer Sq. SE14 —6A 80
Archer St. W1 —7H 61 (2C 148)
Archers Wlk. SE15 —1F 95
(off Exeter Rd.)
Archer Tower. SE14 —6A 80
Archery Clo. W2
—6C 60 (1D 146)

Archery Clo. Harr —3K 23
Archery Rd. SE9 —5D 98
Archery Steps. W2
—7C 60 (2D 146)
Arches Bus. Cen., The. S'hall
(off Merrick Rd.) —2D 70
Arches, The. SW8 —7H 77
Arches, The. Harr —2F 39
Archgate Bus. Cen. N12 —5F 15
Archibald M. W1
—7E 60 (3J 147)
Archibald Pl. NW3 —7D 44
Archibald Rd. N7 —4H 45
Archibald St. E3 —3C 64
Arch St. SE1 —3C 78 (2C 156)
Archway. (Junct.) —2G 45
Archway Bus. Cen. N19 —3H 45
Archway Clo. N19 —2G 45
Archway Clo. SW19 —3K 107
Archway Clo. W10 —5F 59
Archway Clo. Wall —3J 133
Archway Mall. N19 —2G 45
Archway Rd. N6 & N19 —6E 28
Archway St. SW13 —3A 90
Arcola St. E8 —5F 47
Arcon Ter. N9 —7B 8
Arctic St. NW5 —5F 45
Arcus Rd. Brom —6G 113
Ardbeg Rd. SE24 —5D 94
Arden Clo. Harr —3H 39
Arden Ct. Gdns. N2 —6B 28
Arden Cres. E14 —4C 80
Arden Cres. Dag —7C 52
Arden Est. N1 —2E 62
Arden Grange. N12 —4F 15
Arden Ho. SW9 —2J 93
(off Grantham Rd.)
Arden M. E17 —5D 32
Arden Mhor. Pinn —4A 22
Arden Rd. N3 —3H 27
Arden Rd. W13 —7C 56
Ardent Clo. SE25 —3E 124
Ardfern Av. SW16 —3A 124
Ardfillan Rd. SE6 —1F 113
Ardgowan Rd. SE6 —7G 97
(in two parts)
Ardilaun Rd. N5 —4C 46
Ardingly Clo. Croy —3K 135
Ardleigh Gdns. Sutt —7J 121
Ardleigh Ho. Bark —1G 67
Ardleigh M. Ilf —3F 51
Ardleigh Rd. E17 —1B 32
Ardleigh Rd. N1 —6E 46
Ardleigh Ter. E17 —1B 32
Ardley Clo. NW10 —3A 42
Ardley Clo. SE6 —3A 112
Ardlui Rd. SE27 —2C 110
Ardmay Gdns. Surb —5E 118
Ardmere Rd. SE13 —6F 97
Ardmore La. Buck H —1E 20
Ardmore Pl. Buck H —1E 20
Ardoch Rd. SE6 —2F 113
Ardra Rd. N9 —3E 18
Ardrossan Gdns. Wor Pk
—3C 130
Ardshiel Clo. SW15 —3F 91
Ardwell Av. Ilf —5G 35
Ardwell Rd. SW2 —2J 109
Ardwick Rd. NW2 —4J 43
Arena Bus. Cen. N4 —6C 30
Arena Est. N4 —6B 30
Argall Ho. Eri —3E 84
(off Kale Rd.)
Argall Av. E10 —7K 31

Ashdale Way. *Twic* —7F **87**
Ashdene. *SE15* —1H **95**
Ashdene. *Pinn* —3A **22**
Ashdon Clo. *Wfd G* —6E **20**
Ashdon Rd. *NW10* —1B **58**
Ashdown. W13 —5B **56**
(off Clivedon Ct.)
Ashdown Clo. *Beck* —2D **126**
Ashdown Clo. *Bex* —7J **101**
Ashdown Ct. *Sutt* —6A **132**
Ashdown Cres. *NW5* —5E **44**
Ashdowne Ct. *N17* —1G **31**
Ashdown Est. *E11* —4F **49**
Ashdown Rd. *Enf* —2D **8**
Ashdown Rd. *King T* —2E **118**
Ashdown Wlk. *E14* —4C **80**
(off Copeland Dri.)
Ashdown Wlk. *Romf* —1H **37**
Ashdown Way. *SW17* —2E **108**
Ashenden Rd. *E5* —5A **48**
Ashen Gro. *SW19* —3J **107**
Ashentree Ct. *EC4*
—6A **62** (1K **149**)
Asher Loftus Way. *N11* —6J **15**
Asher Way. *E1* —7G **63**
Ashfield Av. *Bush* —1B **10**
Ashfield Av. *Felt* —1A **102**
Ashfield Clo. *Beck* —7C **112**
Ashfield Clo. *Rich* —1E **104**
Ashfield La. *Chst* —6F **115**
(in three parts)
Ashfield Pde. *N14* —1C **16**
Ashfield Rd. *N4* —6C **30**
Ashfield Rd. *N14* —3B **16**
Ashfield Rd. *W3* —1B **74**
Ashfield St. *E1* —5H **63**
Ashford Av. *N8* —4J **29**
Ashford Av. *Hayes* —6B **54**
Ashford Clo. *E17* —6B **32**
Ashford Cres. *Enf* —2D **8**
Ashford Ho. *SE8* —6B **80**
Ashford Ho. *SW9* —4B **94**
Ashford Pas. *NW2* —4F **43**
Ashford Rd. *E6* —7E **50**
Ashford Rd. *E18* —2K **33**
Ashford Rd. *NW2* —4F **43**
Ashford St. *N1* —3E **62** (1G **145**)
Ash Gro. *E8* —1H **63**
Ash Gro. *N13* —3H **17**
Ash Gro. *NW2* —4F **43**
Ash Gro. *SE12* —1J **113**
Ash Gro. *SE20* —2J **125**
Ash Gro. *W5* —2E **72**
Ash Gro. *Enf* —7K **7**
Ash Gro. *Houn* —1B **86**
Ash Gro. *S'hall* —5E **54**
Ash Gro. *Wemb* —4A **40**
Ash Gro. *W Wick* —2E **136**
Ashgrove Rd. *Brom* —6F **113**
Ashgrove Rd. *Ilf* —1K **51**
Ash Hill Clo. *Bush* —1A **10**
Ash Hill Dri. *Pinn* —3A **22**
Ashingdon Clo. *E4* —3K **19**
Ashington Rd. *SW6* —2H **91**
Ashlake Rd. *SW16* —4J **109**
Ashland Pl. *W1* —5E **60** (5G **141**)
Ashlar Pl. *SE18* —4F **83**
Ashleigh Commercial Est. *SE7*
—3A **82**
Ashleigh Ct. *N14* —7D **6**
Ashleigh Ct. *W7* —4D **72**
(off Murray Rd.)
Ashleigh Gdns. *Sutt* —2K **131**
Ashleigh Point. *SE23* —3K **111**

Ashleigh Rd. *SE20* —3H **125**
Ashleigh Rd. *SW14* —3A **90**
Ashley Av. *Ilf* —2F **35**
Ashley Av. *Mord* —5J **121**
Ashley Clo. *NW4* —2E **26**
Ashley Ct. *NW4* —2E **26**
Ashley Ct. *Barn* —5F **5**
Ashley Cres. *N22* —2A **30**
Ashley Cres. *SW11* —3E **92**
Ashley Dri. *Iswth* —6J **71**
Ashley Dri. *Twic* —7F **87**
Ashley Gdns. *N13* —4H **17**
Ashley Gdns. *SW1*
—3G **77** (2B **154**)
Ashley Gdns. *Rich* —2D **104**
Ashley Gdns. *Wemb* —2E **40**
Ashley La. *NW4* —2E **26**
Ashley La. *Croy* —4B **134**
Ashley Pl. *SW1* —3G **77** (2A **154**)
Ashley Rd. *E4* —6H **19**
Ashley Rd. *E7* —7A **50**
Ashley Rd. *N17* —3G **31**
Ashley Rd. *N19* —1J **45**
Ashley Rd. *SW19* —6K **107**
Ashley Rd. *Enf* —2D **8**
Ashley Rd. *Hamp* —7E **102**
Ashley Rd. *Rich* —3E **88**
Ashley Rd. *Th Dit* —6A **118**
Ashley Rd. *T Hth* —4K **123**
Ashley Wlk. *NW7* —7K **13**
Ashling Rd. *Croy* —1G **135**
Ashlin Rd. *E15* —4F **49**
Ashlone Rd. *SW15* —3F **91**
Ashmead. *N14* —5B **6**
Ashmead Bus. Cen. *E16* —4F **65**
Ashmead Ga. *Brom* —1A **128**
Ashmead Ho. *E9* —5A **48**
(off Homerton Rd.)
Ashmead Rd. *SE8* —2C **96**
Ashmere Av. *Beck* —2F **127**
Ashmere Clo. *Sutt* —5F **131**
Ashmere Gro. *SW2* —4J **93**
Ashmill St. *NW1*
—5C **60** (5C **140**)
Ashmole Pl. *SW8* —6K **77**
Ashmole St. *SW8* —6K **77**
Ashmore Ct. *N11* —6J **15**
Ashmore Ct. *Houn* —6E **70**
Ashmore Gro. *Well* —3H **99**
Ashmore Rd. *W9* —3H **59**
Ashmount Est. *N19* —7H **29**
Ashmount Rd. *N15* —5F **31**
Ashmount Rd. *N19* —7G **29**
Ashmount Ter. *W5* —4D **72**
Ashmour Gdns. *Romf* —2K **37**
Ashneal Gdns. *Harr* —3H **39**
Ashness Gdns. *Gnfd* —6B **40**
Ashness Rd. *SW11* —5D **92**
Ashridge Clo. *Harr* —6C **24**
Ashridge Ct. *N14* —5B **6**
Ashridge Ct. *S'hall* —6G **55**
(off Redcroft Rd.)
Ashridge Cres. *SE18* —7G **83**
Ashridge Gdns. *N13* —5C **16**
Ashridge Gdns. *Pinn* —4C **22**
Ashridge Way. *Mord* —4H **121**
Ash Rd. *E15* —5G **49**
Ash Rd. *Croy* —2C **136**
Ash Rd. *Sutt* —7G **121**
Ash Row. *Brom* —7E **128**
Ashstead Rd. *N16* —7G **31**
Ashtead Rd. *E5* —7G **31**
Ashton Clo. *Sutt* —4J **131**
Ashton Ct. *Harr* —3K **39**
Ashton Gdns. *Houn* —4D **86**

Ashton Gdns. *Romf* —6E **36**
Ashton Heights. *SE23* —1J **111**
Ashton Ho. *SW9* —7A **78**
Ashton Rd. *E15* —5F **49**
Ashton St. *E14* —7E **64**
Ashtree Av. *Mitc* —2B **122**
Ash Tree Clo. *Croy* —6A **126**
Ashtree Dell. *NW9* —5A **25**
Ash Tree Way. *Croy* —5K **125**
Ashurst Clo. *SE20* —1H **125**
Ashurst Dri. *Ilf* —6F **35**
Ashurst Gdns. *SW2* —1A **110**
Ashurst Rd. *N12* —5H **15**
Ashurst Rd. *Barn* —5J **5**
Ashurst Wlk. *Croy* —2H **135**
Ashvale Rd. *SW17* —5D **108**
Ashville Rd. *E11* —2F **49**
Ash Wlk. *Wemb* —3C **40**
Ashwater Clo. *NW9* —5K **25**
Ashwater Rd. *SE12* —1J **113**
Ashwell Clo. *E6* —6C **66**
Ashwin St. *E8* —6F **47**
Ashwood Gdns. *New Ad*
—6D **136**
Ashwood Rd. *E4* —3A **20**
Ashworth Clo. *SE5* —2D **94**
Ashworth Est. *Croy* —1H **133**
Ashworth Mans. *W9* —3K **59**
(off Elgin Av.)
Ashworth Rd. *W9* —3K **59**
Asilone Rd. *SW15* —3E **90**
Asker Ho. *N7* —4J **45**
Askern Clo. *Bexh* —4D **100**
Aske St. *N1* —3E **62** (1G **145**)
Askew Cres. *W12* —2B **74**
Askew Est. *W12* —1B **74**
(off Uxbridge Rd.)
Askew Rd. *W12* —1B **74**
Askham Ct. *W12* —1C **74**
Askham Rd. *W12* —1C **74**
Askill Dri. *SW15* —5G **91**
Askwith Rd. *Rain* —3K **69**
Asland Rd. *E15* —1G **65**
Aslett St. *SW18* —7K **91**
Asmara Rd. *NW2* —5G **43**
Asmuns Hill. *NW11* —5J **27**
Asmuns Pl. *NW11* —5H **27**
Asolando Dri. *SE17*
—4C **78** (5D **156**)
Aspen Clo. *N19* —2G **45**
Aspen Clo. *W5* —2E **73**
Aspen Copse. *Brom* —2D **128**
Aspen Ct. *E8* —6F **47**
Aspen Dri. *Wemb* —3A **40**
Aspen Gdns. *W6* —5D **74**
Aspen Gdns. *Mitc* —5E **122**
Aspen Grn. *Eri* —3F **85**
Aspen Ho. *Sidc* —3A **116**
Aspen La. *N'holt* —3C **54**
Aspenlea Rd. *W6* —6F **75**
Aspen Way. *E14* —7C **64**
Aspen Way. *Felt* —3A **102**
Aspern Gro. *NW3* —5C **44**
Aspinall Rd. *SE4* —3K **95**
Aspinden Rd. *SE16* —4H **79**
Aspley Rd. *E17* —5B **32**
Aspley Rd. *SW18* —5K **91**
Asplins Rd. *N17* —1G **31**
Asquith Clo. *Dag* —1C **52**
Assam St. *E1* —6G **63**
Assata M. *N1* —6B **46**
Assembly Pas. *E1* —5J **63**
Assembly Wlk. *Cars* —7C **122**
Ass Ho. La. *Harr* —4A **10**
Astall Clo. *Harr* —1J **23**

Astbury Ho. *SE11*
—3A **78** (2J **155**)
Astbury Rd. *SE15* —1J **95**
Astell St. *SW3* —5C **76** (5D **152**)
Aste St. *E14* —2E **80**
Astey's Row. *N1* —7C **46**
Asthall Gdns. *Ilf* —4G **35**
Astins Ho. *E17* —4D **32**
Astle St. *SW11* —2E **92**
Astley Av. *NW2* —5E **42**
Astley Ho. *SE1* —5F **79** (5K **157**)
Aston Av. *Harr* —7C **24**
Aston Clo. *Sidc* —3A **116**
Aston Ct. *Wfd G* —6D **20**
Aston Grn. *Houn* —2A **86**
Aston Ho. *SW8* —1H **93**
Aston M. *Romf* —7C **36**
Aston Rd. *SW20* —2E **120**
Aston Rd. *W5* —6D **56**
Aston St. *E14* —5A **64**
Astonville St. *SW18* —1J **107**
Astor Av. *Romf* —6J **37**
Astor Clo. *King T* —6H **105**
Astoria Mans. *SW16* —3J **109**
Astoria Wlk. *SW9* —3A **94**
Astrop M. *W6* —3E **74**
Astrop Ter. *W6* —2E **74**
Astwood M. *SW7* —4A **76**
Atalanta St. *SW6* —7F **75**
Atbara Rd. *Tedd* —6B **104**
Atcham Rd. *Houn* —4G **87**
Atcost Rd. *Bark* —4A **68**
Atcraft Cen. *Wemb* —1E **56**
Atheldene Rd. *SW18* —1K **107**
Athelney St. *SE6* —3C **112**
Athelstane Gro. *E3* —2B **64**
Athelstane M. *N4* —1A **46**
Athelstan Gdns. *NW6* —7G **43**
Athelstan Rd. *King T* —4F **119**
Athelstone Rd. *Harr* —2H **23**
Athena Clo. *Harr* —2H **39**
Athena Clo. *King T* —3F **119**
Athenaeum Ct. *N5* —4C **46**
Athenaeum Pl. *N10* —3F **29**
Athenaeum Rd. *N20* —1F **15**
Athenlay Rd. *SE15* —5H **95**
Atherden Rd. *E5* —4J **47**
Atherfold Rd. *SW9* —3J **93**
Atherley Way. *Houn* —7D **86**
Atherstone M. *SW7* —4A **76**
Atherton Dri. *SW19* —4F **107**
Atherton Heights. *Wemb* —6C **40**
Atherton M. *E7* —6H **49**
Atherton Pl. *Harr* —3H **23**
Atherton Pl. *S'hall* —7E **54**
Atherton Rd. *E7* —6H **49**
Atherton Rd. *SW13* —7C **74**
Atherton Rd. *Ilf* —2C **34**
Atherton St. *SW11* —2C **92**
Athlone Clo. *E5* —5H **47**
Athlone Ct. *E17* —3F **33**
Athlone Rd. *SW2* —7K **93**
Athlone St. *NW5* —6E **44**
Athlon Ind. Est. *Wemb* —2D **56**
Athlon Rd. *Wemb* —2D **56**
Athol Clo. *Pinn* —1A **22**
Athole Gdns. *Enf* —5K **7**
Atholl Gdns. *Pinn* —1A **22**
Atholl Rd. *Ilf* —7A **36**
Athol Rd. *Eri* —5J **85**
Athol Sq. *E14* —6E **64**
Atkins Dri. *W Wick* —2F **137**
Atkinson Ct. *E10* —7D **32**
(off Kings Clo.)

Atkinson Rd. *E16* —5A **66**
Atkins Rd. *E10* —6D **32**
Atkins Rd. *SW12* —7G **93**
Atlantic Rd. *SW9* —4A **94**
Atlas Bus. Cen. *NW2* —2D **42**
Atlas Gdns. *SE7* —4A **82**
Atlas M. *E8* —6F **47**
Atlas M. *N7* —6K **45**
Atlas Rd. *E13* —2J **65**
Atlas Rd. *NW10* —3A **58**
Atlas Rd. *Wemb* —4J **41**
Atlas Wharf. *E9* —6C **48**
Atley Rd. *E3* —1C **64**
Atlip Rd. *Wemb* —1E **56**
Atney Rd. *SW15* —4G **91**
Atterbury Rd. *N4* —6B **30**
Atterbury St. *SW1*
—4J **77** (4D **154**)
Attewood Av. *NW10* —3A **42**
Attewood Rd. *N'holt* —6C **38**
Attfield Clo. *N20* —2G **15**
Attleborough Ct. *SE23* —2H **111**
Attlee Clo. *Croy* —6C **124**
Attlee Rd. *SE28* —7B **68**
Attlee Ter. *E17* —4D **32**
Attneave St. *WC1*
—3A **62** (2J **143**)
Atwater Clo. *SW2* —1A **110**
Atwell Clo. *E10* —6D **32**
Atwell Rd. *SE15* —2G **95**
Atwood Av. *Rich* —2G **89**
Atwood Rd. *W6* —4D **74**
Atwoods All. *Rich* —1G **89**
Aubert Ct. *N5* —4B **46**
Aubert Pk. *N5* —4B **46**
Aubert Rd. *N5* —4B **46**
Aubrey Gdns. *NW8* —2A **60**
(off Abbey Rd.)
Aubrey Moore Point. *E15* —2E **64**
(off Abbey La.)
Aubrey Pl. *NW8* —2A **60**
Aubrey Rd. *E17* —3C **32**
Aubrey Rd. *N8* —5J **29**
Aubrey Rd. *W8* —1H **75**
Aubrey Wlk. *W8* —1H **75**
Auburn Clo. *SE14* —7A **80**
Aubyn Hill. *SE27* —4C **110**
Aubyn Sq. *SW15* —5C **90**
Auckland Clo. *SE19* —1F **125**
Auckland Ct. *Hayes* —4A **54**
Auckland Gdns. *SE19* —1E **124**
Auckland Hill. *SE27* —4C **110**
Auckland Ho. *W12* —7D **58**
(off White City Est.)
Auckland Rise. *SE19* —1E **124**
Auckland Rd. *E10* —3D **48**
Auckland Rd. *SE19* —1F **125**
Auckland Rd. *SW11* —4C **92**
Auckland Rd. *Ilf* —1F **51**
Auckland Rd. *King T* —4F **119**
Auckland St. *SE11*
—5K **77** (6G **155**)
Auden Pl. *NW1* —1E **60**
(in two parts)
Auden Pl. *Cheam* —4E **130**
Audleigh Pl. *Chig* —6K **21**
Audley Clo. *N10* —7A **16**
Audley Clo. *SW11* —3E **92**
Audley Ct. *E18* —4H **33**
Audley Ct. *N'holt* —3A **54**
Audley Ct. *Pinn* —2A **22**
Audley Ct. *Twic* —3H **103**
Audley Dri. *E16* —1K **81**
Audley Gdns. *Ilf* —2K **51**
Audley Pl. *Sutt* —7K **131**

Badgers Wlk. N Mald —2A 120
Badlis Rd. E17 —3C 32
Badminton Clo. Harr —4J 23
Badminton Clo. N'holt —6E 38
Badminton M. E16 —1J 81
Badminton Rd. SW12 —6E 92
Badsworth Rd. SE5 —1C 94
Baffins Pl. SE1 —3D 78 (1F 157)
Baffin Way. E14 —1E 80
(off Blackwall Way)
Bagford St. N1 —1D 62
Bagley's La. SW6 —1K 91
Bagleys Spring. Romf —4E 36
Bagshot Ct. SE18 —1E 98
Bagshot Rd. Enf —7A 8
Bagshot St. SE17
 —5E 78 (6H 157)
Baildon St. SE8 —7B 80
Bailey Clo. E4 —4K 19
Bailey Clo. N11 —1H 29
Bailey Pl. SE26 —6K 111
Baillies Wlk. W5 —2D 72
Bainbridge Rd. Dag —4F 53
Bainbridge St. WC1
 —6H 61 (7D 142)
Baines Clo. S Croy —5D 134
Baird Av. S'hall —7F 55
Baird Clo. NW9 —6J 25
Baird Gdns. SE19 —4E 110
Baird Ho. W12 —7D 58
(off White City Est.)
Baird Rd. Enf —3C 8
Baird St. EC1 —4C 62 (3D 144)
Baizdon Rd. SE3 —2G 97
Baker Ho. W7 —1K 71
Baker La. Mitc —2E 122
Baker M. N16 —2F 47
Baker Rd. NW10 —1A 58
Baker Rd. SE18 —7C 82
Bakers Av. E17 —6D 32
Bakers Ct. SE25 —3E 124
Bakers End. SW20 —2G 121
Baker's Field. N7 —4J 45
Bakers Gdns. Cars —2C 132
Bakers Hall Ct. EC3
 —7E 62 (3G 151)
Bakers Hill. E5 —1J 47
Bakers Hill. New Bar —2E 4
Bakers Ho. W5 —1D 72
(off Grove, The)
Bakers La. N6 —6D 28
Baker's M. W1 —6E 60 (7G 141)
Bakers Pas. NW3 —4A 44
(off Heath St.)
Baker's Rents. E2
 —3F 63 (2J 145)
Baker's Row. E15 —2G 65
Baker's Row. EC1
 —4A 62 (4J 143)
Baker St. NW1 & W1
 —4D 60 (4F 141)
Baker Street. (Junct.) —5D 60
Baker St. Enf —3J 7
Baker's Yd. EC1
 —4A 62 (4J 143)
Bakery Clo. SW9 —7K 77
Bakery Path. Edgw —5C 12
(off St Margaret's Rd.)
Bakery Pl. SW11 —4D 92
Bakewell Ct. E5 —3A 48
Bakewell Way. N Mald —2A 120
Balaam Ho. Sutt —4J 131
Balaams La. N14 —2C 16
Balaam St. E13 —4J 65

Balaclava Rd. SE1
 —4F 79 (4K 157)
Balaclava Rd. Surb —7C 118
Balben Path. E9 —7J 47
Balcaskie Rd. SE9 —5D 98
Balchen Rd. SE3 —2B 98
Balchier Rd. SE22 —6H 95
Balcombe Clo. Bexh —4D 100
Balcombe St. NW1
 —4D 60 (3E 140)
Balcon Ct. W5 —6F 57
Balcorne St. E9 —7J 47
Balder Rise. SE12 —2K 113
Balderton St. W1
 —6E 60 (1H 147)
Baldewyne Ct. N17 —1G 31
Baldock St. E3 —2D 64
Baldry Gdns. SW16 —6J 109
Baldwin Cres. SE5 —1C 94
Baldwin Ho. SW2 —1A 110
Baldwin's Gdns. EC1
 —5A 62 (5J 143)
Baldwin St. EC1 —3D 62 (2E 144)
Baldwin Ter. N1 —2C 62
Baldwyn Gdns. W3 —7K 57
Baldwyn's Pk. Bex —2K 117
Baldwyn's Rd. Bex —2K 117
Bales Ter. N9 —3A 18
Balfern Gro. W4 —5A 74
Balfern St. SW11 —2C 92
Balfe St. N1 —2J 61
Balfour Av. W7 —1K 71
Balfour Bus. Cen. S'hall —3A 70
Balfour Gro. N20 —3J 15
Balfour Ho. W10 —5F 59
(off St Charles Sq.)
Balfour M. N9 —3B 18
Balfour M. W1 —1E 76 (4H 147)
Balfour Pl. SW15 —4D 90
Balfour Pl. W1 —7E 60 (3H 147)
Balfour Rd. N5 —4C 46
Balfour Rd. SE25 —4G 125
Balfour Rd. SW19 —7K 107
Balfour Rd. W3 —5J 57
Balfour Rd. W13 —2A 72
Balfour Rd. Brom —5B 128
Balfour Rd. Cars —7D 132
Balfour Rd. Harr —5H 23
Balfour Rd. Houn —3F 87
Balfour Rd. Ilf —2F 51
Balfour Rd. S'hall —3B 70
Balfour St. SE17 —4D 78 (3E 156)
Balfour Ter. N3 —2K 27
Balgonie Rd. E4 —1A 20
Balgowan Rd. N Mald —5A 120
Balgowan Rd. Beck —2A 126
Balgowan St. SE18 —4K 83
Balham Continental Mkt. SW12
 —1F 109
Balham Gro. SW12 —7F 93
Balham High Rd. SW17 & SW12
 —3E 108
Balham Hill. SW12 —7F 93
Balham New Rd. SW12 —7F 93
Balham Pk. Rd. SW12 —1D 108
Balham Rd. N9 —2B 18
Balham Sta. Rd. SW12 —1F 109
Balkan Wlk. E1 —7H 63
Balladier Wlk. E14 —5D 64
Ballamore Rd. Brom —3J 113
Ballance Rd. E9 —6K 47
Ballantine St. SW18 —4A 92
Ballantrae Ho. NW2 —4H 43
Ballard Clo. King T —7K 105

Ballards Clo. Dag —1H 69
Ballards Farm Rd. S Croy & Croy
 —6G 135
Ballards La. N3 & N12 —1J 27
Ballards M. Edgw —6B 12
Ballards Rise. S Croy —6G 135
Ballards Rd. NW2 —2C 42
Ballards Rd. Dag —2H 69
Ballards Way. S Croy & Croy
 —6G 135
Ballast Quay. SE10 —5F 81
Ballater Rd. SW2 —4J 93
Ballater Rd. S Croy —5F 135
Ballina St. SE23 —7K 95
Ballingdon Rd. SW11 —6E 92
Balliol Av. E4 —4B 20
Balliol Rd. N17 —1E 30
Balliol Rd. W10 —6E 58
Balliol Rd. Well —2B 100
Balloch Rd. SE6 —1F 113
Ballogie Av. NW10 —4A 42
Ballow Clo. SE5 —7E 78
Ball's Pond Pl. N1 —6D 46
Balls Pond Rd. N1 —6D 46
Balmain Clo. W5 —1D 72
Balmain Ct. Houn —1F 87
Balmer Rd. E3 —2B 64
Balmes Rd. N1 —1D 62
Balmoral Av. N11 —5A 16
Balmoral Av. Beck —4A 126
Balmoral Clo. SW15 —6F 91
Balmoral Ct. SE12 —4K 113
Balmoral Ct. SE27 —4C 110
Balmoral Ct. Beck —1E 126
Balmoral Ct. Sutt —7J 131
Balmoral Ct. Wemb —3F 41
Balmoral Ct. Wor Pk —2D 130
Balmoral Dri. S'hall —4D 54
Balmoral Gdns. W13 —3A 72
Balmoral Gdns. Bex —7F 101
Balmoral Gdns. Ilf —1K 51
Balmoral Gro. N7 —6K 45
Balmoral M. W12 —3B 74
Balmoral Rd. E7 —4A 50
Balmoral Rd. E10 —2D 48
Balmoral Rd. NW2 —6D 42
Balmoral Rd. Harr —4E 38
Balmoral Rd. King T —4F 119
Balmoral Rd. Wor Pk —2D 130
Balmoral Trad. Est. Bark —5K 67
Balmore Cres. Barn —5K 5
Balmore St. N19 —2F 45
Balmuir Gdns. SW15 —4E 90
Balnacraig Av. NW10 —4A 42
Balniel Ga. SW1 —5H 77 (5D 154)
Baltic Cen., The. Bren —5D 72
Baltic Clo. SW19 —7B 108
Baltic Ct. SE16 —2K 79
Baltic Ho. SE5 —2C 94
Baltic St. E. EC1 —4C 62 (4C 144)
Baltic St. W. EC1
 —4C 62 (4C 144)
Baltimore Pl. Well —2K 99
Balvaird Pl. SW1
 —5H 77 (6D 154)
Balvernie Gro. SW18 —7H 91
Bamber Ho. Bark —1G 67
Bamborough Gdns. W12 —2E 74
Bamburgh. N17 —7C 18
Bamford Av. Wemb —1F 57
Bamford Rd. Bark —6G 51
Bamford Rd. Brom —5E 112
Bampfylde Clo. Wall —3G 133
Bampton Ct. W5 —6D 56
Bampton Rd. SE23 —3K 111

Banavie Gdns. Beck —1E 126
Banbury Clo. Enf —1G 7
Banbury Ct. WC2
 —7J 61 (2E 148)
Banbury Ct. Sutt —7J 131
Banbury Ho. E9 —7K 47
Banbury Rd. E9 —7K 47
Banbury Rd. E17 —7E 18
Banbury St. SW11 —2C 92
Banbury Wlk. N'holt —2E 54
(off Brabazon Rd.)
Banchory Rd. SE3 —7K 81
Bancroft Av. Buck H —2D 20
Bancroft Av. N2 —5C 28
Bancroft Ct. N'holt —1A 54
Bancroft Gdns. Harr —1G 23
Bancroft Gdns. Orp —7K 129
Bancroft Rd. E1 —3K 63
Bancroft Rd. Harr —2G 23
Bandon Rise. Wall —5H 133
Bangalore St. SW15 —3E 90
Bangor Clo. N'holt —5F 39
Banim St. W6 —4D 74
Banister Ho. E9 —5K 47
Banister Rd. W10 —3F 59
Bank Av. Mitc —2B 122
Bank Bldgs. E4 —6A 20
Bank End. SE1 —1C 78 (4D 150)
Bankfoot Rd. Brom —4G 113
Bankhurst Rd. SE6 —7B 96
Bank La. SW15 —5A 90
Bank La. King T —7E 104
Bank M. Sutt —6A 132
Banksian Wlk. Iswth —1J 87
Banksia Rd. N18 —5D 18
Bankside. SE1 —7C 62 (3C 150)
Bankside. Enf —1G 7
Bankside. S'hall —1B 70
Bankside. S Croy —6F 135
Bankside Clo. Bex —4K 117
Bankside Clo. Cars —6C 132
Bankside Clo. Iswth —4K 87
Bankside Rd. Ilf —5G 51
Bankside Way. SE19 —6E 110
Banks La. Bexh —4F 101
Bank, The. N6 —1F 45
Bankton Rd. SW2 —4A 94
Bankwell Rd. SE13 —4F 97
Bannerman Ho. SW8
 —6K 77 (7G 155)
Banner St. EC1 —4C 62 (4D 144)
Banning St. SE10 —5G 81
Bannister Clo. Gnfd —5H 39
Bannister Clo. SW2 —1A 110
Bannockburn Rd. SE18 —4J 83
Banstead Gdns. N9 —3K 17
Banstead Rd. Cars —7B 132
Banstead Rd. S. Sutt —7B 132
Banstead St. SE15 —3J 95
Banstead Way. Wall —5J 133
Banstock Rd. Edgw —6C 12
Banting Dri. N21 —5E 6
Banton Clo. Enf —2C 8
Bantry St. SE5 —7D 78
Banwell Rd. Bex —6D 100
Banyard Rd. SE16 —3H 79
Baptist Gdns. NW5 —6E 44
Barandon Wlk. W11 —7F 59
Barbara Brosnan Ct. NW8
 —2B 60 (1A 140)
Barbara Hucklesby Clo. N22
 —2B 30

Barbauld Rd. N16 —3E 46
Barber Clo. N21 —7F 7
Barbers All. E13 —3K 65
Barbers Rd. E15 —2D 64
Barbican Rd. Gnfd —6F 55
Barb M. W6 —3E 74
Barbon Clo. WC1
 —5K 61 (5F 143)
Barbot Clo. N9 —3B 18
Barchard St. SW18 —5K 91
Barchester Clo. W7 —1K 71
Barchester Rd. Harr —2H 23
Barchester St. E14 —5D 64
Barclay Clo. SW6 —7J 75
Barclay Oval. Wfd G —4D 20
Barclay Path. E17 —5E 32
Barclay Rd. E11 —1H 49
Barclay Rd. E13 —4A 66
Barclay Rd. E17 —5E 32
Barclay Rd. N18 —6J 17
Barclay Rd. SW6 —7J 75
Barclay Rd. Croy —3D 134
Barclay Way. SE22 —1G 111
Barcombe Av. SW2 —2J 109
Barcombe Clo. Orp —3K 129
Barden St. SE18 —7J 83
Bardfield Av. Romf —3D 36
Bardney Rd. Mord —4K 121
Bardolph Av. Croy —7A 136
Bardolph Rd. N7 —4J 45
Bardolph Rd. Rich —3F 89
Bard Rd. W10 —7F 59
Bardsey Wlk. N1 —6C 46
Bardsley Clo. Croy —3F 135
Bardsley La. SE10 —6E 80
Barfett St. W10 —4H 59
Barfield Av. N20 —2J 15
Barfield Rd. E11 —1H 49
Barfield Rd. Brom —3E 128
Barfleur Ho. SE8 —5B 80
Barford Clo. NW4 —2C 26
Barford St. N1 —1A 62
Barforth Rd. SE15 —3H 95
Barfreston Way. SE20 —1H 125
Bargate Clo. SE18 —5K 83
Bargate Clo. N Mald —7C 120
Barge Ho. Rd. E16 —2F 83
Barge Ho. St. SE1
 —1A 78 (3K 149)
Bargery Rd. SE6 —1D 112
Barge Wlk. King T —1D 118
Bargrove Clo. SE20 —7G 111
Bargrove Cres. SE6 —2B 112
Barham Clo. Brom —1C 138
Barham Clo. Chst —5F 115
Barham Clo. Romf —2H 37
Barham Clo. Wemb —6B 40
Barham Rd. SW20 —7C 106
Barham Rd. Chst —5F 115
Barham Rd. S Croy —5C 134
Baring Clo. SE12 —2J 113
Baring Rd. SE12 —7J 97
Baring Rd. Cockf —4G 5
Baring Rd. Croy —1G 135
Baring St. N1 —1D 62
Barington Ho. N1 —2K 61
(off Collier St.)
Barker Dri. NW1 —7G 45
Barker M. SW4 —4F 93
Barkers Arc. W8 —2K 75
Barker St. SW10 —6A 76
Barker Wlk. SW16 —3H 109
Barker Way. SE22 —7G 95
Barkham Rd. N17 —7J 17
Barking Bus. Cen. Bark —3A 68

Bateman's Bldgs. *W1*
　　　—6H **61** (1C **148**)
Bateman's Row. *EC2*
　　　—4E **62** (3H **145**)
Bateman St. *W1*
　　　—6H **61** (1C **148**)
Bates Cres. *SW16* —7G **109**
Dates Cres. *Croy* —5A **134**
Bateson St. *SE18* —4J **83**
Bates Point. *E13* —1J **65**
　(off Pelly Rd.)
Bate St. *E14* —7B **64**
Bath Clo. *SE15* —1J **95**
Bath Ct. *EC1* —4A **62** (4J **143**)
Bath Ct. SE26 —3G **111**
　(off Droitwich Clo.)
Bathgate Rd. *SW19* —3F **107**
Bath Ho. Rd. *Bedd* —1J **133**
Bath Pas. *King T* —2D **118**
Bath Pl. *EC2* —3E **62** (2G **145**)
Bath Pl. W6 —5E **74**
　(off Fulham Pal. Rd.)
Bath Pl. *Barn* —3C **4**
Bath Rd. *E7* —6B **50**
Bath Rd. *N9* —2C **18**
Bath Rd. *W4* —4A **74**
Bath Rd. *Houn* —1A **86**
Bath Rd. *Mitc* —3B **122**
Bath Rd. *Romf* —6E **36**
Baths App. *SW6* —7H **75**
Baths Rd. *Brom* —4B **128**
Bath St. *EC1* —3C **62** (2D **144**)
Bath Ter. *SE1* —3C **78** (2C **156**)
Bathurst Av. *SW19* —1K **121**
Bathurst Gdns. *NW10* —2D **58**
Bathurst M. *W2* —7B **60** (2B **146**)
Bathurst Rd. *Ilf* —1F **51**
Bathurst St. *W2* —7B **60** (2B **146**)
Bathway. *SE18* —4E **82**
Batley Clo. *Mitc* —7D **122**
Batley Pl. *N16* —3F **47**
Batley Rd. *N16* —3F **47**
Batley Rd. *Enf* —1H **7**
Batman Clo. *W12* —1D **74**
Batoum Gdns. *W6* —3E **74**
Batson Ho. E1 —6G **63**
　(off Fairclough St.)
Batson St. *W12* —2C **74**
Batsworth Rd. *Mitc* —3B **122**
Battenberg Wlk. *SE19* —6E **110**
Batten Clo. *E6* —6D **66**
Batten Ho. *SW4* —5G **93**
Batten St. *SW11* —3C **92**
Battersby Rd. *SE6* —2F **113**
Battersea Bri. *SW3 & SW11*
　　　—7B **76**
Battersea Bri. Rd. *SW11* —7C **76**
Battersea Chu. Rd. *SW11* —1B **92**
Battersea High St. *SW11* —1B **92**
Battersea Pk. Rd. *SW11 & SW8*
　　　—2C **92**
Battersea Rise. *SW11* —5C **92**
Battersea Sq. *SW11* —1B **92**
Battery Rd. *SE28* —2J **83**
Batteson St. *SE18* —4J **83**
Battishill St. *N1* —7B **46**
Battis, The. *Romf* —6K **37**
Battlebridge Ct. N1 —2J **61**
　(off Wharfdale Rd.)
Battle Bri. La. *SE1*
　　　—1E **78** (5G **151**)
Battle Bri. Rd. *NW1* —2J **61**
Battle Clo. *SW19* —6A **108**
Battledean Rd. *N5* —5B **46**
Battle Rd. *Belv & Eri* —4J **85**

Batty St. *E1* —6G **63**
Baudwin Rd. *SE6* —2G **113**
Baugh Rd. *Sidc* —5C **116**
Baulk, The. *SW18* —7J **91**
Bavant Rd. *SW16* —2J **123**
Bavaria Rd. *N19* —2J **45**
Bavent Rd. *SE5* —2C **94**
Bawdale Rd. *SE22* —5F **95**
Bawdsey Av. *Ilf* —4K **35**
Bawtree Rd. *SE14* —7A **80**
Bawtry Rd. *N20* —3J **15**
Baxendale. *N20* —2F **15**
Baxendale St.
　　　—3G **63** (1K **145**)
Baxter Rd. *E16* —6A **66**
Baxter Rd. *N1* —6D **46**
Baxter Rd. *N18* —4C **18**
Baxter Rd. *Ilf* —5F **51**
Bay Ct. *W5* —3E **72**
Baycroft Clo. *Pinn* —3A **22**
Baydon Ct. *Short* —3H **127**
Bayes Clo. *SE26* —5J **111**
Bayfield Ho. SE4 —4K **95**
　(off Coston Wlk.)
Bayfield Rd. *SE9* —4B **98**
Bayford M. *E8* —7H **47**
　(off Bayford St.)
Bayford Rd. *NW10* —3F **59**
Bayford St. *E8* —7H **47**
Bayham Pl. *NW1* —1G **61**
Bayham Rd. *W4* —3K **73**
Bayham Rd. *W13* —7B **56**
Bayham Rd. *Mord* —4K **121**
Bayham St. *NW1* —1G **61**
Bayleaf Clo. *Hamp H* —5H **103**
Bayley St. *WC1* —5H **61** (6C **142**)
Bayley Wlk. *SE2* —5E **84**
Baylin Rd. *SW18* —6K **91**
Baylis Rd. *SE1* —2A **78** (7J **149**)
Bayliss Av. *SE28* —7D **68**
Bayliss Clo. *N21* —5D **6**
Bayne Clo. *E6* —6D **66**
Baynes Clo. *Enf* —1B **8**
Baynes M. *NW3* —6B **44**
Baynes Pl. *NW1* —7G **45**
Baynes St. *NW1* —7G **45**
Baynham Clo. *Bex* —6F **101**
Bayonne Rd. *W6* 6G **75**
Bayshill Rise. *N'holt* —6F **39**
Bayston Rd. *N16* —3F **47**
Bayswater Rd. *W2* —7K **59**
Baythorne St. *E3* —4B **112**
Bay Tree Clo. *Brom* —1B **128**
Baytree Clo. *Sidc* —1K **115**
Baytree Ct. *SW2* —4K **93**
Baytree Ho. *E4* —7J **9**
Baytree Rd. *SW2* —4K **93**
Bazalgette Clo. *N Mald* —5K **119**
Bazalgette Gdns. *N Mald*
　　　—5K **119**
Bazely St. *E14* —7E **64**
Bazile Rd. *N21* —6F **7**
Beacham Clo. *SE7* —5B **82**
Beachborough Rd. *Brom*
　　　—4E **112**
Beachcroft Rd. *E11* —3G **49**
Beachcroft Way. *N19* —1H **45**
Beach Gro. *Felt* —2E **102**
Beach Ho. *Felt* —2E **102**
Beachy Rd. *E3* —7C **48**
Beacon Ga. *SE14* —2K **95**
Beacon Gro. *Cars* —4E **132**
Beacon Hill. *N7* —5J **45**

Beacon Rd. *SE13* —6F **97**
Beacons Clo. *E6* —5C **66**
Beaconsfield Clo. *N11* —5K **15**
Beaconsfield Clo. *SE3* —6J **81**
Beaconsfield Clo. *W4* —5J **73**
Beaconsfield Pde. *SE9* —4C **114**
Beaconsfield Rd. *E10* —3E **48**
Beaconsfield Rd. *E16* —4H **65**
Beaconsfield Rd. *E17* —6B **32**
Beaconsfield Rd. *N9* —3B **18**
Beaconsfield Rd. *N11* —3K **15**
Beaconsfield Rd. *N15* —4E **30**
Beaconsfield Rd. *NW10* —6B **42**
Beaconsfield Rd. *SE3* —7H **81**
Beaconsfield Rd. *SE9* —2C **114**
Beaconsfield Rd. *SE17*
　　　—5D **78** (6G **157**)
Beaconsfield Rd. *W4* —3K **73**
Beaconsfield Rd. *W5* —2C **72**
Beaconsfield Rd. *Bex* —2K **117**
Beaconsfield Rd. *Brom* —3B **128**
Beaconsfield Rd. *Croy* —6D **124**
Beaconsfield Rd. *Hayes* —1A **70**
Beaconsfield Rd. *N Mald*
　　　—2K **119**
Beaconsfield Rd. *S'hall* —1B **70**
Beaconsfield Rd. *Surb* —7F **119**
Beaconsfield Rd. *Twic* —6B **88**
Beaconsfield Ter. *Romf* —6D **36**
Beaconsfield Ter. Rd. *W14*
　　　—3G **75**
Beaconsfield Wlk. *E6* —6E **66**
Beaconsfield Wlk. *SW6* —1H **91**
Beacontree Av. *E17* —1F **33**
Beacontree Rd. *E11* —7H **33**
Beadle's Pde. *Dag* —6J **53**
Beadlow Clo. *Cars* —6B **122**
Beadman Pl. *SE27* —4B **110**
Beadman St. *SE27* —4B **110**
Beadnell Rd. *SE23* —1K **111**
Beadon Rd. *W6* —4E **74**
Beadon Rd. *Brom* —4J **127**
Beaford Gro. *SW20* —3G **121**
Beak St. *W1* —7G **61** (2B **148**)
Beal Clo. *Well* —1A **100**
Beale Clo. *N13* —5G **17**
Beale Pl. *E3* —2B **64**
Beale Rd. *E3* —1B **64**
Beam Av. *Dag* —1H **69**
Beaminster Gdns. *Ilf* —2F **35**
Beaminster Ho. SW8 —7K **77**
　(off Dorset Rd.)
Beamish Dri. *Bush* —1B **10**
Beamish Ga. *NW1* —7H **45**
Beamish Rd. *N9* —1B **18**
Beam Vs. *Dag* —2K **69**
Beamway. *Dag* —7K **53**
Beanacre Clo. *E9* —6B **48**
Bean Rd. *Bexh* —4D **100**
Beanshaw. *SE9* —4E **114**
Beansland Gro. *Romf* —3E **36**
Bear All. *EC4* —6B **62** (7A **144**)
Bear Clo. *Romf* —6H **37**
Beardell St. *SE19* —6F **111**
Beardow Gro. *N14* —6B **6**
Beard Rd. *King T* —5F **105**
Beardsfield. *E13* —2J **65**
Beardsley Ter. Dag —5B **52**
　(off Fitzstephen Rd.)
Beardsley Way. *W3* —2K **73**
Bearfield Rd. *King T* —7E **104**
Bear Gdns. *SE1* —1C **78** (4C **150**)
Bear La. *SE1* —1B **78** (4B **150**)
Bear Rd. *Felt* —4B **102**

Bearsted Rise. *SE4* —5B **96**
Bearsted Ter. *Beck* —1C **126**
Bear St. *WC2* —7H **61** (2D **148**)
Beatrice Av. *SW16* —3K **123**
Beatrice Av. *Wemb* —5E **40**
Beatrice Clo. *E13* —4J **65**
Beatrice Ct. *Buck H* —2G **21**
Beatrice Pl. *W8* —3K **75**
Beatrice Rd. *E17* —5C **32**
Beatrice Rd. *N4* —7A **30**
Beatrice Rd. *N9* —7D **8**
Beatrice Rd. *SE1* —4G **79**
Beatrice Rd. *Rich* —5F **89**
Beatrice Rd. *S'hall* —1D **70**
Beatson Wlk. *SE16* —1A **80**
Beattock Rise. *N10* —4F **29**
Beatty Ho. *E14* —2C **80**
　(off Admirals Way)
Beatty Rd. *N16* —4E **46**
Beatty Rd. *Stan* —6H **11**
Beatty St. *NW1* —2G **61**
Beattyville Gdns. *Ilf* —4E **34**
Beauchamp Clo. *W4* —3J **73**
Beauchamp Ct. *Stan* —5H **11**
Beauchamp Pl. *SW3*
　　　—3C **76** (1D **152**)
Beauchamp Rd. *E7* —7K **49**
Beauchamp Rd. *SE19* —1D **124**
Beauchamp Rd. *SW11* —4C **92**
Beauchamp Rd. *Sutt* —4J **131**
Beauchamp Rd. *Twic* —7A **88**
Beauchamp St. *EC1*
　　　—5A **62** (6J **143**)
Beauchamp Ter. *SW15* —3D **90**
Beauclerc Rd. *W6* —3D **74**
Beauclerk Clo. *Felt* —1A **102**
Beauclerk Ho. *SW16* —3J **109**
Beaufort. *E6* —5E **66**
Beaufort Av. *Harr* —4A **24**
Beaufort Clo. *E4* —6J **19**
Beaufort Clo. *SW15* —7D **90**
Beaufort Clo. *W5* —5F **57**
Beaufort Clo. *Romf* —4J **37**
Beaufort Ct. N11 —5A **16**
　(off Limes Av., The)
Beaufort Ct. *Rich* —4C **104**
Beaufort Dri. *NW11* —4J **27**
Beaufort Gdns. *NW4* —6E **26**
Beaufort Gdns. *SW3*
　　　—3C **76** (1D **152**)
Beaufort Gdns. *SW16* —7K **109**
Beaufort Gdns. *Houn* —1C **86**
Beaufort Gdns. *Ilf* —1E **50**
Beaufort M. *SW6* —6H **75**
Beaufort Pk. *NW11* —4J **27**
Beaufort Rd. *W5* —5F **57**
Beaufort Rd. *King T* —4E **118**
Beaufort Rd. *Rich* —4C **104**
Beaufort Rd. *Twic* —7C **88**
Beaufort St. *SW3*
　　　—6B **76** (7A **152**)
Beaufort Way. *Eps* —7C **130**
Beaufoy Ho. *SE27* —3B **110**
Beaufoy Rd. *N17* —7K **17**
Beaufoy Wlk. *SE11*
　　　—4K **77** (4H **155**)
Beaulieu Av. *E16* —1K **81**
Beaulieu Av. *SE26* —4H **111**
Beaulieu Clo. *NW9* —4A **26**
Beaulieu Clo. *SE5* —3D **94**
Beaulieu Clo. *Houn* —5D **86**
Beaulieu Clo. *Mitc* —1E **122**
Beaulieu Clo. *Twic* —6D **88**
Beaulieu Ct. *W5* —5E **56**

Beaulieu Dri. *Pinn* —6B **22**
Beaulieu Gdns. *N21* —7H **7**
Beaulieu Pl. *W4* —3J **73**
Beaumanor Gdns. *SE9* —4E **114**
Beaumaris Dri. *Wfd G* —7G **21**
Beaumaris Grn. *NW9* —6A **26**
Beaumaris Tower W3 —2H **73**
　(off Park Rd. N.)
Beaumont Av. *W14* —5H **75**
Beaumont Av. *Harr* —6F **23**
Beaumont Av. *Rich* —3F **89**
Beaumont Av. *Wemb* —5C **40**
Beaumont Clo. *King T* —7G **105**
Beaumont Ct. *E5* —3H **47**
Beaumont Ct. *W4* —5J **73**
Beaumont Cres. *W14* —5H **75**
Beaumont Gdns. *NW3* —3J **43**
Beaumont Gro. *E1* —4K **63**
Beaumont Ho. *E10* —7D **32**
Beaumont Ho. *E15* —1H **65**
　(off John St.)
Beaumont M. *W1*
　　　—5E **60** (5H **141**)
Beaumont M. *Pinn* —3C **22**
Beaumont Pl. *W1*
　　　—4G **61** (3B **142**)
Beaumont Pl. *Barn* —1C **4**
Beaumont Pl. *Iswth* —5K **87**
Beaumont Rise. *N19* —1H **45**
Beaumont Rd. *E10* —7D **32**
Beaumont Rd. *E13* —3K **65**
Beaumont Rd. *SE19* —6C **110**
Beaumont Rd. *SW19* —7G **91**
Beaumont Rd. *W4* —3J **73**
Beaumont Rd. *Orp* —6H **129**
Beaumont Sq. *E1* —5K **63**
Beaumont St. *W1*
　　　—5E **60** (5H **141**)
Beaumont Wlk. *NW3* —7D **44**
Beauvais Ter. *N'holt* —3B **54**
Beauval Rd. *SE22* —6F **95**
Beaux Arts Building. *N7* —3J **45**
Beav Callender Clo. *SW8* —3F **93**
Beaverbank Rd. *SE9* —1H **115**
Beaver Clo. *SE20* —7G **111**
Beaver Clo. *Hamp* —7F **103**
Beavercote Wlk. *Belv* —5F **85**
Beaver Ct. *Beck* —7D **112**
Beaver Gro. *N'holt* —3C **54**
Beavers Clo. *Houn* —2A **86**
Beavers Lodge. *Sidc* —4K **115**
Beaverwood Rd. *Chst* —5J **115**
Beavor Gro. W6 —5C **74**
　(off Beavor La.)
Beavor La. *W6* —4C **74**
Bebbington Rd. *SE18* —4J **83**
Beccles Dri. *Bark* —6J **51**
Beccles St. *E14* —7B **64**
Bec Clo. *Ruis* —3B **38**
Bechervaise Ct. *E10* —1D **48**
Beck Clo. *SE13* —1D **96**
Beck Ct. *Beck* —3K **125**
Beckenham Bus. Cen. *Beck*
　　　—6A **112**
Beckenham Gdns. *N9* —3K **17**
Beckenham Gro. *Brom* —2F **127**
Beckenham Hill Est. *Beck*
Beckenham Hill Rd. *Beck & SE6*
　　　—6D **112**
Beckenham La. *Brom* —2G **127**
Beckenham Pl. Pk. *Beck* —7D **112**
Beckenham Rd. *Beck* —1K **125**
Beckenham Rd. *W Wick* —7E **126**

175

Bellevue Rd. *SW13* —2C **90**
Bellevue Rd. *SW17* —1C **108**
Bellevue Rd. *W13* —4B **56**
Bellevue Rd. *Bexh* —5F **101**
Bellevue Rd. *King T* —3E **118**
Bellew St. *SW17* —3A **108**
Bell Farm Av. *Dag* —3J **53**
Bellfield. *Croy* —7A **136**
Bellfield Av. *Harr* —6C **10**
Bellflower Clo. *E6* —5C **66**
Bellgate M. *NW5* —4F **45**
Bell Grn. *SE26* —3B **112**
Bell Grn. La. *SE26* —5B **112**
Bell Hill. *Croy* —2C **134**
Bell Ho. Rd. *Romf* —1J **53**
Bellina M. *NW5* —4F **45**
Bell Ind. Est. *W4* —4J **73**
Bellingham. N17 —7C **18**
  (off Park La.)
Bellingham Ct. *Bark* —3B **68**
Bellingham Grn. *SE6* —3C **112**
Bellingham Rd. *SE6* —3D **112**
Bellingham Trad. Est. *SE6*
  —3D **112**
Bell Inn Yd. *EC3*
  —6D **62** (1F **151**)
Bell Junct. *Houn* —3F **87**
Bell La. *E1* —5F **63** (6J **145**)
Bell La. *E16* —1J **81**
Bell La. *NW4 & NW11* —4E **26**
Bell La. *Enf* —1E **8**
Bell La. *Twic* —1A **104**
Bell La. *Wemb* —3D **40**
Bell Meadow. *SE19* —5E **110**
Bell Moor. NW3 —3A **44**
  (off E. Heath Rd.)
Bello Clo. *SE24* —1B **110**
Bellot St. *SE10* —5G **81**
Bellring Clo. *Belv* —6G **85**
Bell Rd. *Enf* —1J **7**
Bell Rd. *Houn* —3F **87**
Bells All. *SW6* —2J **91**
Bells Hill. *Barn* —5A **4**
Bell St. *NW1* —5C **60** (5C **140**)
Bell, The. (Junct.) —3C **32**
Belltrees Gro. *SW16* —5K **109**
Bell Water Ga. *SE18* —3E **82**
Bell Wharf La. *EC4*
  —7C **62** (3D **150**)
Bellwood Rd. *SE15* —4K **95**
Bell Yd. *WC2* —6A **62** (1J **149**)
Belmarsh Rd. *SE28* —2J **83**
Belmont Av. *N9* —1B **18**
Belmont Av. *N13* —5E **16**
Belmont Av. *N17* —3C **30**
Belmont Av. *Barn* —5J **5**
Belmont Av. *N Mald* —5C **120**
Belmont Av. *S'hall* —3C **70**
Belmont Av. *Well* —3J **99**
Belmont Av. *Wemb* —1F **57**
Belmont Circ. *Harr* —1B **24**
Belmont Clo. *E4* —5A **20**
Belmont Clo. *N20* —1E **14**
Belmont Clo. *SW4* —3G **93**
Belmont Clo. *Cockf* —4J **5**
Belmont Clo. *Wfd G* —4E **20**
Belmont Ct. *NC* —4C **46**
Belmont Ct. *NW11* —5H **27**
Belmont Gro. *SE13* —3F **97**
Belmont Gro. *W4* —4K **73**
Belmont Hall Ct. *SE13* —3F **97**
Belmont Hill. *SE13* —3E **96**
Belmont La. *Chst* —5G **115**
  (in two parts)
Belmont La. *Stan* —7H **11**

Belmont Lodge. *Har W* —7C **10**
Belmont Pde. *Chst* —5G **115**
Belmont Pk. *SE13* —4F **97**
Belmont Pk. Clo. *SE13* —4G **97**
Belmont Pk. Rd. *E10* —6D **32**
Belmont Rise. *Sutt* —6H **131**
Belmont Rd. *N15 & N17* —4C **30**
Belmont Rd. *SE25* —5H **125**
Belmont Rd. *SW4* —3G **93**
Belmont Rd. *W4* —4K **73**
Belmont Rd. *Beck* —2B **126**
Belmont Rd. *Chst* —5F **115**
Belmont Rd. *Eri* —7G **85**
Belmont Rd. *Harr* —3K **23**
Belmont Rd. *Ilf* —3G **51**
Belmont Rd. *Twic* —2H **103**
Belmont Rd. *Wall* —5F **133**
Belmont Rd. *NW1* —7E **44**
Belmont Ter. *W4* —4K **73**
Belmore La. *N7* —5H **45**
Belmore St. *SW8* —1H **93**
Belsham St. *E9* —6J **47**
Belsize Av. *N13* —6E **16**
Belsize Av. *NW3* —6B **44**
Belsize Av. *N13* —3B **72**
Belsize Ct. *NW3* —5B **44**
Belsize Ct. Garages. NW3 —5B **44**
  (off Belsize La.)
Belsize Cres. *NW3* —5B **44**
Belsize Gdns. *Sutt* —4K **131**
Belsize Gro. *NW3* —6C **44**
Belsize La. *NW3* —6B **44**
Belsize M. *NW3* —6B **44**
Belsize Pk. *NW3* —6B **44**
Belsize Pk. Gdns. *NW3* —6B **44**
Belsize Pk. M. *NW3* —6B **44**
Belsize Pl. *NW3* —5B **44**
Belsize Rd. *NW6* —1J **59**
Belsize Rd. *Harr* —7C **10**
Belsize Sq. *NW3* —6B **44**
Belsize Ter. *NW3* —6B **44**
Belson Rd. *SE18* —4D **82**
Beltane Dri. *SW19* —3F **107**
Belthorn Cres. *SW12* —7G **93**
Belton Rd. *E7* —7K **49**
Belton Rd. *E11* —4G **49**
Belton Rd. *N17* —3F **30**
Belton Rd. *NW2* —6C **42**
Belton Rd. *Sidc* —4A **116**
Belton Way. *E3* —5C **64**
Beltran Rd. *SW6* —2K **91**
Beltwood Rd. *Belv* —4J **85**
Belvedere Av. *SW19* —5G **107**
Belvedere Av. *Ilf* —2F **35**
Belvedere Bldgs. *SE1*
  —2B **78** (7B **150**)
Belvedere Clo. *Tedd* —5J **103**
Belvedere Ct. *Belv* —3F **85**
Belvedere Dri. *SW19* —5G **107**
Belvedere Gro. *SW19* —5G **107**
Belvedere Link Bus. Pk. *Eri*
  —3K **85**
Belvedere M. *SE15* —3J **95**
Belvedere Pl. *SE1*
  —2B **78** (7B **150**)
Belvedere Rd. *E10* —1A **48**
Belvedere Rd. *SE1*
  —2K **77** (6H **149**)
Belvedere Rd. *SE2* —1C **84**
Belvedere Rd. *SE19* —7F **111**
Belvedere Rd. *W7* —3K **71**
Belvedere Rd. *Bexh* —3F **101**
Belvedere Sq. *SW19* —5G **107**
Belvedere Strand. *NW9* —2B **26**

Belvedere, The. *SW10* —1A **92**
  (off Chelsea Harbour)
Belvedere Way. *Harr* —6E **24**
Belvoir Clo. *SE9* —3C **114**
Belvoir Rd. *SE22* —7G **95**
Belvue Bus. Cen. *N'holt* —7F **39**
Belvue Clo. *N'holt* —7E **38**
Belvue Rd. *N'holt* —7E **38**
Bembridge Clo. *NW6* —7G **43**
Bembridge Ho. *SE8* —4B **80**
  (off Longshore)
Bemersyde Point. *E13* —3K **65**
  (off Dongola Rd. W.)
Bemerton Est. *N1* —7J **45**
Bemerton St. *N1* —1K **61**
Bemish Rd. *SW15* —3F **91**
Bemsted Rd. *E17* —3B **32**
Benares Rd. *SE18* —4K **83**
Benbow Rd. *W6* —3D **74**
Benbow St. *SE8* —6C **80**
Benbury Clo. *Brom* —5E **112**
Bence Ho. *SE8* —4K **90**
Bench Field. *S Croy* —5F **135**
Bench, The. *Rich* —3C **104**
Bencroft Rd. *SW16* —7G **109**
Bencurtis Pk. *W Wick* —3F **137**
Bendall M. *NW1*
  —5C **60** (5D **140**)
Bendemeer Rd. *SW15* —3F **91**
Benden Ho. SE13 —5E **96**
  (off Monument Gdns.)
Bendish Rd. *E6* —7C **50**
Bendmore Av. *SE2* —5A **84**
Bendon Valley. *SW18* —7K **91**
Benedict Clo. *Belv* —3E **84**
Benedict Rd. *SW9* —3K **93**
Benedict Rd. *Mitc* —3B **122**
Benedict Way. *N2* —3A **28**
Benedict Wharf. *Mitc* —3B **122**
Benenden Grn. *Brom* —5J **127**
Benett Gdns. *SW16* —2J **123**
Ben Ezra Ct. SE17
  —4C **78** (4D **156**)
  (off Asolando Dri.)
Benfleet Clo. *Sutt* —3A **132**
Benfleet Ct. *E8* —1F **63**
Bengal Rd. *Ilf* —3F **51**
Bengarth Dri. *Harr* —2H **23**
Bengarth Rd. *N'holt* —1C **54**
Bengeworth Rd. *SE5* —3C **94**
Bengeworth Rd. *Harr* —2A **40**
Ben Hale Clo. *Stan* —5G **11**
Benham Clo. *SW11* —3B **92**
Benham Gdns. *Houn* —5D **86**
Benham Rd. *W7* —5J **55**
Benham's Pl. NW3 —4A **44**
Benhill Av. *Sutt* —4K **131**
Benhill Rd. *SE5* —7D **78**
Benhill Rd. *Sutt* —3A **132**
Benhill Wood Rd. *Sutt* —3A **132**
Benhilton Gdns. *Sutt* —3K **131**
Benhurst Ct. *SW16* —5A **110**
Benhurst La. *SW16* —5A **110**
Benin St. *SE13* —7F **97**
Benjafield Clo. *N18* —4C **18**
Benjamin Clo. *E8* —1G **63**
Benjamin Ct. *Belv* —6F **85**
Benjamin St. *EC1*
  —5B **62** (5A **144**)
Ben Jonson Ct. *N1* —2E **62**
Ben Jonson Ho. *EC2*
  —5C **62** (5D **144**)
Ben Jonson Pl. *EC2*
  —5C **62** (5D **144**)
Ben Jonson Rd. *E1* —5K **63**

Benledi St. *E14* —6F **65**
Bennerley Rd. *SW11* —5C **92**
Bennet's Hill. *EC4*
  —7C **62** (2C **150**)
Bennett Clo. *Hamp W* —1C **118**
Bennett Clo. *Well* —2A **100**
Bennett Ct. *N7* —3K **45**
Bennett Gro. *SE13* —1D **96**
Bennett Pk. *SE3* —3H **97**
Bennett Rd. *E13* —4A **66**
Bennett Rd. *Romf* —6E **36**
Bennetts Av. *Croy* —2A **136**
Bennetts Av. *Gnfd* —1J **55**
Bennett's Castle La. *Dag* —2C **52**
Bennetts Clo. *N17* —7A **18**
Bennetts Clo. *Mitc* —1F **123**
Bennetts Copse. *Chst* —6C **114**
Bennett's Rd. *N16* —4E **46**
Bennett St. *W4* —6A **74**
Bennetts Way. *Croy* —2A **136**
Bennett's Yd. *SW1*
  —3J **77** (2D **154**)
Bennilong Clo. *W12* —7D **58**
Benningholme Rd. *Edgw* —6F **13**
Bennington Rd. *E4* —7B **20**
Bennington Rd. *N17* —1E **30**
Benn St. *E9* —6A **48**
Benns Wlk. *Rich* —4E **88**
Benrek Clo. *Ilf* —1G **35**
Bensbury Clo. *SW15* —7D **90**
Bensham Clo. *T Hth* —4C **124**
Bensham Gro. *T Hth* —2C **124**
Bensham La. *T Hth & Croy*
  —5B **124**
Bensham Mnr. Rd. *T Hth*
  —4C **124**
Bensley Clo. *N11* —5J **15**
Ben Smith Way. *SE16* —3G **79**
Benson Av. *E6* —2A **66**
Benson Clo. *Houn* —4E **86**
Benson Quay. *E1* —7J **63**
Benson Rd. *SE23* —1J **111**
Benson Rd. *Croy* —3A **134**
Bentall Cen., The. *King T*
  —1D **118**
Bentfield Gdns. *SE9* —3B **114**
Benthal Rd. *N16* —3G **47**
Bentham Ct. *N1* —7C **46**
  (off Ecclesbourne Rd.)
Bentham Rd. *E9* —6K **47**
Bentham Rd. *SE28* —7B **68**
Bentham Wlk. *NW10* —5J **41**
Ben Tillet Clo. *E16* —1D **82**
Ben Tillet Clo. *Bark* —7A **52**
Ben Tillet Ho. *N15* —3B **30**
Bentinck Clo. *NW8* —2C **60**
Bentinck M. *W1* —6E **60** (7H **141**)
Bentinck St. *W1* —6E **60** (7H **141**)
Bentley Dri. *NW2* —3H **43**
Bentley Dri. *Ilf* —6G **35**
Bentley Ho. *SE5* —1E **94**
  (off Peckham Rd.)
Bentley Rd. *N1* —6E **46**
Bentley Way. *Stan* —5F **11**
Bentley Way. *Wfd G* —3D **20**
Benton Rd. *Ilf* —1H **51**
Bentons La. *SE27* —4C **110**
Bentons Rise. *SE27* —5D **110**
Bentry Clo. *Dag* —2E **52**
Bentry Rd. *Dag* —2E **52**
Bentworth Rd. *W12* —6D **58**
Benville Ho. *SW8* —7K **77**
  (off Oval Pl.)
Benwell Rd. *N7* —5A **46**

Benwick Clo. *SE16* —4H **79**
Benwood Ct. *Sutt* —3A **132**
Benworth St. *E3* —3B **64**
Berber Rd. *SW11* —5D **92**
Bercta Rd. *SE9* —2G **115**
Berenger Tower. *SW10* —7B **76**
  (off Worlds End Est.)
Berenger Wlk. *SW10* —7B **76**
  (off Worlds End Est.)
Berens Ct. *Sidc* —4K **115**
Berens Rd. *NW10* —3F **59**
Berens Way. *Chst* —3K **129**
Beresford Av. *N20* —2J **15**
Beresford Av. *W7* —5H **55**
Beresford Av. *Surb* —7H **119**
Beresford Av. *Twic* —6C **88**
Beresford Av. *Wemb* —1F **57**
Beresford Dri. *Brom* —3C **128**
Beresford Dri. *Wfd G* —4F **21**
Beresford Gdns. *Enf* —4K **7**
Beresford Gdns. *Houn* —5D **86**
Beresford Gdns. *Romf* —5E **36**
Beresford Rd. *SW18* —6A **92**
Beresford Rd. *E4* —1B **20**
Beresford Rd. *E17* —1D **32**
Beresford Rd. *N2* —3C **28**
Beresford Rd. *N5* —5D **46**
Beresford Rd. *N8* —5A **30**
Beresford Rd. *Harr* —5H **23**
Beresford Rd. *King T* —1F **119**
Beresford Rd. *N Mald* —4J **119**
Beresford Rd. *S'hall* —1B **70**
Beresford Rd. *Sutt* —7H **131**
Beresford Sq. *SE18* —4F **83**
Beresford St. *SE18* —3F **83**
Beresford Ter. *N5* —5C **46**
Berestede Rd. *W6* —5B **74**
Bere St. *E1* —7K **63**
Bergen Ho. *SE5* —2C **94**
Bergen Sq. *SE16* —3A **80**
Berger Clo. *Orp* —6H **129**
Berger Rd. *E9* —6K **47**
Berghem M. *W14* —3F **75**
Bergholt Av. *Ilf* —5C **34**
Bergholt Cres. *N16* —7E **30**
Bergholt M. *NW1* —7G **45**
Bering Wlk. *E16* —6B **66**
Berkeley Av. *Bexh* —1D **100**
Berkeley Av. *Gnfd* —6J **39**
Berkeley Av. *Ilf* —2E **34**
Berkeley Av. *Romf* —1J **37**
Berkeley Clo. *Bren* —6A **72**
Berkeley Clo. *King T* —7E **104**
Berkeley Clo. *Orp* —7J **129**
Berkeley Clo. *N3* —1K **27**
Berkeley Ct. *NW1*
  —4D **60** (4F **141**)
Berkeley Ct. NW11 —7H **27**
  (off Ravenscroft Av.)
Berkeley Ct. *W5* —7C **56**
  (off Gordon Rd.)
Berkeley Ct. *Surb* —7D **118**
Berkeley Ct. *Wall* —3G **133**
Berkeley Cres. *Barn* —5G **5**
Berkeley Gdns. *N21* —7J **7**
Berkeley Gdns. *W8* —1J **75**
Berkeley Ho. Bren —6D **72**
  (off Albany Rd.)
Berkeley M. *W1* —6D **60** (1F **147**)
Berkeley Pl. *SW19* —6F **107**
Berkeley Rd. *E12* —5C **50**
Berkeley Rd. *N8* —5H **29**
Berkeley Rd. *N15* —6D **30**
Berkeley Rd. *NW9* —4G **25**

Berkeley Rd. *SW13* —1C **90**
Berkeley Sq. *W1*
　—7F **61** (3K **147**)
Berkeley St. *W1* —7F **61** (3K **147**)
Berkeley Wlk. *N7* —2K **45**
　(off Durham Rd.)
Berkeley Waye. *Houn* —6B **70**
Berkhampstead Rd. *Belv* —5G **85**
Berkhemsted Av. *Wemb* —6F **41**
Berkley Clo. *Twic* —3J **103**
　(off Wellesley Rd.)
Berkley Gro. *NW1* —7D **44**
Berkley Rd. *NW1* —7D **44**
Berkley Works. *NW1* —7D **44**
　(off Berkley Rd.)
Berkshire Ct. *W7* —4K **55**
　(off Copley Clo.)
Berkshire Gdns. *N13* —6F **17**
Berkshire Gdns. *N18* —5C **18**
Berkshire Ho. *SE6* —4C **112**
Berkshire Rd. *E9* —6B **48**
Berkshire Sq. *Mitc* —4J **123**
Bermans Way. *NW10* —4A **42**
Bermondsey Sq. *SE1*
　—3E **78** (1H **157**)
Bermondsey St. *SE1*
　—1E **78** (5G **151**)
Bermondsey Trad. Est. *SE16*
　—5J **79**
Bermondsey Wall E. *SE16*
　—2G **79**
Bermondsey Wall W. *SE16*
　—2G **79**
Bernal Clo. *SE28* —7D **68**
Bernard Ashley Dri. *SE7* —5K **81**
Bernard Av. *W13* —3B **72**
Bernard Cassidy St. *E16* —5H **65**
Bernard Gdns. *SW19* —5H **107**
Bernard Rd. *N15* —5F **31**
Bernard Rd. *Romf* —2J **37**
Bernard Rd. *Wall* —4F **133**
Bernard St. *WC1*
　—4J **61** (4E **142**)
Bernays Clo. *Stan* —6H **11**
Bernay's Gro. *SW9* —4K **93**
Bernel Dri. *Croy* —3B **136**
Berne Rd. *T Hth* —5C **124**
Berners Dri. *W13* —7A **56**
Berners M. *W1* —5G **61** (6B **142**)
Berners Pl. *W1* —6G **61** (7B **142**)
Berners Rd. *N1* —1B **62**
Berners Rd. *N22* —1A **30**
Berners St. *W1* —5G **61** (6B **142**)
Berney Ho. *Beck* —5A **126**
Berney Rd. *Croy* —7D **124**
Bernville Way. *Harr* —5F **25**
Bernwell Rd. *E4* —3B **20**
Berridge Grn. *Edgw* —7B **12**
Berridge M. *NW6* —5J **43**
Berridge Rd. *SE19* —5D **110**
Berriman Rd. *N7* —3K **45**
Berriton Rd. *Harr* —1D **38**
Berrybank Clo. *E4* —2K **19**
Berry Clo. *N21* —1G **17**
Berry Clo. *NW10* —7A **42**
Berry Ct. *Houn* —5D **86**
Berrydale Rd. *Hayes* —4C **54**
Berryfield Clo. *E17* —4D **32**
Berryfield Clo. *Brom* —1C **128**
Berryfield Rd. *SE17*
　—5B **78** (5B **156**)
Berryhill. *SE9* —4F **99**
Berry Hill. *Stan* —4J **11**
Berryhill Gdns. *SE9* —4F **99**

Berrylands. *SW20* —4E **120**
Berrylands. *Surb* —6F **119**
Berrylands Rd. *Surb* —6F **119**
Berry La. *SE21* —4D **110**
Berryman Clo. *Dag* —3C **52**
Berryman's La. *SE26* —4K **111**
Berrymead Gdns. *W3* —2J **73**
Berrymede Rd. *W4* —3K **73**
Berry Pl. *EC1* —3B **62** (2B **144**)
Berry St. *EC1* —4B **62** (3B **144**)
Berry Way. *W5* —3E **72**
Bertal Rd. *SW17* —4B **108**
Bertha Hollamby Ct. *Sidc*
　(off Sidcup Hill)　—5C **116**
Berthons Gdns. *E17* —5F **33**
Berthon St. *SE8* —7C **80**
Bertie Rd. *NW10* —6C **42**
Bertie Rd. *SE26* —6K **111**
Bertram Cotts. *SW19* —7J **107**
Bertram Rd. *NW4* —6C **26**
Bertram Rd. *Enf* —4B **8**
Bertram Rd. *King T* —7G **105**
Bertram St. *N19* —3F **45**
Bertrand Ho. *SW16* —3J **109**
　(off Leigham Av.)
Bertrand St. *SE13* —3D **96**
Bertrand Way. *SE28* —7B **68**
Bert Rd. *T Hth* —5C **124**
Bert Way. *Enf* —4A **8**
Berwick Av. *Hayes* —6B **54**
Berwick Clo. *Stan* —6E **10**
Berwick Cres. *Sidc* —6J **99**
Berwick Ho. *N2* —2B **28**
Berwick Rd. *E16* —6K **65**
Berwick Rd. *N22* —1B **30**
Berwick Rd. *Well* —1B **100**
Berwick St. *W1* —6G **61** (7B **142**)
Berwick Tower. *SE14* —6A **80**
Berwyn Av. *Houn* —1F **87**
Berwyn Rd. *SE24* —1B **110**
Berwyn Rd. *Rich* —4H **89**
Beryl Av. *E6* —5C **66**
Beryl Rd. *W6* —5F **75**
Berystede. *King T* —7H **105**
Besant Ct. *N1* —5D **46**
Besant Ho. *NW8* —1A **60**
　(off Boundary Rd.)
Besant Rd. *NW2* —4G **43**
Besant Wlk. *N7* —2K **45**
Besant Way. *NW10* —5J **41**
Besley St. *SW16* —6G **109**
Bessant Dri. *Rich* —1G **89**
Bessborough Gdns. *SW1*
　—5H **77** (5D **154**)
Bessborough Pl. *SW1*
　—5H **77** (5D **154**)
Bessborough Rd. *SW15* —1C **106**
Bessborough Rd. *Harr* —1H **39**
Bessborough St. *SW1*
　—5H **77** (5C **154**)
Bessemer Rd. *SE5* —2C **94**
Bessie Lansbury Clo. *E6* —6E **66**
Bessingham Wlk. *SE4* —4K **95**
　(off Aldersford Clo.)
Besson St. *SE14* —1J **95**
Bessy St. *E2* —3J **63**
Bestwood St. *SE8* —4K **79**
Beswick M. *NW6* —6K **43**
Betchworth Clo. *Sutt* —5B **132**
Betchworth Rd. *Ilf* —2J **51**
Betchworth Way. *New Ad*
　—7E **136**
Bethal Est. *SE1* —1E **78** (5H **151**)
Betham Rd. *Gnfd* —4H **55**
Bethecar Rd. *Harr* —5J **23**

Bethell Av. *E16* —4H **65**
Bethell Av. *Ilf* —7E **34**
Bethel Rd. *Well* —3C **100**
Bethersden Clo. *Beck* —7B **112**
Bethnal Grn. Rd. *E1 & E2*
　—4F **63** (3J **145**)
Bethune Av. *N11* —4J **15**
Bethune Rd. *N16* —1E **46**
Bethune Rd. *N16* —7D **30**
Bethune Rd. *NW10* —4K **57**
Bethwin Rd. *SE5* —7B **78**
Betjeman Clo. *Pinn* —4E **22**
Betony Clo. *Croy* —1K **135**
Betoyne Av. *E4* —4B **20**
Betstyle Cir. *N11* —4A **16**
Betstyle Ho. *N10* —7K **15**
Betstyle Rd. *N11* —4A **16**
Betterton Dri. *Sidc* —2E **116**
Betterton Rd. *Rain* —3K **69**
Betterton St. *WC2*
　—6J **61** (1F **149**)
Bettons Pk. *E15* —1G **65**
Bettridge Rd. *SW6* —2H **91**
Betts Clo. *Beck* —2A **126**
Betts Ho. *E1* —7H **63**
　(off Betts St.)
Betts M. *E17* —6B **32**
Betts Rd. *E16* —7K **65**
Betts St. *E1* —7H **63**
Betts Way. *SE20* —1H **125**
Betts Way. *Surb* —7B **118**
Betty Brooks Ho. *E11* —3F **49**
Beulah Av. *T Hth* —2C **124**
Beulah Clo. *Edgw* —3C **12**
Beulah Cres. *T Hth* —2C **124**
Beulah Gro. *Croy* —6C **124**
Beulah Hill. *SE19* —6B **110**
Beulah Path. *E17* —5E **32**
Beulah Rd. *E17* —5D **32**
Beulah Rd. *SW19* —7H **107**
Beulah Rd. *Sutt* —4J **131**
Beulah Rd. *T Hth* —3C **124**
Bevan Av. *Bark* —7A **52**
Bevan Ct. *Croy* —5A **134**
Bevan Rd. *SE2* —5B **84**
Bevan Rd. *Barn* —4J **5**
Bevan St. *N1* —1C **62**
Bev Callender Clo. *SW8* —3F **93**
Bevenden St. *N1*
　—3D **62** (1F **145**)
Bevercote Wlk. *Belv* —6F **85**
Beveridge Rd. *NW10* —7A **42**
Beverley Av. *SW20* —1B **120**
Beverley Av. *Houn* —4D **86**
Beverley Av. *Sidc* —7K **99**
Beverley Clo. *N21* —1H **17**
Beverley Clo. *SW11* —4B **92**
Beverley Clo. *SW13* —2C **90**
Beverley Clo. *Enf* —4K **7**
Beverley Ct. *N2* —4D **28**
　(off Western Rd.)
Beverley Ct. *N14* —7B **6**
Beverley Ct. *SE4* —3B **96**
Beverley Ct. *W4* —5J **73**
Beverley Ct. *Harr* —3H **23**
Beverley Ct. *Houn* —4D **86**
Beverley Ct. *Kent* —4C **24**
Beverley Cres. *Wfd G* —1K **33**
Beverley Dri. *Edgw* —3G **25**
Beverley Gdns. *NW11* —7G **27**
Beverley Gdns. *SW13* —3B **90**
Beverley Gdns. *Stan* —1A **24**
Beverley Gdns. *Wemb* —1F **41**
Beverley Gdns. *Wor Pk*
　—1C **130**

Beverley Ho. *Brom* —5F **113**
　(off Brangbourne Rd.)
Beverley La. *SW15* —3B **106**
Beverley La. *King T* —7A **106**
Beverley M. *E4* —6A **20**
Beverley Path. *SW13* —2B **90**
Beverley Rd. *E4* —6A **20**
Beverley Rd. *E6* —3B **66**
Beverley Rd. *SE20* —2H **125**
Beverley Rd. *SW13* —3B **90**
Beverley Rd. *W4* —5B **74**
Beverley Rd. *Bexh* —2J **101**
Beverley Rd. *Brom* —2C **138**
Beverley Rd. *Dag* —4E **52**
Beverley Rd. *King T* —1C **118**
Beverley Rd. *Mitc* —4H **123**
Beverley Rd. *N Mald* —4C **120**
Beverley Rd. *Ruis* —3A **38**
Beverley Rd. *S'hall* —4C **70**
Beverley Rd. *Wor Pk* —2E **130**
Beverley Trad. Est. *Mord*
　—7F **121**
Beverley Way. *N Mald & SW20*
　—1B **120**
Beversbrook Rd. *N19* —3H **45**
Beverstone M. *W1*
　—5D **60** (6E **140**)
Beverstone Rd. *SW2* —5K **93**
Beverstone Rd. *T Hth* —4A **124**
Bevill Allen Clo. *SW17* —5D **108**
Bevill Clo. *SE25* —3G **125**
Bevin Clo. *SE16* —1A **80**
Bevin Ct. *WC1* —3K **61** (1H **143**)
Bevington Rd. *W10* —5G **59**
Bevington Rd. *Beck* —2D **126**
Bevington St. *SE16* —2G **79**
Bevin Way. *WC1*
　—2A **62** (1J **143**)
Bevis Marks. *EC3*
　—6E **62** (7H **145**)
Bewcastle Gdns. *Enf* —4D **6**
Bew Ct. *SE22* —7G **95**
Bewdley St. *N1* —7A **46**
Bewick St. *SW8* —2F **93**
Bewley St. *E1* —7J **63**
Bewlys Rd. *SE27* —5B **110**
Bexhill Clo. *Felt* —2C **102**
Bexhill Rd. *N11* —5C **16**
Bexhill Rd. *SE4* —6B **96**
Bexhill Rd. *SW14* —3J **89**
Bexhill Wlk. *E15* —1G **65**
Bexley Gdns. *N9* —3J **17**
Bexley Gdns. *Chad H* —5B **36**
Bexley High St. *Bex* —7G **101**
Bexley Ho. *SE4* —4A **96**
Bexley La. *Dart* —5K **101**
Bexley La. *Sidc* —4C **116**
Bexley Rd. *SE9* —5E **98**
Bexley Rd. *Eri* —7J **85**
　(in two parts)
Beynon Rd. *Cars* —5D **132**
Bianca Rd. *SE15*
　—6G **79** (7K **157**)
Bibsworth Rd. *N3* —2H **27**
Bibury Clo. *SE15* —6E **78**
Bicester Rd. *Rich* —3G **89**
Bickenhall Mans. *W1*
　—5D **60** (5F **141**)
Bickenhall St. *W1*
　—5D **60** (5F **141**)
Bickersteth Rd. *SW17* —6D **108**
Bickerton Rd. *N19* —2G **45**
Bickley Cres. *Brom* —4C **128**
Bickley Pk. Rd. *Brom* —3C **128**
Bickley Rd. *E10* —7D **32**

Bickley Rd. *Brom* —2B **128**
Bickley St. *SW17* —5C **108**
Bicknell Ho. *E1* —6G **63**
　(off Ellen St.)
Bicknell Rd. *SE5* —3C **94**
Bicknoller Rd. *Enf* —1K **7**
Bicknor Rd. *Orp* —7J **129**
Bidborough Clo. *Brom* —5H **127**
Bidborough St. *WC1*
　—3J **61** (2E **142**)
Biddenden Way. *SE9* —4E **114**
Bidder St. *E16* —5G **65**
　(in two parts)
Biddestone Rd. *N7* —4K **45**
Biddulph Ho. *SE18* —4D **82**
Biddulph Mans. *W9* —3K **59**
　(off Elgin Av.)
Biddulph Rd. *W9* —3K **59**
Bideford Av. *Gnfd* —2B **56**
Bideford Clo. *Edgw* —1G **25**
Bideford Clo. *Felt* —3D **102**
Bideford Gdns. *Enf* —1G **9**
Bideford Rd. *Brom* —3H **113**
Bideford Rd. *Enf* —1G **9**
Bideford Rd. *Ruis* —3A **38**
Bideford Rd. *Well* —7B **84**
Bidwell Gdns. *N11* —7B **16**
Bidwell St. *SE15* —1H **95**
Bigbury Clo. *N17* —7J **17**
Biggerstaff Rd. *E15* —1E **64**
Biggerstaff St. *N4* —2A **46**
Biggin Av. *Mitc* —1D **122**
Biggin Hill. *SE19* —7B **110**
Biggin Hill Clo. *King T* —5C **104**
Biggin Way. *SE19* —7B **110**
Bigginwood Rd. *SW16* —7B **110**
Biggs Row. *SW15* —3F **91**
Big Hill. *E5* —1H **47**
Bigland St. *E1* —6H **63**
Bignell Rd. *SE18* —5F **83**
Bignold Rd. *E7* —4J **49**
Bigwood Ct. *NW11* —5K **27**
Bigwood Rd. *NW11* —5K **27**
Billet Clo. *Romf* —3D **36**
Billet Rd. *E17* —1K **31**
Billet Rd. *Romf* —3B **36**
Billets Hart Clo. *W7* —2J **71**
Bill Hamling Clo. *SE9* —2D **114**
Billingford Clo. *SE4* —4K **95**
Billing Pl. *SW10* —7K **75**
Billing Rd. *SW10* —7K **75**
Billingsgate Rd. *E14* —7C **64**
Billing St. *SW10* —7K **75**
Billington Rd. *SE14* —7K **79**
Billiter Sq. *EC3* —6E **62** (1H **151**)
Billiter St. *EC3* —6E **62** (1H **151**)
Billson St. *E14* —4E **80**
Bilsby Gro. *SE9* —4F **114**
Bilsby Lodge. *Wemb* —3J **41**
　(off Chalklands)
Bilton Cen., The. *Gnfd* —1B **56**
Bilton Rd. *Gnfd* —1A **56**
Bilton Way. *Enf* —1F **9**
Bina Gdns. *SW5* —4A **76**
Bincote Rd. *Enf* —3E **6**
Bindon Grn. *Mord* —4K **121**
Binfield Rd. *SW4* —1J **93**
Binfield Rd. *S Croy* —5F **135**
Bingfield St. *N1* —1J **61**
　(in two parts)
Bingham Pl. *W1*
　—5E **60** (5G **141**)
Bingham Rd. *Croy* —1G **135**
Bingham St. *N1* —6D **46**

Bingley Rd. E16 —6A 66
Bingley Rd. Gnfd —4G 55
Binley Ho. SW15 —6B 90
Binney St. W1 —6E 60 (1H 147)
Binns Rd. W4 —5A 74
Binns Ter. W4 —5A 74
Binsey Wlk. SE2 —2C 84
Binyon Cres. Stan —5E 10
Birbetts Rd. SE9 —2D 114
Bircham Path. SE4 —4K 95
  (off Aldersford Clo.)
Birchanger Rd. SE25 —5G 125
Birch Av. N13 —3H 17
Birch Clo. E16 —5G 65
Birch Clo. N19 —2G 45
Birch Clo. SE15 —2G 95
Birch Clo. Bren —7B 72
Birch Clo. Buck H —3G 21
Birch Clo. Iswth —3H 87
Birch Clo. Romf —3H 37
Birch Clo. Tedd —5A 104
Birch Ct. Wall —4F 133
Birchdale Gdns. Romf —7D 36
Birchdale Rd. E7 —5A 50
Birchdene Dri. SE28 —1A 84
Birchen Clo. NW9 —2K 41
Birchend Clo. S Croy —6D 134
Birchen Gro. NW9 —2K 41
Birches Clo. Mitc —3D 122
Birches Clo. Pinn —5C 22
Birches, The. E12 —4C 50
Birches, The. N21 —6E 6
Birches, The. SE7 —6K 81
Birches, The. Houn —7D 86
Birches, The. Orp —4E 138
Birchfield St. E14 —7C 64
Birch Gdns. Dag —3J 53
Birch Grn. NW9 —7F 13
Birch Gro. E11 —4G 49
Birch Gro. SE12 —7H 97
Birch Gro. W3 —1G 73
Birch Gro. Well —4A 100
Birch Hill. Croy —5K 135
Birch Ho. SE14 —1B 96
Birch Ho. SW2 —6A 94
  (off Tulse Hill)
Birchington Clo. Bexh —1H 101
Birchington Ho. E5 —5H 47
Birchington Rd. NW6 —1J 59
Birchington Rd. Surb —7F 119
Birchin La. EC3 —6D 62 (1F 151)
Birchlands Av. SW12 —7D 92
Birchmead. Orp —2E 138
Birchmead Av. Pinn —4A 22
Birchmere Lodge. SE16 —5H 79
  (off Sherwood Gdns.)
Birchmere Row. SE3 —2H 97
Birchmore Hall. N5 —3C 46
Birchmore Wlk. N5 —3C 46
Birch Pk. Harr —7B 10
Birch Rd. Felt —5B 102
Birch Rd. Romf —3H 37
Birch Row. Brom —7E 128
Birch Tree Av. W Wick —5H 137
Birch Tree Way. Croy —2H 135
Birch Wlk. Eri —6J 85
Birch Wlk. Mitc —1F 123
Birchwood Av. N10 —3E 28
Birchwood Av. Beck —4B 126
Birchwood Av. Sidc —3B 116
Birchwood Av. Wall —3E 132
Birchwood Clo. Mord —4K 121
Birchwood Ct. N13 —5G 17
Birchwood Ct. Edgw —2J 25

Birchwood Dri. NW3 —3K 43
Birchwood Dri. Dart —4K 117
Birchwood Gro. Hamp —6E 102
Birchwood Pde. Wilm —4K 117
Birchwood Rd. SW17 —5F 108
Birchwood Rd. Orp —4H 129
Birchwood Rd. Swan & Dart
  —7J 117
Birdbrook Clo. Dag —7J 53
Birdbrook Rd. SE3 —3A 98
Birdcage Wlk. SW1
  —2G 77 (7A 148)
Birdham Clo. Brom —5C 128
Birdhurst Av. S Croy —4D 134
Birdhurst Gdns. S Croy —4D 134
Birdhurst Rise. S Croy —5E 134
Birdhurst Rd. SW18 —5A 92
Birdhurst Rd. SW19 —6C 108
Birdhurst Rd. S Croy —5E 134
Bird in Bush Rd. SE15 —7G 79
Bird in Hand La. Brom —2B 128
Bird-in-Hand Pas. SE23 —2J 111
Bird in Hand Yd. NW3 —4A 44
Birdlington Rd. N9 —7C 8
Birdlip Clo. SE15 —6E 78
Birdport Rd. Gnfd —1F 55
Birds Farm Av. Romf —1H 37
Birdsfield La. E3 —1B 64
Bird St. W1 —6E 60 (1H 147)
Bird Wlk. Twic —1D 102
Birdwood Clo. Tedd —4J 103
Birkbeck Av. W3 —7J 57
Birkbeck Av. Gnfd —1G 55
Birkbeck Gdns. Wfd G —2D 20
Birkbeck Gro. W3 —2K 73
Birkbeck Hill. SE21 —1B 110
Birkbeck M. E8 —5F 47
Birkbeck Pl. SE21 —2C 110
Birkbeck Rd. E8 —5F 47
Birkbeck Rd. N8 —4J 29
Birkbeck Rd. N12 —5F 15
Birkbeck Rd. N17 —1F 31
Birkbeck Rd. NW7 —5G 13
Birkbeck Rd. SW19 —5K 107
Birkbeck Rd. W3 —1K 73
Birkbeck Rd. W5 —4C 72
Birkbeck Rd. Beck —2J 125
Birkbeck Rd. Enf —1J 7
Birkbeck Rd. Ilf —5H 35
Birkbeck Rd. Romf —1H 53
Birkbeck Rd. Sidc —3A 116
Birkbeck St. E2 —3H 63
Birkbeck Way. Gnfd —1H 55
Birkdale Av. Pinn —3E 22
Birkdale Clo. Orp —7H 129
Birkdale Ct. S'hall —6G 55
  (off Redcroft Rd.)
Birkdale Gdns. Croy —4K 135
Birkdale Rd. SE2 —4A 84
Birkdale Rd. W5 —4E 56
Birkenhead Av. King T —2F 119
Birkenhead St. WC1
  —3J 61 (1F 143)
Birkhall Rd. SE6 —1F 113
Birkwood Clo. SW12 —7H 93
Birley Rd. N20 —2F 15
Birley St. SW11 —2E 92
Birling Rd. Eri —7K 85
Birnam Rd. N4 —2K 45
Birnbeck Ct. NW11 —5H 27
Birnbeck Ct. Barn —4A 4
Birrell Ho. SW9 —2K 93
  (off Stockwell Rd.)
Birse Cres. NW10 —3A 42
Birstall Rd. N15 —5E 30

Biscay Rd. W6 —5F 75
Biscoe Clo. Houn —6E 70
Biscoe Way. SE13 —3F 97
Bisenden Rd. Croy —2E 134
Bisham Clo. Cars —1D 132
Bisham Gdns. N6 —1E 44
Bishop Ct. N12 —4E 14
Bishop Ken Rd. Harr —2K 23
Bishop King's Rd. W14 —4G 75
Bishop Rd. N14 —7A 6
Bishop's Av. E13 —1K 65
Bishop's Av. SW6 —2F 91
Bishops Av. Brom —2A 128
Bishops Av., The. N2 —6B 28
Bishop's Bri. Rd. W2 —6K 59
Bishops Clo. E17 —4D 32
Bishops Clo. N19 —3G 45
Bishop's Clo. SE9 —2G 115
Bishops Clo. W4 —5J 73
Bishops Clo. Barn —6A 4
Bishops Clo. Enf —2C 8
Bishops Clo. Rich —3D 104
Bishop's Clo. Sutt —3J 131
Bishop's Clo. EC4
  —6B 62 (7A 144)
Bishop's Ct. WC2
  —6A 62 (7J 143)
Bishops Ct. Rich —3E 88
Bishops Dri. N'holt —1C 54
Bishopsford Rd. Mord —7A 122
Bishopsgate. EC2
  —6E 62 (1G 151)
Bishopsgate Arc. EC2
  —5E 62 (6H 145)
Bishopsgate Chu. Yd. EC2
  —5E 62 (7G 145)
Bishops Grn. Brom —1A 128
  (off Up. Park Rd.)
Bishop's Gro. N2 —6C 28
Bishop's Gro. Hamp —4D 102
Bishops Gro. Cvn. Site. Hamp
  —4E 102
Bishop's Hall. King T —2D 118
Bishop's Mans. SW6 —2F 91
  (in two parts)
Bishop's Pk. Rd. SW6 —2F 91
Bishop's Pk. Rd. SW16 —1J 123
Bishops Rd. N6 —6E 28
Bishops Rd. SW6 —1G 91
Bishop's Rd. SW11 —7C 76
Bishops Rd. W7 —2J 71
Bishop's Rd. Croy —7B 124
Bishop's Ter. SE11
  —4A 78 (3K 155)
Bishopsthorpe Rd. SE26
  —4K 111
Bishop St. N1 —1C 62
Bishops View Ct. N10 —4F 29
Bishops Wlk. Chst —1G 129
Bishops Wlk. Croy —5K 135
Bishops Wlk. Pinn —3C 22
Bishop's Way. E2 —2H 63
Bishopswood Rd. N6 —7D 28
Bishop Way. NW10 —7A 42
Bishop Wilfred Wood Clo. SE15
  —2H 95
Bisley Clo. Wor Pk —1E 130
Bison Ct. Felt —7A 86
Bispham Rd. NW10 —3F 57
Bisson Rd. E15 —2E 64
Bisterne Av. E17 —3F 33
Bittacy Bus. Cen. NW7 —6B 14
Bittacy Clo. NW7 —6A 14
Bittacy Ct. NW7 —7B 14

Bittacy Hill. NW7 —6A 14
Bittacy Pk. Av. NW7 —5A 14
Bittacy Rise. NW7 —6K 13
Bittacy Rd. NW7 —6A 14
Bittern Clo. Hayes —5B 54
Bittern Ct. NW9 —2A 26
Bittern Ct. SE8 —6C 80
Bittern Pl. N22 —2A 30
Bittern St. SE1 —2C 78 (7C 150)
Bittoms, The. King T —3D 118
Bixley Clo. S'hall —4D 70
Blackall St. EC2 —4E 62 (3G 145)
Blackberry Farm Clo. Houn
  —7C 70
Blackberry Field. Orp —7A 116
Blackbird Ct. NW9 —2K 41
Blackbird Hill. NW9 —2J 41
Blackborne Rd. Dag —6G 53
Black Boy La. N15 —5C 30
Blackbrook La. Brom —5E 128
Blackburn. NW9 —2B 26
Blackburne's M. W1
  —7E 60 (2G 147)
Blackburn Rd. NW6 —6K 43
Blackbush Av. Romf —5D 36
Blackbush Clo. Sutt —7K 131
Blackdown Clo. N2 —2A 28
Blacken Ct. Sidc —6A 100
Blacken Pde. Sidc —6A 100
Blacken Rd. Sidc —5J 99
Blackford Clo. S Croy —7B 134
Blackford's Path. SW15 —7C 90
Blackfriars Bri. SE1 & EC4
  —7B 62 (2A 150)
Black Friars Ct. EC4
  —7B 62 (2A 150)
Black Friars La. EC4
  —7B 62 (2A 150)
Blackfriars Pas. EC4
  —7B 62 (2A 150)
Blackfriars Rd. SE1
  —2B 78 (4A 150)
Blackfriars Underpass. EC4
  —7B 62 (2A 150)
Black Gates. Pinn —3D 22
Blackheath Av. SE10 —7F 81
Blackheath Bus. Est. SE10
  (off Blackheath Hill) —1E 96
Blackheath Gro. SE3 —2H 97
Blackheath Hill. SE10 —1E 96
Blackheath Pk. SE3 —3H 97
Blackheath Rise. SE13 —2E 96
Blackheath Rd. SE10 —1D 96
Blackheath Vale. SE3 —2H 97
Blackheath Village. SE3 —2H 97
Black Horse Ct. SE1
  —3D 78 (1F 157)
Black Horse La. Croy —7G 125
Blackhorse La. E17 —3K 31
Blackhorse M. E17 —3K 31
Blackhorse Rd. E17 —4K 31
Blackhorse Rd. SE8 —6A 80
Blackhorse Rd. Sidc —4A 116
Blackhorse Road. (Junct.)
  —4K 31
Blacklands Rd. SE6 —4E 112
Blacklands Ter. SW3
  —4D 76 (4E 152)
Black Lion La. W6 —4C 74
Black Lion M. W6 —4C 74
Blackmore Av. S'hall —1H 71
Blackmore Ho. N1 —1K 61
  (off Barnsbury Est.)
Blackmore Rd. Buck H —1H 21

Blackmore's Gro. Tedd —6A 104
Blackmore Tower. W3 —3J 73
  (off Stanley Rd.)
Blackness La. Kes —7B 138
Black Path. E10 —7K 31
Blackpool Rd. SE15 —2H 95
Black Prince Interchange. (Junct.)
  —6H 101
Black Prince Rd. SE1 & SE11
  —4K 77 (4G 155)
Blackshaw Pl. N1 —7E 46
Blackshaw Rd. SW17 —4A 108
Blacksmiths Clo. Romf —6C 36
Blacksmiths Ho. E17 —4C 32
Blacks Rd. W6 —5E 74
Blackstock M. N4 —2B 46
Blackstock Rd. N4 & N5 —2B 46
Blackstone Est. E8 —7H 47
Blackstone Rd. NW2 —5E 42
Black Swan Yd. SE1
  —2E 78 (6H 151)
Blackthorn Ct. E15 —4F 49
Blackthorn Ct. Houn —7C 70
Blackthorne Av. Croy —1J 135
Blackthorne Ct. SE1 —7F 79
  (off Cator St.)
Blackthorne Ct. S'hall —1F 71
  (off Dormers Wells La.)
Blackthorne Dri. E4 —4A 20
Blackthorn Gro. Bexh —3E 100
Blackthorn St. E3 —4C 64
Blacktree M. SW9 —3A 94
Blackwall La. SE10 —5G 81
  (in two parts)
Blackwall Trad. Est. E14 —5F 65
Blackwall Tunnel. E14 & SE10
  —1F 81
Blackwall Tunnel App. E14
  —7E 64
Blackwall Tunnel Northern App.
  E3 & E14 —2D 64
Blackwall Tunnel Southern App.
  SE10 —3G 81
Blackwall Way. E14 —1G 81
Blackwater Clo. E7 —5H 49
Blackwater Clo. Rain —5K 69
Blackwater St. SE22 —5F 95
Blackwell Clo. E5 —4K 47
Blackwell Clo. Harr —7C 10
Blackwell Gdns. Edgw —3B 12
Blackwell Ho. SW4 —6H 93
Blackwood St. SE17
  —5D 78 (5E 156)
Blade M. SW15 —4H 91
Blades Ct. SW15 —4H 91
Bladindon Dri. Bex —7C 100
Bladon Ct. SW16 —6J 109
Bladon Gdns. Harr —6F 23
Blagdens Clo. N14 —2C 16
Blagdens La. N14 —2C 16
Blagdon Ct. W7 —7J 55
Blagdon Rd. SE13 —6D 96
Blagdon Rd. N Mald —4B 120
Blagdon Wlk. Tedd —6C 104
Blagrove Rd. W10 —5G 59
Blair Av. NW9 —7A 26
Blair Clo. N1 —6C 46
Blair Clo. Sidc —5J 99
Blair Ct. NW8 —1B 60
  (off Boundary Rd.)
Blair Ct. Beck —1D 126
Blairderry Rd. SW2 —2J 109
Blair Ho. SW9 —2K 93
Blair St. E14 —6E 64
Blake Av. Bark —1J 67

Blake Clo. W10 —5E 58
Blake Clo. Cars —1C 132
Blake Clo. Well —1J 99
Blake Gdns. SW6 —1K 91
Blake Hall Cres. E11 —1J 49
Blake Hall Rd. E11 —7J 33
Blakehall Rd. Cars —6D 132
Blake Ho. E14 —2D 80
(off Admirals Way)
Blake Ho. SE1 —3A 78 (1J 155)
Blakeley Cotts. SE10 —2F 81
Blakemore Rd. SW16 —3J 109
Blakemore Rd. T Hth —5K 123
Blakemore Way. Belv —3E 84
Blakeney Av. Beck —1B 126
Blakeney Clo. E8 —5G 47
Blakeney Clo. N20 —1F 15
Blakeney Clo. NW1 —7H 45
Blakeney Rd. Beck —7B 112
Blakenham Rd. SW17 —4D 108
Blaker Ct. SE7 —7A 82
Blake Rd. E16 —4H 65
Blake Rd. N11 —7B 16
Blake Rd. Croy —2E 134
Blake Rd. Mitc —3C 122
Blaker Rd. E15 —1E 64
Blakes Av. N Mald —5B 120
Blake's Grn. W Wick —1E 136
Blakes La. N Mald —5B 120
Blakesley Av. W5 —6C 56
Blakesley Wlk. SW20 —2H 121
Blake's Rd. SE15 —7E 78
Blakes Ter. N Mald —5C 120
Blakesware Gdns. N9 —7J 7
Blakewood Clo. Felt —4A 102
Blanchard Clo. SE9 —3C 114
Blanchard Way. E8 —6G 47
Blanch Clo. SE15 —7J 79
Blanchedowne. SE5 —4D 94
Blanche St. E16 —4H 65
Blanchland Rd. Mord —5K 121
Blandfield Rd. SW12 —7E 92
Blandford Av. Beck —2A 126
Blandford Av. Twic —1F 103
Blandford Clo. N2 —4A 28
Blandford Clo. Croy —3J 133
Blandford Clo. Romf —4G 37
Blandford Ct. NW6 —7G 43
Blandford Cres. E4 —7K 9
Blandford Ho. SW8 —7K 77
(off Richborne Ter.)
Blandford Rd. W4 —3A 74
Blandford Rd. W5 —2D 72
Blandford Rd. Beck —2J 125
Blandford Rd. S'hall —4E 70
Blandford Rd. Tedd —5H 103
Blandford Sq. NW1
—4C 60 (4D 140)
Blandford St. W1
—6D 60 (7F 141)
Blandford Waye. Hayes —6A 54
Bland Ho. SE11 —5K 77 (5H 155)
Bland St. SE9 —4B 98
Blaney Cres. E6 —3F 67
Blanmerle Rd. SE9 —1F 115
Blann Clo. SE9 —6B 98
Blantyre St. SW10 —7B 76
Blantyre Wlk. SW10 —7B 76
(off Worlds End Est.)
Blashford St. SE13 —7F 97
Blasker Wlk. E14 —5D 80
Blawith Rd. Harr —4J 23
Blaxland Ho. W12 —7D 58
(off White City Est.)
Blaydon Clo. N17 —7C 18

Blaydon Ct. N'holt —6E 38
Bleak Hill La. SE18 —6K 83
Blean Gro. SE20 —7J 111
Bleasdale Av. Gnfd —2A 56
Blechynden St. W10 —7F 59
Bleddyn Clo. Sidc —6C 100
Bledlow Clo. SE28 —7C 68
Bledlow Rise. Gnfd —2H 55
Bleeding Heart Yd. EC1
—4D 78 (4E 156)
Blendon Ter. SE18 —5G 83
Blendworth Way. SE15 —7E 78
Blenheim Av. Ilf —6E 34
Blenheim Clo. N21 —1H 17
Blenheim Clo. Gnfd —2H 55
Blenheim Clo. Romf —4J 37
Blenheim Clo. Wall —7G 133
Blenheim Ct. N19 —2J 45
Blenheim Ct. Brom —4H 127
Blenheim Ct. Kent —6A 24
Blenheim Ct. Sidc —3H 115
Blenheim Ct. Sutt —6A 132
Blenheim Cres. W11 —7G 59
Blenheim Cres. S Croy —7C 134
Blenheim Dri. Well —1K 99
Blenheim Gdns. NW2 —6E 42
Blenheim Gdns. SW2 —6K 93
Blenheim Gdns. King T —7H 105
Blenheim Gdns. Wall —6G 133
Blenheim Gdns. Wemb —3E 40
Blenheim Gro. SE15 —2G 95
Blenheim Ho. Houn —3E 86
Blenheim Pk. Rd. S Croy
—7C 134
Blenheim Pas. NW8 —2A 60
(off Carlton Hill)
Blenheim Pl. NW8 —2A 60
Blenheim Rise. N15 —4F 31
Blenheim Rd. E6 —3B 66
Blenheim Rd. E15 —4G 49
Blenheim Rd. E17 —3K 31
Blenheim Rd. NW8 —2A 60
Blenheim Rd. SE20 —7J 111
Blenheim Rd. SW20 —3E 120
Blenheim Rd. W4 —3A 74
Blenheim Rd. Barn —3A 4
Blenheim Rd. Brom —4C 128
Blenheim Rd. Harr —6F 23
Blenheim Rd. N'holt —6F 39
Blenheim Rd. Sidc —1C 116
Blenheim Rd. Sutt —3J 131
Blenheim Shop. Cen. SE20
—7J 111
Blenheim St. W1
—6F 61 (1J 147)
Blenheim Ter. NW8 —2A 60
Blenheim Way. Iswth —1A 88
Blenkarne Rd. SW11 —6D 92
Bleriot. NW9 —2B 26
(off Belvedere Strand)
Bleriot Rd. Houn —7A 70
Blessbury Rd. Edgw —1J 25
Blessington Clo. SE13 —3F 97
Blessington Rd. SE13 —4F 97
Blessing Way. Bark —3C 68
Bletchingley Clo. T Hth —4B 124
Bletchley St. N1 —2C 62 (1D 144)
Bletsoe Wlk. N1 —2C 62

Blewbury Ho. SE2 —2D 84
Blincoe Clo. SW19 —2F 107
Bliss Cres. SE13 —2D 96
Blissett St. SE10 —1E 96
Blisworth Clo. Hayes —4C 54
Blithbury Rd. Dag —6B 52
Blithdale Rd. SE2 —4A 84
Blithfield St. W8 —3K 75
Blockley Rd. Wemb —2B 40
Bloemfontein Av. W12 —1D 74
Bloemfontein Rd. W12 —7D 58
Bloemfontein Way. W12 —1D 74
Blomfield Rd. W9 —5K 59
Blomfield St. EC2
—5D 62 (6F 145)
Blomfield Vs. W2 —5K 59
Blomville Rd. Dag —3E 52
Blondel St. SW11 —2E 92
Blondin Av. W5 —4C 72
Blondin St. E3 —2C 64
Bloomburg St. SW1
—4H 77 (4B 154)
Bloomfield Ct. N6 —6E 28
Bloomfield Cres. Ilf —6F 35
Bloomfield Pl. W1
—7F 61 (2K 147)
Bloomfield Rd. N6 —6E 28
Bloomfield Rd. SE18 —5F 83
Bloomfield Rd. Brom —5B 128
Bloomfield Rd. King T —3E 118
Bloomfields, The. Bark —6G 51
Bloomfield Ter. SW1
—5E 76 (5H 153)
Bloom Gro. SE27 —3B 110
Bloomhall Rd. SE19 —5D 110
Bloom Pk. Rd. SW6 —7H 75
Bloomsbury Clo. W5 —7F 57
Bloomsbury Ct. WC1
—5J 61 (6F 143)
Bloomsbury Ct. Pinn —3D 22
Bloomsbury Ho. SW4 —6H 93
Bloomsbury Pl. SW18 —5A 92
Bloomsbury Pl. WC1
—5J 61 (5F 143)
Bloomsbury Sq. WC1
—5J 61 (6F 143)
Bloomsbury St. WC1
—5H 61 (6D 142)
Bloomsbury Way. WC1
—5J 61 (6E 142)
Blore Clo. SW8 —1H 93
Blore Ct. SW8 —1H 93
Blore Ct. W1 —7H 61 (1C 148)
Blossom Clo. W5 —2E 72
Blossom Clo. Dag —1F 69
Blossom Clo. S Croy —5F 135
Blossom La. Enf —1H 7
Blossom St. E1 —4E 62 (4H 145)
Blossom Waye. Houn —6C 70
Blount St. E14 —6A 64
Bloxam Gdns. SE9 —5C 98
Bloxhall Rd. E10 —1B 48
Bloxham Cres. Hamp —7D 102
Bloxworth Clo. Wall —3G 133
Bloxworth Gro. N1 —1K 61
Blucher Rd. SE5 —7C 78
Blue Anchor All. Rich —4E 88
Blue Anchor La. SE16 —4G 79
Blue Anchor Yd. E1 —7G 63
Blue Ball Yd. SW1
—1G 77 (5A 148)
Bluebell Av. E12 —5B 50
Bluebell Clo. SE26 —4E 111
Bluebell Clo. Wall —1F 133
Bluebell Way. Ilf —6F 51

Blueberry Clo. Wfd G —6D 20
Bluebird Wlk. Wemb —3H 41
Bluefield Clo. Hamp —5E 102
Bluegates. Ewe —7C 130
Bluehouse Rd. E4 —3B 20
Blue Riband Ind. Est. Croy
—2B 134
Blundell Ho. SE14 —7A 80
(off Goodwood Rd.)
Blundell Rd. Edgw —1K 25
Blundell St. N7 —7J 45
Blunden Clo. Dag —1C 52
Blunt Rd. S Croy —5D 134
Blunts Rd. SE9 —5E 98
Blurton Rd. E5 —4J 47
Blydon Ct. N21 —5E 6
(off Chaseville Pk. Rd.)
Blyth Clo. E14 —4F 81
Blyth Clo. Twic —6K 87
Blythe Clo. SE6 —7B 96
Blythe Hill. SE6 —7B 96
Blythe Hill. Orp —1K 129
Blythe Hill La. SE6 —7B 96
Blythe Ho. SE11 —6A 78 (7J 155)
Blythe M. W14 —3F 75
Blythe Rd. W14 —3F 75
Blythe St. E2 —3H 63
Blythe Vale. SE6 —1B 112
Blyth Rd. E17 —7B 32
Blyth Rd. SE28 —7C 68
Blyth Rd. Brom —1H 127
Blyth Wood Pk. Brom —1H 127
Blythwood Rd. N4 —7J 29
Blythwood Rd. Pinn —1B 22
Boades M. NW3 —4B 44
Boadicea St. N1 —1K 61
Boakes Clo. NW9 —4J 25
Boardman Av. E4 —5J 9
Boarhound. NW9 —2B 26
(off Further Acre)
Boars Head Yd. Bren —7D 72
Boathouse Wlk. SE15 —7G 79
Boat Lifter Way. SE16 —3A 80
Bob Anker Clo. E13 —3J 65
Bobbin Clo. SW4 —3G 93
Bob Marley Way. SE24 —4A 94
Bockhampton Rd. King T
—7F 105
Bocking St. E8 —1H 63
Boddicott Clo. SW19 —2G 107
Boddington Ho. SE14 —1J 95
(off Pomeroy St.)
Boddys Bri. SE1 —1A 78 (4K 149)
Bodenay Ho. SE5 —1E 94
(off Peckham Rd.)
Bodiam Clo. Enf —2K 7
Bodiam Rd. SW16 —7H 109
Bodley Clo. N Mald —5A 120
Bodley Mnr. Way. SW2 —7A 94
Bodley Rd. N Mald —6K 119
Bodmin. NW9 —2B 26
(off Further Acre)
Bodmin Gro. Mord —5K 121
Bodmin St. SW18 —1J 107
Bodnant Gdns. SW20 —3C 120
Bodney Rd. E8 —5H 47
Boeing Way. S'hall —3A 70
Boevey Path. Belv —5F 85
Bogey La. Orp —7E 138
Bognor Rd. Well —1D 100
Bohemia Pl. E8 —6J 47
Bohun Gro. Barn —6H 5
Boileau Pde. W5 —6F 57
(off Boileau Rd.)

Boileau Rd. SW13 —7C 74
Boileau Rd. W5 —6F 57
Bolden St. SE8 —2D 96
Boldero Pl. NW8
—4C 60 (4C 140)
Bolderwood Way. W Wick
—2D 136
Boldmere Rd. Pinn —7A 22
Boleyn Av. Enf —1C 8
Boleyn Clo. E17 —4C 32
Boleyn Ct. Buck H —1D 20
Boleyn Dri. Ruis —2B 38
Boleyn Gdns. Dag —7J 53
Boleyn Gdns. W Wick —2D 136
Boleyn Gro. W Wick —2E 136
Boleyn Rd. E6 —2B 66
Boleyn Rd. E7 —7J 49
Boleyn Rd. N16 —5E 46
Boleyn Way. Barn —3F 5
Bolina Rd. SE16 —5J 79
Bolingbroke Gro. SW11 —4C 92
Bolingbroke Rd. W14 —3F 75
Bolingbroke Wlk. SW11 —1B 92
Bolliger Ct. NW10 —4J 57
Bollo Bri. Rd. W3 —3H 73
Bollo Ct. W3 —3J 73
(off Bollo Bri. Rd.)
Bollo La. W3 & W4 —2H 73
Bolney Ga. SW7
—2C 76 (7C 146)
Bolney St. SW8 —7K 77
Bolney Way. Felt —3C 102
Bolsover St. W1 —4F 61 (4K 141)
Bolstead Rd. Mitc —1F 123
Bolster Gro. N22 —1H 29
Bolt Ct. EC4 —6A 62 (1K 149)
Boltmore Clo. NW4 —3F 27
Bolton Clo. SE20 —2G 125
Bolton Cres. SE5 —7B 78
Bolton Gdns. NW10 —2F 59
Bolton Gdns. SW5 —5K 75
Bolton Gdns. Brom —6H 113
Bolton Gdns. Tedd —6A 104
Bolton Gdns. M. SW10 —5A 76
Bolton Ho. SE10 —5G 81
(off Trafalgar Rd.)
Bolton Pl. SW10 —5A 76
Bolton Rd. E15 —6H 49
Bolton Rd. N18 —5A 18
Bolton Rd. NW8 —1K 59
Bolton Rd. NW10 —1A 58
Bolton Rd. W4 —7J 73
Bolton Rd. Harr —4G 23
Boltons, The. SW10 —5A 76
Boltons, The. Wemb —4K 39
Bolton St. W1 —1F 77 (4K 147)
Bolton Wlk. N7 —2K 45
(off Durham Rd.)
Bombay St. SE16 —4H 79
Bomore Rd. W11 —7G 59
Bonar Pl. Chst —7C 114
Bonar Rd. SE15 —7G 79
Bonchester Clo. Chst —7E 114
Bonchurch Clo. Sutt —7K 131
Bonchurch Rd. W10 —5G 59
Bonchurch Rd. W13 —1B 72
Bond Ct. EC4 —6D 62 (1E 150)
Bondfield Rd. E6 —5D 66
Bond Gdns. Wall —4G 133
Bond Ho. SE14 —7A 80
(off Goodwood Rd.)
Bonding Yd. Wlk. SE16 —3A 80
Bond Rd. E15 —1D 64
Bond Rd. Mitc —2C 122
Bond St. E15 —5G 49

Bond St. *W4* —4K **73**
Bond St. *W5* —7D **56**
Bond Way. *SW8* —6J **77** (7F **155**)
Boneta Rd. *SE18* —3D **82**
Bonfield Rd. *SE13* —4E **96**
Donham Gdns. *Dag* —2D **52**
Bonham Rd. *SW2* —5K **93**
Bonham Rd. *Dag* —2D **52**
Bonheur Rd. *W4* —2K **73**
Bonhill St. *EC2* —4D **62** (4F **145**)
Boniface Gdns. *Harr* —7A **10**
Boniface Wlk. *Harr* —7A **10**
Bon Marche Ter. *SE27* —4E **110**
Bonner Hill Rd. *King T* —2F **119**
Bonner Rd. *E2* —2J **63**
Bonnersfield Clo. *Harr* —6K **23**
Bonnersfield La. *Harr* —6K **23**
Bonner St. *E2* —2K **63**
Bonneville Gdns. *SW4* —6G **93**
Bonnington Ct. *N'holt* —2B **54**
  (off Gallery Gdns.)
Bonnington Sq. *SW8*
  —6K **77** (7G **155**)
Bonny St. *NW1* —7G **45**
Bonser Rd. *Twic* —2K **103**
Bonsor St. *SE5* —7E **78**
Bonville Gdns. *NW4* —4D **26**
Bonville Rd. *Brom* —5H **113**
Bookbinders Cottage Homes. *N20*
  —3J **15**
Booker Clo. *E14* —5B **64**
Booker Rd. *N18* —5B **18**
Book M. *WC2* —6H **61** (1D **148**)
Boone Ct. *N9* —3D **18**
Boones Rd. *SE13* —4G **97**
Boone St. *SE13* —4G **97**
Boord St. *SE10* —3G **81**
Boothby Ct. *E4* —3K **19**
Boothby Rd. *N19* —2H **45**
Booth Clo. *E9* —1H **63**
Booth Clo. *SE28* —1B **84**
Booth La. *EC4* —7C **62** (2C **150**)
Boothman Ho. *Kent* —3D **24**
Booth Rd. *NW9* —2K **25**
Booth Rd. *Croy* —2B **134**
Booth's Pl. *W1* —5G **61** (6B **142**)
Boot Pde. Edgw —6B **12**
  (off High St. Edgware.)
Boot St. *N1* —3E **62** (2G **145**)
Bordars Rd. *W7* —5J **55**
Bordars Wlk. *W7* —5J **55**
Borden Av. *Enf* —6J **7**
Border Cres. *SE26* —5H **111**
Border Gdns. *Croy* —4D **136**
Bordergate. *Mitc* —1D **122**
Border Rd. *SE26* —5H **111**
Bordesley Rd. *Mord* —4K **121**
Bordon Wlk. *SW15* —7C **90**
Boreham Av. *E16* —6J **65**
Boreham Clo. *E11* —1E **48**
Boreham Rd. *N22* —2C **30**
Borgard Rd. *SE18* —4D **82**
Borland Rd. *SE15* —4J **95**
Borland Rd. *Tedd* —7B **104**
Borneo St. *SW15* —3E **90**
Borough High St. *SE1*
  —2C **78** (7D **150**)
Borough Hill. *Croy* —3B **134**
Borough Rd. *SE1*
  —3B **78** (1B **156**)
Borough Rd. *Iswth* —1J **87**
Borough Rd. *King T* —1G **119**
Borough Rd. *Mitc* —2C **122**
Borough Sq. *SE1*
  —2C **78** (7C **150**)

Borrett Clo. *SE17*
  —5C **78** (6C **156**)
Borrodaile Rd. *SW18* —6K **91**
Borrowdale Av. *Harr* —2A **24**
Borrowdale Clo. *Iff* —4C **34**
Borrowdale Ct. *Enf* —1H **7**
Borthwick M. *E15* —4G **49**
Borthwick Rd. *E15* —4G **49**
Borthwick Rd. *NW9* —6B **26**
Borthwick St. *SE8* —5C **80**
Borwick Av. *E17* —3B **32**
Bosbury Rd. *SE6* —3E **112**
Boscastle Rd. *NW5* —3F **45**
Boscobel Pl. *SW1*
  —4E **76** (3H **153**)
Boscobel St. *NW8*
  —4B **60** (4B **140**)
Boscombe Av. *E10* —7F **33**
Boscombe Clo. *E5* —5A **48**
Boscombe Gdns. *SW16* —6J **109**
Boscombe Rd. *SW17* —6E **108**
Boscombe Rd. *SW19* —1J **121**
Boscombe Rd. *W12* —1C **74**
Boscombe Rd. *Wor Pk* —1E **130**
Bosgrove. *E4* —2K **19**
Boss Ho. *SE1* —2F **79** (6J **151**)
  (off Boss St.)
Boss St. *SE1* —2F **79** (6J **151**)
Bostall Hill. *SE2* —5A **84**
Bostall La. *SE2* —5B **84**
Bostall Mnr. Way. *SE2* —4B **84**
Bostall Pk. Av. *Bexh* —7E **84**
Bostall Rd. *Orp* —7B **116**
Bostal Row. *Bexh* —3F **101**
Bostock Ho. *Houn* —6E **70**
Boston Bus. Pk. *W7* —3J **71**
Boston Gdns. *W4* —6A **74**
Boston Gdns. *W7* —4A **72**
Boston Gdns. *Bren* —4A **72**
Boston Mnr. Rd. *Bren* —4A **72**
Boston Pde. *W7* —4A **72**
Boston Pk. Rd. *Bren* —5C **72**
Boston Pl. *NW1*
  —4D **60** (4E **140**)
Boston Rd. *E6* —3C **66**
Boston Rd. *E17* —6C **32**
Boston Rd. *W7* —1J **71**
Boston Rd. *Croy* —6K **123**
Boston Rd. *Edgw* —7D **12**
Bostonthorpe Rd. *W7* —2J **71**
Boston Vale. *W7* —4A **72**
Boswell Ct. *WC1* —5J **61** (5F **143**)
Boswell Rd. *T Hth* —4C **124**
Boswell St. *WC1* —5J **61** (5F **143**)
Bosworth Clo. *E17* —1B **32**
Bosworth Rd. *N11* —6C **16**
Bosworth Rd. *W10* —4G **59**
Bosworth Rd. *Barn* —3D **4**
Bosworth Rd. *Dag* —3G **53**
Botany Bay La. *Chst* —2G **129**
Botany Clo. *New Bar* —4H **5**
Boteley Clo. *E4* —2A **20**
Botham Clo. *Edgw* —7D **12**
Botha Rd. *E13* —5K **65**
Bothwell Clo. *E16* —5H **65**
Bothwell St. *W6* —6F **75**
Bothwick St. *SE8* —5C **80**
Botolph All. *EC3* —7E **62** (2G **151**)
Botolph La. *EC3* —7E **62** (2G **151**)
Botsford Rd. *SW20* —2G **121**
Botts M. *W2* —6J **59**
Boucher Clo. *Tedd* —5K **103**
Boughton Av. *Brom* —7H **127**
Boughton Rd. *SE28* —3J **83**
Boulcott St. *E1* —6K **63**

Boulevard, The. *SW17* —2E **108**
Boulevard, The. *Pinn* —4E **22**
  (in two parts)
Boulogne Rd. *Croy* —6C **124**
Boulter Ho. SE14 —1J **95**
  (off Kender St.)
Boulton Ho. *Bren* —5E **72**
Boulton Rd. *Dag* —2E **52**
Boultwood Rd. *E6* —6D **66**
Bounces La. *N9* —2C **18**
Bounces Rd. *N9* —2C **18**
Boundaries Rd. *SW12* —2D **108**
Boundaries Rd. *Felt* —1A **102**
Boundary Av. *E17* —7B **32**
Boundary Clo. *SE20* —2G **125**
Boundary Clo. *Iff* —4J **51**
Boundary Clo. *King T* —3H **119**
Boundary Clo. *S'hall* —5E **70**
Boundary Ct. N18 —6A **18**
  (off Snells Pk.)
Boundary Ho. *SE5* —7C **78**
Boundary La. *E13* —4B **66**
Boundary La. *SE17*
  —6C **78** (7D **156**)
Boundary M. NW8 —1A **60**
  (off Boundary Rd.)
Boundary Pas. *E2*
  —4F **63** (3J **145**)
Boundary Rd. *E13* —2A **66**
Boundary Rd. *E17* —7B **32**
Boundary Rd. *N2* —1B **28**
Boundary Rd. *N9* —6D **8**
Boundary Rd. *N22* —3B **30**
Boundary Rd. *NW8* —1K **59**
Boundary Rd. *SW19* —6B **108**
Boundary Rd. *Bark* —2G **67**
  (in two parts)
Boundary Rd. *Cars & Wall*
  —6F **133**
Boundary Rd. *Pinn* —7B **22**
Boundary Rd. *Sidc* —5J **99**
Boundary Rd. *Wemb* —3D **40**
Boundary Row. *SE1*
  —2B **78** (6A **150**)
Boundary St. *E2* —3F **63** (2J **145**)
Boundary Way. *Croy* —5C **136**
Boundfield Rd. *SE6* —3G **113**
Bounds Grn. Ct. *N11* —6C **16**
  (off Bounds Grn. Rd.)
Bounds Grn. Ind. Est. *N11*
  —6B **16**
Bounds Grn. Rd. *N11 & N22*
  —6B **16**
Bourbon Ho. *SE6* —5E **112**
Bourchier St. *W1*
  —7H **61** (2C **148**)
Bourdon Pl. *W1* —7F **61** (2K **147**)
Bourdon Rd. *SE20* —2J **125**
Bourdon St. *W1* —7F **61** (3J **147**)
Bourke Clo. *NW10* —6A **42**
Bourke Clo. *SW4* —6J **93**
Bourlet Clo. *W1* —5G **61** (6A **142**)
Bourn Av. *N15* —4D **30**
Bournbrook Rd. *SE3* —3B **98**
Bourne Av. *N14* —2D **16**
Bourne Av. *Barn* —5G **5**
Bourne Av. *Ruis* —5A **38**
Bourne Ct. *W4* —6J **73**
Bourne Ct. *S Ruis* —5A **38**
Bourne Ct. *Wfd G* —2B **34**
Bourne Dri. *Mitc* —2B **122**
Bourne Est. *EC1*
  —5A **62** (5J **143**)
Bourne Gdns. *E4* —4J **19**
Bourne Hill. *N13* —2D **16**

Bourne Hill Clo. *N13* —2E **16**
Bourne Ind. Pk., The. *Dart*
  —5K **101**
Bourne Mead. *Bex* —5K **101**
Bourne M. *W1* —6E **60** (7H **141**)
Bournemouth Rd. *SE15* —2G **95**
Bournemouth Rd. *SW19* —1J **121**
Bourne Pde. *Bex* —7H **101**
Bourne Pl. *W4* —5K **73**
Bourne Rd. *E7* —3H **49**
Bourne Rd. *N8* —6J **29**
Bourne Rd. *Bex & Dart* —7H **101**
Bourne Rd. *Brom* —4B **128**
Bournes Ho. *N15* —6E **30**
  (off Chisley Rd.)
Bourneside Cres. *N14* —1C **16**
Bourneside Gdns. *SE6* —5E **112**
Bourne St. *SW1* —4E **76** (4G **153**)
Bourne St. *Croy* —2B **134**
Bourne Ter. *W2* —5K **59**
Bourne, The. *N14* —1C **16**
Bourne Vale. *Brom* —1H **137**
Bournevale Rd. *SW16* —4J **109**
Bourne View. *Gnfd* —6K **39**
Bourne Way. *Brom* —2H **137**
Bourne Way. *Sutt* —5H **131**
Bournewood Rd. *SE18* —7A **84**
Bournville Rd. *SE6* —7C **96**
Bournwell Clo. *Barn* —3J **5**
Bousfield Rd. *SE14* —2K **95**
Boutflower Rd. *SW11* —4C **92**
Bouverie Gdns. *Harr* —6D **24**
Bouverie M. *N16* —2E **46**
Bouverie Pl. *W2* —6B **60** (7B **140**)
Bouverie Rd. *N16* —2E **46**
Bouverie Rd. *Harr* —6G **23**
Bouverie St. *EC4*
  —6A **62** (1K **149**)
Bouvier Rd. *Enf* —1D **8**
Boveney Rd. *SE23* —7K **95**
Bovill Rd. *SE23* —7K **95**
Bovingdon Av. *Wemb* —6G **41**
Bovingdon Clo. *N19* —2G **45**
Bovingdon La. *NW9* —1A **26**
Bovingdon Rd. *SW6* —1K **91**
Bovingdon Sq. *Mitc* —4J **123**
Bowater Clo. *NW9* —5K **25**
Bowater Clo. *SW2* —6J **93**
Bowater Pl. *SE3* —7K **81**
Bowater Rd. *SE18* —3B **82**
Bow Bri. Est. *E3* —3D **64**
Bow Chyd. *EC4* —6C **62** (1D **150**)
Bow Comn. La. *E3* —4A **64**
Bowden St. *SE11*
  —5A **78** (6K **155**)
Bowditch. *SE8* —4B **80**
Bowdon Rd. *E17* —7C **32**
Bowen Dri. *SE21* —3E **110**
Bowen Rd. *Harr* —7G **23**
Bowen St. *E14* —6D **64**
Bower Av. *SE10* —1G **97**
Bower Clo. *N'holt* —2A **54**
Bower Clo. *Romf* —1K **37**
Bowerdean St. *SW6* —1K **91**
Bowerman Av. *SE14* —6A **80**
Bowerman Ct. *N19* —2H **45**
  (off St John's Way)
Bower St. *E1* —6K **63**
Bowers Wlk. *E6* —6D **66**
Bowes Clo. *Sidc* —6B **100**
Bowe's Ho. *Bark* —7F **51**
Bowes Rd. *N11 & N13* —5B **16**
Bowes Rd. *W3* —7A **58**
Bowes Rd. *Dag* —4C **52**
Bowfell Rd. *W6* —6E **74**

Bowford Av. *Bexh* —1E **100**
Bowhill Clo. *SW9* —7A **78**
Bowie Clo. *SW4* —7H **93**
Bow Ind. Pk. *E15* —7C **48**
Bow Interchange. (Junct.)
  —2D **64**
Bowland Rd. *SW4* —4H **93**
Bowland Rd. *Wfd G* —5F **21**
Bowland Yd. *SW1*
  —2D **76** (7F **147**)
Bow La. *EC4* —6C **62** (1D **150**)
Bow La. *N12* —7F **15**
Bow La. *Mord* —6G **121**
Bowl Ct. *EC2* —4E **62** (4H **145**)
Bowles Rd. *SE1* —6G **79**
Bowley Clo. *SE19* —6F **111**
Bowley La. *SE19* —5F **111**
Bowling Grn. Clo. *SW15* —7D **90**
Bowling Grn. Ct. *Wemb* —2F **41**
Bowling Grn. La. *EC1*
  —4A **62** (3K **143**)
Bowling Grn. Pl. *SE1*
  —2D **78** (6E **150**)
Bowling Grn. Row. *SE18* —3D **82**
Bowling Grn. St. *SE11*
  —6A **78** (7J **155**)
Bowling Grn. Wlk. *N1*
  —3E **62** (1G **145**)
Bowls Clo. *Stan* —5G **11**
Bowman Av. *E16* —7H **65**
Bowman M. *SW18* —1H **107**
Bowmans Clo. *W13* —1B **72**
Bowmans Lea. *SE23* —7J **95**
Bowmans Meadow. *Wall* —3F **133**
Bowman's M. *E1* —7G **63**
Bowman's M. *N7* —3J **45**
Bowman's Pl. *N7* —3J **45**
Bowmead. *SE9* —2D **114**
Bowmore Wlk. *NW1* —7H **45**
Bowness Clo. *E8* —6H **47**
  (off Beechwood Rd.)
Bowness Cres. *SW15* —5A **106**
Bowness Dri. *Houn* —4C **86**
Bowness Ho. *SE15* —7J **79**
  (off Hillbeck Clo.)
Bowness Rd. *SE6* —7D **96**
Bowness Rd. *Bexh* —2H **101**
Bowood Rd. *SW11* —5E **92**
Bowood Rd. *Enf* —2E **8**
Bow Rd. *E3* —3B **64**
Bowrons Av. *Wemb* —7D **40**
Bow St. *E15* —5G **49**
Bow St. *WC2* —6J **61** (1F **149**)
Bow Triangle Bus. Cen. *E3*
  —4C **64**
Bowyer Clo. *E6* —5D **66**
Bowyer Ct. *E4* —1K **19**
  (off Ridgeway, The)
Bowyer Ho. *N1* —1E **62**
  (off Whitmore Est.)
Bowyer Pl. *SE5* —7C **78**
Bowyer St. *SE5* —7C **78**
Boxall Rd. *SE21* —6E **94**
Boxgrove Rd. *SE2* —3C **84**
Box La. *Bark* —2B **68**
Boxley Rd. *Mord* —4A **122**
Boxley St. *E16* —1K **81**
Boxmoor Ho. *W11* —1F **75**
  (off Queensdale Cres.)
Boxmoor Rd. *Harr* —4B **24**
Boxoll Rd. *Dag* —4F **53**
Boxted Clo. *Buck H* —1H **21**
Box Tree Ho. *SE8* —5A **80**
Boxtree La. *Harr* —1G **23**
Boxtree Rd. *Harr* —7C **10**

Boxworth Clo. *N12* —5G **15**
Boxworth Gro. *N1* —1K **61**
Boyard Rd. *SE18* —5F **83**
Boyce Way. *E13* —4J **65**
Boycroft Av. *NW9* —6J **25**
Boyd Av. *S'hall* —1D **70**
Boyd Clo. *King T* —7G **105**
Boydell Ct. *NW8* —7B **44**
Boyden Ho. *E17* —3E **32**
Boyd Rd. *SW19* —6B **108**
Boyd St. *E1* —6G **63**
Boyfield St. *SE1* —2B **78** (7B **150**)
Boyland Rd. *Brom* —5H **113**
Boyle Av. *Stan* —6F **11**
Boyle Farm Rd. *Th Dit* —6A **118**
Boyle St. *W1* —7G **61** (2A **148**)
Boyne Av. *NW4* —4F **27**
Boyne Rd. *SE13* —3E **96**
Boyne Rd. *Dag* —3G **53**
Boyne Ter. M. *W11* —1H **75**
Boyseland Ct. *Edgw* —2D **12**
Boyson Rd. *SE17*
    —6D **78** (7D **156**)
Boyson Wlk. *SE17*
    —6D **78** (7E **156**)
Boyton Clo. *E1* —4J **63**
Boyton Clo. *N8* —3J **29**
Boyton Rd. *N8* —3J **29**
Brabant Ct. *EC3* —7E **62** (2G **151**)
Brabant Rd. *N22* —2K **29**
Brabazon Av. *Wall* —7J **133**
Brabazon Rd. *Houn* —7A **70**
Brabazon Rd. *N'holt* —2E **54**
Brabazon St. *E14* —6D **64**
Brabourne Clo. *SE19* —5E **110**
Brabourne Cres. *Bexh* —6F **85**
Brabourne Heights. *NW7* —3F **13**
Brabourne Rise. *Beck* —5E **126**
Brabourn Gro. *SE15* —2J **95**
Brabrook Ct. *Wall* —4F **133**
Bracer Ho. *N1* —2E **62**
    (off Whitmore Est.)
Bracewell Av. *Gnfd* —5K **39**
Bracewell Rd. *W10* —5E **58**
Bracewood Gdns. *Croy* —3F **135**
Bracey M. *N4* —2J **45**
Bracey St. *N4* —2J **45**
Bracken Av. *SW12* —6E **92**
Bracken Av. *Croy* —3J **136**
Brackenbridge Dri. *Ruis* —3B **38**
Brackenbury. *N4* —1A **46**
    (off Osborne Rd.)
Brackenbury Gdns. *W6* —3D **74**
Brackenbury Rd. *N2* —3A **28**
Brackenbury Rd. *W6* —3D **74**
Bracken Clo. *E6* —5D **66**
Bracken Clo. *Twic* —7E **86**
Brackendale. *N21* —2E **16**
Brackendale Clo. *Houn* —1F **87**
Brackendene. *Dart* —4K **117**
Bracken End. *Iswth* —5H **87**
Brackenfield Clo. *E5* —3H **47**
Bracken Gdns. *SW13* —2C **90**
Bracken Hill Clo. *Brom* —1H **127**
Bracken Hill La. *Brom* —1H **127**
Bracken Ind. Est. *Ilf* —1K **35**
Bracken M. *E4* —1K **19**
Bracken M. *Romf* —6H **37**
Brackens. *Beck* —7C **112**
Brackens, The. *Enf* —7K **7**
Bracken, The. *E4* —2K **19**
Brackley Clo. *Wall* —7J **133**
Brackley Rd. *W4* —5A **74**
Brackley Rd. *Beck* —7B **112**
Brackley Sq. *Wfd G* —7G **21**

Brackley St. *EC1*
    —4C **62** (4D **144**)
Brackley Ter. *W4* —5A **74**
Bracklyn Ct. *N1* —2D **62**
Bracklyn St. *N1* —2D **62**
Bracknell Clo. *N22* —1A **30**
Bracknell Gdns. *NW3* —4K **43**
Bracknell Ga. *NW3* —4K **43**
Bracknell Way. *NW3* —4K **43**
Bracondale Rd. *SE2* —4A **84**
Bracourne Rd. *Bex* —7G **101**
Bradbourne St. *SW6* —2J **91**
Bradbury Clo. *S'hall* —4D **70**
Bradbury St. *N16* —5E **46**
Braddock Clo. *Iswth* —2K **87**
Braddon Rd. *Rich* —3F **89**
Braddyll St. *SE10* —5G **81**
Bradenham Av. *Well* —4A **100**
Bradenham Clo. *SE17*
    —6D **78** (7E **156**)
Bradenham Rd. *Harr* —4B **24**
Braden St. *W9* —4K **59**
Bradfield Dri. *Bark* —5A **52**
Bradfield Rd. *E16* —2J **81**
Bradfield Rd. *Ruis* —5C **38**
Bradford Clo. *N17* —6A **18**
Bradford Clo. *SE26* —4H **111**
Bradford Clo. *Brom* —1D **138**
Bradford Dri. *Eps* —6B **130**
Bradford Rd. *W3* —2A **74**
Bradford Rd. *Ilf* —1H **51**
Bradgate Rd. *SE6* —6D **96**
Brading Cres. *E11* —2K **49**
Brading Rd. *SW2* —7K **93**
Brading Rd. *Croy* —6K **123**
Brading Ter. *W12* —3C **74**
Bradiston Rd. *W9* —3H **59**
Bradley Clo. *N7* —6J **45**
Bradley Gdns. *W13* —6B **56**
Bradley Ho. *SE16* —4J **79**
    (off Raymouth Rd.)
Bradley M. *SW17* —1D **108**
Bradley Rd. *N22* —2K **29**
Bradley Rd. *SE19* —6C **110**
Bradley's Clo. *N1* —2A **62**
Bradley Stone Rd. *E6* —6D **66**
Bradman Row. *Edgw* —7D **12**
Bradmead. *SW8* —7F **77**
Bradmore Pk. Rd. *W6* —4D **74**
Bradshaw Clo. *SW19* —6J **107**
Bradshaws Clo. *SE25* —3G **125**
Bradstock Ho. *E9* —7A **48**
Bradstock Rd. *E9* —6K **47**
Bradstock Rd. *Eps* —5C **130**
Bradstone Rd. *Rich* —1F **89**
Brad St. *SE1* —1A **78** (5K **149**)
Bradwell Av. *Dag* —2G **53**
Bradwell Clo. *E18* —4H **33**
Bradwell M. *N18* —4B **18**
Bradwell Rd. *Buck H* —1H **21**
Brady Ct. *Dag* —1D **52**
Bradymead. *E6* —6E **66**
Brady St. *E1* —4H **63**
Braeburn Ct. *Barn* —4H **5**
Braemar Av. *N22* —1J **29**
Braemar Av. *NW10* —3K **41**
Braemar Av. *SW19* —2J **107**
Braemar Av. *Bexh* —4J **101**
Braemar Av. *S Croy* —7C **134**
Braemar Av. *T Hth* —3B **124**
Braemar Av. *Wemb* —7D **40**
Braemar Gdns. *NW9* —1K **25**
Braemar Gdns. *Sidc* —3H **115**
Braemar Gdns. *W Wick* —1E **136**
Braemar Rd. *E13* —4H **65**

Braemar Rd. *N15* —5E **30**
Braemar Rd. *Bren* —6D **72**
Braemar Rd. *Wor Pk* —3D **130**
Braemer Clo. *SE16* —5H **79**
    (off Masters Dri.)
Braeside. *Beck* —5C **112**
Braeside Av. *SW19* —1G **121**
Braeside Cres. *Bexh* —4J **101**
Braeside Rd. *SW16* —7G **109**
Braes St. *N1* —7B **46**
Braesyde Clo. *Belv* —4F **85**
Brafferton Rd. *Croy* —4C **134**
Braganza St. *SE17*
    —5B **78** (5A **156**)
Bragg Rd. *Tedd* —6J **103**
Braham Ho. *SE11*
    —5K **77** (6H **155**)
Braham St. *E1* —6F **63** (1K **151**)
Braid Av. *W3* —6A **58**
Braid Clo. *Felt* —2D **102**
Braid Ho. *SE10* —1E **96**
    (off Blackheath Hill)
Braidwood Rd. *SE6* —1F **113**
Brailsford Clo. *Mitc* —7C **108**
Brailsford Rd. *SW2* —5A **94**
Brainton Av. *Felt* —7A **86**
Braintree Av. *Ilf* —4C **34**
Braintree Rd. *Dag* —3G **53**
Braintree Rd. *Ruis* —4A **38**
Braintree St. *E2* —3J **63**
Braithwaite Av. *Romf* —7G **37**
Braithwaite Gdns. *Stan* —1C **24**
Braithwaite Ho. *E14* —6F **65**
Braithwaite Rd. *Enf* —3G **9**
Braithwaite Tower. *W2*
    —5B **60** (5B **140**)
Bramah Grn. *SW9* —1A **94**
Bramalea Clo. *N6* —6E **28**
Bramall Clo. *E15* —5H **49**
Bramall Ct. *N7* —6K **45**
    (off Georges Rd.)
Bramber. *WC1* —3J **61** (2E **142**)
Bramber Ct. *W5* —4E **72**
Bramber Ct. *Bren* —4E **72**
Bramber Rd. *N12* —5H **15**
Bramber Rd. *W14* —6H **75**
Brambleacres Clo. *Sutt* —7J **131**
Bramblebury Rd. *SE18* —5G **83**
Bramble Clo. *N15* —4G **31**
Bramble Clo. *Croy* —4C **136**
Bramble Clo. *Stan* —7J **11**
Bramble Croft. *Eri* —4J **85**
Brambledown Clo. *W Wick*
    —5G **127**
Brambledown Rd. *Cars & Wall*
    —7E **132**
Brambledown Rd. *S Croy*
    —7E **134**
Bramble Gdns. *W12* —7B **58**
Bramble La. *Hamp* —6D **102**
Brambles Clo. *Iswth* —7B **72**
Brambles, The. *SW19* —5H **107**
    (off Woodside)
Bramblewood Clo. *Cars* —1C **132**
Bramblings, The. *E4* —4A **20**
Bramcote Av. *Mitc* —4D **122**
Bramcote Gro. *SE16* —5J **79**
Bramcote Rd. *SW15* —4D **90**
Bramdean Cres. *SE12* —1J **113**
Bramdean Gdns. *SE12* —1J **113**
Bramerton Rd. *Beck* —3B **126**
Bramerton St. *SW3*
    —6C **76** (7C **152**)
Bramfield Ct. *N4* —3C **46**
    (off Queens Dri.)

Bramfield Rd. *SW11* —6C **92**
Bramford Ct. *N14* —2C **16**
Bramford Rd. *SW18* —4A **92**
Bramham Gdns. *SW5* —5K **75**
Bramham Ho. *SE22* —4E **94**
Bramhope La. *SE7* —6A **82**
Bramlands Clo. *SW11* —3C **92**
Bramley Clo. *E17* —2A **32**
Bramley Clo. *N14* —5A **6**
Bramley Clo. *Orp* —7F **129**
Bramley Clo. *S Croy* —5C **134**
Bramley Clo. *Twic* —6G **87**
Bramley Ct. *E4* —1K **19**
Bramley Ct. *Barn* —4H **5**
Bramley Ct. *S'hall* —7F **55**
    (off Baird Av.)
Bramley Ct. *Well* —1B **100**
Bramley Cres. *SW8* —7H **77**
Bramley Cres. *Ilf* —6E **34**
Bramley Hill. *S Croy* —5B **134**
Bramley Ho. *SW15* —6B **90**
    (off Tunworth Cres.)
Bramley Ho. *W10* —6F **59**
Bramley Ho. *Houn* —4D **86**
Bramley Pde. *N14* —4B **6**
Bramley Rd. *N14* —5A **6**
Bramley Rd. *W5* —3C **72**
Bramley Rd. *W10* —7F **59**
Bramley Rd. *Cheam* —7F **131**
Bramley Rd. *Sutt* —5B **132**
Bramley Rd. *Sutt* —6F **132**
Bramley St. *W10* —6F **59**
Bramley Way. *Houn* —5D **86**
Bramley Way. *W Wick* —2D **136**
Brampton Clo. *E5* —2H **47**
Brampton Ct. *NW4* —4D **26**
Brampton Gdns. *N15* —5C **30**
Brampton Gro. *NW4* —4D **26**
Brampton Gro. *Harr* —4A **24**
Brampton Gro. *Wemb* —1F **41**
Brampton La. *NW4* —4E **26**
Brampton Pk. Rd. *N22* —3A **30**
Brampton Rd. *E6* —3B **66**
Brampton Rd. *N15* —5C **30**
Brampton Rd. *NW9* —4G **25**
Brampton Rd. *Bexh & SE2*
    —3D **100**
Brampton Rd. *Croy* —6F **125**
Bramshaw Rise. *N Mald* —6A **120**
Bramshaw Rd. *E9* —6K **47**
Bramshill Gdns. *NW5* —3F **45**
Bramshill Rd. *NW10* —2A **58**
Bramshot Av. *SE7* —6J **81**
Bramston Rd. *NW10* —2C **58**
Bramston Rd. *SW17* —3A **108**
Bramwell Ho. *SE1*
    —3C **78** (2D **156**)
Bramwell M. *N1* —1K **61**
Brancaster Dri. *NW7* —7H **13**
Brancaster Rd. *E12* —4D **50**
Brancaster Rd. *SW16* —3J **109**
Brancaster Rd. *Ilf* —6J **35**
Brancepeth Gdns. *Buck H* —2D **20**
Branch Hill. *NW3* —3A **44**
Branch Hill Ho. *NW3* —3A **44**
Branch Pl. *N1* —1D **62**
Branch Rd. *E14* —7A **64**
Branch St. *SE15* —7F **79**
Brancker Clo. *Wall* —7J **133**
Brancker Rd. *Harr* —3C **24**
Brancroft Way. *Enf* —1F **9**
Brandlehow Rd. *SW15* —4H **91**
Brandon. *NW9* —2B **26**
    (off Further Acre)
Brandon Est. *SE17*
    —6B **78** (7A **156**)

Brandon Ho. *Beck* —5D **112**
    (off Beckenham Hill Rd.)
Brandon Mans. *W14* —6G **75**
    (off Queen's Club Gdns.)
Brandon M. *EC2*
Brandon M. *EC2*
    —5D **62** (6E **144**)
Brandon Rd. *E17* —4E **32**
Brandon Rd. *N7* —7J **45**
Brandon Rd. *S'hall* —5D **70**
Brandon Rd. *Sutt* —4K **131**
Brandon St. *SE17*
    —4C **78** (4C **156**)
Brandram Rd. *SE13* —3G **97**
Brandreth Ct. *Harr* —6K **23**
Brandreth Rd. *E6* —6D **66**
Brandreth Rd. *SW17* —2F **109**
Brandries, The. *Wall* —3H **133**
Brand St. *SE10* —7E **80**
Brandville Gdns. *Ilf* —4F **35**
Brandy Way. *Sutt* —7J **131**
Brangbourne Rd. *Brom* —5E **112**
Brangton Rd. *SE11*
    —5A **78** (6H **155**)
Brangwyn Cres. *SW19* —1A **122**
Branksea St. *SW6* —7G **75**
Branksome Av. *N18* —6A **18**
Branksome Ho. *SW8* —7K **77**
    (off Meadow Rd.)
Branksome Rd. *SW2* —5J **93**
Branksome Rd. *SW19* —1J **121**
Branksome Way. *Harr* —6C **24**
Branksome Way. *N Mald* —1J **119**
Branscombe Ct. *N2* —3A **28**
Branscombe Dri. *Brom* —5H **127**
Branscombe Gdns. *N21* —7F **7**
Branscombe St. *SE13* —3D **96**
Bransdale Clo. *NW6* —1J **59**
Bransgrove Rd. *Edgw* —1F **25**
Branston Cres. *Orp* —7H **129**
Branstone Rd. *Rich* —1F **89**
Brants Wlk. *W7* —4J **55**
Brantwood Av. *Eri* —7J **85**
Brantwood Av. *Iswth* —4A **88**
Brantwood Clo. *E17* —3E **32**
Brantwood Gdns. *Enf* —4D **6**
Brantwood Gdns. *Ilf* —4C **34**
Brantwood Ho. *SE5* —7C **78**
    (off Wyndam Est.)
Brantwood Rd. *N17* —6B **18**
Brantwood Rd. *SE24* —5C **94**
Brantwood Rd. *Bexh* —2H **101**
Brantwood Rd. *S Croy* —7C **134**
Brasher Clo. *Gnfd* —5G **39**
Brassett Point. *E15* —1G **65**
    (off Abbey Rd.)
Brassey Rd. *NW6* —6H **43**
Brassey Sq. *SW11* —3E **92**
Brassie Av. *W3* —6A **58**
Brass Tally All. *SE16* —2K **79**
Brasted Clo. *SE26* —4J **111**
Brasted Clo. *Bexh* —5D **100**
Brasted Lodge. *SE20* —7C **112**
Brasted Rd. *Eri* —7K **85**
Brathway Rd. *SW18* —7K **91**
Bratley St. *E1* —4G **63**
Bratten Ct. *Croy* —6D **124**
Braund Av. *Gnfd* —4F **55**
Braundton Av. *Sidc* —1K **115**
Braunston Dri. *Hayes* —4C **54**
Bravington Pl. *W9* —4H **59**
Bravington Rd. *W9* —3H **59**
Braxfield Rd. *SE4* —4A **96**
Braxted Pk. *SW16* —6K **109**

Brodie Rd. *Enf* —1H **7**
Brodie St. *SE1* —5F **79** (5K **157**)
Brodlove La. *E1* —7K **63**
Brodrick Gro. *SE2* —4B **84**
Brodrick Rd. *SW17* —2C **108**
Brograve Gdns. *Beck* —2D **126**
Broken Wharf. *EC4*
 —7C **62** (2C **150**)
Brokesley St. *E3* —3B **64**
Broke Wlk. *E8* —1G **63**
Bromar Rd. *SE5* —3E **94**
Bromefield. *Stan* —1C **24**
Bromell's Rd. *SW4* —5C **12**
Brome Rd. *SE9* —3D **98**
Bromfelde Rd. *SW4* —3H **93**
Bromfelde Wlk. *SW4* —2H **93**
Bromfield St. *N1* —2A **62**
Bromhall Rd. *Dag* —6B **52**
Bromhead St. *E1* —6J **63**
Bromhedge. *SE9* —3D **114**
Bromholm Rd. *SE2* —3B **84**
Bromleigh Ct. *SE23* —2H **111**
Bromley Av. *Brom* —7G **113**
Bromley Comn. *Brom* —4A **128**
Bromley Cres. *Brom* —3H **127**
Bromley Gdns. *Brom* —3H **127**
Bromley Gro. *Brom* —2F **127**
Bromley Hall Rd. *E14* —5E **64**
Bromley High St. *E3* —3D **64**
Bromley Hill. *Brom* —6G **113**
Bromley Ind. Cen. *Brom* —3B **128**
Bromley La. *Chst* —7G **115**
Bromley Pk. *Brom* —1H **127**
Bromley Pl. *W1* —5G **61** (5A **142**)
Bromley Rd. *E10* —6D **32**
Bromley Rd. *E17* —3C **32**
Bromley Rd. *N17* —1F **31**
Bromley Rd. *N18* —3J **17**
Bromley Rd. *SE6 & Brom*
 —1D **112**
Bromley Rd. *Beck & Short*
 —1D **126**
Bromley Rd. *Chst* —1F **129**
Bromley St. *E1* —5K **63**
Brompton Arc. *SW3*
 —2D **76** (7E **146**)
Brompton Clo. *SE20* —2G **125**
Brompton Clo. *Houn* —5D **86**
Brompton Gro. *N2* —4C **28**
Brompton Pk. Cres. *SW6* —6K **75**
Brompton Pl. *SW3*
 —3C **76** (1D **152**)
Brompton Rd. *SW3, SW7 &*
 SW11 —4C **76** (3C **152**)
Brompton Sq. *SW3*
 —3C **76** (1C **152**)
Brompton Ter. *SE18* —1D **98**
Bromwich Av. *N6* —2E **44**
Bromyard Av. *W3* —7A **58**
Brondesbury M. *NW6* —7J **43**
Brondesbury Pk. *NW2 & NW6*
 —6D **42**
Brondesbury Rd. *NW6* —2H **59**
Brondesbury Vs. *NW6* —2H **59**
Bronsart Rd. *SW6* —7G **75**
Bronson Rd. *SW20* —2F **121**
Bronte Clo. *E7* —4J **49**
Bronte Clo. *Eri* —7H **85**
Bronte Clo. *Ilf* —4E **34**
Bronte Ho. *N16* —5E **46**
Bronte Ho. *SW4* —7G **93**
Bronti Clo. *SE17*
 —5C **78** (5D **156**)
Bronze Age Way. *Belv* —2H **85**
Bronze St. *SE8* —7C **80**

Brook Av. *Dag* —7H **53**
Brook Av. *Edgw* —6C **12**
Brook Av. *Wemb* —3F **41**
Brookbank Av. *W7* —4H **55**
Brookbank Rd. *SE13* —3C **96**
Brook Clo. *NW7* —7B **14**
Brook Clo. *SW20* —3D **120**
Brook Clo. *W3* —1G **73**
Brook Ct. *E11* —3G **49**
Brook Ct. *E15* —5D **48**
 (off Clays La.)
Brook Ct. *E17* —3A **32**
Brook Ct. *Edgw* —5C **12**
Brook Cres. *E4* —4H **19**
Brook Cres. *N9* —4C **18**
Brookdale. *N11* —4B **16**
Brookdale Rd. *E17* —3C **32**
Brookdale Rd. *SE6* —7D **96**
Brookdale Rd. *Bex* —6E **100**
Brookdales. *NW4* —4G **27**
Brookdene Rd. *SE18* —4K **83**
Brook Dri. *SE11* —3A **78** (2K **155**)
Brook Dri. *Harr* —4G **23**
 —7D **80**
Brook Mead. *Eps* —6A **130**
Brookmead Av. *Brom* —5D **128**
Brookmead Ind. Est. *Croy*
 —6G **123**
Brook Meadow. *N12* —3E **14**
Brook Meadow Clo. *Wfd G*
 —6B **20**
Brookmead Rd. *Croy* —6G **123**
Brook M. N. *W2* —7A **60** (2A **146**)
Brookmill Rd. *SE8* —1C **96**
Brook Pde. *Chig* —3K **21**
Brook Pk. Clo. *N21* —6G **7**
Brook Path. *Lou* —1B **10**
Brook Ri. *Chig* —3K **21**
Brook Rise. *Chig* —3K **21**
Brook Rd. *N8* —4J **29**
Brook Rd. *N22* —3K **29**
Brook Rd. *NW2* —2B **42**
Brook Rd. *Buck H* —2D **20**
Brook Rd. *Ilf* —6J **35**
Brook Rd. *T Hth* —4C **124**
Brook Rd. *Twic* —6A **88**
Brook Rd. S. *Bren* —6D **72**
Brooks Av. *E6* —4D **66**
Brooksbank St. *E9* —6K **47**
Brooksby M. *N1* —7A **46**
Brooksby St. *N1* —7A **46**
Brooksby's Wlk. *E9* —5K **47**
Brooks Clo. *SE9* —2E **114**
Brooks Ct. *SW8* —7G **77**
 (off Cringle St.)
Brookscroft. *E17* —3D **32**
 (off Forest Rd.)
Brookscroft Rd. *E17* —1D **32**
 (in two parts)
Brookshill. *Harr* —5C **10**
Brookshill Av. *Harr* —5C **10**
Brookshill Dri. *Harr* —5C **10**
Brookside. *N21* —6E **6**
Brookside. *Cars* —5E **132**
Brookside. *E Barn* —6H **5**
Brookside. *Orp* —7H **129**
Brookside Clo. *Barn* —6B **4**
Brookside Clo. *Kent* —5D **24**
Brookside Cres. *Wor Pk* —1C **130**
Brookside Rd. *N9* —4C **18**
Brookside Rd. *N19* —2G **45**
Brookside Rd. *NW11* —6G **27**
Brookside Rd. *Hayes* —7A **54**
Brookside S. *E Barn* —7K **5**

Brooklands Dri. *Gnfd* —1D **56**
Brooklands La. *Romf* —4K **37**
Brooklands Pk. *SE3* —3J **97**
Brooklands Pas. *SW8* —1H **93**
Brooklands Rd. *Romf* —4K **37**
Brooklands St. *SW8* —1H **93**
Brooklands, The. *Iswth* —1H **87**
Brook La. *SE3* —2K **97**
Brook La. *Bex* —6D **100**
Brook La. *Brom* —6J **113**
Brook La. Bus. Cen. *Bren* —5D **72**
Brook La. N. *Bren* —5D **72**
 (in two parts)
Brooklea Clo. *NW9* —1A **26**
Brook Lodge. Romf —4K **37**
 (off Brooklands Rd.)
Brooklyn Av. *SE25* —4H **125**
Brooklyn Clo. *Cars* —2C **132**
Brooklyn Gro. *SE25* —4H **125**
Brooklyn Rd. *SE25* —4H **125**
Brooklyn Rd. *Brom* —5B **128**
Brookmarsh Ind. Est. *SE10*

Brookside Wlk. *N12* —6D **14**
Brookside Way. *Croy* —6K **125**
Brooks La. *W4* —6G **73**
Brook's M. *W1* —7F **61** (2J **147**)
Brooks Rd. *E13* —1J **65**
Brooks Rd. *W4* —5G **73**
Brookstone Ct. *SE15* —4H **95**
Brook St. *N17* —2F **31**
Brook St. *W1* —7F **61** (2J **147**)
Brook St. *W2* —7B **60** (2B **146**)
Brook St. *Belv & Eri* —5H **85**
Brook St. *King T* —2E **118**
Brooksville Av. *NW6* —1G **59**
Brook Vale. *Eri* —1H **101**
Brookview Ct. *Enf* —5K **7**
Brookview Rd. *SW16* —5G **109**
Brookville Rd. *SW6* —7H **75**
Brook Wlk. *N2* —1B **28**
Brook Wlk. *Edgw* —6E **12**
Brookway. *SE3* —3J **97**
Brook Way. *Chig* —3K **21**
Brookwood Av. *SW13* —2B **90**
Brookwood Clo. *Brom* —4H **127**
Brookwood Rd. *SW18* —1H **107**
Brookwood Rd. *Houn* —2F **87**
Broom Clo. *Brom* —6C **128**
Broom Clo. *Tedd* —7D **104**
Broomcroft Av. *N'holt* —3A **54**
Broome Rd. *Hamp* —7D **102**
Broome Way. *SE5* —7D **78**
Broomfield. *E17* —7B **32**
Broomfield Av. *N13* —5E **16**
Broomfield Ct. SE16 —3G **79**
 (off John Roll Way)
Broomfield La. *N13* —4D **16**
Broomfield Pl. *W13* —1B **72**
Broomfield Rd. *N13* —5D **16**
Broomfield Rd. *W13* —1B **72**
Broomfield Rd. *Beck* —3B **126**
Broomfield Rd. *Bexh* —5G **101**
Broomfield Rd. *Rich* —1F **89**
Broomfield Rd. *Romf* —7D **36**
Broomfield Rd. *Surb* —7F **119**
Broomfield Rd. *Tedd* —6A **104**
Broomfield St. *E14* —5C **64**
Broom Gdns. *Croy* —3C **136**
Broomgrove Gdns. *Edgw* —1G **25**
Broomgrove Rd. *SW9* —2K **93**
Broomhall Rd. *S Croy* —7D **134**
Broomhill Ct. *Wfd G* —6D **20**
Broomhill Rise. *Bexh* —5G **101**
Broomhill Rd. *SW18* —5J **91**
Broomhill Rd. *Ilf* —2A **52**
Broomhill Rd. *Orp* —7K **129**
Broomhill Rd. *Wfd G* —6D **20**
 (in two parts)
Broomhill Wlk. *Wfd G* —7C **20**
Broomhouse La. *SW6* —2J **91**
Broomhouse Rd. *SW6* —2J **91**
Broomloan La. *Sutt* —2J **131**
Broom Lock. *Tedd* —6C **104**
Broom Mead. *Bexh* —5G **101**
Broom Pk. *Tedd* —7D **104**
Broom Rd. *Croy* —3C **136**
Broom Rd. *Tedd* —5B **104**
Broomsleigh Bus. Pk. SE26
 (off Worsley Bri. Rd.) —5B **112**
Broomsleigh St. *NW6* —5H **43**
Broom Water. *Tedd* —6C **104**
Broom Water W. *Tedd* —5C **104**
Broomwood Clo. *Bex* —1K **117**
Broomwood Clo. *Croy* —5K **125**

Broomwood Rd. *SW11* —6D **92**
Broseley Gro. *SE26* —5A **112**
Broster Gdns. *SE25* —3F **125**
Brougham Rd. *E8* —1G **63**
Brougham Rd. *W3* —6J **57**
Brougham St. *SW11* —2D **92**
Brough Clo. *SW8* —7J **77**
Brough Clo. *King T* —5D **104**
Brough St. *SW8* —7J **77**
Broughton Av. *N3* —3G **27**
Broughton Av. *Rich* —3B **104**
Broughton Ct. *W13* —7B **56**
Broughton Dri. *SW9* —4B **94**
Broughton Gdns. *N6* —6G **29**
Broughton Rd. *SW6* —2K **91**
Broughton Rd. *W13* —7B **56**
Broughton Rd. *T Hth* —6A **124**
Broughton St. *SW8* —2E **92**
Brouncker Rd. *W3* —2J **73**
Browells La. *Felt* —2A **102**
Brown Bear Ct. *Felt* —4B **102**
Brown Clo. *Wall* —7J **133**
Brownfield St. *E14* —6D **64**
Brown Hart Gdns. *W1*
 —7E **60** (2H **147**)
Brownhill Rd. *SE6* —7D **96**
Brownhill Ter. *N17* —1G **31**
Browning Av. *W7* —6K **55**
Browning Av. *Sutt* —4C **132**
Browning Av. *Wor Pk* —1D **130**
Browning Clo. *W9* —4A **60**
Browning Clo. *Col R* —1F **37**
Browning Clo. *Hamp* —4D **102**
Browning Clo. *Well* —1J **99**
Browning M. *W1*
 —5F **61** (6H **141**)
Browning Rd. *E11* —7H **33**
Browning Rd. *E12* —5D **50**
Browning Rd. *Enf* —1J **7**
Browning St. *SE17*
 —5C **78** (5D **156**)
Browning Way. *Houn* —1B **86**
Brownlea Gdns. *Ilf* —2A **52**
Brownlow Ct. *N2* —5B **28**
Brownlow Ct. N11 —6D **16**
 (off Brownlow Rd.)
Brownlow Ho. SE16 —2G **79**
 (off George Row)
Brownlow M. *WC1*
 —4K **61** (4H **143**)
Brownlow Rd. *E7* —4J **49**
Brownlow Rd. *E8* —1G **63**
Brownlow Rd. *N3* —7E **14**
Brownlow Rd. *N11* —6D **16**
Brownlow Rd. *NW10* —7A **42**
Brownlow Rd. *W13* —1A **72**
Brownlow Rd. *Croy* —4E **134**
Brownlow Rd. *WC1*
 —5K **61** (6H **143**)
Brown's Bldgs. *EC3*
 —6E **62** (1H **151**)
Browns La. *NW5* —5F **45**
Brownspring Dri. *SE9* —4F **115**
Browns Rd. *E17* —3C **32**
Browns Rd. *Surb* —7F **119**
Brown St. *W1* —6D **60** (7E **140**)
Brownswell Rd. *N2* —2B **28**
Brownswood Rd. *N4* —3B **46**
Broxash Rd. *SW11* —6E **92**
Broxbourne Av. *E18* —4K **33**
Broxbourne Rd. *E7* —3J **49**
Broxbourne Rd. *Orp* —7K **129**
Broxholme Ho. SW6 —1K **91**
 (off Harwood Rd.)
Broxholm Rd. *SE27* —3A **110**

Broxted Rd. *SE6* —2B **112**
Broxwood Way. *NW8* —1C **60**
Bruce Castle Ct. N17 —1F *31*
  (off Lordship La.)
Bruce Castle Rd. *N17* —1F **31**
Bruce Clo. *W10* —5F **59**
Bruce Clo. *Well* —1B **100**
Bruce Ct. *Sidc* —4K **115**
Bruce Gdns. *N20* —3J **15**
Bruce Gro. *N17* —1E **30**
Bruce Hall M. *SW17* —4E **108**
Bruce Rd. *E3* —3D **64**
Bruce Rd. *NW10* —7K **41**
Bruce Rd. *SE25* —4D **124**
Bruce Rd. *Barn* —3B **4**
Bruce Rd. *Harr* —2J **23**
Bruce Rd. *Mitc* —7E **108**
Bruckner St. *W10* —3H **59**
Brudenell Rd. *SW17* —3D **108**
Bruffs Meadow. *N'holt* —6C **38**
Bruges Pl. *NW1* —7G **45**
Brummel Clo. *Bexh* —3J **101**
Brune Ho. *E1* —5F **63** (6J **145**)
Brunel Clo. *SE19* —6F **111**
Brunel Clo. *N'holt* —3D **54**
Brunel Est. *W2* —5J **59**
Brunel Pl. *S'hall* —7F **55**
Brunel Rd. *E17* —6A **32**
Brunel Rd. *SE16* —2J **79**
Brunel Rd. *W'way E* —5A **58**
Brunel Rd. *Wfd G* —5J **21**
Brunel St. *E16* —6H **65**
Brunel Wlk. *N15* —4E **30**
Brunel Wlk. *Twic* —7E **86**
Bruner Rd. *W5* —4D **56**
Brune St. *E1* —5F **63** (6J **145**)
Brunner Clo. *NW11* —5K **27**
Brunner Ho. *SE6* —4E **112**
Brunner Rd. *E17* —5A **32**
Brunner Rd. *W5* —4D **56**
Bruno Pl. *NW9* —2J **41**
Brunswick Av. *N11* —3K **15**
  (in two parts)
Brunswick Centre. *WC1*
  —4J **61** (3E **142**)
Brunswick Clo. *Bexh* —4D **100**
Brunswick Clo. *Pinn* —6C **22**
Brunswick Clo. *Twic* —3H **103**
Brunswick Clo. Est. *EC1*
  —3B **62** (2A **144**)
Brunswick Ct. EC1
  —3B *62* (2A *144*)
  (off Tompion St.)
Brunswick Ct. *SE1*
  —2E **78** (7H **151**)
Brunswick Ct. *Barn* —5G **5**
Brunswick Ct. *Sutt* —4A **131**
Brunswick Cres. *N11* —3K **15**
Brunswick Gdns. *W5* —4E **56**
Brunswick Gdns. *W8* —1J **75**
Brunswick Gdns. *Ilf* —1G **35**
Brunswick Gro. *N11* —3K **15**
Brunswick Ho. *N3* —1H **27**
Brunswick Ind. Pk. *N11* —4A **16**
Brunswick M. *SW16* —6H **109**
Brunswick M. *W1*
  —6D **60** (7F **141**)
Brunswick Pk. *SE5* —1E **94**
Brunswick Pk. Gdns. *N11* —2K **15**
Brunswick Pk. Rd. *N11* —2K **15**
Brunswick Pl. *N1*
  —3D **62** (2F **145**)
Brunswick Pl. *SE19* —7G **111**
Brunswick Quay. *SE16* —3K **79**
Brunswick Rd. *E14* —1E **48**

Brunswick Rd. *E14* —6E **64**
Brunswick Rd. *N15* —4E **30**
  (in two parts)
Brunswick Rd. *W5* —4D **56**
Brunswick Rd. *Bexh* —4D **100**
Brunswick Rd. *King T* —1G **119**
Brunswick Rd. *Sutt* —4A **131**
Brunswick Sq. *N17* —6A **18**
Brunswick Sq. *WC1*
  —4J **61** (3F **143**)
Brunswick St. *E17* —5E **32**
Brunswick Vs. *SE5* —1E **94**
Brunswick Way. *N11* —4A **16**
Brunton Pl. *E14* —6A **64**
Brushfield St. *E1*
  —5E **62** (5H **145**)
Brussels Rd. *SW11* —4B **92**
Bruton Clo. *Chst* —7D **114**
Bruton La. *W1* —7F **61** (3K **147**)
Bruton Pl. *W1* —7F **61** (3K **147**)
Bruton Rd. *Mord* —4A **122**
Bruton St. *W1* —7F **61** (3K **147**)
Bruton Way. *W13* —5A **56**
Brutus Ct. *SE11* —4B **78** (4A **156**)
Bryan Av. *NW10* —7D **42**
Bryan Ho. *SE16* —2B **80**
Bryan Rd. *SE16* —2B **80**
Bryanston Av. *Twic* —1F **103**
Bryanston Clo. *S'hall* —4D **70**
Bryanston Ct. *W1*
  —6D **60** (7E **140**)
Bryanstone Ct. *Sutt* —4A **132**
Bryanstone Rd. *N8* —6H **29**
Bryanston M. E. *W1*
  —5D **60** (6E **140**)
Bryanston M. W. *W1*
  —5D **60** (6E **140**)
Bryanston Pl. *W1*
  —5D **60** (6E **140**)
Bryanston Sq. *W1*
  —6D **60** (6E **140**)
Bryanston St. *W1*
  —6D **60** (1E **146**)
Bryant Clo. *Barn* —5C **4**
Bryant Ct. E2 —2F *63*
  (off Whiston Rd.)
Bryant Rd. *N'holt* —3A **54**
Bryant St. *E15* —7F **49**
Bryantwood Rd. *N7* —5A **46**
Brycedale Cres. *N14* —4C **16**
Bryce Rd. *Dag* —4C **52**
Bryden Clo. *SE26* —5A **112**
Brydges Pl. *WC2*
  —7J **61** (3E **148**)
Brydges Rd. *E15* —5F **49**
Brydon Wlk. *N1* —1J **61**
Bryer Ct. *EC2* —5C **62** (5C **144**)
Bryet Rd. *N7* —3J **45**
Bryher Ct. *SE11* —5A **78** (5J **155**)
Brymay Clo. *E3* —2C **64**
Brynmaer Rd. *SW11* —1D **92**
Brynmawr Rd. *Enf* —4A **8**
Bryony Rd. *W12* —7C **58**
Buccleugh Ho. *E5* —7G **31**
Buchanan Clo. *N21* —5E **6**
Buchanan Ct. SE16 —4K *79*
  (off Worgan St.)
Buchanan Gdns. *NW10* —2D **58**
Buchan Rd. *SE15* —3J **95**
Bucharest Rd. *SW18* —7A **92**
Buckden Clo. *N2* —4D **28**
Buckden Clo. *SE12* —6H **97**
Buckfast Ct. *W13* —7A **56**
Buckfast Rd. *Mord* —4K **121**
Buckfast St. *E2* —3G **63**

Buck Hill Wlk. *W2*
  —7B **60** (3B **146**)
Buckhold Rd. *SW18* —6J **91**
Buckhurst Av. *Cars* —1C **132**
Buckhurst Ct. Buck H —2G *21*
  (off Albert Rd.)
Buckhurst Hill Ho. *Buck H*
  —2E **20**
Buckhurst Ho. *N7* —5H **45**
Buckhurst St. *E1* —4H **63**
Buckhurst Way. *Buck H* —4G **21**
Buckingham Arc. *WC2*
  —7J **61** (3E **148**)
Buckingham Av. *N20* —7F **5**
Buckingham Av. *Gnfd* —1A **56**
Buckingham Av. *T Hth* —1A **124**
Buckingham Av. *Well* —4J **99**
Buckingham Clo. *W5* —5C **56**
Buckingham Clo. *Enf* —2K **7**
Buckingham Clo. *Hamp* —5D **102**
Buckingham Clo. *Orp* —7J **129**
Buckingham Ct. *NW4* —3C **26**
Buckingham Ct. W7 —4K *55*
  (off Copley Clo.)
Buckingham Ct. *N'holt* —2C **54**
Buckingham Dri. *Chst* —5G **115**
Buckingham Gdns. *Edgw* —7A **12**
Buckingham Gdns. *T Hth*
  —2A **124**
Buckingham Ga. *SW1*
  —3G **77** (1A **154**)
Buckingham La. *SE23* —7A **96**
Buckingham Mans. NW6 —5K *43*
  (off W. End La.)
Buckingham M. N1 —6E *46*
  (off Culford Rd.)
Buckingham M. *NW10* —2B **58**
Buckingham M. *SW1*
  —3G **77** (1A **154**)
Buckingham Pal. Rd. *SW1*
  —4F **77** (4J **153**)
Buckingham Pde. *Stan* —5H **11**
Buckingham Pl. *SW1*
  —3G **77** (1A **154**)
Buckingham Rd. *E10* —3D **48**
Buckingham Rd. *E11* —5A **34**
Buckingham Rd. *E15* —5H **49**
Buckingham Rd. *E18* —1H **33**
Buckingham Rd. *N1* —6E **46**
Buckingham Rd. *N22* —1J **29**
Buckingham Rd. *NW10* —2B **58**
Buckingham Rd. *Edgw* —7A **12**
Buckingham Rd. *Hamp* —4D **102**
Buckingham Rd. *Harr* —5H **23**
Buckingham Rd. *Ilf* —2H **51**
Buckingham Rd. *King T* —4F **119**
Buckingham Rd. *Mitc* —5J **123**
Buckingham Rd. *Rich* —2D **104**
Buckingham St. *WC2*
  —1J **77** (4F **149**)
Buckingham Way. *Wall* —7G **133**
Buckland Ct. N1 —2E *62*
  (off St Johns Est.)
Buckland Cres. *NW3* —7B **44**
Buckland Rise. *Pinn* —1A **22**
Buckland Rd. *E10* —2E **48**
Bucklands Rd. *Tedd* —6C **104**
Buckland St. *N1* —2D **62**
Buckland's Wharf. *King T*
  —2D **118**
Buckland Wlk. *W3* —2J **73**
Buckland Wlk. *Mord* —4A **122**
Buckland Way. *Wor Pk* —1E **130**
Buck La. *NW9* —5K **25**
Buckleigh Av. *SW20* —3G **121**

Buckleigh Rd. *SW16* —6H **109**
Buckleigh Way. *SE19* —7F **111**
Buckler Gdns. *SE9* —3D **114**
Bucklers All. *SW6* —6H **75**
Bucklersbury. *EC4*
  —6D **62** (1E **150**)
Buckler's Way. *Cars* —3D **132**
Buckles Ct. *Belv* —4D **84**
Buckle St. *E1* —6F **63** (7K **145**)
Buckley Ct. *NW6* —7H **43**
Buckley Rd. *NW6* —7H **43**
Buckmaster Clo. *SW9* —3A **94**
Buckmaster Ho. *N7* —4K **45**
Buckmaster Rd. *SW11* —4C **92**
Bucknall St. *WC2*
  —6J **61** (7D **142**)
Bucknell Clo. *SW2* —4K **93**
Buckner Rd. *SW2* —4K **93**
Buckrell Rd. *E4* —2A **20**
Buckstone Clo. *SE23* —6J **95**
Buckstone Rd. *N18* —5B **18**
Buck St. *NW1* —7F **45**
Buckters Rents. *SE16* —1A **80**
Buckthorne Rd. *SE4* —5A **96**
Buckthorn Ho. Sidc —3K *115*
  (off Longlands Rd.)
Buck Wlk. *E17* —4F **33**
Buckwheat Ct. *Eri* —3D **84**
Budd Clo. *N12* —4E **14**
Buddings Circ. *Wemb* —3J **41**
Budd's All. *Twic* —5C **88**
Budge La. *Mitc* —7D **122**
Budge Row. *EC4*
  —7D **62** (1E **150**)
Budge's Wlk. W2 —1A *76*
  (off North Wlk.)
Budleigh Cres. *Well* —1C **100**
Budoch Ct. *Ilf* —2A **52**
Budoch Dri. *Ilf* —2A **52**
Buer Rd. *SW6* —2G **91**
Bugsby's Way. *SE10 & SE7*
  —4H **81**
Bulganak Rd. *T Hth* —4C **124**
Bulinga St. *SW1* —4J **77** (4E **154**)
Bullace Row. *SE5* —1D **94**
Bull All. *SE1* —7A **62** (3K **149**)
Bull All. *Well* —3B **100**
Bullard Rd. *Tedd* —6J **103**
Bullard's Pl. *E2* —3K **63**
Bullbanks Rd. *Belv* —4J **85**
Bulleid Way. *SW1*
  —4F **77** (4K **153**)
Bullen St. *SW11* —2C **92**
Buller Clo. *SE15* —7G **79**
Buller Rd. *N17* —2G **31**
Buller Rd. *N22* —2A **30**
Buller Rd. *NW10* —3F **59**
Buller Rd. *Bark* —7J **51**
Buller Rd. *T Hth* —2D **124**
Bullers Clo. *Sidc* —5E **116**
Bullers Wood Dri. *Chst* —7D **114**
Bullescroft Rd. *Edgw* —3B **12**
Bullingham Mans. *W8* —2J **75**
Bull Inn Ct. *WC2* —7J **61** (3F **149**)
Bullivant St. *E14* —7E **64**
Bull La. *N18* —5K **17**
Bull La. *Chst* —7H **115**
Bull La. *Dag* —3H **53**
Bull Rd. *E15* —2H **65**
Bullrush Clo. *SE25* —6E **124**
Bull's All. *SW14* —2K **89**
Bullsbridge Rd. *S'hall* —4A **70**
Bullsbrook Rd. *Hayes* —1A **70**
Bulls Gdns. *SW3*
  —4C **76** (3D **152**)

Bull's Head Pas. *EC3*
  —6E **62** (1G **151**)
Bull Yd. *SE15* —1G **95**
Bulmer Gdns. *Harr* —7D **24**
Bulmer M. *W11* —7J **59**
Bulmer Pl. *W11* —1J **75**
Bulow Est. *SW6* —1K **91**
  (off Pearscroft Rd.)
Bulstrode Av. *Houn* —2D **86**
Bulstrode Gdns. *Houn* —3E **86**
Bulstrode Pl. *W1*
  —5E **60** (6H **141**)
Bulstrode Rd. *Houn* —3E **86**
Bulstrode St. *W1*
  —6E **60** (7H **141**)
Bulwer Ct. *E11* —1F **49**
Bulwer Ct. Rd. *E11* —1F **49**
Bulwer Gdns. *Barn* —4F **5**
Bulwer Rd. *E11* —7F **33**
Bulwer Rd. *N18* —4K **17**
Bulwer Rd. *Barn* —4E **4**
Bulwer St. *W12* —1E **74**
Bunce's La. *Wfd G* —7C **20**
Bungalow Rd. *SE25* —4E **124**
Bungalows, The. *E10* —6E **32**
Bungalows, The. *SW16* —7F **109**
Bungalows, The. *Ilf* —1J **35**
Bunhill Row. *EC1*
  —4D **62** (3E **144**)
Bunhouse Pl. *SW1*
  —5E **76** (5H **153**)
Bunkers Hill. *NW11* —7A **28**
Bunkers Hill. *Belv* —4G **85**
Bunkers Hill. *Sidc* —3F **117**
Bunning Way. *N7* —7J **45**
Bunns La. *NW7* —6F **13**
  (in two parts)
Bunsen St. *E3* —2A **64**
Buntingbridge Rd. *Ilf* —5H **35**
Bunting Clo. *N9* —1E **18**
Bunting Clo. *Mitc* —5D **122**
Bunton St. *SE18* —3E **82**
Bunyan Ct. *EC2* —5C **62** (5C **144**)
Bunyan Rd. *E17* —3A **32**
Buonaparte M. *SW1*
  —5H **77** (5C **154**)
Burbage Clo. *SE1*
  —3D **78** (2E **156**)
Burbage Ho. N1 —1D *62*
  (off Poole St.)
Burbage Rd. *SE24 & SE21*
  —6C **94**
Burberry Clo. *N Mald* —2A **120**
Burbridge Way. *N17* —2G **31**
Burcham St. *E14* —6D **64**
Burcharbro Rd. *SE2* —6D **84**
Burchell Ct. *Bush* —1B **10**
Burchell Ho. *SE11*
  —5K **77** (4H **155**)
Burchell Rd. *E10* —1D **48**
Burchell Rd. *SE15* —1H **95**
Burchett Way. *Romf* —6E **37**
Burchwall Clo. *Romf* —1J **37**
Burcote Rd. *SW18* —7B **92**
Burden Clo. *Bren* —5C **72**
Burden Ho. SW8 —7J *77*
  (off Thorncroft St.)
Burdenshott Av. *Rich* —4H **89**
Burden Way. *E11* —2K **49**
Burder Clo. *N1* —6E **46**
Burder Rd. *N1* —6E **46**
Burdett Av. *SW20* —1C **120**
Burdett Clo. *W7* —1K **71**
Burdett Clo. *Sidc* —5E **116**

Burdett M. NW3 —6B 44
Burdett M. W2 —6K 59
Burdett Rd. E3 & E14 —4A 64
Burdett Rd. Croy —6D 124
Burdett Rd. Rich —2F 89
Burdetts Rd. Dag —1F 69
Burdett St. SE1 —3A 78 (1J 155)
Burdock Clo. Croy —1K 135
Burdock Rd. N17 —3G 31
Burdon La. Sutt —7G 131
Burdon Pk. Sutt —7H 131
Bure Ct. New Bar —5E 4
Burfield Clo. SW17 —4B 108
Burford Clo. Dag —3C 52
Burford Clo. Ilf —4G 35
Burford Rd. N13 —3E 16
Burford Ho. Bren —5E 72
Burford Rd. E6 —3C 66
Burford Rd. E15 —1F 65
Burford Rd. SE6 —2B 112
Burford Rd. Bren —5E 72
Burford Rd. Brom —4C 128
Burford Rd. Sutt —2J 131
Burford Wor Pk —7B 120
Burford Wlk. SW6 —7A 76
Burford Way. New Ad —6E 136
Burge Rd. E7 —4B 50
Burges Gro. SW13 —7D 74
Burges Rd. E6 —7C 50
Burgess Av. NW9 —6K 25
Burgess Clo. Felt —4C 102
Burgess Ct. E6 —7E 50
Burgess Ct. S'hall —6F 55
  (off Fleming St.)
Burgess Hill. NW2 —4J 43
Burgess Ind. Pk. SE5 —7D 78
Burgess Rd. E15 —4G 49
Burgess Rd. Sutt —4K 131
Burgess St. E14 —5C 64
Burge St. SE1 —3D 78 (2F 157)
Burghill Rd. SE26 —4A 112
Burghley Av. N Mald —1K 119
Burghley Hall Clo. SW19
  —1G 107
Burghley Pl. Mitc —5D 122
Burghley Rd. E11 —1G 49
Burghley Rd. N8 —3A 30
Burghley Rd. NW5 —4F 45
Burghley Rd. SW19 —4F 107
Burghley Tower. W3 —7B 58
Burgh St. N1 —2B 62
Burgon St. EC4 —6B 62 (1B 150)
Burgos Clo. Croy —6A 134
Burgos Gro. SE10 —1D 96
Burgoyne Rd. N4 —6B 30
Burgoyne Rd. SE25 —4F 125
Burgoyne Rd. SW9 —3K 93
Burham Clo. SE20 —7J 111
Burhill Gro. Pinn —2C 22
Burke Clo. SW15 —4A 90
Burke Lodge. E13 —3K 65
Burke St. E16 —5H 65
Burket Clo. S'hall —4D 70
Burland Rd. SW11 —5D 92
Burleigh Av. Sidc —5K 99
Burleigh Av. Wall —3E 132
Burleigh Gdns. N14 —1B 16
Burleigh Ho. SW3 —6B 76
  (off Beaufort St.)
Burleigh Ho. W10 —3G 59
  (off St Charles Sq.)
Burleigh Pde. N14 —1C 16
Burleigh Pl. SW15 —5F 91
Burleigh Rd. Enf —4K 7
Burleigh Rd. Sutt —1G 131

Burleigh St. WC2
  —7K 61 (2G 149)
Burleigh Wlk. SE6 —1E 112
Burleigh Way. Enf —3J 7
Burley Clo. E4 —5H 19
Burley Clo. SW16 —2H 123
Burley Rd. E16 —6A 66
Burlington Arc. W1
  —7G 61 (3A 148)
Burlington Av. Rich —1G 89
Burlington Av. Romf —6H 37
Burlington Clo. E6 —6C 66
Burlington Clo. W9 —4J 59
Burlington Clo. Pinn —3A 22
Burlington Gdns. W1
  —7G 61 (3A 148)
Burlington Gdns. W3 —1J 73
Burlington Gdns. W4 —5J 73
Burlington Gdns. Romf —7E 36
Burlington La. W4 —7J 73
Burlington M. W3 —1J 73
Burlington Pl. SW6 —2G 91
Burlington Pl. Wfd G —3E 20
Burlington Rise. E Barn —7H 5
Burlington Rd. N10 —3E 28
Burlington Rd. N17 —1G 31
Burlington Rd. SW6 —2G 91
Burlington Rd. W4 —5J 73
Burlington Rd. Enf —1J 7
Burlington Rd. Iswth —1H 87
Burlington Rd. N Mald —4B 120
Burlington Rd. T Hth —2C 124
Burma M. N16 —4D 46
Burma Rd. N16 —4D 46
Burmarsh Ct. SE20 —1J 125
Burma Ter. SE19 —5E 110
Burmester Rd. SW17 —3A 108
Burnaby Cres. W4 —6J 73
Burnaby Gdns. W4 —6H 73
Burnaby St. SW10 —7A 76
Burnbrae Clo. N12 —6E 14
Burnbury Rd. SW12 —1G 109
Burncroft Av. Enf —2D 8
Burne Jones Ho. W14 —4G 75
  (off N. End Rd.)
Burnell Av. Rich —5C 104
Burnell Av. Well —2A 100
Burnell Gdns. Stan —2D 24
Burnell Rd. Sutt —4K 131
Burnell Wlk. SE1
  —5F 79 (5K 157)
Burnels Av. E6 —3E 66
Burness Clo. N7 —6K 45
Burne St. NW1 —5C 60 (5C 140)
Burnett Clo. E9 —5J 47
Burnett Ho. SE13 —2E 96
  (off Lewisham Hill)
Burney Av. Surb —5F 119
Burney St. SE10 —7E 80
Burnfoot Av. SW6 —1G 91
Burnham Clo. NW7 —7H 13
Burnham Clo. SE1
  —5F 79 (4K 157)
Burnham Clo. Enf —1A 7
Burnham Clo. W'stone —4A 24
Burnham Cres. E11 —4A 34
Burnham Dri. Wor Pk —2F 131
Burnham Gdns. Croy —7F 125
Burnham Rd. E4 —5G 19
Burnham Rd. Dag —7B 52
Burnham Rd. Mord —4K 121
Burnham Rd. Romf —3K 37
Burnham Rd. Sidc —2E 116

Burnham St. E2 —3J 63
Burnham St. King T —1G 119
Burnham Way. SE26 —5B 112
Burnham Way. W13 —4B 72
Burnhill Clo. SE15 —7H 79
Burnhill Rd. Beck —2C 126
Burnley Rd. NW10 —5B 42
Burnley Rd. SW9 —2K 93
Burnsall St. SW3
  —5C 76 (6D 152)
Burns Av. Chad H —7C 36
Burns Av. Sidc —6B 100
Burns Av. S'hall —7E 54
Burnsbury Ho. SW4 —6H 93
Burns Clo. SW19 —6B 108
Burns Clo. Well —1K 99
Burns Ho. SE17 —5B 78 (6B 156)
Burn Side. N9 —3D 18
Burnside Av. E4 —6G 19
Burnside Clo. SE16 —1K 79
Burnside Clo. Barn —3D 4
Burnside Clo. Twic —6A 88
Burnside Cres. Wemb —1D 56
Burnside Rd. Dag —2C 52
Burns Rd. NW10 —1B 58
Burns Rd. SW11 —2D 92
Burns Rd. W13 —2B 72
Burns Rd. Wemb —2E 56
Burns Way. Houn —2B 86
Burnt Ash Hill. SE12 —6H 97
  (in two parts)
Burnt Ash La. Brom —7J 113
Burnt Ash Rd. SE12 —5H 97
Burnthwaite Rd. SW6 —7H 75
Burnt Oak B'way. Edgw —7C 12
Burnt Oak Fields. Edgw —1J 25
Burnt Oak La. Sidc —6A 100
Burntwood Clo. SW18 —1C 108
Burntwood Grange Rd. SW18
  —1B 108
Burntwood La. SW17 —3A 108
Burntwood View. SE19 —5F 111
Buross St. E1 —6H 63
Burrage Ct. SE16 —4K 79
  (off Worgan St.)
Burrage Gro. SE18 —4G 83
Burrage Pl. SE18 —5F 83
Burrage Rd. SE18 —5G 83
Burrard Rd. E16 —6K 65
Burrard Rd. NW6 —5J 43
Burr Clo. E1 —1G 79 (4K 151)
Burr Clo. Bexh —3F 101
Burrell Clo. Croy —6A 126
Burrell Clo. Edgw —2C 12
Burrell Row. Beck —2C 126
Burrell St. SE1 —1B 78 (4A 150)
Burrell's Wharf Sq. E14 —5D 80
Burrell Towers. E10 —7C 32
Burritt Rd. King T —2G 119
Burrmill Ct. SE16 —4K 79
  (off Worgan St.)
Burroughs Gdns. NW4 —4D 26
Burroughs Pde. NW4 —4D 26
Burroughs, The. NW4 —4D 26
Burrow Ho. SW9 —2K 93
  (off Stockwell Pk. Rd.)
Burrow Rd. SE22 —4E 94
Burrows M. SE1
  —2B 78 (6A 150)
Burrows Rd. NW10 —3E 58
Burrow Wlk. SE21 —7C 94
Burr Rd. SW18 —1J 107
Bursar St. SE1 —1E 78 (5G 151)
Bursdon Clo. Sidc —2K 115
Bursland Rd. Enf —4E 8

Burslem St. E1 —6G 63
Burstock Rd. SW15 —4G 91
Burston Rd. SW15 —5F 91
Burstow Rd. SW20 —1G 121
Burtenshaw Rd. Th Dit —7A 118
Burtley Clo. N4 —1C 46
Burton Ct. Beck —2J 125
Burton Gdns. Houn —1D 86
Burton Gro. SE17
  —5D 78 (6E 156)
Burtonhole Clo. NW7 —4A 14
Burtonhole La. NW7 —5K 13
Burton Ho. SE16 —2H 79
  (off Cherry Garden St.)
Burton La. SW9 —2A 94
  (in two parts)
Burton M. SW1 —4E 76 (4H 153)
Burton Pl. WC1 —4H 61 (2D 142)
Burton Rd. E18 —3K 33
Burton Rd. NW6 —7H 43
Burton Rd. SW9 —2A 94
  (in two parts)
Burton Rd. King T —7E 104
Burtons Ct. E15 —7F 49
Burton's Rd. Hamp —4F 103
Burton St. WC1 —3H 61 (2D 142)
Burtonwood Ho. N4 —7D 30
Burt Rd. E16 —1A 82
Burtwell La. SE27 —4D 110
Burwash Rd. SE18 —5H 83
Burwell Av. Gnfd —6J 39
Burwell Clo. E1 —6H 63
Burwell Rd. E10 —1A 48
Burwell Ind. Est. E10 —1A 48
Burwell Wlk. E3 —4C 64
Burwood Av. Brom —2K 137
Burwood Av. Pinn —5A 22
Burwood Ho. SW9 —4B 94
Burwood Pl. W2
  —6C 60 (7D 140)
Bury Clo. SE16 —1K 79
Bury Ct. EC3 —6E 62 (7H 145)
Bury Gro. Mord —5K 121
Bury Hall Vs. N9 —1A 18
Bury Pl. WC1 —5J 61 (6E 142)
Bury Rd. E4 —1B 20
Bury Rd. N22 —2A 30
Bury Rd. Dag —5H 53
Bury St. EC3 —6E 62 (1H 151)
Bury St. N9 —7A 8
Bury St. SW1 —1G 77 (4B 148)
Bury St. W. N9 —7J 7
Bury Wlk. SW3 —4C 76 (4C 152)
Busby M. NW5 —6H 45
Busby Pl. NW5 —6H 45
Busch Clo. Iswth —1B 88
Bushbaby Clo. SE1
  —3E 78 (2G 157)
Bushberry Rd. E9 —6A 48
Bush Clo. Ilf —5H 35
Bush Cotts. SW18 —5J 91
Bush Ct. N14 —1C 16
Bush Ct. W12 —2F 75
Bushell Clo. SW2 —2K 109
Bushell Grn. Bush —2C 10
Bushell St. E1 —1G 79
Bushell Way. Chst —5E 114
Bushey Av. E18 —3H 33
Bushey Av. Orp —7H 137
Bushey Clo. E4 —3K 19
Bushey Ct. SW20 —2D 120
Bushey Down. SW12 —2F 109
Bushey Hill Rd. SE5 —1E 94
Bushey La. Sutt —4J 131
Bushey Rd. E13 —2A 66

Bushey Rd. N15 —6E 30
Bushey Rd. SW20 —3D 120
Bushey Rd. Croy —2C 136
Bushey Rd. Sutt —4J 131
Bushey Way. Beck —6F 127
Bush Fair Ct. N14 —6A 6
Bushfield Clo. Edgw —2C 12
Bushfield Cres. Edgw —2C 12
Bush Gro. NW9 —7J 25
Bush Gro. Stan —7J 11
Bushgrove Rd. Dag —4D 52
Bush Hill. N21 —7H 7
Bush Hill Rd. N21 —6J 7
Bush Hill Rd. Harr —6F 25
Bush Ind. Est. N19 —3G 45
Bush Ind. Est. NW10 —4K 57
Bush La. EC4 —7D 62 (2E 150)
Bushmead Clo. N15 —4F 31
Bushmoor Cres. SE18 —7F 83
Bushnell Rd. SW17 —2F 109
Bush Rd. E8 —1H 63
Bush Rd. E11 —7H 33
Bush Rd. SE8 —4K 79
Bush Rd. Buck H —4G 21
Bush Rd. Rich —6F 73
Bushway. Dag —4D 52
Bushwood. E11 —7H 33
Bushwood Dri. SE1
  —4F 79 (4K 157)
Bushwood Rd. Rich —6G 73
Bushy Ct. King T —1C 118
  (off Up. Teddington Rd.)
Bushy Lees. Sidc —6K 99
Bushy Pk. Gdns. Tedd —5H 103
Bushy Pk. Rd. Tedd —7B 104
  (in two parts)
Bushy Rd. Tedd —6K 103
Butcher Row. E14 & E1 —7K 63
Butchers Rd. E16 —6J 65
Bute Av. Rich —2E 104
Bute Ct. Wall —5G 133
Bute Gdns. W6 —4F 75
Bute Gdns. Wall —5G 133
Bute Gdns. W. Wall —5G 133
Bute Rd. Croy —1A 134
Bute Rd. Ilf —5F 35
Bute Rd. Wall —4G 133
Bute St. SW7 —4B 76 (3A 152)
Bute Wlk. N1 —6D 46
Butler Av. Harr —7H 23
Butler Ct. Wemb —4A 40
Butler Pl. SW1 —3H 77 (1C 154)
Butler Rd. NW10 —7A 42
Butler Rd. Dag —4B 52
Butler Rd. Harr —7G 23
Butlers Dri. E4 —1K 9
Butler St. E2 —3J 63
Butlers Wharf. SE1
  —2F 79 (5K 151)
Butterfield Clo. SE16 —2H 79
Butterfield Clo. Twic —6K 87
Butterfields. E17 —5E 32
Butterfield Sq. E6 —6D 66
Butterfly La. SE9 —6F 99
Butterfly Wlk. SE5 —2D 94
Butter Hill. Wall —4G 133
Butteridges Clo. Dag —1F 69
Buttermere Clo. SE1
  —4F 79 (3J 157)
Buttermere Clo. Mord —6F 121
Buttermere Ct. NW8 —1B 60
Buttermere Dri. SW15 —5G 91
Buttermere Wlk. E8 —6F 47
Butterwick. W6 —4E 74
Butterworth Gdns. Wfd G —5D 20

Buttesland St. N1
—3D 62 (1F 145)
Buttfield Clo. Dag —6H 53
Buttmarsh Clo. SE18 —5F 83
Buttsbury Rd. Ilf —5G 51
(in two parts)
Butts Cotts. Felt —3C 102
Butts Cres. Felt —3E 102
Butts Rd. Brom —5G 113
Butts, The. Bren —6D 72
Buxted Rd. E8 —7F 47
Buxted Rd. N12 —5H 15
Buxted Rd. SE22 —4E 94
Buxton Clo. Wfd G —6G 21
Buxton Ct. N1 —3C 62 (1D 144)
Buxton Cres. Sutt —4G 131
Buxton Dri. E11 —4G 33
Buxton Dri. N Mald —2K 119
Buxton Gdns. W3 —7H 57
Buxton Ho. E11 —4G 33
Buxton Rd. E4 —1A 20
Buxton Rd. E6 —3C 66
Buxton Rd. E15 —5G 49
Buxton Rd. E17 —4A 32
Buxton Rd. N19 —1H 45
Buxton Rd. NW2 —6D 42
Buxton Rd. SW14 —3A 90
Buxton Rd. Eri —7K 85
Buxton Rd. Ilf —6J 35
Buxton Rd. T Hth —5B 124
Buxton St. E1 —4F 63 (4K 145)
Buzzard Creek Ind. Est. Bark
—5A 68
Byam St. SW6 —2A 92
Byards Ct. SE16 —4K 79
(off Worgan St.)
Byards Croft. SW16 —1H 123
Byatt Wlk. Hamp —6C 102
Bychurch End. Tedd —5K 103
Bycroft Rd. S'hall —4E 54
Bycroft St. SE20 —7K 111
Bycullah Av. Enf —3G 7
Bycullah Rd. Enf —2G 7
Byegrove Rd. SW19 —6B 108
Byelands Clo. SE16 —1K 79
Bye, The. W3 —6A 58
Byeways. Twic —3F 103
Byeways, The. Surb —5G 119
Byeway, The. SW14 —3J 89
Bye Way, The. Harr —1K 23
Byfeld Gdns. SW13 —1C 90
Byfield Clo. SE16 —3A 80
Byfield Pas. Iswth —3A 88
Byfield Rd. Iswth —3A 88
Byford Clo. E15 —7G 49
Byford Ho. Barn —4A 4
Bygrove. New Ad —6C 136
Bygrove St. E14 —6D 64
Byland Clo. N21 —7E 6
Bylands Clo. SE2 —3B 84
Byne Rd. SE26 —6J 111
Byne Rd. Cars —2C 132
Bynes Rd. S Croy —7D 134
Byng Pl. WC1 —4H 61 (4D 142)
Byng Rd. Barn —2A 4
Byng St. E14 —2C 80
Bynon Av. Bexh —3F 101
Byre Rd. N14 —6A 6
Byre Rd., The. N14 —6A 6
Byrne Rd. SW12 —1F 109
Byron Av. E12 —6C 50
Byron Av. E18 —3H 33
Byron Av. NW9 —4H 25
Byron Av. N Mald —5C 120
Byron Av. Sutt —4B 132

Byron Av. E. Sutt —4B 132
Byron Clo. E8 —1G 63
Byron Clo. SE20 —3H 125
Byron Clo. SE26 —5A 112
Byron Clo. SE28 —1C 84
Byron Clo. Hamp —4D 102
Byron Ct. E11 —4K 33
(off Makepiece Rd.)
Byron Ct. W7 —4A 72
(off Boston Rd.)
Byron Ct. Enf —2G 7
Byron Ct. Harr —6J 23
Byron Dri. N2 —6B 28
Byron Dri. Eri —7H 85
Byron Gdns. Sutt —4B 132
Byron Hill Rd. Harr —1H 39
Byron Ho. Dart —5K 101
Byron M. NW3 —5D 44
Byron Rd. E10 —1D 48
Byron Rd. E17 —3C 32
Byron Rd. NW2 —2D 42
Byron Rd. NW7 —5H 13
Byron Rd. W5 —1F 73
Byron Rd. Harr —6J 23
Byron Rd. W'stone —2K 23
Byron Rd. Wemb —2C 40
Byron St. E14 —6E 64
Byron Ter. N9 —6D 8
Byron Way. N'holt —3C 54
Bysouth Clo. Ilf —1F 35
Bythorn St. SW9 —3K 93
Byton Rd. SW17 —6D 108
Byward Av. Felt —6A 86
Byward St. EC3 —7E 62 (3H 151)
Bywater Pl. SE16 —1A 80
Bywater St. SW3
—5D 76 (5E 152)
Byway. E11 —5A 34
Byway, The. Eps —4B 130
Byway, The. Sutt —7B 132
Bywell Pl. W1 —5G 61 (6A 142)
Bywood Av. Croy —6J 125
Byworth Wlk. N19 —1J 45

C

Cabbell St. NW1
—5C 60 (6C 140)
Cabinet Way. E4 —5G 19
Cable Pl. SE10 —1E 96
Cables Clo. Belv —3J 85
Cable St. E1 —7G 63
Cabot Clo. SE16 —4K 79
(off Worgan St.)
Cabot Sq. E14 —1C 80
Cabot Way. E6 —1B 66
Cab Yd. SE1 —2A 78 (5H 149)
Cabul Rd. SW11 —2C 92
Cactus Clo. SE15 —2E 94
Cactus Wlk. W12 —6B 58
Cadbury Clo. Iswth —1A 88
Cadbury Way. SE16
(in two parts) —4F 79 (2K 157)
Caddington Clo. Barn —5H 5
Caddington Rd. NW2 —3G 43
Caddis Clo. Stan —7E 10
Cadell Clo. E2 —2F 63 (1K 145)
Cade Rd. SE10 —1F 97
Cader Rd. SW18 —6A 92
Cadet Pl. SE10 —5G 81
Cadiz Rd. Dag —7J 53
Cadiz St. SE17 —5C 78 (6D 156)
Cadley Ter. SE23 —2J 111
Cadman Clo. SW9 —7B 78
Cadman Clo. W4 —5H 73
(off Chaseley Dri.)

Cadmer Clo. N Mald —4A 120
Cadmus Clo. SW4 —3H 93
Cadogan Clo. Beck —1F 127
Cadogan Clo. Harr —4F 39
Cadogan Clo. Tedd —5J 103
Cadogan Ct. Sutt —6K 131
Cadogan Gdns. E18 —3K 33
Cadogan Gdns. N3 —1K 27
Cadogan Gdns. N21 —5F 7
Cadogan Gdns. SW3
—4D 76 (3F 153)
Cadogan Ga. E9 —7B 48
Cadogan Ga. SW1
—4D 76 (3F 153)
Cadogan Ho. SW3 —6B 76
Cadogan La. SW1
—3E 76 (2G 153)
Cadogan Pl. SW1
—3D 76 (1F 153)
Cadogan Rd. Surb —5D 118
Cadogan Sq. SW1
—3D 76 (2E 152)
Cadogan St. SW3
—4D 76 (4E 152)
Cadogan Ter. E9 —6B 48
Cadoxton Av. N15 —6F 31
Cadwallon Rd. SE9 —2F 115
Caedmon Rd. N7 —4K 45
Caerleon Clo. Sidc —5C 116
Caerleon Ter. SE2 —4B 84
Caernarvon Clo. Mitc —3J 123
Caernarvon Dri. Ilf —1E 34
Caesars Wlk. Mitc —5D 122
Cahill St. EC1 —4C 62 (4D 144)
Cahir St. E14 —4D 80
Cain Ct. W5 —5C 56
(off Castlebar M.)
Caine Ho. W3 —2H 73
(off Hanbury Rd.)
Caird St. W10 —3G 59
Cairn Av. W5 —1D 72
Cairndale Clo. Brom —7H 113
Cairnfield Av. NW2 —3A 42
Cairngorm Clo. Tedd —5A 104
Cairns Av. Wfd G —6H 21
Cairns Rd. SW11 —5C 92
Cairn Way. Stan —6E 10
Cairo New Rd. Croy —2B 134
Cairo Rd. E17 —4C 32
Caister Ho. N7 —6K 45
Caistor M. SW12 —7F 93
Caistor Pk. Rd. E15 —1H 65
Caistor Rd. SW12 —7F 93
Caithness Gdns. Sidc —6K 99
Caithness Ho. N1 —1K 61
(off Twyford St.)
Caithness Rd. W14 —3F 75
Caithness Rd. Mitc —7F 109
Calabria Rd. N5 —6B 46
Calais Ga. SE5 —1B 94
Calais St. SE5 —1B 94
Calbourne Rd. SW12 —7D 92
Calcott Ct. W14 —3G 75
(off Blythe Rd.)
Calcott Wlk. SE9 —4C 114
Caldbeck Av. Wor Pk —2D 130
Caldecote Gdns. Bush —1D 10
Caldecot Rd. SE5 —2C 94
Caldecott Way. E5 —4H 47
Calder Av. Gnfd —2K 55
Calder Clo. Enf —3K 7
Calder Ct. SE16 —1A 80
Calder Gdns. Edgw —3G 25
Calderon Pl. W10 —5E 58
Calderon Rd. E11 —4E 48

Calder Rd. Mord —5A 122
Caldervale Rd. SW4 —5H 93
Calderwood St. SE18 —4E 82
Caldew St. SE5 —7D 78
Caldicot Grn. NW9 —6A 26
Caldwell St. SW9 —7K 77
Caldy Rd. Belv —3H 85
Caldy Wlk. N1 —6C 46
Caleb St. SE1 —2C 78 (6C 156)
Caledonia Clo. Ilf —1B 52
Caledonian Rd. N1
—2J 61 (1F 143)
Caledonian Wharf. E14 —4F 81
Caledonia St. N1 —2J 61 (1F 143)
Caledon Rd. E6 —1D 66
Caledon Rd. Wall —4E 132
Cale St. SW3 —5C 76 (5C 152)
Caletock Way. SE10 —5H 81
Caliban Tower. N1 —2E 62
(off Arden Est.)
Calico Row. SW11 —3A 92
Calidore Clo. SW2 —6K 93
California Ct. Bush —1C 10
(off High Rd.)
California La. Bush —1C 10
California Rd. N Mald —3J 119
Callaby Ter. N1 —6D 46
Callaghan Clo. SE13 —4G 97
Callander Rd. SE6 —2D 112
Callanders, The. Bush —1D 10
Callard Av. N13 —4G 17
Callcott Ct. NW6 —7H 43
Callcott Rd. NW6 —7H 43
Callcott St. W8 —1J 75
Callendar Rd. SW7
—3B 76 (1A 152)
Callenders Cotts. Belv —2K 85
Callingham Clo. E14 —5B 64
Callis Rd. E17 —6B 32
Callonfield. E17 —4A 32
Callow St. SW3 —6B 76 (7A 152)
Callum Welch Ho. EC1
—4C 62 (4C 144)
Calmington Rd. SE5
—6E 78 (7H 157)
Calmont Rd. Brom —6F 113
Calne Av. Ilf —1F 35
Calonne Rd. SW19 —4F 107
Calshot St. N1 —2K 61 (1G 143)
Calshot Way. Enf —3G 7
Calstock Ho. SE11
—5A 78 (5K 155)
Calthorpe Gdns. Edgw —5K 11
Calthorpe Gdns. Sutt —3A 132
Calthorpe St. WC1
—4K 61 (3H 143)
Calton Av. SE21 —6E 94
Calton Rd. New Bar —6F 5
Calverley Clo. Beck —6D 112
Calverley Cres. Dag —2G 53
Calverley Gdns. Harr —7D 24
Calverley Gro. N19 —1H 45
Calverley Rd. Eps —6C 130
Calvert Av. E2 —3F 63 (2H 145)
Calvert Clo. Belv —4G 85
Calvert Clo. Sidc —6E 116
Calverton. SE17 —6E 78 (7G 157)
Calverton Rd. E6 —1E 66
Calvert Rd. SE10 —5H 81
Calvert Rd. Barn —2A 4
Calvert's Bldgs. SE1
—1D 78 (5E 150)
Calvert St. NW1 —1E 60
Calvin St. E1 —4F 63 (4J 145)

Calydon Rd. SE7 —5K 81
Calypso Way. SE16 —3B 80
Camac Rd. Twic —1H 103
Cambalt Rd. SW15 —5F 91
Camber Ho. SE15 —6J 79
Camberley Av. SW20 —2D 120
Camberley Av. Enf —4K 7
Camberley Clo. Sutt —3F 131
Cambert Way. SE3 —4K 97
Camberwell Chu. St. SE5 —1D 94
Camberwell Glebe. SE5 —1D 94
Camberwell Grn. SE5 —1D 94
Camberwell Green. (Junct.)
—1D 94
Camberwell Gro. SE5 —1D 94
Camberwell New Rd. SE5 —6A 78
Camberwell Pl. SE5 —1C 94
Camberwell Rd. SE17 & SE5
—6C 78 (7D 156)
Camberwell Sta. Rd. SE5 —1C 94
Camberwell Trad. Est. SE5
—1C 94
Cambeys Rd. Dag —5H 53
Camborne Av. W13 —2B 72
Camborne M. W11 —6G 59
Camborne Rd. SW18 —7J 91
Camborne Rd. Croy —7G 125
Camborne Rd. Mord —5F 121
Camborne Rd. Sidc —3C 116
Camborne Rd. Sutt —7J 131
Camborne Rd. Well —2K 99
Camborne Way. Houn —1E 86
Cambourne Av. N9 —7E 8
Cambourne M. W11 —6G 59
(off St Mark's Rd.)
Cambourne Wlk. Rich —6D 88
Cambrai Ct. N13 —3D 16
Cambray Rd. SW12 —1G 109
Cambray Rd. Orp —7K 129
Cambria Clo. Houn —4E 86
Cambria Clo. Sidc —1H 115
Cambria Ct. Felt —7A 86
Cambria Ho. SE26 —4G 111
(off High Level Dri.)
Cambrian Av. Ilf —5J 35
Cambrian Grn. NW9 —5A 26
(off Snowden Dri.)
Cambrian Rd. E10 —7C 32
Cambrian Rd. Rich —6F 89
Cambria Rd. SE5 —3C 94
Cambria St. SW6 —7K 75
Cambridge Av. NW6 —2J 59
Cambridge Av. NW10 —3E 58
Cambridge Av. Gnfd —5K 39
Cambridge Av. N Mald —3A 120
(in two parts)
Cambridge Av. Well —4K 99
Cambridge Barracks Rd. SE18
—4D 82
Cambridge Cir. WC2
—6H 61 (1D 148)
Cambridge Clo. N22 —1A 30
Cambridge Clo. NW10 —3K 41
Cambridge Clo. SW20 —1D 120
Cambridge Clo. Houn —4C 86
Cambridge Cotts. Rich —6G 73
Cambridge Cres. E2 —2H 63
Cambridge Cres. Tedd —5A 104
Cambridge Dri. SE12 —5J 97
Cambridge Dri. Ruis —2A 38
Cambridge Gdns. N10 —1E 28
Cambridge Gdns. N17 —7J 17
Cambridge Gdns. N21 —7J 7

Cantley Rd. *W7* —3A **72**
Canton St. *E14* —6C **64**
Cantrell Rd. *E3* —4B **64**
Cantwell Rd. *SE18* —7F **83**
Canute Gdns. *SE16* —4K **79**
Canvey St. *SE1* —1C **78** (4C **150**)
Cape Clo. *Bark* —7F **51**
Capel Av. *Wall* —5K **133**
Capel Clo. *N20* —3F **15**
Capel Clo. *Brom* —1C **138**
Capel Ct. *SE20* —1J **125**
Capel Gdns. *Ilf* —4K **51**
Capel Gdns. *Pinn* —4D **22**
Capel Rd. *E7 & E12* —4K **49**
Capel Rd. *Barn* —6H **5**
Capener's Clo. *SW1*
　　　　　—2E **76** (7F **147**)
Capern Rd. *SW18* —1A **108**
Cape Rd. *N17* —3G **31**
Cape Yd. *E1* —7G **63**
Capital Bus. Cen. *Wemb* —2D **56**
Capital Interchange Way. *Bren*
　　　　　—5G **73**
Capital Pl. *Croy* —5K **133**
Capital Wharf. E1 —1G **79**
　(off High St. Wapping,)
Capitol Ind. Pk. *NW9* —3J **25**
Capitol Way. *NW9* —3J **25**
Capland St. *NW8*
　　　　　—4B **60** (3B **140**)
Caple Rd. *NW10* —2B **58**
Capper St. *WC1* —4G **61** (4B **142**)
Caprea Clo. *Hayes* —5B **54**
Capricorn Cen. *Dag* —7F **37**
Capri Ho. *E17* —2B **32**
Capri Rd. *Croy* —1F **135**
Capstan Clo. *Romf* —6B **36**
Capstan Ride. *Enf* —2F **7**
Capstan Rd. *SE8* —4B **80**
Capstan Sq. *E14* —2E **80**
Capstan Way. *SE16* —1A **80**
Capstone Rd. *Brom* —4H **113**
Capthorne Av. *Harr* —1C **38**
Capuchin Clo. *Stan* —6G **11**
Capulet M. *E16* —1J **81**
Capworth St. *E10* —1C **48**
Caradoc Clo. *W2* —6J **59**
Caradoc Evans Clo. N11 —5A **16**
　(off Springfield Rd.)
Caradoc St. *SE10* —5G **81**
Caradon Clo. *E11* —1G **49**
Caradon Way. *N15* —4D **30**
Carage Clo. *Eri* —6J **85**
Caravel Clo. *E14* —3C **80**
Caravelle Gdns. *N'holt* —3B **54**
Caravel M. *SE8* —6C **80**
Caraway Clo. *E13* —5K **65**
Caraway Pl. *Wall* —3F **133**
Carberry Rd. *SE19* —6E **110**
Carbery Av. *W3* —2F **73**
Carbis Clo. *E4* —1A **20**
Carbis Rd. *E14* —6B **64**
Carbuncle Pas. Way. *N17* —2G **31**
Carburton St. *W1*
　　　　　—5F **61** (5K **141**)
Cardale St. *E14* —2E **80**
Carden Rd. *SE15* —3H **95**
Cardiff Rd. *W7* —3A **72**
Cardiff Rd. *Enf* —4C **8**
Cardiff St. *SE18* —7J **83**
Cardigan Ct. W7 —4K **55**
　(off Copley Clo.)
Cardigan Gdns. *Ilf* —2A **52**
Cardigan Rd. *E3* —2B **64**
Cardigan Rd. *SW13* —2C **90**

Cardigan Rd. *SW19* —6A **108**
Cardigan Rd. *Rich* —6E **88**
Cardigan St. *SE11*
　　　　　—5A **78** (5J **155**)
Cardigan Wlk. N1 —7C **46**
　(off Ashby Gro.)
Cardinal Av. *King T* —5E **104**
Cardinal Av. *Mord* —6G **121**
Cardinal Bourne St. *SE1*
　　　　　—3D **78** (2F **157**)
Cardinal Cap All. *SE1*
　　　　　—1C **78** (3C **150**)
Cardinal Clo. *Chst* —1J **129**
Cardinal Clo. *Edgw* —7E **12**
Cardinal Clo. *Mord* —6G **121**
Cardinal Clo. *Wor Pk* —4C **130**
Cardinal Cres. *N Mald* —2J **119**
Cardinal Pl. *SW15* —4F **91**
Cardinal Rd. *Felt* —1A **102**
Cardinal Rd. *Ruis* —1B **38**
Cardinals Wlk. *Hamp* —7G **103**
Cardinal Way. *N19* —1H **45**
Cardinal Way. *Harr* —3J **23**
Cardine M. *SE15* —7H **79**
Cardington Sq. *Houn* —4B **86**
Cardington St. *NW1*
　　　　　—3G **61** (1B **142**)
Cardozo Rd. *N7* —5J **45**
Cardrew Av. *N12* —5G **15**
Cardrew Clo. *N12* —5H **15**
Cardrew Ct. *N12* —5G **15**
Cardross St. *W6* —3D **74**
Cardwell Rd. *N7* —4J **45**
Cardwell Rd. *SE18* —4E **82**
Carew Clo. *N7* —2K **45**
Carew Ct. *Sutt* —7K **131**
Carew Mnr. Cotts. *Wall* —3H **133**
Carew Rd. *N17* —2G **31**
Carew Rd. *W13* —2C **72**
Carew Rd. *Mitc* —2E **122**
Carew Rd. *T Hth* —4B **124**
Carew Rd. *Wall* —6G **133**
Carew St. *SE5* —2C **94**
Carey Ct. *Bexh* —5H **101**
Carey Gdns. *SW8* —1G **93**
Carey La. *EC2* —6C **62** (7C **144**)
Carey Pl. *SW1* —4H **77** (4C **154**)
Carey Rd. *Dag* —4E **52**
Carey St. *WC2* —6K **61** (1H **149**)
Carey Way. *Wemb* —4H **41**
Carfax Pl. *SW4* —4H **93**
Carfree Clo. *N1* —7A **46**
Cargill Rd. *SW18* —1K **107**
Cargreen Pl. *SE25* —4F **125**
Cargreen Rd. *SE25* —4F **125**
Cargrey Ho. *Stan* —5H **11**
Carholme Rd. *SE23* —1B **112**
Carillon Ct. *W5* —7D **56**
Carina M. *SE27* —4C **110**
Carisbrooke Av. *Bex* —1D **116**
Carisbrooke Clo. *Enf* —1A **8**
Carisbrooke Clo. *Stan* —2D **24**
Carisbrooke Ct. W3 —2J **73**
　(off Brouncker Rd.)
Carisbrooke Ct. *Cheam* —7H **131**
Carisbrooke Ct. N'holt —1D **54**
　(off Eskdale Av.)
Carisbrooke Gdns. *SE15* —7F **79**
Carisbrooke Rd. *E17* —4A **32**
Carisbrooke Rd. *Brom* —4A **128**
Carisbrooke Rd. *Mitc* —4H **123**
Carker's La. *NW5* —5F **45**
Carleton Av. *Wall* —7H **133**
Carleton Gdns. *N19* —5G **45**
Carleton Rd. *N7* —5H **45**

Carleton Vs. *NW5* —5G **45**
Carlile Clo. *E3* —2B **64**
Carlina Gdns. *Wfd G* —5E **20**
Carlingford Gdns. *Mitc* —7E **108**
Carlingford Rd. *N15* —3B **30**
Carlingford Rd. *NW3* —4B **44**
Carlingford Rd. *Mord* —6F **121**
Carlisle Av. *EC3* —6F **63** (1J **151**)
Carlisle Av. *W3* —6A **58**
Carlisle Clo. *King T* —1G **119**
Carlisle Clo. *Pinn* —7C **22**
Carlisle Gdns. *Harr* —7D **24**
Carlisle Gdns. *Ilf* —6C **34**
Carlisle La. *SE1* —3K **77** (2H **155**)
Carlisle Mans. SW1
　　　　　—4G **77** (3A **154**)
　(off Carlisle Pl.)
Carlisle M. *NW8*
　　　　　—5B **60** (5B **140**)
Carlisle M. *King T* —1G **119**
Carlisle Pl. *N11* —4A **16**
Carlisle Pl. *SW1* —3G **77** (2A **154**)
Carlisle Rd. *E10* —1C **48**
Carlisle Rd. *N4* —7A **30**
Carlisle Rd. *NW6* —1G **59**
Carlisle Rd. *NW9* —3J **25**
Carlisle Rd. *Hamp* —7F **103**
Carlisle Rd. *Sutt* —6H **131**
Carlisle Sq. *W1* —6H **61** (1C **148**)
Carlisle Wlk. *E8* —6F **47**
Carlisle Way. *SW17* —5E **108**
Carlos Pl. *W1* —7E **60** (3H **147**)
Carlow St. *NW1* —2G **61**
Carlton Av. *N14* —5C **6**
Carlton Av. *Felt* —6A **86**
Carlton Av. *Harr* —5B **24**
Carlton Av. *S Croy* —7E **134**
Carlton Av. E. *Wemb* —2D **40**
Carlton Av. W. *Wemb* —2B **40**
Carlton Clo. *NW3* —2J **43**
Carlton Clo. *Edgw* —5B **12**
Carlton Clo. *N'holt* —5G **39**
Carlton Ct. *SE20* —1H **125**
Carlton Ct. *SW9* —1B **94**
Carlton Ct. *Ilf* —3H **35**
Carlton Cres. *Sutt* —4G **131**
Carlton Dri. *SW15* —5F **91**
Carlton Dri. *Ilf* —3H **35**
Carlton Gdns. *SW1*
　　　　　—1H **77** (5C **148**)
Carlton Gdns. *W5* —6C **56**
Carlton Gro. *SE15* —1H **95**
Carlton Hill. *NW8* —2K **59**
Carlton Ho. Ter. *SW1*
　　　　　—1H **77** (5C **148**)
Carlton Lodge. N4 —7A **30**
　(off Carlton Rd.)
Carlton Mans. *W9* —3K **59**
Carlton Pk. Av. *SW20* —2F **121**
Carlton Rd. *E11* —1H **49**
Carlton Rd. *E12* —4B **50**
Carlton Rd. *E17* —1A **32**
Carlton Rd. *N4* —7A **30**
Carlton Rd. *N11* —5K **15**
Carlton Rd. *SW14* —3J **89**
Carlton Rd. *W4* —2K **73**
Carlton Rd. *W5* —7C **56**
Carlton Rd. *Eri* —6H **85**
Carlton Rd. *N Mald* —2A **120**
Carlton Rd. *Sidc* —5K **115**
Carlton Rd. *S Croy* —6D **134**
Carlton Rd. *Well* —3B **100**
Carlton Sq. *E1* —4K **63**
　(in two parts)
Carlton St. *SW1* —7H **61** (3C **148**)
Carlton Ter. *E7* —7A **50**

Carlton Ter. *E11* —5K **33**
Carlton Ter. *N18* —3J **17**
Carlton Ter. *SE26* —3J **111**
Carlton Tower Pl. *SW1*
　　　　　—4D **76** (3F **153**)
Carlton Vale. *NW6* —2H **59**
Carlwell St. *SW17* —5C **108**
Carlyle Av. *Brom* —3B **128**
Carlyle Av. *S'hall* —7D **54**
Carlyle Clo. *N2* —6A **28**
Carlyle Clo. *NW10* —1K **57**
Carlyle Ct. *SW6* —1K **91**
　(off Maltings Pl.)
Carlyle Ct. *SW10* —1A **92**
　(off Chelsea Harbour)
Carlyle Gdns. *S'hall* —7D **54**
Carlyle Pl. *SW15* —4F **91**
Carlyle Rd. *E12* —4C **50**
Carlyle Rd. *SE28* —7B **68**
Carlyle Rd. *W5* —5C **72**
Carlyle Rd. *Croy* —2G **135**
Carlyle Sq. *SW3* —5B **76** (6B **152**)
Carlyon Av. *Harr* —4D **38**
Carlyon Clo. *Wemb* —1E **56**
Carlyon Rd. *Hayes* —5A **54**
　(in two parts)
Carlyon Rd. *Wemb* —2E **56**
Carlys Clo. *SE20* —2K **125**
Carmalt Gdns. *SW15* —4E **90**
Carmarthen Ct. *W7* —4K **55**
　(off Copley Clo.)
Carmarthen Grn. *NW9* —5A **26**
Carmarthen Pl. *SE1*
　　　　　—2E **78** (6G **151**)
Carmel Ct. *W8* —2K **75**
　(off Holland St.)
Carmelite Clo. *Harr* —1G **23**
Carmelite Rd. *Harr* —1G **23**
Carmelite St. *EC4*
　　　　　—7A **62** (2K **149**)
Carmelite Wlk. *Harr* —1G **23**
Carmelite Way. *Harr* —2G **23**
Carmen St. *E14* —6D **64**
Carmichael Clo. *SW11* —3B **92**
Carmichael M. *SW18* —7B **92**
Carmichael Rd. *SE25* —5G **125**
Carminia Rd. *SW17* —2F **109**
Carnaby St. *W1* —6G **61** (1A **148**)
Carnac St. *SE27* —4D **110**
Carnanton Rd. *E17* —1F **33**
Carnarvon Av. *Enf* —3A **8**
Carnarvon Rd. *E10* —5E **32**
Carnarvon Rd. *E15* —6H **49**
Carnarvon Rd. *E18* —1H **33**
Carnarvon Rd. *Barn* —3B **4**
Carnation St. *SE2* —5B **84**
Carnbrook Rd. *SE3* —3B **98**
Carnecke Gdns. *SE9* —5C **98**
Carnegie Pl. *SW19* —3F **107**
Carnegie Rd. *Harr* —7K **23**
Carnegie St. *N1* —1K **61**
Carnforth Rd. *SW16* —7H **109**
Carnie Hall. *SW17* —3E **109**
Carnoustie Dri. *N1* —7J **45**
Carnwath Rd. *SW6* —3J **91**
Caroe Ct. *N9* —1C **18**
Carolina Clo. *E15* —5G **49**
Carolina Clo. *T Hth* —2B **124**
Caroline Clo. *N10* —2F **29**
Caroline Clo. *SW16* —3K **109**
Caroline Clo. *W2* —7K **59**
　(off Bayswater Rd.)
Caroline Clo. *Croy* —4E **134**
Caroline Clo. *Iswth* —7H **71**
Caroline Ct. *Brom* —4F **113**

Caroline Ct. *Stan* —6F **11**
Caroline Gdns. *E2*
　　　　　—3E **62** (1H **145**)
Caroline Gdns. *SE15* —7G **79**
Caroline Pl. *SW11* —2E **92**
Caroline Pl. *W2* —7K **59**
Caroline Pl. M. *W2* —7K **59**
Caroline Rd. *SW19* —7H **107**
Caroline St. *E1* —6K **63**
Caroline Ter. *SW1*
　　　　　—4E **76** (4G **153**)
Caroline Wlk. *W6* —6G **75**
Carol St. *NW1* —1G **61**
Carpenter Gdns. *N21* —2G **17**
Carpenter Ho. *NW11* —6A **28**
Carpenters Ct. *Twic* —2J **103**
Carpenters Pl. *SW4* —4H **93**
Carpenter's Rd. *E15* —6C **48**
Carpenter St. *W1*
　　　　　—7F **61** (3J **147**)
Carrara Wlk. *SW9* —4A **94**
Carr Gro. *SE18* —4C **82**
Carr Ho. *Dart* —5K **101**
Carriage Dri. E. *SW11* —7E **76**
Carriage Dri. N. *SW11* —7D **76**
　(in two parts)
Carriage Dri. S. *SW11* —1D **92**
Carriage Dri. W. *SW11* —7D **76**
Carriage M. *Ilf* —2G **51**
Carrick Clo. *Iswth* —3A **88**
Carrick Dri. *Ilf* —1G **35**
Carrick Gdns. *N17* —7K **17**
Carrick Ho. N7 —6K **45**
　(off Caledonian Rd.)
Carrick Ho. *SE11*
　　　　　—5B **78** (5A **156**)
Carrick M. *SE8* —6C **80**
Carrill Way. *Belv* —3D **84**
Carrington Av. *Houn* —5F **87**
Carrington Clo. *Croy* —7A **126**
Carrington Clo. *King T* —5J **105**
Carrington Gdns. *E7* —4J **49**
Carrington Rd. *Rich* —4G **89**
Carrington Sq. *Harr* —6B **10**
Carrington St. *W1*
　　　　　—1F **77** (5J **147**)
Carrol Clo. *NW5* —4F **45**
Carroll Clo. *E15* —5H **49**
Carroll Ct. W3 —3H **73**
　(off Osborne Rd.)
Carronade Pl. *SE28* —3G **83**
Carroun Rd. *SW8* —7K **77**
Carroway La. *Gnfd* —3H **55**
Carrow Rd. *Dag* —7B **52**
Carr Rd. *E17* —2B **32**
Carr Rd. *N'holt* —6E **38**
Carrs La. *N21* —5H **7**
Carr St. *E14* —5A **64**
　(in two parts)
Carshalton Gro. *Sutt* —4B **132**
Carshalton Pk. Rd. *Cars* —5D **132**
Carshalton Pl. *Cars* —5E **132**
Carshalton Rd. *Mitc* —4E **122**
Carshalton Rd. *Sutt & Cars*
　　　　　—5A **132**
Carslake Rd. *SW15* —6E **90**
Carson Rd. *E16* —4J **65**
Carson Rd. *SE21* —2D **110**
Carson Rd. *Cockf* —4J **5**
Carstairs Rd. *SE6* —3E **112**
Carston Clo. *SE12* —5H **97**
Carswell Clo. *Ilf* —4B **34**
Carswell Rd. *SE6* —7E **96**

Chatsworth Av. *Wemb* —5F **41**
Chatsworth Clo. *NW4* —2E **26**
Chatsworth Clo. *W4* —6J **73**
Chatsworth Clo. *W Wick*
　　　　　—1H **137**
Chatsworth Ct. W8 —4J **75**
　(off Pembroke Rd.)
Chatsworth Ct. *Stan* —5H **11**
Chatsworth Cres. *Houn* —4H **87**
Chatsworth Dri. *Enf* —7B **8**
Chatsworth Est. *E5* —4K **47**
Chatsworth Gdns. *W3* —1H **73**
Chatsworth Gdns. *Harr* —1F **39**
Chatsworth Gdns. *N Mald*
　　　　　—5B **120**
Chatsworth Lodge. W4 —5K **73**
　(off Bourne Pl.)
Chatsworth Pde. *Orp* —5G **129**
Chatsworth Pl. *Mitc* —3D **122**
Chatsworth Pl. *Tedd* —4A **104**
Chatsworth Rise. *W4* —4F **57**
Chatsworth Rd. *E5* —3J **47**
Chatsworth Rd. *E15* —5H **49**
Chatsworth Rd. *NW2* —6E **42**
Chatsworth Rd. *W4* —6J **73**
Chatsworth Rd. *W5* —4F **57**
Chatsworth Rd. *Croy* —4D **134**
Chatsworth Rd. *Hayes* —4A **54**
Chatsworth Rd. *Sutt* —5F **131**
Chatsworth Way. *SE27* —3B **110**
Chatterton Ct. *Rich* —2F **89**
Chatterton Rd. *N4* —3B **46**
Chatterton Rd. *Brom* —4B **128**
Chatto Rd. *SW11* —5D **92**
Chaucer Av. *Rich* —3G **89**
Chaucer Clo. *N11* —5B **16**
Chaucer Ct. *New Bar* —5E **4**
Chaucer Dri. *SE1*
　　　　　—4F **79** (4K **157**)
Chaucer Gdns. *Sutt* —3J **131**
Chaucer Grn. *Croy* —7H **125**
Chaucer Ho. *Barn* —4A **4**
Chaucer Ho. Sutt —3J **131**
　(off Chaucer Gdns.)
Chaucer Mans. W14 —6G **75**
　(off Queen's Club Gdns.)
Chaucer Rd. *E7* —6J **49**
Chaucer Rd. *E11* —6J **33**
Chaucer Rd. *E17* —2E **32**
Chaucer Rd. *SE24* —5A **94**
Chaucer Rd. *W3* —1J **73**
Chaucer Rd. *Sidc* —1C **116**
Chaucer Rd. *Sutt* —4J **131**
Chaucer Rd. *Well* —1J **99**
Chaucer Way. *SW19* —6B **108**
Chauncey Clo. *N9* —3B **18**
Chaundrye Clo. *SE9* —6D **98**
Chauntler Clo. *E16* —7K **65**
Chaville Ho. *N11* —4K **15**
Cheam Comn. Rd. *Wor Pk*
　　　　　—2D **130**
Cheam Mans. *Sutt* —7G **131**
Cheam Pk. Way. *Sutt* —6G **131**
Cheam Rd. *Sutt* —6H **131**
Cheam St. *SE15* —3J **95**
Cheam Village. (Junct.) —6G **131**
Cheapside. *EC2* —6C **62** (1D **150**)
Cheapside. *N13* —4J **17**
Cheapside. *N22* —3A **30**
Cheddington Rd. *N18* —3K **17**
Chedworth Clo. *E16* —6H **65**
Cheeseman Clo. *Hamp* —6C **102**
Cheesemans Ter. *W14* —5H **75**
　(in two parts)
Chelford Rd. *Brom* —5F **113**

Chelmer Cres. *Bark* —2B **68**
Chelmer Rd. *E9* —5A **48**
Chelmsford Clo. *E6* —6D **66**
Chelmsford Clo. *W6* —6F **75**
Chelmsford Ct. N14 —7C **6**
　(off Chelmsford Rd.)
Chelmsford Clo. *Iff* —7C **34**
Chelmsford Ho. N7 —4K **45**
　(off Holloway Rd.)
Chelmsford Rd. *E11* —1F **49**
Chelmsford Rd. *E17* —6C **32**
Chelmsford Rd. *E18* —1H **33**
Chelmsford Rd. *N14* —7B **6**
Chelmsford Sq. *NW10* —1E **58**
Chelsea Bri. *SW1 & SW8*
　　　　　—6F **77** (7J **153**)
Chelsea Bri. Bus. Cen. *SW8*
　　　　　—7F **77**
Chelsea Bri. Rd. *SW1*
　　　　　—5E **76** (5G **153**)
Chelsea Bri. Wharf. *SW8* —6F **77**
Chelsea Cloisters. *SW3*
　　　　　—4C **76** (4D **152**)
Chelsea Clo. *NW10* —1K **57**
Chelsea Clo. *Edgw* —2G **25**
Chelsea Clo. *Hamp* —5G **103**
Chelsea Clo. *Wor Pk* —7C **120**
Chelsea Ct. *Brom* —4C **128**
Chelsea Cres. *SW10* —1A **92**
Chelsea Garden Mkt. *SW10*
　　　　　—1A **92**
Chelsea Gdns. *SW1*
　　　　　—5E **76** (6H **153**)
Chelsea Gdns. *Sutt* —4G **131**
Chelsea Harbour. *SW10* —1A **92**
Chelsea Harbour Dri. *SW10*
　　　　　—1A **92**
Chelsea Mnr. Ct. *SW3*
　　　　　—6C **76** (7D **152**)
Chelsea Mnr. Gdns. *SW3*
　　　　　—5C **76** (6D **152**)
Chelsea Mnr. St. *SW3*
　　　　　—5C **76** (6D **152**)
Chelsea Pk. Gdns. *SW3*
　　　　　—6B **76** (7A **152**)
Chelsea Reach Tower. SW10
　(off Worlds End Est.) —7B **76**
Chelsea Sq. *SW3*
　　　　　—5B **76** (5B **152**)
Chelsea Towers. *SW3*
　　　　　—6C **76** (7D **152**)
Chelsea Wharf. SW10 —7B **76**
　(off Lots Rd.)
Chelsfield Av. *N9* —7E **8**
Chelsfield Gdns. *SE26* —3J **111**
Chelsfield Grn. *N9* —7E **8**
Chelsham Rd. *SW4* —3H **93**
Chelsham Rd. *S Croy* —7D **134**
Chelsiter Ct. *Sidc* —4K **115**
Chelsworth Dri. *SE18* —6H **83**
Cheltenham Av. *Twic* —7A **88**
Cheltenham Clo. *N Mald* —3J **119**
Cheltenham Clo. *N'holt* —6F **39**
Cheltenham Ct. Stan —5H **11**
　(off Marsh La.)
Cheltenham Gdns. *E6* —2C **66**
Cheltenham Pl. *W3* —1H **73**
Cheltenham Pl. *Harr* —4C **24**
Cheltenham Rd. *E10* —6E **32**
Cheltenham Rd. *SE15* —4J **95**
Cheltenham Ter. *SW3*
　　　　　—5D **76** (5F **153**)
Chelverton Rd. *SW15* —4F **91**
Chelwood. *N20* —2G **15**
Chelwood Clo. *E4* —6J **9**

Chelwood Gdns. *Rich* —2G **89**
Chelwood Gdns. Pas. *Rich*
　　　　　—2G **89**
Chelwood Wlk. *SE4* —4A **96**
Chenappa Clo. *E13* —3J **65**
Chenduit Way. *Stan* —5E **10**
Cheney Ct. *SE23* —1K **111**
Cheney Rd. *N1* —2J **61** (1E **142**)
Cheney Row. *E17* —1B **32**
Cheneys Rd. *E11* —3G **49**
Cheney St. *Pinn* —4A **22**
Chenies Ho. W4 —6B **74**
　(off Corney Reach Way)
Chenies M. *WC1*
　　　　　—4H **61** (4C **142**)
Chenies Pl. *NW1* —2G **61**
Chenies St. *WC1*
　　　　　—5H **61** (5C **142**)
Chenies, The. *Orp* —6J **129**
Cheniston Gdns. *W8* —3K **75**
Chepstow Clo. *SW15* —5G **91**
Chepstow Cres. *W11* —7J **59**
Chepstow Cres. *Iff* —6J **35**
Chepstow Gdns. *S'hall* —6D **54**
Chepstow Pl. *W2* —6J **59**
Chepstow Rise. *Croy* —3E **134**
Chepstow Rd. *W2* —6J **59**
Chepstow Rd. *W7* —3A **72**
Chepstow Rd. *Croy* —3E **134**
Chepstow Vs. *W11* —7H **59**
Chepstow Way. *SE15* —1F **95**
Chequers. *Buck H* —1E **20**
Chequers Clo. *NW9* —3A **26**
Chequers Clo. *Orp* —4K **129**
Chequers La. *Dag* —5F **69**
Chequers Pde. *N13* —5H **17**
Chequers Pde. *Dag* —1F **69**
Chequers, The. *Pinn* —3B **22**
Chequer St. *EC1*
　　　　　—4C **62** (4D **144**)
Chequers Way. *N13* —5G **17**
Cherbury Clo. *SE28* —6D **68**
Cherbury St. *N1* —2D **62**
Cherchefelle M. *Stan* —5G **11**
Cherington Rd. *W7* —1K **71**
Cheriton Av. *Brom* —5H **127**
Cheriton Av. *Iff* —2D **34**
Cheriton Clo. *W5* —5C **56**
Cheriton Clo. *Barn* —4J **5**
Cheriton Ct. *SE12* —7J **97**
Cheriton Dri. *SE18* —7H **83**
Cheriton Sq. *SW17* —2E **108**
Cherry Av. *S'hall* —1B **70**
Cherry Clo. *E17* —5D **32**
Cherry Clo. *SW2* —7A **94**
Cherry Clo. *W5* —3D **72**
Cherry Clo. *Cars* —2D **132**
Cherry Clo. *Mord* —4G **121**
Cherry Ct. *W3* —1A **74**
Cherry Ct. *Pinn* —2B **22**
Cherry Cres. *Bren* —7B **72**
Cherrydown Av. *E4* —3G **19**
Cherrydown Clo. *E4* —3H **19**
Cherrydown Rd. *Sidc* —2D **116**
Cherrydown Wlk. *Romf* —2H **37**
Cherry Gdns. *Dag* —5F **53**
Cherry Gdns. *N'holt* —7F **39**
Cherry Garden St. *SE16* —2H **79**
Cherry Garth. *Bren* —5D **72**
Cherry Hill. *Harr* —6E **10**
Cherry Hill. *New Bar* —6E **4**
Cherry Hill Gdns. *Croy* —4K **133**
Cherrylands Clo. *NW9* —2J **41**
Cherry Laurel Wlk. *SW2* —6K **93**
Cherry Orchard. *SE7* —6A **82**

Cherry Orchard Gdns. *Croy*
　　　　　—1E **134**
Cherry Orchard Rd. *Brom*
　　　　　—2C **138**
Cherry Orchard Rd. *Croy*
　　　　　—2D **134**
Cherry Rd. *Enf* —1D **8**
Cherry St. *Romf* —5K **37**
Cherry Tree Clo. *Wemb* —4A **40**
Cherry Tree Clo. *Wemb* —4J **25**
Cherry Tree Ct. *SE7* —6A **82**
Cherrytree Dri. *SW16* —3J **109**
Cherry Tree Hill. *N2* —5C **28**
Cherry Tree Rise. *Buck H*
　　　　　—4F **21**
Cherry Tree Rd. *E15* —5G **49**
Cherry Tree Rd. *N2* —4D **28**
Cherry Tree Wlk. *EC1*
　　　　　—4C **62** (4D **144**)
Cherry Tree Wlk. *Beck* —4B **126**
Cherry Tree Wlk. *W Wick*
　　　　　—4H **137**
Cherrytree Way. *Stan* —6G **11**
Cherry Wlk. *Brom* —1J **137**
Cherrywood Clo. *E3* —3A **64**
Cherry Wood Clo. *King T*
　　　　　—7G **105**
Cherrywood Ct. *Tedd* —5A **104**
Cherrywood Dri. *SW15* —5F **91**
Cherrywood La. *Mord* —4J **121**
Cherry Wood Way. *W5* —5G **57**
Chertsey Dri. *Sutt* —2G **131**
Chertsey Rd. *E11* —2F **49**
Chertsey Rd. *Iff* —4H **51**
Chertsey Rd. *Twic* —2F **103**
Chertsey St. *SW17* —5E **108**
Chervil M. *SE28* —1B **84**
Cheryls Clo. *SW6* —1K **91**
Cheseman St. *SE26* —3H **111**
Chesfield Rd. *King T* —7E **104**
Chesham Av. *Orp* —6F **129**
Chesham Clo. *SW1*
　　　　　—3E **76** (2G **153**)
Chesham Clo. *Romf* —4K **37**
Chesham Cres. *SE20* —1J **125**
Chesham M. *SW1*
　　　　　—3E **76** (1G **153**)
Chesham Pl. *SW1*
　　　　　—3E **76** (2G **153**)
Chesham Rd. *SE20* —2J **125**
Chesham Rd. *SW19* —5B **108**
Chesham Rd. *King T* —2G **119**
Chesham St. *NW10* —3K **41**
Chesham St. *SW1*
　　　　　—3E **76** (2G **153**)
Chesham Ter. *W13* —2B **72**
Cheshire Clo. *SE4* —2B **96**
Cheshire Clo. *Mitc* —3J **123**
Cheshire Ho. *Mord* —7K **121**
Cheshire Rd. *N22* —7E **16**
Cheshire St. *E2* —4F **63** (3K **145**)
Cheshir Ho. *NW4* —4E **26**
Chesholm Rd. *N16* —3E **46**
Cheshunt Rd. *E7* —6K **49**
Cheshunt Rd. *Belv* —5G **85**
Chesil Ct. *E2* —2J **63**
Chesil Ct. *SW3* —6C **76** (7D **152**)
Chesilton Rd. *SW6* —1H **91**
Chesley Gdns. *E6* —2B **66**
Chesney Cres. *New Ad* —7E **136**
Chesney Ho. SE13 —4F **97**
　(off Mercator Rd.)
Chesney St. *SW11* —1E **92**
Chesnut Gro. *N17* —3F **31**
Chesnut Rd. *N17* —3F **31**

Chessing Ct. *N2* —3D **28**
　(off Fortis Grn.)
Chessington Av. *N3* —3G **27**
Chessington Av. *Bexh* —7E **84**
Chessington Clo. *Eps* —3H **27**
　(off Charter Way)
Chessington Ct. *Pinn* —4D **22**
Chessington Ho. *SW8* —2H **93**
Chessington Lodge. *N3* —3H **27**
Chessington Mans. *E10* —7C **32**
Chessington Mans. *E11* —7G **33**
Chessington Rd. *Eps & Ewe*
　　　　　—7A **130**
Chessington Way. *W Wick*
　　　　　—2D **136**
Chesson Rd. *W14* —6H **75**
Chesswood Way. *Pinn* —2B **22**
Chestbrook Ct. *Enf* —5K **7**
　(off Forsyth Pl.)
Chester Av. *Rich* —6F **89**
Chester Av. *Twic* —1D **102**
Chester Clo. *SW1*
　　　　　—2F **77** (7J **147**)
Chester Clo. *SW15* —3D **90**
Chester Clo. *Rich* —6F **89**
Chester Clo. *Sutt* —2J **131**
Chester Clo. N. *NW1*
　　　　　—3F **61** (1K **141**)
Chester Clo. S. *NW1*
　　　　　—3F **61** (2K **141**)
Chester Cotts. *SW1*
　　　　　—4E **76** (4G **153**)
Chester Ct. *NW1*
　　　　　—3F **61** (1K **141**)
Chester Cres. *E8* —5F **47**
Chester Dri. *Harr* —6D **22**
Chesterfield Clo. *SE13* —2F **97**
Chesterfield Flats. Barn —5A **4**
　(off Bells Hill)
Chesterfield Gdns. *N4* —5B **30**
Chesterfield Gdns. *SE10* —7F **81**
Chesterfield Gdns. *W1*
　　　　　—1F **77** (4J **147**)
Chesterfield Gro. *SE22* —5F **95**
Chesterfield Hill. *W1*
　　　　　—1F **77** (4J **147**)
Chesterfield Lodge. N21 —7E **6**
　(off Church Hill)
Chesterfield Rd. *E10* —6E **32**
Chesterfield Rd. *N3* —6D **14**
Chesterfield Rd. *W4* —6J **73**
Chesterfield Rd. *Barn* —5A **4**
Chesterfield St. *W1*
　　　　　—1F **77** (4J **147**)
Chesterfield Wlk. *SE10* —1F **97**
Chesterfield Way. *SE15* —7J **79**
Chesterford Gdns. *NW3* —4K **43**
Chesterford Rd. *E12* —5D **50**
Chester Gdns. *W13* —6B **56**
Chester Gdns. *Enf* —6C **8**
Chester Gdns. *Mord* —6A **122**
Chester Ga. *NW1*
　　　　　—3F **61** (2J **141**)
Chester Ho. *SE8* —6B **80**
Chester Ho. SW9 —7A **78**
　(off Brixton Rd.)
Chesterman Ct. *W4* —7A **74**
　(off Corney Reach Way)
Chester M. *SW1* —3F **77** (1J **153**)
Chester Pl. *NW1* —3F **61** (1J **141**)
Chester Rd. *E7* —7B **50**
Chester Rd. *E11* —6K **33**
Chester Rd. *E16* —4G **65**
Chester Rd. *E17* —5K **31**
Chester Rd. *N9* —1C **18**

Chester Rd. *N17* —3D **30**
Chester Rd. *N19* —2F **45**
Chester Rd. *NW1*
    —3E **60** (2H **141**)
Chester Rd. *SW19* —6E **106**
Chester Rd. *Chig* —3K **21**
Chester Rd. *Houn* —3A **86**
Chester Rd. *Ilf* —1K **51**
Chester Rd. *Sidc* —5J **99**
Chester Row. *SW1*
    —4E **76** (4G **153**)
Chester Sq. *SW1*
    —4E **76** (3H **153**)
Chester Sq. M. *SW1*
    —3F **77** (2J **153**)
Chesters, The. *N Mald* —1A **120**
Chester St. *E2* —4G **63**
    (Vallance Rd.)
Chester St. *E2* —1G **63**
    (Whiston Rd.)
Chester St. *SW1*
    —3E **76** (1H **153**)
Chester Ter. *NW1*
    —3F **61** (1J **141**)
Chester Ter. *Bark* —6H **51**
Chesterton Clo. *SW18* —5J **91**
Chesterton Clo. *Gnfd* —2F **55**
Chesterton Ct. *W3* —3H **73**
    (off Hanbury Rd.)
Chesterton Ct. *W5* —5D **56**
Chesterton Rd. *E13* —3J **65**
Chesterton Rd. *W10* —5F **59**
Chesterton Sq. *W8* —4H **75**
Chesterton Ter. *E13* —3J **65**
Chesterton Ter. *King T* —2G **119**
Chester Way. *SE11*
    —4A **78** (4K **155**)
Chesthunte Rd. *N17* —1C **30**
Chestnut All. *SW6* —6H **75**
Chestnut Av. *E7* —4K **49**
Chestnut Av. *N8* —5J **29**
Chestnut Av. *SW14* —3K **89**
Chestnut Av. *Bren* —4D **72**
Chestnut Av. *Buck H* —3G **21**
Chestnut Av. *E Mol & Tedd*
    —3A **118**
Chestnut Av. *Edgw* —6K **11**
Chestnut Av. *Eps* —4A **130**
Chestnut Av. *Hamp* —7E **102**
Chestnut Av. *Wemb* —5B **40**
Chestnut Av. *W Wick* —5G **137**
Chestnut Av. N. *E17* —4F **33**
Chestnut Av. S. *E17* —5E **32**
Chestnut Clo. *N14* —5B **6**
Chestnut Clo. *N16* —2D **46**
Chestnut Clo. *SE6* —5E **112**
Chestnut Clo. *SW16* —4A **110**
Chestnut Clo. *Buck H* —3G **21**
Chestnut Clo. *Cars* —1D **132**
Chestnut Clo. *Sidc* —1K **115**
Chestnut Ct. *N8* —5J **29**
Chestnut Ct. *SW6* —6H **75**
Chestnut Ct. *Felt* —5B **102**
Chestnut Dri. *E11* —6J **33**
Chestnut Dri. *Bexh* —3D **100**
Chestnut Dri. *Harr* —7E **10**
Chestnut Dri. *Pinn* —6B **22**
Chestnut Gro. *SE20* —7H **111**
Chestnut Gro. *SW12* —7E **92**
Chestnut Gro. *W5* —3D **72**
Chestnut Gro. *Barn* —5J **5**
Chestnut Gro. *Dart* —5K **117**
Chestnut Gro. *Iswth* —4A **88**
Chestnut Gro. *Mitc* —5H **123**
Chestnut Gro. *N Mald* —3K **119**

Chestnut Gro. *S Croy* —7H **135**
Chestnut Gro. *Wemb* —5B **40**
Chestnut Ho. *W4* —4A **74**
    (off Orchard, The)
Chestnut La. *N20* —1B **14**
Chestnut Rise. *SE18* —6H **83**
Chestnut Rise. *Bush* —1A **10**
Chestnut Rd. *SE27* —3B **110**
Chestnut Rd. *SW20* —2F **121**
Chestnut Rd. *King T* —7E **104**
Chestnut Rd. *Twic* —2J **103**
Chestnut Row. *N3* —7D **14**
Chestnuts, The. *N5* —4C **46**
    (off Highbury Grange)
Chestnuts, The. *Pinn* —1D **22**
Chestnut Wlk. *Wfd G* —5D **20**
Chestnut Way. *Felt* —3A **102**
Cheston Av. *Croy* —2A **136**
Chettle Clo. *SE1* —3D **78** (1E **156**)
Chettle Ct. *N8* —6A **30**
Chetwode Rd. *SW17* —3D **108**
Chetwood Wlk. *E6* —5C **66**
    (off Greenwich Cres.)
Chetwynd Av. *E Barn* —1J **15**
Chetwynd Rd. *NW5* —4F **45**
Chevalier Clo. *Stan* —4K **11**
Cheval Pl. *SW7* —3C **76** (1D **152**)
Cheval St. *E14* —3C **80**
Cheveney Wlk. *Brom* —3J **127**
Chevening Rd. *NW6* —2F **59**
Chevening Rd. *SE10* —5H **81**
Chevening Rd. *SE19* —6D **110**
Chevenings, The. *Sidc* —3C **116**
Cheverton Rd. *N19* —1H **45**
Chevet St. *E9* —5A **48**
Cheviot. *N17* —7C **18**
    (off Northumberland Pk.)
Cheviot Clo. *Bexh* —2K **101**
Cheviot Clo. *Enf* —2J **7**
Cheviot Clo. *Sutt* —7B **132**
Cheviot Ct. *S'hall* —4F **71**
Cheviot Gdns. *NW2* —2F **43**
Cheviot Ga. *NW2* —2G **43**
Cheviot Rd. *SE27* —5A **110**
Cheviot Way. *Ilf* —5J **35**
Chevron Clo. *E16* —6J **65**
Chevy Rd. *S'hall* —2G **71**
Chewton Rd. *E17* —4A **32**
Cheyne Av. *E18* —3H **33**
Cheyne Av. *Twic* —1D **102**
Cheyne Clo. *NW4* —5E **26**
Cheyne Clo. *Brom* —3C **138**
Cheyne Ct. *SW3*
    —6D **76** (7E **152**)
Cheyne Gdns. *SW3*
    —6C **76** (7D **152**)
Cheyne Hill. *Surb* —4F **119**
Cheyne Path. *W7* —6K **55**
Cheyne Pl. *SW3*
    —6D **76** (7E **152**)
Cheyne Row. *SW3*
    —6C **76** (7C **152**)
Cheyne Wlk. *N21* —5G **7**
Cheyne Wlk. *NW4* —6E **26**
Cheyne Wlk. *SW10 & SW3*
    (in three parts) —7B **76**
Cheyne Wlk. *Croy* —2G **135**
Cheyneys Av. *Edgw* —6J **11**
Chichele Gdns. *Croy* —4E **134**
Chichele Rd. *NW2* —5F **43**
Chicheley Gdns. *Harr* —7B **10**
    (in two parts)
Chicheley Rd. *Harr* —7B **10**

Chicheley St. *SE1*
    —2K **77** (6H **149**)
Chichester Bldgs. *SE1*
    —3E **78** (2G **157**)
Chichester Clo. *E6* —6C **66**
Chichester Clo. *SE3* —1A **98**
Chichester Clo. *Hamp* —6D **102**
Chichester Ct. *Edgw* —6B **12**
    (off Whitchurch La.)
Chichester Ct. *Eps* —7B **130**
Chichester Ct. *N'holt* —1C **54**
Chichester Ct. *Stan* —3E **24**
Chichester Gdns. *Ilf* —7C **34**
Chichester Ho. *SW9* —7A **78**
    (off Brixton Rd.)
Chichester M. *SE27* —4A **110**
Chichester Rents. *WC2*
    —6A **62** (7J **143**)
Chichester Rd. *E11* —3G **49**
Chichester Rd. *N9* —1B **18**
Chichester Rd. *NW6* —2J **59**
Chichester Rd. *W2* —5K **59**
Chichester Rd. *Croy* —3E **134**
Chichester St. *SW1*
    —5G **77** (6B **154**)
Chichester Way. *E14* —4F **81**
Chichester Way. *Felt* —7A **86**
Chicksand St. *E1*
    —5F **63** (6K **145**)
Chiddingfold. *N12* —3D **14**
Chiddingstone. *SE13* —5E **96**
Chiddingstone Av. *Bexh* —7F **85**
Chiddingstone St. *SW6* —2J **91**
Chieveley Pde. *Bexh* —4H **101**
Chieveley Rd. *Bexh* —4H **101**
Chignell Pl. *W13* —1A **72**
Chignell Hill. *E1* —7H **63**
Chigwell Hurst Ct. *Pinn* —3B **22**
Chigwell Pk. *Chig* —4K **21**
Chigwell Pk. Dri. *Chig* —4K **21**
Chigwell Rise. *Chig* —2K **21**
Chigwell Rd. *E18 & Wfd G*
    —3K **33**
Chilcot Clo. *E14* —6D **64**
Childebert Rd. *SW17* —2F **109**
Childeric Rd. *SE14* —7A **80**
Childerley St. *SW6* —1G **91**
Childers St. *SE8* —6A **80**
Childers, The. *Wfd G* —5J **21**
Childs Hill Wlk. *NW2* —3H **43**
    (off Cricklewood La.)
Child's La. *SE19* —6E **110**
Child's Pl. *SW5* —4J **75**
Child's St. *SW5* —4J **75**
Child's Wlk. *SW5* —4J **75**
Childs Way. *NW11* —5H **27**
Chilham Clo. *Bex* —7F **101**
Chilham Clo. *Gnfd* —2A **56**
Chilham Ho. *SE1*
    —3D **78** (1F **157**)
Chilham Ho. *SE15* —6J **79**
Chilham Rd. *SE9* —4C **114**
Chilham Way. *Brom* —7J **127**
Chillerton Rd. *SW17* —5E **108**
Chillingworth Gdns. *Twic*
    —3K **103**
Chillingworth Rd. *N7* —5A **46**
Chilmark Gdns. *N Mald* —6C **120**
Chilmark Rd. *SW16* —2H **123**
Chiltern Av. *Twic* —1E **102**
Chiltern Clo. *Bexh* —1K **101**
Chiltern Clo. *Croy* —3E **134**
Chiltern Clo. *Wor Pk* —2E **130**
Chiltern Ct. *N10* —2E **28**
Chiltern Ct. *Harr* —5H **23**

Chiltern Ct. *New Bar* —5F **5**
Chiltern Dene. *Enf* —4E **6**
Chiltern Dri. *Surb* —6G **119**
Chiltern Gdns. *NW2* —3F **43**
Chiltern Gdns. *Brom* —4H **127**
Chiltern Ho. *SE17*
    —6D **78** (7F **157**)
    (off Portland St.)
Chiltern Ho. *W5* —5F **56**
Chiltern Rd. *E3* —4C **64**
Chiltern Rd. *Ilf* —5J **35**
Chiltern Rd. *Pinn* —5A **22**
Chiltern St. *W1* —5E **60** (5G **141**)
Chiltern Way. *Wfd G* —3D **20**
Chilthorne Clo. *SE6* —7B **96**
Chilton Av. *W5* —4D **72**
Chilton Ct. *N22* —7D **16**
    (off Truro Rd.)
Chilton Gro. *SE8* —4K **79**
Chiltonian Ind. Est. *SE12*
    —6H **97**
Chilton Rd. *Edgw* —6B **12**
Chilton Rd. *Rich* —3G **89**
Chiltons, The. *E18* —2J **33**
Chilton St. *E2* —4F **63** (3K **145**)
Chilver St. *SE10* —5H **81**
Chilworth Ct. *SW19* —1F **107**
Chilworth Gdns. *Sutt* —3A **132**
Chilworth M. *W2*
    —6B **60** (1A **146**)
Chimes Av. *N13* —5F **17**
Chimney Ct. *E1* —1H **79**
    (off Brewhouse La.)
China Wharf. *SE1*
    —2G **79** (6K **151**)
Chinbrook Cres. *SE12* —3K **113**
Chinbrook Rd. *SE12* —3K **113**
Chinchilla Dri. *Houn* —2A **86**
Chine, The. *N10* —4G **29**
Chine, The. *N21* —6G **7**
Chine, The. *Wemb* —5C **40**
Ching Ct. *WC2* —6J **61** (1E **148**)
    (off Monmouth St.)
Chingdale Rd. *E4* —3B **20**
Chingford Av. *E4* —3H **19**
Chingford Hall Est. *E4* —6G **19**
Chingford Ind. Est. *E4* —5F **19**
Chingford Mt. Rd. *E4* —4H **19**
Chingford Rd. *E4* —6H **19**
Chingford Rd. *E17* —1D **32**
Chingley Clo. *Brom* —6G **113**
Ching Way. *E4* —6G **19**
Chinnery Clo. *Enf* —1A **8**
Chinnor Cres. *Gnfd* —2F **55**
Chipka St. *E14* —2E **80**
Chipley St. *SE14* —6A **80**
Chipmunk Gro. *N'holt* —3C **54**
Chippendale St. *E5* —3K **47**
Chippenham Av. *Wemb* —5H **41**
Chippenham Gdns. *NW6* —3J **59**
Chippenham M. *W9* —4J **59**
Chippenham Rd. *W9* —4J **59**
Chipperfield Rd. *Orp* —7A **116**
Chipping Clo. *Barn* —3B **4**
Chipstead Av. *T Hth* —4B **124**
Chipstead Clo. *SE19* —7F **111**
Chipstead Clo. *Sutt* —7K **131**
Chipstead Gdns. *NW2* —2D **42**
Chipstead St. *SW6* —1J **91**
Chip St. *SW4* —3H **93**
Chirk Clo. *Hayes* —4C **54**
Chisenhale Rd. *E3* —2A **64**
Chisholm Rd. *Croy* —2E **134**
Chisholm Rd. *Rich* —6F **89**

Chisledon Wlk. *E9* —6B **48**
    (off Eastway)
Chislehurst Av. *N12* —7F **15**
Chislehurst Rd. *Brom & Chst*
    —2B **128**
Chislehurst Rd. *Orp* —4J **129**
Chislehurst Rd. *Rich* —5E **88**
Chislehurst Rd. *Sidc* —5A **116**
Chislet Clo. *Beck* —7C **112**
Chisley Rd. *N15* —6B **30**
Chiswell Sq. *SE3* —2K **97**
Chiswell St. *EC1*
    —5D **62** (5E **144**)
Chiswick Bri. *SW14 & W4*
    —2J **89**
Chiswick Clo. *Croy* —3K **133**
Chiswick Comn. Rd. *W4* —4K **73**
Chiswick Ct. *Pinn* —3D **22**
Chiswick High Rd. *Bren & W4*
    (in two parts) —5G **73**
Chiswick La. N. *W4* —5A **74**
Chiswick La. S. *W4* —6B **74**
Chiswick Mall. *W4 & W6* —6B **74**
Chiswick Plaza. *W4* —6J **73**
Chiswick Quay. *W4* —1J **89**
Chiswick Rd. *N9* —2B **18**
Chiswick Rd. *W4* —4J **73**
Chiswick Roundabout. (Junct.)
    —5G **73**
Chiswick Sq. *W4* —6A **74**
Chiswick Staithe. *W4* —7H **73**
Chiswick Ter. *W4* —4J **73**
Chiswick Village. *W4* —6G **73**
Chiswick Wharf. *W4* —6B **74**
Chitty's La. *Dag* —2D **52**
Chitty St. *W1* —5G **61** (5B **142**)
Chivalry Rd. *SW11* —5C **92**
Chive Clo. *Croy* —1K **135**
Chivenor Gro. *King T* —5D **104**
Chivers Rd. *E4* —3J **19**
Chiver St. *SE10* —5H **81**
Choats Mnr. Way. *Dag* —2F **69**
Choats Rd. *Bark & Dag* —2C **68**
Chobham Gdns. *SW19* —2F **107**
Chobham Rd. *E15* —5F **49**
Cholmeley Cres. *N6* —7F **29**
Cholmeley Lodge. *N6* —1F **45**
Cholmeley Pk. *N6* —1F **45**
Cholmley Gdns. *NW6* —5J **43**
Cholmley Rd. *Th Dit* —6B **118**
Cholmondeley Av. *NW10* —2C **58**
Cholmondeley Wlk. *Rich* —5C **88**
Choppin's Ct. *E1* —1H **79**
Chopwell Clo. *E15* —7G **49**
Chorleywood Cres. *Orp* —2K **129**
Choumert Gro. *SE15* —2G **95**
Choumert Rd. *SE15* —3F **95**
Choumert Sq. *SE15* —2G **95**
Chow Sq. *E8* —5F **47**
    (off Arcola St.)
Chrisp St. *E14* —5D **64**
    (in two parts)
Christabel Clo. *Iswth* —3J **87**
Christchurch Av. *N12* —6F **15**
Christchurch Av. *NW6* —1F **59**
Christchurch Av. *Eri* —6K **85**
Christchurch Av. *Harr* —4K **23**
Christchurch Av. *Tedd* —5A **104**
Christchurch Av. *Wemb* —6E **40**
Christchurch Clo. *N12* —7G **15**
Christchurch Clo. *SW19* —7B **108**
Christchurch Clo. *NW10* —1A **58**
Christchurch Ct. *Hayes* —4A **54**
    (off Dunedin Way)
Christchurch Gdns. *Harr* —4A **24**

Christchurch Grn. *Wemb* —6E **40**
Christchurch Hill. *NW3* —3B **44**
Christchurch Ho. SW2 —1K **109**
(off Christchurch Rd.)
Christchurch La. *Barn* —2B **4**
Christchurch Pk. *Sutt* —7A **132**
Christchurch Pas. *NW3* —3A **44**
Christchurch Pas. *High Bar*
—2B **4**
Christchurch Pl. *SW8* —2H **93**
Christchurch Rd. *N8* —6J **29**
Christchurch Rd. *SW2* —1K **109**
Christ Chu. Rd. *SW14* —5H **89**
Christchurch Rd. *SW19* —7B **108**
Christ Chu. Rd. *Beck* —2C **126**
Christchurch Rd. *Ilf* —1F **51**
Christchurch Rd. *Sidc* —4K **115**
Christchurch Rd. *Surb* —6F **119**
Christchurch Sq. *E9* —1J **63**
Christchurch St. *SW3*
—6D **76** (7E **152**)
Christchurch Ter. *SW3*
—6D **76** (7E **152**)
Christchurch Way. *SE10* —5G **81**
Christian Ct. *SE16* —1B **80**
Christian Fields. *SW16* —7A **110**
Christian Pl. E1 —6G **63**
(off Burslem St.)
Christian St. *E1* —6G **63**
Christie Ct. *N19* —2J **45**
Christie Dri. *Croy* —5G **125**
Christie Gdns. *Romf* —6B **36**
Christie Rd. *E9* —6A **48**
Christina Sq. *N4* —1B **46**
Christina St. *EC2*
—4E **62** (3G **145**)
Christopher Av. *W7* —3A **72**
Christopher Clo. *SE16* —2K **79**
Christopher Clo. *Sidc* —6K **99**
Christopher Gdns. *Dag* —5D **52**
Christopher Ho. Sidc —2A **116**
(off Station Rd.)
Christopher Pl. *NW1*
—3H **61** (1D **142**)
Christophers M. *W11* —1G **75**
Christopher St. *EC2*
—4D **62** (4F **145**)
Chryssell Rd. *SW9* —7A **78**
Chubworthy St. *SE14* —6A **80**
Chudleigh. *Sidc* —4B **116**
Chudleigh Cres. *Ilf* —4J **51**
Chudleigh Gdns. *Sutt* —3A **132**
Chudleigh Rd. *NW6* —7F **43**
Chudleigh Rd. *SE4* —5B **96**
Chudleigh Rd. *Twic* —6J **87**
Chudleigh St. *E1* —6K **63**
Chulsa Rd. *SE26* —5H **111**
Chumleigh St. *SE5*
—6E **78** (7G **157**)
Chumleigh Wlk. *Surb* —4F **119**
Church All. *Croy* —1A **134**
Church App. *SE21* —3D **110**
Church Av. *E4* —6A **20**
Church Av. *N2* —2B **28**
Church Av. *NW1* —6F **45**
Church Av. *SW14* —3K **89**
Church Av. *Beck* —1C **126**
Church Av. *N'holt* —7D **38**
Church Av. *Pinn* —6C **22**
Church Av. *Sidc* —5A **116**
Church Av. *S'hall* —3C **70**
Churchbank. E17 —4C **32**
(off Teresa M.)
Churchbury Clo. *Enf* —2K **7**
Churchbury La. *Enf* —3J **7**

Churchbury Rd. *SE9* —7B **98**
Churchbury Rd. *Enf* —2K **7**
Church Cloisters. *EC3*
—7E **62** (3G **151**)
Church Clo. *N20* —3H **15**
Church Clo. *W8* —2K **75**
Church Clo. *Edgw* —5D **12**
Church Clo. *Houn* —3D **86**
Church Ct. *Rich* —5D **88**
Church Ct. *Wfd G* —6F **21**
Church Cres. *E9* —7K **47**
Church Cres. *N3* —1H **27**
Church Cres. *N10* —4F **29**
Church Cres. *N20* —3H **15**
Churchcroft Clo. *SW12* —7E **92**
Churchdown. *Brom* —4G **113**
Church Dri. *NW9* —1K **41**
Church Dri. *Harr* —6E **22**
Church Dri. *W Wick* —3G **137**
Church Elm La. *Dag* —6G **53**
Church End. *E17* —4D **32**
Church End. *NW4* —3D **26**
Church Entry. *EC4*
—6B **62** (1B **150**)
Church Farm La. *Sutt* —6G **131**
Churchfield Av. *N12* —6G **15**
Churchfield Clo. *Harr* —4G **23**
Churchfield Mans. SW6 —2H **91**
(off New King's Rd.)
Churchfield Rd. *W3* —1J **73**
Churchfield Rd. *W7* —2J **71**
Churchfield Rd. *W13* —1B **72**
Churchfield Rd. *Well* —3A **100**
Churchfields. *E18* —1J **33**
Churchfields. *SE10* —6E **80**
Churchfields Av. *Felt* —3D **102**
Churchfields Rd. *Beck* —2K **125**
Churchfield Way. *N12* —6F **15**
Church Gdns. *W5* —2D **72**
Church Gdns. *Wemb* —4A **40**
Church Ga. *SW6* —3G **91**
Church Gro. *SE13* —5D **96**
Church Gro. *King T* —1C **118**
Church Hill. *E17* —4C **32**
Church Hill. *N21* —7E **6**
Church Hill. *SE18* —3D **82**
Church Hill. *SW19* —5H **107**
Church Hill. *Cars* —5D **132**
Church Hill. *Cray* —4K **101**
Church Hill. *Harr* —1J **39**
Church Hill Rd. *E17* —4D **32**
Church Hill Rd. *Barn* —6H **5**
Church Hill Rd. *Surb* —5E **118**
Church Hill Rd. *Sutt* —3F **131**
Church Hill Wood. *Orp* —5K **129**
Church Hyde. *SE18* —6J **83**
Churchill Av. *Harr* —6B **24**
Churchill Ct. *N4* —7A **30**
Churchill Ct. *W5* —4F **57**
Churchill Ct. *N'holt* —5E **38**
Churchill Ct. *Pinn* —1C **22**
Churchill Ct. *S Harr* —5F **23**
Churchill Gdns. *SW1*
—5G **77** (6A **154**)
Churchill Gdns. *W3* —6G **57**
Churchill Gdns. Rd. *SW1*
—5F **77** (6K **153**)
Churchill M. *Wfd G* —6C **20**
Churchill Pl. *E14* —1D **80**
Churchill Pl. *Harr* —4J **23**
Churchill Rd. *E16* —6A **66**
Churchill Rd. *NW2* —6D **42**
Churchill Rd. *NW5* —4F **45**
Churchill Rd. *Edgw* —6A **12**
Churchill Rd. *S Croy* —7C **134**

Churchills M. *Wfd G* —6C **20**
Churchill Ter. *E4* —4H **19**
Churchill Wlk. *E9* —5J **47**
Churchill Way. *Brom* —3J **127**
Church La. *E11* —1G **49**
Church La. *E17* —4D **32**
Church La. *N2* —3B **28**
Church La. *N8* —4K **29**
Church La. *N9* —2B **18**
Church La. *N17* —1E **30**
Church La. *NW9* —6J **25**
Church La. *SW17* —5D **108**
Church La. *SW19* —1J **121**
Church La. *W5* —2C **72**
Church La. *Brom* —1C **138**
Church La. *Chst* —6G **129**
Church La. *Dag* —7J **53**
Church La. *Enf* —3J **7**
Church La. *Harr* —1K **23**
Church La. *Pinn* —3C **22**
Church La. *Rich* —1E **104**
Church La. *Tedd* —5K **103**
Church La. *Th Dit* —6A **118**
Church La. *Twic* —1A **104**
Church La. *Wall* —3H **133**
Churchley Rd. *SE26* —4H **111**
Church Manorway. *SE2* —4A **84**
Church Manorway. *Eri* —4K **85**
Churchmead Clo. *E Barn* —6H **5**
Churchmead Rd. *NW10* —6C **42**
Churchmore Rd. *SW16* —1G **123**
Church Mt. *N2* —5B **28**
Church Pas. *Barn* —4C **4**
Church Pas. *Surb* —5E **118**
Church Pas. *Twic* —1B **104**
Church Path. *E11* —5J **33**
Church Path. *E17* —4D **32**
Church Path. *N5* —5B **46**
Church Path. *N17* —1E **30**
Church Path. *N20* —4F **15**
Church Path. *NW10* —7A **42**
Church Path. *SW14* —3K **89**
(in two parts)
Church Path. *SW19* —2H **121**
Church Path. *W4 & W3* —3J **73**
Church Path. *W7* —1J **71**
Church Path. *Bark* —1G **67**
Church Path. *Barn* —4B **4**
Church Path. *Croy* —2C **134**
Church Path. *Mitc* —3C **122**
Church Path. *Romf* —5K **37**
Church Path. *S'hall* —1E **70**
(Southall)
Church Path. *S'hall* —3D **70**
(Southall Green)
Church Pl. *SW1* —7G **61** (3B **148**)
Church Pl. *W5* —2D **72**
Church Pl. *Mitc* —3C **122**
Church Rise. *SE23* —2K **111**
Church Rd. *E10* —1C **48**
Church Rd. *E12* —5C **50**
Church Rd. *E17* —2A **32**
Church Rd. *N6* —6E **28**
Church Rd. *N17* —1E **30**
Church Rd. *NW4* —4D **26**
Church Rd. *NW10* —7A **42**
Church Rd. *SE19* —1E **124**
Church Rd. *SW13* —2B **90**
Church Rd. *SW19 & Mitc*
(Merton) —1B **122**
Church Rd. *SW19* —5G **107**
(Wimbledon)
Church Rd. *W3* —1J **73**
Church Rd. *W7* —7H **55**
Church Rd. *Bark* —6G **51**

Church Rd. *Bexh* —2F **101**
Church Rd. *Brom* —2J **127**
Church Rd. *Buck H* —1E **20**
Church Rd. *Cran* —6A **70**
Church Rd. *Croy* —3C **134**
(in two parts)
Church Rd. *Enf* —6D **8**
Church Rd. *Eri* —5K **85**
Church Rd. *Felt* —5B **102**
Church Rd. *Ham* —4D **104**
Church Rd. *Houn* —7E **70**
Church Rd. *Ilf* —6J **35**
Church Rd. *Iswth* —1H **87**
Church Rd. *Kes* —7B **138**
Church Rd. *King T* —2F **119**
Church Rd. *N'holt* —2B **54**
Church Rd. *Rich* —4E **88**
Church Rd. *Short* —3G **127**
Church Rd. *Sidc* —4A **116**
Church Rd. *S'hall* —3D **70**
Church Rd. *Stan* —5G **11**
Church Rd. *Sutt* —6G **131**
Church Rd. *Tedd* —4J **103**
Church Rd. *Wall* —3H **133**
Church Rd. *Well* —2B **100**
Church Rd. *W Ewe* —7A **130**
Church Rd. *Wor Pk* —1A **130**
Church Rd. Almshouses. *E10*
—2D **48**
Church Rd. Ind. Est. *E10* —1C **48**
Church Rd. N. *N2* —2B **28**
Church Rd. S. *N2* —2B **28**
Church Row. *NW3* —4A **44**
Church Row. *Chst* —1G **129**
Church Row M. *Chst* —7G **115**
Church St. *E15* —1G **65**
Church St. *E16* —1F **83**
Church St. *N9* —1J **7**
Church St. *W2 & NW8*
—5B **60** (5B **140**)
Church St. *W4* —6B **74**
Church St. *Croy* —2B **134**
Church St. *Dag* —6H **53**
Church St. *Enf* —3H **7**
Church St. *Ewe* —7C **130**
Church St. *Hamp* —7G **103**
Church St. *Iswth* —3B **88**
Church St. *King T* —2D **118**
Church St. *Sutt* —5K **131**
Church St. *Twic* —1A **104**
Church St. Est. *NW8*
—4B **60** (4B **140**)
Church St. N. *E15* —1G **65**
Church St. Pas. *E15* —1G **65**
Church Stretton Rd. *Houn*
—5G **87**
Church Ter. *NW4* —3D **26**
Church Ter. *SE13* —3G **97**
Church Ter. *Rich* —5D **88**
Church Vale. *N2* —3D **26**
Church Vale. *SE23* —2K **111**
Church View. *Rich* —5E **88**
Churchview Rd. *Twic* —1H **103**
Church Wlk. *N6* —3E **44**
Church Wlk. *N16* —3D **46**
Church Wlk. *NW2* —3H **43**
Church Wlk. *NW4* —3E **26**
Church Wlk. *NW9* —2K **41**
Church Wlk. *SW13* —1C **90**
Church Wlk. *SW15* —5D **90**
Church Wlk. *SW16* —2G **123**
Church Wlk. *SW20* —3E **120**
Church Wlk. *Bren* —6C **72**
(in two parts)
Church Wlk. *Enf* —3J **7**

Church Wlk. *Rich* —5D **88**
Church Wlk. *Th Dit* —6A **118**
Churchward Ho. W14 —5H **75**
(off Ivatt Pl.)
Church Way. *N20* —3H **15**
Churchway. *NW1*
—3H **61** (1D **142**)
Church Way. *Barn* —4J **5**
Church Way. *Edgw* —6B **12**
Churchwell Path. *E9* —5J **47**
Churchwood Gdns. *Wfd G*
—4D **20**
Churchyard Pas. *SE5* —1D **94**
Churchyard Row. *SE11*
—4B **78** (3B **156**)
Churnfield. *N4* —2A **46**
Churston Av. *E13* —1K **65**
Churston Clo. *SW2* —1A **110**
Churston Dri. *Mord* —5F **121**
Churston Gdns. *N11* —6B **16**
Churton Pl. *SW1*
—4G **77** (4B **154**)
Churton St. *SW1*
—4G **77** (4B **154**)
Chusan Pl. *E14* —6B **64**
Chute Ho. SW9 —2A **94**
(off Stockwell Pk. Rd.)
Chyngton Clo. *Sidc* —3K **115**
Cibber Rd. *SE23* —2K **111**
Cicada Rd. *SW18* —6A **92**
Cicely Rd. *SE15* —1G **95**
Cinderford Way. *Brom* —4G **113**
Cinnamon Clo. *Croy* —7J **123**
Cinnamon Row. *SW11* —3A **92**
Cinnamon St. *E1* —1H **79**
Cinnamon Wharf. *SE1*
—2F **79** (6K **151**)
Cintra Pk. *SE19* —7F **111**
Circle Gdns. *SW19* —2J **121**
Circle, The. *NW2* —3A **42**
Circle, The. *NW7* —6E **12**
Circuits, The. *Pinn* —4A **22**
Circular Rd. *N2* —2B **28**
Circular Rd. *N17* —3F **31**
Circular Way. *SE18* —6D **82**
Circus Lodge. *NW8*
—3B **60** (1A **140**)
Circus M. *W1* —5D **60** (5E **140**)
Circus Pl. *EC2* —5D **62** (6F **145**)
Circus Rd. *NW8* —3B **60** (1A **140**)
Circus St. *SE10* —7E **80**
Cirencester St. *W2* —5K **59**
Cissbury Ho. *SE26* —3G **111**
Cissbury Ring N. *N12* —5C **14**
Cissbury Ring S. *N12* —5C **14**
Cissbury Rd. *N15* —5D **30**
Citadel Pl. *SE11* —5K **77** (5G **155**)
Citizen Rd. *N7* —4A **46**
City Garden Row. *N1*
—2B **62** (1B **144**)
City Heights. SE1
—1E **78** (5H **151**)
(off Tooley St.)
City Ho. Wall —1E **132**
(off Corbet Clo.)
City Rd. *EC1* —2B **62** (1A **144**)
City View Ct. *SE22* —7H **95**
Civic Way. *Ilf* —4G **35**
Clabon M. *SW1* —3D **76** (2E **152**)
Clack St. *SE16* —2J **79**
Clacton Rd. *E6* —3B **66**
Clacton Rd. *E17* —6A **32**
Clacton Rd. *N17* —2F **31**
Claigmar Gdns. *N3* —1K **27**
Claire Ct. *N12* —4F **15**

Claire Ct. NW2 —6G **43**
Claire Ct. Bush —1C **10**
Claire Gdns. Stan —5H **11**
Claire Ho. Edgw —2J **25**
(off Burnt Oak B'way.)
Claire Pl. E14 —3C **80**
Clairvale Rd. Houn —1C **86**
Clairview Rd. SW16 —5F **109**
Clairville Gdns. W7 —1J **71**
Clairville Point. SE23 —3K **111**
(off Dacres Rd.)
Clamp Hill. Stan —4C **10**
Clancarty Rd. SW6 —2J **91**
Clandeboye Ho. E15 —1H **65**
(off John St.)
Clandon Clo. W3 —2H **73**
Clandon Clo. Eps —6B **130**
Clandon Gdns. N3 —3J **27**
Clandon Rd. Ilf —2J **51**
Clandon St. SE8 —2C **96**
Clandon Ter. SW20 —1F **121**
Clanfield Way. SE15 —7F **79**
Clanricarde Gdns. W2 —7J **59**
Clapham Common. (Junct.)
—4G **93**
Clapham Comn. N. Side. SW4
—4D **92**
Clapham Comn. S. Side. SW4
—6F **93**
Clapham Comn. W. Side. SW4
—4D **92**
Clapham Cres. SW4 —4H **93**
Clapham High St. SW4 —4H **93**
Clapham Junction App. SW11
—4C **92**
Clapham Mnr. Ct. SW4 —3G **93**
Clapham Mnr. St. SW4 —3G **93**
Clapham Pk. Est. SW4 —6H **93**
Clapham Pk. Rd. SW4 —4H **93**
Clapham Rd. SW9 —3J **93**
Clapham Rd. SW4 —3J **93**
Clap La. Dag —2H **53**
Claps Ga. La. E6 & Bark —4F **67**
(in two parts)
Clapton Comn. E5 —7F **31**
Clapton Pk. Est. E5 —4K **47**
Clapton Pas. E5 —5J **47**
Clapton Sq. E5 —5J **47**
Clapton Ter. N16 —1G **47**
Clapton Way. E5 —4G **47**
Clara Nehab Ho. NW11 —5H **27**
(off Leeside Cres.)
Clara Pl. SE18 —4E **82**
Clare Clo. N2 —3A **26**
Clare Cornor. SE9 —7F **99**
Claredale St. E2 —2G **63**
Clare Gdns. E7 —4J **49**
Clare Gdns. W11 —6G **59**
Clare Gdns. Bark —6K **51**
Clare La. N1 —7C **46**
Clare Lawn Av. SW14 —5K **89**
Clare Mkt. WC2 —6K **61** (1H **149**)
Clare M. SW6 —7K **75**
Claremont Av. Harr —5E **24**
Claremont Av. N Mald —5C **120**
Claremont Clo. E16 —1E **82**
Claremont Clo. N1
—2A **62** (1K **143**)
Claremont Clo. SW2 —1J **109**
Claremont Clo. Orp —4E **138**
Claremont Gdns. Ilf —2J **51**
Claremont Gdns. Surb —5E **118**
Claremont Gro. W4 —7A **74**
Claremont Gro. Wfd G —6F **21**
Claremont Pk. N3 —1G **27**

Claremont Rd. E7 —5K **49**
Claremont Rd. E11 —3F **49**
Claremont Rd. E17 —2A **32**
Claremont Rd. N6 —7G **29**
Claremont Rd. NW2 —7F **27**
Claremont Rd. W9 —2G **59**
Claremont Rd. W13 —5A **56**
Claremont Rd. Brom —4C **128**
Claremont Rd. Croy —1G **135**
Claremont Rd. Harr —2J **23**
Claremont Rd. Surb —5E **118**
Claremont Rd. Tedd —5K **103**
Claremont Rd. Twic —7B **88**
Claremont Sq. N1
—2A **62** (1J **143**)
Claremont St. E16 —2E **82**
Claremont St. N18 —6B **18**
Claremont St. SE10 —6D **80**
Claremont Way. NW2 —1E **42**
(in two parts)
—1E **42**
Clarence Av. SW4 —7H **93**
Clarence Av. Brom —4C **128**
Clarence Av. Ilf —6E **34**
Clarence Av. N Mald —2J **119**
Clarence Clo. Bush —1E **10**
Clarence Ct. NW7 —5G **13**
Clarence Cres. SW4 —6H **93**
Clarence Cres. Sidc —3B **116**
Clarence Gdns. NW1
—3F **61** (2K **141**)
Clarence La. SW15 —6A **90**
Clarence M. SE16 —7K **63**
Clarence Pl. E5 —5H **47**
Clarence Rd. E5 —4H **47**
Clarence Rd. E12 —5B **50**
Clarence Rd. E16 —4G **65**
Clarence Rd. E17 —2K **31**
Clarence Rd. N15 —5C **30**
Clarence Rd. N22 —7D **16**
Clarence Rd. NW6 —7H **43**
Clarence Rd. SE9 —2C **114**
Clarence Rd. SW19 —6K **107**
Clarence Rd. W4 —5G **73**
Clarence Rd. Bexh —4E **100**
Clarence Rd. Brom —3B **128**
Clarence Rd. Croy —7D **124**
Clarence Rd. Enf —5D **8**
Clarence Rd. Rich —1F **89**
Clarence Rd. Sidc —3B **116**
Clarence Rd. Sutt —5K **131**
Clarence Rd. Tedd —6K **103**
Clarence Rd. Wall —5F **133**
Clarence St. King T —2D **118**
Clarence St. Rich —4E **88**
Clarence St. S'hall —3B **70**
Clarence Ter. NW1
—4D **60** (3F **141**)
Clarence Ter. Houn —4F **87**
Clarence Wlk. SW4 —2J **93**
Clarence Way. NW1 —7F **45**
Clarence Yd. SE17
—5C **78** (5C **156**)
Clarendon Pl. Wilm —5K **117**
Clarendon Clo. W2
—7C **60** (2C **146**)
Clarendon Clo. St P —3K **129**
Clarendon Ct. NW11 —4H **27**
Clarendon Ct. Beck —1D **126**
(off Albemarle Rd.)
Clarendon Cres. Rich —1F **89**
Clarendon Cres. Twic —3H **103**
Clarendon Cross. W11 —7G **59**

Clarendon Dri. SW15 —4E **90**
Clarendon Gdns. NW4 —3C **26**
Clarendon Gdns. W9 —4A **60**
Clarendon Gdns. Ilf —7D **34**
Clarendon Gdns. Wemb —3D **40**
Clarendon Grn. Orp —4K **129**
Clarendon Gro. NW1
—3H **61** (1C **142**)
Clarendon Gro. Mitc —3D **122**
Clarendon Gro. St P —4K **129**
Clarendon M. W2
—7C **60** (2C **146**)
Clarendon M. Bex —1H **117**
Clarendon Path. St P —4K **129**
(in two parts)
Clarendon Pl. W2
—7C **60** (2C **146**)
Clarendon Rise. SE13 —4E **96**
Clarendon Rd. E11 —1F **49**
Clarendon Rd. E17 —6D **32**
Clarendon Rd. E18 —3J **33**
Clarendon Rd. N8 —3K **29**
Clarendon Rd. N15 —4C **30**
Clarendon Rd. N18 —6B **18**
Clarendon Rd. N22 —2K **29**
Clarendon Rd. SW19 —7C **108**
Clarendon Rd. W5 —4E **56**
Clarendon Rd. W11 —7G **59**
Clarendon Rd. Croy —2B **134**
Clarendon Rd. Wall —6G **133**
Clarendon St. SW1
—5F **77** (5K **153**)
Clarendon Ter. W9
—4A **60** (3A **140**)
Clarendon Wlk. W11 —6G **59**
Clarendon Way. N21 —6H **7**
Clarendon Way. Chst & St M
—3K **129**
Clarens St. SE6 —2B **112**
Clare Pl. SW15 —7B **90**
Clare Rd. E11 —6F **33**
Clare Rd. NW10 —7C **42**
Clare Rd. SE14 —2B **96**
Clare Rd. Gnfd —6H **39**
Clare Rd. Houn —3D **86**
Clare St. E2 —2H **63**
Claret Gdns. SE25 —3E **124**
Clareville Gro. SW7
—4A **76** (4A **152**)
Clareville Gro. M. SW7
—4A **76** (4A **152**)
Clareville St. SW7 —4A **76**
Clare Way. Bexh —1E **100**
Clarewood Wlk. SW9 —4A **94**
Clarges M. W1 —1F **77** (4J **147**)
Clarges St. W1 —1F **77** (4K **147**)
Claribel Rd. SW9 —2B **94**
Clarice Way. Wall —7J **133**
Claridge Ct. SW6 —2H **91**
Claridge Rd. Dag —1D **52**
Clarissa Rd. Romf —7D **36**
Clarissa St. E8 —1F **63**
Clarke Ct. NW10 —7J **41**
Clarke Mans. Bark —7K **51**
(off Upney La.)
Clarkes Av. Wor Pk —1F **131**
Clarke's M. W1 —5E **60** (5H **141**)
Clarks Mead. Bush —1B **10**
Clarkson Rd. E16 —6H **65**
Clarkson Row. NW1 —2G **61**
(off Mornington Ter.)
Clarksons, The. Bark —2G **67**
Clarkson St. E2 —3H **63**
Clarks Pl. EC2 —6E **62** (7G **145**)

Clarks Rd. Ilf —2H **51**
Clark St. E1 —5J **63**
Clark Way. Houn —7B **70**
Claude Rd. E10 —2E **48**
Claude Rd. E13 —1K **65**
Claude Rd. SE15 —2H **95**
Claude St. E14 —4C **80**
Claudia Jones Ho. N17 —1C **30**
Claudia Jones Way. SW2 —6J **93**
Claudia Pl. SW19 —1G **107**
Claughton Rd. E13 —2A **66**
Clauson Av. N'holt —5F **39**
Clavell St. SE10 —6E **80**
Claverdale Rd. SW2 —7K **93**
Clavering Av. SW13 —6D **74**
Clavering Clo. Twic —4A **104**
Clavering Ho. SE13 —4F **97**
(off Blessington Rd.)
Clavering Ind. Est. N9 —2D **18**
(off Triangle Works)
Clavering Rd. E12 —1B **50**
Claverley Gro. N3 —1K **27**
Claverley Vs. N3 —7E **14**
Claverton St. SW1
—5G **77** (6B **154**)
Clave St. E1 —1J **79**
Claxton Gro. W6 —5F **75**
Claxton Path. SE4 —4K **95**
(off Coston Wlk.)
Clay Av. Mitc —2F **123**
Claybank Gro. SE13 —3D **96**
Claybourne M. SE19 —7E **110**
Claybridge Rd. SE12 —4A **114**
Claybrook Clo. N2 —3B **28**
Claybrook Rd. W6 —6F **75**
Claybury B'way. Ilf —3C **34**
Claybury. Wfd G —7H **21**
Clay Ct. E17 —3F **33**
Claydon Dri. Croy —4J **133**
Claydon Ho. NW4 —2F **27**
(off Holders Hill Rd.)
Claydown M. SE18 —5E **82**
Clay Farm Rd. SE9 —2G **115**
Claygate Cres. New Ad —6E **136**
Claygate La. Th Dit —7A **118**
Claygate Rd. W13 —3B **72**
Clayhall Av. Ilf —3C **34**
Clay Hill. Enf —1K **7**
Clayhill. Surb —6G **117**
Clayhill Cres. SE9 —4B **114**
Claylands Pl. SW8 —7A **78**
Claylands Rd. SW8
—6K **77** (7H **155**)
Clay La. Bush —1D **10**
Clay La. Edgw —2B **12**
Claymore Clo. Mord —7J **121**
Claypole Ct. E17 —6C **32**
(off Yunus Khan Clo.)
Claypole Rd. E15 —2E **64**
Clayponds Av. W5 & Bren
—4E **72**
Clayponds Gdns. W5 —4D **72**
Clayponds La. Bren —5E **72**
Clays La. E15 —5D **48**
Clays La. Clo. E15 —5D **48**
Clay St. W1 —5D **60** (6F **141**)
Clayton Av. Wemb —7E **40**
Clayton Clo. E6 —6D **66**
Clayton Cres. Bren —7D **72**
Clayton Field. NW9 —7F **13**
Clayton Rd. SE15 —1G **95**
Clayton Rd. Iswth —3J **87**
Clayton Rd. Romf —1J **53**

Clayton St. SE11
—6A **78** (7J **155**)
Clayton Ter. Hayes —5C **54**
Claywood Clo. Orp —7J **129**
Clayworth Clo. Sidc —6B **100**
Cleadon Clo. Enf —3F **9**
Cleanthus Clo. SE18 —1F **99**
Cleanthus Rd. SE18 —1F **99**
Clearbrook Way. E1 —6J **63**
Clearwell Dri. W9 —4K **59**
Cleaveland Rd. Surb —5D **118**
Cleaverholme Clo. SE25 —6H **125**
Cleaver Sq. SE11
—5A **78** (6K **155**)
Cleaver St. SE11
—5A **78** (5K **155**)
Cleeve Hill. SE23 —1H **111**
Cleeve Pk. Gdns. Sidc —2B **116**
Clegg St. E1 —1H **79**
Clegg St. E13 —2J **65**
Clematis Gdns. Wfd G —5D **20**
Clematis St. W12 —7C **58**
Clem Attlee Ct. SW6 —6H **75**
Clem Attlee Est. SW6 —6H **75**
Clem Attlee Pde. SW6 —6H **75**
(off N. End Rd.)
Clemence Clo. Dag —1J **69**
Clemence St. E14 —5B **64**
Clement Av. SW4 —4H **93**
Clement Clo. NW6 —7H **43**
Clement Clo. W4 —4K **73**
Clementhorpe Rd. Dag —6C **52**
Clement Ho. SE8 —4A **80**
Clementina Rd. E10 —1B **48**
Clementine Clo. W13 —2B **72**
Clement Rd. SW19 —5G **107**
Clement Rd. Beck —2K **125**
Clement's Av. E16 —7J **65**
Clements Ct. Houn —4B **86**
Clements Ct. Ilf —3F **51**
Clement's Inn. WC2
—6K **61** (1H **149**)
Clement's Inn Pas. WC2
—6K **61** (1H **149**)
Clements La. EC4
—7D **62** (2F **151**)
Clements La. Ilf —3F **51**
Clements Pl. Bren —5D **72**
Clements Rd. E6 —7C **50**
Clements Rd. SE16 —3G **79**
Clements Rd. Ilf —3F **51**
Clemson Ho. E8 —1F **63**
Clendon Way. SE18 —4H **83**
Clennam St. SE1
—2C **78** (6D **150**)
Clensham Ct. Sutt —2J **131**
Clensham La. Sutt —2J **131**
Clenston M. W1 —6D **60** (7E **140**)
Clephane Rd. N1 —6C **46**
Clephane Rd. N. N1 —6C **46**
Clere Pl. EC2 —4D **62** (3F **145**)
Clere St. EC2 —4D **62** (3F **145**)
Clerkenwell Clo. EC1
—4A **62** (3K **143**)
Clerkenwell Grn. EC1
—4B **62** (4A **144**)
Clerkenwell Rd. EC1
—4A **62** (4J **143**)
Clermont Rd. E9 —1J **63**
Clevedon Clo. N16 —3F **47**
Clevedon Mans. NW5 —4E **44**
Clevedon Pas. N16 —2F **47**
Clevedon Rd. SE20 —1K **125**
Clevedon Rd. King T —2G **119**
Clevedon Rd. Twic —6D **88**

Cleveland Av. *SW20* —2H **121**
Cleveland Av. *W4* —4B **74**
Cleveland Av. *Hamp* —7D **102**
Cleveland Ct. *W13* —5B **56**
Cleveland Gdns. *N4* —5C **30**
Cleveland Gdns. *NW2* —2F **43**
Cleveland Gdns. *SW13* —2B **90**
Cleveland Gdns. *W2* —6A **60**
Cleveland Gdns. *Wor Pk* —2A **130**
Cleveland Gro. *E1* —4J **63**
Cleveland Ho. *N2* —2B **28**
(off Grange, The)
Cleveland La. *N9* —7C **8**
Cleveland Mans. *SW9* —7A **78**
(off Mowll St.)
Cleveland M. *W1*
—5G **61** (5A **142**)
Cleveland Pk. Av. *E17* —4C **32**
Cleveland Pk. Cres. *E17* —4C **32**
Cleveland Pl. *SW1*
—1G **77** (4B **148**)
Cleveland Rise. *Mord* —7F **121**
Cleveland Rd. *E18* —3J **33**
Cleveland Rd. *N1* —7D **46**
Cleveland Rd. *SW13* —2B **90**
Cleveland Rd. *W4* —3J **73**
Cleveland Rd. *W13* —5A **56**
Cleveland Rd. *Ilf* —3F **51**
Cleveland Rd. *Iswth* —4A **88**
Cleveland Rd. *N Mald* —4A **120**
Cleveland Rd. *Well* —2K **99**
Cleveland Rd. *Wor Pk* —2A **130**
Cleveland Row. *SW1*
—1G **77** (5A **148**)
Cleveland Sq. *W2* —6A **60**
Clevelands, The. *Bark* —6G **51**
Cleveland St. *W1*
—4F **61** (4K **141**)
Cleveland Ter. *W2* —6A **60**
Cleveland Way. *E1* —4J **63**
Cleveley Clo. *SE7* —4B **82**
Cleveley Cres. *W5* —2E **56**
Cleveleys Rd. *E5* —3H **47**
Cleverly Est. *W12* —1C **74**
Cleve Rd. *NW6* —7J **43**
Cleve Rd. *Sidc* —3D **116**
Cleves Av. *Eps* —7D **130**
Cleves Rd. *E6* —1B **66**
Cleves Rd. *Rich* —3C **104**
Cleves Wlk. *Ilf* —1G **35**
Cleves Way. *Hamp* —7D **102**
Cleves Way. *Ruis* —1B **38**
Clewer Ct. *E10* —1C **48**
Clewer Cres. *Harr* —1H **23**
Clewer Ho. *SE2* —2D **84**
(off Wolvercote Rd.)
Cley Ho. *SE4* —4K **95**
Clichy Est. *E1* —5J **63**
Clifden Rd. *E5* —5J **47**
Clifden Rd. *Bren* —6D **72**
Clifden Rd. *Twic* —1K **103**
Cliffe Rd. *S Croy* —5D **134**
Cliffe Wlk. *Sutt* —5A **132**
(off Greyhound Rd.)
Clifford Av. *SW14* —3H **89**
Clifford Av. *Chst* —6D **114**
Clifford Av. *Ilf* —1F **35**
Clifford Av. *Wall* —4G **133**
Clifford Clo. *N'holt* —1C **54**
Clifford Dri. *SW9* —4B **94**
Clifford Gdns. *NW10* —2E **58**
Clifford Rd. *E16* —4H **65**
Clifford Rd. *E17* —2E **32**
Clifford Rd. *N9* —6D **8**
Clifford Rd. *SE25* —4G **125**

Clifford Rd. *Barn* —3E **4**
Clifford Rd. *Houn* —3B **86**
Clifford Rd. *Rich* —2D **104**
Clifford Rd. *Wemb* —7D **40**
Clifford's Inn Pas. *EC4*
—6A **62** (1J **149**)
Clifford St. *W1* —7G **61** (3A **148**)
Clifford Way. *NW10* —4B **42**
Cliff Rd. *NW1* —6H **45**
Cliffsend Ho. *SW9* —1A **94**
(off Cowley Rd.)
Cliff Ter. *SE8* —2C **96**
Cliffview Rd. *SE13* —3C **96**
Cliff Vs. *NW1* —6H **45**
Cliff Wlk. *E16* —5H **65**
(in two parts)
Clifton Av. *E17* —3K **31**
Clifton Av. *N3* —1H **27**
Clifton Av. *W12* —1B **74**
Clifton Av. *Felt* —3A **102**
Clifton Av. *Stan* —2B **24**
Clifton Av. *Wemb* —6F **41**
Clifton Copse. *SE8* —5B **80**
Clifton Ct. *SE15* —7H **79**
Clifton Ct. *W9* —4B **60** (3A **140**)
(off Maida Vale)
Clifton Ct. *Wfd G* —6D **20**
Clifton Cres. *SE15* —7H **79**
Clifton Est. *SE15* —1H **95**
—4E **76** (3G **153**)
Clifton Gdns. *N15* —6F **31**
Clifton Gdns. *NW11* —6H **27**
Clifton Gdns. *W4* —4K **73**
Clifton Gdns. *W9* —4A **60**
Clifton Gdns. *Enf* —4D **6**
Clifton Gro. *E8* —6G **47**
Clifton Hill. *NW8* —2K **59**
Clifton Ho. *E11* —2G **49**
Clifton Pde. *Felt* —4A **102**
Clifton Pl. *SE16* —2J **79**
Clifton Pl. *W2* —6B **60** (1B **146**)
Clifton Rise. *SE14* —7A **80**
(in two parts)
Clifton Rd. *E7* —6B **50**
Clifton Rd. *E16* —5G **65**
Clifton Rd. *N3* —1A **28**
Clifton Rd. *N8* —6H **29**
Clifton Rd. *N22* —1G **29**
Clifton Rd. *NW10* —2C **58**
Clifton Rd. *SE25* —4E **124**
Clifton Rd. *SW19* —6F **107**
Clifton Rd. *W9* —4A **60**
Clifton Rd. *Gnfd* —4G **55**
Clifton Rd. *Harr* —4F **25**
Clifton Rd. *Ilf* —6H **35**
Clifton Rd. *Iswth* —2J **87**
Clifton Rd. *King T* —7F **105**
Clifton Rd. *Sidc* —4J **115**
Clifton Rd. *S'hall* —4C **70**
Clifton Rd. *Tedd* —4J **103**
Clifton Rd. *Wall* —5F **133**
Clifton Rd. *Well* —3C **100**
Clifton St. *EC2* —5E **62** (5G **145**)
Clifton Ter. *N4* —2A **46**
Clifton Vs. *W9* —5A **60**
Cliftonville Ct. *SE12* —1J **113**
Clifton Wlk. *W6* —4D **74**
(off King St.)
Clifton Way. *SE15* —7J **79**
Clifton Way. *Wemb* —1E **56**
Clinch Ct. *E16* —5J **65**
(off Plymouth Rd.)
Cline Rd. *N11* —6B **16**
Clinger Ct. *N1* —1E **62**

Clink St. *SE1* —1D **78** (4E **150**)
Clinton Av. *Well* —4A **100**
Clinton Ho. *SE8* —6C **80**
Clinton Rd. *E3* —3A **64**
Clinton Rd. *E7* —4J **49**
Clinton Rd. *N15* —4D **30**
Clipper Clo. *SE16* —2K **79**
Clipper Way. *SE13* —4E **96**
Clipstone M. *W1*
—5G **61** (5A **142**)
Clipstone Rd. *Houn* —3E **86**
Clipstone St. *W1* —5F **61** (5K **141**)
Clissold Clo. *N2* —3D **28**
Clissold Ct. *N16* —2C **46**
Clissold Cres. *N16* —3D **46**
Clissold Rd. *N16* —3D **46**
Clitheroe Av. *Harr* —1E **38**
Clitheroe Rd. *SW9* —2J **93**
Clitherow Av. *W7* —3A **72**
Clitherow Ct. *Bren* —5C **72**
Clitherow Pas. *Bren* —5C **72**
Clitherow Rd. *Bren* —5B **72**
Clitterhouse Cres. *NW2* —1E **42**
Clitterhouse Rd. *NW2* —1E **42**
Clive Av. *N18* —6B **18**
Clive Ct. *W9* —4A **60**
(off Maida Vale)
Cliveden Clo. *N12* —4F **15**
Cliveden Pl. *SW1*
—4E **76** (3G **153**)
Cliveden Rd. *SW19* —1H **121**
Clivedon Ct. *W13* —5B **56**
Clivedon Rd. *E4* —5B **20**
Clive Lloyd Ho. *N15* —5C **30**
(off Woodlands Pk. Rd.)
Clive Lodge. *NW4* —6F **27**
Clive Pas. *SE21* —3D **110**
Clive Rd. *SE21* —3D **110**
Clive Rd. *SW19* —6C **108**
Clive Rd. *Belv* —4G **85**
Clive Rd. *Enf* —4B **8**
Clive Rd. *Twic* —4A **104**
Clive Way. *Enf* —4B **8**
Cloak La. *EC4* —7C **62** (2D **150**)
Clochar Ct. *NW10* —1B **58**
Clock Ho. *E17* —4F **33**
(off Wood St.)
Clockhouse Av. *Bark* —1G **67**
Clockhouse Clo. *SW19* —1F **125**
Clockhouse Ct. *Beck* —2A **126**
Clockhouse La. *Romf* —1H **37**
Clockhouse Pde. *N13* —5F **17**
Clockhouse Pl. *SW15* —6G **91**
Clock Ho. Rd. *Beck* —3A **126**
Clock Pde. *Enf* —5J **7**
Clock Pl. *SE1* —4B **78** (3B **156**)
Clock Tower M. *N1* —1C **62**
Clock Tower Pl. *N7* —6J **45**
Clock Tower Rd. *Iswth* —3K **87**
Cloister Clo. *Tedd* —5B **104**
Cloister Gdns. *SE25* —6H **125**
Cloister Gdns. *Edgw* —5D **12**
Cloister Rd. *NW2* —3H **43**
Cloister Rd. *W3* —5J **57**
Cloisters Av. *Brom* —5D **128**
Cloisters Bus. Cen. *SW8* —7F **77**
(off Battersea Pk. Rd.)
Cloisters Ct. *Bexh* —3H **101**
Cloisters Mall. *King T* —2E **118**
Cloisters, The. *E1*
—5F **63** (4J **145**)
Cloisters, The. *SW9* —1A **94**
Clonard Way. *Pinn* —6A **10**
Clonbrock Rd. *N16* —4E **46**
Cloncurry St. *SW6* —2F **91**

Clonmel Clo. *Harr* —2H **39**
Clonmell Rd. *N17* —3D **30**
Clonmel Rd. *SW6* —7H **75**
Clonmel Rd. *Tedd* —4H **103**
Clonmore St. *SW18* —1H **107**
Clonmore St. *SW18* —1H **107**
Clorane Gdns. *NW3* —3J **43**
Close, The. *E4* —7K **19**
Close, The. *N10* —2F **29**
Close, The. *N14* —2C **16**
Close, The. *N20* —2C **14**
Close, The. *SE25* —6G **125**
Close, The. *Beck* —4A **126**
Close, The. *Bex* —6G **101**
Close, The. *Cars* —7C **132**
Close, The. *E Barn* —6J **5**
Close, The. *Eastc* —7A **22**
Close, The. *Harr* —2G **23**
Close, The. *Ilf* —6J **35**
Close, The. *Iswth* —2H **87**
Close, The. *Mitc* —4D **122**
Close, The. *N Mald* —2J **119**
Close, The. *Orp* —6J **129**
Close, The. *Pinn* —7D **22**
Close, The. *Rich* —3H **89**
Close, The. *Romf* —6E **36**
Close, The. *Sidc* —4B **116**
Close, The. *Sutt* —7H **121**
Close, The. *Wemb* —6E **40**
(Wembley)
Close, The. *Wemb* —3J **41**
(Wembley Park)
Cloth Ct. *EC1* —5B **62** (6B **144**)
Cloth Fair. *EC1* —5B **62** (6B **144**)
Clothier St. *E1* —6E **62** (7H **145**)
Cloth St. *EC1* —5C **62** (5C **144**)
Clothworkers Rd. *SE18* —7H **83**
Cloudesdale Rd. *SW17* —2F **109**
Cloudesley Pl. *N1* —1A **62**
Cloudesley Rd. *N1* —1A **62**
Cloudesley Rd. *Bexh* —1F **101**
Cloudesley Sq. *N1* —1A **62**
Cloudesley St. *N1* —1A **62**
Clouston Clo. *Wall* —5J **133**
Clova Rd. *E7* —6H **49**
Clove Cres. *E14* —7E **64**
Clove Hitch Quay. *SW11* —3A **92**
Clovelly Av. *NW9* —4B **26**
Clovelly Clo. *Pinn* —3A **22**
Clovelly Gdns. *SE19* —1F **125**
Clovelly Gdns. *Enf* —7K **7**
Clovelly Gdns. *Romf* —1H **37**
Clovelly Rd. *N8* —4H **29**
Clovelly Rd. *W4* —2K **73**
Clovelly Rd. *W5* —2C **72**
Clovelly Rd. *Bexh* —6E **84**
Clovelly Rd. *Houn* —2E **86**
Clovelly Way. *E1* —6J **63**
Clovelly Way. *Orp* —6K **129**
Clovelly Way. *S Harr* —2D **38**
Clover Clo. *E11* —2F **49**
Cloverdale Gdns. *Sidc* —6K **99**
Clover M. *SW3* —6D **76** (7F **153**)
Clover Way. *Wall* —1E **132**
Clove St. *E13* —4J **65**
Clowders Rd. *SE6* —3B **112**
Clowser Clo. *Sutt* —5A **132**
Cloysters Grn. *E1* —1G **79**
Cloyster Wood. *Edgw* —7J **11**
Club Gdns. Rd. *Hay* —7J **127**
Club Row. *E2* —4F **63** (3J **145**)
Clunbury Av. *S'hall* —5D **70**
Clunbury St. *N1* —2D **62**
Cluny Est. *SE1* —3E **78** (1G **157**)
Cluny M. *SW5* —4J **75**
Cluny Pl. *SE1* —3E **78** (1G **157**)

Clutton St. *E14* —5D **64**
Clydach Rd. *Enf* —4A **8**
Clyde Cir. *N15* —4E **30**
Clyde Ho. *SE15* —7G **79**
(off Sumner Est.)
Clyde Pl. *E10* —7D **32**
Clyde Rd. *N15* —4E **30**
Clyde Rd. *N22* —1H **29**
Clyde Rd. *Croy* —2F **135**
Clyde Rd. *Sutt* —5J **131**
Clyde Rd. *Wall* —6G **133**
Clydesdale. *Enf* —4E **8**
Clydesdale Av. *Stan* —3D **24**
Clydesdale Clo. *Iswth* —3K **87**
Clydesdale Ct. *N20* —1G **15**
Clydesdale Gdns. *Rich* —4H **89**
Clydesdale Ho. *Eri* —2E **84**
(off Kale Rd.)
Clydesdale Rd. *W11* —6H **59**
Clyde St. *SE8* —6B **80**
Clyde Ter. *SE23* —2J **111**
Clyde Vale. *SE23* —2J **111**
Clyde Way. *Romf* —1K **37**
Clyde Wharf. *E16* —1J **81**
Clydon Clo. *Eri* —6K **85**
Clynes Ho. *Dag* —3G **53**
(off Uvedale Rd.)
Clyston St. *SW8* —2G **93**
Cmabrian Clo. *SE27* —3B **110**
Coach & Horses Yd. *W1*
—7G **61** (2K **147**)
Coach Ho. La. *N5* —4B **46**
Coach Ho. La. *SW19* —4F **107**
Coach Ho. M. *SE20* —7H **111**
Coach Ho. M. *SE23* —6K **95**
Coach Ho. Yd. *NW3* —4A **44**
(off Hampstead High St.)
Coach Ho. Yd. *SW18* —4K **91**
Coaldale Wlk. *SE21* —7C **94**
Coalecroft Rd. *SW15* —4E **90**
Coalport Ho. *SE11*
—4A **78** (2J **155**)
Coal Wharf Rd. *W12* —1F **75**
Coates Av. *SW18* —6G **92**
Coates Hill Rd. *Brom* —2E **128**
Coate St. *E2* —2G **63**
Coates Wlk. *Bren* —5E **72**
Cobalt Sq. *SW8* —6K **77** (7G **155**)
Cobbett Rd. *SE9* —3C **98**
Cobbett Rd. *Twic* —1E **102**
Cobbett St. *SW8* —7K **77**
Cobble La. *N1* —7B **46**
Cobblers Wlk. *Hamp & Tedd*
—7G **103**
Cobblestone Pl. *Croy* —1C **134**
Cobbold M. *W12* —2B **74**
Cobbold Rd. *E11* —3H **49**
Cobbold Rd. *NW10* —6B **42**
Cobbold Rd. *W12* —2A **74**
Cobb's Ct. *EC4* —6B **62** (1B **150**)
Cobb's Rd. *Houn* —4D **86**
Cobb St. *E1* —5F **63** (6J **145**)
Cobden Ct. *Brom* —4A **128**
Cobden Ho. *NW1* —2G **61**
(off Arlington Rd.)
Cobden Rd. *E11* —3G **49**
Cobden Rd. *SE25* —5G **125**
Cobden St. *E14* —5D **64**
Cobham Av. *N Mald* —5C **120**
Cobham Clo. *SW11* —6C **92**
Cobham Clo. *Brom* —7C **128**
Cobham Clo. *Sidc* —6B **100**
Cobham Clo. *Wall* —6J **133**
Cobham Ct. *Mitc* —2B **122**

Cobham Ho. *Bark* —1G **67**
(in two parts)
Cobham M. *NW1* —7H **45**
Cobham Pl. *Bexh* —4E **100**
Cobham Rd. *E17* —1E **32**
Cobham Rd. *N22* —3B **30**
Cobham Rd. *Houn* —7A **70**
Cobham Rd. *Ilf* —2J **51**
Cobham Rd. *King T* —2G **119**
Cobland Rd. *SE12* —4A **114**
Coborn Rd. *E3* —3B **64**
Coborn St. *E3* —3B **64**
Cobourg Rd. *SE5*
—6F **79** (7J **157**)
Cobourg St. *NW1*
—3G **61** (2B **142**)
Coburg Clo. *SW1*
—4G **77** (3B **154**)
Coburg Cres. *SW2* —1K **109**
Coburg Gdns. *Ilf* —2B **34**
Coburg Rd. *N22* —3K **29**
Cochrane Clo. *E14* —2C **80**
(off Admirals Way)
Cochrane Clo. *NW8*
—2B **60** (1B **140**)
Cochrane Ct. *E10* —1C **48**
Cochrane M. *NW8* —2B **60**
Cochrane Rd. *SW19* —7H **107**
Cochrane St. *NW8*
—2B **60** (1B **140**)
Cockayne Way. *SE8* —4A **80**
Cockerell Rd. *E17* —6C **32**
Cockfosters Pde. *Barn* —4K **5**
Cockfosters Rd. *Pot B & Barn*
—1H **5**
Cock Hill. *E1* —5E **62** (6H **145**)
Cockhill Rd. *SE2* —3B **84**
Cock La. *EC1* —5B **62** (6A **144**)
Cockpit Steps. *SW1*
—2H **77** (7C **148**)
Cockpit Yd. *WC1*
—5K **61** (5H **143**)
Cocks Cres. *N Mald* —4B **120**
Cockspur Ct. *SW1*
—1H **77** (4D **148**)
Cockspur St. *SW1*
—1H **77** (4D **148**)
Cocksure La. *Sidc* —3G **117**
Coda Cen., The. *NW6* —1G **59**
Code St. *E1* —4F **63** (4K **145**)
Codicote Ter. *N4* —2C **46**
Codling Clo. *E1* —1G **79**
Codling Way. *Wemb* —4D **40**
Codrington Ct. *E1* —4H **63**
Codrington Ct. *SE16* —1A **80**
Codrington Hill. *SE23* —7A **96**
Codrington M. *W11* —6G **59**
Cody Clo. *Harr* —3D **24**
Cody Clo. *Wall* —7H **133**
Cody Rd. *E16* —4F **65**
Coe Av. *SE25* —6G **125**
Coe's All. *Barn* —4B **4**
Cofers Circ. *Wemb* —3H **41**
Cogan Av. *E17* —1A **32**
Coin St. *SE1* —1A **78** (4J **149**)
Coity Rd. *NW5* —6E **44**
Cokers La. *SE21* —1D **110**
Coke St. *E1* —6G **63**
Colas M. *NW6* —1J **59**
Colbeck M. *SW7* —4K **75**
Colbeck Rd. *Harr* —7G **23**
Colberg Pl. *N16* —7F **31**
Colborne Way. *Wor Pk* —3E **130**
Colburn Way. *Sutt* —3B **132**
Colby M. *SE19* —5E **110**

Colby Rd. *SE19* —5E **110**
Colchester Av. *E12* —3D **50**
Colchester Dri. *Pinn* —5B **22**
Colchester Rd. *E10* —7E **32**
Colchester Rd. *E17* —6C **32**
Colchester Rd. *Edgw* —7D **12**
Colchester St. *E1*
—6F **63** (7K **145**)
Coldbath Sq. *EC1*
—4A **62** (3J **143**)
Coldbath St. *SE13* —1D **96**
Cold Blow Cres. *Bex* —1K **117**
Cold Blow La. *SE14* —7K **79**
(in two parts)
Cold Blows. *Mitc* —3D **122**
Coldershaw Rd. *W13* —1A **72**
Coldfall Av. *N10* —2E **28**
Coldham Ct. *N22* —1B **30**
Coldharbour. *E14* —2E **80**
Coldharbour Crest. *SE9* —3E **114**
Coldharbour La. *SW9 & SE5*
—4A **94**
Coldharbour Pl. *SE5* —2C **94**
Coldharbour Rd. *Croy* —5A **134**
Coldharbour Way. *Croy* —5A **134**
Coldstream Gdns. *SW18* —6H **91**
Colebeck M. *N1* —6B **46**
Colebert Av. *E1* —4J **63**
Colebrook Clo. *SW15* —7F **91**
Colebrooke Av. *W13* —6B **56**
Colebrooke Ct. *Sidc* —4B **116**
(off Granville Rd.)
Colebrooke Dri. *E11* —7K **33**
Colebrooke Pl. *N1* —1B **62**
Colebrooke Rise. *Brom* —2G **127**
Colebrooke Row. *N1* —2B **62**
(in two parts)
Colebrook Rd. *SW16* —1J **123**
Colebrook Way. *N11* —5A **16**
Coleby Path. *SE5* —7D **78**
Cole Clo. *SE28* —1B **84**
Cole Ct. *Twic* —7A **88**
Coledale Dri. *Stan* —1C **24**
Coleford Rd. *SW18* —5A **92**
Colegrave Rd. *E15* —5F **49**
Colegrove Rd. *SE15* —6F **79**
Coleherne Ct. *SW5* —5K **75**
Coleherne M. *SW10* —5K **75**
Coleherne Rd. *SW10* —5K **75**
Colehill Gdns. *SW6* —1G **91**
Colehill La. *SW6* —1G **91**
Coleman Clo. *SE25* —2F **125**
Coleman Fields. *N1* —1C **62**
Coleman Mans. *N8* —7J **29**
Coleman Rd. *SE5* —7E **78**
Coleman Rd. *Belv* —4G **85**
Coleman Rd. *Dag* —6E **52**
Colemans Heath. *SE9* —3E **114**
Coleman St. *EC2*
—6D **62** (7E **144**)
Coleman St. Bldgs. *EC2*
—6D **62** (7E **144**)
Colenso Rd. *E5* —4J **47**
Colenso Rd. *Ilf* —1J **51**
Cole Pk. Gdns. *Twic* —6A **88**
Cole Pk. Rd. *Twic* —6A **88**
Cole Pk. View. *Twic* —6A **88**
Colepits Wood Rd. *SE9* —5H **99**
Coleraine Rd. *N8* —3A **30**
Coleraine Rd. *SE3* —6H **81**
Coleridge Av. *E12* —6C **50**
Coleridge Av. *Sutt* —4C **132**
Coleridge Clo. *SW8* —2F **93**
Coleridge Ct. *W14* —3F **75**
(off Blythe Rd.)

Coleridge Ct. *New Bar* —5E **4**
(off Station Rd.)
Coleridge Gdns. *NW6* —7A **44**
Coleridge Ho. *SE17*
—5C **78** (5D **156**)
Coleridge La. *N8* —6J **29**
Coleridge Rd. *E17* —4B **32**
Coleridge Rd. *N4* —2A **46**
Coleridge Rd. *N8* —6H **29**
Coleridge Rd. *N12* —5F **15**
Coleridge Rd. *Croy* —7J **125**
Coleridge Sq. *W13* —6A **56**
Coleridge Wlk. *NW11* —4J **27**
Cole Rd. *Twic* —6A **88**
Colesbourne Ct. *SE15* —7E **78**
Colesburg Rd. *Beck* —3B **126**
Coles Cres. *Harr* —2F **39**
Coles Grn. *Bush* —1B **10**
Coles Grn. Ct. *NW2* —2C **42**
Coles Grn. Rd. *NW2* —1C **42**
Coleshill Flats. *SW1*
—5E **76** (4H **153**)
Coleshill Rd. *Tedd* —6J **103**
Colestown St. *SW11* —2C **92**
Cole St. *SE1* —2C **78** (7D **150**)
Colesworth Ho. *Edgw* —2J **25**
(off Burnt Oak B'way.)
Colet Clo. *N13* —6G **17**
Colet Gdns. *W14* —4F **75**
Colet Ho. *SE17* —5B **78** (6B **156**)
Coley St. *WC1* —4K **61** (4H **143**)
Colfe & Hatcliffe Glebe. *SE13*
(off Lewisham High St.) —5E **96**
Colfe Rd. *SE23* —1A **112**
Colina M. *N15* —4B **30**
Colina Rd. *N15* —5B **30**
Colin Clo. *NW9* —4A **26**
Colin Clo. *Croy* —3B **136**
Colin Clo. *W Wick* —3H **137**
Colin Cres. *NW9* —4B **26**
Colindale Av. *NW9* —3K **25**
Colindale Bus. Pk. *NW9* —3J **25**
Colindeep Gdns. *NW4* —4C **26**
Colindeep La. *NW9 & NW4*
—3A **26**
Colin Dri. *NW9* —5B **26**
Colinette Rd. *SW15* —4E **90**
Colin Gdns. *NW9* —4B **26**
Colin Pde. *NW9* —4A **26**
Colin Pk. Rd. *NW9* —4A **26**
Colin Rd. *NW10* —6C **42**
Colinton Rd. *Ilf* —2B **52**
Colin Winter Ho. *E1* —4J **63**
(off Nicholas Rd.)
Coliston Pas. *SW18* —7J **91**
Coliston Rd. *SW18* —7J **91**
Collamore Av. *SW18* —1C **108**
Collapit Clo. *Harr* —6F **23**
Collard Pl. *NW1* —7F **45**
Collards Almshouses. *E17*
—5E **32**
College App. *SE10* —6E **80**
College Av. *Harr* —1J **23**
College Clo. *E9* —5J **47**
College Clo. *N18* —5A **18**
College Clo. *Harr* —7D **10**
College Clo. *Twic* —1H **103**
College Ct. *SW3* —5D **76** (6F **153**)
College Ct. *W5* —7E **56**
College Ct. *W6* —5E **74**
(off Queen Caroline St.)
College Ct. *Enf* —4D **8**
College Cres. *NW3* —6A **44**
(in two parts)

College Cross. *N1* —7A **46**
College Fields Bus. Cen. *SW19*
—1B **122**
College Gdns. *E4* —7J **9**
College Gdns. *N18* —5A **18**
College Gdns. *SE21* —1E **110**
College Gdns. *SW17* —2C **108**
College Gdns. *Enf* —1J **7**
College Gdns. *Ilf* —5C **34**
College Gdns. *N Mald* —5B **120**
College Grn. *SE19* —7E **110**
College Gro. *NW1* —1G **61**
College Hill. *EC4*
—7C **62** (2D **150**)
College Hill Rd. *Harr* —7D **10**
College La. *NW5* —4E **44**
College M. *SW1* —3J **77** (1E **154**)
College M. *SW18* —5K **91**
College Pk. Clo. *SE13* —4F **97**
College Pk. Rd. *N17* —6A **18**
College Pl. *NW1* —1G **61**
College Pl. *SW10* —7A **76**
College Point. *E15* —6H **49**
College Rd. *E17* —5E **32**
College Rd. *N17* —6A **18**
College Rd. *N21* —2F **17**
College Rd. *NW10* —2E **58**
College Rd. *SE21 & SE19* —7E **94**
College Rd. *SW19* —6B **108**
College Rd. *W13* —6B **56**
College Rd. *Brom* —1J **127**
College Rd. *Croy* —2D **134**
College Rd. *Enf* —2J **7**
College Rd. *Harr* —6J **23**
College Rd. *Har W* —1J **23**
College Rd. *Iswth* —1K **87**
College Rd. *Swan* —7K **117**
College Rd. *Wemb* —1D **40**
College Roundabout. *King T*
—3E **118**
College Row. *E9* —5K **47**
College Slip. *Brom* —1J **127**
College St. *EC4* —7C **62** (2D **150**)
College Ter. *E3* —3B **64**
College Ter. *N3* —2H **27**
College View. *SE9* —1B **114**
College Wlk. *King T* —3E **118**
College Yd. *NW5* —4F **45**
Collent St. *E9* —6J **47**
Colleraine Rd. *SE3* —6H **81**
Colless Rd. *N15* —5F **31**
Collett Rd. *SE16* —3H **79**
Collett Way. *S'hall* —2F **71**
Collier Clo. *E6* —7F **67**
Collier Clo. *Eps* —7B **130**
Collier Dri. *Edgw* —2G **25**
Collier Row La. *Romf* —1H **37**
Collier Row Rd. *Romf* —1F **37**
Colliers Ct. *Croy* —4D **134**
Colliers Shaw. *Kes* —5B **138**
Colliers Water La. *T Hth* —5A **124**
Colliers Wood. (Junct.) —7B **108**
Collindale Av. *Eri* —7H **85**
Collindale Av. *Sidc* —1A **116**
Collingbourne Rd. *W12* —1D **74**
Collingham Gdns. *SW5* —4K **75**
Collingham Pl. *SW5* —4K **75**
Collingham Rd. *SW5* —4K **75**
Collings Clo. *N22* —6E **16**
Collington St. *SE10* —5F **81**
Collingtree Rd. *SE26* —4J **111**
Collingwood Av. *N10* —3E **28**
Collingwood Av. *Surb* —7J **119**
Collingwood Clo. *SE20* —1H **125**
Collingwood Clo. *Twic* —7E **86**
Collingwood Ct. *New Bar* —5E **4**

Collingwood Rd. *E17* —6C **32**
Collingwood Rd. *N15* —4E **30**
Collingwood Rd. *Mitc* —3C **122**
Collingwood Rd. *Sutt* —3J **131**
Collingwood St. *E1* —4H **63**
Collins Av. *Stan* —2E **24**
Collins Ct. *E8* —6G **47**
Collins Dri. *Ruis* —2A **38**
Collins Ho. *E15* —1H **65**
(off John St.)
Collinson St. *SE1*
—2C **78** (7C **150**)
Collinson Wlk. *SE1*
—2C **78** (7C **150**)
Collins Path. *Hamp* —6D **102**
Collins Rd. *N5* —4C **46**
Collins Sq. *SE3* —2H **97**
Collins St. *SE3* —3G **97**
Collin's Yd. *N1* —1B **62**
Collinwood Av. *Enf* —3D **8**
Collinwood Gdns. *Ilf* —5D **34**
Collis All. *Twic* —1J **103**
Colls Rd. *SE15* —1J **95**
Collyer Av. *Croy* —4J **133**
Collyer Pl. *SE15* —1G **95**
Collyer Rd. *Bedd* —4J **133**
Colman Ct. *N12* —6F **15**
Colman Ct. *Stan* —6G **11**
Colman Pde. *Enf* —3K **7**
Colman Rd. *E16* —5A **66**
Colmar Clo. *E1* —4K **63**
Colmer Pl. *Harr* —7C **10**
Colmer Rd. *SW16* —1J **123**
Colmore M. *SE15* —1H **95**
Colmore Rd. *Enf* —4D **8**
Colnbrook St. *SE1*
—3B **78** (2A **156**)
Colne Ct. *W7* —6H **55**
(off Hobbayne Rd.)
Colne Rd. *E5* —4A **48**
Colne Rd. *N21* —7J **7**
Colne Rd. *Twic* —1J **103**
Colne St. *E13* —3J **65**
Colney Hatch La. *N11 & N10*
—6J **15**
Cologne Rd. *SW11* —4B **92**
Colombo Rd. *Ilf* —7G **35**
Colombo St. *SE1*
—1B **78** (5A **150**)
Colomb St. *SE10* —5G **81**
Colonel's Wlk. *Enf* —3G **7**
Colonial Av. *Twic* —6G **87**
Colonial Dri. *W4* —4J **73**
Colonnade. *WC1* —4J **61** (4F **143**)
Colonnades, The. *W2* —6K **59**
Colonnade, The. *SE8* —4B **80**
Colonnade Wlk. *SW1*
—4F **77** (4J **153**)
Colosseum Ter. *NW1*
—3F **61** (2K **141**)
Colour Ct. *SW1* —1G **77** (5B **148**)
Colroy Ct. *NW11* —5G **27**
Colson Rd. *Croy* —2E **134**
Colson Way. *SW16* —4G **109**
Colsterworth Rd. *N15* —4F **31**
(in two parts)
Colston Av. *Cars* —4C **132**
Colston Ct. *Cars* —4D **132**
(off West St.)
Colston Rd. *E7* —6B **50**
Colston Rd. *SW14* —4J **89**
Coltness Cres. *SE2* —5B **84**
Colton Gdns. *N17* —3C **30**
Colton Rd. *Harr* —5J **23**
Columbia Av. *Edgw* —1H **25**

Conway Rd. N15 —5B 30
Conway Rd. NW2 —2E 42
Conway Rd. SE18 —4H 83
Conway Rd. SW20 —1E 120
Conway Rd. Felt —5B 102
Conway Rd. Houn —7D 86
Conway St. W1 —4G 61 (4A 142)
(in two parts)
Conway Wlk. Hamp —6D 102
Conybeare. W4 —2E 42
Conyers Clo. Wfd G —6B 20
Conyer's Rd. SW16 —5H 109
Conyer St. E3 —2A 64
Cooden Clo. Brom —7K 113
Cookes Clo. E11 —2H 49
Cookes La. Sutt —6G 131
Cookham Cres. SE16 —2K 79
Cookham Dene Clo. Chst
—1H 129
Cookham Rd. Swan —7G 117
Cookhill Rd. SE2 —2B 84
Cook Rd. Dag —1E 68
Cook's Clo. Romf —1J 37
Cooks Hole Rd. Enf —1G 7
Cookson Gro. Eri —7H 85
Cook's Rd. E15 —2D 64
Cook's Rd. SE17
—6B 78 (7A 156)
Coolfin Rd. E16 —6J 65
Coolgardie Av. E4 —5A 20
Coolgardie Av. Chig —3K 21
Coolhurst Rd. N8 —6H 29
Cool Oak La. NW9 —1A 42
Coomassie Rd. W9 —4H 59
Coombe Av. Croy —4E 134
Coombe Bank. King T —1A 120
Coombe Clo. Edgw —2F 25
Coombe Clo. Houn —4E 86
Coombe Corner. N21 —1G 17
Coombe Cres. Hamp —7D 102
Coombe Dri. Ruis —1A 38
Coombe End. King T —7K 105
Coombefield Clo. N Mald
—5A 120
Coombe Gdns. SW20 —?C 120
Coombe Gdns. N Mald —4B 120
Coombe Hill Glade. King T
—7A 106
Coombe Hill Rd. King T —7A 106
Coombe Ho. E4 —6G 19
Coombe Ho. N7 —5H 45
Coombe Ho. Chase. N Mald
—1K 119
Coombehurst Clo. Barn —2J 5
Coombe La. SW20 —1B 120
Coombe La. Croy —5H 135
Coombe La. King T —1H 119
Coombe La. Flyover. King T
—1B 120
Coombe Lane. (Junct.) —1B 120
Coombe La. W. King T —1H 119
Coombe Lea. Brom —3C 128
Coombe Neville. King T —7K 105
Coombe Pk. King T —5J 105
Coomber Ho. SW6 —3K 91
(off Wandsworth Bri. Rd.)
Coombe Ridings. King T —5J 105
Coombe Rise. King T —1J 119
Coombe Rd. N22 —2A 30
Coombe Rd. NW10 —3K 41
Coombe Rd. SE26 —4H 111
Coombe Rd. W4 —5A 74
Coombe Rd. W13 —3B 72
Coombe Rd. Croy —4D 134
Coombe Rd. Hamp —6D 102

Coombe Rd. King T —1G 119
Coombe Rd. N Mald —2A 120
Coomber Way. Croy —7H 123
Coombes Rd. Dag —1F 69
Coombe Wlk. Sutt —3K 131
Coombe Wood Dri. Romf —6F 37
Coombewood Rd. King T
—5J 105
Coombs St. N1 —2B 62 (1B 144)
Coomer M. SW6 —6H 75
Coomer Pl. SW6 —6H 75
Coomer Rd. SW6 —6H 75
Cooms Wlk. Edgw —1J 25
Cooperage Clo. N17 —6A 18
Cooper Av. E17 —1A 32
Cooper Clo. SE1
—2A 78 (7K 149)
Cooper Ct. E15 —5D 48
Cooper Cres. Cars —3D 132
Cooper Ho. Houn —3D 86
Cooper Rd. NW4 —6F 27
Cooper Rd. NW10 —5B 42
Cooper Rd. Croy —5A 134
Coopersale Clo. Wfd G —7F 21
Coopersale Rd. E9 —5K 47
Coopers Clo. E1 —4J 63
Coopers Clo. Dag —6H 53
Coopers Ct. Iswth —2K 87
(off Woodlands Rd.)
Coopers La. E10 —1D 48
Coopers La. NW1 —2H 61
Cooper's La. SE12 —2K 113
Cooper's Rd. SE1
—5F 79 (6K 157)
Cooper's Row. EC3
—7F 63 (2J 151)
Cooper St. E16 —5H 65
Coopers Wlk. E15 —5G 49
Cooper's Yd. SE19 —6E 110
Coote Gdns. Dag —3F 53
Coote Rd. Bexh —1F 101
Coote Rd. Dag —3F 53
Copeland Dri. E14 —4C 80
Copeland Ho. SE11
—3K 77 (2H 155)
Copeland Rd. E17 —6D 32
Copeland Rd. SE15 —2H 95
Copeman Clo. SE26 —5J 111
Copenhagen Gdns. W4 —2K 73
Copenhagen Ho. N1 —1A 62
(off Barnsbury Est.)
Copenhagen Pl. E14 —6B 64
Copenhagen St. N1 —1J 61
Cope Pl. W8 —3J 75
Copers Cope Rd. Beck —7B 112
Cope St. SE16 —4K 79
Copford Clo. Wfd G —6H 21
Copford Wlk. N1 —1C 62
(off Popham St.)
Copinger Wlk. Edgw —1I 25
Copland Av. Wemb —5D 40
Copland Clo. Wemb —5C 40
Copland M. Wemb —6E 40
Copland Rd. Wemb —6E 40
Copleston M. SE15 —2F 95
Copleston Pas. SE15 —2F 95
Copleston Rd. SE15 —3F 95
Copley Clo. SE17
—6C 78 (7C 156)
Copley Clo. W7 —4K 55
Copley Dene. Brom —1B 128
Copley Pk. SW16 —6K 109
Copley Rd. Stan —5H 11
Copley St. E1 —5K 63
Copnor Way. SE15 —7F 79

Coppelia Rd. SE3 —4H 97
Coppen Rd. Dag —7F 37
Copperas St. SE8 —6D 80
Copperbeech Clo. NW3 —5B 44
Copper Beech Clo. Ilf —1D 34
—1H 87
Copper Clo. SE19 —7F 111
Copperfield Dri. N15 —4F 31
Copperfield M. N18 —4K 17
Copperfield Rd. E3 —4A 64
Copperfield Rd. SE28 —6C 68
Copperfields. Beck —1E 126
Copperfields. Harr —7J 23
Copperfields Ct. W3 —2G 73
Copperfield St. SE1
—2B 78 (6B 150)
Copperfield Way. Chst —6G 115
Copperfield Way. Pinn —4D 22
Coppergate Clo. Brom —1K 127
Copper Mead Clo. NW2 —3E 42
Copper Mill Dri. Iswth —2K 87
Coppermill La. E17 —6J 31
Copper Mill La. SW17 —4A 108
Copper Row. SE1
—1F 79 (5J 151)
Coppetts Cen. N11 —7J 15
Coppetts Clo. N12 —7H 15
Coppetts Rd. N10 —7J 15
Coppice Clo. SW20 —3E 120
Coppice Clo. Stan —6E 10
Coppice Dri. SW15 —6D 90
Coppice, The. Enf —4G 7
Coppice, The. New Bar —6E 4
(off Gt. North Rd.)
Coppice Wlk. N20 —3D 14
Coppice Way. E18 —4H 33
Coppies Gro. N11 —4K 15
Copping Clo. Croy —4E 134
Coppins, The. Harr —6D 10
Coppins, The. New Ad —6D 136
Coppock Clo. SW11 —2C 92
Copse Av. W Wick —3D 136
Copse Clo. SE7 —6K 81
Copse Glade. Surb —7D 118
Copse Hill. SW20 —1C 120
Copse Hill. Sutt —7K 131
Copse, The. E4 —1C 20
Copse, The. N2 —3D 28
Copse View. S Croy —7K 135
Copsewood Clo. Sidc —6J 99
Coptefield Dri. Belv —3D 84
Copthall Av. EC2
—6D 62 (7F 145)
Copthall Bldgs. EC2
—6D 62 (7F 145)
Copthall Clo. EC2
—6D 62 (7E 144)
Copthall Dri. NW7 —7H 13
Copthall Gdns. NW7 —7H 13
Copthall Gdns. Twic —1K 103
Copthorne Av. SW12 —7H 93
Copthorne Av. Brom —2D 138
Coptic St. WC1 —5J 61 (6E 142)
Copwood Clo. N12 —4G 15
Coral Clo. Romf —4C 36
Coraline Clo. S'hall —3D 54
Coralline Wlk. SE2 —2C 84
Coral Row. SW11 —3A 92
Coral St. SE1 —2A 78 (7K 149)
Coram Ho. W4 —5A 74
(off Wood St.)
Coram Ho. WC1 —4J 61 (3E 142)
Coram St. WC1 —4J 61 (4E 142)
Coran Clo. N9 —7E 8

Corban Rd. Houn —3E 86
Corbar Clo. Barn —1G 5
Corbet Clo. Wall —1E 132
Corbet Ct. EC3 —6D 62 (1F 151)
Corbet Pl. E1 —5F 63 (5J 145)
Corbett Ct. SE26 —4B 112
Corbett Gro. N22 —7D 16
Corbett Rd. E11 —6A 34
Corbett Rd. E17 —3E 32
Corbetts La. SE16 —4J 79
(in two parts)
Corbetts Pas. SE16 —4J 79
(off Corbetts La.)
Corbett W. E11 —6A 34
Corbicum. E11 —7G 33
Corbiere Ct. SW19 —6F 107
Corbins La. Harr —3F 39
Corbridge. N17 —7C 18
Corbridge Cres. E2 —2H 63
Corby Cres. Enf —4D 6
Corbylands Rd. Sidc —1J 115
Corbyn St. N4 —1J 45
Corby Rd. NW10 —2K 57
Corby Way. E3 —4C 64
Cordelia Clo. SE24 —4B 94
Cordelia Ho. N1 —2E 62
(off Arden Est.)
Cordelia St. E14 —6D 64
Cordell Ho. N15 —5F 31
(off Newton Rd.)
Cording St. E14 —5D 64
Cordwainers Wlk. E13 —2J 65
Cord Way. E14 —3C 80
Cordwell Rd. SE13 —5G 97
Corelli Ct. SW5 —4J 75
(off W. Cromwell Rd.)
Corelli Rd. SE3 —2C 98
Corfe Av. Harr —4E 38
Corfe Clo. Hayes —6A 54
Corfe Ho. SW8 —7K 77
(off Dorset Rd.)
Corfe Tower. W3 —2J 73
Corfield St. E2 —3H 63
Corfton Lodge. W5 —5E 56
Corfton Rd. W5 —6E 56
Coriander Av. E14 —6F 65
Cories Clo. Dag —2D 52
Corinium Clo. Wemb —4F 41
Corinne Rd. N19 —4G 45
Corinthian Manorway. Eri —4K 85
Corinthian Rd. Eri —4K 85
Corkers Path. Ilf —2G 51
Corker Wlk. N7 —2K 45
Corkran Rd. Surb —7D 118
Corkscrew Hill. W Wick —2E 136
Cork Sq. E1 —1H 79
Cork St. W1 —7G 61 (3A 148)
Cork St. M. W1 —7G 61 (3A 148)
Cork Tree Est., The. E4 —5F 19
Cork Tree Ho. SE27 —5B 110
(off Lakeview Rd.)
Cork Tree Way. E4 —5F 19
Corlett St. NW1 —5C 60 (5C 140)
Cormont Rd. SE5 —1B 94
Cormorant Clo. E17 —7E 18
Cormorant Ct. SE8 —6B 80
(off Pilot Clo.)
Cormorant Rd. E7 —5H 49
Cornbury Ho. SE8 —6B 80
(off Evelyn St.)
Cornbury Rd. Edgw —7J 11
Cornel Ho. Sidc —3A 116
Cornelia St. N7 —6K 45
Cornell Clo. Sidc —6E 116
Cornell Ho. S Harr —3D 38

Corner Fielde. SW2 —1K 109
Corner Grn. SE3 —2J 97
Corner Ho. St. WC2
—1J 77 (4E 148)
Corner Mead. NW9 —7G 13
Cornerstone Ho. Croy —7C 124
Corney Reach Way. W4 —6A 74
Corney Rd. W4 —6A 74
Cornfield. Rd. N21 —5E 6
Cornflower La. Croy —1K 135
Cornflower Ter. SE22 —6H 95
Cornford Clo. Brom —5J 127
Cornford Gro. SW12 —2F 109
Cornhill. EC3 —6D 62 (1F 151)
Cornish Clo. N9 —7C 8
Cornish Gro. SE20 —1H 125
Cornish Ho. Bren —5F 73
Corn Mill Dri. Orp —7K 129
Cornmill La. SE13 —3E 96
Cornmow Dri. NW10 —5B 42
Cornshaw Rd. Dag —1D 52
Cornthwaite Rd. E5 —3J 47
Cornwall Av. E2 —3J 63
Cornwall Av. N3 —7D 14
Cornwall Av. N22 —1J 29
Cornwall Av. S'hall —5D 54
Cornwall Av. Well —3J 99
Cornwall Clo. Bark —6K 51
Cornwall Ct. W7 —4K 55
(off Copley Clo.)
Cornwall Ct. Pinn —1D 22
Cornwall Cres. W11 —6G 59
Cornwall Dri. Orp —7C 116
Cornwall Gdns. NW10 —6D 42
Cornwall Gdns. SE25 —5F 125
Cornwall Gdns. SW7 —3K 75
Cornwall Gdns. Wlk. SW7
—3K 75
Cornwall Ga. Purl —4J 85
Cornwall Gro. W4 —5A 74
Cornwallis Av. N9 —2C 18
Cornwallis Av. SE9 —2H 115
Cornwallis Ct. SW8 —1J 93
(off Lansdowne Grn.)
Cornwallis Gro. N9 —2C 18
Cornwallis Ho. W12 —7D 58
(off India Way)
Cornwallis Rd. E17 —4K 31
Cornwallis Rd. N9 —2C 18
Cornwallis Rd. N19 —2J 45
Cornwallis Rd. Dag —4D 52
Cornwallis Sq. N19 —2J 45
Cornwallis Wlk. SE9 —3D 98
Cornwall M. S. SW7 —3A 76
Cornwall M. W. SW7 —3K 75
Cornwall Rd. N4 —7A 30
Cornwall Rd. N15 —5D 30
Cornwall Rd. N18 —5B 18
Cornwall Rd. SE1
—1A 78 (4J 149)
Cornwall Rd. Croy —2B 134
Cornwall Rd. Harr —6G 23
Cornwall Rd. Pinn —1D 22
Cornwall Rd. Sutt —7H 131
Cornwall Rd. Twic —7A 88
Cornwall St. E1 —7H 63
Cornwall Ter. NW1
—4D 60 (4F 141)
Cornwall Ter. M. NW1
—4D 60 (4F 141)
Corn Way. E11 —3F 49
Cornwell Cres. E7 —4A 50
Cornwood Clo. N2 —5B 28
Cornwood Dri. E1 —6J 63
Cornworthy Rd. Dag —5C 52

Crabtree Clo. *E2* —2F **63**
Crabtree Ct. *E15* —5D **48**
Crabtree Ct. *New Bar* —4E **4**
Crabtree La. *SW6* —7E **74**
(in two parts)
Crabtree Manorway N. *Belv*
—2J **85**
Crabtree Manorway S. *Belv*
(in two parts) —3J **85**
Crabtree Wlk. *SE15* —1F **95**
(off Exeter Rd.)
Crabtree Wlk. *Croy* —1G **135**
Crace St. *NW1* —3H **61** (1C **142**)
Craddock Rd. *Enf* —3A **8**
Craddock St. *NW5* —6E **44**
Cradley Rd. *SE9* —1H **115**
Craigen Av. *Croy* —1H **135**
Craigerne Rd. *SE3* —7K **81**
Craig Gdns. *E18* —2H **33**
Craigholm. *SE18* —2E **98**
Craigmuir Pk. *Wemb* —1F **57**
Craignair Rd. *SW2* —7A **94**
Craignish Av. *SW16* —2K **123**
Craig Pk. Rd. *N18* —5C **18**
Craig Rd. *Rich* —4C **104**
Craig's Ct. *SW1* —1J **77** (4E **148**)
Craigton Rd. *SE9* —4D **98**
Craigweil Clo. *Stan* —5J **11**
Craigweil Dri. *Stan* —5J **11**
Crailey Av. *Enf* —2A **8**
Crail Row. *SE17* —4D **78** (4F **157**)
Cramer St. *W1* —5E **60** (6H **141**)
Crammond Clo. *W6* —6G **75**
Cramonde Ct. *Well* —2A **100**
Crampton Rd. *SE20* —6J **111**
Crampton St. *SE17*
—4C **78** (4C **156**)
Cranberry Clo. *N'holt* —2B **54**
Cranberry La. *E16* —4G **65**
Cranborne Av. *S'hall* —4E **70**
Cranborne Rd. *Bark* —1H **67**
Cranborne Waye. *Hayes* —6A **54**
(in two parts)
Cranbourne Av. *E11* —4K **33**
Cranbourne Clo. *SW16* —3J **123**
Cranbourne Dri. *Pinn* —5B **22**
Cranbourne Gdns. *NW11* —5G **27**
Cranbourne Gdns. *Ilf* —3G **35**
Cranbourne Rd. *E12* —5C **50**
Cranbourne Rd. *E15* —4E **48**
Cranbourne Rd. *N10* —2F **29**
Cranbourn Ho. *SE16* —2H **79**
(off Marigold St.)
Cranbourn Pas. *SE16* —2H **79**
(off Wilson Gro.)
Cranbourn Pl. *SE16* —2H **79**
Cranbourn St. *WC2*
—7H **61** (2D **148**)
Cranbrook Clo. *Brom* —6J **127**
Cranbrook Ct. *Bren* —6D **72**
(off Somerset Rd.)
Cranbrook Dri. *Twic* —1F **103**
Cranbrook Est. *E2* —2K **63**
Cranbrook M. *E17* —5B **32**
Cranbrook Pk. *N22* —1A **30**
Cranbrook Point. *E16* —1J **81**
Cranbrook Rd. *Ilf* —6D **34**
Cranbrook Rd. *SE8* —1C **96**
Cranbrook Rd. *SW19* —7G **107**
Cranbrook Rd. *W4* —5A **74**
Cranbrook Rd. *Barn* —6G **5**
Cranbrook Rd. *Bexh* —1F **101**
Cranbrook Rd. *Houn* —4D **86**
Cranbrook Rd. *Ilf* —7E **34**
Cranbrook Rd. *T Hth* —2C **124**

Cranbrook St. *E2* —2K **63**
Cranbury Rd. *SW6* —2K **91**
Crandley Ct. *SE8* —4A **80**
Crane Av. *W3* —7J **57**
Crane Av. *Iswth* —5A **88**
Cranebrook. *Twic* —2G **103**
Crane Clo. *Dag* —6G **53**
Crane Clo. *Harr* —3G **39**
Crane Ct. *EC4* —6A **62** (1K **149**)
Craneford Clo. *Twic* —7K **87**
Craneford Way. *Twic* —7J **87**
Crane Gro. *N7* —6A **46**
Crane Ho. *Felt* —3E **102**
Crane Lodge Rd. *Houn* —6A **70**
Cranemead. *SE16* —4K **79**
Crane Mead Ct. *Twic* —7K **87**
Crane Pk. Rd. *Twic* —2F **103**
Crane Rd. *Twic* —1J **103**
Cranes Dri. *Surb* —4F **119**
Cranes Pk. *Surb* —4E **118**
Cranes Pk. Av. *Surb* —4F **119**
Cranes Pk. Cres. *Surb* —4F **119**
Crane St. *SE10* —5F **81**
Craneswater Pk. *S'hall* —5D **70**
Crane Way. *Twic* —7G **87**
Cranfield Clo. *SE27* —3C **110**
Cranfield Ct. *W1*
—5C **60** (6D **140**)
Cranfield Dri. *NW9* —7F **13**
Cranfield Rd. *SE4* —3B **96**
Cranfield Rd. E. *Cars* —7E **132**
Cranfield Rd. W. *Cars* —7E **132**
Cranfield Row. *SE1*
—3D **78** (1K **155**)
Cranford Av. *N13* —5D **16**
Cranford Clo. *SW20* —7D **106**
Cranford La. *Houn* —7A **70**
Cranford St. *E1* —7K **63**
Cranford Way. *N8* —4K **29**
Cranhurst Rd. *NW2* —5E **42**
Cranleigh Clo. *SE20* —1H **125**
Cranleigh Clo. *Bex* —6H **101**
Cranleigh Ct. *Rich* —3G **89**
Cranleigh Ct. *S'hall* —6D **54**
Cranleigh Gdns. *N21* —5F **7**
Cranleigh Gdns. *SE25* —3E **124**
Cranleigh Gdns. *Bark* —7H **51**
Cranleigh Gdns. *Harr* —5E **24**
Cranleigh Gdns. *King T* —6F **105**
Cranleigh Gdns. *S'hall* —6D **54**
Cranleigh Gdns. *Sutt* —2K **131**
Cranleigh Gdns. Ind. Est. *S'hall*
—6D **54**
Cranleigh M. *SW11* —2C **92**
Cranleigh Rd. *N15* —5C **30**
Cranleigh Rd. *SW19* —3J **121**
Cranleigh St. *NW1* —2G **61**
Cranley Dene Ct. *N10* —4F **29**
Cranley Dri. *Ilf* —7G **35**
Cranley Gdns. *N10* —4F **29**
Cranley Gdns. *N13* —3E **16**
Cranley Gdns. *SW7*
—5A **76** (5A **152**)
Cranley Gdns. *Wall* —7G **133**
Cranley M. *SW7*
—5A **76** (5A **152**)
Cranley Pde. *SE9* —4C **114**
(off Beaconsfield Rd.)
Cranley Pl. *SW7* —4B **76** (4A **152**)
Cranley Rd. *E13* —5K **65**
Cranley Rd. *Ilf* —6G **35**
Cranmer Av. *W13* —3B **72**
Cranmer Clo. *Mord* —6F **121**
Cranmer Clo. *Ruis* —1B **38**
Cranmer Clo. *Stan* —7H **11**

Cranmer Ct. *N3* —2G **27**
Cranmer Ct. *SW3*
—4C **76** (4D **152**)
Cranmer Ct. *SW4* —3H **93**
Cranmere Ct. *Enf* —2F **7**
Cranmer Farm Clo. *Mitc*
—4D **122**
Cranmer Gdns. *Dag* —4J **53**
Cranmer Ho. *SW9* —7A **78**
(off Brixton Rd.)
Cranmer Rd. *E7* —4K **49**
Cranmer Rd. *SW9* —7A **78**
Cranmer Rd. *Croy* —3B **134**
Cranmer Rd. *Edgw* —3C **12**
Cranmer Rd. *Hamp* —5F **103**
Cranmer Rd. *King T* —5E **104**
Cranmer Rd. *Mitc* —4D **122**
Cranmer Ter. *SW17* —5B **108**
Cranmore Av. *Iswth* —7G **71**
Cranmore Rd. *Brom* —3H **113**
Cranmore Rd. *Chst* —5D **114**
Cranmore Way. *N10* —4G **29**
Cranston Clo. *Houn* —2C **86**
Cranston Est. *N1* —2D **62**
Cranston Gdns. *E4* —6J **19**
Cranston Rd. *SE23* —1A **112**
Cranswick Rd. *SE16* —5H **79**
Crantock Rd. *SE6* —2D **112**
Cranwell Clo. *E3* —4D **64**
Cranwich Av. *N21* —7J **7**
Cranwich Rd. *N16* —7D **30**
Cranwood St. *EC1*
—3D **62** (2F **145**)
Cranworth Cres. *E4* —1A **20**
Cranworth Gdns. *SW9* —1A **94**
Craster Rd. *SW2* —7K **93**
Crathie Rd. *SE12* —6K **97**
Craven Av. *W5* —7C **56**
Craven Av. *S'hall* —5D **54**
Craven Clo. *N16* —7G **31**
Craven Ct. *NW10* —1A **58**
Craven Ct. *Romf* —6E **36**
Craven Gdns. *SW19* —5J **107**
Craven Gdns. *Bark* —2J **67**
Craven Gdns. *Ilf* —2H **35**
Craven Hill. *W2* —7A **60**
Craven Hill Gdns. *W2* —7A **60**
(in four parts)
Craven Hill M. *W2* —7A **60**
Craven Pk. *NW10* —1K **57**
Craven Pk. M. *NW10* —7A **42**
Craven Pk. Rd. *N15* —6F **31**
Craven Pk. Rd. *NW10* —1A **58**
Craven Rd. *NW10* —1K **57**
Craven Rd. *W2* —7A **60** (2A **146**)
Craven Rd. *W5* —7C **56**
Craven Rd. *Croy* —1H **135**
Craven Rd. *King T* —1F **119**
Craven St. *WC2* —1J **77** (4E **148**)
Craven Ter. *W2* —7A **60** (2A **146**)
Craven Wlk. *N16* —7G **31**
Crawford Av. *Wemb* —5D **40**
Crawford Clo. *Iswth* —2J **87**
Crawford Est. *SE5* —2C **94**
Crawford Gdns. *N13* —3G **17**
Crawford Gdns. *N'holt* —3D **54**
Crawford M. *W1*
—5D **60** (6E **140**)
Crawford Pas. *EC1*
—4A **62** (4K **143**)
Crawford Pl. *W1*
—6C **60** (7D **140**)

Crawford Point. *E16* —6H **65**
(off Wouldham Rd.)
Crawford Rd. *SE5* —1C **94**
Crawford St. *W1*
—5C **60** (6E **140**)
Crawley Rd. *E10* —1D **48**
Crawley Rd. *N22* —2C **30**
Crawley Rd. *Enf* —7K **7**
Crawshay Ct. *SW9* —1A **94**
Crawthew Gro. *SE22* —4F **95**
Craybrooke Rd. *Sidc* —4B **116**
Craybury End. *SE9* —2G **115**
Crayford Clo. *E6* —6C **66**
Crayford Rd. *N7* —4H **45**
Cray Rd. *Belv* —6G **85**
Cray Rd. *Sidc* —6C **116**
Cray Valley Rd. *Orp* —5K **129**
Crealock Gro. *Wfd G* —5C **20**
Crealock St. *SW18* —6K **91**
Creasy Est. *SE1* —3E **78** (2G **157**)
Crebor St. *SE22* —6G **95**
Credenhall Dri. *Brom* —1D **138**
Credenhill Ho. *SE15* —7H **79**
Credenhill St. *SW16* —6G **109**
Crediton Hill. *NW6* —5K **43**
Crediton Rd. *E16* —6J **65**
Crediton Rd. *NW10* —1F **59**
Credon Rd. *E13* —2A **66**
Credon Rd. *SE16* —5H **79**
Creechurch La. *EC3*
—6E **62** (1H **151**)
Creechurch Pl. *EC3*
—6E **62** (1H **151**)
Creed Ct. *EC4* —6B **62** (1B **150**)
Creed La. *EC4* —6B **62** (1B **150**)
Creek Rd. *SE8 & SE10* —6C **80**
Creek Rd. *Bark* —3K **67**
Creekside. *SE8* —7B **80**
Creek Way. *Rain* —5K **69**
Creeland Gro. *SE6* —1B **112**
Crefeld Clo. *W6* —6G **75**
Creffield Rd. *W5 & W3* —7F **57**
Creighton Av. *E6* —2B **66**
Creighton Av. *N2 & N10* —3C **28**
Creighton Clo. *W12* —7C **58**
Creighton Rd. *N17* —7K **17**
Creighton Rd. *NW6* —2F **59**
Creighton Rd. *W5* —3D **72**
Cremer St. *E2* —2F **63** (1J **145**)
Cremorne Est. *SW10* —7A **76**
Cremorne Rd. *SW10* —7A **76**
Crescent. *EC3* —7F **63** (2J **151**)
Crescent Ct. *Surb* —5D **118**
Crescent Ct. Bus. Cen. *E16*
—4F **65**
Crescent Dri. *Orp* —6F **129**
Crescent E. *Barn* —1F **5**
Crescent Gdns. *SW19* —3J **107**
Crescent Gdns. *Ruis* —7A **22**
Crescent Gro. *SW4* —4G **93**
Crescent Gro. *Mitc* —5C **122**
Crescent La. *SW4* —4G **93**
Crescent M. *N22* —1J **29**
Crescent Pl. *SW3*
—4C **76** (3D **152**)
Crescent Rise. *N22* —1H **29**
Crescent Rise. *Barn* —5H **5**
Crescent Rd. *E4* —1B **20**
Crescent Rd. *E6* —1A **66**
Crescent Rd. *E10* —2D **48**
Crescent Rd. *E13* —1J **65**
Crescent Rd. *E18* —1A **34**
Crescent Rd. *N3* —1H **27**
Crescent Rd. *N8* —6H **29**
Crescent Rd. *N9* —1B **18**

Crescent Rd. *N11* —4J **15**
Crescent Rd. *N15* —3B **30**
Crescent Rd. *N22* —1H **29**
Crescent Rd. *SE18* —5F **83**
Crescent Rd. *SW20* —1F **121**
Crescent Rd. *Barn* —4G **5**
Crescent Rd. *Beck* —2D **126**
Crescent Rd. *Brom* —7J **113**
Crescent Rd. *Dag* —3H **53**
Crescent Rd. *Enf* —4G **7**
Crescent Rd. *King T* —7G **105**
Crescent Rd. *Sidc* —3K **115**
Crescent Row. *EC1*
—4C **62** (4C **144**)
Crescent Stables. *SW15* —5G **91**
Crescent St. *N1* —7K **45**
Crescent, The. *E17* —5A **32**
Crescent, The. *N9* —2C **18**
Crescent, The. *N11* —4K **15**
Crescent, The. *NW2* —3D **42**
Crescent, The. *SW13* —2C **90**
Crescent, The. *SW19* —3J **107**
Crescent, The. *W3* —6A **58**
Crescent, The. *Barn* —2E **4**
Crescent, The. *Beck* —1C **126**
Crescent, The. *Bex* —7C **100**
Crescent, The. *Croy* —6D **124**
Crescent, The. *Harr* —1G **39**
Crescent, The. *Ilf* —6E **34**
Crescent, The. *N Mald* —2K **119**
Crescent, The. *Sidc* —4K **115**
Crescent, The. *S'hall* —2D **70**
Crescent, The. *Surb* —5E **118**
Crescent, The. *Sutt* —5B **132**
Crescent, The. *Wemb* —2B **40**
Crescent, The. *W Wick* —6G **127**
Crescent Way. *N12* —6H **15**
Crescent Way. *SE4* —3C **96**
Crescent Way. *SW16* —6K **109**
Crescent W. *Barn* —1F **5**
Crescent Wood Rd. *SE26*
—3G **111**
Cresford Rd. *SW6* —1K **91**
Crespigny Rd. *NW4* —6D **26**
Cressage Clo. *S'hall* —4E **54**
Cressage Ho. *Bren* —6E **72**
(off Ealing Rd.)
Cresset Rd. *E9* —6J **47**
Cresset St. *SW4* —3H **93**
Cressfel. *Sidc* —5B **116**
Cressfield Clo. *NW5* —5E **44**
Cressida Rd. *N19* —1G **45**
Cressingham Gdns. Est. *SW2*
—7A **94**
Cressingham Gro. *Sutt* —4A **132**
Cressingham Rd. *SE13* —3E **96**
Cressingham Rd. *Edgw* —6E **12**
Cressington Clo. *N16* —5E **46**
Cresswell. *NW9* —2B **26**
Cresswell Gdns. *SW5* —5A **76**
Cresswell Pk. *SE3* —3H **97**
Cresswell Pl. *SW10* —5A **76**
Cresswell Rd. *SE25* —4G **125**
Cresswell Rd. *Felt* —3C **102**
Cresswell Rd. *Twic* —6D **88**
Cresswell Way. *N21* —7F **7**
Cressy Ct. *E1* —5J **63**
Cressy Ct. *W6* —3D **74**
Cressy Houses. *E1* —5J **63**
(off Hannibal Rd.)
Cressy Pl. *E1* —5J **63**
Cressy Rd. *NW3* —5D **44**
Cresta Ct. *W5* —4F **57**
Crestbrook Av. *N13* —3G **17**

Crestbrook Pl. N13 —3G 17
(off Green Lanes)
Crest Ct. NW4 —5E 26
Crest Dri. Enf —1D 8
Crestfield St. WC1
　　　　　—3J 61 (1F 143)
Crest Gdns. Ruis —3A 38
Creston Way. Wor Pk —1F 131
Crest Rd. NW2 —2C 42
Crest Rd. Brom —7H 127
Crest Rd. S Croy —7H 135
Crest, The. N13 —4F 17
Crest, The. NW4 —5F 27
Crest, The. Surb —5G 119
Crest View. Pinn —4B 22
Crest View Dri. Pet W —5F 129
Crestway. SW15 —6C 90
Crestwood Way. Houn —5D 86
Creswick Ct. W3 —7H 57
Creswick Rd. W3 —7H 57
Creswick Wlk. E3 —3C 64
Creswick Wlk. NW11 —4H 27
Creton St. SE18 —3E 82
Crewdson Rd. SW9 —7A 78
Crewe Pl. NW10 —3B 58
Crews St. E14 —4C 80
Crewys Rd. NW2 —2H 43
Crewys Rd. SE15 —2H 95
Crichton Av. Wall —5H 133
Crichton Rd. Romf —7G 37
Crichton Ho. Sidc —6D 116
Crichton Rd. Cars —7D 132
Crichton St. SW8 —2G 93
Cricketers Arms Rd. Enf —2H 7
Cricketers Clo. N14 —7B 6
Cricketers Clo. Eri —5K 85
Cricketer's Ct. SE11
　　　　　—4B 78 (4A 156)
Cricketers Rd. Enf —2H 7
Cricketers Ter. Cars —3C 132
Cricketers Wlk. SE26 —5J 111
Cricketfield Rd. E5 —4H 47
Cricket Grn. Mitc —3D 122
Cricket Ground Rd. Chst —1F 129
Cricket La. Beck —6A 112
Cricklade Av. SW2 —2A 110
Cricklewood B'way. NW2 —3E 42
Cricklewood La. NW2 —4F 43
Cricklewood Trad. Est. NW2
　　　　　—3F 43
Cridland St. E15 —1H 65
Crieff Ct. Tedd —7C 104
Crieff Rd. SW18 —6A 92
Criffel Av. SW2 —2H 109
Crimscott St. SE1
　　　　　—3E 78 (2H 157)
Crimsworth Rd. SW8 —1H 93
Crinan St. N1 —2J 61
Cringle St. SW8 —7G 77
Crispe Ho. N1 —1K 61
(off Barnsbury Est.)
Crispe Ho. Bark —2H 67
Crispen Rd. Felt —4C 102
Crispian Clo. NW10 —4A 42
Crispin Clo. Croy —2J 133
Crispin Cres. Croy —3H 133
Crispin Lodge. N11 —5J 15
Crispin Rd. Edgw —6D 12
Crispin St. E1 —5F 63 (6J 145)
Crisp Rd. W6 —5E 74
Cristowe Rd. SW6 —2H 91
Criterion M. N19 —2H 45
Crittall's Corner. (Junct.)
　　　　　—7C 116
Crockerton Rd. SW17 —2D 108

Crockham Way. SE9 —4E 114
Crocus Clo. Croy —1K 135
Crocus Field. Barn —6C 4
Croft Av. W Wick —1E 136
Croft Clo. NW7 —3F 13
Croft Clo. Belv —5F 85
Croft Clo. Chst —5D 114
Croft Ct. SE13 —6E 96
Croftdown Rd. NW5 —3E 44
Crofters Clo. Iswth —5H 87
Crofters Mead. Croy —7B 136
Crofters Way. NW1 —1H 61
Croft Gdns. W7 —2A 72
Croft Ho. E17 —4D 32
Croft Lodge Clo. Wfd G —6E 20
Croft M. N12 —3F 15
Crofton Av. W4 —7K 73
Crofton Av. Bex —7D 100
Croftongate Way. SE4 —5A 96
Crofton Gro. E4 —4A 20
Crofton La. Orp —7H 129
Crofton Pk. Rd. SE4 —6B 96
Crofton Rd. E13 —4K 65
Crofton Rd. SE5 —1E 94
Crofton Rd. Orp —3E 138
Crofton Ter. E5 —5A 48
Crofton Ter. Rich —4F 89
Crofton Way. Barn —6E 4
Crofton Way. Enf —2F 7
Croft Rd. SW16 —1A 124
Croft Rd. SW19 —7A 108
Croft Rd. Brom —6J 113
Croft Rd. Enf —1F 9
Croft Rd. Sutt —5C 132
Croftside. The. SE25 —3G 125
Crofts La. N22 —7F 17
Crofts Rd. Harr —6A 24
Crofts St. E1 —7G 63 (3K 151)
Croft St. SE8 —4A 80
Crofts Vs. Harr —6A 24
Croft, The. E4 —2B 20
Croft, The. NW10 —2B 58
Croft, The. W5 —5E 56
Croft, The. Barn —4B 4
Croft, The. Houn —7C 70
Croft, The. Pinn —7D 22
Croft, The. Ruis —4A 38
Croft, The. Wemb —5C 40
Croftway. NW3 —4J 43
Croftway. Rich —3B 104
Croft Way. Sidc —3J 115
Crogsland Rd. NW1 —7E 44
Croham Clo. S Croy —7E 134
Croham Mnr. Rd. S Croy
　　　　　—7E 134
Croham Mt. S Croy —7E 134
Croham Pk. Av. S Croy —5F 135
Croham Rd. S Croy —5E 134
Croham Valley Rd. S Croy
　　　　　—6G 135
Croindene Rd. SW16 —1J 123
Crokesley Ho. Edgw —2J 25
(off Burnt Oak B'way.)
Cromartie Rd. N19 —7H 29
Cromarty Ct. SW2 —5K 93
Cromarty Rd. Edgw —2C 12
Cromberdale Ct. N17 —1G 31
(off Spencer Rd.)
Crombie Clo. IIf —5D 34
Crombie M. SW11 —2C 92
Crombie Rd. Sidc —1H 115
Crome Ho. N'holt —2B 54
(off Parkfield Dri.)
Cromer Pl. Orp —7H 129
Cromer Rd. E10 —7F 33

Cromer Rd. N17 —2G 31
Cromer Rd. SE25 —3H 125
Cromer Rd. SW17 —6E 108
Cromer Rd. Chad H —6E 36
Cromer Rd. New Bar —4F 5
Cromer Rd. Romf —6J 37
Cromer Rd. Wfd G —4D 20
Cromer St. WC1 —3J 61 (2E 142)
Cromer Ter. E8 —5G 47
Cromer Vs. Rd. SW18 —6H 91
Cromford Path. E5 —4K 47
Cromford Rd. SW18 —5J 91
Cromford Way. N Mald —1K 119
Cromlix Clo. Chst —2F 129
Crompton St. W2
　　　　　—4B 60 (4A 140)
Cromwell Av. N6 —1F 45
Cromwell Av. W6 —5D 74
Cromwell Av. Brom —4K 127
Cromwell Av. N Mald —5B 120
Cromwell Cen. NW10 —3K 57
Cromwell Cen., The. Dag —7F 37
(off Selinas La.)
Cromwell Clo. E1 —1G 79
Cromwell Clo. N2 —4B 28
Cromwell Clo. W3 —1J 73
(in two parts)
Cromwell Clo. Brom —4K 127
Cromwell Ct. Enf —5E 8
Cromwell Cres. SW5 —4J 75
Cromwell Gdns. SW7
　　　　　—3B 76 (2B 152)
Cromwell Gro. W6 —3E 74
Cromwell Highwalk. EC2
　　　　　—5C 62 (5D 144)
Cromwell Ind. Est. E10 —1A 48
Cromwell Lodge. Bexh —5E 100
Cromwell M. SW7
　　　　　—4B 76 (3B 152)
Cromwell Pl. N6 —1F 45
Cromwell Pl. SW7
　　　　　—4B 76 (3B 152)
Cromwell Pl. SW14 —3J 89
Cromwell Rd. E7 —7A 50
Cromwell Rd. E17 —5E 32
Cromwell Rd. N3 —1A 28
Cromwell Rd. N10 —7K 15
(in two parts)
Cromwell Rd. SW5 & SW7
　　　　　—4J 75
Cromwell Rd. SW9 —1B 94
Cromwell Rd. SW19 —5J 107
Cromwell Rd. Beck —2A 126
Cromwell Rd. Croy —7D 124
Cromwell Rd. Felt —1A 102
Cromwell Rd. Houn —4E 86
Cromwell Rd. King T —1E 118
Cromwell Rd. Tedd —6A 104
Cromwell Rd. Wemb —2E 56
Cromwell Rd. Wor Pk —3A 130
Cromwell St. Houn —4E 86
Cromwell Tower. EC2
　　　　　—5C 62 (5D 144)
Crondace Rd. SW6 —1J 91
Crondall Ct. N1 —2D 62 (1F 145)
Crondall St. N1 —2D 62 (1F 145)
Cronin St. SE15 —7F 79
(off Shanklin Way)
Crooked Billet. SW19 —6E 106
Crooked Billet. (Junct.) —1C 32
Crooked Billet Yd. E2
　　　　　—3E 62 (2H 145)
Crooked Usage. N3 —3G 27
Crooke Rd. SE8 —5A 80
Crookham Rd. SW6 —1H 91

Crook Log. Bexh —3D 100
Crookston Rd. SE9 —3E 98
Coombs Rd. E16 —5A 66
Croom's Hill. SE10 —7E 80
Croom's Hill Gro. SE10 —7E 80
Cropley St. N1 —2D 62 (1E 144)
Croppath Rd. Dag —4G 53
Cropthorne Ct. W9 —3A 60
(off Maida Vale)
Crosbie. NW9 —2B 26
Crosbie Ho. E17 —3E 32
(off Prospect Hill)
Crosby Clo. Felt —3C 102
Crosby Ct. SE1 —2D 78 (6E 150)
Crosby Ho. E7 —6J 49
Crosby Rd. E7 —6J 49
Crosby Rd. Dag —2H 69
Crosby Row. SE1
　　　　　—2D 78 (7E 150)
Crosby Sq. EC3 —6E 62 (1G 151)
Crosby Wlk. E8 —6F 47
Crosby Wlk. SW2 —7A 94
Crosby Way. SW2 —7A 94
Crosby Way. SW2 —7A 94
Cross Av. SE10 —6F 81
Crossbow Ho. W13 —1B 72
(off Sherwood Clo.)
Crossbrook Rd. SE3 —3C 98
Cross Clo. SE15 —2H 95
Cross Deep. Twic —2K 103
Cross Deep Gdns. Twic —2K 103
Crossfield Ho. W11 —7G 59
(off Mary Pl.)
Crossfield Rd. N17 —3C 30
Crossfield Rd. NW3 —6B 44
Crossfield St. SE8 —7C 80
Crossford St. SW9 —2K 93
Cross Ga. Edgw —3B 12
Crossgate. Gnfd —6B 40
Cross Keys Clo. N9 —2B 18
Cross Keys Clo. W1
　　　　　—5E 60 (6H 141)
Cross Lances Rd. Houn —4F 87
Crossland Rd. T Hth —6B 124
Crosslands Av. W5 —1F 73
Crosslands Av. S'hall —5D 70
Cross La. EC3 —7E 62 (3G 151)
Cross La. N8 —3K 29
(in two parts)
Cross La. Bex —7F 101
Crossleigh Ct. SE14 —7B 80
(off New Cross Rd.)
Crosslet St. SE17
　　　　　—4D 78 (3F 157)
Crosslet Vale. SE10 —1D 96
Crossley St. N7 —6A 46
Crossmead. SE9 —1D 114
Crossmead Av. Gnfd —3E 54
Crossness Footpath. Eri —1F 85
Crossness La. SE28 —7D 68
Crossness Rd. Bark —3K 67
Cross Rd. E4 —1B 20
Cross Rd. N11 —5A 16
Cross Rd. N22 —7F 17
Cross Rd. SW19 —7J 107
Cross Rd. Brom —2C 138
Cross Rd. Chad H —7C 36
Cross Rd. Croy —1D 134
Cross Rd. Enf —4K 7
Cross Rd. Felt —4C 102
Cross Rd. Harr —4H 23
Cross Rd. King T —7F 105
Cross Rd. Mawn —4G 37
Cross Rd. Sidc —4B 116

Cross Rd. S Harr —3F 39
Cross Rd. Sutt —5B 132
Cross Rd. W'stone —2A 24
Cross Rd. Wfd G —6J 21
Cross St. N1 —1B 62
Cross St. N18 —5B 18
Cross St. SE5 —3D 94
Cross St. SW13 —2A 90
Cross St. Hamp —5G 103
Crossthwaite Av. SE5 —4D 94
Crosswall. EC3 —7F 63 (2J 151)
Crossway. N12 —6G 15
Crossway. N16 —5E 46
Crossway. NW9 —4B 26
Crossway. SE28 —7C 68
Crossway. SW20 —4E 120
Crossway. W13 —4A 56
Crossway. Dag —3C 52
Crossway. Enf —7K 7
Crossway. Orp —4H 129
Cross Way. Pinn —2A 22
Crossway. Ruis —4A 38
Cross Way. Wfd G —4F 21
Crossway Ct. SE4 —2A 96
Crossways. N21 —6H 7
Crossways. S Croy —7A 136
Crossways. Sutt —7B 132
Crossways Rd. Beck —4C 126
Crossways Rd. Mitc —3F 123
Crossways Ter. E5 —4J 47
Crossways, The. Houn —7D 70
Crossways, The. Surb —7H 119
Crossways, The. Wemb —2G 41
Crossway, The. N22 —7G 17
Crossway, The. SE9 —2B 114
Cross Way, The. Harr —2J 23
Croston St. E8 —1G 63
Crothall Clo. N13 —3E 16
Crouch. Sidc —5B 116
Crouch Av. Bark —2B 68
Crouch Clo. Beck —6C 112
Crouch Croft. SE9 —3E 114
Crouch End Hill. N8 —7H 29
Crouch Hall Ct. N19 —1J 45
Crouch Hall Rd. N8 —6H 29
Crouch Hill. N8 & N4 —6J 29
Crouchman's Clo. SE26 —3F 111
Crouch Rd. NW10 —7K 41
Crowborough Rd. SW17
　　　　　—6E 108
Crowbourne Ct. Sutt —4K 131
(off St Nicholas Way)
Crowden Way. SE28 —7C 68
Crowder St. E1 —7H 63
Crowfield Ho. N5 —4C 46
Crowfoot Clo. E9 —5B 48
Crowhurst Clo. SW9 —2A 94
Crowhurst Ho. SW9 —2K 93
(off Aytoun Rd.)
Crowland Gdns. N14 —7D 6
Crowland Rd. N15 —5F 31
Crowland Rd. T Hth —4D 124
Crowlands Av. Romf —6H 37
Crowland Ter. N1 —7D 46
Crowland Wlk. Mord —6K 121
Crow La. Romf —7F 37
Crowley Cres. Croy —5A 134
Crowlin Wlk. N1 —6D 46
Crowmarsh Gdns. SE23 —7J 95
Crown Arc. King T —2D 118
Crownbourne Ct. Sutt —4K 131
Crown Bldgs. E4 —1A 20
Crown Clo. E3 —1C 64
Crown Clo. NW6 —6K 43
Crown Clo. NW7 —2G 13

Dacre Ho. SW3 —6B 76
(off Beaufort St.)
Dacre Pk. SE13 —3G 97
Dacre Pl. SE13 —3G 97
Dacre Rd. E11 —1H 49
Dacre Rd. E13 —1K 65
Dacre Rd. Croy —7J 123
Dacres Rd. SE23 —2K 111
Dacre St. SW1 —3H 77 (1C 154)
Dade Way. S'hall —5D 70
Daerwood Clo. Brom —1D 138
Daffodil Clo. Croy —1K 135
Daffodil Gdns. Ilf —5F 51
Daffodil Pl. Hamp —6E 102
Daffodil St. W12 —7B 58
Dafforne Rd. SW17 —3E 108
Dagenham Av. Dag —1E 68
(in two parts)
Dagenham Rd. E10 —1B 48
Dagenham Rd. Dag & Romf
—4H 53
Dagenham Rd. Rain —7K 53
Dagenham Rd. Romf —7K 37
Dagmar Av. Wemb —4F 41
Dagmar Ct. E14 —3E 80
Dagmar Gdns. NW10 —2F 59
Dagmar M. S'hall —3C 70
(off Dagmar Rd.)
Dagmar Pas. N1 —1B 62
(off Cross St.)
Dagmar Rd. N4 —7A 30
Dagmar Rd. N15 —4D 30
Dagmar Rd. N22 —1H 29
Dagmar Rd. SE5 —1E 94
Dagmar Rd. SE25 —5E 124
Dagmar Rd. Dag —7J 53
Dagmar Rd. King T —1F 119
Dagmar Rd. S'hall —3C 70
Dagmar Ter. N1 —1B 62
Dagnall Pk. SE25 —6D 124
Dagnall Rd. SE25 —5E 124
Dagnall St. SW11 —2D 92
Dagnan Rd. SW12 —7F 93
Dagonet Gdns. Brom —3J 113
Dagonet Rd. Brom —3J 113
Dahlia Gdns. Ilf —6F 51
Dahlia Gdns. Mitc —4H 123
Dahlia Rd. SE2 —4B 84
Dahomey Rd. SW16 —6G 109
Daimler Way. Wall —7J 133
Dain Ct. W8 —4J 75
(off Lexham Gdns.)
Daines Clo. E12 —3D 50
Dainford Clo. Brom —5F 113
Dainton Clo. Brom —1K 127
Daintry Clo. Harr —4A 24
Daintry Way. E9 —6B 48
Dairsie Ct. Brom —2A 128
Dairsie Rd. SE9 —3E 98
Dairy Clo. T Hth —2C 124
Dairy La. SE18 —4D 82
Dairy M. SW9 —3J 93
Dairy Wlk. SW19 —4G 107
Dairy Clo. Croy —1K 135
Daisy Dobbins Wlk. N19 —7J 29
(off Jessie Blythe La.)
Daisy La. SW6 —3J 91
Daisy Rd. E16 —4G 65
Daisy Rd. E18 —2K 33
Dakota Gdns. E6 —4C 66
Dakota Gdns. N'holt —3C 54
Dalberg Rd. SW2 —4A 94
Dalberg Way. SE2 —3D 84
Dalby Rd. SW18 —4A 92
Dalbys Cres. N17 —6K 17

Dalby St. NW5 —6F 45
Dalcross Rd. Houn —2C 86
Dale Av. Edgw —1F 25
Dale Av. Houn —3C 86
Dalebury Rd. SW17 —2D 108
Dale Clo. SE3 —3J 97
Dale Clo. New Bar —6E 4
Dale Gdns. Wfd G —4E 20
Dale Grn. Rd. N11 —3A 16
Dale Gro. N12 —5F 15
Daleham Gdns. NW3 —5B 44
Daleham M. NW3 —6B 44
Dale Ho. SE4 —4A 96
Dale Lodge. N6 —6G 29
Dalemain M. E16 —1J 81
Dale Pk. Av. Cars —2D 132
Dale Pk. Rd. SE19 —1D 124
Dale Rd. NW5 —5E 44
Dale Rd. SE17 —6B 78 (7B 156)
Dale Rd. Gnfd —5F 55
Dale Rd. Sutt —4H 131
Dale Row. W11 —6G 59
Daleside Rd. SW16 —5F 109
Dale St. W4 —5A 74
Dale, The. Kes —4B 138
Dale View Av. E4 —2K 19
Dale View Cres. E4 —2K 19
Dale View Gdns. E4 —3A 20
Daleview Rd. N15 —6E 30
Dalewood Gdns. Wor Pk
—2D 130
Dale Wood Rd. Orp —7J 129
Daley Ho. W12 —6D 58
Daley St. E9 —6K 47
Daley Thompson Way. SW8
—3F 93
Dalgarno Gdns. W10 —5E 58
Dalgarno Way. W10 —4E 58
Dalgleish St. E14 —6A 64
Daling Way. E3 —2A 64
Dalkeith Gro. Stan —5J 11
Dalkeith Rd. SE21 —1C 110
Dalkeith Rd. Ilf —3G 51
Dallas Rd. NW4 —7C 26
Dallas Rd. SE26 —3H 111
Dallas Rd. W5 —5F 57
Dallas Rd. Sutt —6G 131
Dallinger Rd. SE12 —6H 97
Dalling Rd. W6 —4D 74
Dallington St. EC1
—4B 62 (3B 144)
Dallin Rd. SE18 —7F 83
Dallin Rd. Bexh —4D 100
Dalmain Rd. SE23 —1K 111
Dalmally Rd. Croy —7F 125
Dalmeny Av. N7 —4H 45
Dalmeny Av. SW16 —2A 124
Dalmeny Clo. Wemb —6C 40
Dalmeny Cres. Houn —4H 87
Dalmeny Rd. N7 —3H 45
Dalmeny Rd. Cars —7E 132
Dalmeny Rd. Eri —1H 101
Dalmeny Rd. New Bar —6F 5
Dalmeny Rd. Wor Pk —3D 130
Dalmeyer Rd. NW10 —6B 42
Dalmore Rd. SE21 —2C 110
Dalrymple Clo. N14 —7C 6
Dalrymple Rd. SE4 —4A 96
Dalston Cross Shop. Cen. E8
—6F 47
Dalston Gdns. Stan —1E 24
Dalston La. E8 —6F 47
Dalton Av. Mitc —2C 122
Dalton Rd. W'stone —2H 23
Dalton St. SE27 —2B 110

Dalwood St. SE5 —1E 94
Daly Ct. E15 —5D 48
Dalyell Rd. SW9 —3K 93
Damascene Wlk. SE21 —1C 106
Damask Cres. E16 —4G 65
Damer Ter. SW10 —7A 76
Dames Rd. E7 —3J 49
Dame St. N1 —2C 62
Damien St. E1 —6H 63
Damon Clo. Sidc —3B 116
Damsonwood Rd. S'hall —3E 70
Danbrook Rd. SW16 —1J 123
Danbury Clo. Romf —3D 36
Danbury Mans. Bark —7F 51
(off Whiting Av.)
Danbury M. Wall —4F 133
Danbury St. N1 —2B 62
Danbury Way. Wfd G —6F 21
Danby St. SE15 —3F 95
Dancer Rd. SW6 —1H 91
Dancer Rd. Rich —3G 89
Dando Cres. SE3 —3K 97
Dandridge Clo. SE10 —5H 81
Danebury. New Ad —6D 136
Danebury Av. SW15 —6A 90
(in two parts)
Daneby Rd. SE6 —3D 112
Danecourt Gdns. Croy —3F 135
Danecroft Rd. SE24 —5C 94
Danehill Wlk. Sidc —3A 116
Dane Ho. N14 —7C 6
Danehurst Gdns. Ilf —5C 34
Danehurst St. SW6 —1G 91
Daneland. Barn —6J 5
Danemead Gro. N'holt —5F 39
Danemere St. SW15 —3E 90
Dane Pl. E3 —2B 64
Dane Rd. N18 —4D 18
Dane Rd. SW19 —1A 122
Dane Rd. W13 —1C 72
Dane Rd. Ilf —5G 51
Dane Rd. S'hall —7C 54
Danesbury Rd. Felt —1A 102
Danescombe. SE12 —1J 113
Danescourt Cres. Sutt —2A 132
Danescroft. NW4 —5F 27
Danescroft Av. NW4 —5F 27
Danescroft Gdns. NW4 —5F 27
Danesdale Rd. E9 —6A 48
Danesfield. SE17
—6E 78 (7G 157)
Danes Ga. Harr —3J 23
Danes Rd. Romf —7J 37
Dane St. WC1 —5K 61 (6G 143)
Daneswood Av. SE6 —3E 112
Danethorpe Rd. Wemb —6D 40
Danette Gdns. Dag —2G 53
Daneville Rd. SE5 —1D 94
Dangan Rd. E11 —6J 33
Daniel Bolt Clo. E14 —5D 64
Daniel Clo. N18 —4D 18
Daniel Clo. SW17 —6C 108
Daniel Clo. Houn —7D 86
Daniel Ct. NW9 —1A 26
Daniel Gdns. SE15 —7F 79
Daniel Ho. N1 —2D 62
(off Cranston Est.)
Daniell Way. Croy —1J 133
Daniel Pl. NW4 —7D 26
Daniel Rd. W5 —7F 57
Daniels Rd. SE15 —3J 95

Danleigh Ct. N14 —7C 6
Dan Leno Wlk. SW6 —7K 75
Dansey Pl. W1 —7H 61 (2C 148)
Dansington Rd. Well —4A 100
Danson Cres. Well —3B 100
Danson Interchange. (Junct.)
—6C 100
Danson La. Well —4B 100
Danson Mead. Well —3C 100
Danson Rd. SE17
—5B 78 (6B 156)
Danson Rd. Bex & Bexh —5D 100
(in two parts)
Danson Underpass. Sidc
—6C 100
Dante Pl. SE11 —4B 78 (4B 156)
Dante Rd. SE11 —4B 78 (3A 156)
Danube St. SW3
—5C 76 (5D 152)
Danvers Ho. E1 —6G 63
(off Christian St.)
Danvers Rd. N8 —4H 29
Danvers St. SW3
—6B 76 (7B 152)
Da Palma Ct. SW6 —6J 75
(off Anselm Rd.)
Daphne Ct. Wor Pk —2A 130
Daphne Gdns. E4 —3K 19
Daphne Ho. N22 —1A 30
(off Acacia Rd.)
Daphne St. SW18 —6A 92
Daplyn St. E1 —5G 63
D'Arblay St. W1 —6G 61 (1B 148)
Darcy Av. Wall —4G 133
Darcy Clo. N20 —2G 15
D'Arcy Dri. Harr —4D 24
Darcy Gdns. Dag —1F 69
D'Arcy Gdns. Harr —4D 24
D'Arcy Pl. Brom —4J 127
Darcy Rd. SW16 —2J 123
Darcy Rd. Iswth —1A 88
D'Arcy Rd. Sutt —4F 131
Dare Ct. E10 —7E 32
Dare Gdns. Dag —3E 52
Darell Rd. Rich —3G 89
Darent Ho. Brom —5F 113
Darenth Rd. N16 —7F 31
Darenth Rd. Well —1A 100
Darfield Rd. SE4 —5B 96
Darfield Way. W10 —6F 59
Darfur St. SW15 —3F 91
Dargate Clo. SE19 —7F 111
Darien Rd. SW11 —3B 92
Dark Ho. Wlk. EC3
—7D 62 (3G 151)
Darlan Rd. SW6 —7H 75
Darlaston Rd. SW19 —7F 107
Darley Clo. Croy —6A 126
Darley Dri. N Mald —2K 119
Darley Gdns. Mord —6A 122
Darley Ho. SE11
—5K 77 (6G 155)
Darley Rd. N9 —1A 18
Darley Rd. SW11 —6D 92
Darling Rd. SE4 —3C 96
Darling Row. E1 —4H 63
Darlington Rd. SE27 —5B 110
Darmaine Clo. S Croy —7C 134
Darnay Ho. SE16
—3G 79 (1K 157)
Darndale Clo. E17 —2B 32
Darnley Rd. E9 —6J 47
Darnley Rd. Wfd G —1J 33
Darnley Ter. W11 —1F 75
Darrell Rd. SE22 —5G 95

Darren Clo. N4 —7K 29
Darris Clo. Hayes —4C 54
Darsley Dri. SW8 —1H 93
Dartford Av. N9 —6D 8
Dartford By-Pass. Bex & Dart
—1K 117
Dartford Gdns. Chad H —5B 36
Dartford Rd. Bex —1J 117
Dartford St. SE17
—6C 78 (7D 156)
Dartington Ho. SW8 —2H 93
(off Union Gro.)
Dartle Ct. SE16 —2G 79
(off Dickens Est.)
Dartmoor Wlk. E14 —4C 80
(off Charnwood Gdns.)
Dartmouth Clo. W11 —6J 59
Dartmouth Ct. SE10 —1F 97
Dartmouth Gro. SE10 —1E 96
Dartmouth Hill. SE10 —1E 96
Dartmouth Pk. Av. NW5 —3F 45
Dartmouth Pk. Hill. N19 & NW5
—1F 45
Dartmouth Pk. Rd. NW5 —4F 45
Dartmouth Pl. SE23 —2J 111
Dartmouth Pl. W4 —6A 74
Dartmouth Rd. NW2 —6F 43
Dartmouth Rd. NW4 —6C 26
Dartmouth Rd. SE26 & SE23
—3H 111
Dartmouth Rd. Brom —7J 127
Dartmouth Row. SE10 —1E 96
Dartmouth St. SW1
—2H 77 (7D 148)
Dartmouth Ter. SE10 —1F 97
Dartnell Rd. Croy —7F 125
Darton Ct. W3 —1J 73
Dartrey Tower. SW10 —7A 76
(off Worlds End Est.)
Dartrey Wlk. SW10 —7B 76
Dart St. W10 —3G 59
Darville Rd. N16 —3F 47
Darwell Clo. E6 —2E 66
Darwin Clo. N11 —3A 16
Darwin Clo. S'hall —6F 55
Darwin Rd. N22 —1B 30
Darwin Rd. W5 —5C 72
Darwin Rd. Well —3K 99
Darwin St. SE17
—4D 78 (3F 157)
Daryngton Dri. Gnfd —2H 55
Daryngton Ho. SW8 —7J 77
(off Hartington Rd.)
Dashwood Clo. Bexh —5G 101
Dashwood Rd. N8 —6K 29
Dassett Rd. SE27 —5B 110
Data Point Bus. Cen. E16 —4F 65
Datchelor Pl. SE5 —1D 94
Datchet Rd. SE6 —2B 112
Datchworth Ct. Enf —5K 7
Date St. SE17 —5D 78 (6D 156)
Daubeney Gdns. N17 —7H 17
Daubeney Rd. E5 —4A 48
Daubeney Rd. N17 —7H 17
Daubeney Tower. SE8 —5B 80
(off Bowditch)
Dault Rd. SW18 —6A 92
Dauncey Ho. SE1
—2B 78 (7A 150)
Davema Clo. Chst —1E 128
Davenant Rd. N19 —2H 45
Davenant Rd. Croy —4B 134
Davenant St. E1 —5G 63
Davenport Clo. Tedd —6A 104
Davenport Lodge. Houn —7C 70

Davenport Rd. SE6 —6D 96
Davenport Rd. Sidc —2E 116
Daventer Dri. Stan —7E 10
Daventry Av. E17 —6C 32
Daventry St. NW1
    —5C 60 (5C 140)
Daver Ct. SW3 —5C 76 (5D 152)
Davern Clo. SE10 —4H 81
Davey Clo. N7 —6K 45
Davey Rd. E9 —7C 48
Davey's Ct. WC2
    —7J 61 (2E 148)
Davey St. SE15 —6F 79 (7K 157)
David Av. Gnfd —3J 55
David Coffer Ct. Belv —4H 85
David Ct. N20 —3F 15
Davidge St. SE1 —2B 78 (7A 150)
David Ho. SW8 —7J 77
    (off Wyvil Rd.)
David Ho. Sidc —3A 116
David Lee Point. E15 —1G 65
    (off Leather Gdns.)
David M. W1 —5D 60 (5F 141)
David Rd. Dag —2E 52
David's Ct. S'hall —6G 55
    (off Whitecote Rd.)
Davidson Gdns. SW8 —7J 77
Davidson La. Harr —7K 23
Davidson Rd. Croy —7E 124
Davidson Ter. E7 —5K 49
    (off Claremont Rd.)
Davidson Ter. E7 —5K 49
    (off Windsor Rd.)
Davidson Tower. Brom —5K 113
David's Rd. SE23 —1J 111
David St. E15 —6F 49
Davies Clo. Croy —6G 125
Davies La. E11 —2G 49
Davies M. W1 —7F 61 (2J 147)
Davies St. W1 —6F 61 (1J 147)
Davington Gdns. Dag —5B 52
Davington Rd. Dag —6B 52
Davinia Clo. Wfd G —6J 21
Davis Rd. W3 —1B 74
Davis St. E13 —2K 65
Davisville Rd. W12 —2C 74
Davmor Ct. Bren —5C 72
Dawes Av. Iswth —5A 88
Dawes Rd. SW6 —7G 75
Dawes St. SE17 —5D 78 (5F 157)
Dawlish Av. N13 —4D 16
Dawlish Av. SW18 —2K 107
Dawlish Av. Gnfd —2A 56
Dawlish Dri. Ilf —4J 51
Dawlish Dri. Pinn —5C 22
Dawlish Rd. E10 —1E 48
Dawlish Rd. N17 —3G 31
Dawlish Rd. NW2 —6F 43
Dawnay Gdns. SW18 —2B 108
Dawnay Rd. SW18 —2A 108
Dawn Clo. Houn —3C 86
Dawn Cres. E15 —1F 65
Dawpool Rd. NW2 —2B 42
Daws Hill. E4 —2K 9
Daws La. NW7 —5G 13
Dawson Av. Bark —7J 51
Dawson Clo. SE18 —4G 83
Dawson Gdns. Bark —7K 51
Dawson Pl. W2 —7J 59
Dawson Rd. NW2 —5E 42
Dawson Rd. King T —3F 119
Dawson Ter. N9 —7D 8
Daybrook Rd. SW19 —2K 121
Daylesford Av. SW15 —4C 90
Daymer Gdns. Pinn —4A 22

Daysbrook Rd. SW2 —1K 109
Days La. Sidc —7J 99
Dayton Gro. SE15 —1J 95
Deaconess Ct. N15 —4F 31
    (off Tottenham Grn. E.)
Deacon Est., The. E4 —6G 19
Deacon M. N1 —7D 46
Deacon Rd. NW2 —5C 42
Deacon Rd. King T —1F 119
Deacons Clo. Pinn —2A 22
Deacons Ct. Twic —2K 103
Deacons Wlk. Hamp —4E 102
Deacon Way. SE17
    —4C 78 (3C 156)
Deacon Way. Wfd G —6J 21
Deal Ct. S'hall —6G 55
    (off Haldane Rd.)
Deal Porters Way. SE16 —3J 79
Deal Rd. SW17 —6E 108
Deal's Gateway. SE10 —1C 96
Deal St. E1 —5G 63
Dealtry Rd. SW15 —4E 90
Deal Wlk. SW9 —7A 78
Dean Bradley St. SW1
    —3J 77 (2E 154)
Dean Clo. E9 —5J 47
Dean Clo. SE16 —1K 79
Dean Ct. SW8 —7J 77
    (off Thorncroft St.)
Dean Ct. Edgw —6C 12
Dean Ct. Romf —5K 37
Dean Ct. Wemb —3B 40
Deancross St. E1 —6J 63
Dean Dri. Stan —2E 24
Deane Av. Ruis —5A 38
Deane Croft Rd. Pinn —6A 22
Deanery Clo. N2 —4C 28
Deanery Rd. W1 —1E 76 (4H 147)
Deanery Rd. E15 —7G 49
Deanery St. W1 —1E 76 (4H 147)
Deane Way. Ruis —6A 22
Dean Farrar St. SW1
    —3H 77 (1D 154)
Deanfield Gdns. Croy —4D 134
Dean Gdns. E17 —4F 33
Dean Rd. SW14 —4H 89
Deanhill Rd. SW14 —4H 89
Dean Rd. NW2 —6E 42
Dean Rd. Croy —4D 134
Dean Rd. Hamp —5E 102
Dean Rd. Houn —5F 87
Dean Ryle St. SW1
    —4J 77 (3E 154)
Deansbrook Clo. Edgw —7D 12
Deansbrook Rd. Edgw —7C 12
Dean's Bldgs. SE17
    —4D 78 (4E 156)
Deans Clo. W4 —6H 73
Deans Clo. Croy —3F 135
Deans Clo. Edgw —6D 12
Deans Ct. EC4 —6B 62 (1B 150)
Deanscroft Av. NW9 —1J 41
Deans Dri. N13 —6G 17
Deans Dri. NW7 —5E 12
Deans Dri. Edgw —5E 12
Deans Ga. Clo. SE23 —3K 111
Deans La. W4 —6H 73
    (off Deans Clo.)
Deans La. Edgw —6D 12
Dean's M. W1 —6F 61 (7K 141)
Dean's Pl. SW1 —5H 77 (5C 154)
Deans Rd. W7 —1K 71
Deans Rd. Sutt —3K 131
Dean Stanley St. SW1
    —3J 77 (2E 154)

Deanston Wharf. E16 —2K 81
Dean St. E7 —5J 49
Dean St. W1 —6H 61 (7C 142)
Deansway. N2 —4B 28
Deansway. N9 —3K 17
Deans Way. Edgw —5D 12
Deanswood. N11 —6C 16
Dean's Yd. SW1
    —3H 77 (1D 154)
Dean Trench St. SW1
    —3J 77 (2E 154)
Dean Wlk. Edgw —6D 12
Dean Way. S'hall —2F 71
Dearne Clo. Stan —5F 11
Dearn Gdns. Mitc —3C 122
Deason St. E15 —1E 64
Deauville Clo. SW4 —6G 93
De Barowe M. N5 —4B 46
Debden. N7 —2D 30
    (off Gloucester Rd.)
Debden Clo. King T —5D 104
Debden Clo. Wfd G —7F 21
De Beauvoir Cres. N1 —1E 62
De Beauvoir Est. N1 —1E 62
De Beauvoir Pl. N1 —6E 46
De Beauvoir Rd. N1 —1E 62
De Beauvoir Sq. N1 —7E 46
Debnams Rd. SE16 —4J 79
De Bohun Av. N14 —6A 6
Deborah Clo. Iswth —1J 87
Deborah Ct. E18 —3K 33
    (off Victoria Rd.)
Deborah Lodge. Edgw —1H 25
Debrabant Clo. Eri —6K 85
De Brome Rd. Felt —1A 102
De Bruin Ct. E14 —5E 80
De Burgh Rd. SW19 —7A 108
Debussy. NW9 —2B 26
Decima St. SE1
    —3E 78 (1G 157)
Decimus Clo. T Hth —4D 124
Deck Clo. SE16 —1K 79
Decoy Av. NW11 —5G 27
De Crespigny Pk. SE5 —2D 94
Dee Ct. W7 —6H 55
    (off Hobbayne Rd.)
Deeley Rd. SW8 —1H 93
Deena Clo. W3 —6F 57
Deepdale. SW19 —4F 107
Deepdale Av. Brom —4H 127
Deepdene. W5 —4F 57
Deepdene Av. Croy —3F 135
Deepdene Clo. E11 —4J 33
Deepdene Gdns. SW2 —7K 93
Deepdene Point. SE23 —3K 111
Deepdene Rd. SE5 —4D 94
Deepdene Rd. Well —3A 100
Deepwell Clo. Iswth —1A 88
Deepwood La. Gnfd —3H 55
Deerbrook Rd. SE24 —1B 110
Deerdale Rd. SE24 —4C 94
Deerfield Cotts. NW9 —5B 26
Deerhurst Cres. Hamp H
    —5G 103
Deerhurst Rd. NW2 —6F 43
Deerhurst Rd. SW16 —5K 109
Deerleap Gro. E4 —5J 9
Dee Rd. Rich —4F 89
Deer Pk. Clo. King T —7H 105
Deer Pk. Gdns. Mitc —4B 122
Deer Pk. Rd. SW19 —2K 121
Deer Pk. Way. W Wick —2H 137
Deeside Rd. SW17 —3B 108
Dee St. E14 —6E 64

Defiance Wlk. SE18 —3D 82
Defiant. NW9 —2B 26
    (off Further Acre)
Defiant Way. Wall —7J 133
Defoe Av. Rich —7K 73
Defoe Clo. SE16 —2B 80
Defoe Clo. SW17 —6C 108
Defoe Ho. EC2 —5C 62 (5D 144)
Defoe Rd. N16 —3F 46
De Frene Rd. SE26 —4K 111
Degema Rd. Chst —5F 115
Dehar Cres. NW9 —7B 26
De Havilland Clo. N'holt —3B 54
De Havilland Rd. Edgw —2H 25
De Havilland Rd. Houn —7A 70
De Havilland Rd. Wall —7J 133
Dekker Rd. SE21 —6E 94
Delacourt Rd. SE3 —7K 81
Delafield Ho. E1 —6G 63
    (off Christian St.)
Delafield Rd. SE7 —5K 81
Delaford Rd. SE16 —5H 79
Delaford St. SW6 —7G 75
Delamare Cres. Croy —6J 125
Delamere Gdns. NW7 —6E 12
Delamere Rd. SW20 —1F 121
Delamere Rd. W5 —2E 72
Delamere Rd. Hayes —7B 54
Delamere St. W2 —5A 60
Delamere Ter. W2 —5K 59
Delancey Pas. NW1 —1F 61
    (off Delancey St.)
Delancey St. NW1 —1F 61
De Laune St. SE17
    —5B 78 (6A 156)
Delaware Mans. W9 —4K 59
    (off Delaware Rd.)
Delaware Rd. W9 —4K 59
Delawyk Cres. SE24 —6C 94
Delcombe Av. Wor Pk —1E 130
Delderfield Ho. Romf —2K 37
    (off Portnoi Clo.)
Delft Way. SE22 —5E 94
Delhi Rd. Enf —7A 8
Delhi St. N1 —1J 61
Delia St. SW18 —7K 91
Delius Clo. E15 —2E 64
Della Path. E5 —3G 47
Dell Clo. E15 —1F 65
Dell Clo. Wall —4H 133
Dell Clo. Wfd G —3E 20
Dellfield Clo. Beck —1E 126
Dell La. Eps —5C 130
Dellors Clo. Barn —5A 4
Dellow St. E1 —7H 35
Dellow St. E1 —7H 63
Dell Rd. Eps —6C 130
Dells Clo. E4 —7J 9
Dell's M. SW1 —4G 77 (4B 154)
Dell, The. SE2 —5A 84
Dell, The. SE19 —1F 125
Dell, The. Bex —1K 117
Dell, The. Bren —6C 72
Dell, The. Pinn —2B 22
Dell, The. Wemb —5B 40
Dell, The. Wfd G —3E 20
Dell Wlk. N Mald —2A 120
Dell Way. W13 —6C 56
Dellwood Gdns. Ilf —3E 34
Delmare Clo. SW9 —4K 93
Delme Cres. SE3 —2K 97
Delmey Clo. Croy —3F 135
Deloraine Ho. SE8 —1C 96
Delorme St. W6 —6F 75
Delroy Ct. N20 —7F 5

Delta Bus. Pk. SW18 —4K 91
    (off Smugglers Way)
Delta Cen. Wemb —1F 57
Delta Clo. Wor Pk —3B 130
Delta Ct. NW2 —2C 42
Delta Est. E2 —3G 63
Delta Gro. N'holt —3C 54
Delta Rd. Wor Pk —3A 130
Delta St. E2 —3G 63 (1K 145)
De Luci Rd. Eri —5J 85
De Lucy St. SE2 —4B 84
Delvan Clo. SE18 —7E 82
Delvers Mead. Dag —4J 53
Delverton Rd. SE17
    —5B 78 (6B 156)
Delvino Rd. SW6 —1J 91
Demead Way. SE15 —7F 79
    (off Pentridge St.)
Demesne Rd. Wall —4H 133
Demeta Clo. Wemb —3J 41
De Montfort Pde. SW16 —3J 109
De Montfort Rd. SW16 —2J 109
De Morgan Rd. SW6 —3K 91
Dempster Clo. Surb —7C 118
Dempster Rd. SW18 —5A 92
Denbar Pde. Romf —4J 37
Denberry Dri. Sidc —3B 116
Denbigh Clo. NW10 —7A 42
Denbigh Clo. W11 —7H 59
Denbigh Clo. Chst —6D 114
Denbigh Clo. S'hall —6D 54
Denbigh Clo. Sutt —5H 131
Denbigh Ct. E6 —3B 66
Denbigh Ct. W7 —5K 55
    (off Copley Clo.)
Denbigh Gdns. Rich —5F 89
Denbigh M. SW1
    —4G 77 (4A 154)
Denbigh Pl. SW1
    —5G 77 (5A 154)
Denbigh Rd. E6 —3B 66
Denbigh Rd. W11 —7H 59
Denbigh Rd. W13 —7B 56
Denbigh Rd. Houn —2F 87
Denbigh Rd. S'hall —6D 54
Denbigh St. SW1
    —4G 77 (4A 154)
Denbigh Ter. W11 —7H 59
Denbridge Rd. Brom —2D 128
Denby Ct. SE11
    —4K 77 (3H 155)
Denchworth Ho. SW9 —2A 94
Den Clo. Beck —3F 127
Dene Av. Houn —3D 86
Dene Av. Sidc —7B 100
Dene Clo. SE4 —3A 96
Dene Clo. Brom —1H 137
Dene Clo. Dart —4K 117
Dene Clo. Wor Pk —2B 130
Dene Ct. W5 —5C 56
Dene Gdns. Stan —5H 11
Denehurst Gdns. NW4 —6E 26
Denehurst Gdns. W3 —1H 73
Denehurst Gdns. Rich —4G 89
Denehurst Gdns. Twic —7H 87
Denehurst Gdns. Wfd G —4E 20
Dene Rd. N11 —1J 15
Dene Rd. Buck H —1G 21
Denesmead. SE24 —5C 94
Dene, The. W13 —5B 56
Dene, The. Croy —4K 135
Dene, The. Wemb —4E 40
Denewood. New Bar —5F 5
Denewood Rd. N6 —6D 28
Denford St. SE10 —5H 81

Dengie Wlk. *N1* —1C **62**
(off Basire St.)
Denham Clo. *Well* —3C **100**
Denham Ct. *SE26* —3H **111**
(off Kirkdale)
Denham Ct. *S'hall* —7G **55**
(off Baird Av.)
Denham Cres. *Mitc* —4D **122**
Denham Dri. *Ilf* —6G **35**
Denham Ho. *W12* —7D **58**
(off White City Est.)
Denham Rd. *N20* —3J **15**
Denham Rd. *Felt* —7A **86**
Denham St. *SE10* —5J **81**
Denham Way. *Bark* —1J **67**
Denholme Rd. *W9* —3H **59**
Denison Clo. *N2* —3A **28**
Denison Rd. *SW19* —6B **108**
Denison Rd. *W5* —4C **56**
Deniston Av. *Bex* —1E **116**
Denis Way. *SW4* —3H **93**
Denleigh Gdns. *N21* —1F **17**
Denman Dri. *NW11* —5J **27**
Denman Dri. N. *NW11* —5J **27**
Denman Dri. S. *NW11* —5J **27**
Denman Pl. *W1* —1H **77** (2C **148**)
Denman Rd. *SE15* —1F **95**
Denman St. *W1* —7H **61** (3C **148**)
Denmark Av. *SW19* —7G **107**
Denmark Ct. *Mord* —6J **121**
Denmark Gdns. *Cars* —3D **132**
Denmark Gro. *N1* —2A **62**
Denmark Hill. *SE5* —1D **94**
Denmark Hill Dri. *NW9* —4C **26**
Denmark Hill Est. *SE5* —4D **94**
Denmark Mans. *SE5* —2C **94**
Denmark Path. *SE25* —5H **125**
Denmark Pl. *WC2*
—6H **61** (7D **142**)
Denmark Rd. *N8* —4A **30**
Denmark Rd. *NW6* —2H **59**
(in two parts)
Denmark Rd. *SE5* —1C **94**
Denmark Rd. *SE25* —5G **125**
Denmark Rd. *SW19* —6F **107**
Denmark Rd. *W13* —7B **56**
Denmark Rd. *Brom* —1K **127**
Denmark Rd. *Cars* —3D **132**
Denmark Rd. *King T* —3E **118**
Denmark Rd. *Twic* —3H **103**
Denmark St. *E11* —3G **49**
Denmark St. *E13* —5K **65**
Denmark St. *N17* —1H **31**
Denmark St. *WC2*
—6H **61** (7D **142**)
Denmark Ter. *N2* —3D **28**
Denmark Wlk. *SE27* —4C **110**
Denmead Ho. *SW15* —6B **90**
(off Highcliffe Dri.)
Denmead Rd. *Croy* —1B **134**
Denmore Ct. *Wall* —5F **133**
Dennan Rd. *Surb* —7F **119**
Denner Rd. *E4* —2H **19**
Denne Ter. *E8* —1F **63**
Dennett Rd. *Croy* —1A **134**
Dennetts Gro. *SE14* —1J **95**
Dennett's Rd. *SE14* —2K **95**
Denning Av. *Croy* —4A **134**
Denning Clo. *NW8*
—3A **60** (1A **140**)
Denning Clo. *Hamp* —5D **102**
Denning Rd. *NW3* —4B **44**
Dennington Clo. *E5* —2J **47**
Dennington Pk. Rd. *NW6*
—6J **43**

Denningtons, The. *Wor Pk*
—2A **130**
Dennis Av. *Wemb* —5F **41**
Dennis Gdns. *Stan* —5H **11**
Dennis Ho. *Sutt* —4K **131**
Dennis La. *Stan* —3G **11**
Dennison Gro. *SW14* —3K **89**
Dennison Point. *E15* —7E **48**
Dennis Pde. *N14* —1C **16**
Dennis Pk. Cres. *SW20* —1G **121**
Dennis Reeve Clo. *Mitc* —1D **122**
Denny Clo. *E6* —5C **66**
Denny Cres. *SE11*
—5A **78** (5K **155**)
Denny Gdns. *Dag* —7C **52**
Denny Rd. *N9* —1C **18**
Denny St. *SE11* —5A **78** (5K **155**)
Den Rd. *Brom* —3F **127**
Densham Rd. *E15* —1G **65**
Densole Clo. *Beck* —1A **126**
Densworth Gro. *N9* —2D **18**
Denton. *NW1* —6E **44**
Denton Rd. *N8* —5K **29**
Denton Rd. *N18* —4K **17**
Denton Rd. *NW10* —7J **41**
Denton Rd. *Bex* —1K **117**
Denton Rd. *Twic* —6D **88**
Denton Rd. *Well* —7C **84**
Denton St. *SW18* —6K **91**
Denton Ter. *Bex* —2K **117**
Denton Way. *E5* —3K **47**
Dents Rd. *SW11* —6D **92**
Denver Clo. *Orp* —6J **129**
Denver Rd. *N16* —7E **30**
Denwood. *SE23* —3K **111**
Denyer St. *SW3* —4C **76** (4D **152**)
Denzil Rd. *NW10* —5B **42**
Deodara Clo. *N20* —3H **15**
Deodar Rd. *SW15* —4G **91**
Depot App. *NW2* —4F **43**
Depot Rd. *W12* —7E **58**
Depot Rd. *Houn* —3H **87**
Depot St. *SE5* —6D **78**
Deptford B'way. *SE8* —1C **96**
Deptford Chu. St. *SE8* —1C **96**
Deptford Ferry Rd. *E14* —4C **80**
Deptford Grn. *SE8* —6C **80**
Deptford High St. *SE8* —6C **80**
Deptford Pk. Bus. Cen. *SE8*
—5A **80**
Deptford Strand. *SE8* —4B **80**
Deptford Wharf. *SE8* —4B **80**
De Quincey M. *E16* —1J **81**
De Quincey Rd. *N17* —1D **30**
Derando Clo. *W12* —7D **58**
Derby Av. *N12* —5F **15**
Derby Av. *Harr* —1H **23**
Derby Av. *Romf* —6J **37**
Derby Est. *Houn* —4F **87**
Derby Ga. *SW1* —2J **77** (6E **148**)
Derby Hill. *SE23* —2J **111**
Derby Hill Cres. *SE23* —2J **111**
Derby Ho. *SE11* —4A **78** (3J **155**)
Derby Ho. *Pinn* —2B **22**
Derby Lodge. *N3* —2H **27**
Derby Rd. *E7* —7B **50**
Derby Rd. *E9* —1K **63**
Derby Rd. *E18* —1H **33**
Derby Rd. *N18* —5D **18**
Derby Rd. *SW14* —4H **89**
Derby Rd. *SW19* —7J **107**
Derby Rd. *Croy* —1B **134**
Derby Rd. *Enf* —5C **8**
Derby Rd. *Gnfd* —1F **55**

Derby Rd. *Houn* —4F **87**
Derby Rd. *Surb* —7G **119**
Derby Rd. *Sutt* —6H **131**
Derbyshire St. *E2* —3G **63**
Derby St. *W1* —1E **76** (5H **147**)
Dereham Ho. *SE4* —4K **95**
(off Frendsbury Rd.)
Dereham Pl. *EC2*
—3E **62** (2H **145**)
Dereham Rd. *Bark* —5K **51**
Derek Av. *Wall* —4F **133**
Derek Av. *Wemb* —7H **41**
Derek Walcott Clo. *SE24* —5B **94**
Dericote St. *E8* —1H **63**
Derifall Clo. *E6* —5D **66**
Dering Pl. *Croy* —4C **134**
Dering Rd. *Croy* —4C **134**
Dering St. *W1* —6F **61** (1J **147**)
Dering Yd. *W1* —6F **61** (1K **147**)
Derinton Rd. *SW17* —4D **108**
Derley Rd. *S'hall* —3A **70**
Dermody Gdns. *SE13* —5F **97**
Dermody Rd. *SE13* —5F **97**
Deronda Est. *SW2* —1B **110**
Deronda Rd. *SE24* —1B **110**
Deroy Clo. *Cars* —6D **132**
Derrick Gdns. *SE7* —4A **82**
Derrick Rd. *Beck* —3B **126**
Derry Rd. *Croy* —3J **133**
Derry St. *W8* —2K **75**
Dersingham Av. *E12* —4D **50**
Dersingham Rd. *NW2* —3G **43**
Derwent Av. *N18* —5J **17**
Derwent Av. *NW7* —6E **12**
Derwent Av. *NW9* —5A **26**
Derwent Av. *SW15* —4A **106**
Derwent Av. *Barn* —1J **15**
Derwent Cres. *N20* —3F **15**
Derwent Cres. *Bexh* —2G **101**
Derwent Cres. *Stan* —2C **24**
Derwent Dri. *Orp* —7H **129**
Derwent Gdns. *Ilf* —4C **34**
Derwent Gdns. *Wemb* —7C **24**
Derwent Gro. *SE22* —4F **95**
Derwent Ho. *SE20* —2H **125**
(off Derwent Rd.)
Derwent Lodge. *Iswth* —2H **87**
Derwent Lodge. *Wor Pk* —2D **130**
Derwent Rise. *NW9* —6A **26**
Derwent Rd. *N13* —4E **16**
Derwent Rd. *SE20* —2G **125**
Derwent Rd. *SW20* —5F **121**
Derwent Rd. *W5* —3C **72**
Derwent Rd. *S'hall* —6E **54**
Derwent Rd. *Twic* —6F **87**
Derwent St. *SE10* —5G **81**
Derwent Wlk. *Wall* —7F **133**
Derwentwater Rd. *W3* —1J **73**
Derwent Yd. *W5* —3C **72**
Desborough Clo. *W2* —5K **59**
(off Bourne Ter.)
Desborough Ho. *W14* —6H **75**
(off N. End Rd.)
Desenfans Rd. *SE21* —6E **94**
Desford Rd. *E16* —4G **65**
Desmond Ho. *Barn* —6H **5**
Desmond St. *SE14* —7A **80**
Desmond Tutu Ho. *Wemb* —7F **25**
Despard Rd. *N19* —1G **45**
Detling Ho. *Brom* —5J **113**
Detling Rd. *Eri* —7K **85**
Detmold Rd. *E5* —2J **47**
Devalls Clo. *E6* —7F **67**
Devana End. *Cars* —3D **132**

Devas Rd. *SW20* —1E **120**
Devas St. *E3* —4D **64**
Devenay Rd. *E15* —7H **49**
Devenish Rd. *SE2* —2A **84**
Deventer Cres. *SE22* —5E **94**
De Vere Gdns. *W8* —2A **76**
De Vere Gdns. *Ilf* —2D **50**
Deverell St. *SE1*
—3D **78** (2E **156**)
De Vere M. *W8* —3A **76**
(off De Vere Gdns.)
Devereux Ct. *WC2*
—6A **62** (1J **149**)
Devereux La. *SW13* —7D **74**
Devereux Rd. *SW11* —6D **92**
Deveron Way. *Romf* —1H **37**
Devey Clo. *King T* —7A **106**
Devon Av. *Twic* —1G **103**
Devon Clo. *N17* —3F **31**
Devon Clo. *Buck H* —2E **20**
Devon Clo. *Gnfd* —1C **56**
Devon Ct. *W7* —5K **55**
(off Copley Clo.)
Devon Ct. *Hamp* —7E **102**
Devoncroft Gdns. *Twic* —7A **88**
Devon Gdns. *N4* —6B **30**
Devonhurst Pl. *W4* —5K **73**
Devonia Gdns. *N18* —6H **17**
Devonia Rd. *N1* —2B **62**
Devonport. *W2* —6C **60** (7C **140**)
Devonport Gdns. *Ilf* —6D **34**
Devonport M. *W12* —2D **74**
Devonport Rd. *W12* —1D **74**
Devonport St. *E1* —6K **63**
Devon Rise. *N2* —4B **28**
Devon Rd. *Bark* —1J **67**
Devons Est. *E3* —3D **64**
Devonshire Av. *Sutt* —7A **132**
Devonshire Clo. *E15* —4G **49**
Devonshire Clo. *N13* —3F **17**
Devonshire Clo. *W1*
—5F **61** (5J **141**)
Devonshire Ct. *Pinn* —1D **22**
(off Devonshire Rd.)
Devonshire Cres. *NW7* —7A **14**
Devonshire Dri. *SE10* —7D **80**
Devonshire Gdns. *N17* —6H **17**
Devonshire Gdns. *N21* —7H **7**
Devonshire Gdns. *W4* —7J **73**
Devonshire Gro. *SE15* —6H **79**
Devonshire Hill La. *N17* —6H **17**
Devonshire Ho. *Sutt* —7A **132**
Devonshire Ho. Bus. Cen. *Brom*
—4K **127**
Devonshire M. *N13* —4F **17**
Devonshire M. *W4* —5A **74**
Devonshire M. N. *W1*
—5F **61** (5J **141**)
Devonshire M. S. *W1*
—5F **61** (5J **141**)
Devonshire M. W. *W1*
—4E **60** (4H **141**)
Devonshire Pas. *W4* —5A **74**
Devonshire Pl. *NW2* —3J **43**
Devonshire Pl. *W1*
—4E **60** (4H **141**)
Devonshire Pl. *W8*
—4E **60** (4H **141**)
Devonshire Pl. M. *W1*
—5E **60** (4H **141**)
Devonshire Rd. *E15* —4G **49**
Devonshire Rd. *E16* —6K **65**
Devonshire Rd. *E17* —6C **32**
Devonshire Rd. *N9* —1D **18**

Devonshire Rd. *N13* —4E **16**
Devonshire Rd. *N17* —6H **17**
Devonshire Rd. *NW7* —7A **14**
Devonshire Rd. *SE9* —2C **114**
Devonshire Rd. *SE23* —1J **111**
Devonshire Rd. *SW19* —7C **108**
Devonshire Rd. *W4* —5A **74**
Devonshire Rd. *W5* —3C **72**
Devonshire Rd. *Bexh* —4E **100**
Devonshire Rd. *Cars* —4E **133**
Devonshire Rd. *Croy* —7D **124**
Devonshire Rd. *Eastc* —6A **22**
Devonshire Rd. *Felt* —3C **102**
Devonshire Rd. *Harr* —6H **23**
Devonshire Rd. *Ilf* —7J **35**
Devonshire Rd. *Orp* —7K **129**
Devonshire Rd. *Pinn* —1D **22**
Devonshire Rd. *S'hall* —5E **54**
Devonshire Rd. *Sutt* —7A **132**
Devonshire Row. *EC2*
—5E **62** (6H **145**)
Devonshire Row M. *W1*
—4F **61** (4K **141**)
Devonshire Sq. *EC2*
—6E **62** (6H **145**)
Devonshire Sq. *Brom* —4K **127**
Devonshire St. *W1*
—5E **60** (5H **141**)
Devonshire St. *W4* —5A **74**
Devonshire Ter. *W2* —6A **60**
Devonshire Way. *Croy* —2A **136**
Devonshire Way. *Hayes* —6A **54**
Devons Rd. *E3* —5C **64**
Devon St. *SE15* —6H **79**
Devon Waye. *Houn* —7D **70**
De Walden St. *W1*
—5E **60** (6H **141**)
Dewar St. *SE15* —3G **95**
Dewberry Gdns. *E6* —5C **66**
Dewberry St. *E14* —5E **64**
Dewey Rd. *N1* —2A **62**
Dewey Rd. *Dag* —6H **53**
Dewey St. *SW17* —5D **108**
Dewhurst Rd. *W14* —3F **75**
Dewsbury Clo. *Pinn* —6C **22**
Dewsbury Ct. *W4* —4J **73**
Dewsbury Gdns. *Wor Pk*
—3C **130**
Dewsbury Rd. *NW10* —5C **42**
Dewsbury Ter. *NW1* —1F **61**
Dexter Ho. *Eri* —3E **84**
(off Kale Rd.)
Dexter Rd. *Barn* —6A **4**
Deyncourt Rd. *N17* —1C **30**
Deynecourt Gdns. *E11* —4A **34**
D'Eynsford Rd. *SE5* —1D **94**
Diadem Ct. *W1* —6H **61** (7C **142**)
Dial Wlk., The. *W8* —2K **75**
(off Broad Wlk., The)
Diameter Rd. *Orp* —6G **129**
Diamond Clo. *Dag* —1C **52**
Diamond Est. *SW17* —3C **108**
Diamond Rd. *Ruis* —4B **38**
Diamond St. *SE15* —7E **78**
Diamond Ter. *SE10* —1E **96**
Diana Clo. *E18* —1K **33**
Diana Ho. *SW13* —1B **90**
Diana Pl. *NW1* —4F **61** (3K **141**)
Diana Way. *Barn* —4H **5**
Dianthus Clo. *SE2* —5B **84**
Dibden Ho. *SE5* —7E **78**
Dibdin Clo. *Sutt* —3J **131**
Dibdin Rd. *N1* —1C **62**
Dibdin Rd. *Sutt* —3J **131**

Durrant Ct. *Har W* —2J **23**
Durrell Rd. *SW6* —2H **91**
Durrington Av. *SW20* —7E **106**
Durrington Pk. Rd. *SW20*
　　　　　　—1E **120**
Durrington Rd. *E5* —4A **48**
Durrington Tower. *SW8* —2G **93**
Durrisdeer Ho. *NW2* —4H **43**
　(off Lyndale)
Dursley Clo. *SE3* —2A **98**
Dursley Ct. *SE15* —6E **78**
　(off Lydney Clo.)
Dursley Gdns. *SE3* —1B **98**
Dursley Rd. *SE3* —2A **98**
Durward St. *E1* —5H **63**
Durweston M. *W1*
　　　　　　—5D **60** (5F **141**)
Durweston St. *W1*
　　　　　　—5D **60** (6F **141**)
Dury Falls Ct. *Romf* —2J **37**
Dury Rd. *Barn* —1C **4**
Dutch Gdns. *King T* —6H **105**
Dutch Yd. *SW18* —5J **91**
Duthie St. *E14* —7E **64**
Dutton Bus. Pk. *SE9* —2E **114**
Dutton St. *SE10* —1E **96**
Duxberry Av. *Felt* —3A **102**
Duxberry Clo. *Brom* —5C **128**
Duxford Ho. *SE2* —2D **84**
　(off Wolvercote Rd.)
Dye Ho. La. *E3* —1C **64**
Dyer's Bldgs. *EC1*
　　　　　　—5A **62** (6J **143**)
Dyers Hall Rd. *E11* —2G **49**
Dyers La. *SW15* —4D **90**
Dyke Ct. *E17* —5B **32**
Dykes Way. *Brom* —3H **127**
Dykewood Clo. *Bex* —3K **117**
Dylan Rd. *SE24* —4B **94**
Dylan Rd. *Belv* —3G **85**
Dylan Thomas Ho. *N8* —4K **29**
Dylways. *SE5* —4D **94**
Dymchurch Clo. *Ilf* —2E **34**
Dymes Path. *SW19* —2F **107**
Dymock Ct. *SE15* —6E **78**
　(off Lydney Clo.)
Dymock St. *SW6* —3K **91**
Dyneley Rd. *SE12* —3A **114**
Dyne Rd. *NW6* —7G **43**
Dynevor Rd. *N16* —3E **46**
Dynevor Rd. *Rich* —5E **88**
Dynham Rd. *NW6* —7J **43**
Dyott St. *WC1* —6H **61** (7D **142**)
Dysart Av. *King T* —5C **104**
Dysart St. *EC2* —4D **62** (4G **145**)
Dyson Ct. *NW2* —7E **26**
Dyson Ct. *Wemb* —2A **40**
Dyson Ho. *SE10* —5H **81**
　(off Blackwall La.)
Dyson Rd. *E11* —6G **33**
Dyson Rd. *E15* —6H **49**
Dysons Rd. *N18* —5C **18**

Eade Rd. *N4* —7C **30**
Eagans Clo. *N2* —3B **28**
Eagle Av. *Romf* —6E **36**
Eagle Clo. *Enf* —4D **8**
Eagle Clo. *Wall* —6J **133**
Eagle Ct. *E11* —4J **33**
Eagle Ct. *EC1* —5B **62** (5A **144**)
Eagle Dri. *NW9* —2A **26**
Eagle Hill. *SE19* —6D **110**
Eagle La. *E11* —4J **33**
Eagle Lodge. *NW11* —7H **27**

Eagle M. *N1* —6E **46**
Eagle Pl. *SW1* —7G **61** (3B **148**)
Eagle Pl. *SW7* —5A **76**
　(off Rolandway)
Eagle Rd. *Wemb* —7D **40**
Eaglesfield Rd. *SE18* —1F **99**
Eagle St. *WC1* —5K **61** (6G **143**)
Eagle Ter. *Wfd G* —7E **20**
Eagle Wharf E. *E14* —7A **64**
　(off Narrow St.)
Eagle Wharf Rd. *N1* —2C **62**
Eagle Wharf W. *E14* —7A **64**
　(off Narrow St.)
Ealdham Sq. *SE9* —4A **98**
Ealing B'way. Cen. *W5* —7D **56**
Ealing Common. (Junct.) —7F **57**
Ealing Downs Ct. *Gnfd* —3A **56**
Ealing Grn. *W5* —1D **72**
Ealing Pk. Gdns. *W5* —4C **72**
Ealing Rd. *Bren* —4D **72**
Ealing Rd. *N'holt* —1E **54**
Ealing Rd. *Wemb* —6E **40**
Ealing Rd. Trad. Est. *Bren*
　　　　　　—5D **72**
Ealing Village. *W5* —6E **56**
Eamont Ct. *NW8* —2C **60**
　(off Eamont St.)
Eamont St. *NW8* —2C **60**
Eardley Cres. *SW5* —5J **75**
Eardley Rd. *SW16* —5G **109**
Eardley Rd. *Belv* —5G **85**
Earl Clo. *N11* —5A **16**
Earldom Rd. *SW15* —4E **90**
Earle Gdns. *King T* —7E **104**
Earlham Gro. *E7* —5H **49**
Earlham Gro. *N22* —7E **16**
Earlham St. *WC2*
　　　　　　—6J **61** (1D **148**)
Earl Rise. *SE18* —4H **83**
Earl Rd. *SW14* —4J **89**
Earls Ct. Gdns. *SW5* —4K **75**
Earl's Ct. Rd. *W8 & SW5* —3J **75**
Earl's Ct. Sq. *SW5* —5K **75**
Earls Cres. *Harr* —4J **23**
Earlsdown Ho. *Bark* —2H **67**
Earlsferry Way. *N1* —7K **45**
Earlsfield Rd. *SW18* —1A **108**
Earlshall Rd. *SE9* —4D **98**
Earlsmead. *Harr* —4D **38**
Earlsmead Rd. *N15* —5F **31**
Earlsmead Rd. *NW10* —3E **58**
Earls Ter. *W8* —3H **75**
Earlsthorpe M. *SW12* —6E **92**
Earlsthorpe Rd. *SE26* —4K **111**
Earlstoke St. *EC1*
　　　　　　—3B **62** (1A **144**)
Earlston Gro. *E9* —1H **63**
Earl St. *EC2* —5D **62** (5F **145**)
Earls Wlk. *W8* —3J **75**
Earl's Wlk. *Dag* —4B **52**
Earlswood Av. *T Hth* —5A **124**
Earlswood Clo. *SE10* —6G **81**
Earlswood Gdns. *Ilf* —3E **34**
Earlswood St. *SE10* —5G **81**
Early M. *NW1* —1F **61**
Earne Rd. *W4* —6G **73**
Earnshaw St. *WC2*
　　　　　　—6H **61** (7D **142**)
Earsby St. *W14* —4G **75**
　(in two parts)
Easby Cres. *Mord* —6K **121**
Easebourne Rd. *Dag* —5C **52**
Easley's M. *W1* —6E **60** (7H **141**)
E. Acton Ct. *W3* —7A **58**
E. Acton La. *W3* —1A **74**

E. Arbour St. *E1* —6K **63**
East Av. *E12* —7C **50**
East Av. *E17* —4D **32**
East Av. *N2* —4K **27**
East Av. *S'hall* —7D **54**
East Av. *Wall* —5K **133**
E. Bank. *N16* —7E **30**
Eastbank Rd. *Hamp* —5G **103**
E. Barnet Rd. *Barn* —4G **5**
E. Beckton District Cen. *E6*
　　　　　　—5D **66**
E. Boundary Rd. *E12* —3D **50**
Eastbourne Av. *W3* —6K **57**
Eastbourne Gdns. *SW14* —3J **89**
Eastbourne M. *W2* —6A **60**
Eastbourne Rd. *E6* —3E **66**
Eastbourne Rd. *E15* —1G **65**
Eastbourne Rd. *N15* —6E **30**
Eastbourne Rd. *SW17* —6E **108**
Eastbourne Rd. *W4* —6J **73**
Eastbourne Rd. *Bren* —5C **72**
Eastbourne Rd. *Felt* —2B **102**
Eastbourne Ter. *W2* —6A **60**
Eastbournia Av. *N9* —3C **18**
Eastbrook Av. *N9* —7D **8**
Eastbrook Av. *Dag* —4J **53**
Eastbrook Dri. *Romf* —2K **53**
Eastbrook Rd. *SE3* —1K **97**
Eastbury Av. *Bark* —1J **67**
Eastbury Av. *Enf* —1A **8**
Eastbury Ct. *Bark* —1J **67**
Eastbury Ct. New Bar —5F **5**
　(off Lyonsdown Rd.)
Eastbury Gro. *W4* —5A **74**
Eastbury Rd. *E6* —4E **66**
Eastbury Rd. *King T* —7E **104**
Eastbury Rd. *Orp* —6H **129**
Eastbury Rd. *Romf* —6K **37**
Eastbury Sq. *Bark* —1K **67**
Eastbury Ter. *E1* —4K **63**
Eastcastle St. *W1*
　　　　　　—6G **61** (7A **142**)
Eastcheap. *EC3* —7D **62** (2G **151**)
E. Churchfield Rd. *W3* —1K **73**
East Clo. *W5* —4G **57**
East Clo. *Barn* —4K **5**
East Clo. *Gnfd* —2G **55**
Eastcombe Av. *SE7* —6K **81**
Eastcote. *Orp* —7K **129**
Eastcote Av. *Gnfd* —5A **40**
Eastcote Av. *Harr* —2F **39**
Eastcote Ind. Est. *Ruis* —7A **22**
Eastcote La. *Harr* —4C **38**
Eastcote La. N. *N'holt* —5D **38**
Eastcote La. N. *N'holt* —6D **38**
Eastcote Rd. *Harr* —3G **39**
Eastcote Rd. *Pinn* —5B **22**
Eastcote Rd. *Well* —2H **99**
Eastcote St. *SW9* —2K **93**
Eastcote View. *Pinn* —4A **22**
East Ct. *Wemb* —2C **40**
East Cres. *N11* —4J **15**
East Cres. *Enf* —5A **8**
Eastcroft Rd. *Eps* —7A **130**
E. Cross Route. *E9 & E3* —7B **48**
Eastdown Ct. *SE13* —4F **97**
Eastdown Ho. *E8* —4G **47**
Eastdown Pk. *SE13* —4F **97**
East Dri. *Cars* —7C **132**
E. Dulwich Gro. *SE22* —6E **94**
E. Dulwich Rd. *SE22 & SE15*
　　　　　　—4F **95**
E. End Farm. *Pinn* —3D **22**
E. End Rd. *N3 & N2* —2J **27**
E. End Way. *Pinn* —3C **22**

E. Entrance. *Dag* —2H **69**
Eastern Av. *E11* —6K **33**
Eastern Av. *Pinn* —7B **22**
Eastern Av. E. *Romf* —3K **37**
　(in two parts)
Eastern Av. W. *Romf* —4E **36**
Eastern Ind. Est. *Eri* —2G **85**
Eastern Rd. *E13* —2K **65**
Eastern Rd. *E17* —5E **32**
Eastern Rd. *N2* —3D **28**
Eastern Rd. *N22* —1J **29**
Eastern Rd. *SE4* —4C **96**
Easternville Gdns. *Ilf* —6G **35**
Eastern Way. *SE28* —2A **84**
E. Ferry Rd. *E14* —4D **80**
Eastfield Gdns. *Dag* —4G **53**
Eastfield Rd. *E17* —4C **32**
Eastfield Rd. *N8* —3J **29**
Eastfield Rd. *Dag* —4G **53**
Eastfield Rd. *Enf* —1E **8**
Eastfields. *Pinn* —5A **22**
Eastfields Rd. *W3* —5J **57**
Eastfields Rd. *Mitc* —2E **122**
East Gdns. *SW17* —6C **108**
Eastgate Clo. *SE28* —6D **68**
Eastglade. *Pinn* —3D **22**
E. Ham and Barking By-Pass. *Bark*
　　　　　　—2J **67**
E. Ham Ind. Est. *E6* —4C **66**
E. Ham Mnr. Way. *E6* —6E **66**
E. Harding St. *EC4*
　　　　　　—6A **62** (7K **143**)
E. Heath Rd. *NW3* —3A **44**
East Hill. *SW18* —5K **91**
East Hill. *Wemb* —2G **41**
Eastholm. *NW11* —4K **27**
East Holme. *Eri* —1K **101**
E. India Dock Ho. *E14* —6E **64**
E. India Dock Rd. *E14* —6C **64**
E. India Dock Wall Rd. *E14*
　　　　　　—7F **65**
Eastlake Ho. *NW8*
　　　　　　—4B **60** (4B **140**)
Eastlake Rd. *SE5* —2C **94**
Eastlands Cres. *SE21* —6F **95**
East La. *SE16* —2G **79**
East La. *King T* —3D **118**
East La. *Wemb* —3C **40**
Eastlea M. *E16* —4G **65**
Eastleigh Av. *Harr* —2F **39**
Eastleigh Clo. *NW2* —3A **42**
Eastleigh Clo. *Sutt* —7K **131**
Eastleigh Rd. *E17* —2B **32**
Eastleigh Rd. *Bexh* —3J **101**
Eastleigh Wlk. *SW15* —7C **90**
Eastman Ho. *SW4* —6G **93**
Eastman Rd. *W3* —2K **73**
East Mead. *Ruis* —3B **38**
Eastmead Av. *Gnfd* —3F **55**
Eastmead Clo. *Brom* —2C **128**
Eastmearn Rd. *SE21* —2C **110**
Eastmoor Pl. *SE7* —3B **82**
Eastmoor St. *SE7* —3B **82**
E. Mount St. *E1* —5H **63**
Eastney Rd. *Croy* —1B **134**
Eastney St. *SE10* —5B **81**
Eastnor Rd. *SE9* —1G **115**
Easton St. *WC1* —4A **62** (3J **143**)
East Pas. *EC1* —5C **62** (5C **144**)
East Pier. *E1* —1H **79**
East Pl. *SE27* —4C **110**
East Point. *SE1* —5G **79**

E. Poultry Av. *EC1*
　　　　　　—5B **62** (6A **144**)
East Rd. *E15* —1J **65**
East Rd. *N1* —3D **62** (2E **144**)
East Rd. *N2* —1C **28**
East Rd. *SW19* —6A **108**
East Rd. *Barn* —1K **15**
East Rd. *Chad H* —5E **36**
East Rd. *Edgw* —1H **25**
East Rd. *Enf* —1D **8**
East Rd. *King T* —1E **118**
East Rd. *Rush G* —7K **37**
East Rd. *Well* —2B **100**
E. Rochester Way. *Bex* —6H **101**
E. Rochester Way. *Sidc* —4J **99**
East Row. *W10* —4G **59**
Eastry Av. *Brom* —6H **127**
Eastry Rd. *Eri* —7G **85**
E. Sheen Av. *SW14* —5K **89**
Eastside Rd. *NW11* —4H **27**
E. Smithfield. *E1*
　　　　　　—7F **63** (3K **151**)
East St. *SE17* —5C **78** (5D **156**)
East St. *Bark* —1G **67**
East St. *Bexh* —4G **101**
East St. *Bren* —7C **72**
East St. *Brom* —2J **127**
E. Surrey Gro. *SE15* —7F **79**
E. Tenter St. *E1* —6F **63** (1K **151**)
East Vale. *W3* —1B **74**
East View. *E4* —5K **19**
East View. *Barn* —2C **4**
Eastview Av. *SE18* —7J **83**
Eastville Av. *NW11* —6H **27**
East Wlk. *E Barn* —1K **15**
Eastway. *E9* —6B **48**
East Way. *E11* —5K **33**
East Way. *Brom* —7J **127**
East Way. *Croy* —2A **136**
Eastway. *Mord* —5F **121**
Eastway. *Wall* —4G **133**
Eastway Commercial Cen. *E9*
　　　　　　—5C **48**
Eastwell Clo. *Beck* —7A **112**
Eastwood Clo. *E18* —2J **33**
Eastwood Clo. *N7* —5J **45**
Eastwood Clo. *N17* —1E **18**
Eastwood Clo. *E18* —2J **33**
Eastwood Rd. *N10* —2E **28**
Eastwood Rd. *E18* —2J **33**
Eastwood Rd. *Ilf* —7A **36**
E. Woodside. *Bex* —1E **116**
Eastwood St. *SW16* —6G **109**
Eatington Rd. *E10* —5F **33**
Eaton Clo. *SW1* —4E **76** (4G **153**)
Eaton Clo. *Stan* —4G **11**
Eaton Dri. *SW9* —4B **94**
Eaton Dri. *King T* —7G **105**
Eaton Gdns. *Dag* —7E **52**
Eaton Ga. *SW1* —4E **76** (3G **153**)
Eaton Gro. *N19* —3H **45**
Eaton La. *SW1* —3F **77** (2K **153**)
Eaton M. N. *SW1*
　　　　　　—4E **76** (3G **153**)
Eaton M. S. *SW1*
　　　　　　—4E **76** (3H **153**)
Eaton M. W. *SW1*
　　　　　　—4E **76** (3H **153**)
Eaton Pk. Rd. *N13* —2F **17**
Eaton Pl. *SW1* —4E **76** (2G **153**)
Eaton Rise. *E11* —5A **34**
Eaton Rise. *W5* —5D **56**
Eaton Rd. *NW4* —5E **26**

Eileen Rd. *SE25* —5D **124**
Eindhoven Clo. *Cars* —1E **132**
Einstein Ho. *Wemb* —3J **41**
Eisenhower Dri. *E6* —5C **66**
Elaine Gro. *NW5* —5E **44**
Elam Clo. *SE5* —2B **94**
Elam St. *SE5* —2B **94**
Elan Ct. *E1* —5H **63**
Eland Pl. *Croy* —3B **134**
Eland Rd. *SW11* —3D **92**
Eland Rd. *Croy* —3B **134**
Elba Pl. *SE17* —4C **78** (3D **156**)
Elberon Av. *Croy* —6G **123**
Elbe St. *SW6* —2A **92**
Elborough Rd. *SE25* —5G **125**
Elborough St. *SW18* —1J **107**
Elbourne Ct. SE16 —4K **79**
(off Worgan St.)
Elbury Dri. *E16* —6J **65**
Elcho St. *SW11* —7C **76**
Elcot Av. *SE15* —7H **79**
Eldenhall Ind. Est. *Dag* —1F **53**
Elder Av. *N8* —5J **29**
Elderberry Gro. *SE27* —4C **110**
Elderberry Rd. *W5* —2E **72**
Elder Clo. *Sidc* —1K **103**
Elder Ct. *Bush* —2D **10**
Elderfield Rd. *E5* —4J **47**
Elderfield Wlk. *E11* —5K **33**
Elderflower Way. *E15* —7G **49**
Elder Gdns. *SE27* —4C **110**
Elder Oak Clo. *SE20* —1H **125**
Elder Oak Ct. *SE20* —1G **125**
Elder Rd. *SE27* —4C **110**
Elderslie Clo. *Beck* —6D **126**
Elderslie Rd. *SE9* —5E **98**
Elder St. *E1* —4F **63** (4J **145**)
Elderton Rd. *SE26* —4A **112**
Eldertree Pl. *Mitc* —1G **123**
Eldertree Way. *Mitc* —1G **123**
Elder Wlk. N1 —1B **62**
(off Popham St.)
Elderwood Pl. *SE27* —5C **110**
Eldon Av. *Croy* —2J **135**
Eldon Av. *Houn* —7E **70**
Eldon Gro. *NW3* —5B **44**
Eldon Pk. *SE25* —4H **125**
Eldon Rd. *E17* —4B **32**
Eldon Rd. *N9* —1D **18**
Eldon Rd. *N22* —1B **30**
Eldon Rd. *W8* —3K **75**
Eldon St. *EC2* —5D **62** (6F **145**)
Eldon Wall Est. *Dag* —1F **53**
Eldon Way. *NW10* —3H **57**
Eldred Rd. *Bark* —1J **67**
Eldridge Ct. *SE16* —3G **79**
Eleanora Ter. Sutt —5A **132**
(off Lind Rd.)
Eleanor Clo. *N15* —3F **31**
Eleanor Clo. *SE16* —2K **79**
Eleanor Cres. *NW7* —5A **14**
Eleanor Gdns. *Barn* —5A **4**
Eleanor Gdns. *Dag* —2F **53**
Eleanor Gro. *SW13* —3A **90**
Eleanor Rd. *E8* —6H **47**
Eleanor Rd. *E15* —6H **49**
Eleanor Rd. *N11* —6D **16**
Eleanor St. *E3* —3C **64**
Eleanor Wlk. *SE18* —4C **82**
Electric Av. *SW9* —4A **94**
Electric La. *SW9 & SW2* —4A **94**
(in two parts)
Electric Pde. *E18* —2J **33**
Electric Pde. *Ilf* —2K **51**
Electric Pde. *Surb* —6D **118**

Elephant & Castle. *SE1*
—4B **78** (3B **156**)
Elephant & Castle. (Junct.)
—3B **78**
Elephant La. *SE16* —2J **79**
Elephant Rd. *SE17*
—4C **78** (3C **156**)
Elers Rd. *W13* —2C **72**
Eley Rd. *N18* —4D **18**
Eleys Est. *N18* —4E **18**
Elfindale Rd. *SE24* —5C **94**
Elfin Gro. *Tedd* —5K **103**
Elford Clo. *SE3* —4K **97**
Elford M. *SW4* —5G **93**
Elfort Rd. *N5* —4A **46**
Elfrida Cres. *SE6* —4C **112**
Elf Row. *E1* —7J **63**
Elfwine Rd. *W7* —5J **55**
Elgar. N8 —3J **29**
(off Boyton Clo.)
Elgar Av. *NW10* —6K **41**
(in two parts)
Elgar Av. *SW16* —3J **123**
Elgar Av. *W5* —2E **72**
Elgar Av. *Surb* —7G **119**
Elgar Clo. *E13* —2A **66**
Elgar Clo. *SE8* —7C **80**
Elgar Clo. *Buck H* —2G **21**
Elgar Clo. *Els* —1H **11**
Elgar Ct. W14 —3G **75**
(off Blythe Rd.)
Elgar St. *SE16* —3A **80**
Elgin Av. *W9* —4H **59**
Elgin Av. *Harr* —2B **24**
Elgin Ct. *W9* —4K **59**
Elgin Cres. *W11* —7G **59**
Elgin Est. W9 —4J **59**
(off Elgin Av.)
Elgin M. *W11* —6G **59**
Elgin M. N. *W9* —3K **59**
Elgin M. S. *W9* —3K **59**
Elgin Rd. *N22* —2G **29**
Elgin Rd. *Croy* —2F **135**
Elgin Rd. *Ilf* —1J **51**
Elgin Rd. *Sutt* —3A **132**
Elgin Rd. *Wall* —6G **133**
Elgood Clo. *W11* —1G **59**
Elham Clo. *Brom* —7B **114**
Elham Ho. *E5* —5H **47**
Elia Pl. *SW8* —6A **78**
Elia St. *N1* —2B **62** (1B **144**)
Elibank Rd. *SE9* —4D **98**
Elim Est. *SE1* —3E **78** (1G **157**)
Elim St. *SE1* —3E **78** (1F **157**)
Elim Way. *E13* —3H **65**
Eliot Bank. *SE23* —2H **111**
Eliot Cotts. *SE3* —2G **97**
Eliot Dri. *Harr* —2F **39**
Eliot Gdns. *SW15* —4C **90**
Eliot Hill. *SE13* —2E **96**
Eliot M. *NW8* —2A **60**
Eliot Pk. *SE13* —2E **96**
Eliot Pl. *SE3* —2G **97**
Eliot Rd. *Dag* —4D **52**
Eliot Vale. *SE3* —2F **97**
Elizabeth Av. *N1* —1C **62**
Elizabeth Av. *Enf* —3H **7**
Elizabeth Av. *Ilf* —2H **51**
Elizabeth Blackwell Ho. N22
(off Progress Way) —1A **30**
Elizabeth Bri. *SW1*
—4F **77** (4J **153**)
Elizabeth Clo. *E14* —6D **64**
Elizabeth Clo. *W9* —4A **60**

Elizabeth Clo. *Barn* —3A **4**
Elizabeth Clo. *Romf* —1H **37**
Elizabeth Clyde Clo. *N15* —4E **30**
Elizabeth Cotts. *Rich* —1F **89**
Elizabeth Ct. *E4* —5G **19**
Elizabeth Ct. *SW1*
—3H **77** (2D **154**)
Elizabeth Ct. E11 —7K **85**
(off Valence Rd.)
Elizabeth Ct. *Tedd* —5J **103**
Elizabeth Ct. *Wfd G* —7F **21**
Elizabeth Fry Rd. *E8* —7H **47**
Elizabeth Gdns. *W3* —1B **74**
Elizabeth Gdns. *Stan* —6H **11**
Elizabeth Garrett Anderson Ho.
Belv —3G **85**
(off Ambrooke Rd.)
Elizabeth Ind. Est. *SE14* —6K **79**
Elizabeth M. *NW3* —6C **44**
Elizabeth M. *Harr* —6J **23**
Elizabeth Pl. *N15* —4D **30**
Elizabeth Ride. *N9* —7C **8**
Elizabeth Rd. *E6* —1B **66**
Elizabeth Rd. *N15* —5E **30**
Elizabeth Sq. SE16 —7A **64**
(off Sovereign Cres.)
Elizabeth St. *SW1*
—4E **76** (3H **153**)
Elizabeth Ter. *SE9* —6D **98**
Elizabeth Way. *SE19* —7D **110**
Elizabeth Way. *Felt* —4A **102**
Elkington Point. *SE11*
—4A **78** (4J **155**)
Elkington Rd. *E13* —4K **65**
Elkstone Ct. SE15 —6E **78**
(off Birdlip Clo.)
Elkstone Rd. *W10* —5H **59**
Ellaline Rd. *W6* —6F **75**
Ellanby Cres. *N18* —4C **18**
Elland Rd. *SE15* —4J **95**
Ella Rd. *N8* —7J **29**
Ellement Clo. *Pinn* —5B **22**
Ellena Ct. N14 —3D **16**
(off Conway Rd.)
Ellenborough Ho. W12 —7D **58**
(off White City Est.)
Ellenborough Pl. *SW15* —4C **90**
Ellenborough Rd. *N22* —1C **30**
Ellenborough Rd. *Sidc* —5D **116**
Ellenbridge Way. *S Croy* —7E **134**
Ellen Clo. *Brom* —3B **128**
Ellen Ct. E4 —1K **19**
(off Ridgeway, The)
Ellen Ct. *N9* —2D **18**
Ellen Rd. *E6* —1G **63**
Ellen Webb Dri. *W'stone* —3J **23**
Ellen Wilkinson Ho. SW6 —6H **75**
(off Lillie Rd.)
Ellen Wilkinson Ho. *Dag* —3G **53**
Elleray Rd. *Tedd* —6K **103**
Ellerby St. *SW6* —1F **91**
Ellerdale Clo. *NW3* —4A **44**
Ellerdale Rd. *NW3* —5A **44**
Ellerdale St. *SE13* —4D **96**
Ellerdine Rd. *Houn* —4G **87**
Ellerker Gdns. *Rich* —6E **88**
Ellerman Av. *Twic* —1D **102**
Ellerslie Gdns. *NW10* —1C **58**
Ellerslie Rd. *W12* —1D **74**
Ellerslie Sq. Ind. Est. *SW2* —5J **93**
Ellerton Gdns. *Dag* —7C **52**
Ellerton Lodge. *N3* —2J **27**
Ellerton Rd. *SW13* —1C **90**
Ellerton Rd. *SW18* —1B **108**
Ellerton Rd. *SW20* —7C **106**

Ellerton Rd. *Dag* —7C **52**
Ellerton Rd. *Surb* —7F **119**
Ellery Ho. *SE17* —4D **78** (4F **157**)
Ellery Rd. *SE19* —7D **110**
Ellery St. *SE15* —2H **95**
Ellesmere Av. *NW7* —3E **12**
Ellesmere Av. *Beck* —2E **126**
Ellesmere Clo. *E11* —5H **33**
Ellesmere Ct. *W4* —6K **73**
Ellesmere Gdns. *Ilf* —5C **34**
Ellesmere Gro. *Barn* —5C **4**
Ellesmere Rd. *E3* —2A **64**
Ellesmere Rd. *NW10* —5C **42**
Ellesmere Rd. *W4* —6J **73**
Ellesmere Rd. *Gnfd* —4G **55**
Ellesmere Rd. *Twic* —6C **88**
Ellesmere St. *E14* —6D **64**
Elleswood Ct. *Surb* —7D **118**
Ellingfort Rd. *E8* —7H **47**
Ellingham Rd. *E15* —4F **49**
Ellingham Rd. *W12* —2C **74**
Ellington Ct. *N14* —2C **16**
Ellington Ho. *SE1*
—3C **78** (2E **156**)
Ellington Rd. *N10* —4F **29**
Ellington Rd. *Houn* —2F **87**
Ellington St. *N7* —6A **46**
Elliot Clo. *E15* —7G **49**
Elliot Rd. *NW4* —6D **26**
Elliott Clo. *Wemb* —3G **41**
Elliott Rd. *SW9* —7B **78**
Elliott Rd. *W4* —4A **74**
Elliott Rd. *Brom* —4B **128**
Elliott Rd. *Stan* —6F **11**
Elliott Rd. *T Hth* —4B **124**
Elliott's Pl. *N1* —1B **62**
Elliott Sq. *NW3* —7C **44**
Elliott's Row. *SE11*
—4B **78** (3A **156**)
Ellis Clo. *NW10* —6D **42**
Ellis Clo. *SE9* —2G **115**
Elliscombe Rd. *SE7* —6A **82**
Ellis Ct. *W7* —5K **55**
Ellisfield Dri. *SW15* —7C **90**
Ellis Ho. *SE17* —5D **78** (5E **156**)
Ellis M. *SE7* —6A **82**
Ellison Gdns. *S'hall* —4D **70**
Ellison Rd. *SW13* —2B **90**
Ellison Rd. *SW16* —7H **109**
Ellison Rd. *Sidc* —1H **115**
Ellis Rd. *Mitc* —6D **122**
Ellis Rd. *S'hall* —1G **71**
Ellis St. *SW1* —4E **76** (3F **153**)
Ellora Rd. *SW16* —5H **109**
Ellsworth St. *E2* —3H **63**
Ellwood Ct. *W9* —4K **59**
(off Clearwell Dri.)
Elm Av. *W5* —1E **72**
Elm Av. *Ruis* —7A **22**
Elm Bank. *N14* —7D **6**
Elm Bank Dri. *Brom* —2A **128**
Elm Bank Gdns. *SW13* —2A **90**
Elmbank Way. *W7* —5H **55**
Elmbourne Dri. *Belv* —4H **85**
Elmbourne Rd. *SW17* —3F **109**
Elmbourne Trad. Est. *Belv*
—3H **85**
Elmbridge Av. *Surb* —5H **119**
Elmbridge Wlk. *E8* —7G **47**
Elmbrook Gdns. *SE9* —4C **98**
Elmbrook Rd. *Sutt* —4H **131**
Elm Clo. *E11* —6K **33**
Elm Clo. *N19* —2G **45**

Elm Clo. *NW4* —5F **27**
Elm Clo. *SW20* —4E **120**
Elm Clo. *Buck H* —2G **21**
Elm Clo. *Cars* —1D **132**
Elm Clo. *Harr* —6F **23**
Elm Clo. *Romf* —1H **37**
Elm Clo. *S Croy* —6E **134**
Elm Clo. *Surb* —7J **119**
Elm Clo. *Twic* —2F **103**
Elmcote. *Pinn* —2B **22**
Elm Cotts. *Mitc* —2D **122**
Elm Ct. *EC4* —7A **62** (1J **149**)
Elm Ct. *SE13* —3F **97**
Elmcourt Rd. *SE27* —2B **110**
Elm Cres. *W5* —2E **72**
Elm Cres. *King T* —1E **118**
Elmcroft. *N6* —7G **29**
Elmcroft Av. *E11* —5K **33**
Elmcroft Av. *N9* —6C **8**
Elmcroft Av. *NW11* —7H **27**
Elmcroft Av. *Sidc* —7K **99**
Elmcroft Clo. *E11* —4K **33**
Elmcroft Clo. *N8* —5K **29**
Elmcroft Clo. *W5* —6D **56**
Elmcroft Cres. *NW11* —7G **27**
Elmcroft Cres. *Harr* —3E **22**
Elmcroft Gdns. *NW9* —4G **25**
Elmcroft St. *E5* —4J **47**
Elmdale Rd. *N13* —5E **16**
Elmdene. *Surb* —7J **119**
Elmdene Clo. *Beck* —6B **126**
Elmdene Rd. *SE18* —5F **83**
Elmdon Rd. *Houn* —2C **86**
Elm Dri. Harr —6F **23**
Elmer Clo. *Enf* —3E **6**
Elmer Gdns. Edgw —7C **12**
Elmer Gdns. *Iswth* —3H **87**
Elmer Rd. *SE6* —7E **96**
Elmers Dri. *Tedd* —6B **104**
Elmers End Rd. *SE20 & Beck*
—2J **125**
Elmerside Rd. *Beck* —4A **126**
Elmers Rd. *SE25* —7G **125**
Elmfield Av. *N8* —5J **29**
Elmfield Av. *Mitc* —1E **122**
Elmfield Av. *Tedd* —5K **103**
Elmfield Clo. *Harr* —2J **39**
Elmfield Ct. *Well* —1B **100**
Elmfield Ho. N2 —2B **28**
(off Grange, The)
Elmfield Pk. *Brom* —3J **127**
Elmfield Rd. *E4* —2K **19**
Elmfield Rd. *E17* —6K **31**
Elmfield Rd. *N2* —3B **28**
Elmfield Rd. *SW17* —2E **108**
Elmfield Rd. *Brom* —2J **127**
Elmfield Rd. *S'hall* —3C **70**
Elmfield Way. *S Croy* —7F **135**
Elm Friars Wlk. *NW1* —7H **45**
Elm Gdns. *N2* —3A **28**
Elm Gdns. *Mitc* —4H **123**
Elmgate Av. *Felt* —3A **102**
Elmgate Gdns. *Edgw* —5D **12**
Elm Grn. *W3* —6A **58**
Elmgreen Clo. *E15* —1G **65**
Elm Gro. *N8* —6J **29**
Elm Gro. *NW2* —4F **43**
Elm Gro. *SE15* —2F **95**
Elm Gro. *SW19* —7G **107**
Elm Gro. *Eri* —7K **85**
Elm Gro. *Harr* —7F **23**
Elm Gro. *King T* —1E **118**
Elm Gro. *Sutt* —4K **131**
Elm Gro. *Wfd G* —5C **20**
Elmgrove Cres. *Harr* —5K **23**

Fairway, The. NW7 —3E 12	Falmouth Clo. SE12 —5H 97	Farmfield Rd. Brom —5G 113	Farrans Ct. Harr —7B 24	Feathers Pl. SE10 —6F 81
Fairway, The. W3 —6A 58	Falmouth Ho. Pinn —1D 22	Farm Ho. Ct. NW7 —7H 13	Farrant Av. N22 —2A 30	Featherstone Av. SE23 —2J 111
Fairway, The. Brom —5D 128	Falmouth Rd. SE1	Farmhouse Rd. SW16 —7G 109	Farr Av. Bark —2A 68	Featherstone Ho. Hayes —5A 54
Fairway, The. New Bar —6E 4	—3C 78 (2D 156)	Farmilo Rd. E17 —7B 32	Farren Rd. SE23 —2A 112	Featherstone Ind. Est. S'hall
Fairway, The. N Mald —1K 119	Falmouth St. E15 —5F 49	Farmington Av. Sutt —3B 132	Farrer Ho. SE8 —7C 80	(off Dominion Rd.) —3C 70
Fairway, The. Ruis —4A 38	Falstaff Ct. SE11	Farmlands. Enf —1F 7	Farrer M. N8 —4H 29	Featherstone Rd. NW7 —6J 13
Fairway, The. N'holt —6G 39	(off Opal St.) —4B 78 (4A 156)	Farmlands, The. N'holt —6E 38	Farrer Rd. N8 —4H 29	Featherstone Rd. S'hall —3C 70
Fairway, The. Wemb —2B 40	Falstaff Ho. N1 —2E 62	Farmland Wlk. Chst —5F 115	Farrer Rd. Harr —5E 24	Featherstone St. EC1
Fairweather Clo. N15 —4E 30	(off Arden Est.)	Farm La. N14 —6K 5	Farrer's Pl. Croy —4K 135	—4D 62 (3E 144)
Fairweather Ct. N13 —4E 16	Falstaff M. Hamp —7G 103	Farm La. SW6 —6J 75	Farrier Rd. N'holt —2E 54	Featherstone Ter. S'hall —3C 70
Fairweather Rd. N16 —6G 31	Fambridge Clo. SE26 —4B 112	Farm La. Croy —2B 136	Farrier St. NW1 —7F 45	Featley Rd. SW9 —3B 94
Fairwyn Rd. SE26 —4A 112	Fambridge Ct. Romf —5K 37	Farm La. Clo. SW6 —7J 75	Farrier Wlk. SW10 —6A 76	Federal Rd. Gnfd —1C 56
Fakenham Clo. NW7 —7H 13	(off Marks Rd.)	(off Farm La.)	Farringdon La. EC1	Federation Rd. SE2 —4B 84
Fakenham Clo. N'holt —6D 38	Fambridge Rd. Dag —1G 53	Farmleigh. N14 —7B 6	—4A 62 (4K 143)	Felbridge Av. Stan —1A 24
Fakruddin St. E1 —4G 63	Fancett Ho. SE5 —4D 94	Farmleigh Ho. SE24 —5B 94	Farringdon Rd. EC1	Felbridge Clo. SW16 —4A 110
Falcon Av. Brom —4C 128	Fane St. W14 —6H 75	Farm M. Mitc —2F 123	—4A 62 (3J 143)	Felbridge Clo. Sutt —7K 131
Falconberg Ct. W1	Fann St. EC1 —4C 62 (4C 144)	Farm Pl. W8 —1J 75	Farringdon St. EC4	Felbrigge Rd. Ilf —2K 51
—6H 61 (7D 142)	Fanshawe Av. Bark —6G 51	Farm Rd. N21 —1H 17	—5B 62 (6A 144)	Felday Rd. SE13 —6D 96
Falconberg M. W1	Fanshawe Cres. Dag —5E 52	Farm Rd. Edgw —6C 12	Farrow La. SE14 —7J 79	Felden Clo. Pinn —1C 22
—6H 61 (7D 142)	Fanshawe Rd. Rich —4C 104	Farm. Rd. Houn —1C 102	Farrow Pl. SE16 —3A 80	Felden St. SW6 —1H 91
Falcon Clo. SE1 —1B 78 (4B 150)	Fantail, The. (Junct.) —3D 138	Farm Rd. Mord —5K 121	Farr Rd. Enf —1J 7	Feldman Clo. N16 —1G 47
Falcon Clo. W4 —6J 73	Fanthorpe St. SW15 —3E 90	Farm Rd. Sutt —7B 132	Farthingale Wlk. E15 —7F 49	Felgate M. W6 —4D 74
Falcon Ct. E18 —3K 33	Faraday Av. Sidc —2A 116	Farmstead Rd. SE6 —4D 112	Farthing All. SE1	Felhampton Rd. SE9 —3F 115
(off Albert Rd.)	Faraday Clo. N7 —6K 45	Farmstead Rd. Harr —1H 23	—2G 79 (7K 151)	Felhurst Cres. Dag —4H 53
Falcon Ct. EC4 —6A 62 (1K 149)	Faraday Ho. Wemb —3J 41	Farm St. W1 —7F 61 (3J 147)	Farthing Barn La. Orp —7E 138	Feline Ct. Barn —6H 5
Falcon Ct. New Bar —4F 5	Faraday Rd. E15 —6H 49	Farm Vale. Bex —6H 101	Farthing Fields. E1 —1H 79	Felix Av. N8 —6J 29
Falcon Cres. Enf —5E 8	Faraday Rd. SW19 —6J 107	Farm Way. Buck H —4F 21	Farthings Clo. E4 —3B 20	Felix Ct. E17 —5J 81
Falconer Ct. N17 —7H 17	Faraday Rd. W3 —7J 57	Farmway. Dag —3C 52	Farthings Clo. Pinn —6A 22	Felix Mnr. Chst —6J 115
Falconer Wlk. N7 —2K 45	Faraday Rd. W10 —5G 59	Farm Way. Wor Pk —3E 130	Farthings, The. King T —1G 119	Felix Rd. W13 —7A 56
Falcon Gro. SW11 —3C 92	Faraday Rd. Well —3A 100	Farnaby Rd. SE9 —4A 98	Farthing St. Orp —7D 138	Felixstowe Rd. N9 —4B 18
Falcon La. SW11 —3D 92	Faraday Rd. S'hall —7F 55	Farnaby Rd. Brom —7F 113	Farwell Rd. Sidc —4B 116	Felixstowe Rd. N17 —3F 31
Falcon Point. SE1	Faraday Way. SE18 —3B 82	Farnan Av. E17 —2C 32	Farwig La. Brom —1H 127	Felixstowe Rd. NW10 —3D 58
—7B 62 (3B 150)	Faraday Way. Croy —1K 133	Farnan Rd. SW16 —5J 109	Fashion St. E1 —5F 63 (6J 145)	Felixstowe Rd. SE2 —3B 84
Falcon Rd. SW11 —2C 92	Fareham Rd. Felt —7A 86	Farnborough Av. E17 —3A 32	Fashoda Rd. Brom —4B 128	Felix St. E2 —2H 63
Falcon Rd. Enf —5E 8	Fareham St. W1	Farnborough Av. S Croy —7K 135	Fassett Rd. E8 —6G 47	Fellbrigg Rd. SE22 —5F 95
Falcon Rd. Hamp —7D 102	—6H 61 (7C 142)	Farnborough Clo. Wemb —2H 41	Fassett Rd. King T —4E 118	Fellbrigg St. E1 —4H 63
Falcon St. E13 —4H 65	Farewell Pl. Mitc —1C 122	Farnborough Comn. Orp	Fassett Sq. E8 —6G 47	Fellbrook. Rich —3B 104
Falcon Ter. SW11 —3C 92	Faringdon Av. Brom —7E 128	—3D 138	Fauconberg Ct. W4 —6J 73	Fellowes Clo. Hayes —4B 54
Falcon Way. E11 —4J 33	Faringford Rd. E15 —7G 49	Farnborough Cres. Brom	(off Fauconberg Rd.)	Fellowes Rd. Cars —3C 132
Falcon Way. E14 —4D 80	Farjeon Ho. NW6 —7B 44	—1H 137	Fauconberg Rd. W4 —6J 73	Fellows Ct. E2 —2F 63 (1J 145)
Falcon Way. NW9 —2A 26	(off Hilgrove Rd.)	Farnborough Cres. S Croy	Faulkner Clo. Dag —7D 36	Fellows Rd. NW3 —7B 44
Falcon Way. Harr —5E 24	Farjeon Rd. SE3 —1B 98	—7A 136	Faulkner's All. EC1	Felltram Way. SE7 —5J 81
Falconwood. (Junct.) —4G 99	Farleigh Av. Brom —7H 127	Farnborough Way. SE15 —7F 79	—5B 62 (5A 144)	Fell Wlk. Edgw —1J 25
Falconwood Av. Well —2H 99	Farleigh Pl. N16 —4F 47	Farncombe St. SE16 —2G 79	Faulkner St. SE14 —1J 95	Felmersham Clo. SW4 —4J 93
Falconwood Ct. SE3 —2H 97	Farleigh Rd. N16 —4F 47	Farndale Av. N13 —3G 17	Fauna Clo. Romf —6C 36	Felmingham Rd. SE20 —2J 125
Falconwood Pde. Well —4K 99	Farley Dri. Ilf —1J 51	Farndale Cres. Gnfd —3G 55	Faunce St. SE17	Felnex Trad. Est. NW10 —2K 57
Falconwood Rd. Croy —7B 136	Farley Ho. SE26 —3H 111	Farnell M. SW5 —5K 75	—5B 78 (6A 156)	Felsberg Rd. SW2 —7J 93
Falcourt Clo. Sutt —5K 131	Farley Pl. SE25 —4G 125	Farnell Point. E5 —4G 47	Favart Rd. SW6 —1J 91	Fels Clo. Dag —3H 53
Falkirk Ho. W9 —3K 59	Farley Rd. SE6 —7D 96	Farnell Rd. Iswth —3H 87	Faversham Av. E4 —1B 20	Fels Farm Av. Dag —3J 53
(off Maida Vale)	Farley Rd. S Croy —7G 135	Farnham Clo. N20 —7F 5	Faversham Av. Enf —6J 7	Felsham Rd. SW15 —3E 90
Falkirk St. N1 —2E 62 (1H 145)	Farlington Pl. SW15 —7D 90	Farnham Ct. S'hall —6G 55	Faversham Rd. SE6 —7B 96	Felspar Clo. SE18 —5K 83
Falkland Av. N3 —7D 14	Farlow Rd. SW15 —3F 91	(off Redcroft Rd.)	Faversham Rd. Beck —2B 126	Felstead Av. Ilf —1E 34
Falkland Av. N11 —4A 16	Farlton Rd. SW18 —7K 91	Farnham Gdns. SW20 —2D 120	Faversham Rd. Mord —6K 121	Felstead Gdns. E14 —5E 80
Falkland Ho. SE6 —4E 112	Farman Gro. N'holt —3B 54	Farnham Pl. SE1	Fawcett Clo. SW11 —2B 92	Felstead Rd. E11 —7J 33
Falkland Ho. W8 —3K 75	Farmcote Rd. SE12 —1J 113	—1B 78 (5B 150)	Fawcett Est. E5 —1G 47	Felstead St. E9 —6B 48
Falkland Pl. NW5 —5G 45	Farm Ct. NW4 —3C 26	Farnham Rd. Ilf —7K 35	Fawcett Rd. NW10 —1B 58	Felstead Wharf. E14 —5E 80
Falkland Rd. N8 —4A 30	Farmdale Rd. SE10 —5J 81	Farnham Rd. Well —2C 100	Fawcett Rd. Croy —3C 134	Felsted Rd. E16 —6B 66
Falkland Rd. NW5 —5G 45	Farmdale Rd. Cars —7C 132	Farnham Royal. SE11	Fawcett St. SW10 —6A 76	Feltham.
Falkland Rd. Barn —2B 4	Farm Dri. Croy —2B 136	—5K 77 (6H 155)	Fawe Pk. Rd. SW15 —4H 91	—3A 102
Fallaize Av. Ilf —4F 51	Farmer Rd. E10 —1D 48	Farningham Ct. SW16 —7H 109	Fawe St. E14 —5D 64	Felthambrook Ind. Est. Felt
Falloden Way. NW11 —4J 27	Farmer's Rd. SE5 —7B 78	Farningham Ho. N4 —7D 30	Fawley Rd. NW6 —5K 43	—3A 102
Fallow Ct. Av. N12 —7F 15	Farmer St. W8 —1J 75	Farningham Rd. N17 —7B 18	Fawnbrake Av. SE24 —5B 94	Felthambrook Way. Felt —3A 102
Fallowfield. Stan —4F 11		Farnley Ho. SW8 —2H 93	Fawood Av. NW10 —7K 41	Feltham Bus. Complex. Felt
Fallowfield Ct. Stan —3F 11		Farnley Rd. E4 —1B 20	Faygate Cres. Bexh —5G 101	—2A 102
Fallowfields Dri. N12 —6H 15		Farnley Rd. SE25 —4D 124	Faygate Rd. SW2 —2K 109	Felthamhill Rd. Felt —5A 102
Fallows Clo. N2 —2B 28		Faro Clo. Brom —2E 128	Fayland Av. SW16 —5G 109	Feltham Rd. Mitc —2E 122
Fallsbrook Rd. SW16 —6F 109		Faroe Rd. W14 —3F 75	Fearnley Cres. Hamp —5C 102	Felton Clo. Orp —6F 129
Falman Clo. N9 —1B 18		Farorna Wlk. Enf —1F 7	Fearnley Ho. SE5 —2E 94	Felton Ct. N1 —1D 62
Falmer Rd. E17 —3D 32		Farquhar Rd. SE19 —5F 111	Fearon St. SE10 —5J 81	Felton Gdns. Bark —1J 67
Falmer Rd. N15 —5C 30		Farquhar Rd. SW19 —3J 107	Featherbed La. Croy & Warl	Felton Ho. N1 —1D 62
Falmer Rd. Enf —4K 7		Farquharson Rd. Croy —1C 134	—7B 136	(off Colville Est.)
Falmouth Av. E4 —5A 20		Farrance Rd. Romf —7E 36		Felton Lea. Sidc —5K 115
Falmouth Clo. N22 —7E 16		Farrance St. E14 —6C 64		Felton Rd. W13 —2C 72
				Felton Rd. Bark —2J 67
				Fenchurch Av. EC3
				—6E 62 (1G 151)

Fenchurch Bldgs. *EC3*
—6E **62** (1H **151**)
Fenchurch Pl. *EC3*
—7E **62** (2H **151**)
Fenchurch St. *EC3*
—7E **62** (2G **151**)
Fen Ct. *EC3* —6E **62** (2G **151**)
Fendall St. *SE1* —3E **78** (2H **157**)
(in two parts)
Fendt Clo *F16* —6H **65**
Fendyke Rd. *Belv* —4D **84**
Fenelon Pl. *W14* —4H **75**
Fen Gro. *Sidc* —5K **99**
Fenham St. *SE15* —7G **79**
Fenhurst Gdns. *Edgw* —6B **12**
Fenman Ct. *N17* —1H **31**
Fenman Gdns. *Ilf* —1B **52**
Fenn Clo. *Brom* —6J **113**
Fennel Clo. *E16* —4G **65**
Fennel Clo. *Croy* —1K **135**
Fennells Mead. *Eps* —7B **130**
Fennell St. *SE18* —6E **82**
Fenner Clo. *SE16* —4H **79**
Fenner Sq. *SW11* —3B **92**
Fenn Ho. *Iswth* —1B **88**
Fenning St. *SE1* —2E **78** (6G **151**)
Fenn St. *E9* —5J **47**
Fenstanton Av. *N12* —5G **15**
Fen St. *E16* —7H **65**
Fenswood Clo. *Bex* —6G **101**
Fentiman Rd. *SW8*
—6J **77** (7F **155**)
Fenton Clo. *E8* —6F **47**
Fenton Clo. *SW9* —2K **93**
Fenton Clo. *Chst* —5D **114**
Fenton Ho. *SE14* —7A **80**
Fenton Ho. *Houn* —6E **70**
Fenton Rd. *N17* —7H **17**
Fentons Av. *E13* —3K **65**
Fenton St. *E1* —6H **63**
Fenwick Clo. *SE18* —6E **82**
Fenwick Gro. *SE15* —3G **95**
Fenwick Pl. *SW9* —3J **93**
Fenwick Pl. *S Croy* —7B **134**
Fenwick St. *SE15* —3G **95**
Ferby Ct. Sidc —4K **115**
(off Main Rd.)
Ferdinand Pl. *NW1* —7E **44**
Ferdinand St. *NW1* —7E **44**
Ferguson Av. *Surb* —5F **119**
Ferguson Clo. *E14* —4C **80**
Ferguson Clo. *Brom* —3F **127**
Ferguson Dri. *W3* —6K **57**
Ferguson Ho. *E17* —6A **32**
Ferguson Ho. *SE10* —1E **96**
Fergus Rd. *N5* —5B **46**
Fermain Ct. E. N1 —1E **62**
(off De Beauvoir Est.)
Fermain Ct. N. N1 —1E **62**
(off De Beauvoir Est.)
Fermain Ct. W. N1 —1E **62**
(off De Beauvoir Est.)
Ferme Pk. Rd. *N8 & N4* —5J **29**
Fermor Rd. *SE23* —1A **112**
Fermoy Rd. *W9* —4H **59**
Fermoy Rd. *Gnfd* —4F **55**
Fern Av. *Mitc* —4H **123**
Fernbank. *Buck H* —1E **20**
Fernbank Av. *Wemb* —4K **39**
Fernbank M. *SW12* —6F **93**
Fernbrook Av. *Sidc* —5J **99**
Fernbrook Cres. SE13 —6G **97**
(off Fernbrook Rd.)
Fernbrook Dri. *Harr* —7F **23**
Fernbrook Rd. *SE13* —6G **97**

Ferncliff Rd. *E8* —5G **47**
Fern Clo. *N1* —2E **62**
Fern Ct. *SE14* —2K **95**
Fern Ct. *Bexh* —4G **101**
Ferncroft Av. *N12* —6J **15**
Ferncroft Av. *NW3* —3J **43**
Ferncroft Av. *Ruis* —2A **38**
Ferndale. *Brom* —2A **128**
Ferndale Av. *E17* —5F **33**
Ferndale Av. *Houn* —3C **86**
Ferndalc Clo. *Bexh* —1E **100**
Ferndale Rd. *E7* —7K **49**
Ferndale Rd. *E11* —2G **49**
Ferndale Rd. *N15* —6F **31**
Ferndale Rd. *SE25* —5H **125**
Ferndale Rd. *SW4 & SW9* —4J **93**
Ferndale Rd. *Romf* —2J **37**
Ferndale St. *E6* —7F **67**
Ferndale Ter. *Harr* —4K **23**
Ferndell Av. *Bex* —3K **117**
Fern Dene *W13* —5B **56**
Ferndene Rd. *SE24* —4C **94**
—3G **31**
Ferndown Av. *Orp* —7H **129**
Ferndown Clo. *Pinn* —1C **22**
Ferndown Clo. *Sutt* —6B **132**
Ferndown Ct. S'hall —6G **55**
(off Haldane Rd.)
Ferndown Rd. *SE9* —7B **98**
Ferney Meade Way. *Iswth*
—2A **88**
Ferney Rd. *E Barn* —7K **5**
Fernhall Dri. *Ilf* —5B **34**
Fernham Rd. *T Hth* —3C **124**
Fernhead Rd. *W9* —3H **59**
Fernheath Way. *Dart* —5K **117**
Fernhill Ct. *E17* —2F **33**
Fernhill Gdns. *King T* —5D **104**
Fernhill St. *E16* —1D **82**
Fernholme Rd. *SE15* —5K **95**
Fernhurst Gdns. *Edgw* —6B **12**
Fernhurst Rd. *SW6* —1G **91**
Fernhurst Rd. *Croy* —1H **135**
Fern La. *Houn* —5D **70**
Fernlea Rd. *SW12* —1F **109**
Fernlea Rd. *Mitc* —2E **122**
Fernleigh Clo. *Croy* —4A **134**
Fernleigh Ct. *Harr* —2F **23**
Fernleigh Ct. *Romf* —5J **37**
Fernleigh Ct. *Wemb* —2E **40**
Fernleigh Rd. *N21* —2F **17**
Fernsbury St. *WC1*
—3A **62** (2J **143**)
Fernshaw Rd. *SW10* —6A **76**
Fernside. *NW11* —2J **43**
Fernside. *Buck H* —1E **20**
Fernside Av. *NW7* —3E **12**
Fernside Av. *Felt* —4A **102**
Fernside Ct. *NW4* —2F **27**
Fernside Rd. *SW12* —1D **108**
Ferns Rd. *E15* —6H **49**
Fern St. *E3* —4C **64**
Fernthorpe Rd. *SW16* —6G **109**
Ferntower Rd. *N5* —5D **46**
Fern Wlk. SE16 —5G **79**
(off Argyle Way)
Fernways. *Ilf* —4F **51**
Fernwood. *Croy* —7A **136**
Fernwood Av. *SW16* —4H **109**
Fernwood Av. *Wemb* —6C **40**
Fernwood Clo. *Brom* —2A **128**
Fernwood Cres. *N20* —3J **15**
Ferny Hill. *Barn* —1J **5**
Ferranti Clo. *SE18* —4B **82**
Ferraro Clo. *Houn* —6E **70**

Ferrers Av. *Wall* —4H **133**
Ferrers Rd. *SW16* —5H **109**
Ferrestone Rd. *N8* —4K **29**
Ferriby Clo. *N1* —7A **46**
Ferrier Ind. Est. SW18 —4K **91**
(off Ferrier St.)
Ferrier Point. *E16* —5J **65**
(off Forty Acre La.)
Ferrier St. *SW18* —4K **91**
Ferring Clo. *Harr* —1G **39**
Ferrings. *SE21* —3E **110**
Ferris Av. *Croy* —3B **136**
Ferris Rd. *SE22* —4G **95**
Ferron Rd. *E5* —3H **47**
Ferry App. *SE18* —3E **82**
Ferry Clo. *SE18* —3E **82**
Ferrybridge Ho. *SE11*
—3K **77** (2H **155**)
Ferrydale Lodge. NW4 —4E **26**
(off Church Rd.)
Ferry Ho. *E5* —1H **47**
(off Harrington Hill)
Ferry Island Retail Pk. *N17*
—3G **31**
Ferry La. *N17* —4G **31**
Ferry La. *SW13* —6B **74**
Ferry La. *Bren* —6E **72**
Ferry La. *Rich* —6F **73**
Ferry La. Ind. Est. *E17* —4K **31**
Ferrymead Av. *Gnfd* —3E **54**
Ferrymead Dri. *Gnfd* —2E **54**
Ferrymead Gdns. *Gnfd* —2F **55**
Ferrymoor. *Rich* —3B **104**
Ferry Pl. *SE18* —3E **82**
Ferry Rd. *SW13* —7C **74**
Ferry Rd. *Tedd* —5B **104**
Ferry Rd. *Th Dit* —6B **118**
Ferry Rd. *Twic* —1B **104**
Ferry Sq. *Bren* —7E **72**
Ferry St. *E14* —5E **80**
Festing Rd. *SW15* —3F **91**
Festival Clo. *Bex* —1D **116**
Festival Wlk. *Cars* —5D **132**
Fetter La. *EC4* —6A **62** (1K **149**)
Ffinch St. *SE8* —7C **80**
Field Clo. *E4* —6J **19**
Field Clo. *Brom* —2A **128**
Field Clo. *Buck H* —3F **21**
Field Clo. *Houn* —2A **86**
Field Clo. *WC19* —3J **107**
Field Ct. *WC1* —5K **61** (6H **143**)
Field End. *N'holt* —6C **38**
Field End. *Ruis* —6A **38**
Field End. *Twic* —4K **103**
Fieldend Rd. *SW16* —1G **123**
Field End Rd. *Eastc & Ruis*
—6A **22**
Fielders Clo. *Enf* —4K **7**
Fielders Clo. *Harr* —1G **39**
Fieldfare Rd. *SE28* —7C **68**
Fieldgate La. *Mitc* —2C **122**
Fieldgate Mans. E1 —5G **63**
(off Fieldgate St.)
Fieldgate St. *E1* —5G **63**
Fieldhouse Clo. *E18* —1K **33**
Fieldhouse Rd. *SW12* —1G **109**
Fielding Av. *Twic* —3G **103**
Fielding Ho. W4 —6A **74**
(off Devonshire Rd.)
Fielding M. SW13 —6D **74**
(off Castelnau Pl.)
Fielding Rd. *W4* —3K **73**
Fielding Rd. *W14* —3F **75**
Fieldings, The. *SE23* —1J **111**
Fielding St. *SE17*
—6C **78** (7C **156**)

Fielding Ter. *W5* —7F **57**
Field La. *Bren* —7C **72**
Field La. *Tedd* —5A **104**
Field Mead. *NW9 & NW7*
—7F **13**
Field Pl. *N Mald* —6B **120**
Field Point. *E7* —4J **49**
Field Rd. *E7* —4H **49**
Field Rd. *N17* —3D **30**
Field Rd. *W6* —5G **75**
Field Rd. *Felt* —6A **86**
Fieldsend Rd. *Sutt* —5G **131**
Fields Est. *E8* —7G **47**
Fieldside Rd. *Brom* —5F **113**
Fields Pk. Cres. *Romf* —5D **36**
Fieldsway Ho. *N5* —5A **46**
Fieldview. *SW18* —1B **108**
Field Way. *NW10* —7J **41**
Field Way. *Gnfd* —1F **55**
Field Way. *New Ad* —7D **136**
Fieldway. *Orp* —6H **129**
Fieldway Cres. *N5* —5A **46**
Fiennes Clo. *Dag* —1C **52**
Fife Rd. *E16* —5J **65**
Fife Rd. *N22* —7G **17**
Fife Rd. *SW14* —5J **89**
Fife Rd. *King T* —2E **118**
Fife Ter. *N1* —2K **61**
Fifield Path. *SE23* —3K **111**
Fifth Av. *E12* —4D **50**
Fifth Av. *W10* —3G **59**
Fifth Cross Rd. *Twic* —2H **103**
Fifth Way. *Wemb* —4H **41**
Figges Rd. *Mitc* —7E **108**
Fig Tree Clo. *NW10* —1A **58**
Filanco Ct. W7 —1K **71**
(off Uxbridge Rd.)
Filey Av. *N16* —1G **47**
Filey Clo. *Sutt* —7A **132**
Filigree Ct. *SE16* —1A **80**
Fillebrook Av. *Enf* —2K **7**
Fillebrook Rd. *E11* —1G **49**
Filmer Rd. *SW6* —1G **91**
Filston Rd. *Eri* —5J **85**
Filton Ct. SE15 —6E **78**
(off Brockworth Clo.)
Finborough Rd. *SW10* —5K **75**
Finborough Rd. *SW17* —6D **108**
Finchale Rd. *SE2* —3A **84**
Finch Av. *SE27* —4D **110**
Finch Clo. *NW10* —6K **41**
Finch Clo. *Barn* —5D **4**
Finch Ct. *Sidc* —3B **116**
Finchdean Ho. *SW15* —7B **90**
Finchdean Way. *SE15* —7F **79**
Finch Dri. *Felt* —7B **86**
Finchingfield Av. *Wfd G* —7F **21**
Finch La. *EC3* —6D **62** (1F **151**)
Finchley Ct. *N3* —6E **14**
Finchley Ind. Est. *N12* —4F **15**
Finchley La. *NW4* —4E **26**
Finchley Pk. *N12* —4F **15**
Finchley Pl. *NW8* —2B **60**
Finchley Rd. *NW3* —4J **43**
Finchley Rd. *NW8* —1B **60**
Finchley Rd. *NW11 & NW2*
—4H **27**
Finchley Way. *N3* —7D **14**
Finch's Ct. *E14* —7D **64**
Finck St. *SE1* —2K **77** (7H **149**)
Finden Rd. *E7* —5A **50**
Findhorn Av. *Hayes* —5A **54**
Findhorn St. *E14* —6E **64**

Findon Clo. *SW18* —6J **91**
Findon Clo. *Harr* —3F **39**
Findon Rd. *N9* —1C **18**
Findon Rd. *W12* —2C **74**
Fingal St. *SE10* —5H **81**
Finland Rd. *SE4* —3A **96**
Finland St. *SE16* —3A **80**
Finlay St. *SW6* —1F **91**
Finmere Ho. *N4* —7C **30**
Finnis St. *E2* —3H **63**
Finnymore Rd. *Dag* —7E **52**
Finsbury Av. *EC2*
—5D **62** (6F **145**)
Finsbury Av. Sq. *EC2*
—5E **62** (5G **145**)
Finsbury Cir. *EC2*
—5D **62** (6F **145**)
Finsbury Cotts. *N22* —7D **16**
Finsbury Est. *EC1*
—3A **62** (2K **143**)
Finsbury Ho. *N22* —1J **29**
Finsbury Mkt. *EC2*
(in two parts) —4E **62** (4G **145**)
Finsbury Pk. Av. *N4* —6C **30**
Finsbury Pk. Rd. *N4* —2B **46**
Finsbury Pavement. *EC2*
—5D **62** (5F **145**)
Finsbury Rd. *N22* —7E **16**
Finsbury Sq. *EC2*
—4D **62** (5F **145**)
Finsbury St. *EC2*
—5D **62** (5E **144**)
Finsbury Way. *Bex* —6F **101**
Finsen Rd. *SE5* —4C **94**
Finstock Rd. *W10* —6F **59**
Finucane Rise. *Bush* —2B **10**
Fiona Ct. *NW6* —2H **59**
Firbank Clo. *E16* —5B **66**
Firbank Clo. *Enf* —4H **7**
Firbank Rd. *SE15* —2H **95**
Fircroft Gdns. *Harr* —3J **39**
Fircroft Rd. *SW17* —2D **108**
Fir Dene. *Orp* —3E **138**
Fire Bell La. *Surb* —6E **118**
Firecrest Dri. *NW3* —3K **43**
Firefly Clo. *Wall* —7J **133**
Firefly Gdns. *E6* —4C **66**
Fire Sta. All. *High Bar* —3B **4**
Fire Sta. M. *Beck* —1D **126**
Fir Grn *N Mald* —6B **120**
Firhill Rd. *SE6* —4C **112**
Fir Rd. *Felt* —5B **102**
Fir Rd. *Sutt* —1H **131**
Firs Av. *N10* —3E **28**
Firs Av. *N11* —6J **15**
Firs Av. *SW14* —4J **89**
Firsby Av. *Croy* —1K **135**
Firsby Rd. *N16* —1G **47**
Firs Clo. *N10* —4E **28**
Firs Clo. *SE23* —7A **96**
Firs Clo. *Mitc* —1F **123**
Firscroft. *N13* —3H **17**
Firs Ho. N22 —1A **30**
(off Acacia Rd.)
Firside Gro. *Sidc* —1K **115**
Firs La. *N13 & N21* —3H **17**
Firs La. *N21* —7H **7**
Firs Pk. Av. *N21* —1J **17**
Firs Pk. Gdns. *N21* —1J **17**
First Av. *E12* —4C **50**
First Av. *E13* —3J **65**
(in two parts)
First Av. *E17* —5C **32**
First Av. *N18* —4D **18**
First Av. *N21* —6A **8**

219

First Av. *NW4* —4E **26**
First Av. *SW14* —3A **90**
First Av. *W3* —1B **74**
First Av. *W10* —4H **59**
First Av. *Bexh* —7C **84**
First Av. *Dag* —2H **69**
First Av. *Enf* —5A **8**
First Av. *Eps* —7A **130**
First Av. *Romf* —5C **36**
First Av. *Wemb* —2D **40**
First Cross Rd. *Twic* —2J **103**
Firs, The. *E6* —7C **50**
Firs, The. *N20* —1G **15**
Firs, The. *SE26* —5H **111**
(Lawrie Pk. Gdns.)
Firs, The. *SE26* —5J **111**
(Venner Rd.)
Firs, The. *W5* —5D **56**
Firs, The. *Bex* —1K **117**
Firs, The. *Sidc* —3K **115**
First St. *SW3* —4C **76** (3D **152**)
Firstway. *SW20* —2E **120**
First Way. *Wemb* —4H **41**
Firs Wlk. *Wfd G* —5D **20**
Firswood Av. *Eps* —5B **130**
Firth Gdns. *SW6* —1G **91**
Firtree Av. *Mitc* —2E **122**
Firtree Clo. *SW16* —5G **109**
Fir Tree Clo. *W5* —6E **56**
Firtree Clo. *Ewe* —4B **130**
Fir Tree Clo. *Romf* —3K **37**
Firtree Gdns. *Croy* —4C **136**
Fir Tree Gro. *Cars* —7D **132**
Fir Tree Rd. *Houn* —4C **86**
Fir Trees Clo. *SE16* —1A **80**
Fir Tree Wlk. *Dag* —3J **53**
Fir Tree Wlk. *Enf* —3J **7**
Fir Wlk. *Sutt* —6F **131**
Fisher Clo. *Croy* —1F **135**
Fisher Clo. *Gnfd* —3E **54**
Fisher Ho. N1 —1A 62
(off Barnsbury Est.)
Fisherman Clo. *Rich* —4C **104**
Fishermans Dri. *SE16* —2K **79**
Fisherman's Pl. *W4* —6B **74**
Fisherman's Wlk. *E14* —1C **80**
Fishermans Wlk. *SE28* —2J **83**
Fisher Rd. *Harr* —2K **23**
Fishers Ct. *SE14* —1K **95**
Fisher's La. *W4* —4K **73**
Fisher St. *E16* —5J **65**
Fisher St. *WC1* —5K **61** (6G **143**)
Fishers Way. *Belv* —1J **85**
Fisherton St. *NW8*
—4B **60** (4A **140**)
Fishmongers Hall Wharf. *EC4*
—7D **62** (3F **151**)
Fishponds Rd. *SW17* —4C **108**
Fishponds Rd. *Kes* —5B **138**
Fish St. Hill. *EC3*
—7D **62** (3F **151**)
Fiske Ct. *N17* —1G **31**
Fiske Ct. *Bark* —2H **67**
Fisons Rd. *E16* —1J **81**
Fitzalan Rd. *N3* —3G **27**
Fitzalan St. *SE11*
—4A **78** (3H **155**)
Fitzgeorge Av. *W14* —4G **75**
Fitzgeorge Av. *N Mald* —1K **119**
Fitzgerald Av. *SW14* —3A **90**
Fitzgerald Ct. *E10* —1D **48**
Fitzgerald Ho. *SW9* —2A **94**
Fitzgerald Rd. *E11* —5J **33**
Fitzgerald Rd. *SW14* —3K **89**
Fitzgerald Rd. *Th Dit* —6A **118**

Fitzhardinge St. *W1*
—6E **60** (7G **141**)
Fitzhugh Gro. *SW18* —6B **92**
Fitzjames Av. *W14* —4G **75**
Fitzjames Av. *Croy* —2G **135**
Fitzjohn Av. *Barn* —5B **4**
Fitzjohn's Av. *NW3* —4A **44**
Fitzmaurice Pl. *W1*
—1F **77** (4K **147**)
Fitzneal St. *W12* —6B **58**
Fitzroy Clo. *N6* —1D **44**
Fitzroy Ct. *N6* —6G **29**
Fitzroy Ct. *W1* —4G **61** (4B **142**)
Fitzroy Cres. *W4* —7K **73**
Fitzroy Gdns. *SE19* —7E **110**
Fitzroy M. *W1* —4G **61** (4A **142**)
Fitzroy Pk. *N6* —1D **44**
Fitzroy Rd. *NW1* —1E **60**
Fitzroy Sq. *W1* —4G **61** (4A **142**)
Fitzroy St. *W1* —4G **61** (4A **142**)
Fitzroy St. Hill. *E1* —1G **63**
Fitzroy Yd. *NW1* —1E **60**
(off Fitzroy Rd.)
Fitzstephen Rd. *Dag* —5B **52**
Fitzwarren Gdns. *N19* —1G **45**
Fitzwilliam Av. *Rich* —2F **89**
Fitzwilliam Heights. *SE23*
—2J **111**
Fitzwilliam Ho. *Rich* —4D **88**
Fitzwilliam M. *E16* —1J **81**
Fitzwilliam Rd. *SW4* —3G **93**
Fitzwygram Clo. *Hamp* —5G **103**
Five Acre. *NW9* —2B **26**
Fiveacre Clo. *T Hth* —6A **124**
Five Elms Rd. *Brom* —2K **137**
Five Elms Rd. *Dag* —3F **53**
Fives Ct. *SE11* —3B **78** (2A **156**)
Fiveways. (Junct.) —2F **115**
Fiveways Corner. (Junct.)
(Hendon) —1C **26**
Fiveways Corner. (Junct.)
(Waddon) —4A **134**
Fiveways Rd. *SW9* —2A **94**
Flack Ct. *E10* —7D **32**
Fladbury Rd. *N15* —6D **30**
Fladgate Rd. *E11* —6G **33**
Flag Clo. *Croy* —1K **135**
Flambard Rd. *Harr* —6A **24**
Flamborough Ho. SE15 —1G 95
(off Oliver Goldsmith Est.)
Flamborough St. *E14* —6A **64**
Flamingo Ct. SE8 —7C 80
(off Hamilton St.)
Flamingo Gdns. *N'holt* —3C **54**
Flamstead Gdns. *Dag* —7C **52**
Flamstead Rd. *Dag* —7C **52**
Flamstead Av. *Wemb* —6G **41**
Flamsteed Rd. *SE7* —5C **82**
Flanchford Rd. *W12* —3B **74**
Flanders Ct. *E17* —6A **32**
Flanders Cres. *SW17* —7D **108**
Flanders Mans. *W4* —4B **74**
Flanders Rd. *E6* —2D **66**
Flanders Rd. *W4* —4A **74**
Flanders Way. *E9* —6K **47**
Flank St. *E1* —7G **63**
Flask Wlk. *NW3* —4A **44**
Flatford Ho. *SE6* —4E **112**
Flavell M. *SE10* —5G **81**
Flaxen Clo. *E4* —3J **19**
Flaxen Rd. *E4* —3J **19**
Flaxley Rd. *Mord* —7K **121**
Flaxman Ct. W1
—6H **61** (1C **148**)
Flaxman Ct. Belv —5G 85
(off Hoddesdon Rd.)

Flaxman Ho. W4 —5A 74
(off Devonshire St.)
Flaxman Rd. *SE5* —3B **94**
Flaxman Ter. *WC1*
—3H **61** (2D **142**)
Flaxmore Pl. *Beck* —6F **127**
Flaxton Rd. *SE18* —7J **83**
Flecker Clo. *Stan* —5E **10**
Fleece Dri. *N9* —4B **18**
Fleece Rd. *Surb* —7C **118**
Fleece Wlk. *N7* —6J **45**
Fleeming Clo. *E17* —2B **32**
Fleeming Rd. *E17* —2B **32**
Fleet Bldgs. *EC4*
—6B **62** (7A **144**)
Fleet Pl. *EC4* —6B **62** (7A **144**)
Fleet Rd. *NW3* —5C **44**
Fleet Sq. *WC1* —3K **61** (2H **143**)
Fleet St. *EC4* —6A **62** (1J **149**)
Fleet St. Hill. *E1* —4G **63**
Fleetway Bus. Cen. *NW2* —1B **42**
Fleetway W. Bus. Pk. *Gnfd*
—2B **56**
Fleetwood Clo. *E16* —5B **66**
Fleetwood Clo. *Croy* —3F **135**
Fleetwood Ct. E6 —5D 66
(off Evelyn Dennington Rd.)
Fleetwood Rd. *NW10* —5C **42**
Fleetwood Rd. *King T* —3H **119**
Fleetwood Sq. *King T* —3H **119**
Fleetwood St. *N16* —2E **46**
Fleming Clo. *W2* —5B **60** (5A **140**)
Fleming Ct. *Croy* —5A **134**
Fleming Dri. *N21* —5E **5**
Fleming Ho. *N4* —1C **46**
Fleming Ho. SE16 —2G 79
(off George Row)
Fleming Ho. Wemb —3J 41
(off Barnhill Rd.)
Fleming Mead. *Mitc* —7D **108**
Fleming Rd. *SE17*
—6B **78** (7B **155**)
Fleming Rd. *S'hall* —6F **55**
Fleming Wlk. *NW9* —3B **26**
Fleming Way. *SE28* —7D **68**
Fleming Way. *Iswth* —4K **87**
Flempton Rd. *E10* —1A **48**
Fletcher Clo. *E6* —7F **67**
Fletcher La. *E10* —7E **32**
Fletcher Path. *SE8* —7C **80**
Fletcher Rd. *W4* —3J **73**
Fletchers Clo. *Brom* —4K **127**
Fletcher St. *E1* —7G **63**
Fletching Rd. *E5* —3J **47**
Fletching Rd. *SE7* —6B **82**
Fletton Rd. *N11* —7D **16**
Fleur de Lis Ct. *EC4*
—6A **62** (1K **149**)
Fleur-de-Lis St. *E1*
—4F **63** (4H **145**)
Fleur Gates. *SW19* —7F **91**
Flexmere Rd. *N17* —1D **30**
Flight App. *NW9* —2B **26**
Flimwell Clo. *Brom* —5G **113**
Flintmill Cres. *SE3* —2C **98**
Flinton St. *SE17* —5E **78** (5H **157**)
Flint St. *SE17* —4D **78** (4F **157**)
Flitcroft St. *WC2*
—6H **61** (1D **148**)
Flock Mill Pl. *SW18* —1K **107**
Flockton St. *SE16* —2G **79**
Flodden Rd. *SE5* —1C **94**
Flood La. *Twic* —1A **104**
Flood Pas. *SE18* —2D **82**
Flood St. *SW3* —5C **76** (6D **152**)

Flood Wlk. *SW3*
—6C **76** (7D **152**)
Flora Clo. *E14* —6D **64**
Flora Gdns. *W6* —4D **74**
Flora Gdns. Romf —6C 36
Floral Pl. *N1* —5D **46**
Floral St. *WC2* —7J **61** (2E **148**)
Flora St. *Belv* —5F **85**
Florence Av. *Enf* —3H **7**
Florence Av. *Mord* —5A **122**
Florence Ct. *E5* —3G **47**
Florence Ct. *E11* —4K **33**
Florence Ct. *N1* —7B **46**
Florence Ct. *SW19* —6G **107**
Florence Dri. Enf —3H 7
Florence Gdns. *W4* —6J **73**
Florence Mans. *NW4* —5D **26**
(off Vivian Av.)
Florence Rd. *E6* —1A **66**
Florence Rd. *E13* —2H **65**
Florence Rd. *N4* —7K **29**
(in two parts)
Florence Rd. *SE2* —4D **84**
Florence Rd. *SE14* —1B **96**
Florence Rd. *SW19* —6K **107**
Florence Rd. *W4* —3K **73**
Florence Rd. *W5* —7E **56**
Florence Rd. *Beck* —2A **126**
Florence Rd. *Brom* —1J **127**
Florence Rd. *Felt* —1A **102**
Florence Rd. *King T* —7F **105**
Florence Rd. *S'hall* —4B **70**
Florence Rd. *S Croy* —7D **134**
Florence St. *E16* —4H **65**
Florence St. *N1* —7B **46**
Florence St. *NW4* —4E **26**
Florence Ter. *SE14* —1B **96**
Florence Way. *SW15* —3A **106**
Florence Way. *SW12* —1D **108**
Florfield Pas. E8 —6H 47
(off Florfield Rd.)
Florfield Rd. *E8* —6H **47**
Florian. *SE5* —1E **94**
Florian Av. *Sutt* —4B **132**
Florian Rd. *SW15* —4G **91**
Florida Clo. *Bush* —2C **10**
Florida Rd. *T Hth* —1B **124**
Florida St. *E2* —3G **63**
Florin Ct. *N18* —5K **17**
Floriston Clo. *Stan* —1B **24**
Floriston Ct. *N'holt* —5F **39**
Floriston Gdns. *Stan* —1B **24**
Floss St. *SW15* —2E **90**
Flower & Dean Wlk. *E1*
—5F **63** (6K **145**)
Flower La. *NW7* —5G **13**
Flowersmead. *SW17* —2E **108**
Flowers M. *N19* —2G **45**
Flower Wlk., The. *SW7*
—2A **76** (6A **146**)
Floyd Rd. *SE7* —5A **82**
Rudyer St. *SE13* —4G **97**
Foley St. *W1* —5G **61** (6A **142**)
Folgate St. *E1* —5E **62** (5H **145**)
Foliot St. *W12* —6B **58**
Folkestone Ct. N'holt —5F 39
(off Newmarket Av.)
Folkestone Rd. *E6* —2E **66**
Folkestone Rd. *E17* —4D **32**
Folkestone Rd. *N18* —4B **18**
Folkingham La. *NW9* —1K **25**
Folkington Corner. *N12* —5C **14**

Folland. *NW9* —2B **26**
(off Hundred Acre)
Follett St. *E14* —6E **64**
Folly La. *E17* —7G **19**
Folly M. *W11* —6H **59**
Folly Wall. *E14* —2E **80**
Fontaine Rd. *SW16* —7K **109**
Fontarabia Rd. *SW11* —4E **92**
Fontayne Av. *Romf* —2K **37**
Fontenelle. *SE5* —1E **94**
Fontenoy Ho. SE11
—4B **78** (4A **156**)
(off Kennington La.)
Fontenoy Pas. SE11
—4B **78** (4A **156**)
Fontenoy Rd. *SW12* —2F **109**
Fonteyne Gdns. *Wfd G* —2B **34**
Fonthill Clo. *SE20* —2G **125**
Fonthill M. *N4* —2A **46**
Fonthill Rd. *N4* —1K **45**
Font Hills. *N2* —2A **28**
Fontley Way. *SW15* —7C **90**
Fontwell Clo. *Harr* —7D **10**
Fontwell Clo. *N'holt* —6E **38**
Fontwell Dri. *Brom* —5E **128**
Football La. *Harr* —1K **39**
Footpath, The. *SW15* —5C **90**
Foots Cray High St. *Sidc*
—6C **116**
Foots Cray La. *Sidc* —1C **116**
Footscray Rd. *SE9* —6E **98**
Forbes Clo. *NW2* —2C **42**
Forbes St. *E1* —6G **63**
Forburg Rd. *N16* —1G **47**
Ford Clo. *E3* —2A **64**
Ford Clo. *Harr* —7H **23**
Ford Clo. *T Hth* —5B **124**
Forde Av. *Brom* —3A **128**
Fordel Rd. *SE6* —1F **113**
Ford End. *Wfd G* —6E **20**
Fordham Clo. *Barn* —3H **5**
Fordham Rd. *Barn* —3G **5**
Fordham St. *E1* —6G **63**
Fordhook Av. *W5* —1F **73**
Ford Ho. *Barn* —5E **4**
Ford Ind. Pk. *Dag* —4H **69**
Fordingley Rd. *W9* —3H **59**
Fordington Rd. *SE26* —3G **111**
Fordington Rd. *N6* —5D **28**
Fordmill Rd. *SE6* —2C **112**
Ford Rd. *E3* —2B **64**
Ford Rd. *Dag* —7F **53**
Fords Gro. *N21* —1H **17**
Fords Pk. Rd. *E16* —6J **65**
Ford Sq. *E1* —5H **63**
Ford St. *E16* —6H **65**
Fordwich Clo. *Orp* —7K **129**
Fordwych Rd. *NW2* —4G **43**
Fordyce Rd. *SE13* —6E **96**
Fordyke Rd. *Dag* —2F **53**
Foreign St. *SE5* —2B **94**
Foreland Ct. *NW4* —1F **27**
Foreland Ho. W11 —7G **59**
(off Walmer Rd.)
Foreman Ct. *SE18* —4H **83**
Foreman Ct. *W6* —4E **74**
Foreman Ct. *Twic* —1K **103**
Foreshore. *SE8* —4B **80**
Forest App. *E4* —1B **20**
Forest App. *Wfd G* —7C **20**
Forest Av. *E4* —1B **20**
Forest Av. *Chig* —5K **21**
Forest Bus. Pk. *E17* —7A **32**
Forest Clo. *E11* —5J **33**

Frank Bailey Wlk. E12 —6E **50**
Frank Beswick Ho. SW6 —6H **75**
(off Clem Attlee Ct.)
Frank Burton Clo. SE7 —5K **81**
Frank Dixon Clo. SE21 —7E **94**
Frank Dixon Way. SE21 —1E **110**
Frankel Mt. SE9 —5B **98**
Frankfurt Rd. SE24 —5C **94**
Frankham Ho. SE8 —7C **80**
(off Frankham St.)
Frankham St. SE8 —7C **80**
Frank Ho. SW8 —7J **77**
(off Wyvil Rd.)
Frankland Clo. SE16 —4H **79**
Frankland Clo. Wfd G —5F **21**
Frankland Rd. E4 —5H **19**
Frankland Rd. SW7
—3B **76** (2A **152**)
Franklin Clo. N20 —7F **5**
Franklin Clo. SE13 —1D **96**
Franklin Clo. SE27 —3B **110**
Franklin Clo. King T —3G **119**
Franklin Cotts. Stan —4G **11**
Franklin Cres. Mitc —4G **123**
Franklin Pas. SE9 —3C **98**
Franklin Rd. SE20 —7J **111**
Franklin Rd. Bexh —1E **100**
Franklins M. Harr —2G **39**
Franklin Sq. SW14 —5H **75**
Franklin's Row. SW3
—5D **76** (5F **153**)
Franklin St. E3 —3D **64**
Franklin St. N15 —6E **30**
Franklin Way. Croy —7J **123**
Franklyn Rd. NW10 —6B **42**
Franks Av. N Mald —4J **119**
Frank Soskice Ho. SW6 —6H **75**
(off Clem Attlee Ct.)
Frank St. E13 —4J **65**
Franks Wood Av. Orp —5F **129**
Frank Welsh Ct. Pinn —4A **22**
Franlaw Cres. N13 —4H **17**
Fransfield Gro. SE26 —3H **111**
Frans Hals Ct. E14 —3F **81**
Frant Clo. SE20 —7J **111**
Franthorne Way. SE6 —2D **112**
Frant Rd. T Hth —5B **124**
Fraser Clo. E6 —6C **66**
Fraser Clo. Bex —1J **117**
Fraser Ho. Bren —5F **73**
Fraser Rd. E17 —5D **32**
Fraser Rd. N9 —3C **18**
Fraser Rd. Eri —5K **85**
Fraser Rd. Gnfd —1B **56**
Fraser St. W4 —5A **74**
Frating Cres. Wfd G —6E **20**
Frazer Av. Ruis —5A **38**
Frazier St. SE1 —2A **78** (7J **149**)
Frean St. SE16 —3G **79** (1K **157**)
Freda Corbett Clo. SE15 —7G **79**
Frederica Rd. E4 —1A **20**
Frederica St. N7 —7K **45**
Frederick Clo. W2
—7C **60** (2D **146**)
Frederick Clo. Sutt —4H **131**
Frederick Cres. SW9 —7B **78**
Frederick Cres. Enf —2D **8**
Frederick Gdns. Sutt —5H **131**
Frederick Pl. SE18 —5F **83**
Frederick Rd. SE17
—6B **78** (7B **156**)
Frederick Rd. Rain —2K **69**
Frederick Rd. Sutt —5H **131**
Frederick's Pl. EC2
—6D **62** (1E **150**)

Fredericks Pl. N12 —4F **15**
Frederick Sq. SE16 —7A **64**
(off Sovereign Cres.)
Frederick's Row. EC1
—3B **62** (1A **144**)
Frederick St. WC1
—3K **61** (2G **143**)
Frederick Ter. E8 —7F **47**
Frederic M. SW1
—2D **76** (7F **147**)
Frederic St. E17 —5A **32**
Freedom Clo. E17 —4K **31**
Freedom Rd. N17 —2D **30**
Freedom St. SW11 —2D **92**
Freegrove Rd. N7 —5J **45**
(in two parts)
Freehold Ind. Cen. Houn —5A **86**
Freeland Ct. Sidc —3A **116**
Freeland Pk. NW4 —2G **27**
Freeland Rd. W5 —7F **57**
Freelands Av. S Croy —7K **135**
Freelands Gro. Brom —1K **127**
Freelands Rd. Brom —1K **127**
Freeling St. N1 —7J **45**
(in two parts)
Freeman Clo. N'holt —7C **38**
Freeman Rd. Mord —5B **122**
Freemantle Av. Enf —5E **8**
Freemantle St. SE17
—5E **78** (5G **157**)
Freemasons Rd. E16 —5K **65**
Freemasons Rd. Croy —1E **134**
Freethorpe Clo. SE19 —1E **124**
Free Trade Wharf. E1 —7K **63**
Freke Rd. SW11 —3E **92**
Fremantle Rd. Belv —4G **85**
Fremantle Rd. Ilf —2F **35**
Fremont St. E9 —1J **63**
French Ordinary Ct. EC3
—2G **15**
French Pl. E1 —4E **62** (2H **145**)
Frendsbury Rd. SE4 —4A **96**
Frensham Clo. S'hall —4D **54**
Frensham Dri. SW15 —3B **106**
Frensham Dri. New Ad —7E **136**
Frensham Rd. SE9 —2H **115**
Frensham St. SE15 —6G **79**
Frere St. SW11 —2C **92**
Freshfield Av. E8 —7F **47**
Freshfield Clo. SE13 —4F **97**
Freshfield Dri. N14 —7A **6**
Freshfields. Croy —1B **136**
Freshford St. SW18 —3A **108**
Freshwater Clo. SW17 —6E **108**
Freshwater Ct. S'hall —3E **54**
Freshwater Rd. SW17 —6E **108**
Freshwater Rd. Dag —1D **52**
Freshwell Av. Romf —4C **36**
Fresh Wharf Rd. Bark —1F **67**
Freshwood Clo. Beck —1D **126**
Freshwood Way. Wall —7F **133**
Freston Gdns. Barn —5K **5**
Freston Pk. N3 —2H **27**
Freston Rd. W10 & W11 —7F **59**
Freta Rd. Bexh —5F **101**
Frewing Clo. Chst —6D **114**
Frewin Rd. SW18 —1B **108**
Friar M. SE27 —3B **110**
Friar Rd. Hayes —4B **54**
Friar Rd. Orp —5K **129**
Friars Av. N20 —3H **15**
Friars Av. SW15 —3B **106**
Friars Clo. E4 —3K **19**
Friars Clo. SE1 —1B **78** (4B **150**)
Friars Clo. N'holt —3B **54**

Friars Ct. E17 —1B **32**
Friars Gdns. W3 —6K **57**
Friars Ga. Clo. Wfd G —4D **20**
Friars La. Rich —5D **88**
Friars Mead. E14 —3E **80**
Friars M. SE9 —5E **98**
Friars Pl. La. W3 —7K **57**
Friars Rd. E6 —1B **66**
Friars Stile Pl. Rich —6E **88**
Friars Stile Rd. Rich —6E **88**
Friar St. EC4 —6B **62** (1B **150**)
Friars Wlk. N14 —7A **6**
Friars Wlk. SE2 —5D **84**
Friars Way. W3 —6K **57**
Friarswood. Croy —7A **136**
Friary Clo. N12 —5H **15**
Friary Ct. SW1 —1G **77** (5B **148**)
Friary Est. SE15 —6G **79**
Friary La. Wfd G —4D **20**
Friary Pk. Ct. W3 & W3 —6J **57**
Friary Rd. N12 —4G **15**
Friary Rd. SE15 —6G **79**
Friary Rd. W3 —6J **57**
Friary Way. N12 —4H **15**
Friday Hill. E4 —2B **20**
Friday Hill E. E4 —3B **20**
Friday Hill W. E4 —2B **20**
Friday Rd. Eri —5K **85**
Friday Rd. Mitc —7D **108**
Friday St. EC4 —7C **62** (2C **150**)
Frideswide Pl. NW5 —5G **45**
Friendly Pl. SE10 —1D **96**
Friendly St. SE8 —2C **96**
Friendly St. M. SE8 —2C **96**
Friendship Wlk. N'holt —3B **54**
Friends Rd. Croy —3D **134**
Friend St. EC1 —3B **62** (1A **144**)
Friern Barnet La. N20 & N11
—2G **15**
Friern Barnet Rd. N11 —5J **15**
Friern Bri. Retail Pk. N11 —6A **16**
Friern Ct. N20 —3G **15**
Friern Mt. Dri. N20 —7F **5**
Friern Pk. N12 —5F **15**
Friern Rd. SE22 —7G **95**
Friern Watch Av. N12 —4F **15**
Frigate M. SE8 —6C **80**
Frimley Av. Wall —5K **133**
Frimley Clo. SW19 —2G **107**
Frimley Clo. New Ad —7E **136**
Frimley Ct. Sidc —5C **116**
Frimley Cres. New Ad —7E **136**
Frimley Gdns. Mitc —3C **122**
Frimley Rd. Ilf —3J **51**
Frimley Way. E1 —4K **63**
Frinsted Rd. Eri —7K **85**
Frinton Dri. Wfd G —7A **20**
Frinton M. Ilf —6E **34**
Frinton Rd. E6 —3B **66**
Frinton Rd. N15 —6E **30**
Frinton Rd. SW17 —6E **108**
Frinton Rd. Sidc —2E **116**
Friston St. SW6 —2K **91**
Friswell Pl. Bexh —4G **101**
Fritham Clo. N Mald —6A **120**
Frith Ct. NW7 —7B **14**
Frith La. NW7 —7B **14**
Frith Rd. E11 —4E **48**
Frith Rd. Croy —2C **134**
Frith St. W1 —6H **61** (1C **148**)
Frithville Gdns. W12 —1E **74**
Frizlands La. Dag —2H **53**
Frobisher Clo. Pinn —7B **22**

Frobisher Ct. NW9 —2A **26**
Frobisher Ct. SE23 —2H **111**
Frobisher Ct. W12 —2E **74**
(off Lime Gro.)
Frobisher Pas. E14 —1C **80**
Frobisher Rd. E6 —6D **66**
Frobisher Rd. N8 —4A **30**
Frobisher St. SE10 —6G **81**
Frogley Rd. SE22 —4F **95**
Frogmore. SW18 —5J **91**
Frogmore Clo. Sutt —3G **131**
Frogmore Ct. S'hall —4D **70**
Frogmore Gdns. Sutt —4G **131**
Frogmore Ind. Est. N5 —4C **46**
Frogmore Ind. Est. NW10 —3J **57**
Frognal. NW3 —4A **44**
Frognal Av. Harr —4K **23**
Frognal Av. Sidc —6A **116**
Frognal Clo. NW3 —5A **44**
Frognal Corner. (Junct.) —6K **115**
Frognal Ct. NW3 —6A **44**
Frognal Gdns. NW3 —4A **44**
Frognal La. NW3 —5K **43**
Frognal Pde. NW3 —6A **44**
Frognal Pl. Sidc —6A **116**
Frognal Rise. NW3 —3A **44**
Frognal Way. NW3 —4A **44**
Froissart Rd. SE9 —5B **98**
Frome Ho. SE15 —4H **95**
Frome Rd. N22 —3B **30**
Frome St. N1 —2C **62**
Fromondes Rd. Sutt —5G **131**
Frostic Wlk. E1 —5G **63** (6K **145**)
Froude St. SW8 —2F **93**
Fryatt Rd. N17 —7J **17**
(in two parts)
Fryatt St. E14 —6G **65**
Fryent Clo. NW9 —6A **26**
Fryent Cres. NW9 —6A **26**
Fryent Fields. NW9 —6A **26**
Fryent Gro. NW9 —6A **26**
Fryent Way. NW9 —5G **25**
Frye's Bldgs. N1 —2A **62**
Fry Ho. E6 —7A **50**
Frying Pan All. E1
—5F **63** (6J **145**)
Fry Rd. E6 —7B **50**
Fry Rd. NW10 —1B **58**
Fryston Av. Croy —2G **135**
Fuchsia St. SE2 —5B **84**
Fulbeck Dri. NW9 —1A **26**
Fulbeck Rd. N19 —4G **45**
Fulbeck Way. Harr —2G **23**
Fulbourne Rd. E17 —1E **32**
Fulbourne St. E1 —5H **63**
Fulbrook M. N19 —4G **45**
Fulcher Ho. SE8 —5B **80**
Fulford St. SE16 —2H **79**
Fulham B'way. SW6 —7J **75**
Fulham Broadway. (Junct.)
—7J **75**
Fulham High St. SW6 —2G **91**
Fulham Pal. Rd. W6 & SW6
—5E **74**
Fulham Pk. Gdns. SW6 —2H **91**
Fulham Pk. Rd. SW6 —2H **91**
Fulham Rd. SW6 —2G **91**
Fulham Rd. SW10 & SW3
—6A **76** (5A **152**)
Fullbrooks Av. Wor Pk —1B **130**
Fuller Clo. E2 —4G **63**
Fuller Rd. Dag —3B **52**
Fullers Av. Wfd G —7C **20**
Fullers Clo. Romf —1J **37**
Fullers La. Romf —1J **37**

Fullers Rd. E18 —1H **33**
Fuller St. NW4 —4E **26**
Fuller's Wood. Croy —4C **136**
Fullerton Rd. SW18 —5A **92**
Fullerton Rd. Cars —7C **132**
Fullerton Rd. Croy —7F **125**
Fullwell Av. Ilf —1D **34**
Fullwell Ct. S'hall —7F **55**
(off Baird Av.)
Fullwell Cross. Ilf —2H **35**
Fullwood's M. N1
—3D **62** (1F **145**)
Fulmar Ct. Surb —6F **119**
Fulmead St. SW6 —1K **91**
Fulmer Clo. Hamp —5C **102**
Fulmer Rd. E16 —5B **66**
Fulmer Way. W13 —3B **72**
Fulready Rd. E10 —5F **33**
Fulstone Clo. Houn —4D **86**
Fulthorp Rd. SE3 —2H **97**
Fulton M. W2 —7A **60**
(off Porchester Ter.)
Fulton Rd. Wemb —3G **41**
Fulwell Pk. Av. Twic —2F **103**
Fulwell Rd. Tedd —4H **103**
Fulwood Av. Wemb —1F **57**
Fulwood Ct. Kent —6A **24**
Fulwood Gdns. Twic —6K **87**
Fulwood Pl. WC1
—5K **61** (6H **143**)
Fulwood Wlk. SW19 —1G **107**
Furber St. W6 —3D **74**
Furham Field. Pinn —7A **10**
Furley Rd. SE15 —7G **79**
Furlong Clo. Wall —1F **133**
Furlong Rd. N7 —6A **46**
Furmage St. SW18 —7K **91**
Furneaux Av. SE27 —5B **110**
Furness Rd. NW10 —2C **58**
Furness Rd. SW6 —2K **91**
Furness Rd. Harr —7F **23**
Furness Rd. Mord —6K **121**
Furnival St. EC4 —6A **62** (7J **143**)
Furrow La. E9 —5J **47**
Fursby Av. N3 —6D **14**
Further Acre. NW9 —2C **26**
Furtherfield Clo. Croy —6A **124**
Further Grn. Rd. SE6 —7G **97**
Furzedown Dri. SW17 —5F **109**
Furzedown Rd. SW17 —5F **109**
Furze Farm Clo. Romf —2E **36**
Furzefield Clo. Chst —6F **115**
Furzefield Rd. SE3 —7K **81**
Furze Rd. T Hth —3C **124**
Furze St. E3 —5C **64**
Fyfe Way. Brom —2J **127**
Fyfield. N4 —2A **46**
(off Six Acres Est.)
Fyfield Clo. Brom —4F **127**
Fyfield Ct. E7 —6J **49**
Fyfield Rd. E17 —3F **33**
Fyfield Rd. SW9 —3A **94**
Fyfield Rd. Enf —3K **7**
Fyfield Rd. Wfd G —7F **21**
Fynes St. SW1 —4H **77** (3C **154**)

Gable Clo. Pinn —1E **22**
Gable Ct. SE26 —4H **111**
Gables Clo. SE5 —1E **94**
Gables Clo. SE12 —1J **113**
Gables Lodge. Barn —1F **5**
Gables, The. N10 —3E **28**
(off Fortis Grn.)

Gauden Clo. *SW4* —3H **93**
Gauden Rd. *SW4* —2H **93**
Gauntlet. *NW9* —2B **26**
 (off Five Acre)
Gauntlet Clo. *N'holt* —7C **38**
Gauntlett Ct. *Wemb* —5B **40**
Gauntlett Rd. *Sutt* —5B **132**
Gaunt St. *SE1* —3C **78** (1C **156**)
Gautrey Rd. *SE15* —2J **95**
Gautrey Sq. *E6* —6D **66**
Gavel St. *SE17* —4D **78** (3F **157**)
Gavestone Cres. *SE12* —7K **97**
Gavestone Rd. *SE12* —7K **97**
Gaviller Pl. *E5* —4H **47**
Gavina Clo. *Mord* —5C **122**
Gawber St. *E2* —3J **63**
Gawsworth Clo. *E15* —5H **49**
Gawthorne Av. *NW7* —5B **14**
Gay Clo. *NW2* —5D **42**
Gaydon Ho. *W2* —5K **59**
 (off Bourne Ter.)
Gaydon La. *NW9* —1A **26**
Gayfere Rd. *Eps* —5C **130**
Gayfere Rd. *Ilf* —3D **34**
Gayfere St. *SW1* —3J **77** (2E **154**)
Gayford Rd. *W12* —2B **74**
Gay Gdns. *Dag* —4J **53**
Gay Ho. *N16* —5E **46**
Gayhurst Ct. *N'holt* —3A **54**
Gayhurst Rd. *E8* —7G **47**
Gaylor Rd. *N'holt* —5D **38**
Gaynesford Rd. *SE23* —2K **111**
Gaynesford Rd. *Cars* —7D **132**
Gaynes Hill Rd. *Wfd G* —6H **21**
Gay Rd. *E15* —2F **65**
Gaysham Av. *Ilf* —5E **34**
Gaysham Hall. *Ilf* —3F **35**
Gay St. *SW15* —3F **91**
Gayton Ct. *Harr* —6K **23**
Gayton Cres. *NW3* —4B **44**
Gayton Rd. *NW3* —4B **44**
Gayton Rd. *SE2* —3C **84**
Gayton Rd. *Harr* —6K **23**
Gayville Rd. *SW11* —6D **92**
Gaywood Clo. *SW2* —1K **109**
Gaywood Rd. *E17* —3C **32**
Gaywood St. *SE1*
 —3B **78** (2B **156**)
Gaza St. *SE17* —5B **78** (6A **156**)
Geariesville Gdns. *Ilf* —4F **35**
Geary Rd. *NW10* —5C **42**
Geary St. *N7* —5K **45**
Geddes Pl. *Bexh* —4G **101**
Gedeney Rd. *N17* —1C **30**
Gedling Pl. *SE1* —3F **79** (1K **157**)
Geere Rd. *E15* —1H **65**
Gees Ct. *W1* —6E **60** (1H **147**)
Gee St. *EC1* —4C **62** (3C **144**)
Geffery's Ct. *SE9* —3C **114**
Geffrye Ct. *N1* —2E **62**
Geffrye Est. *N1* —2E **62**
Geffrye St. *E2* —2F **63** (1J **145**)
Geldart Rd. *SE15* —7H **79**
Geldeston Rd. *E5* —2G **47**
Gellatly Rd. *SE14* —2J **95**
Gelsthorpe Rd. *Romf* —1H **37**
Gemini Bus. Cen. *E16* —4F **65**
Gemini Bus. Est. *SE14* —5K **79**
Gemini Gro. *N'holt* —3C **54**
General Gordon Pl. *SE18* —4F **83**
General Wolfe Rd. *SE10* —1F **97**
Genesta Rd. *SE18* —6F **83**
Geneva Dri. *SW9* —4A **94**
Geneva Gdns. *Romf* —5E **36**
Geneva Rd. *King T* —4E **118**

Geneva Rd. *T Hth* —5C **124**
Genever Clo. *E4* —5H **19**
Genista Rd. *N18* —5C **18**
Genoa Av. *SW15* —5E **90**
Genoa Rd. *SE20* —1J **125**
Genotin Rd. *Enf* —3J **7**
Genotin Ter. *Enf* —4J **7**
Gentian Row. *SE13* —1E **96**
Gentlemans Row. *Enf* —3H **7**
Gentry Gdns. *E13* —3J **65**
Geoffrey Clo. *SE5* —2C **94**
Geoffrey Ct. *SE4* —3B **96**
Geoffrey Gdns. *E6* —2C **66**
Geoffrey Jones Ct. *NW10* —1C **58**
Geoffrey Rd. *SE4* —3B **96**
George Beard Rd. *SE8* —4B **80**
George & Catherine Wheel All.
 EC2 —5E **62** (5H **145**)
George Comberton Wlk. *E12*
 —5E **50**
George Ct. *WC2* —7J **61** (3F **149**)
George Cres. *N10* —7K **15**
George Cres. *Wfd G* —5E **20**
George Downing Est. *N16*
 —2F **47**
George V Av. *Pinn* —2D **22**
George V Clo. *Pinn* —3E **22**
George V Way. *Gnfd* —1B **56**
George Gange Way. *Harr* —3J **23**
George Gro. Rd. *SE20* —1G **125**
George Inn Yd. *SE1*
 —1D **78** (5E **150**)
George La. *E18* —2J **33**
George La. *SE13* —6D **96**
George La. *Brom* —1K **137**
George Lansbury Ho. N22
 (off Progress Way) —1A **30**
George Lindgren Ho. SW6
 (off Clem Attlee Ct.) —7H **75**
George Lowe Ct. W2 —5K **59**
 (off Bourne Ter.)
George Mathers Rd. *SE11*
 —4B **78** (4A **156**)
George M. NW1
 —3G **61** (2B **142**)
George M. Enf —3J **7**
 (off Town, The)
George Pl. *N17* —3E **30**
George Rd. *E4* —6H **19**
George Rd. *King T* —7H **105**
George Rd. *N Mald* —4B **120**
George Row. *SE16*
 —2G **79** (7K **151**)
George Sq. *SW19* —3J **121**
George's Rd. *N7* —5K **45**
George's Sq. SW6 —6H **75**
 (off N. End Rd.)
George St. *E16* —6H **65**
George St. *W1* —6D **60** (7E **140**)
George St. *W7* —1J **71**
George St. *Bark* —7G **51**
George St. *Croy* —2C **134**
George St. *Houn* —2D **86**
George St. *Rich* —5D **88**
George St. *S'hall* —4C **70**
Georgetown Clo. *SE19* —5E **110**
Georgette Pl. *SE10* —7E **80**
Georgeville Gdns. *Ilf* —4F **35**
George Wyver Clo. *SW19*
 —7G **91**
George Yd. *EC3* —6D **62** (1F **151**)
George Yd. *W1* —7E **60** (2H **147**)
Georgiana St. *NW1* —1G **61**
Georgian Clo. *Brom* —1K **137**
Georgian Clo. *Stan* —7F **11**

Georgian Ct. *N3* —1H **27**
Georgian Ct. *NW4* —5D **26**
Georgian Ct. *SW16* —4J **109**
Georgian Ct. *New Bar* —4F **5**
Georgian Ct. *Wemb* —6G **41**
Georgian Way. *Harr* —2H **39**
Georgia Rd. *N Mald* —4J **119**
Georgia Rd. *T Hth* —1B **124**
Georgina Gdns. *E2*
 —3F **63** (1K **145**)
Geraint Rd. *Brom* —4J **113**
Geraldine Rd. *SW18* —5A **92**
Geraldine Rd. *W4* —6G **73**
Geraldine St. *SE11*
 —3B **78** (2A **156**)
Gerald M. *SW1* —4E **76** (3H **153**)
Gerald Rd. *E16* —4H **65**
Gerald Rd. *SW1* —4E **76** (3H **153**)
Gerald Rd. *Dag* —1F **53**
Gerard Av. *Houn* —7E **86**
Gerard Gdns. *Rain* —2K **69**
Gerard Rd. *SW13* —1B **90**
Gerard Rd. *Harr* —6A **24**
Gerards Clo. *SE16* —6J **79**
Gerda Rd. *SE9* —2G **115**
Germander Way. *E15* —3G **65**
Gernon Rd. *E3* —2A **64**
Geron Way. *NW2* —2D **42**
Gerrard Pl. *W1* —7H **61** (2D **148**)
Gerrard Rd. *N1* —2B **62**
Gerrards Clo. *N14* —5B **6**
Gerrards Ct. *W5* —3D **72**
Gerrard St. *W1* —7H **61** (2D **148**)
Gerridge St. *SE1*
 —3A **78** (1K **155**)
Gerry Raffles Sq. *E15* —7F **49**
Gertrude Rd. *Belv* —4G **85**
Gertrude St. *SW10* —6A **76**
Gervase Clo. *Wemb* —3J **41**
Gervase Rd. *Edgw* —1J **25**
Gervase St. *SE15* —7H **79**
Gervis Ct. *Houn* —7G **71**
Ghent St. *SE6* —2C **112**
Ghent Way. *E8* —6F **47**
Giant Arches Rd. *SE24* —7C **94**
Giant Tree Hill. *Bush* —1C **10**
Gibbfield Clo. *Romf* —3E **36**
Gibbins Rd. *E15* —7E **48**
 (in three parts)
Gibbon Rd. *SE15* —2J **95**
Gibbon Rd. *W3* —7A **58**
Gibbon Rd. *King T* —1E **118**
Gibbon's Rents. *SE1*
 —1E **78** (5G **151**)
Gibbons Rd. *NW10* —6A **42**
Gibbs Av. *SE19* —5D **110**
Gibbs Clo. *SE19* —5D **110**
Gibbs Grn. *W14* —5H **75**
Gibbs Grn. *Edgw* —5D **12**
Gibbs Rd. *N18* —4D **18**
Gibbs Sq. *SE19* —5D **110**
Gibraltar Wlk. *E2*
 —3F **63** (2K **145**)
Gibson Clo. *E1* —4J **63**
Gibson Clo. *N21* —6F **7**
Gibson Clo. *Iswth* —3J **87**
Gibson Gdns. *N16* —2F **47**
Gibson Ho. *Sutt* —4J **131**
Gibson Rd. *SE11*
 —4K **77** (4H **155**)
Gibson Rd. *Dag* —1C **52**
Gibson Rd. *Sutt* —5K **131**
Gibsons Hill. *SW16* —7A **110**
Gibson Sq. *N1* —1A **62**

Gibson St. *SE10* —5G **81**
Gideon Clo. *Belv* —4H **85**
Gideon Rd. *SW11* —3E **92**
Giesbach Rd. *N19* —2H **45**
Giffard Rd. *N18* —6K **17**
Giffin St. *SE8* —7C **80**
Gifford Gdns. *W7* —5H **55**
Gifford St. *N1* —7J **45**
Gift La. *E15* —1H **65**
Giggs Hill. *Orp* —2K **129**
Giggshill Gdns. *Th Dit* —7A **118**
Giggshill Rd. *Th Dit* —7A **118**
Gilbert Clo. *SE18* —1D **98**
Gilbert Clo. *SW19* —1K **121**
 (off High Path)
Gilbert Clo. *W5* —6F **57**
 (off Green Vale)
Gilbert Gro. *Edgw* —1K **25**
Gilbert Ho. *E17* —3E **32**
Gilbert Ho. *EC2* —5C **62** (5D **144**)
Gilbert Ho. *SW8* —7J **77**
 (off Wyvil Rd.)
Gilbert Pl. *WC1* —5J **61** (6E **142**)
Gilbert Rd. *SE11*
 —4A **78** (4K **155**)
Gilbert Rd. *SW19* —7A **108**
Gilbert Rd. *Belv* —3G **85**
Gilbert Rd. *Brom* —7J **113**
Gilbert Rd. *Pinn* —4B **22**
Gilbert St. *E15* —4G **49**
Gilbert St. *W1* —6E **60** (1H **147**)
Gilbert St. *Houn* —3G **87**
Gilbert Way. *Croy* —3K **123**
Gilbey Rd. *SW17* —4C **108**
Gilbeys Yd. *NW1* —7E **44**
Gilbourne Rd. *SE18* —6K **83**
Gilda Av. *Enf* —5F **9**
Gilda Ct. *NW7* —1C **26**
Gilda Cres. *N16* —1G **47**
Gildea Clo. *Pinn* —1E **22**
Gildea St. *W1* —5F **61** (6K **141**)
Gilden Cres. *NW5* —5E **44**
Gildersome St. *SE18* —6E **82**
Giles Coppice. *SE19* —4F **111**
Giles Ho. *SE16* —3G **79** (1K **157**)
Gilesmead. *SE5* —1D **94**
Gilkes Cres. *SE21* —6E **94**
Gilkes Pl. *SE21* —6E **94**
Gillan Ct. *SE12* —3K **113**
Gillards M. *E17* —4C **32**
Gillards Way. *E17* —4C **32**
Gill Av. *E16* —6J **65**
Gillender St. *E3 & E14* —4E **64**
Gillespie Rd. *N5* —3A **46**
Gillett Av. *E6* —2C **66**
Gillette Corner. (Junct.) —7A **72**
Gillett Pl. *N16* —5E **46**
Gillett Rd. *T Hth* —4D **124**
Gillett St. *N16* —5E **46**
Gillham Ter. *N17* —6B **18**
Gillian Ho. *Har W* —6D **10**
Gillian Pk. Rd. *Sutt* —1H **131**
Gillian St. *SE13* —5D **96**
Gillies St. *NW5* —5E **44**
Gilling Ct. *NW3* —6C **44**
Gillingham M. *SW1*
 —4G **77** (3A **154**)
Gillingham Rd. *NW2* —3G **43**
Gillingham Row. *SW1*
 —4G **77** (3A **154**)
Gillingham St. *SW1*
 —4G **77** (3A **154**)
Gillison Wlk. *SE16* —3H **79**
Gillman Dri. *E15* —1H **65**

Gill St. *E14* —6B **64**
Gillum Clo. *E Barn* —1J **15**
Gilmore Ct. *N11* —5J **15**
Gilmore Rd. *SE13* —4F **97**
Gilpin Av. *SW14* —4K **89**
Gilpin Clo. *Mitc* —2C **122**
Gilpin Cres. *N18* —5A **18**
Gilpin Cres. *Twic* —7F **87**
Gilpin Rd. *E5* —4A **48**
Gilsland Rd. *T Hth* —4D **124**
Gilstead Ho. *Bark* —2B **68**
Gilstead Rd. *SW6* —2K **91**
Gilston Rd. *SW10* —5A **76**
Gilton Rd. *SE6* —3G **113**
Giltspur St. *EC1*
 —6B **62** (7B **144**)
Gilwell Clo. *E4* —4J **9**
Gilwell La. *E4* —4J **9**
Ginsburg Sq. *NW3* —4A **44**
Gippeswyck Clo. *Pinn* —1B **22**
Gipsy Corner. *W3* —5K **57**
Gipsy Hill. *SE19* —4E **110**
Gipsy La. *SW15* —3D **90**
Gipsy Rd. *SE27* —4C **110**
Gipsy Rd. *Well* —2D **100**
Gipsy Rd. Gdns. *SE27* —4C **110**
Giralda Clo. *E16* —5B **66**
Giraud St. *E14* —6D **64**
Girdler's Rd. *W14* —4F **75**
Girdlestone Wlk. *N19* —2G **45**
Girdwood Rd. *SW18* —7G **91**
Gironde Rd. *SW6* —7H **75**
Girtin Ho. *N'holt* —2B **54**
 (off Academy Gdns.)
Girton Av. *NW9* —3G **25**
Girton Clo. *N'holt* —6G **39**
Girton Gdns. *Croy* —3C **136**
Girton Rd. *SE26* —5K **111**
Girton Rd. *N'holt* —6G **39**
Girton Vs. *W10* —6F **59**
Gisbourne Clo. *Wall* —3H **133**
Gisburn Rd. *N8* —4K **29**
Gissing Wlk. *N1* —7A **46**
Gittens Clo. *Brom* —4H **113**
Given Wilson Wlk. *E13* —2H **65**
Glacier Way. *Wemb* —2D **56**
Gladbeck Way. *Enf* —4G **7**
Gladding Rd. *E12* —4B **50**
Glade Ct. *Ilf* —2D **34**
Glade Gdns. *Croy* —7A **126**
Glade La. *S'hall* —2F **71**
Glade, The. *E12* —3D **50**
Gladeside. *N21* —6E **6**
Gladeside. *Croy* —6K **125**
Glademore Rd. *N15* —6F **31**
Glades Pl. *Brom* —2J **127**
Glades Shop. Cen., The. *Brom*
 —2J **127**
Gladeswood Rd. *Belv* —4H **85**
Glade, The. *N21* —7E **6**
Glade, The. *SE7* —7A **82**
Glade, The. *Brom* —2B **128**
Glade, The. *Croy* —7A **126**
Glade, The. *Enf* —3F **7**
Glade, The. *Eps* —6C **130**
Glade, The. *Ilf* —1D **34**
Glade, The. *Sutt* —7G **131**
Glade, The. *W Wick* —3D **136**
Glade, The. *Wfd G* —3E **20**
Gladiator St. *SE23* —7A **96**
Glading Ter. *N16* —3F **47**
Gladioli Clo. *Hamp* —6E **102**
Glade, The. *N21* —7E **6**
Glade, The. *Sutt* —7G **131**
Gladsmuir Rd. *N19* —1G **45**
Gladsmuir Rd. *Barn* —2B **4**
Gladstone Av. *E12* —7C **50**

Gladstone Av. *N22* —2A **30**
Gladstone Av. *Twic* —7H **87**
Gladstone M. *N22* —2A **30**
Gladstone M. *NW6* —7H **43**
Gladstone M. *SE20* —7J **111**
Gladstone Pk. Gdns. *NW2*
　　　　　　—3D **42**
Gladstone Pl. *F3* —2B **64**
Gladstone Pl. *Barn* —4A **4**
Gladstone Rd. *SW19* —7J **107**
Gladstone Rd. *W4* —3K **73**
Gladstone Rd. *Buck H* —1F **21**
Gladstone Rd. *Croy* —7D **124**
Gladstone Rd. *King T* —3G **119**
Gladstone Rd. *S'hall* —2C **70**
Gladstone St. *SE1*
　　　　　—3B **78** (1A **156**)
Gladstone Ter. *SW8* —1F **93**
Gladstone Way. *Harr* —3J **23**
Gladwell Rd. *N8* —6K **29**
Gladwell Rd. *Brom* —6J **113**
Gladwyn Rd. *SW15* —3F **91**
Gladys Dimson Ho. *E7* —5H **49**
Gladys Rd. *NW6* —7J **43**
Glaigmar Gdns. *N3* —1K **27**
Glaisher St. *SE10* —7E **80**
Glamis Ct. *W3* —2H **73**
Glamis Pl. *E1* —7K **63**
Glamis Rd. *E1* —7J **63**
Glamis Way. *N'holt* —6G **39**
Glamorgan Clo. *Mitc* —3J **123**
Glamorgan Ct. *W7* —5K **55**
(off Copley Clo.)
Glamorgan Rd. *King T* —7C **104**
Glanfield Rd. *Beck* —4B **126**
Glanleam Rd. *Stan* —4J **11**
Glanville Rd. *SW2* —5J **93**
Glanville Rd. *Brom* —3K **127**
Glasbrook Av. *Twic* —1D **102**
Glasbrook Rd. *SE9* —7B **98**
Glaserton Rd. *N16* —7E **30**
Glasford St. *SW17* —6D **108**
Glasfryn Ct. *Harr* —2H **39**
(off Roxeth Hill)
Glasfryn Ho. *Harr* —2H **39**
(off Roxeth Hill)
Glasgow Ho. *W9* —2K **59**
(off Maida Vale)
Glasgow Rd. *E13* —2K **65**
Glasgow Rd. *N18* —5C **18**
Glasgow Ter. *SW1*
　　　　　—5G **77** (6A **154**)
Glasse Clo. *W13* —7A **56**
Glasshill St. *SE1*
　　　　　—2B **78** (6B **150**)
Glasshouse Fields. *E1* —7K **63**
Glasshouse St. *W1*
　　　　　—7G **61** (3B **148**)
Glasshouse Wlk. *SE11*
　　　　　—5K **77** (5F **155**)
Glasshouse Yd. *EC1*
　　　　　—4C **62** (4C **144**)
Glasslyn Rd. *N8* —5H **29**
Glassmill La. *Brom* —2H **127**
(in two parts)
Glass St. *E2* —4H **63**
Glass Yd. *SE18* —3E **82**
Glastonbury Av. *Wfd G* —7G **21**
Glastonbury St. *W13* —1A **72**
(off Talbot Rd.)
Glastonbury Ho. *SE13* —5H **97**
(off Wantage Rd.)
Glastonbury Rd. *N9* —1B **18**
Glastonbury Rd. *Mord* —7J **121**
Glastonbury St. *NW6* —5H **43**

Glaston Ct. *W5* —1D **72**
(off Grange Rd.)
Glaucus St. *E3* —5D **64**
Glazbury Rd. *W14* —4G **75**
Glazebrook Clo. *SE21* —2D **110**
Glazebrook Rd. *Tedd* —7K **103**
Glebe Av. *Enf* —3G **7**
Glebe Av. *Harr* —4E **24**
Glebe Av. *Mitc* —2C **122**
Glebe Av. *Ruis* —6A **38**
Glebe Av. *Wfd G* —6D **20**
Glebe Clo. *W4* —5A **74**
Glebe Cotts. *Felt* —3E **102**
Glebe Ct. *N13* —3F **17**
Glebe Ct. *SE3* —3G **97**
Glebe Ct. *W7* —7H **55**
Glebe Ct. *Mitc* —3D **122**
Glebe Ct. *Stan* —5H **11**
Glebe Cres. *NW4* —4E **26**
Glebe Cres. *Harr* —3E **24**
Glebe Gdns. *N Mald* —7A **120**
Glebe Ho. Dri. *Brom* —1K **137**
Glebe Hyrst. *SE19* —4E **110**
Glebelands. *E10* —2D **48**
Glebelands Av. *E18* —2J **33**
Glebelands Av. *Ilf* —7H **35**
Glebelands Clo. *SE5* —3E **94**
Glebe La. *Harr* —4E **24**
Glebe Path. *Mitc* —3D **122**
Glebe Pl. *SW3* —6C **76** (7C **152**)
Glebe Rd. *E8* —7F **47** (1J **151**)
Glebe Rd. *N3* —1A **28**
Glebe Rd. *N8* —4K **29**
Glebe Rd. *NW10* —6B **42**
Glebe Rd. *SW13* —2C **90**
Glebe Rd. *Brom* —1J **127**
Glebe Rd. *Cars* —6D **132**
Glebe Rd. *Dag* —6H **53**
Glebe Rd. *Stan* —5H **11**
Glebe Rd. *Sutt* —7G **131**
Glebe Side. *Twic* —6K **87**
Glebe Sq. *Mitc* —3D **122**
Glebe St. *W4* —5A **74**
Glebe Ter. *W4* —5A **74**
Glebe, The. *SE3* —3G **97**
Glebe, The. *SW16* —4J **109**
Glebe, The. *Chst* —1G **129**
Glebe, The. *Wor Pk* —1B **130**
Glebe Way. *Felt* —3E **102**
Glebe Way. *W Wick* —2E **136**
Glebe Way. *Wfd G* —5F **21**
Gledhow Gdns. *SW5* —4A **76**
Gledstanes Rd. *W14* —5G **75**
Gleed Av. *Bush* —2C **10**
Glegg Pl. *SW15* —4F **91**
Glenaffric Av. *E14* —4E **80**
Glen Albyn Rd. *SW19* —2F **107**
Glenalmond Rd. *Harr* —4E **24**
Glenalvon Way. *SE18* —4C **82**
Glena Mt. *Sutt* —4A **132**
Glenarm Rd. *E5* —4J **47**
Glenavon Ct. *Wor Pk* —2D **130**
Glenavon Lodge. *Beck* —7C **112**
Glenavon Rd. *E15* —7G **49**
Glenbarr Clo. *SE9* —3F **99**
Glenbow Rd. *Brom* —6G **113**
Glenbrook N. *Enf* —4E **6**
Glenbrook Rd. *NW6* —5J **43**
Glenbrook S. *Enf* —4E **6**
Glenbuck Rd. *Surb* —6D **118**
Glenburnie Rd. *SW17* —3D **108**
Glencairn Dri. *W5* —4C **56**
Glencairn Clo. *E16* —5B **66**
Glencairn Rd. *SW16* —1J **123**
Glencoe Av. *Ilf* —7H **35**

Glencoe Dri. *Dag* —4G **53**
Glencoe Mans. *SW9* —7A **78**
(off Mowll St.)
Glencoe Rd. *Hayes* —4B **54**
Glen Ct. *Sidc* —4A **116**
Glen Cres. *Wfd G* —6E **20**
Glendale Av. *N22* —7F **17**
Glendale Av. *Edgw* —4A **12**
Glendale Av. *Romf* —7C **36**
Glendale Clo. *SE9* —3E **98**
Glendale Dri. *SW19* —5H **107**
Glendale Gdns. *Wemb* —1D **40**
Glendale M. *Beck* —1D **126**
Glendale Rd. *Eri* —4J **85**
Glendale Way. *SE28* —7C **68**
Glendall St. *SW9* —4K **93**
Glendarvon St. *SW15* —3F **91**
Glendevon Clo. *Edgw* —3C **12**
Glendish Rd. *N17* —1H **31**
Glendor Gdns. *NW7* —4E **12**
Glendower Gdns. *SW14* —3K **89**
Glendower Pl. *SW7*
　　　　　—4B **76** (3A **152**)
Glendower Rd. *E4* —1A **20**
Glendower Rd. *SW14* —3K **89**
Glendown Ho. *E8* —5G **47**
Glendown Rd. *SE2* —5A **84**
Glendun Ct. *W3* —7A **58**
Glendun Rd. *W3* —7A **58**
Gleneagle M. *SW16* —5H **109**
Gleneagle Rd. *SW16* —5H **109**
Gleneagles. *W13* —5B **56**
(off Malvern Way)
Gleneagles. *Stan* —7G **11**
Gleneagles Clo. *SE16* —5H **79**
(off Ryder Dri.)
Gleneagles Clo. *Orp* —7H **129**
Gleneagles Grn. *Orp* —7H **129**
Gleneagles Tower. *S'hall* —6G **55**
(off Fleming Rd.)
Gleneldon M. *SW16* —4J **109**
Gleneldon Rd. *SW16* —4J **109**
Glenelg Rd. *SW2* —5J **93**
Glenesk Rd. *SE9* —3E **98**
Glenfarg Rd. *SE6* —1E **112**
Glenfield Rd. *SW12* —1G **109**
Glenfield Rd. *W13* —2B **72**
Glenfield Ter. *W13* —2R **72**
Glenfinlas Way. *SE5* —7B **78**
Glenforth St. *SE10* —5H **81**
Glengall Gro. *E14* —3D **80**
Glengall Pas. *NW6* —1J **59**
(off Priory Pk. Rd.)
Glengall Rd. *NW6* —1H **59**
Glengall Rd. *SE15*
　　　　　—5F **79** (6K **157**)
Glengall Rd. *Bexh* —3E **100**
Glengall Rd. *Edgw* —3C **12**
Glengall Rd. *Wfd G* —6D **20**
Glengall Ter. *SE15*
　　　　　—6F **79** (7K **157**)
Glen Gdns. *Croy* —3A **134**
Glengarnock Av. *E14* —4E **80**
Glengarry Rd. *SE22* —5E **94**
Glenham Dri. *Ilf* —5F **35**
Glenhead Clo. *SE9* —3F **99**
Glenhill Clo. *N3* —2J **27**
Glen Ho. *E16* —1E **82**
(off Storey St.)
Glenhouse Rd. *SE9* —5E **98**
Glenhurst. *Beck* —1E **126**
Glenhurst Av. *NW5* —4E **44**
Glenhurst Av. *Bex* —1F **117**
Glenhurst Rise. *SE19* —7C **110**
Glenhurst Rd. *N12* —5G **15**

Glenhurst Rd. *Bren* —6C **72**
Glenilla Rd. *NW3* —6C **44**
Glenister Pk. Rd. *SW16* —7H **109**
Glenister Rd. *SE10* —5H **81**
Glenister St. *E16* —1E **82**
Glenlea Rd. *SE9* —5D **98**
Glenloch Rd. *NW3* —6C **44**
Glenloch Rd. *Enf* —2D **8**
Glenluce Rd. *SE3* —6J **81**
Glenlyon Rd. *SE9* —5E **98**
Glenmead. *Buck H* —1F **21**
Glenmere Av. *NW7* —6H **13**
Glenmill. *Hamp* —5D **102**
Glenmore Lawns. *W13* —6A **56**
Glenmore Lodge. *Beck* —1D **126**
Glenmore Pde. *Wemb* —1E **56**
Glenmore Rd. *NW3* —6C **44**
Glenmore Rd. *Well* —7K **83**
Glenmore Way. *Bark* —2A **68**
Glenmount Path. *SE18* —5G **83**
Glennie Ho. *SE10* —1E **96**
(off Blackheath Hill)
Glennie Rd. *SE27* —3A **110**
Glenny Rd. *Bark* —6G **51**
Glenorchy Clo. *Hayes* —5C **54**
Glenparke Rd. *E7* —6K **49**
Glen Rise. *Wfd G* —6E **20**
Glen Rd. *E13* —4A **66**
Glen Rd. *E17* —5B **32**
Glen Rd. End. *Wall* —7F **133**
Glenrosa St. *SW6* —2A **92**
Glenrose Ct. *Sidc* —5B **116**
Glenroy St. *W12* —6E **58**
Glensdale Rd. *SE4* —3B **96**
Glenshaw Mans. *SW9* —7A **78**
(off Brixton Rd.)
Glenshiel Rd. *SE9* —5E **98**
Glentanner Way. *SW17* —3B **108**
Glentham Gdns. *SW13* —6D **74**
Glentham Rd. *SW13* —6C **74**
Glen, The. *Brom* —2G **127**
Glen, The. *Croy* —3K **135**
Glen, The. *Eastc* —5A **22**
Glen, The. *Enf* —4G **7**
Glen, The. *Orp* —3E **138**
Glen, The. *Pinn* —7C **22**
Glen, The. *S'hall* —5D **70**
Glen, The. *Wemb* —4D **40**
Glenthorne Av. *Croy* —1J **135**
Glenthorne Clo. *Sutt* —1J **131**
Glenthorne Gdns. *Ilf* —3F **35**
Glenthorne Gdns. *Sutt* —1J **131**
Glenthorne M. *W6* —4D **74**
Glenthorne Rd. *E17* —5A **32**
Glenthorne Rd. *N11* —5J **15**
Glenthorne Rd. *W6* —4D **74**
Glenthorne Rd. *King T* —4F **119**
Glenthorpe Rd. *Mord* —5F **121**
Glenton Rd. *SE13* —4G **97**
Glentworth St. *NW1*
　　　　　—4D **60** (4F **141**)
Glenure Rd. *SE9* —5E **98**
Glenview. *SE2* —6D **84**
Glenview Rd. *Brom* —2B **128**
Glenville Gro. *SE8* —7B **80**
Glenville M. *SW18* —7K **91**
Glenville Rd. *King T* —1G **119**
Glen Wlk. *Iswth* —5H **87**
Glenwood Av. *NW9* —1A **42**
Glenwood Clo. *Harr* —5K **23**
Glenwood Ct. *E18* —3J **33**
Glenwood Ct. *Sidc* —4A **116**
Glenwood Gdns. *Ilf* —5E **34**
Glenwood Gro. *NW9* —1J **41**

Glenwood Rd. *N15* —5B **30**
Glenwood Rd. *NW7* —3F **13**
Glenwood Rd. *SE6* —1C **112**
Glenwood Rd. *Eps* —6C **130**
Glenwood Rd. *Houn* —3F **87**
Glenwood Way. *Croy* —6K **125**
Glenworth Av. *E14* —4F **81**
Gliddon Rd. *W14* —4G **75**
Glimpsing Grn. *Eri* —3E **84**
Global App. *E3* —2E **64**
Globe Pond Rd. *SE16* —1A **80**
Globe Rd. *E2 & E1* —3J **63**
(in two parts)
Globe Rd. *E15* —5H **49**
Globe Rd. *Wfd G* —6F **21**
Globe Stairs. *SE16* —1K **79**
Globe St. *SE1* —3D **78** (1E **156**)
Globe Ter. *E2* —3J **63**
Globe Town Mkt. *E2* —3K **63**
Globe Yd. *W1* —6F **61** (1J **147**)
Glossop Rd. *S Croy* —7D **134**
Gloster Rd. *N Mald* —4A **120**
Gloucester Arc. *SW7* —4A **76**
Gloucester Av. *NW1* —7E **44**
Gloucester Av. *Sidc* —2J **115**
Gloucester Av. *Well* —4K **99**
Gloucester Cir. *SE10* —7E **80**
Gloucester Clo. *NW10* —7K **41**
Gloucester Clo. *Th Dit* —7A **118**
Gloucester Ct. *EC3*
　　　　　—7E **62** (3H **151**)
Gloucester Ct. *NW11* —7H **27**
Gloucester Ct. *W7* —5K **55**
(off Golders Grn. Rd.)
Gloucester Ct. *W7* —5K **55**
(off Copley Clo.)
Gloucester Ct. *Harr* —3J **23**
Gloucester Ct. *Mitc* —5J **123**
Gloucester Ct. *Rich* —7G **73**
Gloucester Cres. *NW1* —1F **61**
Gloucester Dri. *N4* —2B **46**
Gloucester Dri. *NW11* —4J **27**
Gloucester Gdns. *NW11* —7H **27**
Gloucester Gdns. *W2* —6A **60**
Gloucester Gdns. *Cockf* —4K **5**
Gloucester Gdns. *Ilf* —7C **34**
Gloucester Gdns. *Sutt* —2K **131**
Gloucester Ga. *NW1* —2F **61**
Gloucester Ga. M. *NW1* —2F **61**
Gloucester Gro. *Edgw* —1K **25**
Gloucester Ho. *SW9 & SE5*
　　　　　—7A **78**
Gloucester Ho. *Rich* —5G **89**
Gloucester M. *E10* —7C **32**
Gloucester M. *W2* —6A **60**
Gloucester M. W. *W2* —6A **60**
Gloucester Pde. *Sidc* —5A **100**
Gloucester Pl. *NW1 & W1*
　　　　　—4D **60** (4E **140**)
Gloucester Pl. M. *W1*
　　　　　—5D **60** (6F **141**)
Gloucester Rd. *E10* —7C **32**
Gloucester Rd. *E11* —5K **33**
Gloucester Rd. *E12* —3D **50**
Gloucester Rd. *E17* —2K **31**
Gloucester Rd. *N17* —2D **30**
Gloucester Rd. *N18* —5A **18**
Gloucester Rd. *SW7* —3A **76**
Gloucester Rd. *W3* —2J **73**
Gloucester Rd. *W5* —2C **72**
Gloucester Rd. *Barn* —5E **4**
Gloucester Rd. *Belv* —5F **85**
Gloucester Rd. *Croy* —7D **124**
Gloucester Rd. *Enf* —1H **7**
Gloucester Rd. *Felt* —1A **102**
Gloucester Rd. *Hamp* —7F **103**

Gloucester Rd. *Harr* —5F **23**
Gloucester Rd. *Houn* —4C **86**
Gloucester Rd. *King T* —2G **119**
Gloucester Rd. *Rich* —7G **73**
Gloucester Sq. *Tedd* —5J **103**
Gloucester Rd. *Twic* —1G **103**
Gloucester Sq. *E2* —1G **63**
Gloucester Sq. *W2*
　　　　　—6B **60** (1B **146**)
Gloucester St. *SW1*
　　　　　—5G **77** (6A **154**)
Gloucester Ter. *W2* —6K **59**
Gloucester Wlk. *W8* —2J **75**
Gloucester Way. *EC1*
　　　　　—3A **62** (2K **143**)
Glover Clo. *SE2* —4C **84**
Glover Dri. *N18* —6D **18**
Glover Ho. *SE15* —4H **95**
Glover Rd. *Pinn* —6B **22**
Gloxinia Wlk. *Hamp* —6E **102**
Glycena Rd. *SW11* —3D **92**
Glyn Av. *Barn* —4G **5**
Glyn Clo. *SE25* —2E **124**
Glyn Ct. *SE27* —3A **110**
Glyndale Grange. *Sutt* —6K **131**
Glyndebourne Ct. *N'holt* —3A **54**
　(off Canberra Ct.)
Glynde M. *SW3* —3C **76** (2D **152**)
Glynde Reach. *WC1*
　　　　　—3J **61** (2F **143**)
Glynde Rd. *Bexh* —3D **100**
Glynde St. *SE4* —6B **96**
Glyndon Rd. *SE18* —4G **83**
Glyn Dri. *Sidc* —4B **116**
Glynfield Rd. *NW10* —7A **42**
Glynne Rd. *N22* —2A **30**
Glyn Rd. *E5* —3K **47**
Glyn Rd. *Enf* —4D **8**
Glyn Rd. *Wor Pk* —2F **131**
Glyn St. *SE11* —5K **77** (6G **155**)
Glynwood Ct. *SE23* —2J **111**
Goater's All. *SW6* —7H **75**
　(off Dawes Rd.)
Goat Ho. Bri. *SE25* —3G **125**
Goat La. *Enf* —1A **8**
Goat Rd. *Mitc* —7E **122**
Goat St. *SE1* —2F **79** (6J **151**)
Goat Wharf. *Bren* —6E **72**
Gobions Av. *Romf* —1K **37**
Godalming Av. *Wall* —5J **133**
Godalming Rd. *E14* —5D **64**
Godbold Rd. *E15* —4G **65**
Goddard Ct. *W'stone* —2A **24**
Goddard Rd. *Beck* —4K **125**
Goddards Way. *Ilf* —1H **51**
Goddarts Ho. *E17* —3C **32**
Godfrey Av. *N'holt* —1C **54**
Godfrey Av. *Twic* —7H **87**
Godfrey Hill. *SE18* —4C **82**
Godfrey Rd. *SE18* —4D **82**
Godfrey St. *E15* —2E **64**
Godfrey St. *SW3*
　　　　　—5C **76** (5D **152**)
Godfrey Way. *Houn* —7D **86**
Goding St. *SE11*
　　　　　—5K **77** (5F **155**)
Godley Rd. *SW18* —1B **108**
Godliman St. *EC4*
　　　　　—6B **62** (1B **150**)
Godman Rd. *SE15* —2H **95**
Godolphin Clo. *N13* —6G **17**
Godolphin Pl. *W3* —7K **57**
Godolphin Rd. *W12* —1D **74**
Godric Cres. *New Ad* —7F **137**
Godson Rd. *Croy* —3A **134**

Godson St. *N1* —2A **62**
Godstone Rd. *Sutt* —4A **132**
Godstone Rd. *Twic* —6B **88**
Godstow Rd. *SE2* —2C **84**
Godwin Clo. *E4* —1K **9**
Godwin Clo. *N1* —2C **62**
Godwin Rd. *E7* —4K **49**
Godwin Rd. *Brom* —3A **128**
Goffers Rd. *SE3* —1G **97**
Goidel Clo. *Wall* —4H **133**
Golborne Gdns. *W10* —4G **59**
Golborne Rd. *W10* —5G **59**
Golda Clo. *Barn* —6A **4**
Goldbath St. *SE13* —1D **96**
Goldbeaters Gro. *Edgw* —6F **13**
Goldbeaters Wlk. *Wemb* —3J **41**
Goldcliff Clo. *Mord* —7J **121**
Goldcrest Clo. *E16* —5B **66**
Goldcrest Clo. *SE28* —7C **68**
Goldcrest M. *W5* —5D **56**
Goldcrest Way. *Bush* —1B **10**
Goldcrest Way. *New Ad* —7F **137**
Golden Ct. *Barn* —4H **5**
Golden Ct. *Rich* —5D **88**
Golden La. *EC1* —4C **62** (3C **144**)
Golden La. Est. *EC1*
　　　　　—4C **62** (4C **144**)
Golden Mnr. *W7* —7J **55**
Golden M. *SE20* —1J **125**
Golden Pde. *E17* —3E **32**
Golden Plover Clo. *E16* —6J **65**
Golden Sq. *W1* —7G **61** (2B **148**)
Golders Clo. *Edgw* —5C **12**
Golders Ct. *NW11* —7H **27**
Golders Gdns. *NW11* —7G **27**
Golders Grn. Cres. *NW11* —7H **27**
Golders Grn. Rd. *NW11* —6G **27**
Golders Mnr. Dri. *NW11* —6H **27**
Golders Pk. Clo. *NW11* —1J **43**
Golders Rise. *NW4* —5F **27**
Golders Way. *NW11* —7H **27**
Golderton. *NW4* —4E **26**
　(off Prince of Wales Clo.)
Goldeslea. *NW11* —1J **43**
Goldfinch Rd. *SE28* —3H **83**
Goldhamel Ind. Est. *W6* —3D **74**
Goldhawk M. *W12* —2D **74**
Goldhawk Rd. *W6 & W12*
　　　　　—4B **74**
Goldhaze Clo. *Wfd G* —7G **21**
Gold Hill. *Edgw* —6E **12**
Golding Ct. *Ilf* —3E **50**
Golding St. *E1* —6G **63**
Golding Ter. *SW11* —2E **92**
Goldington Ct. *NW1* —1G **61**
　(off Royal College St.)
Goldington Cres. *NW1* —2H **61**
Goldington St. *NW1* —2H **61**
Gold La. *Edgw* —6E **12**
Goldman Clo. *E2*
　　　　　—4G **63** (3K **145**)
Goldney Rd. *W9* —4J **59**
Goldsborough Cres. *E4* —2J **19**
Goldsboro' Rd. *SW8* —1H **93**
Goldsdown Clo. *Enf* —2F **9**
Goldsdown Rd. *Enf* —2E **8**
Goldsmid St. *SE18* —5J **83**
Goldsmith Av. *E12* —6C **50**
Goldsmith Av. *NW9* —5A **26**
Goldsmith Av. *W3* —7K **57**
Goldsmith Av. *Romf* —7G **37**
Goldsmith Clo. *Harr* —1F **39**
Goldsmith La. *NW9* —4H **25**

Goldsmith Rd. *E10* —1C **48**
Goldsmith Rd. *E17* —2K **31**
Goldsmith Rd. *N11* —5J **15**
Goldsmith Rd. *SE15* —1G **95**
Goldsmith Rd. *W3* —1K **73**
Goldsmith's Bldgs. *W3* —1K **73**
Goldsmiths Clo. *W3* —1K **73**
Goldsmith's Pl. *NW6* —1K **59**
　(off Springfield La.)
Goldsmith's Row. *E2* —2G **63**
Goldsmith's Sq. *E2* —2G **63**
Goldsmith St. *EC2*
　　　　　—6C **62** (7D **144**)
Goldsworthy Gdns. *SE16* —5J **79**
Goldwell Ho. *SE22* —3E **94**
Goldwell Rd. *T Hth* —4K **123**
Goldwin Clo. *SE14* —1J **95**
Goldwing Clo. *E16* —6J **65**
Golf Clo. *Stan* —7H **11**
Golf Clo. *T Hth* —1A **124**
Golf Club Dri. *King T* —7K **105**
Golfe Rd. *Ilf* —3H **51**
Golf Rd. *W5* —6F **57**
Golf Rd. *Brom* —3E **128**
Golf Side. *Twic* —3H **103**
Golfside Clo. *N20* —3H **15**
Golfside Clo. *N Mald* —2A **120**
Goliath Clo. *Wall* —7J **133**
Gollogly Ter. *SE7* —5A **82**
Gomer Gdns. *Tedd* —6A **104**
Gomer Pl. *Tedd* —6A **104**
Gomm Rd. *SE16* —3J **79**
Gomshall Av. *Wall* —5J **133**
Gondar Gdns. *NW6* —5H **43**
Gonson St. *SE8* —6D **80**
Gonston Clo. *SW19* —2G **107**
Gonville Cres. *N'holt* —6F **39**
Gonville Rd. *T Hth* —5A **124**
Gonville St. *SW6* —3G **91**
Gooch Ho. *E5* —3H **47**
Goodall Ho. *SE4* —4K **95**
Goodall Rd. *E11* —3E **48**
Gooden Ct. *Harr* —3J **39**
Goodenough Rd. *SW19* —7H **107**
Goodfellow Gdns. *King T*
　　　　　—5J **105**
Goodge Pl. *W1* —5G **61** (6B **142**)
Goodge St. *W1* —5G **61** (6B **142**)
Goodhall St. *NW10* —3B **58**
　(in two parts)
Goodhart Pl. *E14* —7A **64**
Goodhart Way. *W Wick* —7G **127**
Goodhew Rd. *Croy* —6G **125**
Gooding Clo. *N Mald* —4J **119**
Goodinge Clo. *N7* —6J **45**
Goodman Cres. *SW2* —2J **109**
Goodman Rd. *E10* —7E **32**
Goodman's Ct. *E1*
　　　　　—7F **63** (2J **151**)
Goodmans Ct. *Wemb* —4D **40**
Goodmans Stile. *E1*
　　　　　—6G **63** (7K **145**)
Goodmans Yd. *E1*
　　　　　—7F **63** (2J **151**)
Goodmayes Av. *Ilf* —1A **52**
Goodmayes La. *Ilf* —4A **52**
Goodmayes Rd. *Ilf* —1A **52**
Goodrich Clo. *W10* —6F **59**
Goodrich Rd. *SE22* —6F **95**
Goodson Rd. *NW10* —7A **42**
Goods Way. *NW1* —2G **61**
Goodway Gdns. *E14* —6F **65**
Goodwin Clo. *SE16*
　　　　　—3G **79** (2K **157**)
Goodwin Clo. *Mitc* —3B **122**

Goodwin Ct. *N8* —3J **29**
　(off Campsbourne Rd.)
Goodwin Ct. *NW1* —2G **61**
　(off Chalton St.)
Goodwin Clo. *SW19* —7C **108**
Goodwin Ct. *Barn* —6H **5**
Goodwin Dri. *Sidc* —3D **116**
Goodwin Gdns. *Croy* —6B **134**
Goodwin Ho. *N9* —1B **18**
Goodwin Rd. *N9* —1E **18**
Goodwin Rd. *W12* —2C **74**
Goodwin Rd. *Croy* —5B **134**
Goodwins Ct. *WC2*
　　　　　—7J **61** (2E **148**)
Goodwin St. *N4* —2A **46**
Goodwood Clo. *Mord* —4J **121**
Goodwood Clo. *Stan* —5H **11**
Goodwood Dri. *N'holt* —6E **38**
Goodwood Pde. *Beck* —4A **126**
Goodwood Rd. *SE14* —7A **80**
Goodwyn Av. *NW7* —5F **13**
Goodwyns Vale. *N10* —1E **28**
Goodyear Pl. *SE5* —6C **78**
Goodyers Gdns. *NW4* —5F **27**
Goosander Ct. *SE8* —6A **80**
Goosander Way. *SE28* —3H **83**
Gooseacre La. *Harr* —5D **24**
Gooseley La. *E6* —3E **66**
Goose Sq. *E6* —6D **66**
Goossens Clo. *Sutt* —5A **132**
Gophir La. *EC4* —7D **62** (2E **150**)
Gopsall St. *N1* —1D **62**
Gordon Av. *E4* —6B **20**
Gordon Av. *SW14* —4A **90**
Gordon Av. *N Mald* —2B **120**
Gordon Av. *Stan* —7E **10**
Gordon Av. *Twic* —5A **88**
Gordonbrock Rd. *SE4* —5C **96**
Gordon Clo. *E17* —6C **32**
Gordon Clo. *N19* —2G **45**
Gordon Clo. *W12* —6E **58**
Gordon Ct. *Edgw* —5A **12**
Gordon Cres. *Croy* —1E **134**
Gordondale Rd. *SW19* —2J **107**
Gordon Gdns. *Edgw* —2H **25**
Gordon Gro. *SE5* —2B **94**
Gordon Hill. *Enf* —1H **7**
Gordon Ho. *E1* —7J **63**
　(off Glamis Rd.)
Gordon Ho. *W5* —3E **56**
Gordon Ho. Rd. *NW5* —4E **44**
Gordon Mans. *WC1*
　　　　　—4H **61** (4C **142**)
　(off Torrington Pl.)
Gordon Pl. *W8* —2J **75**
Gordon Rd. *E4* —1B **20**
Gordon Rd. *E11* —6J **33**
Gordon Rd. *E15* —4E **48**
Gordon Rd. *E18* —1K **33**
Gordon Rd. *N3* —7C **14**
Gordon Rd. *N9* —2C **18**
Gordon Rd. *N11* —7C **16**
Gordon Rd. *SE15* —2H **95**
Gordon Rd. *W4* —6H **73**
Gordon Rd. *W13 & W5* —7B **56**
Gordon Rd. *Bark* —1J **67**
Gordon Rd. *Beck* —3B **126**
Gordon Rd. *Belv* —4J **85**
Gordon Rd. *Cars* —6D **132**
Gordon Rd. *Enf* —1H **7**
Gordon Rd. *Harr* —3J **23**
Gordon Rd. *Houn* —4G **87**
Gordon Rd. *Ilf* —3H **51**
Gordon Rd. *King T* —1F **119**
Gordon Rd. *Rich* —2F **89**

Gordon Rd. *Romf* —6F **37**
Gordon Rd. *Sidc* —5J **99**
Gordon Rd. *S'hall* —4C **70**
Gordon Rd. *Surb* —7F **119**
Gordon Sq. *WC1*
　　　　　—4H **61** (3C **142**)
Gordon St. *E13* —3J **65**
Gordon St. *WC1*
　　　　　—4H **61** (3C **142**)
Gordon Way. *Barn* —4C **4**
Gordon Way. *Brom* —1J **127**
Gore Ct. *NW9* —5G **25**
Gorefield Pl. *NW6* —2J **59**
Gore Rd. *E9* —1J **63**
Gore Rd. *SW20* —2E **120**
Goresbrook Rd. *Dag* —1B **68**
Gorham Pl. *W11* —7G **59**
Goring Clo. *Romf* —1J **37**
Goring Gdns. *Dag* —4C **52**
Goring Rd. *N11* —6D **16**
Goring Rd. *Dag* —6K **53**
Goring St. *EC3* —6E **62** (7H **145**)
Goring Way. *Gnfd* —2G **55**
Gorleston Rd. *N15* —5D **30**
Gorleston St. *W14* —4G **75**
Gorman Rd. *SE18* —4D **82**
Gorringe Pk. Av. *Mitc* —7D **108**
Gorse Clo. *E16* —6J **65**
Gorse Rise. *SW17* —5E **108**
Gorse Rd. *Croy* —4C **136**
Gorseway. *Romf* —1K **53**
Gorst Rd. *NW10* —4J **57**
Gorst Rd. *SW11* —6D **92**
Gorsuch Pl. *E2* —3F **63** (1J **145**)
Gorsuch St. *E2* —3F **63** (1J **145**)
Gosberton Rd. *SW12* —1D **108**
Gosfield Rd. *Dag* —2G **53**
Gosfield St. *W1* —5G **61** (6A **142**)
Gosford Gdns. *Ilf* —5D **34**
Goslett Yd. *WC2*
　　　　　—6H **61** (1D **148**)
Gosling Clo. *Gnfd* —3E **54**
Gosling Ct. *SE8* —6B **80**
　(off Wotton Rd.)
Gosling Way. *SW9* —1A **94**
Gospatrick Rd. *N17* —7H **17**
Gospel Oak Est. *NW5* —5D **44**
Gosport Rd. *E17* —5B **32**
Gosport Wlk. *N17* —4H **31**
Gosport Way. *SE15* —7F **79**
Gossage Rd. *SE18* —5H **83**
Gosset St. *E2* —3F **63** (1K **145**)
Gosshill Rd. *Chst* —2E **128**
Gossington Clo. *Chst* —4F **115**
Gosterwood St. *SE8* —6A **80**
Gostling Rd. *Twic* —1E **102**
Goston Gdns. *T Hth* —3A **124**
Goswell Pl. *EC1* —3B **62** (2B **144**)
Goswell Rd. *EC1*
　　　　　—2B **62** (1A **144**)
Gothic Rd. *Twic* —2H **103**
Gottfried M. *NW5* —4G **45**
Goudhurst Rd. *Brom* —5G **113**
Gough Rd. *E15* —4H **49**
Gough Rd. *Enf* —2C **8**
Gough Sq. *EC4* —6A **62** (7K **143**)
Gough St. *WC1* —4K **61** (3H **143**)
Gough Wlk. *E14* —6C **64**
Goulding Gdns. *T Hth* —2C **124**
Gould Rd. *Twic* —1J **103**
Gould Ter. *E8* —5H **47**
Goulston St. *E1* —6E **63** (7J **145**)
Goulton Rd. *E5* —4H **47**
Gourley Pl. *N15* —5E **30**
Gourley St. *N15* —5E **30**

Gourock Rd. *SE9* —5E **98**
Govan St. *E2* —1G **63**
Gover Ct. *SW4* —2J **93**
Govier Clo. *E15* —7G **49**
Gowan Av. *SW6* —1G **91**
Gowan Rd. *NW10* —GD **42**
Gower Clo. *SW4* —6G **93**
Gower Ct. *WC1* —4H **61** (3C **142**)
Gower Ho. *E17* —3C **32**
Gower M. *WC1* —5H **61** (6D **142**)
Gower Pl. *WC1* —4H **61** (3B **142**)
Gower Rd. *E7* —6J **49**
Gower Rd. *Iswth* —6K **71**
Gower St. *WC1* —4G **61** (3B **142**)
Gower's Wlk. *E1* —6G **63**
Gowland Pl. *Beck* —2B **126**
Gowlett Rd. *SE15* —3G **95**
Gowrie Rd. *SW11* —3E **92**
Goy Mnr. Rd. *SW19* —6F **107**
Grace Av. *Bexh* —2F **101**
Gracechurch Ct. *EC3*
 —7D **62** (2F **151**)
Gracechurch St. *EC3*
 —7D **62** (2F **151**)
Grace Clo. *SE9* —3B **114**
Grace Clo. *Edgw* —7D **12**
Gracedale Rd. *SW16* —5F **109**
Gracefield Gdns. *SW16* —3J **109**
Grace Ho. *SE11* —6K **77** (7H **155**)
Grace Jones Clo. *E8* —6G **47**
Grace Path. *SE26* —4J **111**
Grace Pl. *E3* —3D **64**
Grace Rd. *Croy* —6C **124**
Grace's All. *E1* —7G **63**
Graces M. *NW8* —2A **60**
Grace's M. *SE5* —2E **94**
Grace's Rd. *SE5* —2E **94**
Grace St. *E3* —3D **64**
Gradient, The. *SE26* —4G **111**
Graeme Rd. *Enf* —2J **7**
Graemesdyke Av. *SW14* —3H **89**
Grafton Clo. *W13* —6A **56**
Grafton Clo. *Houn* —1C **102**
Grafton Clo. *Wor Pk* —3A **130**
Grafton Cres. *NW1* —6F **45**
Grafton Gdns. *N4* —6C **30**
Grafton Gdns. *Dag* —2D **52**
Grafton Ho. *SE8* —5B **80**
Grafton M. N1 —2C **62**
 (off Frome St.)
Grafton M. *W1* —4G **61** (4A **142**)
Grafton Pk. Rd. *Wor Pk*
 —2A **130**
Grafton Pl. *NW1*
 —3H **61** (2D **142**)
Grafton Rd. *NW5* —5E **44**
Grafton Rd. *W3* —7J **57**
Grafton Rd. *Croy* —1A **134**
Grafton Rd. *Dag* —2E **52**
Grafton Rd. *Enf* —3E **6**
Grafton Rd. *Harr* —5G **23**
Grafton Rd. *N Mald* —3A **120**
Grafton Rd. *Wor Pk* —3A **130**
Grafton Sq. *SW4* —3G **93**
Graftons, The. *NW2* —3J **43**
Grafton St. *W1* —7F **61** (3K **147**)
Grafton Ter. *NW5* —5D **44**
Grafton Way. *W1 & WC1*
 —4G **61** (4A **142**)
Grafton Yd. *NW5* —6F **45**
Graham Av. *W13* —2B **72**
Graham Av. *Mitc* —1E **122**
Graham Clo. *Croy* —2C **136**
Graham Ct. *N'holt* —5D **38**
Grahame Pk. Est. *NW9* —1A **26**

Grahame Pk. Way. *NW7 & NW9*
 —7G **13**
Grahame White Ho. *Kent* —3D **24**
Graham Gdns. *Surb* —7E **118**
Graham Ho. *N9* —1D **18**
 (off Cumberland Rd.)
Graham Lodge. *NW4* —6D **26**
Graham Mans. Bark —7A **62**
 (off Lansbury Av.)
Graham Rd. *E8* —6G **47**
Graham Rd. *E13* —4J **65**
Graham Rd. *N15* —3B **30**
Graham Rd. *NW4* —6D **26**
Graham Rd. *SW19* —7H **107**
Graham Rd. *W4* —3K **73**
Graham Rd. *Bexh* —4F **101**
Graham Rd. *Hamp* —4E **102**
Graham Rd. *Harr* —3J **23**
Graham Rd. *Mitc* —1E **122**
Graham St. *N1* —2B **62** (1C **144**)
Graham Ter. *SW1*
 —4E **76** (4G **153**)
Graham Ter. Sidc —6B **100**
 (off Westerham Dri.)
Grainger Clo. *N'holt* —5G **39**
Grainger Ct. *SE5* —7C **78**
Grainger Rd. *N22* —1C **30**
Grainger Rd. *Iswth* —2K **87**
Gramer Clo. *E11* —2F **49**
Grampian Clo. *Orp* —6K **129**
Grampian Gdns. *NW2* —1G **43**
Grampians, The. W6 —2F **75**
 (off Shepherd's Bush Rd.)
Granada St. *SW17* —5C **108**
Granard Av. *SW15* —5D **90**
Granard Bus. Cen. *NW7* —6F **13**
Granard Ho. *E9* —6K **47**
Granard Rd. *SW12* —7D **92**
Granary Clo. *N9* —7D **8**
Granary Rd. *E1* —4H **63**
Granary St. *NW1* —1H **61**
Granault Rd. *Enf* —1A **8**
Granby Bldgs. *SE11*
 —4K **77** (4G **155**)
Granby Pl. *SE1* —2A *78* (7J **149**)
 (off Lwr. Marsh)
Granby Rd. *SE9* —2D **98**
Granby St. *E2* —4F **63** (3K **145**)
Granby Ter. *NW1*
 —2G **61** (1A **142**)
Grand Arc. *N12* —5F **15**
Grand Av. *EC1* —5B **62** (5B **144**)
Grand Av. *N10* —4E **28**
Grand Av. *Surb* —5H **119**
Grand Av. *Wemb* —5G **41**
Grand Av. E. *Wemb* —5H **41**
Grand Depot Rd. *SE18* —5E **82**
Grand Dri. *SW20* —3E **120**
Grand Dri. *S'hall* —2G **71**
Granden Rd. *SW16* —2J **123**
Grandfield Ct. *W4* —6K **73**
Grandison Rd. *SW11* —5D **92**
Grandison Rd. *Wor Pk* —2E **130**
Grand Junct. Wharf. *N1* —2C **62**
Grand Pde. *N4* —5B **30**
Grand Pde. *Wemb* —2G **41**
Grand Pde. M. *SW15* —5G **91**
Grand Union Cen. W10 —4F **59**
 (off West Row)
Grand Union Cres. *E8* —7G **47**
Grand Union Ind. Est. *NW10*
 —2H **57**
Grand Union Wlk. *NW1* —7F **45**
 (off Kentish Town Rd.)
Grand Wlk. *E1* —4A **64**

Granfield St. *SW11* —1B **92**
Grange Av. *N12* —5F **15**
Grange Av. *N20* —7B **4**
Grange Av. *SE25* —2E **124**
Grange Av. *E Barn* —1H **15**
Grange Av. *Stan* —2B **24**
Grange Av. *Twic* —2J **103**
Grange Av. *Wfd G* —6D **20**
Grangecliffe Gdns. *SE25*
 —2E **124**
Grange Clo. *Edgw* —5D **12**
Grange Clo. *Houn* —6D **70**
Grange Clo. *Sidc* —3A **116**
Grange Clo. *Wfd G* —7D **20**
Grange Ct. *E8* —7F **47**
Grange Ct. *WC2*
 —6K **61** (1H **149**)
Grange Ct. *Harr* —3K **39**
Grange Ct. *N'holt* —2A **54**
Grange Ct. *Pinn* —3C **22**
Grange Ct. *Sutt* —7K **131**
Grangecourt Rd. *N16* —1E **46**
Grange Cres. *SE28* —6C **68**
Grange Dri. *Chst* —6C **114**
Grange Farm Clo. *Harr* —2G **39**
Grange Gdns. *N14* —1C **16**
Grange Gdns. *NW3* —3K **43**
Grange Gdns. *SE25* —2E **124**
Grange Gdns. *Pinn* —3C **22**
Grange Gro. *N1* —6C **46**
Grange Hill. *SE25* —2E **124**
Grange Hill. *Edgw* —5D **12**
Grangehill Pl. *SE9* —3D **98**
Grangehill Rd. *SE9* —4D **98**
Grange Ho. *SE1* —3F **79** (2J **157**)
Grange La. *SE21* —2F **111**
Grange Lodge. *SW19* —6F **107**
Grange Mans. *Eps* —7B **98**
Grangemill Rd. *SE6* —3C **112**
Grangemill Way. *SE6* —2C **112**
Grange Pk. Clo. *Edgw* —5D **12**
Grange Pk. *W5* —1E **72**
Grange Pk. Av. *N21* —6H **7**
Grange Pk. Pl. *SW20* —7D **106**
Grange Pk. Rd. *E10* —1D **48**
Grange Pk. Rd. *T Hth* —4D **124**
Grange Pl. *NW6* —7J **43**
Grange Rd. *E10* —1C **48**
Grange Rd. *E13* —3H **65**
Grange Rd. *E17* —5A **32**
Grange Rd. *N6* —6E **28**
Grange Rd. *N17 & N18* —6B **18**
Grange Rd. *NW10* —6D **42**
Grange Rd. *SE1* —3E **78** (2H **157**)
Grange Rd. *SE25 & SE19*
 —3D **124**
Grange Rd. *SW13* —1C **90**
Grange Rd. *W4* —5H **73**
Grange Rd. *W5* —1D **72**
Grange Rd. *Edgw* —6E **12**
Grange Rd. *Harr* —6K **23**
Grange Rd. *Ilf* —4F **51**
Grange Rd. *King T* —3E **118**
Grange Rd. *S'hall* —2C **70**
Grange Rd. *S Croy* —7C **134**
Grange Rd. *S Harr* —2H **39**
Grange Rd. *Sutt* —7J **131**
Grange Rd. *T Hth* —4D **124**
Grange St. *N1* —1D **62**
Grange, The. E17 —5B **32**
 (off Lynmouth Rd.)
Grange, The. *N2* —2B **28**
Grange, The. *N20* —1F **15**
Grange, The. *SE1*
 —3F **79** (2J **157**)

Grange, The. *SW19* —6F **107**
Grange, The. *W3* —2H **73**
Grange, The. *W4* —5H **73**
Grange, The. *W5* —5C **56**
Grange, The. *Croy* —2B **136**
Grange, The. *Wemb* —7G **41**
Grange, The. *Wor Pk* —4A **130**
Grange Vale. *Sutt* —7K **131**
Grangeview Rd. *N20* —1F **15**
Grange Wlk. *SE1*
 —3E **78** (1H **157**)
Grange Wlk. M. *SE1*
 —3E **78** (2H **157**)
Grange Way. *N12* —4E **14**
Grange Way. *NW6* —7J **43**
Grange Way. *Wfd G* —4F **21**
Grangeway Gdns. *Ilf* —5C **34**
Grangeway, The. *N21* —6G **7**
Grangewood. *Bex* —1F **117**
Grangewood La. *Beck* —6B **112**
Grangewood St. *E6* —1B **66**
Grangewood Ter. *SE25* —2D **124**
Grange Yd. *SE1* —3F **79** (2J **157**)
Granham Gdns. *N9* —2A **18**
Granite St. *SE18* —5K **83**
Granleigh Rd. *E11* —2G **49**
Gransden Av. *E8* —7H **47**
Gransden Ho. *SE8* —5B **80**
Gransden Rd. *W12* —2B **74**
Grantbridge St. *N1* —2B **62**
Grantchester. King T —2G **119**
 (off St Peters Rd.)
Grantchester Clo. *Harr* —3K **39**
Grant Clo. *N14* —7B **6**
Grant Ct. *E4* —1K **19**
Grantham Clo. *Edgw* —3K **11**
Grantham Ct. *Romf* —7F **37**
Grantham Gdns. *Romf* —6F **37**
Grantham Rd. *E12* —4E **50**
Grantham Rd. *SW9* —2J **93**
Grantham Rd. *W4* —7A **74**
Grantley Rd. *Houn* —2A **86**
Grantley St. *E1* —3K **63**
Grantock Rd. *E17* —1F **33**
Granton Rd. *SW16* —1G **123**
Granton Rd. *Sidc* —6C **116**
Grant Pl. *Croy* —1F **135**
Grant Rd. *SW11* —4B **92**
Grant Rd. *Croy* —1F **135**
Grant Rd. *Harr* —3K **23**
Grants Clo. *NW7* —7K **13**
Grants Quay Wharf *EC3*
 —7D **62** (3F **151**)
Grant St. *E13* —3J **65**
Grant St. *N1* —2A **62**
Grantully Rd. *W9* —3K **59**
Grant Way. *Iswth* —6A **72**
Granville Arc. *SW4* —4A **94**
Granville Av. *N9* —3D **18**
Granville Av. *Houn* —5E **86**
Granville Clo. *Croy* —2E **134**
Granville Ct. *N1* —1E **62**
Granville Ct. SE14 —7A **80**
 (off Nynehead St.)
Granville Gdns. *SW16* —7K **109**
Granville Gdns. *W5* —1F **73**
Granville Gro. *SE13* —3E **96**
Granville M. *Sidc* —4A **116**
Granville Pk. *SE13* —3E **96**
Granville Pl. *N12* —7F **15**
Granville Pl. *W1*
 —6E **60** (1G **147**)

Granville Pl. *Pinn* —3B **22**
Granville Point. *NW2* —2H **43**
Granville Rd. *E17* —6D **32**
Granville Rd. *E18* —2K **33**
Granville Rd. *N4* —6K **29**
Granville Rd. *N12* —7E **14**
Granville Rd. *N13* —6E **16**
Granville Rd. *N22* —1B **30**
Granville Rd. *NW2* —2H **43**
Granville Rd. *NW6* —2J **59**
 (in two parts)
Granville Rd. *SW18* —7H **91**
Granville Rd. *SW19* —7J **107**
Granville Rd. *Barn* —4A **4**
Granville Rd. *Ilf* —1F **51**
Granville Rd. *Sidc* —4A **116**
Granville Rd. *Well* —3C **100**
Granville Sq. *SE15* —7E **78**
Granville Sq. *WC1*
 —3K **61** (2H **143**)
Granville St. *WC1*
 —3K **61** (2H **143**)
Granwood Ct. *Iswth* —1J **87**
Grape St. *WC2* —6J **61** (7E **142**)
Graphite Sq. *SE11*
 —5K **77** (5G **155**)
Grasdene Rd. *SE18* —7A **84**
Grasmere Av. *SW15* —4K **105**
Grasmere Av. *SW19* —3J **121**
Grasmere Av. *W3* —7K **57**
Grasmere Av. *Houn* —6F **87**
Grasmere Av. *Wemb* —7C **24**
Grasmere Ct. *N22* —6E **16**
Grasmere Ct. *SE26* —5G **111**
Grasmere Ct. *SW13* —6C **74**
Grasmere Ct. *Sutt* —6A **132**
Grasmere Gdns. *Harr* —2A **24**
Grasmere Gdns. *Ilf* —5C **34**
Grasmere Point. SE15 —7J **79**
 (off Old Kent Rd.)
Grasmere Rd. *E13* —2J **65**
Grasmere Rd. *N10* —1F **29**
Grasmere Rd. *N17* —6B **18**
Grasmere Rd. *SE25* —5H **125**
Grasmere Rd. *SW16* —5K **109**
Grasmere Rd. *Bexh* —2J **101**
Grasmere Rd. *Brom* —1H **127**
Grassington Rd. *Sidc* —4A **116**
Grassmount *SE23* —2H **111**
Grass Pk. *N3* —1H **27**
Grass Way. *Wall* —4G **133**
Grasvenor Av. *Barn* —6D **4**
Grately Way. *SE15* —7F **79**
Gratton Rd. *W14* —3G **75**
Gratton Ter. *NW2* —3F **43**
Gravel Hill. *N3* —2H **27**
Gravel Hill. *Bexh* —5H **101**
Gravel Hill. *Croy* —6K **135**
Gravel Hill Clo. *Bexh* —5H **101**
Gravel La. *E1* —6F **63** (7J **145**)
Gravel Pit La. *SE9* —5F **99**
Gravel Rd. *Brom* —3C **138**
Gravel Rd. *Twic* —1J **103**
Gravelwood Clo. *Chst* —3G **115**
Gravenel Gdns. SW17 —5C *108*
 (off Nutwell St.)
Graveney Gro. *SE20* —7J **111**
Graveney Rd. *SW17* —4C **108**
Gravesend Rd. *W12* —7C **58**
Gray Av. *Dag* —1F **53**
Grayham Cres. *N Mald* —4K **119**
Grayham Rd. *N Mald* —4K **119**
Grayland Clo. *Brom* —1B **128**
Grayling Clo. *E16* —4G **65**
Grayling Rd. *N16* —2D **46**

Grayling Sq. E2 —3G 63
(off Nelson Gdns.)
Grays Ct. Dag —7H 53
Grayscroft Rd. SW16 —7H 109
Grays Farm Rd. Orp —7B 116
Grayshott Rd. SW11 —2E 92
Gray's Inn Pl. WC1
—5K 61 (6H 143)
Gray's Inn Rd. WC1
—3J 61 (1F 143)
Gray's Inn Sq. WC1
—5K 61 (5J 143)
Grayson Ho. EC1
—3C 62 (2D 144)
Gray St. SE1 —2A 78 (7K 149)
Grayswood Gdns. SW20
—2D 120
Gray's Yd. W1 —6E 60 (1H 147)
Graywood Ct. N12 —7F 15
Grazebrook Rd. N16 —2D 46
Grazeley Clo. Bexh —5J 101
Grazeley Ct. SE19 —5E 110
Gt. Acre Ct. SW4 —4H 93
Gt. Bell All. EC2 —6D 62 (7E 144)
Gt. Brownings. SE21 —4F 111
Gt. Bushey Dri. N20 —1E 14
Gt. Cambridge Ind. Est. Enf
—5B 8
Great Cambridge Junction.
(Junct.) —4J 17
Gt. Cambridge Rd. N9 & Enf
—3J 17
Gt. Cambridge Rd. N17 & N18
—7J 17
Gt. Castle St. W1
—6F 61 (7K 141)
Gt. Central Av. Ruis —5A 38
Gt. Central St. NW1
—5D 60 (5E 140)
Gt. Central Way. Wemb & NW10
—4J 41
Gt. Chapel St. W1
—6H 61 (7C 142)
Gt. Chertsey Rd. W4 —2J 89
Gt. Chertsey Rd. Felt —3D 102
Gt. Church La. W6 —4F 75
Gt. College St. SW1
—3J 77 (1E 154)
Gt. Cross Av. SE10 —7G 81
Gt. Cumberland M. W1
—6D 60 (1E 146)
Gt. Cumberland Pl. W1
—6D 60 (7E 140)
Gt. Dover St. SE1
—2C 78 (7D 150)
Greatdown Rd. W7 —4K 55
Gt. Eastern Bldgs. E1 —5G 63
(off Fieldgate St.)
Gt. Eastern Enterprise Cen. E14
—2D 80
Gt. Eastern Rd. E15 —7F 49
Gt. Eastern St. EC2
—3E 62 (2G 145)
Gt. Eastern Wlk. EC2
—5E 62 (6H 145)
Gt. Elms Rd. Brom —4A 128
Gt. Field. NW9 —1A 26
Greatfield Av. E6 —4D 66
Greatfield Clo. N19 —4G 45
Greatfield Clo. SE13 —4C 96
Greatfields Rd. Bark —1H 67
Gt. Fleete Way. Bark —2C 68
Gt. Galley Clo. Bark —3C 68
Gt. George St. SW1
—2H 77 (7D 148)

Gt. Guildford St. SE1
—1C 78 (4C 150)
Greatham Wlk. SW15 —1C 106
Gt. Harry Dri. SE9 —3E 114
Gt. James St. WC1
—5K 61 (5G 143)
Gt. Marlborough St. W1
—6G 61 (1A 148)
Gt. Maze Pond. SE1
(in two parts) —2D 78 (5F 151)
Gt. Newport St. WC2
—7J 61 (2E 148)
Gt. New St. EC4 —6A 62 (7K 143)
Gt. North Rd. N2 & N6 —5C 28
Gt. North Rd. High Bar —2C 4
Gt. North Rd. New Bar —5D 4
Gt. North Way. NW4 —2D 26
Greatorex Ho. E1 —5G 63
(off Greatorex St.)
Greatorex St. E1 —5G 63
Gt. Ormond St. WC1
—5J 61 (5F 143)
Gt. Owl Rd. Chig —3K 21
Gt. Percy St. WC1
—3K 61 (1H 143)
Gt. Peter St. SW1
—3H 77 (2C 154)
Gt. Portland St. W1
—4F 61 (4K 141)
Gt. Pulteney St. W1
—7G 61 (2B 148)
Gt. Queen St. WC2
—6J 61 (1F 149)
Gt. Russell St. WC1
—6H 61 (7D 142)
Gt. St Helen's. EC3
—6E 62 (7G 145)
Gt. Saint Thomas Apostle. EC4
—7C 62 (2D 150)
Gt. Scotland Yd. SW1
—1J 77 (4E 148)
Gt. Smith St. SW1
—3H 77 (1D 154)
Gt. South W. Rd. Felt & Houn
—2A 86
Gt. Spilmans. SE22 —5E 94
Gt. Strand. NW9 —1B 26
Gt. Suffolk St. SE1
—1B 78 (5B 150)
Gt. Sutton St. EC1
—4B 62 (4B 144)
Gt. Swan All. EC2
—6D 62 (7E 144)
Gt. Thrift. Orp —4G 129
Gt. Titchfield St. W1
—5F 61 (4K 141)
Gt. Tower St. EC3
—7E 62 (2G 151)
Gt. Trinity La. EC4
—7C 62 (2D 150)
Gt. Turnstile. WC1
—5K 61 (6H 143)
Gt. Western Ind. Pk. S'hall
—2F 71
Gt. Western Rd. W9, W11 & W2
—5H 59
Gt. West Rd. W4 & W6 —5B 74
Gt. West Rd. Bren —7A 72
Gt. West Rd. Houn & Iswth
—2B 86
Gt. West Rd. Trad. Est. Bren
—6B 72
Gt. West Trad. Est. Bren —6B 72
Gt. Winchester St. EC2
—6D 62 (7F 145)

Gt. Windmill St. W1
—7H 61 (2C 148)
Greatwood. Chst —7E 114
Great Yd. SE1 —2E 78 (6H 151)
Greaves Clo. Bark —7H 51
Greaves Pl. SW17 —4C 108
Greaves Tower. SW10 —7A 76
(off Worlds End Est.)
Grebe Av. Hayes —6B 54
Grebe Clo. E7 —5H 49
Grebe Clo. E17 —7F 19
Grebe Ct. SE8 —6B 80
(off Dorking Clo.)
Grebe Ter. King T —3E 118
Grecian Cres. SE19 —6B 110
Greek Clo. W1 —6H 61 (1D 148)
Greek St. W1 —6H 61 (1D 148)
Greenacre Clo. Barn —1C 4
Greenacre Clo. N'holt —5D 38
Greenacre Gdns. E17 —4E 32
Greenacre Pl. Hack —2F 133
Greenacres. N3 —2H 27
Greenacres. SE9 —6E 98
Greenacres. Bush —2C 10
Green Acres. Croy —3F 135
Greenacres. Sidc —4A 116
Greenacres Dri. Stan —7G 11
Greenacre Sq. SE16 —2K 79
Greenacre Wlk. N14 —3C 16
Green Arbour Ct. EC1
—6B 62 (7A 144)
Green Av. NW7 —4E 12
Green Av. W13 —3B 72
Greenaway Gdns. NW3 —4K 43
Green Bank. E1 —1H 79
Greenbank. N12 —4E 14
Greenbank Av. Wemb —5A 40
Green Bank Clo. E4 —2K 19
Greenbank Cres. NW4 —4G 27
Greenbanks. Harr —4J 39
Greenbay Rd. SE7 —7B 82
Greenberry St. NW8
—2C 60 (1C 140)
Greenbrook Av. Barn —1F 5
Green Clo. NW9 —6J 25
Green Clo. NW11 —7A 28
Green Clo. Brom —3G 127
Green Clo. Cars —2D 132
Green Clo. Felt —5C 102
Greencoat Pl. SW1
—4G 77 (3B 154)
Greencourt Av. Croy —2H 135
Greencourt Av. Edgw —1H 25
Greencourt Gdns. Croy —2H 135
Greencourt Rd. Orp —5H 129
Greencrest Pl. NW2 —3C 42
Greencroft. Edgw —5D 12
Greencroft Av. Ruis —2A 38
Greencroft Clo. E6 —5B 66
Greencroft Gdns. NW6 —7K 43
Greencroft Gdns. Enf —3K 7
Greencroft Rd. Houn —1D 86
Green Dale. SE5 —4D 94
Green Dale. SE22 —5E 94
Greendale. Edgw —4F 13
Green Dale Clo. SE22 —5E 94
Green Dragon Ct. SE1
—1D 78 (4E 150)
Green Dragon La. N21 —6F 7
Green Dragon La. Bren —5E 72
Green Dragon Yd. E1
—5G 63 (6K 145)
Green Dri. S'hall —1E 70
Green End. N21 —2G 17
Greenend Rd. W4 —2A 74

Greener Ho. SW4 —3H 93
Greenfell Ho. SE5 —7C 78
(off Comber Gro.)
Greenfield St. SE10 —3G 81
Greenfield Av. Surb —7H 119
Greenfield Dri. N2 —4D 28
Greenfield Dri. Brom —2A 128
Greenfield Gdns. NW2 —2G 43
Greenfield Gdns. Dag —1D 68
Greenfield Gdns. Orp —7H 129
Greenfield Rd. E1 —5G 63
Greenfield Rd. N15 —5E 30
Greenfield Rd. Dag —1C 68
Greenfield Rd. Dart —5K 117
Greenfield Rd. Sutt —4K 131
Greenfields. S'hall —6E 54
Greenfield Way. Harr —3F 23
Greenford Av. W7 —4J 55
Greenford Av. S'hall —7D 54
Greenford Gdns. Gnfd —3F 55
Greenford Grn. Gnfd —6J 39
Greenford Ind. Est. N'holt —7F 39
Greenford Rd. Harr —4J 39
Greenford Rd. S'hall & Gnfd
—1G 71
Greenford Roundabout. (Junct.)
—2H 55
Greengate. Gnfd —6B 40
Greengate Lodge. E13 —2K 65
(off Hollybush St.)
Greengate St. E13 —2K 65
Greenhalgh Wlk. N2 —4A 28
Greenham Clo. SE1
—2A 78 (7J 149)
Greenham Cres. E4 —6G 19
Greenham Ho. Houn —3H 87
Greenham Rd. N10 —2E 28
Green Hedge. Twic —6C 88
Greenheys Dri. E18 —3H 33
Greenhill. NW3 —4B 44
Green Hill. SE18 —5D 82
Greenhill. Buck H —1F 21
Greenhill. Sutt —2A 132
Greenhill. Wemb —2H 41
Greenhill Gdns. N'holt —2D 54
Greenhill Gro. E12 —4C 50
Greenhill Pde. New Bar —5E 4
Greenhill Pk. NW10 —1A 58
Greenhill Pk. New Bar —5E 4
Greenhill Rd. NW10 —1A 58
Greenhill Rd. Harr —6J 23
Green Hill's Rents. EC1
—5B 62 (5A 144)
Greenhills Ter. N1 —6D 46
Greenhill Ter. SE18 —5D 82
Greenhill Ter. N'holt —2D 54
Greenhill Way. Harr —6J 23
Greenhill Way. Wemb —2H 41
Greenhithe Clo. Sidc —7J 99
Greenholm Rd. SE9 —5F 99
Green Hundred Rd. SE15 —6G 79
Greenhurst Rd. SE27 —5A 110
Greening St. SE2 —4C 84
Greenland Cres. S'hall —3A 70
Greenland M. SE8 —5K 79
Greenland Pl. NW1 —1F 61
Greenland Quay. SE16 —4A 80
Greenland Rd. NW1 —1F 61
Greenland Rd. Barn —6A 4
Greenland St. NW1 —1F 61
Green La. NW4 —4F 27
Green La. SE9 & Chst —1F 115
Green La. SE20 —7K 111
Green La. SW16 & T Hth
—7K 109

Green La. W7 —2J 71
Green La. Edgw —4A 12
Green La. Felt —5C 102
Green La. Harr —3J 39
Green La. Houn —3A 86
Green La. Ilf & Dag —2H 51
Green La. Mord —7E 120
(Battersea Cemetery)
Green La. Mord —6J 121
(Morden)
Green La. N Mald —5J 119
Green La. Stan —4G 11
Green La. Wor Pk —1C 130
Green La. Cotts. Stan —4G 11
Green La. Gdns. T Hth —2C 124
Green Lanes. N8, N4 & N16
—3B 30
Green Lanes. N13 & N21 —3F 17
Green Lanes. Eps —7A 130
(in two parts)
Greenlaw Ct. W5 —6D 56
(off Mount Pk. Rd.)
Greenlaw Gdns. N Mald —7B 120
Greenlawns. N3 —6E 14
Green Lawns. Ruis —1A 38
Greenlaw St. SE18 —3E 82
Green Leaf Av. Wall —4H 133
Greenleaf Clo. SW2 —7A 94
Greenleafe Dri. Ilf —3F 35
Greenleaf Rd. E6 —1A 66
Greenleaf Rd. E17 —3B 32
Greenlea Trad. Pk. SW19
—1B 122
Green Man Gdns. W13 —7A 56
Green Man La. W13 —7A 56
Green Man Pas. W13 —7A 56
(in two parts)
Green Man Roundabout. (Junct.)
—7H 33
Greenman St. N1 —7C 46
Greenmead. Eri —3E 84
Greenmead Clo. SE25 —5G 125
Green Moor Link. N21 —7G 7
Greenmoor Rd. Enf —2D 8
Greenoak Clo. Cockf —2J 5
Greenoak Way. SW19 —4F 107
Greenock Rd. SW16 —1H 123
Greenock Rd. W3 —3H 73
Green Pde. Houn —5F 87
Greenpark Ct. Wemb —7C 40
Green Point. E15 —6G 49
Green Pond Clo. E17 —3A 32
Green Pond Rd. E17 —3A 32
Greenrigg Wlk. Wemb —3H 41
Green Rd. N14 —6A 6
Green Rd. N20 —3F 15
Green's Ct. W1 —7H 61 (2C 148)
Green's End. SE18 —4F 83
Greenshank Clo. E17 —7F 19
—2J 81
Greenside. Bex —1E 116
Green Side. Dag —1C 52
Greenside Clo. N20 —2G 15
Greenside Clo. SE6 —2F 113
Greenside Rd. W12 —3C 74
Greenside Rd. Croy —7A 124
Greenslade Rd. Bark —7H 51
Greenstead Av. Wfd G —7F 21
Greenstead Clo. Wfd G —6F 21
Greenstead Gdns. SW15 —5D 90
Greenstead Gdns. Wfd G —6F 21
Greensted Rd. Lou —1H 21
Greenstone M. E11 —6J 33
Green St. E7 & E13 —6K 49

Green St. *W1* —7E **50** (2G **147**)
Green St. *Enf* —2D **8**
Green Ter. *EC1* —3A **62** (2K **143**)
Green, The. *E4* —1A **20**
Green, The. *E11* —6K **33**
Green, The. *E15* —6H **49**
Green, The. *N9* —2B **18**
Green, The. *N14* —3C **16**
Green, The. *N17* —6H **17**
Green, The. *N21* —1F **17**
Green, The. *SW19* —5F **107**
Green, The. *W3* —6A **58**
Green, The. *W5* —1D **72**
Green, The. *Bexh* —1G **101**
Green, The. *Brom* —3J **113**
(in two parts)
Green, The. *Buck H* —1E **20**
Green, The. *Cars* —4E **132**
Green, The. *Croy* —7B **136**
Green, The. *Hay* —7J **127**
Green, The. *Houn* —6E **70**
Green, The. *Mord* —4G **121**
Green, The. *N Mald* —3J **119**
Green, The. *Rich* —5D **88**
Green, The. *Sidc* —4A **116**
Green, The. *S'hall* —2D **70**
Green, The. *St P* —7B **116**
Green, The. *Sutt* —3K **131**
Green, The. *Twic* —1J **103**
Green, The. *Well* —4J **99**
Green, The. *Wemb* —2A **40**
Green, The. *Wfd G* —5D **20**
Green Vale. *W5* —6F **57**
Green Vale. *Bexh* —5D **100**
Greenvale Rd. *SE9* —4D **98**
Green Verges. *Stan* —7J **11**
Greenview Av. *Beck* —6A **126**
Greenview Av. *Croy* —6A **126**
Green Wlk. *NW4* —5F **27**
Green Wlk. *SE1* —3E **78** (2G **157**)
Green Wlk. *Hamp* —6D **102**
Green Wlk. *Lou* —1H **21**
Green Wlk. *S'hall* —6E **70**
Green Wlk. *Wfd G* —6H **21**
Green Wlk., The. *E4* —1A **20**
Greenway. *N14* —2D **16**
Greenway. *N20* —2D **14**
Green Way. *SE9* —5B **98**
Greenway. *SW20* —4E **120**
Green Way. *Brom* —6C **128**
Greenway. *Chst* —5E **114**
Greenway. *Dag* —2C **52**
Greenway. *Hayes* —4A **54**
Greenway. *Kent* —5E **24**
Greenway. *Pinn* —2A **22**
Green Way. *Wall* —4G **133**
Green Way. *Wfd G* —5F **21**
Greenway Av. *E17* —4F **33**
Greenway Clo. *N4* —2C **46**
Greenway Clo. *N11* —6K **15**
Greenway Clo. *N15* —4F **31**
Greenway Clo. *N20* —2D **14**
Greenway Clo. *NW9* —2K **25**
Greenway Gdns. *NW9* —2K **25**
Greenway Gdns. *Croy* —3B **136**
Greenway Gdns. *Gnfd* —3E **54**
Greenway Gdns. *Harr* —2J **23**
Greenways. *Beck* —3C **126**
Greenways, The. *Twic* —6A **88**
Greenways, The. *NW9* —2K **25**
Greenway, The. *Houn* —4D **86**
Green Way, The. *Pinn* —6D **22**
Green Way, The. *W'stone* —1J **23**
Greenwell St. *W1*
　　—4F **61** (4K **141**)

Greenwich Chu. St. *SE10* —6E **80**
Greenwich Cres. *E6* —5C **66**
Greenwich High Rd. *SE10*
　　—1D **96**
Greenwich Mkt. *SE10* —6E **80**
Greenwich Pk. St. *SE10* —6F **81**
Greenwich S. St. *SE10* —1D **96**
Greenwich View Pl. *E14* —3D **80**
Greenwood Av. *Dag* —4H **53**
Greenwood Av. *Enf* —2F **9**
Greenwood Bus. Cen. *Croy*
　　—7F **125**
Greenwood Clo. *Bush* —1D **10**
Greenwood Clo. *Mord* —4G **121**
Greenwood Clo. *Orp* —6J **129**
Greenwood Clo. *Sidc* —2A **116**
Greenwood Ct. *SW1*
　　—5G **77** (5B **154**)
Greenwood Dri. *E4* —5A **20**
Greenwood Gdns. *N13* —3G **17**
Greenwood Gdns. *Ilf* —1G **35**
Greenwood Ho. *N22* —1A **30**
Greenwood Ho. *SE4* —4K **95**
Greenwood La. *Hamp* —5F **103**
Greenwood Mans. *Bark* —7A **52**
　　(off Lansbury Av.)
Greenwood Pk. *King T* —7A **106**
Greenwood Pl. *NW5* —5F **45**
Greenwood Rd. *E8* —6G **47**
Greenwood Rd. *E13* —2J **65**
Greenwood Rd. *Bex* —4K **117**
Greenwood Rd. *Croy* —7B **124**
Greenwood Rd. *Iswth* —3K **87**
Greenwood Rd. *Mitc* —3H **123**
Greenwoods, The. *S Harr* —2G **39**
Greenwood Ter. *NW10* —1K **57**
Green Wrythe Cres. *Cars*
　　—1C **132**
Green Wrythe La. *Cars* —6B **122**
Green Yd., The. *EC3*
　　—6E **62** (1G **151**)
Greer Rd. *Harr* —1G **23**
Greet Ho. *SE1* —2A **78** (7K **149**)
Greet St. *SE1* —1A **78** (5K **149**)
Greg Clo. *E10* —6E **32**
Gregor M. *SE3* —7J **81**
Gregory Clo. *Brom* —4H **127**
Gregory Cres. *SE9* —7B **98**
Gregory Pl. *W8* —2K **75**
Gregory Rd. *Romf* —4D **36**
Gregory Rd. *S'hall* —3E **70**
Greig Clo. *N8* —5J **29**
Greig Ter. *SE17* —6B **78** (7B **156**)
Grenaby Av. *Croy* —7D **124**
Grenaby Rd. *Croy* —7D **124**
Grenada Rd. *SE7* —7A **82**
Grenade St. *E14* —7B **64**
Grenadier St. *E16* —1E **82**
Grena Gdns. *Rich* —4F **89**
Grena Rd. *Rich* —4F **89**
Grendon Gdns. *Wemb* —2G **41**
Grendon Lodge. *Edgw* —2D **12**
Grendon St. *NW8*
　　—4C **60** (3C **140**)
Grenfell Ct. *NW7* —6J **13**
Grenfell Gdns. *Harr* —7E **24**
Grenfell Gdns. *Ilf* —5K **35**
Grenfell Ho. *SE5* —7C **78**
Grenfell Rd. *W11* —7F **59**
Grenfell Rd. *Mitc* —6D **108**
Grenfell Tower. *W11* —7F **59**
Grenfell Wlk. *W11* —7F **59**
Grennell Clo. *Sutt* —2B **132**
Grennell Rd. *Sutt* —2A **132**
Grenoble Gdns. *N13* —6F **17**

Grenville Clo. *N3* —1G **27**
Grenville Clo. *Surb* —7J **119**
Grenville Ct. *W13* —5B **56**
Grenville Gdns. *Wfd G* —1A **34**
Grenville M. *SW7* —4A **76**
　　(off Harrington Gdns.)
Grenville M. *Hamp* —5F **103**
Grenville Pl. *NW7* —5E **12**
Grenville Pl. *SW7* —3A **76**
Grenville Rd. *N19* —1J **45**
Grenville St. *WC1*
　　—4J **61** (4F **143**)
Gresham Av. *N20* —4J **15**
Gresham Clo. *Bex* —6F **101**
Gresham Clo. *Enf* —3H **7**
Gresham Dri. *Romf* —5B **36**
Gresham Gdns. *NW11* —1G **43**
Gresham Lodge. *E17* —5D **32**
Gresham M. *W4* —3J **73**
Gresham Rd. *E6* —2D **66**
Gresham Rd. *E16* —6K **65**
Gresham Rd. *NW10* —5K **41**
Gresham Rd. *SE25* —4G **125**
Gresham Rd. *SW9* —3A **94**
Gresham Rd. *Beck* —2A **126**
Gresham Rd. *Edgw* —6A **12**
Gresham Rd. *Hamp* —6E **102**
Gresham Rd. *Houn* —1G **87**
Gresham St. *EC2*
　　—6C **62** (7C **144**)
Gresham Way. *SW19* —3K **107**
Gresley Clo. *E17* —6A **32**
Gresley Clo. *N15* —4D **30**
Gresley Rd. *N19* —1G **45**
Gressenhall Rd. *SW18* —6H **91**
Gresse St. *W1* —6H **61** (6C **142**)
Gresswell Clo. *Sidc* —3A **116**
Greswell St. *SW6* —1F **91**
Gretton Rd. *N17* —7A **18**
Greville Clo. *Twic* —7B **88**
Greville Ct. *Harr* —4J **39**
Greville Lodge. *E13* —1K **65**
Greville Lodge. *N12* —4E **14**
Greville Lodge. *Edgw* —4C **12**
　　(off Broadhurst Av.)
Greville M. *NW6* —1K **59**
　　(off Greville Rd.)
Greville Pl. *NW6* —2K **59**
Greville Rd. *E17* —4E **32**
Greville Rd. *NW6* —2K **59**
Greville Rd. *Rich* —6F **89**
Greville St. *EC1* —5A **62** (6J **143**)
Grey Clo. *NW11* —6A **28**
Grey Coat Gdns. *SW1*
　　—3H **77** (2C **154**)
　　(off Greycoat St.)
Greycoat Pl. *SW1*
　　—3H **77** (2C **154**)
Greycoat St. *SW1*
　　—3H **77** (2C **154**)
Greycot Rd. *Beck* —5C **112**
Grey Eagle St. *E1*
　　—4F **63** (4K **145**)
Greyfell Clo. *Stan* —5H **11**
Greyfriars. *SE26* —3G **111**
　　(off Wells Pk. Rd.)
Greyfriars Pas. *EC1*
　　—6B **62** (7B **144**)
Greyhound Ct. *WC2*
　　—7K **61** (2H **149**)
Greyhound Hill. *NW4* —3D **26**
Greyhound La. *SW16* —6H **109**
Greyhound Mans. *W6* —6G **75**
　　(off Greyhound Rd.)
Greyhound Rd. *N17* —3E **30**

Greyhound Rd. *NW10* —3D **58**
Greyhound Rd. *W6 & W14*
　　—6F **75**
Greyhound Rd. *Sutt* —5A **132**
Greyhound Ter. *SW16* —1G **123**
Grey Ho. *W12* —7D **58**
　　(off White City Est.)
Greyladies Gdns. *SE10* —2E **96**
Greys Pk. Clo. *Kes* —5B **138**
Greystead Rd. *SE23* —7J **95**
Greystoke Av. *Pinn* —3E **22**
Greystoke Ct. *W5* —4F **57**
Greystoke Gdns. *W5* —5E **56**
Greystoke Gdns. *Enf* —4C **6**
Greystoke Lodge. *W5* —4F **57**
　　(off Hanger La.)
Greystoke Pk. Ter. *W5* —3D **56**
Greystoke Pk. Ter. *Gnfd* —2G **55**
Greystoke Pl. *EC4*
　　—6A **62** (7J **143**)
Greystone Gdns. *Harr* —6C **24**
Greystone Gdns. *Ilf* —2G **35**
Greystone Path. *E11* —7H **33**
　　(off Mornington Rd.)
Greyswood St. *SW16* —6F **109**
Grey Turner Ho. *W12* —6C **58**
Grierson Rd. *SE23* —7K **95**
Griffin Clo. *NW10* —5D **42**
Griffin Ct. *W4* —5B **74**
Griffin Ct. *Bren* —6E **72**
Griffin Mnr. Way. *SE28* —3H **83**
Griffin Rd. *N17* —2E **30**
Griffin Rd. *SE18* —5H **83**
Griffith Clo. *Dag* —1C **52**
Griffiths Clo. *Wor Pk* —2D **130**
Griffiths Rd. *SW19* —7J **107**
Griggs App. *Ilf* —2G **51**
Grigg's Pl. *SE1* —3E **78** (2H **157**)
Griggs Rd. *E10* —6E **32**
Grilse Clo. *N9* —4C **18**
Grimsby St. *E2* —4F **63** (4K **145**)
Grimsdyke Rd. *Pinn* —1C **22**
Grimsel Path. *SE5* —7B **78**
Grimshaw Clo. *N6* —7E **28**
Grimston Rd. *SW6* —2H **91**
Grimthorpe Ho. *EC1*
　　—4A **62** (3A **144**)
Grimwade Av. *Croy* —3G **135**
Grimwade Clo. *SE15* —3J **95**
Grimwood Rd. *Twic* —7K **87**
Grindall Clo. *Croy* —4B **134**
Grindal St. *SE1* —2A **78** (7J **149**)
Grindley Gdns. *Croy* —6F **125**
Grinling Pl. *SE8* —6C **80**
Grinstead Rd. *SE8* —5A **80**
Grittleton Av. *Wemb* —6H **41**
Grittleton Rd. *W9* —4J **59**
Grizedale Ter. *SE23* —2H **111**
Grocer's Hall Ct. *EC2*
　　—6D **62** (1E **150**)
Grocer's Hall Gdns. *EC2*
　　—6D **62** (1E **150**)
Grogan Clo. *Hamp* —6D **102**
Groombridge Clo. *Well* —5A **100**
Groombridge Rd. *E9* —7K **47**
Groom Cres. *SW18* —7B **92**
Groome Ho. *SE11*
　　—4K **77** (4H **155**)
Groomfield Clo. *SW17* —4E **108**
Groom Pl. *SW1* —3E **76** (1H **153**)
Grosmont Rd. *SE18* —6K **83**
Grosse Way. *SW15* —6D **90**
Grosvenor Av. *N5* —5C **46**
Grosvenor Av. *SW14* —3A **90**
Grosvenor Av. *Cars* —6D **132**

Grosvenor Av. *Harr* —6F **23**
Grosvenor Av. *Rich* —5E **88**
Grosvenor Cotts. *SW1*
　　—4E **76** (3G **153**)
Grosvenor Ct. *E10* —1D **48**
Grosvenor Ct. *N14* —7B **6**
Grosvenor Ct. *NW6* —1F **59**
Grosvenor Ct. *NW7* —5E **12**
　　(off Hale La.)
Grosvenor Ct. *W3* —1G **73**
Grosvenor Ct. *W5* —7E **56**
　　(off Grove, The.)
Grosvenor Ct. *Barn* —7B **6**
Grosvenor Cres. *NW9* —4G **25**
Grosvenor Cres. *SW1*
　　—2E **76** (7H **147**)
Grosvenor Cres. M. *SW1*
　　—2E **76** (7G **147**)
Grosvenor Est. *SW1*
　　—4H **77** (3D **154**)
Grosvenor Gdns. *E6* —3B **66**
Grosvenor Gdns. *N10* —3G **29**
Grosvenor Gdns. *N14* —5C **6**
Grosvenor Gdns. *NW2* —5E **42**
Grosvenor Gdns. *NW11* —6H **27**
Grosvenor Gdns. *SW1*
　　—3F **77** (1J **153**)
Grosvenor Gdns. *SW14* —3A **90**
Grosvenor Gdns. *King T*
　　—6D **104**
Grosvenor Gdns. *Wall* —7G **133**
Grosvenor Gdns. *Wfd G* —6D **20**
Grosvenor Gdns. M. E. *SW1*
　　—3F **77** (1K **153**)
Grosvenor Gdns. M. N. *SW1*
　　—3F **77** (2J **153**)
Grosvenor Gdns. M. S. *SW1*
　　—3F **77** (2K **153**)
Grosvenor Ga. *W1*
　　—7E **60** (3G **147**)
Grosvenor Hill. *SW19* —6G **107**
Grosvenor Hill. *W1*
　　—7F **61** (2J **147**)
Grosvenor Pk. *SE5* —7C **78**
Grosvenor Pk. Rd. *E17* —5C **32**
Grosvenor Pl. *SW1*
　　—2E **76** (7H **147**)
Grosvenor Rise E. *E17* —5D **32**
Grosvenor Rd. *E6* —1B **66**
Grosvenor Rd. *E7* —6K **49**
Grosvenor Rd. *E10* —1E **48**
Grosvenor Rd. *E11* —5K **33**
Grosvenor Rd. *N3* —7C **14**
Grosvenor Rd. *N9* —1C **18**
Grosvenor Rd. *N10* —1F **29**
Grosvenor Rd. *SE25* —4G **125**
Grosvenor Rd. *SW1*
　　—6F **77** (7J **153**)
Grosvenor Rd. *W4* —5H **73**
Grosvenor Rd. *W7* —1A **72**
Grosvenor Rd. *Belv* —6G **85**
Grosvenor Rd. *Bexh* —5D **100**
Grosvenor Rd. *Bren* —6D **72**
Grosvenor Rd. *Dag* —1F **53**
Grosvenor Rd. *Houn* —3D **86**
Grosvenor Rd. *Ilf* —3G **51**
Grosvenor Rd. *Orp* —6J **129**
Grosvenor Rd. *Rich* —5E **88**
Grosvenor Rd. *Romf* —7K **37**
Grosvenor Rd. *S'hall* —3D **70**
Grosvenor Rd. *Twic* —1A **104**
Grosvenor Rd. *W Wick* —1D **136**
Grosvenor Sq. *W1*
　　—7E **60** (2H **147**)

Grosvenor St. *W1*
—7F **61** (2J **147**)
Grosvenor Ter. *SE5* —7C **78**
Grosvenor Way. *E5* —2J **47**
Grosvenor Wharf Rd. *E14* —4F **81**
Grotes Bldgs. *SE3* —2G **97**
Grote's Pl. *SE3* —2G **97**
Groton Rd. *SW18* —2K **107**
Grotto Ct. *SE1* —2C **78** (6C **150**)
Grotto Pas. *W1* —5E **60** (5H **141**)
Grotto Rd. *Twic* —2K **103**
Grove Av. *N3* —7D **14**
Grove Av. *N10* —2G **29**
Grove Av. *W7* —6J **55**
Grove Av. *Pinn* —4C **22**
Grove Av. *Sutt* —6J **131**
Grove. Av. *Twic* —1K **103**
Grovebury Clo. *Eri* —6K **85**
Grovebury Ct. *N14* —7C **6**
Grovebury Ct. *Bexh* —5H **101**
Grovebury Rd. *SE2* —2B **84**
Grove Clo. *N14* —7B **6**
Grove Clo. *SE23* —1A **112**
Grove Clo. *Brom* —2J **137**
Grove Clo. *Felt* —4C **102**
Grove Clo. *King T* —4F **119**
Grove Cotts. *W4* —6A **74**
Grove Ct. *NW8* —3B **60** (1A **140**)
Grove Ct. *Houn* —4E **86**
Grove Cres. *E18* —2H **33**
Grove Cres. *NW9* —4J **25**
Grove Cres. *SE5* —2E **94**
Grove Cres. *Felt* —4C **102**
Grove Cres. *King T* —3E **118**
Grove Cres. Rd. *E15* —6F **49**
Grovedale Rd. *N19* —2H **45**
Grove Dwellings. *E1* —5J **63**
Grove End. *E18* —2H **33**
Grove End. *NW3* —4F **45**
Grove End Rd. *NW8*
—2B **60** (1A **140**)
Grove Farm Ind. Est. *Mitc*
—5D **122**
Grovefield. N11 —4A 16
(off Coppies Gro.)
Grove Footpath. *Surb* —4E **118**
Grove Gdns. *E15* —6G **49**
Grove Gdns. *NW4* —5C **26**
Grove Gdns. *NW8*
—3C **60** (2D **140**)
Grove Gdns. *Dag* —3J **53**
Grove Gdns. *Enf* —1E **8**
Grove Gdns. *Rich* —6E **88**
Grove Gdns. *Tedd* —4A **104**
Grove Grn. Rd. *E11* —3E **48**
Grove Hall Ct. *NW8* —3A **60**
Grove Hill. *E18* —2H **33**
Grove Hill. *Harr* —1J **39**
Grovehill Ct. *Brom* —6H **113**
Grove Hill Rd. *SE5* —3E **94**
Grove Hill Rd. *Harr* —7K **23**
Grove Ho. Rd. *N8* —4J **29**
Groveland Av. *SW16* —7K **109**
Groveland Ct. *EC4*
—6C **62** (1D **150**)
Groveland. *Beck* —3B **126**
Grovelands Clo. *SE5* —2E **94**
Grovelands Clo. *Harr* —3F **39**
Grovelands Ct. *N14* —7C **6**
Grovelands Rd. *N13* —4E **16**
Grovelands Rd. *N15* —6G **31**
Grovelands Rd. *Orp* —7A **116**
Groveland Way. *N Mald* —5J **119**
Grove La. *SE5* —1D **94**
Grove La. *King T* —4E **118**

Grove La. Ter. *SE5* —2D **94**
Grove Mkt. Pl. *SE9* —6D **98**
Grove M. *W6* —3E **74**
Grove M. *W11* —6H **59**
Grove Pk. *E11* —6K **33**
Grove Pk. *NW9* —4J **25**
Grove Pk. *SE5* —2D **94**
Grove Pk. Av. *E4* —7J **19**
Grove Pk. Bri. *W4* —7J **73**
Grove Pk. Gdns. *W4* —7H **73**
Grove Pk. Ind. Est. *NW9* —4K **25**
Grove Pk. M. *W4* —7J **73**
Grove Pk. Rd. *N15* —4E **30**
Grove Pk. Rd. *SE9* —3A **114**
Grove Pk. Rd. *W4* —7H **73**
Grove Pk. Ter. *W4* —7H **73**
Grove Pas. *E2* —2H **63**
Grove Pl. *NW3* —3B **44**
Grove Pl. *W3* —1J **73**
Grove Pl. *Bark* —1G **67**
Grove Rd. *SE13* —2D **96**
Grover Ho. *SE11*
—5K **77** (6H **155**)
Grove Rd. *E3* —1K **63**
Grove Rd. *E4* —4K **19**
Grove Rd. *E11* —7H **33**
Grove Rd. *E17* —6D **32**
Grove Rd. *E18* —2H **33**
Grove Rd. *N11* —5A **16**
Grove Rd. *N12* —5G **15**
Grove Rd. *N15* —5E **30**
Grove Rd. *NW2* —6E **42**
Grove Rd. *SW13* —2B **90**
Grove Rd. *SW19* —7A **108**
Grove Rd. *W3* —1J **73**
Grove Rd. *W5* —7D **56**
Grove Rd. *Belv* —6F **85**
Grove Rd. *Bexh* —4J **101**
Grove Rd. *Bren* —5C **72**
Grove Rd. *Cockf* —3H **5**
Grove Rd. *Edgw* —6B **12**
Grove Rd. *Houn* —4E **86**
Grove Rd. *Iswth* —1J **87**
Grove Rd. *L Hth* —7B **36**
Grove Rd. *Mitc* —3E **122**
Grove Rd. *Pinn* —5D **22**
Grove Rd. *Rich* —6F **89**
Grove Rd. *Surb* —5D **118**
Grove Rd. *Sutt* —6J **131**
Grove Rd. *T Hth* —4A **124**
Grove Rd. *Twic* —3H **103**
Groveside Clo. *W3* —5G **57**
Groveside Clo. *Cars* —2C **132**
Groveside Rd. *E4* —2B **20**
Grove St. *N18* —5A **18**
Grove St. *SE8* —4B **80**
Grove Ter. *NW5* —3E **44**
Grove Ter. *S'hall* —7E **54**
Grove Ter. *Tedd* —4A **104**
Grove Ter. M. *NW5* —3F **45**
Grove, The. *E15* —6G **49**
Grove, The. *N3* —7D **14**
Grove, The. *N4* —7A **29**
Grove, The. *N6* —1E **44**
Grove, The. *N8* —5H **29**
Grove, The. *N13* —4F **17**
(in two parts)
Grove, The. *N14* —5B **6**
Grove, The. *NW9* —5K **25**
Grove, The. *NW11* —7G **27**
Grove, The. *W5* —7E **56**
Grove, The. *Bexh* —4D **100**
Grove, The. *Edgw* —4C **12**
Grove, The. *Enf* —2F **7**
Grove, The. *Gnfd* —6G **55**

Grove, The. *Iswth* —1J **87**
Grove, The. *Sidc* —4E **116**
Grove, The. *Stan* —2F **11**
Grove, The. *Tedd* —4A **104**
Grove, The. *Twic* —6B **88**
Grove, The. *W Wick* —2E **136**
Grove, The. (Junct.) —1G **111**
Grove Vale. *SE22* —4F **95**
Grove Vale. *Chst* —6E **114**
Grove Vs. *E14* —7D **64**
Groveway. *SW9* —1K **93**
Groveway. *Dag* —3D **52**
Grove Way. *Wemb* —5H **41**
Grovewood. *Rich* —1G **89**
Grovewood Pl. *Wfd G* —6J **21**
Grummant Rd. *SE15* —1F **95**
Grundy St. *E14* —6D **64**
Gruneisen Rd. *N3* —7E **14**
Guardian Ct. *SE12* —5G **97**
Gubyon Av. *SE24* —5B **94**
Guerin Sq. *E3* —3B **64**
Guernsey Clo. *Houn* —7E **70**
Guernsey Gro. *SE24* —7C **94**
Guernsey Ho. *N1* —6C **46**
Guernsey Rd. *E11* —1F **49**
Guernsey Rd. *N1* —6C **46**
Guest St. *EC1* —4C **62** (4D **144**)
Guibal Rd. *SE12* —7K **97**
Guildersfield Rd. *SW16* —7J **109**
Guildersome St. *SE18* —6E **82**
Guildford Clo. *SE10* —1D **96**
Guildford Rd. *E6* —6D **66**
Guildford Rd. *E17* —1E **32**
Guildford Rd. *SW8* —1J **93**
Guildford Rd. *Croy* —6D **124**
Guildford Rd. *Ilf* —2J **51**
Guildford Way. *Wall* —5J **133**
Guildhall Bldgs. *EC2*
—6D **62** (7E **144**)
Guildhall Yd. *EC2*
—6C **62** (7D **144**)
Guildhouse St. *SW1*
—4G **77** (3A **154**)
Guildown Av. *N12* —4E **14**
Guild Rd. *SE7* —5B **82**
Guildsway. *E17* —1B **32**
Guilford Av. *Surb* —5F **119**
Guilford Pl. *WC1*
—4K **61** (4G **143**)
Guilford St. *WC1* —4J **61** (4E **142**)
Guilfoyle. *NW9* —2B **26**
Guillemot Ct. *SE8* —6B **80**
Guillemot Pl. *N22* —2K **29**
Guilsborough Clo. *NW10* —7A **42**
Guinness Clo. *E9* —7A **48**
Guinness Ct. *E1* —6F **63** (1K **151**)
Guinness Ct. *EC1*
—3C **62** (2D **144**)
Guinness Ct. *NW8* —1C **60**
Guinness Ct. *SE1*
—2E **78** (6G **151**)
Guinness Ct. *SW3*
—4D **76** (4E **152**)
Guinness Ct. *SW10* —7A **76**
Guinness Ct. *Croy* —2F **135**
Guinness Sq. *SE1*
—4E **78** (3G **157**)
Guinness Trust Bldgs. *SE17*
—5B **78** (5A **156**)
Guinness Trust Bldgs. W6
*(off Fulham Pal. Rd.) —5F **75***
Guinness Trust Est. *N16* —1E **46**
Guion Rd. *SW6* —2H **91**
Gulland Wlk. *N1* —6C **46**
(off Oronsay Rd.)

Gull Clo. *Wall* —7J **133**
Gulliver Clo. *N'holt* —1D **54**
Gulliver Rd. *Sidc* —2H **115**
Gulliver's Ho. *EC1*
—4C **62** (4C **144**)
Gulliver St. *SE16* —3A **80**
Gulston Wlk. *SW3*
—4D **76** (4F **153**)
Gumleigh Rd. *W5* —4C **72**
Gumley Gdns. *Iswth* —3A **88**
Gunderson Corner. *Mitc*
—3D **122**
Gundulph Rd. *Brom* —3A **128**
Gunmaker's La. *E3* —1A **64**
Gunnell Clo. *SE26* —4G **111**
Gunnell Clo. *Croy* —6F **125**
Gunner La. *SE18* —5E **82**
Gunnersbury Av. *W5, W3 & W4*
—1F **73**
Gunnersbury Clo. *W4* —5H **73**
Gunnersbury Ct. *W3* —2H **73**
Gunnersbury Cres. *W3* —2G **73**
Gunnersbury Dri. *W5* —2F **73**
Gunnersbury Gdns. *W3* —2G **73**
Gunnersbury La. *W3* —3G **73**
Gunnersbury Mnr. *W5* —1F **73**
Gunnersbury M. *W4* —5H **73**
Gunnersbury Park. (Junct.)
—3G **73**
Gunners Gro. *E4* —3K **19**
Gunners Rd. *SW18* —2B **108**
Gunning St. *SE18* —4J **83**
Gunstor Rd. *N16* —4E **46**
Gun St. *E1* —5F **63** (6J **145**)
Gunter Gro. *SW10* —6A **76**
Gunter Gro. *Edgw* —1K **25**
Gunterstone Rd. *W14* —4G **75**
Gunthorpe St. *E1*
—5F **63** (6K **145**)
Gunton Rd. *E5* —3H **47**
Gunton Rd. *SW17* —6E **108**
Gunwhale Clo. *SE16* —1K **79**
Gurdon Rd. *SE7* —5J **81**
Gurenne Ct. *E4* —1K **19**
Gurnell Gro. *W13* —4K **55**
Gurney Clo. *E15* —5G **49**
Gurney Clo. *E17* —1K **31**
Gurney Clo. *Bark* —6F **51**
Gurney Cres. *Croy* —1K **133**
Gurney Dri. *N2* —4A **28**
Gurney Rd. *E15* —5G **49**
Gurney Rd. *Cars* —4E **132**
Gurney Rd. *N'holt* —3A **54**
Guthrie Ct. *SE1* —2A **78** (7K **149**)
Guthrie St. *SW3*
—5B **76** (5C **152**)
Gutter La. *EC2* —6C **62** (7C **144**)
Guyatt Gdns. *Mitc* —2E **122**
Guy Barnett Gro. *SE3* —3J **97**
Guybon Av. *SE24* —5B **94**
Guy Rd. *Wall* —3H **133**
Guyscliff Rd. *SE13* —5E **96**
Guys Retreat. *Buck H* —1F **21**
Guy St. *SE1* —2D **78** (6F **151**)
Gwalior Rd. *SW15* —3F **91**
Gwendolen Av. *SW15* —4F **91**
Gwendolen Clo. *SW15* —5F **91**
Gwendoline Av. *E13* —1K **65**
Gwendwr Rd. *W14* —5G **75**
Gwillim Clo. *Sidc* —5A **100**
Gwydor Rd. *Beck* —3A **125**
Gwydyr Rd. *Brom* —3H **127**
Gwyn Clo. *SW6* —7A **76**
Gwynne Av. *Croy* —7K **125**

Gwynne Clo. *W4* —6B **74**
Gwynne Pk. Av. *Wfd G* —6J **21**
Gwynne Pl. *WC1*
—3K **61** (2H **143**)
Gwynne Rd. *SW11* —2B **92**
Gylcote Clo. *SE5* —4D **94**
Gyles Pk. *Stan* —1C **24**
Gyllyngdune Gdns. *Ilf* —2K **51**
Gypsy Corner. (Junct.) —5K **57**

H

Haarlem Rd. *W14* —3F **75**
Haberdasher Est. *N1*
—3D **62** (1F **145**)
Haberdasher Pl. *N1*
—3D **62** (1F **145**)
Haberdashers Ct. *SE14* —2K **95**
Haberdasher St. *N1*
—3D **62** (1F **145**)
Habington Ho. *SE5* —7D **78**
(off Notley St.)
Haccombe Rd. *SW19* —6A **108**
Hackbridge Grn. *Wall* —2E **132**
Hackbridge Pk. *Cars* —2D **132**
Hackbridge Pk. Gdns. *Cars*
—2D **132**
Hackbridge Rd. *Wall* —2E **132**
Hackford Rd. *SW9* —1K **93**
Hackford Wlk. *SW9* —1K **93**
Hackington Cres. *Beck* —6C **112**
Hacklington Ct. *New Bar* —5E **4**
Hackney Gro. *E8* —6H **47**
Hackney Rd. *E2* —3F **63** (2J **145**)
Hackney Wick. (Junct.) —6A **48**
Hadden Rd. *SE28* —3J **83**
Hadden Way. *Gnfd* —6H **39**
Haddington Rd. *Brom* —3F **113**
Haddon Clo. *Enf* —6B **8**
Haddon Clo. *N Mald* —5B **120**
Haddon Ct. *W3* —7B **58**
Haddon Gro. *Sidc* —7K **99**
Haddon Rd. *Sutt* —4K **131**
Haddo St. *SE10* —6E **80**
Haden Ct. *N4* —2A **46**
Hadfield Clo. *S'hall* —3D **54**
*Hadfield Ho. E1 —6G **63***
(off Ellen St.)
Hadleigh Clo. *E1* —4J **63**
Hadleigh Clo. *SW20* —2H **121**
Hadleigh Ct. *E4* —1B **20**
Hadleigh Rd. *N9* —7C **8**
Hadleigh St. *E2* —3J **63**
Hadleigh Wlk. *E6* —6C **66**
Hadley Clo. *N21* —6F **7**
Hadley Comn. *Barn* —1C **4**
Hadley Ct. *N16* —1G **47**
Hadley Ct. *New Bar* —3E **4**
Hadley Gdns. *W4* —5K **73**
Hadley Gdns. *S'hall* —5D **70**
Hadley Grn. Rd. *Barn* —2C **4**
Hadley Grn. W. *Barn* —2C **4**
Hadley Gro. *Barn* —2B **4**
Hadley Highstone. *Barn* —1C **4**
Hadley Mnr. Trad. Est. *Barn*
—3C **4**
Hadley Ridge. *Barn* —3C **4**
Hadley Rd. *Barn* —2E **4**
(Barnet)
Hadley Rd. *Barn & Enf* —1K **5**
(Hadley Wood)
Hadley Rd. *Belv* —4F **85**
Hadley Rd. *Mitc* —4H **123**
Hadley St. *NW1* —6F **45**
Hadley Way. *N21* —6F **7**
Hadley Wood Rd. *Barn* —2F **5**

Hadlow Pl. *SE19* —7G **111**
Hadlow Rd. *Sidc* —3A **116**
Hadlow Rd. *Well* —7C **84**
Hadrian Clo. *Wall* —7J **133**
Hadrian Ct. *Sutt* —7K **131**
Hadrian Est. *E2* —2G **63**
Hadrians Ride. *Enf* —5A **8**
Hadrian St. *SE10* —5G **81**
Hadyn Pk. Ct. *W12* —2C **74**
  (off Curwen Rd.)
Hadyn Pk. Rd. *W12* —2C **74**
Hafer Rd. *SW11* —4D **92**
Hafton Rd. *SE6* —1G **113**
Haggard Rd. *Twic* —7B **88**
Hagger Ct. *E17* —3F **33**
Haggerston Rd. *E8 & E2* —7F **47**
Hague St. *E2* —3G **63**
Ha Ha Rd. *SE18* —6D **82**
Haig Pl. *Mord* —6J **121**
Haig Rd. *Stan* —5H **11**
Haig Rd. E. *E13* —3A **66**
Haig Rd. W. *E13* —3A **66**
Haigville Gdns. *Ilf* —4F **35**
Hailes Clo. *SW19* —6A **108**
Haileybury Av. *Enf* —6A **8**
Hailey Rd. *Eri* —2G **85**
Hailsham Av. *SW2* —2K **109**
Hailsham Clo. *Surb* —7D **118**
Hailsham Cres. *Bark* —5K **51**
Hailsham Dri. *Harr* —3H **23**
Hailsham Rd. *SW17* —6E **108**
Hailsham Ter. *N18* —5J **17**
Haimo Rd. *SE9* —5B **98**
Hainault Ct. *E17* —4F **33**
Hainault Gore. *Romf* —5E **36**
Hainault Rd. *E11* —1E **48**
Hainault Rd. *Chad H* —6F **37**
Hainault Rd. *Col R* —2J **37**
Hainault Rd. *L Hth* —1B **36**
Hainault St. *SE9* —1F **115**
Hainault St. *Ilf* —2G **51**
Haines St. *SW8* —7G **77**
Haines Wlk. *Mord* —7K **121**
Hainford Clo. *SE4* —4K **95**
Haining Clo. *W4* —5G **73**
Hainthorpe Rd. *SE27* —3B **110**
Hainton Clo. *E1* —6H **63**
Hainton Pl. *E1* —6H **63**
Halberd M. *E5* —2H **47**
Halbutt Gdns. *Dag* —3F **53**
Halbutt St. *Dag* —4F **53**
Halcomb St. *N1* —1E **62**
Halcot Av. *Bexh* —5H **101**
Halcrow St. *E1* —5H **63**
Halcyon. *Enf* —5K **7**
  (off Private Rd.)
Halcyon Ct. *Wemb* —3H **41**
Haldane Clo. *N10* —7A **16**
Haldane Pl. *SW18* —1K **107**
Haldane Rd. *E6* —3B **66**
Haldane Rd. *SE28* —7D **68**
Haldane Rd. *SW6* —7H **75**
Haldane Rd. *S'hall* —7G **55**
Haldan Rd. *E4* —6K **19**
Haldon Rd. *SW18* —6H **91**
Hale Clo. *E4* —3K **19**
Hale Clo. *Edgw* —5D **12**
Hale Ct. *Edgw* —5D **12**
Hale Dri. *NW7* —6D **12**
Hale End Rd. *E17* —1F **33**
Hale End Rd. *Wfd G & E4*
  —7A **20**
Halefield Rd. *N17* —1H **31**
Hale Gdns. *N17* —4G **31**
Hale Gdns. *W3* —1G **73**

Hale Gro. Gdns. *NW7* —5F **13**
Hale La. *NW7* —5E **12**
Hale La. *Edgw* —5C **12**
Hale Path.' *SE27* —4B **110**
Hale Rd. *E6* —4C **66**
Hale Rd. *N17* —3G **31**
Halesowen Rd. *Mord* —7K **121**
Hales St. *SE8* —7C **80**
Hale St. *E14* —7D **64**
Halesworth Clo. *E5* —2J **47**
Halesworth Rd. *SE13* —3D **96**
Hale, The. *E4* —7A **20**
Hale, The. *N17* —3G **31**
Hale Wlk. *W7* —5J **55**
Haley Rd. *NW4* —6E **26**
Half Acre. *Bren* —6D **72**
Half Acre. *Stan* —6H **11**
Half Acre Rd. *W7* —1J **71**
Half Moon Ct. *EC1*
  —5C **62** (6C **144**)
Half Moon Cres. *N1* —2K **61**
Half Moon La. *SE24* —6C **94**
Half Moon Pas. *E1*
  —6F **63** (1K **151**)
Half Moon St. *W1*
  —1F **77** (4K **147**)
Halford Rd. *E10* —5F **33**
Halford Rd. *SW6* —6J **75**
Halford Rd. *Rich* —5E **88**
Halfway St. *Sidc* —7H **99**
Haliburton Rd. *Twic* —5A **88**
Haliday Ho. *N1* —6D **46**
  (off Mildmay St.)
Haliday Wlk. *N1* —6D **46**
Halidon Clo. *E9* —5J **47**
Halifax. *NW9* —2A **26**
Halifax Rd. *Enf* —2H **7**
Halifax Rd. *Gnfd* —1F **55**
Halifax St. *SE26* —3H **111**
Halifield Dri. *Belv* —3E **84**
Haling Down Pas. *Purl* —7C **134**
Haling Gro. *S Croy* —7C **134**
Haling Pk. Gdns. *S Croy* —6B **134**
Haling Pk. Rd. *S Croy* —5B **134**
Haling Rd. *S Croy* —6D **134**
Halkin Arc. *SW1*
  —3D **76** (1F **153**)
Halkin M. *SW1* —3E **76** (1G **153**)
Halkin Pl. *SW1* —3E **76** (1G **153**)
Halkin St. *SW1* —2E **76** (7H **147**)
Hallam Clo. *Chst* —5D **114**
Hallam Gdns. *Pinn* —1C **22**
Hallam M. *W1* —5F **61** (5K **141**)
Hallam Rd. *N15* —4B **30**
Hallam Rd. *SW13* —3D **90**
Hallam St. *W1* —5F **61** (5K **141**)
Hallane Ho. *SE27* —5C **110**
Hall Clo. *W5* —5E **56**
Hall Ct. *Tedd* —5K **103**
Hall Dri. *SE26* —5J **111**
Hall Dri. *W7* —6J **55**
Halley Gdns. *SE13* —4F **97**
Halley Pl. *E14* —5A **64**
Halley Rd. *E7 & E12* —6A **50**
Halley St. *E14* —5A **64**
Hall Farm Clo. *Stan* —4G **11**
Hall Farm Dri. *Twic* —7H **87**
Hallfield Est. *W2* —6A **60**
Hall Gdns. *E4* —4G **19**
Hall Ga. *NW8* —3B **60** (1A **140**)
Halliday Sq. *S'hall* —1H **71**
Halliford St. *N1* —7C **46**
Hallingbury Ct. *E17* —3D **32**
Halliwell Ct. *SE22* —5G **95**
Halliwell Rd. *SW2* —6K **93**

Halliwick Ct. Pde. *N12* —6J **15**
  (off Woodhouse Rd.)
Halliwick Rd. *N10* —1E **28**
Hall La. *E4* —5F **19**
Hall La. *NW4* —1C **26**
Hall Lane. (Junct.) —5E **18**
Hallmark Trad. Cen. *Wemb*
  —4J **41**
Hallmead Rd. *Sutt* —3K **131**
Hall Oak Wlk. *NW6* —6H **43**
Hallowell Av. *Croy* —4J **133**
Hallowell Clo. *Mitc* —3E **122**
Hallowfield Way. *Mitc* —3B **122**
Hall Pl. *W2* —4B **60** (4A **140**)
Hall Pl. Cres. *Bex* —5J **101**
Hall Rd. *E6* —1D **66**
Hall Rd. *E15* —4F **49**
Hall Rd. *NW8* —3A **60**
Hall Rd. *Chad H* —6C **36**
Hall Rd. *Iswth* —5H **87**
Hall Rd. *Wall* —7F **133**
Hallside Rd. *Enf* —1A **8**
Hall St. *EC1* —3B **62** (1B **144**)
Hall St. *N12* —5F **15**
Hallsville Rd. *E16* —6H **65**
Hallswelle Pde. *NW11* —5H **27**
Hallswelle Rd. *NW11* —5H **27**
Hall, The. *SE3* —3J **97**
Hall Tower. *W2* —3B **60** (5B **140**)
Hall View. *SE9* —2B **114**
Hallywell Cres. *E6* —5D **66**
Halons Rd. *SE9* —7E **98**
Halpin Pl. *SE17* —4D **78** (4F **157**)
Halsbrook Rd. *SE3* —3B **98**
Halsbury Clo. *Stan* —4G **11**
Halsbury Ct. *Stan* —4G **11**
Halsbury Rd. *W12* —1D **74**
Halsbury Rd. E. *N'holt* —4G **39**
Halsbury Rd. W. *N'holt* —5F **39**
Halsey M. *SW3* —4D **76** (3E **152**)
Halsey St. *SW3* —4D **76** (3E **152**)
Halsmere Rd. *SE5* —1B **94**
Halstead Clo. *Croy* —3C **134**
Halstead Gdns. *N21* —1J **17**
Halstead Rd. *E11* —5J **33**
Halstead Rd. *N21* —1H **17**
Halstead Rd. *Enf* —4K **7**
Halstead Rd. *Eri* —1K **101**
Halston Clo. *SW11* —6D **92**
Halstow Rd. *NW10* —3F **59**
Halstow Rd. *SE10* —5J **81**
Halton Cross St. *N1* —1B **62**
Halton Mans. *N1* —7B **46**
Halton Rd. *N1* —7B **46**
Halt Robin La. *Belv* —4H **85**
Halt Robin Rd. *Belv* —4G **85**
  (in two parts)
Hambalt Rd. *SW4* —5G **93**
Hambleden Ct. *SE22* —4E **94**
Hambleden Pl. *SE21* —1E **110**
Hambledon Gdns. *SE25* —3F **125**
Hambledon Rd. *SW18* —7H **91**
Hambledown Rd. *Sidc* —7H **99**
Hamblehyrst. *Beck* —2D **126**
Hamble St. *SW6* —3K **91**
Hambleton Clo. *Wor Pk* —2E **130**
Hamble Wlk. *N'holt* —2E **54**
Hamblin Ho. *S'hall* —7C **54**
  (off Broadway, The)
Hambridge Way. *SW2* —7A **94**
Hambro Av. *Brom* —1J **137**
Hambrook Rd. *SE25* —3H **125**
Hambro Rd. *SW16* —6H **109**

Hambrough Ho. *Hayes* —5A **54**
Hambrough Rd. *S'hall* —1C **70**
Hambury Ho. *SW8* —7J **75**
  (off Rite Rd.)
Ham Clo. *Rich* —3C **104**
  (in two parts)
Ham Comn. *Rich* —3D **104**
Hamden Cres. *Dag* —3H **53**
Hamel Clo. *Harr* —4D **24**
Hame Way. *E6* —4E **66**
Ham Farm Rd. *Rich* —4D **104**
Hamfrith Rd. *E15* —6H **49**
Ham Ga. Av. *Rich* —3D **104**
Hamilton Av. *N9* —7B **8**
Hamilton Av. *Ilf* —4F **35**
Hamilton Av. *Romf* —2K **37**
Hamilton Av. *Sutt* —2G **131**
Hamilton Bldgs. *EC2*
  —4E **62** (4H **145**)
Hamilton Clo. *N17* —3F **31**
Hamilton Clo. *NW8*
  —3B **60** (2A **140**)
Hamilton Clo. *SE16* —2A **80**
Hamilton Clo. *Cockf* —4H **5**
Hamilton Clo. *Stan* —2D **10**
Hamilton Clo. *SW15* —3G **91**
Hamilton Clo. *W5* —7F **57**
Hamilton Ct. *W9* —3A **60**
  (off Maida Vale)
Hamilton Cres. *N13* —4F **17**
Hamilton Cres. *Harr* —3D **38**
Hamilton Cres. *Houn* —5F **87**
Hamilton Ho. *NW8*
  —3B **60** (1A **140**)
Hamilton Ho. *W4* —6A **74**
Hamilton La. *N5* —4B **46**
Hamilton M. *SW19* —1J **121**
Hamilton M. *W1* —2F **77** (6J **147**)
Hamilton Pk. *N5* —4B **46**
Hamilton Pk. W. *N5* —4B **46**
Hamilton Pl. *W1*
  —1E **76** (5H **147**)
Hamilton Rd. *E15* —3G **65**
Hamilton Rd. *E17* —2A **32**
Hamilton Rd. *N2* —3A **28**
Hamilton Rd. *N9* —7B **8**
Hamilton Rd. *NW10* —5C **42**
Hamilton Rd. *NW11* —7F **27**
Hamilton Rd. *SE27* —4D **110**
Hamilton Rd. *SW19* —7K **107**
Hamilton Rd. *W4* —2A **74**
Hamilton Rd. *W5* —7E **56**
Hamilton Rd. *Bexh* —2E **100**
Hamilton Rd. *Bren* —6D **72**
Hamilton Rd. *Cockf* —4H **5**
Hamilton Rd. *Harr* —5J **23**
Hamilton Rd. *Ilf* —4F **51**
Hamilton Rd. *Sidc* —4A **116**
Hamilton Rd. *S'hall* —1D **70**
Hamilton Rd. *T Hth* —3D **124**
Hamilton Rd. *Twic* —1J **103**
Hamilton Rd. Ind. Est. *SE27*
  —4D **110**
Hamilton Rd. M. *SW19* —7K **107**
Hamilton Sq. *N12* —6G **15**
Hamilton Sq. *SE1*
  —2D **78** (6F **151**)
Hamilton St. *SE8* —6C **80**
Hamilton Ter. *NW8* —2K **59**
Hamilton Way. *N3* —6D **14**
Hamilton Way. *N13* —4G **17**
Hamilton Way. *Wall* —7H **133**
Hamlea Clo. *SE12* —5J **97**
Hamlet Clo. *SE13* —4G **97**
Hamlet Clo. *Romf* —1G **37**

Hamlet Ct. *SE11*
  —5B **78** (5A **156**)
Hamlet Ct. *W6* —4C **74**
Hamlet Ct. *Enf* —5K **7**
Hamlet Gdns. *W6* —4C **74**
Hamlet Ind. Est. *E9* —7C **48**
Hamlet International Ind. Est. *Eri*
  —4K **85**
Hamlet Rd. *SE19* —7F **111**
Hamlet Rd. *Romf* —1G **37**
Hamlet Sq. *NW2* —3G **43**
Hamlets Way. *E3* —4B **64**
Hamlet, The. *SE5* —3D **94**
Hamlet Way. *SE1*
  —2D **78** (6F **151**)
Hamlin Cres. *Pinn* —5A **22**
Hamlyn Clo. *Edgw* —3K **11**
Hamlyn Gdns. *SE19* —7E **110**
Hammelton Grn. *SW9* —1B **94**
Hammelton Rd. *Brom* —1H **127**
Hammers La. *NW7* —5H **13**
Hammersmith Bri. *SW13 & W6*
  —6D **74**
Hammersmith Bri. Rd. *W6*
  (in two parts) —5D **74**
Hammersmith B'way. *W6* —4E **74**
Hammersmith Broadway. (Junct.)
  —4E **74**
  (off Hammersmith B'way.)
Hammersmith Flyover. *W6*
  —5E **74**
Hammersmith Flyover. (Junct.)
  —5E **74**
Hammersmith Gro. *W6* —2E **74**
Hammersmith Ind. Est. *W6*
  —6E **74**
Hammersmith Rd. *W6 & W14*
  —4F **75**
Hammersmith Ter. *W6* —5C **74**
Hammet Clo. *Hayes* —5B **54**
Hammett St. *EC3*
  —7F **63** (2J **151**)
Hammond Av. *Mitc* —2F **123**
Hammond Clo. *Barn* —5B **4**
Hammond Clo. *Gnfd* —5H **39**
Hammond Ct. *E10* —2D **48**
Hammond Ct. *E17* —5A **32**
  (off Maude Rd.)
Hammond Ho. *SE14* —7J **79**
  (off Lubbock St.)
Hammond Rd. *Enf* —2C **8**
Hammond Rd. *S'hall* —3C **70**
Hammonds Clo. *Dag* —3C **52**
Hammond St. *NW5* —6G **45**
Hammond Way. *SE28* —7B **68**
Hamond Clo. *S Croy* —7B **134**
Hamonde Clo. *Edgw* —2C **12**
Hamond Sq. *N1* —2E **62**
  (off Hoxton St.)
Ham Pk. Rd. *E15 & E7* —7H **49**
Hampden Av. *Beck* —2A **126**
Hampden Clo. *NW1* —2H **61**
Hampden Ct. *N10* —7K **15**
Hampden Gurney St. *W1*
  —6D **60** (1E **146**)
Hampden Ho. *SW9* —2A **94**
Hampden La. *N17* —1F **31**
Hampden Rd. *N8* —4A **30**
Hampden Rd. *N10* —7K **15**
Hampden Rd. *N17* —1G **31**
Hampden Rd. *N19* —2H **45**
Hampden Rd. *Beck* —2A **126**
Hampden Rd. *Harr* —1G **23**
Hampden Rd. *King T* —3G **119**
Hampden Rd. *Romf* —1H **37**

Hampden Sq. N14 —1A 16
Hampden Way. N14 —1A 16
Hampshire Clo. N18 —5C 18
Hampshire Hog La. W4 —4D 74
Hampshire Rd. N22 —7E 16
Hampshire St. NW5 —6H 45
Hampson Way. SW8 —1K 93
Hampstead Clo. SE28 —1B 84
Hampstead Gdns. NW11 —6J 27
Hampstead Gdns. Chad H
—5B 36
Hampstead Grn. NW3 —5C 44
Hampstead Gro. NW3 —3A 44
Hampstead Heights. N2 —3A 28
Hampstead High St. NW3
—4B 44
Hampstead Hill Gdns. NW3
—4B 44
Hampstead La. NW3 & N6
—1B 44
Hampstead Rd. NW1
—2G 61 (1A 142)
Hampstead Sq. NW3 —3A 44
Hampstead Wlk. E3 —1B 64
Hampstead Way. NW11 —5H 27
Hampstead W. NW6 —6J 43
(off Iverson Rd.)
Hampton Clo. N11 —5A 16
Hampton Clo. NW6 —3J 59
Hampton Clo. SW20 —7E 106
Hampton Ct. N1 —6B 46
Hampton Ct. N22 —1G 29
Hampton Ct. Rd. E Mol & King T
—3A 118
Hampton Farm Ind. Est. Felt
—3C 102
Hampton Ho. Bexh —2H 101
(off Erith Rd.)
Hampton La. Felt —4C 102
Hampton M. NW10 —3K 57
Hampton Rise. Harr —6E 24
Hampton Rd. E4 —5G 19
Hampton Rd. E7 —5K 49
Hampton Rd. E11 —1F 49
Hampton Rd. Croy —6C 124
Hampton Rd. Hamp & Tedd
—5H 103
Hampton Rd. Ilf —4F 51
Hampton Rd. Twic —3H 103
Hampton Rd. Wor Pk —2D 130
Hampton Rd. E. Felt —4D 102
Hampton Rd. W. Felt —3C 102
Hampton St. SE17 & SE1
—4B 78 (4B 156)
Ham Ridings. Rich —5F 105
Hamshades Clo. Sidc —3K 115
Ham Yd. Rich —2C 104
Ham St. Rich —1B 104
Ham, The. Bren —7C 72
Ham View. Croy —6A 126
Ham Yd. W1 —7H 61 (2C 148)
Hanah Ct. SW19 —7F 107
Hanameel St. E16 —1J 81
Hanbury Ct. Harr —6K 23
Hanbury Dri. N21 —5E 6
Hanbury Ho. E1 —5G 63
(off Hanbury St.)
Hanbury M. N1 —1C 62
Hanbury Rd. N17 —2H 31
Hanbury Rd. W3 —2H 73
Hanbury St. E1 —5F 63 (5K 145)
Hanbury Wlk. Bex —3K 117
Hancock Rd. E3 —3E 64
Hancock Rd. SE19 —6D 110
Handa Wlk. N1 —6D 46

Hand Ct. WC1 —5K 61 (6H 143)
Handcroft Rd. Croy —7B 124
Handel Clo. Edgw —6A 12
Handel Mans. SW13 —7E 74
Handel Pde. Edgw —7B 12
(off Whitchurch La.)
Handel Pl. NW10 —6K 41
Handel St. WC1 —4J 61 (3E 142)
Handel Way. Edgw —7B 12
Handen Rd. SE12 —5G 97
Handforth Rd. SW9 —7A 78
Handforth Rd. Ilf —3F 51
Handley Rd. E9 —1J 63
Handowe Clo. NW4 —4C 26
Handside Clo. Wor Pk —1F 131
Hands Wlk. E16 —6J 65
Handsworth Av. E4 —6A 20
Handsworth Rd. N17 —3D 30
Handtrough Way. Bark —2F 67
Hanford Clo. SW18 —1J 107
Hanford Row. SW19 —6E 106
Hanger Ct. W5 —4F 57
Hanger Grn. W5 —4G 57
Hanger La. W5 —2E 56
Hanger Lane. (Junct.) —3E 56
Hanger Vale La. W5 —6F 57
Hanger View Way. W3 —6G 57
Hanging Sword All. EC4
—6A 62 (1K 149)
Hankey Pl. SE1 —2D 78 (7F 151)
Hankins La. NW7 —2F 13
Hanley Pl. Beck —7C 112
Hanley Rd. N4 —1J 45
Hanmer Wlk. N7 —2K 45
Hannah Barlow Ho. SW8 —1J 93
Hannah Clo. NW10 —4J 41
Hannah Clo. Beck —3E 126
Hannah Mary Way. SE1 —4G 79
Hannah M. Wall —7G 133
Hannay La. N8 —7H 29
Hannay Wlk. SW16 —2H 109
Hannell Rd. SW6 —7G 75
Hannen Rd. SE27 —3B 110
Hannibal Rd. E1 —5J 63
Hannibal Rd. E15 —1H 65
Hannington Point. E9 —6B 48
(off Eastway)
Hannington Rd. SW4 —3F 93
Hanover Av. E16 —1J 81
Hanover Clo. Rich —7G 73
Hanover Clo. Sutt —4G 131
Hanover Ct. NW9 —3A 26
Hanover Ct. SW15 —4B 90
Hanover Ct. W12 —1C 74
(off Uxbridge Rd.)
Hanover Dri. Chst —4G 115
Hanover Flats. W1
—7E 60 (2H 147)
(off Binney St.)
Hanover Gdns. SE11 —6A 78
Hanover Gdns. Ilf —1G 35
Hanover Ga. NW1
—3C 60 (2D 140)
Hanover Ho. NW8
—2C 60 (1C 140)
Hanover Ho. SW9 —3A 94
Hanover Mead. NW11 —5G 27
Hanover Pk. SE15 —1G 95
Hanover Pl. WC2
—6J 61 (1F 149)
Hanover Rd. N15 —4F 31
Hanover Rd. NW10 —7E 42
Hanover Rd. SW19 —7A 108
Hanover Sq. W1 —6F 61 (1K 147)

Hanover Steps. W2
—6C 60 (1D 146)
Hanover St. W1 —6F 61 (1K 147)
Hanover St. Croy —3B 134
Hanover Ter. NW1
—3C 60 (2E 140)
Hanover Ter. Iswth —1A 88
Hanover Ter. M. NW1
—3C 60 (2D 140)
Hanover Trad. Est. N7 —5J 45
Hanover Way. Bexh —3D 100
Hanover W. Ind. Est. NW10
—6F 61 (1K 147)
Hanover Yd. N1 —2C 62
(off Noel Rd.)
Hansard M. W14 —2F 75
Hansart Way. Enf —1F 7
Hans Cres. SW1
—3D 76 (1E 152)
Hanselin Clo. Stan —5E 10
Hansen Dri. N21 —5E 6
Hanshaw Dri. Edgw —1K 25
Hansler Rd. SE22 —5F 95
Hansol Rd. Bexh —5E 100
Hanson Clo. SW12 —7F 93
Hanson Clo. SW14 —3J 89
Hanson Clo. Beck —6D 112
Hanson Ct. E17 —6D 32
Hanson Gdns. S'hall —2C 70
Hanson St. W1 —5G 61 (5A 142)
Hans Pl. SW1 —3D 76 (1F 153)
Hans Rd. SW3 —3D 76 (1E 152)
Hans St. SW1 —3D 76 (2F 153)
Hanway Pl. W1 —6H 61 (7C 142)
Hanway Rd. W7 —6H 55
Hanway St. W1 —6H 61 (7C 142)
Hanworth Ho. SE5 —7B 78
Hanworth Rd. Felt —1A 102
Hanworth Rd. Hamp —4D 102
Hanworth Rd. Houn —1C 102
Hanworth Ter. Houn —4F 87
Hanworth Trad. Est. Felt —3C 102
Hapgood Clo. Gnfd —5H 39
Harad's Pl. E1 —7G 63
Harben Rd. NW6 —7A 44
Harberson Rd. E15 —1H 65
Harberson Rd. SW12 —1F 109
Harberton Rd. N19 —1G 45
Harbet Rd. N18 & E4 —5E 18
Harbet Rd. W2 —5B 60 (6B 140)
Harbex Clo. Bex —7H 101
Harbinger Rd. E14 —4D 80
Harbledown Rd. SW6 —1J 91
Harbord Clo. SE5 —2D 94
Harbord St. SW6 —1F 91
Harborough Av. Sidc —7K 99
Harborough Rd. SW16 —4K 109
Harbour Av. SW10 —1A 92
Harbour Exchange Sq. E14
—2D 80
Harbour Quay. E14 —1E 80
Harbour Rd. SE5 —3C 94
Harbour Yd. SW10 —1A 92
Harbridge Av. SW15 —7B 90
Harbury Rd. Cars —7C 132
Harbut Rd. SW11 —4B 92
Harcombe Rd. N16 —3E 46
Harcourt Av. E12 —4D 50
Harcourt Av. Edgw —3D 12
Harcourt Av. Sidc —6C 100
Harcourt Av. Wall —4F 133
Harcourt Bldgs. EC4
—7A 62 (2J 149)
Harcourt Clo. Iswth —3A 88
Harcourt Field. Wall —4F 133

Harcourt Lodge. Wall —4F 133
Harcourt Rd. E15 —2H 65
Harcourt Rd. N22 —1H 29
Harcourt Rd. SE4 —3B 96
Harcourt Rd. SW19 —7J 107
Harcourt Rd. Bexh —4E 100
Harcourt Rd. T Hth —6K 123
Harcourt Rd. Wall —4F 133
Harcourt St. W1
—5C 60 (6D 140)
Harcourt Ter. SW10 —5K 75
Hardcastle Clo. Croy —6G 125
Hardcourts Clo. W Wick —3D 136
Hardel Rise. SW2 —1B 110
Hardel Wlk. SW2 —7A 94
Harden Ho. SE5 —2E 94
Harden's Mnr. Way. SE7 —3B 82
Harders Rd. SE15 —2H 95
Hardess St. SE24 —3C 94
Hardie Clo. NW10 —5K 41
Hardie Rd. Dag —3J 53
Harding Clo. SE17
—6C 78 (7C 156)
Harding Clo. Croy —3F 135
Hardinge La. E1 —6J 63
Hardinge Rd. N18 —6K 17
Hardinge Rd. NW10 —1D 58
Hardinge St. E1 —6J 63
Harding Rd. Bexh —2F 101
Harding's Clo. King T —1F 119
Hardings La. SE20 —6K 111
Hardman Rd. SE7 —5K 81
Hardman Rd. King T —2E 118
Hardwick Clo. Stan —5H 11
Hardwick Ct. Eri —6K 85
Hardwicke Av. Houn —1E 86
Hardwicke M. WC1
—3K 61 (2H 143)
(off Lloyd Baker M.)
Hardwicke Rd. N13 —6D 16
Hardwicke Rd. W4 —4K 73
Hardwicke Rd. Rich —4C 104
Hardwicke St. Bark —1G 67
Hardwick Grn. W13 —5B 56
Hardwick St. EC1
—3A 62 (2K 143)
Hardwicks Way. SW18 —5J 91
Hardwidge St. SE1
—2E 78 (6G 151)
Hardy Av. E16 —1J 81
Hardy Av. Ruis —5A 38
Hardy Clo. SE16 —2K 79
Hardy Clo. Barn —6B 4
Hardy Clo. Pinn —7B 22
Hardy Cotts. SE10 —6F 81
Hardy Ho. SW4 —7G 93
Hardying Ho. E17 —4A 32
Hardy Rd. E4 —6G 19
Hardy Rd. SE3 —6H 81
Hardy Rd. SW19 —7K 107
Hardy Way. Enf —1F 7
Harebell Dri. E6 —5E 66
Harecastle Clo. Hayes —4C 54
Hare Ct. EC4 —6A 62 (1J 149)
Harecourt Rd. N1 —6C 46
Haredale Rd. SE24 —4C 94
Haredon Clo. SE23 —7J 95
Harefield Clo. Enf —1F 7
Harefield Grn. NW7 —6K 13
Harefield M. SE4 —3B 96
Harefield Rd. N8 —5H 29
Harefield Rd. SE4 —3B 96
Harefield Rd. SW16 —7K 109
Harefield Rd. Sidc —3D 116

Hare Marsh. E2 —4G 63
Hare Row. E2 —2H 63
Haresfield Rd. Dag —6G 53
Hare St. SE18 —3E 82
Hare Wlk. N1 —2E 62
Harewood Av. NW1
—4C 60 (4D 140)
Harewood Av. N'holt —7D 38
Harewood Clo. N'holt —7D 38
Harewood Dri. Ilf —2D 34
Harewood Pl. W1
—6F 61 (1K 147)
Harewood Rd. SW19 —6C 108
Harewood Rd. Iswth —7K 71
Harewood Rd. S Croy —6E 134
Harewood Row. NW1
—5C 60 (5D 140)
Harewood Ter. S'hall —4D 70
Harfield Gdns. SE5 —3E 94
Harfleur Ct. SE11
(off Opal St.) —4B 78 (4A 156)
Harford Clo. E4 —7J 9
Harford Ho. W11 —5H 59
Harford Rd. E4 —7J 9
Harford St. E1 —4A 64
Harford Wlk. N2 —4B 28
Harfst Way. Swan —7J 117
Hargood Clo. Harr —6E 24
Hargood Rd. SE3 —1A 98
Hargrave Mans. N19 —2H 45
Hargrave Pk. N19 —2G 45
Hargrave Pl. N7 —5H 45
Hargrave Rd. N19 —2G 45
Hargraves Ho. W12 —7D 58
(off White City Est.)
Hargwyne St. SW9 —3K 93
Haringey Pk. N8 —6J 29
Haringey Rd. N8 —4J 29
Harington Ter. N9 —3J 17
Harkett Clo. Harr —2K 23
Harkett Ct. W'stone —2K 23
Harkness Ho. E1 —6G 63
(off Christian St.)
Harland Av. Croy —3G 135
Harland Av. Sidc —3H 115
Harland Clo. SW19 —3K 121
Harland Rd. SE12 —1J 113
Harlech Gdns. Houn —6A 70
Harlech Rd. N14 —3D 16
Harlech Tower. W3 —2J 73
Harlequin Av. Bren —6A 72
Harlequin Cen. S'hall —4A 70
Harlequin Clo. Hayes —5B 54
Harlequin Clo. Iswth —5J 87
Harlequin Ct. NW10 —6K 41
(off Mitchellbrook Way)
Harlequin Ho. Eri —3E 84
(off Kale Rd.)
Harlequin Rd. Tedd —7B 104
Harlescott Rd. SE15 —4K 95
Harlesden Gdns. NW10 —1B 58
Harlesden La. NW10 —1C 58
Harlesden Plaza. NW10 —2B 58
Harlesden Rd. NW10 —1C 58
Harleston Clo. E5 —2J 47
Harley Clo. Wemb —6D 40
Harley Ct. E11 —7J 33
Harley Ct. N20 —3F 15
Harley Cr. Harr —4H 23
Harley Cres. Harr —4H 23
Harleyford. Brom —1A 128
Harleyford Ct. SW8
—6K 77 (7H 155)
Harleyford Mnr. W3 —1J 73
(off Edgecote Clo.)

Hatchwood Clo. *Wfd G* —4C **20**
Hatcliffe Clo. *SE3* —3H **97**
Hatfield Clo. *SE14* —7K **79**
Hatfield Clo. *Ilf* —3F **35**
Hatfield Clo. *Mitc* —4B **122**
Hatfield Ct. *N'holt* —3A **54**
(off Canberra Dri.)
Hatfield Ho. *EC1* —4C **62** (4C **144**)
(off Golden La. Est.)
Hatfield Mead. *Mord* —5J **121**
Hatfield Rd. *E15* —5G **49**
Hatfield Rd. *W4* —2K **73**
Hatfield Rd. *W13* —1A **72**
Hatfield Rd. *Dag* —6E **52**
Hatfields. *SE1* —1A **78** (4K **149**)
Hathaway Clo. *Brom* —1D **138**
Hathaway Clo. *Stan* —5F **11**
Hathaway Cres. *E12* —6D **50**
Hathaway Gdns. *W13* —5A **56**
Hathaway Gdns. *Romf* —5D **36**
Hathaway Ho. *N1*
—2E **62** (1G **145**)
Hathaway Rd. *Croy* —7B **124**
Hatherleigh Clo. *Mard* —4J **121**
Hatherley Cres. *Sidc* —2A **116**
Hatherley Gdns. *E6* —3B **66**
Hatherley Gdns. *N8* —6J **29**
Hatherley Gro. *W2* —6K **59**
Hatherley Ho. *E17* —4C **32**
Hatherley M. *E17* —4C **32**
Hatherley Rd. *E17* —4B **32**
Hatherley Rd. *Rich* —2F **89**
Hatherley Rd. *Sidc* —4A **116**
Hatherley St. *SW1*
—4G **77** (4B **154**)
Hathern Gdns. *SE9* —4E **114**
Hatherop Rd. *Hamp* —7D **102**
Hathersage Ct. *N1* —5D **46**
Hathorne Clo. *SE15* —2H **95**
Hathway St. *SE15* —2K **95**
Hathway Ter. *SE14* —2K **95**
(off Hathway St.)
Hatley Av. *Ilf* —4G **35**
Hatley Clo. *N11* —5J **15**
Hatley Rd. *N4* —2K **45**
Hat & Mitre Ct. *EC1*
—4B **62** (4B **144**)
Hatteraick St. *SE16* —2J **79**
Hattersfield Clo. *Belv* —4F **85**
Hatton Clo. *SE18* —7H **83**
Hatton Garden. *EC1*
—5A **62** (5K **143**)
Hatton Gdns. *Mitc* —5D **122**
Hatton Pl. *EC1* —5A **62** (5K **143**)
Hatton Rd. *Croy* —1A **134**
Hatton Row. *NW8*
—4B **60** (4B **140**)
Hatton St. *NW8* —4B **60** (4B **140**)
Hatton Wall. *EC1*
—5A **62** (5K **143**)
Haughmond. *N12* —4E **14**
Haunch of Venison Yd. *W1*
—6F **61** (1J **147**)
Havana Rd. *SW19* —2J **107**
Havannah St. *E14* —2C **80**
Havant Rd. *E17* —3E **32**
Havant Way. *SE15* —7F **79**
Havelock Clo. *W12* —7D **58**
(off India Way)
Havelock Ct. *S'hall* —3D **70**
(off Havelock Rd.)
Havelock Ho. *SE23* —1J **111**
Havelock Pl. *Harr* —6J **23**
Havelock Rd. *N17* —2G **31**
Havelock Rd. *SW19* —5A **108**

Havelock Rd. *Belv* —4F **85**
Havelock Rd. *Brom* —4A **128**
Havelock Rd. *Croy* —2F **135**
Havelock Rd. *Harr* —3J **23**
Havelock Rd. *S'hall* —3C **70**
Havelock St. *N1* —1J **61**
Havelock St. *Ilf* —2F **51**
Havelock Ter. *SW8* —7F **77**
Havelock Wlk. *SE23* —1J **111**
Haven Clo. *SE9* —3D **114**
Haven Clo. *SW19* —3F **107**
Haven Clo. *Sidc* —6C **116**
Haven Ct. *Beck* —2E **126**
Haven Grn. *W5* —6D **56**
Haven Grn. Ct. *W5* —6D **56**
Havenhurst Rise. *Enf* —2F **7**
Haven La. *W5* —6E **56**
Haven Lodge. *Enf* —5K **7**
(off Village Rd.)
Haven M. *E3* —5B **64**
Haven Pl. *W5* —7D **56**
Haven St. *NW1* —7F **45**
Haven, The. *N14* —6A **6**
Haven, The. *Rich* —3G **89**
Haven Wood. *Wemb* —3H **41**
Haverfield Gdns. *Rich* —7G **73**
Haverfield Rd. *E3* —3K **19**
Haverford Way. *Edgw* —1F **25**
Haverhill Rd. *E4* —1K **19**
Haverhill Rd. *SW12* —1G **109**
Havering Dri. *Romf* —4K **37**
Havering Gdns. *Romf* —5C **36**
Havering Rd. *Romf* —3K **37**
Havering St. *E1* —6K **63**
Havering Way. *Bark* —3B **68**
Haversham Clo. *Twic* —6D **88**
Haversham Ct. *Gnfd* —6K **39**
Haverstock Hill. *NW3* —5C **44**
Haverstock Rd. *NW5* —5E **44**
Haverstock St. *N1*
—2B **62** (1B **144**)
Havil St. *SE5* —7E **78**
Havisham Ho. *SE16* —2G **79**
Havisham Pl. *SW16 & SE19*
—6B **110**
Hawarden Gro. *SE24* —7C **94**
Hawarden Hill. *NW2* —3C **42**
Hawarden Rd. *E17* —4K **31**
Hawbridge Rd. *E11* —1F **49**
Hawes Ho. *E17* —4K **31**
Hawes La. *W Wick* —1E **136**
Hawes Rd. *N18* —6C **18**
Hawes Rd. *Brom* —1K **127**
(in two parts)
Hawes St. *N1* —7B **46**
Hawgood St. *E3* —5C **64**
Hawkdene. *E4* —6J **9**
Hawke Ct. *Hayes* —4A **54**
(off Perth Av.)
Hawke Pk. Rd. *N22* —3B **30**
Hawke Pl. *SE16* —2K **79**
Hawker. *NW9* —1B **26**
Hawker Clo. *Wall* —7J **133**
Hawke Rd. *SE19* —6D **110**
Hawkesbury Rd. *SW15* —5D **90**
Hawkesfield Rd. *SE23* —2A **112**
Hawkesley Clo. *Twic* —4A **104**
Hawkes Rd. *Mitc* —1C **122**
Hawke Tower. *SE14* —6A **80**
Hawkhurst Rd. *Iswth* —2J **87**
Hawkhurst Rd. *SW16* —1H **123**
Hawkhurst Way. *N Mald* —5K **119**
Hawkhurst Way. *W Wick*
—2D **136**

Hawkinge. *N17* —2D **30**
(off Gloucester Rd.)
Hawkins Clo. *NW7* —5E **12**
Hawkins Ct. *Harr* —7H **23**
Hawkins Ct. *SE18* —4C **82**
Hawkins Ho. *SE8* —6C **80**
(off New King St.)
Hawkins Rd. *Tedd* —6B **104**
Hawkins Way. *SE6* —5C **112**
Hawkley Gdns. *SE27* —2B **110**
Hawkridge Clo. *Romf* —6C **36**
Hawksbrook La. *Beck* —6D **126**
Hawkshaw Clo. *SW2* —1J **109**
Hawkshead Clo. *Brom* —7G **113**
Hawkshead Rd. *NW10* —7B **42**
Hawkshead Rd. *W4* —2A **74**
Hawkslade Rd. *SE15* —5K **95**
Hawksley Rd. *N16* —3E **46**
Hawks M. *SE10* —7E **80**
Hawksmoor Clo. *E6* —6C **66**
Hawksmoor Clo. *SE18* —5J **83**
Hawksmoor M. *E1* —7H **63**
Hawksmoor St. *W6* —6F **75**
Hawksmouth. *E4* —7K **9**
Hawks Rd. *King T* —2F **119**
Hawkstone Rd. *SE16* —4J **79**
Hawkwell Ct. *E4* —3K **19**
Hawkwell Wlk. *N1* —1C **62**
(off Basire St.)
Hawkwood Cres. *E4* —6J **9**
Hawkwood La. *Chst* —1G **129**
Hawkwood Mt. *E5* —1H **47**
Hawlands Dri. *Pinn* —7C **22**
Hawley Clo. *Hamp* —6D **102**
Hawley Cres. *NW1* —7F **45**
Hawley M. *NW1* —7F **45**
Hawley Rd. *N18* —5E **18**
Hawley Rd. *NW1* —7F **45**
(in three parts)
Hawley St. *NW1* —7F **45**
Hawstead Rd. *SE6* —6D **96**
Hawsted. *Buck H* —1E **20**
Hawthordene Rd. *Beck* —2H **137**
Hawthorn Av. *N13* —5D **16**
Hawthorn Av. *Rich* —2E **88**
Hawthorn Cen. *Harr* —4K **23**
Hawthorn Clo. *Hamp* —5E **102**
Hawthorn Clo. *Orp* —6H **129**
Hawthorn Cotts. *Well* —3A **100**
(off Hook La.)
Hawthorn Ct. *Pinn* —2A **22**
(off Rickmansworth Rd.)
Hawthorn Cres. *SW17* —5E **108**
Hawthornden Clo. *N12* —6H **15**
Hawthorndene Clo. *Brom*
—2H **137**
Hawthorndene Rd. *Brom*
—2H **137**
Hawthorn Dri. *Harr* —6E **22**
Hawthorn Dri. *W Wick* —3H **137**
Hawthorne Av. *Cars* —7E **132**
Hawthorne Av. *Harr* —6A **24**
Hawthorne Av. *Mitc* —2B **122**
Hawthorne Av. *Ruis* —7A **22**
Hawthorne Av. *T Hth* —1B **124**
Hawthorne Clo. *N1* —6E **46**
Hawthorne Clo. *Brom* —3D **128**
Hawthorne Clo. *Sutt* —2A **132**
Hawthorne Farm Av. *N'holt*
—1C **54**
Hawthorne Gro. *NW9* —7J **25**
Hawthorne M. *Gnfd* —6G **55**
Hawthorne Rd. *E17* —3C **32**
Hawthorne Rd. *Brom* —3D **128**
Hawthorn Gdns. *W5* —3D **72**

Hawthorn Gro. *SE20* —1H **125**
Hawthorn Gro. *Enf* —1J **7**
Hawthorn Hatch. *Bren* —7B **72**
Hawthorn M. *NW7* —1G **27**
Hawthorn Pl. *Eri* —5J **85**
Hawthorn Rd. *N8* —3H **29**
Hawthorn Rd. *N18* —6A **18**
Hawthorn Rd. *NW10* —7C **42**
Hawthorn Rd. *Bexh* —4F **101**
Hawthorn Rd. *Bren* —7B **72**
Hawthorn Rd. *Buck H* —4G **21**
Hawthorn Rd. *Sutt* —6C **132**
Hawthorn Rd. *Wall* —7F **133**
Hawthorns. *Wfd G* —3D **20**
Hawthorns, The. *Eps* —7B **130**
Hawthorn Wlk. *W10* —4G **59**
Hawthorn Way. *N9* —2A **18**
Hawtrey Av. *N'holt* —2B **54**
Hawtrey Rd. *NW3* —7C **44**
Haxted Rd. *Brom* —1K **127**
Hay Clo. *E15* —7G **49**
Haycroft Gdns. *NW10* —1C **58**
Haycroft Rd. *SW2* —5J **93**
Hay Currie St. *E14* —6D **64**
Hayday Rd. *E16* —5J **65**
Haydens M. *W3* —6J **57**
Hayden's Pl. *W11* —6H **59**
Hayden Way. *Romf* —2J **37**
Haydock Av. *N'holt* —6E **38**
Haydock Grn. *N'holt* —6E **38**
Haydock Grn. Flats. *N'holt*
(off Haydock Grn.) —6E **38**
Haydon Clo. *NW9* —4J **25**
Haydon Clo. *Enf* —6K **7**
Haydon Pk. Rd. *SW19* —5J **107**
Haydon Rd. *Dag* —2C **52**
Haydons Rd. *SW19* —5K **107**
Haydon St. *EC3* —6F **63** (2J **151**)
Haydon Wlk. *E1* —6F **63** (1K **151**)
Haydon Way. *SW11* —4B **92**
Hayes Chase. *W Wick* —6F **127**
Hayes Clo. *Brom* —2J **137**
Hayes Ct. *SW2* —1J **109**
Hayes Cres. *NW11* —5H **27**
Hayes Cres. *Sutt* —4F **131**
Hayesford Pk. Dri. *Brom*
—5H **127**
Hayes Garden. *Brom* —1J **137**
Hayes Hill. *Brom* —1G **137**
Hayes Hill Rd. *Brom* —1H **137**
Hayes La. *Beck* —3E **126**
Hayes La. *Brom* —5J **127**
Hayes Mead Rd. *Brom* —1G **137**
Hayes Metro Cen. *Hayes* —7A **54**
Hayes Pl. *NW1* —4C **60** (4D **140**)
Hayes Rd. *Brom* —4J **127**
Hayes Rd. *S'hall* —4A **70**
Hayes St. *Brom* —1H **137**
Hayes Way. *Beck* —4E **126**
Hayes Wood Av. *Brom* —1K **137**
Hayfield Pas. *E1* —4J **63**
Hayfield Yd. *E1* —4K **63**
Haygarth Pl. *SW19* —5F **107**
Haygreen Clo. *King T* —6H **105**
Hay Hill. *W1* —7F **61** (3K **147**)
Hayland Clo. *NW9* —4K **25**
Hay La. *NW9* —4J **25**
Hayles St. *SE11*
—4B **78** (3A **156**)
Haylett Gdns. *King T* —4D **118**
Hayling Clo. *N16* —5E **46**
Hayling Ct. *Sutt* —4E **130**
Haymans Point. *SE11*
—5K **77** (5G **155**)
Hayman St. *N1* —7B **46**

Haymarket. *SW1*
—7H **61** (3C **148**)
Haymarket Arc. *SW1*
—7H **61** (3C **148**)
Haymer Gdns. *Wor Pk* —3C **130**
Haymerle Rd. *SE15* —6G **79**
Haymill Clo. *Gnfd* —3K **55**
Hayne Ho. *W11* —1G **75**
(off Penzance Pl.)
Hayne Rd. *Beck* —2B **126**
Haynes Clo. *N11* —3K **15**
Haynes Clo. *N17* —7C **18**
Haynes Clo. *SE3* —3G **97**
Haynes La. *SE19* —6E **110**
Haynes Rd. *Wemb* —7E **40**
Hayne St. *EC1* —5B **62** (5B **144**)
Haynt Wlk. *SW20* —3G **121**
Hays Galleria. *SE1*
—1E **78** (4G **151**)
Hays La. *SE1* —1E **78** (4G **151**)
Haysleigh Gdns. *SE20* —2G **125**
Hay's M. *W1* —1F **77** (4J **147**)
Haysoms Clo. *Romf* —4K **37**
Hay St. *E2* —1G **63**
Hayter Ct. *E11* —2K **49**
Hayter Rd. *SW2* —5J **93**
Hayton Clo. *E8* —6F **47**
Hayward Clo. *SW19* —7K **107**
Hayward Clo. *Dart* —5K **101**
Hayward Ct. *SW9* —2J **93**
(off Clapham Rd.)
Hayward Gdns. *SW15* —6E **90**
Hayward Rd. *N20* —2F **15**
Haywards Clo. *Chad H* —5B **36**
Hayward's Pl. *EC1*
—4B **62** (3A **144**)
Haywards Yd. *SE4* —5B **96**
(off Lindal Rd.)
Haywood Clo. *Pinn* —2B **22**
Haywood Lodge. *N11* —6D **16**
(off Oak La.)
Haywood Rd. *Brom* —4B **128**
Hayworth Clo. *Enf* —2F **9**
Hazel Bank. *SE25* —2E **124**
Hazelbank Rd. *SE6* —2F **113**
Hazelbourne Rd. *SW12* —6F **93**
Hazelbury Clo. *SW19* —2J **121**
Hazelbury Grn. *N9* —3K **17**
Hazelbury La. *N9* —3K **17**
Hazel Clo. *N13* —3J **17**
Hazel Clo. *N19* —2G **45**
Hazel Clo. *SE15* —2G **95**
Hazel Clo. *Bren* —7B **72**
Hazel Clo. *Croy* —7K **125**
Hazel Clo. *Mitc* —4H **123**
Hazel Clo. *Twic* —7G **87**
Hazel Ct. *W5* —7E **56**
Hazel Cres. *Romf* —1H **37**
Hazel Croft. *Pinn* —6A **10**
Hazeldean Rd. *NW10* —7K **41**
Hazeldene Dri. *Pinn* —3A **22**
Hazeldene Rd. *Ilf* —2B **52**
Hazeldene Rd. *Well* —2C **100**
Hazeldon Rd. *SE4* —5A **96**
Hazeleigh Gdns. *Wfd G* —5H **21**
Hazel Gdns. *Edgw* —4C **12**
Hazelgreen Clo. *N21* —1G **17**
Hazel Gro. *SE26* —4K **111**
Hazel Gro. *Romf* —3E **36**
Hazel Gro. *Wemb* —1E **56**
Hazelhurst. *Beck* —1F **127**
Hazelhurst Ct. *SE6* —5E **112**
(off Beckenham Hill Rd.)
Hazelhurst Rd. *SW17* —4A **108**
Hazel La. *Rich* —2E **104**

Heneage La. *EC3*
    —6E **62** (1H **151**)
Heneage Pl. *EC3*
    —6E **62** (1H **151**)
Heneage St. *E1* —5F **63** (5K **145**)
Henfield Clo. *N19* —1G **45**
Henfield Clo. *Bex* —6G **101**
Henfield Rd. *SW19* —1H **121**
Hengelo Gdns. *Mitc* —4B **122**
Hengist Rd. *SE12* —7K **97**
Hengist Rd. *Eri* —7H **85**
Hengist Way. *Brom* —4G **127**
Hengrave Rd. *SE23* —7J **95**
Hengrove Ct. *Bex* —1E **116**
Henham Ct. *Romf* —2J **37**
Henley Av. *Sutt* —3G **131**
Henley Clo. *Gnfd* —2G **55**
Henley Clo. *Iswth* —1K **87**
Henley Ct. *N14* —7B **6**
Henley Dri. *SE1* —4F **79** (3K **157**)
Henley Dri. *King T* —7B **106**
Henley Gdns. *Romf* —5E **36**
Henley Rd. *E16* —2D **82**
Henley Rd. *N18* —4K **17**
Henley Rd. *NW10* —1E **58**
Henley Rd. *Ilf* —4G **51**
Henley St. *SW11* —2E **92**
Henley Way. *Felt* —5B **102**
Henlow Pl. *Rich* —2D **104**
Henlys Corner. (Junct.) —4H **27**
Henlys Roundabout. (Junct.)
    —2B **86**
Hennel Clo. *SE23* —3J **111**
Henniker Gdns. *E6* —3B **66**
Henniker M. *SW3*
    —6B **76** (7A **152**)
Henniker Rd. *E15* —5F **49**
Henningham Rd. *N17* —1D **30**
Henning St. *SW11* —1C **92**
Henrietta Ho. *N15* —6E **30**
  (off St Ann's Rd.)
Henrietta Ho. *W6* —5E **74**
  (off Queen Caroline St.)
Henrietta M. *WC1*
    —4J **61** (3F **143**)
Henrietta Pl. *W1* —6F **61** (1J **147**)
Henrietta St. *E15* —5E **48**
Henrietta St. *WC2*
    —7J **61** (2F **149**)
Henriques St. *E1* —6G **63**
Henry Clo. *Enf* —1K **7**
Henry Cooper Way. *SE9* —3B **114**
Henry Darlot Dri. *NW7* —5A **14**
Henry Dickens Ct. *W11* —7F **59**
Henry Hatch Wlk. *Sutt* —7A **132**
Henry Ho. *SW8* —7J **77**
  (off Wyvil Rd.)
Henry Jackson Rd. *SW15* —3F **91**
Henry Rd. *E6* —2C **66**
Henry Rd. *N4* —1C **46**
Henry Rd. *Barn* —5G **5**
Henrys Av. *Wfd G* —5C **20**
Henryson Rd. *SE4* —5C **96**
Henry St. *Brom* —1K **127**
Henry's Wlk. *Ilf* —1H **35**
Hensford Gdns. *SE26* —4H **111**
Henshall St. *N1* —6D **46**
Henshawe Rd. *Dag* —3D **52**
Henshaw St. *SE17*
    —4D **78** (3E **156**)
Henslowe Rd. *SE22* —5G **95**
Henson Av. *NW2* —5E **42**
Henson Path. *Harr* —3D **24**
Henson Pl. *N'holt* —1A **54**
Henstridge Pl. *NW8* —2C **60**

Henty Clo. *SW11* —7C **76**
Henty Wlk. *SW15* —5D **90**
Henville Rd. *Brom* —1K **127**
Henwick Rd. *SE9* —3B **98**
Henwood Rd. *SE16* —3J **79**
Henwood Side. *Wfd G* —6J **21**
Hepburn Gdns. *Brom* —1G **137**
Hepburn M. *SW11* —5D **92**
Hepple Clo. *Iswth* —2B **88**
Hepplestone Clo. *SW15* —6D **90**
Hepscott Rd. *E9* —6C **48**
Hepworth Ct. *Barn* —4A **4**
Hepworth Gdns. *Bark* —5A **52**
Hepworth Rd. *SW16* —7J **109**
Heracles. *NW9* —1B **26**
  (off Five Acre)
Heracles Clo. *Wall* —7J **133**
Herald Gdns. *Wall* —2F **133**
Herald's Pl. *SE11*
    —3D **76** (1F **153**)
Herbert Gdns. *NW10* —2D **58**
Herbert Gdns. *W4* —6H **73**
Herbert Gdns. *Romf* —7D **36**
Herbert Morrison Ho. *SW6*
  (off Clem Attlee Ct.) —6H **75**
Herbert Pl. *SE18* —6F **83**
Herbert Rd. *E12* —4C **50**
Herbert Rd. *E17* —7B **32**
Herbert Rd. *N11* —7D **16**
Herbert Rd. *N15* —5F **31**
Herbert Rd. *NW9* —6C **26**
Herbert Rd. *SE18* —7E **82**
Herbert Rd. *SW19* —7H **107**
  (in two parts)
Herbert Rd. *Bexh* —2E **100**
Herbert Rd. *Brom* —5B **128**
Herbert Rd. *Ilf* —2J **51**
Herbert Rd. *King T* —3F **119**
Herbert St. *S'hall* —1D **70**
Herbert St. *E13* —2J **65**
Herbert St. *NW5* —6E **44**
Herbert Ter. *SE18* —7F **83**
Herbrand Est. *WC1*
    —4J **61** (3E **142**)
Herbrand St. *WC1*
    —4J **61** (3E **142**)
Hercules Pl. *N7* —3J **45**
  (in two parts)
Hercules Rd. *SE1*
    —3K **77** (2H **155**)
Hercules St. *N7* —3J **45**
Hercules Tower. *SE14* —6A **80**
Hercules Yd. *N7* —3J **45**
Hereford Av. *Barn* —1J **15**
Hereford Ct. *W7* —5K **55**
  (off Copley Clo.)
Hereford Ct. *Harr* —3J **23**
Hereford Ct. *Sutt* —7J **131**
Hereford Gdns. *SE13* —5G **97**
Hereford Gdns. *Ilf* —7C **34**
Hereford Gdns. *Pinn* —5C **22**
Hereford Gdns. *Twic* —1G **103**
Hereford M. *W2* —6J **59**
Hereford Pl. *SE14* —7B **80**
Hereford Retreat. *SE15* —7G **79**
Hereford Rd. *E11* —5K **33**
Hereford Rd. *W2* —6J **59**
Hereford Rd. *W3* —7H **57**

Hereford Rd. *W5* —3C **72**
Hereford Rd. *Felt* —1A **102**
Hereford Sq. *SW7* —4A **76**
Hereford St. *E2* —4G **63**
Herent Dri. *Ilf* —4C **34**
Hereward Gdns. *N13* —5F **17**
Hereward Rd. *SW17* —4D **108**
Herga Ct. *Harr* —3J **39**
Herga Rd. *Harr* —4K **23**
Heriot Av. *E4* —2H **19**
Heriot Rd. *NW4* —5E **26**
Heriots Clo. *Stan* —4F **11**
Heritage Clo. *SW9* —3B **94**
Heritage Hill. *Kes* —5A **138**
Heritage View. *Harr* —3K **39**
Herlwyn Gdns. *SW17* —4D **108**
Herm Clo. *Iswth* —7G **71**
Hermes Clo. *W9* —4J **59**
Hermes St. *N1* —2A **62** (1J **143**)
Hermes Wlk. *N'holt* —2E **54**
Hermes Way. *Wall* —7H **133**
Herm Ho. *N1* —6C **46**
Herm Ho. *Enf* —1E **8**
Hermiston Av. *N8* —5J **29**
Hermitage Clo. *E18* —4H **33**
Hermitage Clo. *Enf* —2G **7**
Hermitage Ct. *E18* —4J **33**
Hermitage Ct. *NW2* —3J **43**
Hermitage Gdns. *NW2* —3J **43**
Hermitage Gdns. *SE19* —7C **110**
Hermitage Grn. *SW16* —1J **123**
Hermitage La. *N18* —5J **17**
Hermitage La. *NW2* —3J **43**
Hermitage La. *SE25* —6G **125**
  (in two parts)
Hermitage La. *SW16* —7K **109**
Hermitage La. *Croy & SE25*
    —7G **125**
Hermitage Path. *SW16* —1J **123**
Hermitage Rd. *N4 & N15* —7C **30**
Hermitage Rd. *SE19* —7C **110**
Hermitage Row. *E8* —5G **47**
Hermitage St. *W2*
    —5B **60** (6A **140**)
Hermitage, The. *SE13* —2E **96**
Hermitage, The. *SE23* —1J **111**
Hermitage, The. *SW13* —1B **90**
Hermitage, The. *King T* —4D **118**
Hermitage, The. *Rich* —5E **88**
Hermitage Wlk. *E18* —4H **33**
Hermitage Wall. *E1* —1G **79**
Hermitage Way. *Stan* —1A **24**
Hermit Pl. *NW6* —1K **59**
Hermit Rd. *E16* —5H **65**
Hermit St. *EC1* —3B **62** (1A **144**)
Hermon Hill. *E11 & E18* —5J **33**
Herndon Rd. *SW18* —5A **92**
Herne Clo. *NW10* —5K **41**
Herne Ct. *Bush* —1B **10**
Herne Hill. *SE24* —6C **94**
Herne Hill Ho. *SE24* —6B **94**
  (off Railton Rd.)
Herne Hill Rd. *SE24* —3C **94**
Herne M. *N18* —4B **18**
Herne Pl. *SE24* —5B **94**
Herne Rd. *Bush* —1B **10**
Heron Clo. *E17* —2B **32**
Heron Clo. *NW10* —6A **42**
Heron Clo. *Buck H* —1D **20**
Heron Ct. *Brom* —4A **128**
Heron Cres. *Sidc* —3J **115**
Herondale Av. *SW18* —1B **108**
Herongate Clo. *Enf* —2A **8**
Herongate Rd. *E12* —2A **50**
Heron Hill. *Belv* —5F **85**
Heron Ho. *E6* —7C **50**

Heron Ho. *W13* —4A **56**
Heron Ho. *Sidc* —3B **116**
Heron Ind. Est. *E15* —1D **64**
Heron M. *Ilf* —2F **51**
Heron Pk. Pde. *SW19* —1H **121**
Heron Quay. *E14* —1C **80**
Heron Quays Development. *E14*
    —1D **80**
Heron Rd. *SE24* —4C **94**
Heron Rd. *Croy* —2E **134**
Heron Rd. *Twic* —4A **88**
Heronsforde. *W13* —6C **56**
Herons Ga. *Edgw* —5B **12**
Heron's Lea. *N6* —6D **28**
Heronslea Dri. *Stan* —5H **11**
Heron's Pl. *Iswth* —3B **88**
Heron Sq. *Rich* —5D **88**
Herons Rise. *New Bar* —4H **5**
Herons, The. *E11* —6H **33**
Heron Trad. Est. *W3* —5H **57**
Heron Way. *Wfd G* —4F **21**
Herrick Rd. *N5* —3C **46**
Herrick St. *SW1*
    —4H **77** (4D **154**)
Herries St. *W10* —3G **59**
Herringham Rd. *SE7* —3A **82**
Herring St. *SE5* —6E **78** (7H **157**)
Herron Ct. *Short* —4H **127**
Hersant Clo. *NW10* —1C **58**
Herschell M. *SE5* —3C **94**
Herschell Rd. *SE23* —7A **96**
Hersham Clo. *SW15* —7C **90**
Hertford Av. *SW14* —5K **89**
Hertford Clo. *Barn* —3F **5**
Hertford Ct. *E6* —3D **66**
  (off Vicarage La.)
Hertford Ct. *N13* —3F **17**
Hertford Pl. *W1* —4G **61** (4B **142**)
Hertford Rd. *N1* —1E **62**
  (in two parts)
Hertford Rd. *N2* —3C **28**
Hertford Rd. *N9* —2C **18**
Hertford Rd. *Bark* —7E **50**
Hertford Rd. *Barn* —3F **5**
Hertford Rd. *Enf & Wal X* —1C **18**
Hertford Rd. *Ilf* —6J **35**
Hertford Sq. *Mitc* —4J **123**
Hertford St. *W1* —1F **77** (5J **147**)
Hertford Wlk. *Belv* —5G **85**
Hertford Way. *Mitc* —4J **123**
Hertslet Rd. *N7* —3K **45**
Hertsmere Rd. *E14* —1C **80**
Hertswood Ct. *Barn* —4B **4**
Hervey Clo. *N3* —1J **27**
Hervey Pk. Rd. *E17* —4A **32**
Hervey Rd. *SE3* —1K **97**
Hervey Way. *N3* —1J **27**
Hesewall Clo. *SW4* —2G **93**
Hesketh Pl. *W11* —7G **59**
Hesketh Rd. *E7* —3J **49**
Heslop Rd. *SW12* —1D **108**
Hesper M. *SW5* —4K **75**
Hesperus Cres. *E14* —4D **80**
Hessel Rd. *W13* —2A **72**
Hessel St. *E1* —6H **63**
Hestercombe Av. *SW6* —2G **91**
Hesterman Way. *Croy* —1K **133**
Hester Rd. *N18* —5B **18**
Hester Rd. *SW11* —7C **76**
Hester Ter. *Rich* —3G **89**
Heston Av. *Houn* —6C **70**
Heston Cen., The. *Houn* —5A **70**
Heston Grange. *Houn* —6D **70**
Heston Grange La. *Houn* —6D **70**

Heston Ho. *SE8* —1C **96**
Heston Ind. Cen. *Houn* —6A **70**
Heston Ind. Mall. *Houn* —7D **70**
Heston Rd. *Houn* —7E **70**
Heston St. *SE14* —1C **96**
Hetherington Rd. *SW4* —4J **93**
Hetley Gdns. *SE19* —7F **111**
Hetley Rd. *W12* —2D **74**
  (off Hetley Rd.)
Hetley Rd. *W12* —1D **74**
Heton Gdns. *NW4* —4D **26**
Hevelius Clo. *SE10* —5H **81**
Hever Croft. *SE9* —4E **114**
Hever Gdns. *Brom* —2E **128**
Heversham Rd. *SE18* —4J **83**
Heversham Rd. *Bexh* —2G **101**
Hewer St. *W10* —5F **59**
Hewett Clo. *Stan* —4G **11**
Hewett Rd. *Dag* —4D **52**
Hewett St. *EC2* —4E **62** (4H **145**)
Hewish Rd. *N18* —4K **17**
Hewison St. *E3* —2B **64**
Hewitt Av. *N22* —2B **30**
Hewitt Clo. *Croy* —3C **136**
Hewitt Rd. *N8* —5A **30**
Hewlett Rd. *E3* —2A **64**
Hexagon, The. *N6* —1D **44**
Hexal Rd. *SE6* —3G **113**
Hexham Gdns. *Iswth* —7A **72**
Hexham Rd. *SE27* —2C **110**
Hexham Rd. *Barn* —4E **4**
Hexham Rd. *Mord* —1K **131**
Heybourne Rd. *N17* —7C **18**
Heybridge Av. *SW16* —7J **109**
Heybridge Dri. *Ilf* —2H **35**
Heybridge Way. *E10* —7A **32**
Heydon Ho. *SE14* —1J **95**
  (off Kender St.)
Heyford Av. *SW8* —7J **77**
Heyford Av. *SW20* —3H **121**
Heyford Rd. *Mitc* —2C **122**
Heyford Ter. *SW8* —7J **77**
Heygate St. *SE17*
    —4C **78** (4C **156**)
Heylyn Sq. *E3* —3B **64**
Heynes Rd. *Dag* —4C **52**
Heysham La. *NW3* —3K **43**
Heysham Rd. *N15* —6D **30**
Heythorp St. *SW18* —1H **107**
Heywood Av. *NW9* —1A **26**
Heywood Ct. *Stan* —5H **11**
Heyworth Rd. *E5* —4H **47**
Heyworth Rd. *E15* —4H **49**
Hibbert Rd. *E17* —7B **32**
Hibbert Rd. *Harr* —2K **23**
Hibbert St. *SW11* —3B **92**
Hibernia Gdns. *Houn* —4E **86**
Hibernia Point. *SE2* —2D **84**
  (off Wolvercote Rd.)
Hibernia Rd. *Houn* —4E **86**
Hichisson Rd. *SE15* —5J **95**
Hickey's Almshouses. *Rich*
    —4F **89**
Hickin Clo. *SE7* —4B **82**
Hickin St. *E14* —3E **80**
Hickling Rd. *Ilf* —5F **51**
Hickman Av. *E4* —6K **19**
Hickman Clo. *E16* —5B **66**
Hickman Rd. *Romf* —7C **36**
Hickmore Wlk. *SW4* —3H **93**
Hickory Clo. *N9* —1B **18**
Hicks Av. *Gnfd* —3H **55**
Hicks Clo. *SW11* —3C **92**
Hicks Ct. *Dag* —3H **53**
Hicks St. *SE8* —5A **80**

Holland Park Roundabout.
(Junct.) —2F 75
Holland Pas. N1 —1C 62
(off Basire St.)
Holland Pl. W8 —2K 75
(off Kensington Chu. St.)
Holland Pl. Chambers. W8
(off Holland Pl.) —2K 75
Holland Rise Ho. SW9 —7K 77
(off Clapham Rd.)
Holland Rd. E6 —1D 66
Holland Rd. E15 —3G 65
Holland Rd. NW10 —1C 58
Holland Rd. SE25 —5G 125
Holland Rd. W14 —2F 75
Holland Rd. Wemb —6D 40
Hollands, The. Felt —4B 102
Hollands, The. Wor Pk —1B 130
Holland St. SE1 —1B 78 (4B 150)
Holland St. W8 —2J 75
Holland Vs. Rd. W14 —2G 75
Holland Wlk. N1 —1H 45
Holland Wlk. W8 —1H 75
Holland Wlk. Stan —5F 11
Holland Way. Brom —2H 137
Hollar Rd. N16 —3F 47
Hollen St. W1 —6H 61 (7C 142)
Holles Clo. Hamp —6E 102
Holles Ho. SW9 —2A 94
Holles St. W1 —6F 61 (7K 141)
Holley Rd. W3 —2A 74
Hollick Wood Av. N12 —6J 15
Holliday Sq. SW11 —3B 92
(off Fowler Clo.)
Hollidge Way. Dag —7H 53
Hollies Av. Sidc —2K 115
Hollies Clo. SW16 —6A 110
Hollies Clo. Twic —2K 103
Hollies End. NW7 —5J 13
Hollies Rd. W5 —4C 72
Hollies, The. E11 —5J 33
(off New Wanstead)
Hollies, The. N20 —1G 15
Hollies, The. Harr —4A 24
Hollies Way. SW12 —7E 92
Holligrave Rd. Brom —1J 127
Hollingbourne Av. Bexh —1F 101
Hollingbourne Gdns. W13
—5B 56
Hollingbourne Rd. SE24 —5C 94
Hollingsworth Ct. Surb —7D 118
Hollingsworth Rd. Croy —6H 135
Hollington Ct. Chst —6F 115
Hollington Cres. N Mald —6B 120
Hollington Rd. E6 —3D 66
Hollington Rd. N17 —2G 31
Hollingworth Rd. Orp —7F 129
Hollins Ho. N7 —4J 45
Hollman Gdns. SW16 —6B 110
Holloway Ho. NW2 —3E 42
Holloway Rd. E6 —3D 66
Holloway Rd. E11 —3F 49
Holloway Rd. N7 —4A 45
Holloway Rd. N19 & N7 —2H 45
Holloway St. Houn —3F 87
Hollowfield Wlk. N'holt —7C 38
Hollows, The. Bren —6F 73
Hollow, The. Wfd G —4C 20
Holly Av. Stan —2A 24
Hollybank Clo. Hamp —5E 102
Hollyberry La. NW3 —4A 44
Hollybrake Clo. Chst —7H 115
Hollybush Clo. E11 —5J 33
Hollybush Clo. Harr —1J 23
Hollybush Gdns. E2 —3H 63

Hollybush Hill. E11 —6H 33
Hollybush Hill. NW3 —4A 44
Hollybush Ho. E2 —3H 63
Holly Bush La. Hamp —7D 102
Hollybush Pl. E2 —3H 63
Hollybush Rd. King T —5E 104
Hollybush Steps. NW3 —4A 44
(off Holly Mt.)
Hollybush St. E13 —2K 65
Holly Bush Vale. NW3 —4A 44
Holly Bush Wlk. SW9 —4B 94
Holly Clo. NW10 —7A 42
Holly Clo. Buck H —3G 21
Holly Clo. Felt —5C 102
Holly Clo. Wall —7F 133
Holly Ct. N15 —4E 30
Holly Ct. Sidc —4B 116
(off Sidcup Hill)
Holly Ct. Sutt —7J 131
Holly Cres. Beck —5B 126
Holly Cres. Wfd G —7A 20
Hollycroft Av. NW3 —3J 43
Hollycroft Av. Wemb —2F 41
Hollydale Clo. N'holt —4F 39
Hollydale Dri. Brom —3D 138
Hollydale Rd. SE15 —1J 95
Holly Dene. SE15 —1H 95
Hollydown Way. E11 —3F 49
Holly Dri. E4 —7J 9
Holly Farm Rd. S'hall —5C 70
Hollyfield Av. N11 —5J 15
Hollyfield Rd. Surb —7F 119
Holly Gro. NW9 —7J 25
Holly Gro. SE15 —2F 95
Hollygrove. Bush —1C 10
Holly Gro. Pinn —1C 22
Hollygrove Clo. Houn —4D 86
Holly Hedge Ter. SE13 —5F 97
Holly Hill. N21 —6E 6
Holly Hill. NW3 —4A 44
Holly Hill Rd. Belv & Eri —5H 85
Holly Ho. Iswth —6C 72
Holly Lodge. Harr —5H 23
Holly Lodge Gdns. N6 —2E 44
Holly Lodge Mans. N6 —2E 44
Hollymead. Cars —3D 132
Holly M. SW10 —5A 76 (6A 152)
Holly Mt. NW3 —4A 44
Hollymount Clo. SE10 —1E 96
Holly Pk. N3 —3H 27
Holly Pk. N4 —7J 29
(in two parts)
Holly Pk. Est. N4 —7K 29
Holly Pk. Gdns. N3 —3J 27
Holly Pk. Rd. N11 —5K 15
Holly Pk. Rd. W7 —1K 71
Holly Pl. NW3 —4A 44
(off Holly Berry La.)
Holly Rd. E11 —7H 33
Holly Rd. W4 —4K 73
Holly Rd. Hamp —6G 103
Holly Rd. Houn —4F 87
Holly Rd. Twic —1K 103
Holly St. E8 —7F 47
Holly St. Est. E8 —7F 47
Holly Ter. N6 —1E 44
Holly Ter. N20 —2F 15
Holly Tree Clo. SW19 —1F 107
Holly Tree Ho. SE4 —3B 96
(off Brockley Rd.)
Holly View Clo. NW4 —6C 26
Holly Village. N6 —2F 45
Holly Wlk. NW3 —4A 44
Holly Wlk. Enf —3H 7

Holly Way. Mitc —4H 123
Hollywood Ct. W5 —7F 57
Hollywood M. SW10 —6A 76
Hollywood Rd. E4 —5F 19
Hollywood Rd. SW10 —6A 76
Hollywood Way. Wfd G —7A 20
Holman Ct. Ewe —7C 130
Holman Hunt Ho. W6 —5G 75
(off Field Rd.)
Holman Rd. SW11 —2B 92
Holmbridge Gdns. Enf —4E 8
Holmbrook Dri. NW4 —5F 27
Holmbury Clo. Bush —2D 10
Holmbury Ct. SW17 —3D 108
Holmbury Ct. S Croy —5E 134
Holmbury Gro. Croy —7B 136
Holmbury Ho. SE24 —5B 94
Holmbury Mnr. Sidc —4A 116
Holmbury Pk. Brom —7C 114
Holmbury View. E5 —1H 47
Holmbush Rd. SW15 —6G 91
Holmcote Gdns. N5 —5C 46
Holm Ct. SE12 —3K 113
Holmcroft Ho. E17 —4D 32
Holmcroft Way. Brom —5D 128
Holmdale Gdns. NW4 —5F 27
Holmdale Rd. NW6 —5J 43
Holmdale Rd. Chst —5G 115
Holmdale Ter. N15 —7E 30
Holmdene. N12 —5E 14
Holmdene Av. NW7 —6H 13
Holmdene Av. SE24 —5C 94
Holmdene Av. Harr —3F 23
Holmdene Clo. Beck —2E 126
Holmead Rd. SW6 —7K 75
Holme Lacey Rd. SE12 —6H 97
Holme Rd. E6 —1C 66
Holmes Av. E17 —3B 32
Holmes Av. NW7 —5B 14
Holmesdale Av. SW14 —3H 89
Holmesdale Clo. SE25 —3F 125
Holmesdale Rd. N6 —7F 29
Holmesdale Rd. SE25 —5D 124
Holmesdale Rd. Bexh —2D 100
Holmesdale Rd. Croy & SE25
—5D 124
Holmesdale Rd. Rich —1F 89
Holmesdale Rd. Tedd —6C 104
Holmesley Rd. SE23 —6A 96
Holmes Pl. SW10 —6A 76
Holmes Rd. NW5 —5F 45
Holmes Rd. SW19 —7A 108
Holmes Rd. Twic —2K 103
Holmes Ter. SE1
—2A 78 (6J 149)
Holmeswood Ct. N22 —2A 30
Holme Way. Stan —6E 10
Holmewood Gdns. SW2 —7K 93
Holmewood Rd. SE25 —3E 124
Holmewood Rd. SW2 —7K 93
Holmfield Av. NW4 —5F 27
Holmfield Ct. NW3 —6C 44
Holmhurst Rd. Belv —5H 85
Holmleigh Ct. Enf —4D 8
Holmleigh Rd. N16 —1E 46
Holmleigh Rd. Est. N16 —1E 46
Holmoak Clo. SW15 —6H 91
Holm Oak M. SW4 —5J 93
Holmoaks Ho. Beck —2E 126
Holmsdale Ho. N11 —4A 16
(off Coppies Gro.)
Holmshaw Clo. SE26 —4A 112
Holmside Rd. SW12 —6E 92
Holmsley Clo. N Mald —6B 120
Holmsley Ho. SW15 —7B 90
(off Tangley Gro.)

Holmstall Av. Edgw —3J 25
Holmstall Pde. Edgw —2J 25
Holm Wlk. SE3 —2J 97
Holmwood Clo. Harr —3G 23
Holmwood Clo. N'holt —6F 39
Holmwood Clo. Sutt —7F 131
Holmwood Gdns. N3 —2J 27
Holmwood Gdns. Wall —6F 133
Holmwood Gro. NW7 —5E 12
Holmwood Rd. Ilf —2J 51
Holmwood Rd. Sutt —7E 130
Holmwood Vs. SE7 —5J 81
Holne Chase. N2 —6A 28
Holne Chase. Mord —6H 121
Holness Rd. E15 —6H 49
Holroyd Rd. SW15 —4E 90
Holstein Way. Eri —3D 84
Holst Mans. SW13 —7E 74
Holstock Rd. Ilf —2G 51
Holsworth Clo. Harr —5G 23
Holsworthy Sq. WC1
—4K 61 (4H 143)
Holt Clo. N10 —4E 28
Holt Clo. SE28 —7B 68
Holt Ct. E15 —5E 48
Holt Ho. SW2 —6A 94
Holton St. E1 —4K 63
Holt Rd. E16 —1C 82
Holt Rd. Wemb —3B 40
Holt, The. Mord —4J 121
Holt, The. Wall —4G 133
Holtwhites Av. Enf —2H 7
Holtwhite's Hill. Enf —1G 7
Holwell Pl. Pinn —4C 22
Holwood Pk. Av. Orp —4D 138
Holwood Pl. SW4 —4H 93
Holy Oake Ct. SE16 —2B 80
Holyoake Ho. W5 —4C 56
Holyoake Wlk. N2 —3A 28
Holyoake Wlk. W5 —4C 56
Holyoak Rd. SE11
—4B 78 (4A 156)
Holyport Rd. SW6 —7F 75
Holyrood Av. Harr —4C 38
Holyrood Gdns. Edgw —3H 25
Holyrood Rd. E1 —1J 81
(off Badminton M.)
Holyrood Rd. New Bar —6F 5
Holyrood St. SE1
—1E 78 (5G 151)
Holywell Clo. SE3 —6J 81
Holywell Clo. SE16 —5H 79
Holywell La. EC2
—4E 62 (3H 145)
Holywell Row. EC2
—4E 62 (4G 145)
Homan Ct. N12 —4G 15
Homebush Ho. E4 —7J 9
Home Clo. Cars —2D 132
Home Clo. N'holt —3D 54
Homecroft Rd. N22 —1C 30
Homecroft Rd. SE26 —5J 111
Homefarm Rd. W7 —6J 55
Home Field. Barn —5C 4
Homefield. Mord —4J 121
Homefield Av. Ilf —5J 35
Homefield Clo. NW10 —7J 41
Homefield Clo. Hayes —4B 54
Homefield Gdns. N2 —3B 28
Homefield Gdns. Mitc —2A 122
Homefield Ho. SE23 —3K 111

Homefield M. Beck —1C 126
Homefield Pk. Sutt —6A 131
Homefield Rd. SW19 —6G 107
Homefield Rd. W4 —4B 74
Homefield Rd. Brom —1A 128
Homefield Rd. Edgw —6E 12
Homefield Rd. Wemb —4A 40
Homefirs Ho. Wemb —3F 41
Home Gdns. Dag —3J 53
Homelands Dri. SE19 —7E 110
Homeleigh Rd. SE15 —5K 95
Home Mead. Stan —1C 24
Homemead Rd. Brom —5D 128
Homemead Rd. Croy —6H 123
Home Pk. Rd. SW19 —4H 107
Home Pk. Wlk. King T —4D 118
Homer Clo. Bexh —1J 101
Homer Dri. E14 —4C 80
Home Rd. SW11 —2C 92
Homer Rd. E9 —6A 48
Homer Rd. Croy —6K 125
Homer Row. W1
—5C 60 (6D 140)
Homersham Rd. King T —2G 119
Homer St. W1 —5C 60 (6D 140)
Homerton Gro. E9 —5K 47
Homerton High St. E9 —5K 47
Homerton Rd. E9 —5A 48
Homerton Row. E9 —5J 47
Homerton Ter. E9 —6J 47
Homesdale Clo. E11 —5J 33
Homesdale Rd. Brom —4A 128
Homesdale Rd. Orp —7J 129
Homesfield. NW11 —4J 27
Homestall Rd. SE22 —5J 95
Homestead Ct. Barn —5D 4
Homestead Paddock. N14 —5A 6
Homestead Pk. NW2 —3B 42
Homestead Rd. SW6 —7H 75
Homestead Rd. Dag —2F 53
Homesteads, The. N11 —4A 16
Homestead, The. Dart —5K 101
(off Crayford High St.)
Homewillow Clo. N21 —6G 7
Homewood Clo. Hamp —6D 102
Homewood Cres. Chst —6J 115
Homewoods. SW12 —7G 93
Homilton Ho. SE26 —3G 111
Honduras St. EC1
—4C 62 (3C 144)
Honeybourne Rd. NW6 —5K 43
Honeybourne Way. Orp —7H 129
Honeybrook Rd. SW12 —7G 93
Honey Clo. Dag —6H 53
Honeyden Rd. Sidc —6E 116
Honey La. EC2 —6C 62 (1D 150)
Honeyman Clo. NW6 —7F 43
Honeypot Bus. Cen. Stan —1E 24
Honeypot Clo. NW9 —4F 25
Honeypot La. Stan & NW9
—7J 11
Honeysett Rd. N17 —2F 31
Honeysuckle Clo. S'hall —7C 54
Honeysuckle Gdns. Croy
—7K 125
Honeysuckle La. N22 —2C 30
Honeywell Rd. SW11 —6D 92
Honeywood Rd. NW10 —2B 58
Honeywood Rd. Iswth —4A 88
Honeywood Wlk. Cars —4D 132
Honister Clo. Stan —1B 24
Honister Gdns. Stan —7G 11
Honister Pl. Stan —1B 24
Honiton Gdns. SE15 —2J 95
(off Gibbon Rd.)

Hughenden Gdns. *N'holt* —3A **54**
Hughenden Rd. *Wor Pk*
—7C **120**
Hughendon. *New Bar* —4E **4**
Hughendon Ter. *E15* —4E **48**
Hughes Ct. *N7* —5H **45**
Hughes M. *SW11* —5D **92**
Hughes Rd. *SE20* —7H **111**
Hughes Ter. *E16* —5H **65**
(off *Clarkson Rd.*)
Hughes Wlk. *Croy* —7C **124**
Hugh Gaitskell Ho. *N16* —2F **47**
Hugh Gaitskell Ho. *SW6* —6H **75**
(off *Clem Attlee Ct.*)
Hugh M. *SW1* —4F **77** (4K **153**)
Hugh St. *SW1* —4F **77** (4K **153**)
Hugon Rd. *SW6* —3K **91**
Hugo Rd. *N19* —4G **45**
Huguenot Pl. *E1* —5F **63** (5K **145**)
Huguenot Pl. *SW18* —5A **92**
Huguenot Sq. *SE15* —3H **95**
Hullbridge M. *N1* —1D **62**
Hull Clo. *SE16* —2K **79**
Hull St. *EC1* —3C **62** (2C **144**)
Hulme Pl. *SE1* —2C **78** (7D **150**)
Hulse Av. *Bark* —6H **51**
Hulse Av. *Romf* —1H **37**
Humber Ct. *W7* —6H **55**
(off *Hobbayne Rd.*)
Humber Dri. *W10* —4F **59**
Humber Rd. *NW2* —2D **42**
Humber Rd. *SE3* —6H **81**
Humberstone Rd. *E13* —3A **66**
Humberton Clo. *E9* —5A **48**
Humbolt Rd. *W6* —6G **75**
Hume Point. *E16* —5A **66**
Humes Av. *W7* —3J **71**
Hume Ter. *E16* —6K **65**
Humphrey Clo. *Ilf* —1D **34**
Humphrey St. *SE1*
—5F **79** (5J **157**)
Humphries Clo. *Dag* —4F **53**
Hundred Acre. *NW9* —2B **26**
Hungerdown. *E4* —1K **19**
Hungerford La. *WC2*
—1J **77** (4F **149**)
Hungerford Rd. *N7* —6H **45**
Hungerford St. *E1* —6H **63**
Hunsdon Clo. *Dag* —6E **52**
Hunsdon Rd. *SE14* —7K **79**
Hunslett St. *E2* —3J **63**
Hunston Rd. *Mord* —1K **131**
Hunt Ct. *N14* —7A **6**
Hunt Ct. *N'holt* —2B **54**
(off *Gallery Gdns.*)
Hunter Clo. *SE1* —3D **78** (2F **157**)
Hunter Ho. *King T* —1E **118**
(off *Sigrist Sq.*)
Hunter Rd. *SW20* —1E **120**
Hunter Rd. *Ilf* —5F **51**
Hunter Rd. *T Hth* —3D **124**
Hunters Clo. *SW12* —1E **108**
Hunters Clo. *Bex* —3K **117**
Hunters Ct. *Rich* —5D **88**
Hunters Gro. *Harr* —4C **24**
Hunters Hall Rd. *Dag* —4G **53**
Hunters Hill. *Ruis* —3A **38**
Hunters Meadow. *SE19* —4E **110**
Hunters Sq. *Dag* —4G **53**
Hunter St. *WC1* —4J **61** (3F **143**)
Hunter's Way. *Croy* —4E **134**
Hunters Way. *Enf* —1F **7**
Hunter Wlk. *E13* —2J **65**
Huntingdon Clo. *Mitc* —3J **123**
Huntingdon Gdns. *W4* —7J **73**

Huntingdon Gdns. *Wor Pk*
—3E **130**
Huntingdon Rd. *N2* —3C **28**
Huntingdon Rd. *N9* —1D **18**
Huntingdon St. *E16* —6H **65**
Huntingdon St. *N1* —7K **45**
Huntingfield. *Croy* —7B **136**
Huntingfield Rd. *SW15* —4D **90**
Hunting Ga. Clo. *Enf* —3F **7**
Hunting Ga. M. *Sutt* —3K **131**
Hunting Ga. M. *Twic* —1J **103**
Huntings Farm. *Ilf* —3H **51**
Huntings Rd. *Dag* —6G **53**
Huntley Dri. *N3* —6D **14**
Huntley St. *WC1*
—4G **61** (4B **142**)
Huntley Way. *SW20* —2C **120**
Huntly Rd. *SE25* —4E **124**
Hunton St. *E1* —5G **63** (4K **145**)
Hunt Rd. *S'hall* —3E **70**
Hunt's Clo. *SE3* —2J **97**
Hunt's Ct. *WC2* —7H **61** (3D **148**)
Hunts La. *E15* —2E **64**
Huntsman St. *SE17*
—4E **78** (4G **157**)
Hunts Mead. *Enf* —3E **8**
Huntsmead Clo. *Chst* —1D **128**
Huntspill St. *SW17* —3A **108**
Hunts Slip Rd. *SE21* —3E **110**
Hunt St. *W11* —1F **75**
Huntsworth M. *NW1*
—4D **60** (3E **140**)
Hunt Way. *SE22* —1G **111**
Hurdwick Pl. *NW1* —2G **61**
(off *Harrington Sq.*)
Hurleston Ho. *SE8* —5B **80**
Hurley Ct. *W5* —6C **56**
Hurley Cres. *SE16* —2K **79**
Hurley Ho. *SE11* —4A **78** (4K **155**)
Hurley Rd. *Gnfd* —6F **55**
Hurlingham Bus. Pk. *SW6* —3J **91**
Hurlingham Ct. *SW6* —3H **91**
Hurlingham Gdns. *SW6* —3H **91**
Hurlingham Retail Pk. *SW6*
—3K **91**
Hurlingham Rd. *SW6* —2H **91**
Hurlingham Rd. *Bexh* —7F **85**
Hurlingham Sq. *SW6* —3J **91**
Hurlock St. *N5* —3B **46**
Hurlstone Rd. *SE25* —5E **124**
Hurn Ct. *Houn* —2B **86**
Hurn Ct. Rd. *Houn* —2B **86**
Huron Rd. *SW17* —2E **108**
Hurren Clo. *SE3* —3G **97**
Hurry Clo. *E15* —7G **49**
Hurst Av. *E4* —4H **19**
Hurst Av. *N6* —6G **29**
Hurstbourne Gdns. *Bark* —6J **51**
Hurstbourne Ho. *SW15* —6B **90**
(off *Tangley Gro.*)
Hurstbourne Rd. *SE23* —1A **112**
Hurst Clo. *E4* —3H **19**
Hurst Clo. *NW11* —6K **27**
Hurst Clo. *Brom* —1H **137**
Hurst Clo. *N'holt* —5D **38**
Hurstcombe. *Buck H* —2D **20**
Hurst Ct. *Sidc* —2A **116**
Hurstcourt Rd. *Sutt* —2K **131**
Hurstdene Av. *Brom* —1H **137**
Hurstdene Gdns. *N15* —7E **30**
Hurstfield. *Brom* —5J **127**
Hurst La. *SE2* —5D **84**
Hurst La. Est. *SE2* —5D **84**
Hurstleigh Gdns. *Ilf* —1D **34**
Hurstmead Ct. *Edgw* —4C **12**

Hurst Rise. *Barn* —3D **4**
Hurst Rd. *E17* —3D **32**
Hurst Rd. *N21* —1F **17**
Hurst Rd. *Buck H* —1G **21**
Hurst Rd. *Croy* —4D **134**
Hurst Rd. *Eri* —1J **101**
Hurst Rd. *Sidc & Bex* —2A **116**
Hurst Springs. *Bex* —1E **116**
Hurst St. *SE24* —6B **94**
Hurstview Grange. *S Croy*
—7B **134**
Hurst View Rd. *S Croy* —7E **134**
Hurst Way. *S Croy* —6E **134**
Hurstway Wlk. *W11* —7F **59**
Hurstwood Av. *E18* —4K **33**
Hurstwood Av. *Bex* —1E **116**
Hurstwood Ct. *N12* —6H **15**
Hurstwood Ct. *NW11* —4H **27**
Hurstwood Dri. *Brom* —3D **128**
Hurstwood Rd. *NW11* —4G **27**
Huson Clo. *NW3* —7C **44**
Hussars Clo. *Houn* —3C **86**
Husseywell Cres. *Brom* —1J **137**
Hutchings St. *E14* —2C **80**
Hutchings Wlk. *NW11* —4K **27**
Hutchins Clo. *E15* —7E **48**
Hutchinson Ct. *Romf* —4D **36**
Hutchinson Ho. *SE14* —7J **79**
Hutchinson Ter. *Wemb* —3D **40**
Hutton Clo. *Gnfd* —5H **39**
Hutton Clo. *Wfd G* —6E **20**
Hutton Ct. *N4* —1K **45**
(off *Victoria Rd.*)
Hutton Ct. *N9* —7D **8**
(off *Tramway Av.*)
Hutton Ct. *W5* —5B **56**
Hutton Gdns. *Harr* —7B **10**
Hutton Gro. *N12* —5E **14**
Hutton La. *Harr* —7B **10**
Hutton Row. *Edgw* —7D **12**
Hutton St. *EC4* —6B **62** (2K **149**)
Hutton Wlk. *Harr* —7B **10**
Huxbear St. *SE4* —5B **96**
Huxley Clo. *N'holt* —1C **54**
Huxley Dri. *Romf* —7B **36**
Huxley Gdns. *NW10* —3F **57**
Huxley Pde. *N18* —5J **17**
Huxley Pl. *N13* —3G **17**
Huxley Rd. *E10* —2E **48**
Huxley Rd. *N18* —4J **17**
Huxley Rd. *Well* —3K **99**
Huxley Sayze. *N18* —5J **17**
Huxley S. *N18* —5J **17**
Huxley St. *W10* —3G **59**
Hyacinth Clo. *Hamp* —6E **102**
Hyacinth Rd. *SW15* —1C **106**
Hyde Clo. *E13* —2J **65**
Hyde Clo. *Barn* —3C **4**
Hyde Ct. *N20* —3G **15**
Hyde Cres. *NW9* —5A **26**
Hyde Est. Rd. *NW9* —5B **26**
Hydefield Clo. *N21* —1J **17**
Hydefield Ct. *N9* —2K **17**
Hyde Ind. Est. *NW9* —5B **26**
Hyde La. *SW11* —1C **92**
Hyde Pk. Av. *N21* —2H **17**
Hyde Pk. Corner. *W1*
—2E **76** (6H **147**)
Hyde Park Corner. (Junct.)
—2E **76**
Hyde Pk. Cres. *W2*
—6C **60** (1C **146**)
Hyde Pk. Gdns. *N21* —1H **17**
Hyde Pk. Gdns. *W2*
—7B **60** (2B **146**)

Hyde Pk. Gdns. M. *W2*
—7B **60** (2B **146**)
Hyde Pk. Ga. *SW7* —2A **76**
(in two parts)
Hyde Pk. Ga. M. *SW7* —2A **76**
Hyde Pk. Mans. *NW1*
—5C **60** (6C **140**)
(off *Cabbell St.*)
Hyde Pk. Pl. *W2*
—7C **60** (2D **146**)
Hyde Pk. Sq. *W2*
—6C **60** (1C **146**)
Hyde Pk. Sq. M. *W2*
—6C **60** (1C **146**)
Hyde Pk. St. *W2*
—6C **60** (1C **146**)
Hyde Pk. Towers. *W2* —7A **60**
Hyderbad Way. *E15* —7G **49**
Hyde Rd. *N1* —1D **62**
Hyde Rd. *Bexh* —2F **101**
Hyde Rd. *Rich* —5F **89**
Hydeside Gdns. *N9* —2A **18**
Hydes Pl. *N1* —7B **46**
Hyde St. *SE8* —6C **80**
Hyde, The. *NW9* —5B **26**
Hydethorpe Av. *N9* —2A **18**
Hydethorpe Rd. *SW12* —1G **109**
Hyde Vale. *SE10* —7E **80**
Hyde Wlk. *Mord* —7J **121**
Hyde Way. *N9* —2A **18**
Hylands Rd. *E17* —2F **33**
Hylton St. *SE18* —4K **83**
Hyndewood. *SE23* —3K **111**
Hyndman Ho. *Dag* —3G **53**
(off *Kershaw Rd.*)
Hyndman St. *SE15* —6H **79**
Hynton Rd. *Dag* —2C **52**
Hyperion Ho. *SW2* —6K **93**
Hyrstdene. *S Croy* —5B **134**
Hyson Rd. *SE16* —5H **79**
Hythe Av. *Bexh* —7E **84**
Hythe Clo. *N18* —4B **18**
Hythe Rd. *NW10* —3B **58**
Hythe Rd. *T Hth* —2D **124**
Hythe Rd. Ind. Est. *NW10*
—3C **58**

Idmiston Rd. *Wor Pk* —7B **120**
Idmiston Sq. *Wor Pk* —7B **120**
Idol La. *EC3* —7E **62** (3G **151**)
Idonia St. *SE8* —7C **80**
Iffley Rd. *W6* —3D **74**
Ifield Rd. *SW10* —6K **75**
Ifor Evans Pl. *E1* —4K **63**
Ightham Ho. *Beck* —7B **112**
Ightham Rd. *Eri* —7G **85**
(off *Bethersden Clo.*)
Iibert St. *W10* —3F **59**
Ilchester Gdns. *W2* —7K **59**
Ilchester Pl. *W14* —3H **75**
Ilchester Rd. *Dag* —5B **52**
Ilderslly Gro. *SE21* —2D **110**
Ilderton Rd. *SE16 & SE15*
—5J **79**
Ilex Rd. *NW10* —6B **42**
Ilex Way. *SW16* —5A **110**
Ilford Hill. *Ilf* —3E **50**
Ilford Ho. *N1* —6D **46**
(off *Dove Rd.*)
Ilford La. *Ilf* —3F **51**
Ilfracombe Gdns. *Romf* —7B **36**
Ilfracombe Rd. *Brom* —3H **113**
Iliffe St. *SE17* —5B **78** (5B **156**)
Iliffe Yd. *SE17* —5B **78** (5B **156**)
Ilkeston Ct. *E5* —4K **47**
(off *Overbury St.*)
Ilkley Clo. *SE19* —6D **110**
Ilkley Rd. *E16* —5A **66**
Illingworth Clo. *Mitc* —3B **122**
Illingworth Way. *Enf* —5K **7**
Ilmington Rd. *Harr* —6D **24**
Ilminster Gdns. *SW11* —4C **92**
Imani Mans. *SW11* —2B **92**
Imber Clo. *N14* —7B **6**
Imber St. *N1* —1D **62**
Impact Ct. *SE20* —2H **125**
Imperial Av. *N16* —4E **46**
Imperial Clo. *Harr* —6E **22**
Imperial College Rd. *SW7*
—3B **76** (2A **152**)
Imperial Ct. *N6* —6G **29**
Imperial Ct. *N20* —3F **15**
Imperial Ct. *NW8* —2C **60**
(off *Prince Albert Rd.*)
Imperial Ct. *S Harr* —7E **22**
Imperial Dri. *Harr* —7E **22**
Imperial Gdns. *Mitc* —3F **123**
Imperial M. *E6* —2B **66**
Imperial Pde. *EC4*
—6B **62** (1A **150**)
(off *New Bri. St.*)
Imperial Rd. *N22* —7D **16**
Imperial Rd. *SW6* —1K **91**
Imperial Sq. *SW6* —1K **91**
Imperial St. *E3* —3E **64**
Imperial Way. *Chst* —4G **115**
Imperial Way. *Croy* —6K **133**
Imperial Way. *Harr* —6E **24**
Inca Dri. *SE9* —7F **99**
Inchmery Rd. *SE6* —2D **112**
Inchwood. *Croy* —4D **136**
Independent Pl. *E8* —5F **47**
Independents Rd. *SE3* —3H **97**
Inderwick Rd. *N8* —5K **29**
Indescon Ct. *E14* —2C **80**
India Pl. *WC2* —7K **61** (2G **149**)
India St. *EC3* —6F **63** (1J **151**)
India Way. *W12* —7D **58**
Indus Rd. *SE7* —7A **82**
Industry Ter. *SW9* —3A **94**
Infirmary Ct. *SW3*
—6D **76** (7F **153**)

King Charles Cres. *Surb* —7F 119
King Charles Ho. *Surb* —7K 75
  (off Wandon Rd.)
King Charles Rd. *Surb* —5F 119
King Charles St. *SW1*
  —2H 77 (6D 148)
King Charles Wlk. *SW19*
  —1G 107
King Ct. *E10* —7D 32
Kingcup Clo. *Croy* —7K 125
King David La. *E1* —7J 63
Kingdon Rd. *NW6* —6J 43
King Edward Mans. *SW6* —7J 75
  (off Fulham Rd.)
King Edward M. *SW13* —1C 90
King Edward Rd. *E10* —1E 48
King Edward Rd. *E17* —3A 32
King Edward Rd. *Barn* —4D 4
King Edward's Gdns. *W3* —1G 73
King Edward's Pl. *W3* —1G 73
King Edward's Rd. *E9* —1H 63
King Edward's Rd. *N9* —7C 8
King Edwards Rd. *Bark* —1H 67
King Edward's Rd. *Enf* —4E 8
King Edward St. *EC1*
  —6C 62 (7C 144)
King Edward III M. *SE16* —1H 79
King Edward Wlk. *SE1*
  —3A 78 (1K 155)
Kingfield Rd. *W5* —4D 56
Kingfield St. *E14* —4E 80
Kingfisher Clo. *SE28* —7C 68
Kingfisher Clo. *Har W* —7E 10
Kingfisher Ct. *SW19* —2F 107
Kingfisher Ct. *Enf* —1E 6
Kingfisher Ct. *Houn* —5F 87
Kingfisher Dri. *Rich* —4B 104
Kingfisher M. *SE13* —4D 96
Kingfisher Pl. *N22* —2K 29
Kingfisher St. *E6* —5C 66
Kingfisher Wlk. *NW9* —2A 26
Kingfisher Way. *NW10* —6K 41
Kingfisher Way. *Beck* —5K 125
King Frederick Ninth Tower. *SE16*
  —3B 80
King Gdns. *Croy* —5B 134
King George Av. *E16* —6B 66
Kingcup Av. *Ilf* —5H 35
King George Clo. *Romf* —3J 37
King George's Dri. *S'hall* —5D 54
King George VI Av. *Mitc*
  —4D 122
King George Sq. *Rich* —6F 89
King George St. *SE10* —7E 80
Kingham Clo. *SW18* —7A 92
King Harolds Way. *Bexh* —7D 84
King Henry's Dri. *New Ad*
  —7D 136
King Henry's Rd. *NW3* —7D 44
King Henry's Rd. *King T* —3H 119
King Henry St. *N16* —5E 46
King Henry's Wlk. *N1* —6E 46
Kinghorn St. *EC1*
  —5C 62 (6C 144)
King Ho. *W12* —6D 58
King James Ct. *SE1*
  —2B 78 (7B 150)
King James St. *SE1*
  —2B 78 (7B 150)
King John Ct. *EC2*
  —4E 62 (3H 145)
King John's Wlk. *SE9* —1B 114
Kinglake Est. *SE17*
  —5E 78 (5H 157)

Kinglake St. *SE17*
  —5E 78 (6G 157)
Kingly Ct. *W1* —7G 61 (2B 148)
Kingly St. *W1* —6G 61 (1A 148)
King & Queen Clo. *SE9* —4C 114
King & Queen St. *SE17*
  —5C 78 (5D 156)
Kingsand Rd. *SE12* —2J 113
Kings Arbour. *S'hall* —5C 70
King's Arms All. *Bren* —6D 72
Kings Arms Ct. *E1* —5G 63
  (off Whitechapel Rd.)
Kings Arms Yd. *EC2*
  —6D 62 (7E 144)
Kingsash Dri. *Hayes* —4C 54
Kings Av. *N10* —3E 28
Kings Av. *N21* —1G 17
Kings Av. *SW12* & *SW4*
  —1H 109
Kings Av. *W5* —6D 56
Kings Av. *Brom* —6H 113
King's Av. *Buck H* —2G 21
King's Av. *Cars* —7C 132
King's Av. *Gnfd* —5F 55
Kings Av. *Houn* —1F 87
Kings Av. *N Mald* —4A 120
Kings Av. *Romf* —6F 37
King's Av. *Wfd G* —6E 20
King's Bench St. *SE1*
  —2B 78 (6B 150)
King's Bench Wlk. *EC4*
  —7A 62 (1K 149)
Kingsbridge Av. *W3* —2F 73
Kingsbridge Ct. *E14* —3C 80
  (off Dockers Tanner Rd.)
Kingsbridge Cres. *S'hall* —5D 54
Kingsbridge Rd. *W10* —6E 58
Kingsbridge Rd. *Bark* —2H 67
Kingsbridge Rd. *Mord* —7F 121
Kingsbridge Rd. *S'hall* —4D 70
Kingsbury Circ. *NW9* —5G 25
Kingsbury Rd. *N1* —6E 46
Kingsbury Rd. *NW9* —5G 25
Kingsbury Ter. *N1* —6E 46
Kings Chase View. *R'way* —2F 7
Kingsclere Clo. *SW15* —7C 90
Kingsclere Ct. *N12* —5H 15
Kingscliffe Gdns. *SW19* —1H 107
Kings Clo. *E10* —7D 32
King's Clo. *NW4* —4F 27
Kings Clo. *Th Dit* —6A 118
King's College Rd. *NW3* —7C 44
Kingscote Rd. *W4* —3K 73
Kingscote Rd. *Croy* —7H 125
Kingscote Rd. *N Mald* —3K 119
Kingscote St. *EC4*
  —7B 62 (2A 150)
King's Ct. *E13* —1K 65
King's Ct. *SE1* —2B 78 (6B 150)
King's Ct. *W6* —4C 74
Kings Ct. *Buck H* —2G 21
Kings Ct. N. *SW3*
  —5C 76 (6C 152)
Kingscourt Rd. *SW16* —3H 109
Kings Ct. S. *SW3*
  —5C 76 (6C 152)
King's Cres. *N4* —3C 46
Kings Cres. Est. *N4* —2C 46
Kingscroft Rd. *NW2* —6H 43
Kings Cross. (Junct.) —3J 61
King's Cross Bri. *N1*
  —3J 61 (1F 143)

King's Cross Rd. *WC1*
  —3K 61 (1G 143)
Kingsdale Gdns. *W11* —1F 75
Kingsdale Rd. *SE18* —7K 83
Kingsdale Rd. *SE20* —7K 111
Kingsdown Av. *W3* —7A 58
Kingsdown Av. *W13* —2B 72
Kingsdown Av. *S Croy* —7C 134
Kingsdown Clo. *SE16* —5H 79
  (off Masters Dri.)
Kingsdown Clo. *W10* —6F 59
Kingsdowne Rd. *Surb* —7E 118
Kingsdown Ho. *E8* —5G 47
Kingsdown Rd. *E11* —3G 49
Kingsdown Rd. *N19* —2J 45
Kingsdown Rd. *Sutt* —5G 131
Kingsdown Way. *Brom*
  —6J 127
King's Dri. *Edgw* —4A 12
King's Dri. *Surb* —7G 119
Kings Dri. *Tedd* —5H 103
Kings Dri. *Th Dit* —6B 118
King's Dri. *Wemb* —2H 41
Kings Farm. *E17* —1D 32
King's Farm Av. *Rich* —4G 89
Kingsfield Av. *Harr* —4F 23
Kingsfield Ho. *SE9* —3B 114
Kingsfield Rd. *Harr* —7H 23
Kingsfield Ter. *Harr* —1H 39
Kingsford Av. *Wall* —7J 133
Kingsford St. *NW5* —5D 44
Kingsford Way. *E6* —5D 66
King's Gdns. *NW6* —7J 43
Kings Gdns. *Ilf* —1H 51
Kings Garth M. *SE23* —2J 111
Kingsgate. *Wemb* —3J 41
Kingsgate Av. *N3* —3J 27
Kingsgate Clo. *Bexh* —1E 100
Kingsgate Est. *N1* —6E 46
Kingsgate Ho. *SW9* —1A 94
Kingsgate Pde. *SW1*
  —3G 77 (2B 154)
Kingsgate Pl. *NW6* —7J 43
Kingsgate Rd. *NW6* —7J 43
Kingsgate Rd. *King T* —1E 118
Kingsground. *SE9* —7B 98
King's Gro. *SE15* —1H 95
  (in two parts)
Kingshall M. *SE13* —3E 96
Kings Hall Rd. *Beck* —7A 112
King's Head Ct. *EC3*
  —7D 62 (3F 151)
Kings Head Hill. *E4* —7J 9
Kings Head Pas. *SW4* —4H 93
  (off Clapham Pk. Rd.)
King's Head Yd. *SE1*
  —1D 78 (5E 150)
King's Highway. *SE18* —6J 83
Kingshill Av. *Harr* —4B 24
Kingshill Av. *Hayes & N'holt*
  —3A 54
Kingshill Av. *Wor Pk* —7C 120
Kingshill Ct. *Barn* —4B 4
Kingshill Dri. *Harr* —3B 24
Kingshold Rd. *E9* —7J 47
Kingsholm Gdns. *SE9* —4B 98
Kings Ho. *SW8* —7J 77
  (off S. Lambeth Rd.)
Kingshurst Rd. *SE12* —7J 97
Kings Keep. *Brom* —3G 127
Kings Keep. *King T* —4E 118
Kingsland Grn. *E8* —6E 46
Kingsland Gro. *N16* —6E 46
Kingsland High St. *E8* —6F 47
Kingsland Pas. *E8* —6E 46

Kingsland Rd. *E2*
  —3E 62 (2H 145)
Kingsland Rd. *E13* —3A 66
Kings La. *Sutt* —5B 132
Kingslawn Clo. *SW15* —5D 90
Kingsleigh Pl. *Mitc* —3D 122
Kingsleigh Wlk. *Brom* —4H 127
Kingsley Av. *W13* —5A 56
Kingsley Av. *Houn* —2G 87
Kingsley Av. *S'hall* —7E 54
Kingsley Av. *Sutt* —4B 132
Kingsley Clo. *N2* —5A 28
Kingsley Clo. *Dag* —4H 53
Kingsley Ct. *Bexh* —5G 101
Kingsley Ct. *Edgw* —2C 12
Kingsley Ct. *Sutt* —7K 131
Kingsley Ct. *Wor Pk* —2B 130
  (off Avenue, The)
Kingsley Dri. *Wor Pk* —2B 130
Kingsley Flats. *SE1*
  —4E 78 (4G 157)
Kingsley Gdns. *E4* —5H 19
Kingsley Ho. *SW3* —6B 76
  (off Beaufort St.)
Kingsley M. *E1* —7H 63
Kingsley M. *W8* —3K 75
Kingsley M. *Chst* —6F 115
Kingsley Pl. *N6* —7E 28
Kingsley Rd. *E7* —7J 49
Kingsley Rd. *E17* —2E 32
Kingsley Rd. *N13* —4F 17
Kingsley Rd. *NW6* —1H 59
Kingsley Rd. *SW19* —5K 107
Kingsley Rd. *Croy* —1A 134
Kingsley Rd. *Harr* —4G 39
Kingsley Rd. *Houn* —1F 87
Kingsley Rd. *Ilf* —1G 35
Kingsley Rd. *Pinn* —4D 22
Kingsley Way. *N2* —6A 28
Kingsley Wood Dri. *SE9* —3D 114
Kingslyn Cres. *SE19* —2E 124
Kings Mall. *W6* —4E 74
Kings Mead. *Rich* —6F 89
Kingsmead Av. *N9* —1C 18
Kingsmead Av. *NW9* —7K 25
Kingsmead Av. *Mitc* —3G 123
Kingsmead Av. *Wor Pk* —2D 130
Kingsmead Clo. *Eps* —7A 130
Kingsmead Clo. *Sidc* —2A 116
Kingsmead Clo. *Tedd* —6B 104
Kingsmead Cotts. *Brom* —1C 138
Kingsmead Ct. *N6* —7H 29
Kingsmead Dri. *N'holt* —7D 38
Kingsmead Ho. *E9* —4A 48
Kingsmeadow. *King T* —3H 119
Kingsmead Rd. *SW2* —2A 110
King's Mead Way. *E9* —4A 48
Kingsmere Clo. *SW15* —3F 91
Kingsmere Pk. *NW9* —1H 41
Kingsmere Rd. *SW19* —2F 107
King's M. *SW4* —5J 93
King's M. *WC1* —4K 61 (4H 143)
Kingsmill Gdns. *Dag* —5F 53
Kingsmill Rd. *Dag* —5F 53
Kingsmill Ter. *NW8* —2B 60
Kingsnorth Ho. *W10* —6F 59
Kingsnympton Pk. *King T*
  —6H 105
King's Orchard. *SE9* —6C 98
Kings Pde. *N17* —3F 31
Kingspark Ct. *E18* —3J 33

Kings Pas. *E11* —7G 33
Kings Pas. *King T* —2D 118
King's Pl. *SE1* —2C 78 (7C 150)
King's Pl. *W4* —5J 73
Kings Pl. *Buck H* —2F 21
King Sq. *EC1* —3C 62 (2C 144)
King's Quay. *SW10* —1A 92
  (off Chelsea Harbour)
Kings Reach Tower. *SE1*
  —1B 78 (4K 149)
Kings Ride Ga. *Rich* —4G 89
Kingsridge. *SW19* —2G 107
Kings Rd. *E4* —1A 20
King's Rd. *E6* —1A 66
King's Rd. *E11* —7G 33
King's Rd. *N17* —1F 31
Kings Rd. *N18* —5B 18
Kings Rd. *N22* —1K 29
King's Rd. *NW10* —7D 42
King's Rd. *SE25* —3G 125
Kings Rd. *SW6 & SW10* —7K 75
Kings Rd. *SW14* —3K 89
Kings Rd. *SW19* —6J 107
King's Rd. *W5* —5D 56
King's Rd. *Bark* —7G 51
Kings Rd. *Barn* —3A 4
Kings Rd. *Felt* —1A 102
Kings Rd. *Harr* —2D 38
King's Rd. *King T* —1E 118
Kings Rd. *Mitc* —3E 122
Kings Rd. *Rich* —6F 89
King's Rd. *Surb* —7C 118
King's Rd. *Tedd* —5H 103
Kings Rd. *Twic* —6B 88
Kings Rd. Bungalows. *S Harr*
  —3D 38
King's Scholars Pas. *SW1*
  —3G 77 (2A 154)
Kings Stairs Clo. *SE16* —2H 79
Kingsthorpe Rd. *SE26* —4K 111
Kingston Av. *Sutt* —3G 131
Kingston Bri. *King T* —2D 118
Kingston By-Pass. *SW15 & SW20*
  —5A 106
Kingston Clo. *N'holt* —1D 54
Kingston Clo. *Romf* —3E 36
Kingston Clo. *Tedd* —6B 104
Kingston Cres. *Beck* —1B 126
Kingston Gdns. *Croy* —3J 133
Kingston Hall Rd. *King T* —3E 118
Kingston Hill. *King T* —1G 119
Kingston Hill Av. *Romf* —2E 36
Kingston Hill Pl. *King T* —4K 105
Kingston Ho. *NW6* —7G 43
Kingston Ho. Est. *Surb* —6C 118
Kingston La. *Tedd* —5A 104
Kingston Pl. *Harr* —7E 10
Kingston Rd. *N9* —2B 18
Kingston Rd. *SW15 & SW19*
  —2C 106
Kingston Rd. *SW20 & SW19*
  —2E 120
Kingston Rd. *Barn* —5G 5
Kingston Rd. *Eps* —7B 130
Kingston Rd. *Ilf* —4F 51
Kingston Rd. *King T & N Mald*
  —3H 119
Kingston Rd. *S'hall* —2D 70
Kingston Rd. *Tedd* —5B 104
Kingston Vale. *SW15* —4K 105
Kingstown St. *NW1* —1E 60
  (in two parts)

King St. *E13* —4J **65**
King St. *EC2* —6C **62** (1D **150**)
King St. *N2* —3B **28**
King St. *N17* —1F **31**
King St. *SW1* —1G **77** (5B **148**)
King St. *W3* —1H **73**
King St. *W6* —4C **74**
King St. *WC2* —7J **61** (2E **148**)
King St. *Rich* —5D **88**
King St. *S'hall* —3C **70**
King St. *Twic* —1A **104**
King St. Pde. *Twic* —1A **104**
(off King St.)
King's Wlk. *King T* —1D **118**
Kingswater Pl. *SW11* —7C **76**
Kingsway. *N12* —6F **15**
Kingsway. *SW14* —3H **89**
Kingsway. *WC2* —6K **61** (7G **143**)
King's Way. *Croy* —5K **133**
Kingsway. *Enf* —5C **8**
Kings Way. *Harr* —4J **23**
Kingsway. *N Mald* —5E **120**
Kingsway. *Orp* —5H **129**
Kingsway. *Wemb* —4E **40**
Kingsway. *W Wick* —3G **137**
Kings Way. *Wfd G* —5F **21**
Kingsway Bus. Pk. *Hamp*
—7D **102**
Kingsway Cres. *Harr* —4G **23**
Kingsway Est. *N18* —6E **18**
Kingsway Rd. *Sutt* —7G **131**
Kingswear Rd. *NW5* —3F **45**
Kingswood Av. *NW6* —1G **59**
Kingswood Av. *Belv* —4F **85**
Kingswood Av. *Brom* —4G **127**
Kingswood Av. *Hamp* —6F **103**
Kingswood Av. *Houn* —2D **86**
Kingswood Av. *T Hth* —5A **124**
Kingswood Clo. *N20* —7F **5**
Kingswood Clo. *SW8* —7J **77**
Kingswood Clo. *Enf* —5K **7**
Kingswood Clo. *N Mald* —6B **120**
Kingswood Clo. *Orp* —7H **129**
Kingswood Clo. *Surb* —7E **118**
Kingswood Ct. *E4* —5H **19**
Kingswood Ct. *NW6* —7J **43**
(off W. End La.)
Kingswood Dri. *SE19* —4E **110**
Kingswood Dri. *Cars* —1D **132**
Kingswood Dri. *Sutt* —7K **131**
Kingswood Est. *SE21* —4E **110**
Kingswood Pk. *N3* —1H **27**
Kingswood Rd. *SE13* —4G **97**
Kingswood Rd. *E11* —7G **33**
Kingswood Rd. *SE20* —6J **111**
Kingswood Rd. *SW2* —6J **93**
Kingswood Rd. *SW19* —7H **107**
Kingswood Rd. *W4* —3J **73**
Kingswood Rd. *Brom* —4F **127**
Kingswood Rd. *Ilf* —1A **52**
Kingswood Rd. *Wemb* —3G **41**
Kingswood Ter. *W4* —3J **73**
Kingswood Way. *Wall* —5J **133**
Kingsworth Clo. *Beck* —5A **126**
Kingsworthy Clo. *King T* —3F **119**
Kingthorpe Rd. *NW10* —7K **41**
Kingthorpe Ter. *NW10* —7K **41**
(off Brentfield Rd.)
King William IV Gdns. *SE20*
—6J **111**
King William La. *SE10* —5G **81**
King William St. *EC4*
—6D **62** (1F **151**)
King William Wlk. *SE10* —6E **80**
(in two parts)

Kingwood Rd. *SW6* —1G **91**
Kinlet Rd. *SE18* —1G **99**
Kinloch Dri. *NW9* —7K **25**
Kinloch St. *N7* —3K **45**
Kinloss Ct. *N3* —4H **27**
Kinloss Gdns. *N3* —3H **27**
Kinloss Rd. *Cars* —7A **122**
Kinnaird Av. *W4* —7J **73**
Kinnaird Av. *Brom* —6H **113**
Kinnaird Clo. *Brom* —6H **113**
Kinnaird Way. *Wfd G* —6J **21**
Kinnear Rd. *W12* —2B **74**
Kinnerton Pl. N. *SW1*
—2D **76** (7F **147**)
Kinnerton Pl. S. *SW1*
—2D **76** (7F **147**)
Kinnerton St. *SW1*
—2E **76** (7G **147**)
Kinnerton Yd. *SW1*
—2E **76** (7G **147**)
Kinnoul Rd. *W6* —6G **75**
Kinross Av. *Wor Pk* —2C **130**
Kinross Clo. *Edgw* —2C **12**
Kinross Clo. *Harr* —5E **24**
Kinsale Rd. *SE15* —3G **95**
Kintore Way. *SE1*
—4F **79** (3J **157**)
Kintyre Clo. *SW16* —2K **123**
Kintyre Ct. *SW2* —7J **93**
Kinveachy Gdns. *SE7* —5C **82**
Kinver Rd. *SE26* —4J **111**
Kipling Ct. *W7* —7K **55**
Kipling Dri. *SW19* —6B **108**
Kipling Est. *SE1* —2D **78** (7F **151**)
Kipling Ho. *SE5* —7C **78**
(off Elmington Est.)
Kipling Pl. *Stan* —6E **10**
Kipling Rd. *Bexh* —1E **100**
Kipling St. *SE1* —2D **78** (7F **151**)
Kipling Ter. *N9* —3J **17**
Kipling Tower *W3* —3J **73**
(off Palmerston Rd.)
Kippington Dri. *SE9* —1B **114**
Kirby Clo. *Eps* —5B **130**
Kirby Clo. *Lou* —1H **21**
Kirby Est. *SE16* —3H **79**
Kirby Gro. *SE1* —2E **78** (6G **151**)
Kirby St. *EC1* —5A **62** (5K **143**)
Kirchen Rd. *W13* —7B **56**
Kirkdale. *SE26* —2H **111**
Kirkdale Rd. *E11* —1G **49**
Kirkfield Clo. *W13* —1B **72**
Kirkham Rd. *E6* —6C **66**
Kirkham St. *SE18* —6J **83**
Kirkland Av. *Ilf* —2E **34**
Kirkland Clo. *Sidc* —6J **99**
Kirkland Wlk. *E8* —6F **47**
Kirk La. *SE18* —6G **83**
Kirkleas Rd. *Surb* —7E **118**
Kirklees Rd. *Dag* —5C **52**
Kirklees Rd. *T Hth* —5A **124**
Kirkley Rd. *SW19* —1J **121**
Kirkman Pl. *W1* —5H **61** (6C **142**)
Kirkmichael Rd. *E14* —6E **64**
Kirk Rise. *Sutt* —3K **131**
Kirk Rd. *E17* —6B **32**
Kirkside Rd. *SE3* —6J **81**
Kirk's Pl. *E14* —5B **64**
Kirkstall Av. *N17* —4D **30**
Kirkstall Gdns. *SW2* —1J **109**
Kirkstall Rd. *SW2* —1J **109**
Kirksted Rd. *Mord* —1K **131**
Kirkstone Way. *Brom* —7G **113**
Kirk St. *WC1* —4K **61** (4G **143**)
Kirkton Rd. *N15* —4E **30**

Kirkwall Pl. *E2* —3J **63**
Kirkwood La. *NW1* —7E **44**
Kirkwood Rd. *SE15* —2H **95**
Kirrane Clo. *N Mald* —5B **120**
Kirtley Rd. *SE26* —4A **112**
Kirtling St. *SW8* —7G **77**
Kirton Clo. *W4* —4K **73**
Kirton Gdns. *E2* —3F **63** (2K **145**)
Kirton Rd. *E13* —2A **66**
Kirton Wlk. *Edgw* —7D **12**
Kirwyn Way. *SE5* —7C **78**
Kitcat Ter. *E3* —3C **64**
Kitchener Rd. *E7* —6K **49**
Kitchener Rd. *E17* —1D **32**
Kitchener Rd. *N2* —3C **28**
Kitchener Rd. *N17* —3E **30**
Kitchener Rd. *Dag* —6J **53**
Kitchener Rd. *T Hth* —3D **124**
Kite Pl. *E2* —3G **63**
(off Lampern St.)
Kite Yd. *SW11* —1D **92**
Kitley Gdns. *SE19* —1F **125**
Kitson Rd. *SE5* —7D **78**
Kitson Rd. *SW13* —1C **90**
Kittiwake Rd. *N'holt* —3B **54**
Kittiwake Way. *Hayes* —5B **54**
Kitto Rd. *SE14* —2K **95**
Kitts End Rd. *Barn* —1C **4**
Kiver Rd. *N19* —2H **45**
Klea Av. *SW4* —6G **93**
Knapdale Clo. *SE23* —2H **111**
Knapmill Rd. *SE6* —2C **112**
Knapmill Way. *SE6* —2D **112**
Knapp Clo. *NW10* —6A **42**
Knapp Rd. *E3* —4C **64**
Knapton M. *SW17* —6E **108**
Knaresborough Dri. *SW18*
—1K **107**
Knaresborough Pl. *SW5* —4K **75**
Knatchbull Rd. *NW10* —1K **57**
Knatchbull Rd. *SE5* —2B **94**
Knebworth Av. *E17* —1C **32**
Knebworth Ho. *SW8* —1H **93**
Knebworth Rd. *N16* —4E **46**
Knee Hill. *SE2* —4C **84**
Kneehill Cres. *SE2* —4C **84**
Kneller Gdns. *Iswth* —6H **87**
Kneller Ho. *N'holt* —2B **54**
(off Academy Gdns.)
Kneller Rd. *SE4* —4A **96**
Kneller Rd. *N Mald* —7A **120**
Kneller Rd. *Twic* —6G **87**
Knight Ct. *N15* —5E **30**
Knighten St. *E1* —1H **79**
Knighthead Point. *E14* —2C **80**
Knighthorpe Rd. *NW10* —7K **41**
Knightland Rd. *E5* —2H **47**
Knighton Clo. *Romf* —6K **37**
Knighton Clo. *S Croy* —7B **134**
Knighton Clo. *Wfd G* —4E **20**
Knighton Dri. *Wfd G* —4E **20**
Knighton Grn. *Buck H* —2E **20**
Knighton La. *Buck H* —2E **20**
Knighton Pk. Rd. *SE26* —5K **111**
Knighton Rd. *E7* —3J **49**
Knighton Rd. *Romf* —6J **37**
Knightrider Ct. *EC4*
—7C **62** (2B **150**)
Knightrider St. *EC4*
—6B **62** (2B **150**)
Knights Arc. *SW1*
—2D **76** (7E **146**)
Knights Av. *W5* —2E **72**
Knightsbridge. *SW7 & SW1*
—2C **76** (7C **146**)

Knightsbridge Ct. *SW1*
—2D **76** (7F **147**)
Knightsbridge Gdns. *Romf*
—5K **37**
Knightsbridge Grn. *SW1*
—2D **76** (7E **146**)
Knights Clo. *E9* —5J **47**
Knights Ct. *E4* —1K **19**
Knights Ct. *Brom* —3H **113**
Knights Ct. *King T* —3E **118**
Knights Hill. *SE27* —5B **110**
Knight's Hill Sq. *SE27* —4B **110**
Knights La. *N9* —3B **18**
Knight's Pk. *King T* —3E **118**
Knight's Rd. *E16* —2J **81**
Knights Rd. *Stan* —4H **11**
Knights Wlk. *SE11*
—4B **78** (4A **156**)
Knightswood Clo. *Edgw* —2D **12**
Knightswood Ct. *N6* —7H **29**
Knightswood Ho. *N12* —6F **15**
Knightwood Cres. *N Mald*
—6A **120**
Knivet Rd. *SW6* —6J **75**
Knobs Hill Rd. *E15* —1D **64**
Knockholt Rd. *SE9* —5B **98**
Knole Clo. *Croy* —6J **125**
Knole Ct. *N'holt* —3A **54**
(off Broomcroft Av.)
Knole Ga. *Sidc* —3J **115**
Knole, The. *SE9* —4E **114**
Knoll Dri. *N14* —7K **5**
Knoll Ho. *Pinn* —2B **22**
Knollmead. *Surb* —7K **119**
Knoll Rise. *Orp* —7K **129**
Knoll Rd. *SW18* —5A **92**
Knoll Rd. *Bex* —7G **101**
Knoll Rd. *Sidc* —5B **116**
Knolls Clo. *Wor Pk* —3D **130**
Knoll, The. *W13* —5C **56**
Knoll, The. *Beck* —1C **126**
Knoll, The. *Brom* —1J **137**
Knollys Clo. *SW16* —3A **110**
Knollys Rd. *SW16* —3A **110**
Knottisford St. *E2* —3J **63**
Knotts Grn. M. *E10* —6D **32**
Knotts Grn. Rd. *E10* —6D **32**
Knowle Av. *Bexh* —7E **84**
Knowle Clo. *SW9* —3A **94**
Knowle Rd. *Brom* —2D **138**
Knowle Rd. *Twic* —1J **103**
Knowles Ct. *Harr* —6K **23**
(off Gayton Rd.)
Knowles Hill Cres. *SE13* —5F **97**
Knowles Wlk. *SW4* —3G **93**
Knowlton Grn. *Brom* —5H **127**
Knowlton Ho. *SW9* —1B **94**
(off Cowley Rd.)
Knowsley Av. *S'hall* —1F **71**
Knowsley Rd. *SW11* —2D **92**
Knox Ct. *SW4* —2J **93**
Knox Rd. *E7* —6H **49**
Knox St. *W1* —5D **60** (5E **140**)
Knoyle St. *SE14* —6A **80**
Koblenz Ho. *N8* —3J **29**
(off Newland Rd.)
Kohat Rd. *SW19* —5K **107**
Komehameha Ho. *Ilf* —5D **34**
Kossuth St. *SE10* —5G **81**
Kotree Way. *SE1* —4G **79**
Kramer M. *SW5* —5J **75**
Kreedman Wlk. *E8* —5G **47**
Kreisel Wlk. *Rich* —6F **73**
Kristina Ct. *Sutt* —7J **131**
(off Overton Rd.)

Krupnik Pl. *EC2* —4E **62** (2H **145**)
Kuala Gdns. *SW16* —1K **123**
Kuhn Way. *E7* —5J **49**
Kydbrook Clo. *Orp* —7G **129**
Kylemore Clo. *E6* —2B **66**
Kylemore Rd. *NW6* —7J **43**
Kymberley Rd. *Harr* —6J **23**
Kymes Ct. *S Harr* —2H **39**
Kynance Gdns. *Stan* —1C **24**
Kynance M. *SW7* —3K **75**
Kynance Pl. *SW7* —3A **76**
Kynaston Av. *N16* —3F **47**
Kynaston Av. *T Hth* —5C **124**
Kynaston Cres. *T Hth* —5C **124**
Kynaston Rd. *N16* —3E **46**
Kynaston Rd. *Brom* —5J **113**
Kynaston Rd. *Enf* —1J **7**
Kynaston Rd. *T Hth* —5C **124**
Kynaston Wood. *Harr* —7C **10**
Kynnersley Clo. *Cars* —3D **132**
Kynoch Rd. *N18* —4D **18**
Kyrle Rd. *SW11* —6E **92**
Kyverdale Rd. *N16* —1F **47**

Laburnum Av. *N9* —2A **18**
Laburnum Av. *N17* —7J **17**
Laburnum Av. *Sutt* —3C **132**
Laburnum Clo. *E4* —6G **19**
Laburnum Clo. *N11* —6K **15**
Laburnum Clo. *SE15* —7J **79**
Laburnum Ct. *E2* —1F **63**
Laburnum Ct. *Stan* —4G **11**
Laburnum Ct. *SE16* —2J **79**
(off Albion St.)
Laburnum Ct. *SE19* —1F **125**
Laburnum Ct. *Harr* —6F **23**
Laburnum Ct. *Stan* —4H **11**
Laburnum Gdns. *N21* —2H **17**
Laburnum Gdns. *Croy* —1K **135**
Laburnum Gro. *N21* —2H **17**
Laburnum Gro. *NW9* —7J **25**
Laburnum Gro. *Houn* —4D **86**
Laburnum Gro. *N Mald* —2K **119**
Laburnum Gro. *S'hall* —4D **54**
Laburnum Ho. *Brom* —6J **127**
Laburnum Lodge. *N3* —2H **27**
Laburnum Rd. *SW19* —7A **108**
Laburnum Rd. *Mitc* —2E **122**
Laburnums, The. *E6* —4C **66**
Laburnum St. *E2* —1F **63**
Laburnum Way. *Brom* —7E **128**
Laceback Clo. *Sidc* —7K **99**
Lacey Clo. *N9* —2B **18**
Lacey Dri. *Edgw* —4A **12**
Lacey Wlk. *E3* —2C **64**
Lackington St. *EC2*
—5D **62** (5F **145**)
Lacland Pl. *SW10* —7B **76**
Lacock Clo. *SW19* —6A **108**
Lacock Ct. *W13* —1A **72**
(off Singapore Rd.)
Lacon Rd. *SE22* —4G **95**
Lacy Dri. *Dag* —3C **52**
Lacy Rd. *SW15* —4F **91**
Ladas Rd. *SE27* —4C **110**
Ladbroke Cres. *W11* —6G **59**
Ladbroke Gdns. *W11* —7H **59**
Ladbroke Gro. *W10 & W11*
—4F **59**
Ladbroke M. *W11* —1G **75**
Ladbroke Rd. *W11* —1H **75**
Ladbroke Rd. *Enf* —6A **8**
Ladbroke Sq. *W11* —7H **59**
Ladbroke Ter. *W11* —7H **59**

Langdon Pl. *SW14* —3J **89**
Langdon Rd. *E6* —1E **66**
Langdon Rd. *Brom* —3K **127**
Langdon Rd. *Mord* —5A **122**
Langdons Ct. *S'hall* —3E **70**
Langdon Shaw. *Sidc* —5K **115**
Langdon Wlk. *Mord* —5A **122**
Langdon Way. *SE1* —4G **79**
Langford Clo. *E8* —5G **47**
Langford Clo. *N15* —6E **30**
Langford Clo. *NW8* —2A **60**
Langford Ct. NW8 —2A 60
(off Abbey Rd.)
Langford Cres. *Cockf* —4J **5**
Langford Grn. *SE5* —3E **94**
Langford Ho. *SE8* —6C **80**
Langford Pl. *NW8* —2A **60**
Langford Rd. *SW6* —2K **91**
Langford Rd. *Cockf* —4J **5**
Langford Rd. *Wfd G* —6F **21**
Langfords. *Buck H* —2G **21**
Langham Clo. N15 —3B 30
(off Langham Rd.)
Langham Ct. *NW4* —5F **27**
Langham Dri. *Romf* —6B **36**
Langham Gdns. *N21* —5F **7**
Langham Gdns. *W13* —7B **56**
Langham Gdns. *Edgw* —7D **12**
Langham Gdns. *Rich* —4C **104**
Langham Gdns. *Wemb* —2C **40**
Langham Ho. Clo. *Rich* —4D **104**
Langham Mans. SW5 —5K 75
(off Earl's Ct. Sq.)
Langham Pl. *N15* —3B **30**
Langham Pl. *W1* —1
—5F **61** (6K **141**)
Langham Pl. *W4* —6A **74**
Langham Rd. *N15* —3B **30**
Langham Rd. *SW20* —1E **120**
Langham Rd. *Edgw* —6D **12**
Langham Rd. *Tedd* —5B **104**
Langham St. *W1* —1
—5F **61** (6K **141**)
Langhedge Clo. *N18* —6A **18**
Langhedge La. *N18* —6A **18**
Langhedge La. Ind. Est. *N18*
—6A **18**
Langholm Clo. *SW12* —7H **93**
Langholme. *Bush* —1B **10**
Langhorne Ct. NW8 —7B 44
(off Dorman Way)
Langhorne Rd. *Dag* —7G **53**
Lang Ho. *SW8* —7J **77**
(off Hartington Rd.)
Langland Cres. *Stan* —2D **24**
Langland Dri. *Pinn* —1C **22**
Langland Gdns. *NW3* —5K **43**
Langland Gdns. *Croy* —2B **136**
Langland Ho. SE5 —7D 78
(off Edmund St.)
Langler Rd. *NW10* —2E **58**
Langley Av. *Ruis* —2A **38**
Langley Av. *Surb* —7D **118**
Langley Av. *Wor Pk* —2F **131**
Langley Ct. WC2 —7J 61 (2E 148)
Langley Cres. *E11* —7A **34**
Langley Cres. *Dag* —7C **52**
Langley Cres. *Edgw* —3B **12**
Langley Dri. *E11* —7K **33**
Langley Dri. *W3* —2H **73**
Langley Gdns. *Brom* —4A **128**
Langley Gdns. *Dag* —7D **52**
Langley Gdns. *Orp* —6F **129**
Langley Gro. *N Mald* —2A **120**

Langley La. *SW8*
—6J **77** (7F **155**)
Langley Mans. *SW8*
—6K **77** (7G **155**)
Langley Pk. *NW7* —6F **13**
Langley Pk. Rd. *Sutt* —5A **132**
Langley Rd. *SW19* —1H **121**
Langley Rd. *Beck* —4A **126**
Langley Rd. *Iswth* —2K **87**
Langley Rd. *Surb* —7E **118**
Langley Rd. *Well* —6C **84**
Langley Row. *Barn* —1C **4**
Langley St. *WC2*
—6J **61** (1E **148**)
Langley Way. *W Wick* —1F **137**
Langmead Dri. *Bush* —1D **10**
Langmead St. *SE27* —4C **110**
Langmore Ct. *Bexh* —3D **100**
Langmore Ho. E1 —6G 63
(off Stutfield St.)
Langport Ho. *SW9* —2B **94**
Langridge M. *Hamp* —6D **102**
Langroyd Rd. *SW17* —2D **108**
Langside Av. *SW15* —4C **90**
Langside Cres. *N14* —3C **16**
Langston Hughes Clo. *SE24*
—4B **94**
Lang St. *E1* —4J **63**
Langthorn Ct. *EC2*
—6D **62** (7F **145**)
Langthorne Ct. *Brom* —4E **112**
Langthorne Rd. *E11* —3E **48**
Langthorne St. *SW6* —7F **75**
Langton Av. *E6* —3E **66**
Langton Av. *N20* —7F **5**
Langton Clo. *WC1*
—4K **61** (3H **143**)
Langton Pl. *SW18* —1J **107**
Langton Rise. *SE23* —7H **95**
Langton Rd. *NW2* —3E **42**
Langton Rd. *SW9* —7B **78**
Langton Rd. *Harr* —7B **10**
Langton St. *SW10* —6A **76**
Langton Way. *SE3* —1H **97**
Langton Way. *Croy* —4E **134**
Langtry Rd. *NW8* —1K **59**
Langtry Rd. *N'holt* —2B **54**
Langtry Wlk. *NW8* —1K **59**
Langwood Chase. *Tedd* —6C **104**
Lanhill Rd. *W9* —4J **59**
Lanier Rd. *SE13* —6F **97**
Lanigan Dri. *Houn* —5F **87**
Lankaster Gdns. *N2* —1B **28**
Lankers Dri. *Harr* —6D **22**
Lankton Clo. *Beck* —1E **126**
Lannoy Point. SW6 —7G 75
(off Pellant Rd.)
Lannoy Rd. *SE9* —1G **115**
Lanrick Rd. *E14* —6F **65**
Lanridge Rd. *SE2* —3D **84**
Lansbury Av. *N18* —5J **17**
Lansbury Av. *Bark* —7A **52**
Lansbury Av. *Felt* —6A **86**
Lansbury Av. *Romf* —5E **36**
Lansbury Clo. *NW10* —5J **41**
Lansbury Est. *E14* —6D **64**
Lansbury Gdns. *E14* —6F **65**
Lansbury Rd. *Enf* —1E **8**
Lansbury Way. *N18* —5K **17**
Lanscombe Wlk. *SW8* —1J **93**
Lansdell Ho. SW2 —5A 94
(off Tulse Hill)
Lansdell Rd. *Mitc* —2E **122**
Lansdowne Av. *Bexh* —7D **84**
Lansdowne Av. *SW20* —7F **107**

Lansdowne Clo. *Twic* —1K **103**
Lansdowne Ct. *Wor Pk* —2C **130**
Lansdowne Cres. *W11* —7G **59**
Lansdowne Dri. *E8* —6G **47**
Lansdowne Gdns. *SW8* —1J **93**
Lansdowne Grn. *SW8* —1J **93**
Lansdowne Gro. *NW10* —4A **42**
Lansdowne Hill. *SE27* —3B **110**
Lansdowne La. *SE7* —5B **82**
Lansdowne M. *SE7* —5B **82**
Lansdowne M. *W11* —1H **75**
Lansdowne Pl. *SE1*
—3D **78** (1F **157**)
Lansdowne Pl. *SE19* —7F **111**
Lansdowne Rise. *W11* —7G **59**
Lansdowne Rd. *E4* —2H **19**
Lansdowne Rd. *E11* —2H **49**
Lansdowne Rd. *E17* —6C **32**
Lansdowne Rd. *E18* —3J **33**
Lansdowne Rd. *N3* —7D **14**
Lansdowne Rd. *N10* —2G **29**
Lansdowne Rd. *N17* —1G **31**
Lansdowne Rd. *SW20* —7E **106**
Lansdowne Rd. *W11* —7G **59**
Lansdowne Rd. *Brom* —7J **113**
Lansdowne Rd. *Croy* —2D **134**
Lansdowne Rd. *Harr* —7J **23**
Lansdowne Rd. *Houn* —3F **87**
Lansdowne Rd. *Ilf* —1K **51**
Lansdowne Rd. *Stan* —6H **11**
Lansdowne Row. *W1*
—1F **77** (4K **147**)
Lansdowne Ter. *WC1*
—4J **61** (4F **143**)
Lansdowne Wlk. *W11* —1H **75**
Lansdowne Way. *SW8* —1H **93**
Lansdowne Wood Clo. *SE27*
—3B **110**
Lansdown Rd. *E7* —7A **50**
Lansdown Rd. *Sidc* —3B **116**
Lansfield Av. *N18* —4B **18**
Lantern Clo. *SW15* —4C **90**
Lantern Clo. *Wemb* —5D **40**
Lanterns Ct. *E14* —3C **80**
Lant St. *SE1* —2C **78** (6C **150**)
Lanvanor Rd. *SE15* —2J **95**
Lanyard Ho. *SE8* —4B **80**
Lapford Clo. *W9* —4H **59**
Lapponum Wlk. *Hayes* —4B **54**
Lapse Wood Wlk. *SE23* —1H **111**
Lapstone Gdns. *Harr* —6C **24**
Lapwing Tower. SE8 —6B 80
(off Abinger Gro.)
Lapwing Way. *Hayes* —6B **54**
Lapworth. *N11* —4A **16**
(off Coppies Gro.)
Lara Clo. *SE13* —6E **96**
Larbert Rd. *SW16* —7G **109**
Larch Av. *W3* —1A **74**
Larch Clo. *E13* —4A **66**
Larch Clo. *N11* —7K **15**
Larch Clo. *N19* —2G **45**
Larch Clo. *SE8* —6B **80**
Larch Clo. *SW12* —2F **109**
Larch Cres. *Hayes* —5A **54**
Larch Dene. *Orp* —2E **138**
Larch Dri. *W4* —5G **73**
Larches Av. *SW14* —4K **89**
Larches, The. *N13* —3H **17**
Larch Grn. *NW9* —1A **26**
Larch Gro. *Sidc* —1K **115**
Larch Ho. *Brom* —1G **127**
Larch Ho. *Hayes* —5A **54**
Larch Rd. *E10* —2C **48**
Larch Rd. *NW2* —4E **42**

Larch Tree Way. *Croy* —3C **136**
Larchvale Ct. *Sutt* —7K **131**
Larch Way. *Brom* —7E **128**
Larchwood Rd. *SE9* —2F **115**
Larcombe Clo. *Croy* —4F **135**
Larcombe Ct. Sutt —7K 131
(off Worcester Rd.)
Larcom St. *SE17*
—4C **78** (4D **156**)
Larden Rd. *W3* —1A **74**
Larissa St. *SE17*
—5D **78** (5F **157**)
Larkbere Rd. *SE26* —4A **112**
Larken Clo. *Bush* —1B **10**
Larken Dri. *Bush* —1B **10**
Larkfield Av. *Harr* —3B **24**
Larkfield Clo. *Brom* —2H **137**
Larkfield Rd. *Rich* —4E **88**
Larkfield Rd. *Sidc* —3K **115**
Larkhall La. *SW4* —2H **93**
Larkhall Rise. *SW4* —3G **93**
Lark Row. *E2* —1J **63**
Larksfield Gro. *Enf* —1C **8**
Larks Gro. *Bark* —7J **51**
Larkshall Ct. *Romf* —2J **37**
Larkshall Cres. *E4* —4K **19**
Larkshall Rd. *E4* —5K **19**
Larkspur Clo. *E6* —5C **66**
Larkspur Clo. *N17* —7J **17**
Larkspur Lodge. *Sidc* —3B **116**
Larkswood Ct. *E4* —5A **20**
Larkswood Rise. *Pinn* —4A **22**
Larkswood Rd. *E4* —4H **19**
Lark Way. *Cars* —7C **122**
Larkway Clo. *NW9* —4K **25**
Larnach Rd. *W6* —6F **75**
Larpent Av. *SW15* —5E **90**
Larshall Rd. *E4* —3A **20**
Larwood Clo. *Gnfd* —5H **39**
Lascelles Av. *Harr* —7H **23**
Lascelles Clo. *E11* —2F **49**
Lascotts Rd. *N22* —6E **16**
Laseron Ho. N15 —4F 31
(off Tottenham Grn. E.)
Lassa Rd. *SE9* —5C **98**
Lassell St. *SE10* —5F **81**
Lasseter Pl. *SE3* —6G **81**
Latchett Rd. *E18* —1K **33**
Latchingdon Ct. *E17* —4K **31**
Latchingdon Gdns. Wfd G
—6H **21**
Latchmere Clo. *Rich* —5E **104**
Latchmere La. *King T* —6F **105**
Latchmere Pas. *SW11* —2C **92**
Latchmere Rd. *SW11* —2D **92**
Latchmere Rd. *King T* —7E **104**
Latchmere St. *SW11* —2D **92**
Lateward Rd. *Bren* —6D **72**
Latham Clo. *E6* —5C **66**
Latham Clo. *Twic* —7A **88**
Latham Ct. *SW5* —4J **75**
(off W. Cromwell Rd.)
Latham Ct. N'holt —3B 54
(off Seasprite Clo.)
Latham Rd. *Bexh* —5G **101**
Latham Rd. *Twic* —7K **87**
Latham's Way. *Croy* —1K **133**
Lathkill Clo. *Enf* —7B **8**
Lathkill Ct. *Beck* —1B **126**
Latimer Rd. *E6* —7C **50**
Latimer Av. *E6* —1D **66**
Latimer Clo. *Pinn* —1A **22**
Latimer Clo. *Wor Pk* —4D **130**
Latimer Gdns. *Pinn* —1A **22**
Latimer Ho. *E9* —6K **47**

Latimer Ind. Est. *W10* —6E **58**
Latimer Pl. *W10* —6E **58**
Latimer Rd. *E7* —4K **49**
Latimer Rd. *N15* —6E **30**
Latimer Rd. *SW19* —6K **107**
Latimer Rd. *W10* —5E **58**
Latimer Rd. *Barn* —3E **4**
Latimer Rd. *Croy* —3B **134**
Latimer Rd. *Tedd* —5K **103**
Latona Rd. *SE15* —6G **79**
Lattimer Pl. *W4* —6A **74**
Latymer Ct. *W6* —4F **75**
Latymer Gdns. *N3* —2G **27**
Latymer Rd. *N9* —1A **18**
Latymer Way. *N9* —2K **17**
Lauder Clo. *N'holt* —2B **54**
Lauder Ct. *N14* —7D **6**
Lauderdale Dri. *Rich* —3D **104**
Lauderdale Mans. W9 —3K 59
(off Lauderdale Rd.)
Lauderdale Rd. *W9* —3K **59**
Lauderdale Tower. *EC2*
—5C **62** (5C **144**)
Laud St. *SE11* —5K **77** (5G **155**)
Laud St. *Croy* —3C **134**
Laughton Rd. *N'holt* —1B **54**
Launcelot Rd. *Brom* —4J **113**
Launcelot St. *SE1*
—2A **78** (7J **149**)
Launceston Gdns. *Gnfd* —1C **56**
Launceston Pl. *W8* —3A **76**
Launceston Rd. *Gnfd* —1C **56**
Launch St. *E14* —3E **80**
Laundress La. *N16* —3G **47**
Laundry La. *N1* —7C **46**
Laundry Rd. *W6* —6G **75**
Laura Clo. *E11* —5A **34**
Laura Clo. *Enf* —5K **7**
Lauradale Rd. *N2* —4D **28**
Laura Pl. *E5* —4J **47**
Laurel Av. *Twic* —1K **103**
Laurel Bank Gdns. *SW6* —2H **91**
Laurel Bank Rd. Enf —1H 7
Laurel Bank Vs. W7 —1J 71
(off Lwr. Boston Rd.)
Laurelbrook. *SE6* —3G **113**
Laurel Clo. *N19* —2G **45**
Laurel Clo. *SW17* —5C **108**
Laurel Clo. *Sidc* —3A **116**
Laurel Ct. *E8* —6F **47**
Laurel Ct. *Wemb* —2E **56**
Laurel Cres. *Croy* —3C **136**
Laurel Cres. *Romf* —1K **53**
Laurel Dri. *N21* —7F **7**
Laurel Gdns. *E4* —7J **9**
Laurel Gdns. *NW7* —3E **12**
Laurel Gdns. *W7* —1J **71**
Laurel Gro. *SE20* —7J **111**
Laurel Gro. *SE26* —4K **111**
Laurel Ho. *SE8* —6B **80**
Laurel Ho. *Brom* —1G **127**
Laurel Mnr. *Sutt* —7A **132**
Laurel Pk. *Harr* —7E **10**
Laurel Rd. *SW13* —2C **90**
Laurel Rd. *SW20* —1D **120**
Laurel Rd. *Hamp* —5H **103**
Laurels, The. *NW10* —1D **58**
Laurels, The. *Brom* —3J **127**
Laurels, The. Buck H —1F 21
Laurel St. *E8* —6F **47**
Laurel View. *N12* —3E **14**
Laurel Way. *E18* —4H **33**
Laurel Way. *N20* —3D **14**
Laurence Ct. *E10* —7D **32**

Legatt Rd. *SE9* —5B **98**
Leggatt Rd. *E15* —2E **64**
Legge St. *SE13* —5E **96**
Leghorn Rd. *NW10* —2B **58**
Leghorn Rd. *SE18* —5H **83**
Legion Clo. *N1* —7A **46**
Legion Ct. *Mord* —6J **121**
Legion Rd. *Gnfd* —1G **55**
Legion Way. *N12* —7H **15**
Legon Av. *Romf* —1J **53**
Legrace Av. *Houn* —2B **86**
Leicester Av. *Mitc* —4J **123**
Leicester Clo. *Wor Pk* —4E **130**
Leicester Ct. *WC2*
   —7H **61** (2D **148**)
Leicester Gdns. *Ilf* —7J **35**
Leicester Ho. *SW9* —3B **94**
  (off Loughborough Rd.)
Leicester Pl. *WC2*
   —7H **61** (2D **148**)
Leicester Rd. *E11* —5K **33**
Leicester Rd. *N2* —3C **28**
Leicester Rd. *NW10* —7K **41**
Leicester Rd. *Barn* —6E **4**
Leicester Rd. *Croy* —7E **124**
Leicester Sq. *WC2*
   —7H **61** (3D **148**)
Leicester St. *WC2*
   —7H **61** (2D **148**)
Leigham Av. *SW16* —3J **109**
Leigham Clo. *SW16* —3K **109**
Leigham Ct. Rd. *SW16* —2J **109**
Leigham Dri. *Iswth* —7J **71**
Leigham Vale. *SW16 & SW2*
   —3K **109**
Leigh Av. *Ilf* —4B **34**
Leigh Clo. *N Mald* —4K **119**
Leigh Clo. Ind. Est. *N Mald*
   —4K **119**
Leigh Ct. *Harr* —1J **39**
Leigh Cres. *New Ad* —7D **136**
Leigh Gdns. *NW10* —2E **58**
Leigh Hunt Dri. *N14* —1C **16**
Leigh Orchard Clo. *SW16*
   —3K **109**
Leigh Pl. *EC1* —5A **62** (5J **143**)
Leigh Pl. *Well* —2A **100**
Leigh Rd. *E6* —6E **50**
Leigh Rd. *E10* —7E **32**
Leigh Rd. *N5* —4B **46**
Leigh Rd. *Houn* —4H **87**
Leigh St. *WC1* —3J **61** (2E **142**)
Leighton Av. *E12* —5E **50**
Leighton Av. *Pinn* —3C **22**
Leighton Clo. *Edgw* —2G **25**
Leighton Cres. *NW5* —5G **45**
Leighton Gdns. *NW10* —2D **58**
Leighton Gdns. *Croy* —1B **134**
Leighton Gro. *NW5* —5G **45**
Leighton Pl. *NW5* —5G **45**
Leighton Rd. *NW5* —5G **45**
Leighton Rd. *W13* —2A **72**
Leighton Rd. *Enf* —5A **8**
Leighton Rd. *Har W* —2H **23**
Leighton St. *Croy* —1B **134**
Leila Parnell Pl. *SE7* —6A **82**
Leinster Av. *SW14* —3J **89**
Leinster Gdns. *W2* —6A **60**
Leinster M. *W2* —6A **60**
Leinster Pl. *W2* —6A **60**
Leinster Rd. *N10* —4F **29**
Leinster Rd. *NW6* —3J **59**
Leinster Sq. *W2* —6J **59**
Leinster Ter. *W2* —7A **60**
Leisure Way. *N12* —7G **15**

Leith Clo. *NW9* —1K **41**
Leithcote Gdns. *SW16* —4K **109**
Leithcote Path. *SW16* —3K **109**
Leith Hill. *Orp* —1K **129**
Leith Hill Grn. *Orp* —1K **129**
Leith Mans. *W9* —3K **59**
  (off Grantully Rd.)
Leith Rd. *N22* —1B **30**
Leith Towers. *Sutt* —7K **131**
Lela Av. *Houn* —2A **86**
Lelitia Clo. *E8* —1G **63**
Lely Ho. *N'holt* —2B **54**
  (off Academy Gdns.)
Leman St. *E1* —6F **63** (1K **151**)
Lemark Clo. *Stan* —6H **11**
Le May Av. *SE12* —3K **113**
Lemmon Rd. *SE10* —6G **81**
Lemna Rd. *E11* —7G **33**
Lemonwell Dri. *SE9* —6G **99**
Lemsford Clo. *N15* —6G **31**
Lemsford Ct. *N4* —2C **46**
Lemuel St. *SW18* —6A **92**
Lena Gdns. *W6* —3E **74**
Lena Kennedy Clo. *E4* —6K **19**
Lendal Ter. *SW4* —3H **93**
Lenelby Rd. *Surb* —7G **119**
Len Freeman Pl. *SW6* —7H **75**
Lenham Rd. *SE12* —4H **97**
Lenham Rd. *Bexh* —6F **85**
Lenham Rd. *Sutt* —4K **131**
Lenham Rd. *T Hth* —2D **124**
Lennard Av. *W Wick* —2G **137**
Lennard Clo. *W Wick* —2G **137**
Lennard Rd. *SE20 & Beck*
   —6K **111**
Lennard Rd. *Brom* —1D **138**
Lennard Rd. *Croy* —1C **134**
Lennard Rd. *Romf* —5E **42**
Lennox Gdns. *NW10* —4B **42**
Lennox Gdns. *SW1*
   —3D **76** (2E **152**)
Lennox Gdns. *Croy* —4B **134**
Lennox Gdns. *Ilf* —1D **50**
Lennox Gdns. M. *SW1*
   —3D **76** (2E **152**)
Lennox Ho. *Belv* —3G **85**
  (off Picardy St.)
Lennox Rd. *E17* —6B **32**
Lennox Rd. *N4* —2K **45**
Lenor Clo. *Bexh* —4E **100**
Lensbury Way. *SE2* —3C **84**
Lens Rd. *E7* —7A **50**
Lenthall Ho. *E8* —7F **47**
Lenthall Rd. *E8* —7G **47**
Lenthorp Rd. *SE10* —4H **81**
Lentmead Rd. *Brom* —3H **113**
Lenton Rise. *Rich* —3E **88**
Lenton St. *SE18* —4H **83**
Leo Ct. *Bren* —7D **72**
Leof Cres. *SE6* —5D **112**
Leominster Rd. *Mord* —6A **122**
Leominster Wlk. *Mord* —6A **122**
Leonard Av. *Mord* —5A **122**
Leonard Av. *Romf* —1K **53**
Leonard Ct. *WC1*
   —4J **61** (3E **142**)
Leonard Ct. *Har W* —1J **23**
Leonard Rd. *E4* —6H **19**
Leonard Rd. *E7* —4J **49**
Leonard Rd. *N9* —3A **18**
Leonard Rd. *SW16* —1G **123**
Leonard Rd. *S'hall* —3B **70**
Leonard Robbins Path. *SE28*
  (off Tawney Rd.) —7B **68**
Leonard St. *E16* —1C **82**

Leonard St. *EC2* —4D **62** (3F **145**)
Leontine Clo. *SE15* —7G **79**
Leopard's Ct. *EC1*
   —5A **62** (5J **143**)
Leopold Av. *SW19* —5H **107**
Leopold M. *E9* —1J **63**
Leopold Rd. *E17* —5C **32**
Leopold Rd. *N2* —3B **28**
Leopold Rd. *N18* —5C **18**
Leopold Rd. *NW10* —7A **42**
Leopold Rd. *SW19* —4H **107**
Leopold Rd. *W5* —1F **73**
Leopold St. *E3* —5B **64**
Leopold Ter. *SW19* —5J **107**
Leo St. *SE15* —7H **79**
Leo Yd. *EC1* —4B **62** (4B **144**)
Leppoc Rd. *SW4* —5H **93**
Leroy St. *SE1* —4E **78** (2G **157**)
Lerwick Ct. *Enf* —5K **7**
Lescombe Clo. *SE23* —3A **112**
Lescombe Rd. *SE23* —3A **112**
Lesley Clo. *Bex* —7H **101**
Leslie Gdns. *Sutt* —7J **131**
Leslie Gro. *Croy* —1E **134**
Leslie Pk. Rd. *Croy* —1E **134**
Leslie Prince Ct. *SE5* —7D **78**
Leslie Rd. *E11* —4E **48**
Leslie Rd. *E16* —6K **65**
Leslie Rd. *N2* —3B **28**
Leslie Smith Sq. *SE18* —6E **82**
Lesney Farm Est. *Eri* —7K **85**
Lesney Pk. *Eri* —6K **85**
Lesney Pk. Rd. *Eri* —6K **85**
Lessar Av. *SW4* —6G **93**
Lessingham Av. *SW17* —4D **108**
Lessingham Av. *Ilf* —3E **34**
Lessing St. *SE23* —7A **96**
Lessington Av. *Romf* —6J **37**
Lessness Av. *Bexh* —7D **84**
Lessness Pk. *Belv* —5F **85**
Lessness Rd. *Belv* —5G **85**
Lessness Rd. *Mord* —6A **122**
Lester Av. *E15* —4G **65**
Leswin Pl. *N16* —3F **47**
Leswin Rd. *N16* —3F **47**
Letchford Gdns. *NW10* —3C **58**
Letchford M. *NW10* —3C **58**
Letchford Ter. *Harr* —1F **23**
Letchworth Clo. *Brom* —5J **127**
Letchworth Dri. *Brom* —5J **127**
Letchworth St. *SW17* —4D **108**
Lethbridge Clo. *SE13* —1E **96**
Letterstone Rd. *SW6* —7H **75**
Lettice St. *SW6* —1H **91**
Lett Rd. *E15* —7F **49**
Lettsom St. *SE5* —2E **94**
Lettsom Wlk. *E13* —2J **65**
Leucha Rd. *E17* —5A **32**
Levana Clo. *SW19* —1G **107**
Levehurst Ho. *SE27* —5C **110**
Levendale Rd. *SE23* —2A **112**
Levenhurst Way. *SW4* —2J **93**
Leven Rd. *E14* —5E **64**
Leverett St. *SW3*
   —4C **76** (3D **152**)
Leverholme Gdns. *SE9* —4E **114**
Leverington Pl. *N1*
   —3E **62** (2F **145**)
Leverson St. *SW16* —6G **109**
Lever St. *EC1* —3B **62** (2B **144**)
Leverton Pl. *NW5* —5G **45**
Leverton St. *NW5* —5G **45**
Levett Gdns. *Ilf* —4K **51**
Levett Rd. *Bark* —6J **51**
Levine Gdns. *Bark* —2D **68**

Levison Way. *N19* —1H **45**
Lewen's Ct. *EC1*
   —4C **62** (2C **144**)
Lewes Clo. *N'holt* —6E **38**
Lewesdon Clo. *SW19* —1F **107**
Lewes Rd. *N12* —5H **15**
Lewes Rd. *Brom* —2B **128**
Leweston Pl. *N16* —7F **31**
Lewgars Av. *NW9* —6J **25**
Lewing Clo. *Orp* —7J **129**
Lewin Rd. *SW14* —3K **89**
Lewin Rd. *SW16* —6H **109**
Lewin Rd. *Bexh* —4E **100**
Lewis Av. *E17* —1C **32**
Lewis Clo. *N14* —7B **6**
Lewis Cres. *NW10* —5K **41**
Lewis Gdns. *N2* —2B **28**
Lewis Gro. *SE13* —3E **96**
Lewisham Bus. Cen. *SE14*
   —6K **79**
Lewisham Cen. *SE13* —3E **96**
Lewisham Heights. *SE23*
   —1J **111**
Lewisham High St. *SE13* —3E **96**
Lewisham Hill. *SE13* —2E **96**
Lewisham Model Mkt. *SE13*
   —4E **96**
  (off Lewisham High St.)
Lewisham Pk. *SE13* —6E **96**
Lewisham Rd. *SE13* —1D **96**
Lewisham St. *SW1*
   —2H **77** (7D **148**)
Lewisham Way. *SE14 & SE4*
   —1B **96**
Lewis Hunt Dri. *N14* —7B **6**
Lewis Rd. *Mitc* —2B **122**
Lewis Rd. *Rich* —5D **88**
Lewis Rd. *Sidc* —3C **116**
Lewis Rd. *S'hall* —2C **70**
Lewis Rd. *Sutt* —4K **131**
Lewis Rd. *Well* —3C **100**
Lewis Silkin Ho. *SE15* —6J **79**
  (off Lovelinch Clo.)
Lewis St. *NW1* —7F **45**
  (in two parts)
Lewis Way. *Dag* —6H **53**
Lexden Dri. *Romf* —6B **36**
Lexden Rd. *W3* —7H **57**
Lexden Rd. *Mitc* —4H **123**
Lexham Gdns. *W8* —4J **75**
Lexham Gdns. M. *W8* —3K **75**
Lexham Ho. *Bark* —1H **67**
  (off St Margarets)
Lexham M. *W8* —4J **75**
Lexham Wlk. *W8* —3K **75**
Lexington Apartments. *EC1*
   —4D **62** (3F **145**)
Lexington St. *W1*
   —7G **61** (2B **148**)
Lexington Way. *Barn* —4A **4**
Lexton Gdns. *SW12* —1H **109**
Leyborne Pk. *Rich* —1G **89**
Leybourne Av. *W13* —2B **72**
Leybourne Clo. *Brom* —6J **127**
Leybourne Ho. *SE15* —6J **79**
Leybourne Pk. *Rich* —1G **89**
Leybourne Rd. *E11* —1H **49**
Leybourne Rd. *NW1* —7F **45**
Leybourne Rd. *NW9* —5G **25**
Leybourne St. *NW1* —7F **45**
Leybridge Ct. *SE12* —5J **97**
Leyburn Clo. *E17* —4D **32**
Leyburn Gdns. *Croy* —2E **134**
Leyburn Gro. *N18* —6B **18**
Leyburn Rd. *N18* —6B **18**

Leydenhatch La. *Swan* —7J **117**
Leyden Mans. *N19* —7J **29**
Leyden St. *E1* —5F **63** (6J **145**)
Leydon Clo. *SE16* —1K **79**
Leyes Rd. *E16* —6A **66**
Leyfield. *Wor Pk* —1A **130**
Leyland Av. *Enf* —2F **9**
Leyland Gdns. *Wfd G* —5F **21**
Leyland Rd. *SE12* —5J **97**
Leyland Rd. *SE14* —7K **79**
Leys Av. *Dag* —1J **69**
Leys Clo. *Dag* —7K **53**
  (in two parts)
Leys Clo. *Harr* —5H **23**
Leys Ct. *SW9* —2A **94**
Leysdown Av. *Bexh* —4J **101**
Leysdown Rd. *SE9* —2C **114**
Leysfield Rd. *W12* —3C **74**
Leys Gdns. *Barn* —5K **5**
Leyspring Rd. *E11* —1H **49**
Leys Rd. E. *Enf* —1F **9**
Leys Rd. W. *Enf* —1F **9**
Leys Sq. *N3* —1K **27**
Leys, The. *N2* —4A **28**
Leys, The. *Harr* —6F **25**
Ley St. *Ilf* —2F **51**
Leyswood Dri. *Ilf* —5J **35**
Leythe Rd. *W3* —2J **73**
Leyton Bus. Cen. *E10* —2C **48**
Leyton Ct. *SE23* —1J **111**
Leyton Grange Est. *E10* —2C **48**
Leyton Grn. Rd. *E10* —6E **32**
Leyton Ind. Village. *E10* —7K **31**
Leyton Pk. Rd. *E10* —3E **48**
Leyton Rd. *E15* —5E **48**
Leyton Rd. *SW19* —7A **108**
Leytonstone Rd. *E15* —4G **49**
Leyton Way. *E11* —7G **33**
Leywick St. *E15* —2G **65**
Liardet St. *SE14* —6A **80**
Liberia Rd. *N5* —6B **46**
Liberty Av. *SW19* —1A **122**
Liberty M. *SW12* —6F **93**
Liberty St. *SW9* —1K **93**
Libra Ct. *E4* —4H **19**
Libra Rd. *E3* —1B **64**
Libra Rd. *E13* —2J **65**
Library Ct. *N17* —3F **31**
Library Pl. *E1* —7H **63**
Library St. *SE1* —2B **78** (1A **156**)
Library Way. *Twic* —7G **87**
Lichfield Clo. *Barn* —3J **5**
Lichfield Ct. *Rich* —4E **88**
Lichfield Gdns. *Rich* —4E **88**
Lichfield Gro. *N3* —1J **27**
Lichfield M. *E3* —3A **64**
Lichfield Rd. *E3* —3A **64**
Lichfield Rd. *E6* —3B **66**
Lichfield Rd. *N9* —2B **18**
Lichfield Rd. *NW2* —4G **43**
Lichfield Rd. *Dag* —4B **52**
Lichfield Rd. *Houn* —3A **86**
Lichfield Rd. *Rich* —1F **89**
Lichfield Rd. *Wfd G* —4B **20**
Lichfield Ter. *Rich* —5E **88**
Lickey Ho. *W14* —6H **75**
  (off N. End Rd.)
Lidbury Rd. *NW7* —6B **14**
Lidcote Gdns. *SW9* —2A **94**
Liddell Clo. *Harr* —3D **24**
Liddell Gdns. *NW10* —2E **58**
Liddell Rd. *NW6* —6J **43**
Lidding Rd. *Harr* —5D **24**
Liddington Rd. *E15* —1H **65**
Liddon Rd. *E13* —3K **65**

Linton Clo. *Mitc* —7D **122**
Linton Clo. *Well* —1B **100**
Linton Ct. *Romf* —2K **37**
Linton Gdns. *E6* —6C **66**
Linton Gro. *SE27* —5B **110**
Linton Rd. *Bark* —7G **51**
Lintons, The. *Bark* —7G **51**
Linton St. *N1* —1C **62**
Linver Rd. *SW6* —2J **91**
Linwood Clo. *SE5* —2F **95**
Linwood Cres. *Enf* —1B **8**
Linwood Way. *SE15* —7F **79**
Linzee Rd. *N8* —4J **29**
Lion Av. *Twic* —1K **103**
Lion Clo. *SE4* —6C **96**
Lion Ct. *SE1* —1E **78** *(5H 151)*
  (off Magdalen St.)
Lionel Gdns. *SE9* —5B **98**
Lionel M. *W10* —5G **59**
Lionel Rd. *SE9* —5B **98**
Lionel Rd. *Bren* —3E **72**
  (in two parts)
Lion Ga. Gdns. *Rich* —3F **89**
Liongate M. *E Mol* —3A **118**
Lion Mills. *E2* —2G **63**
Lion Rd. *E6* —5D **66**
Lion Rd. *N9* —2B **18**
Lion Rd. *Bexh* —4E **100**
Lion Rd. *Croy* —5C **124**
Lion Rd. *Twic* —1K **103**
Lions Clo. *SE9* —3B **114**
Lion Way. *Bren* —7D **72**
Lion Wharf Rd. *Iswth* —3B **88**
Lion Yd. *SW4* —4G **93**
Liphook Cres. *SE23* —7J **95**
Lipton Clo. *SE28* —7C **68**
Lipton Rd. *E1* —6K **63**
Lisbon Av. *Twic* —2G **103**
Lisburne Rd. *NW3* —4D **44**
Lisford St. *SE15* —1F **95**
Lisgar Ter. *W14* —4H **75**
Liskeard Clo. *Chst* —6G **115**
Liskeard Gdns. *SE3* —1J **97**
Lisle Ct. *NW2* —3G **43**
Lisle St. *WC2* —7H **61** *(2D 148)*
Lismore. *SW19* —5H **107**
  (off Woodside)
Lismore Cir. *NW5* —5E **44**
Lismore Clo. *Iswth* —2A **88**
Lismore Ho. *SE15* —3H **95**
Lismore Rd. *N17* —3D **30**
Lismore Rd. *S Croy* —6E **134**
Lismore Wlk. *N1* —7C **46**
  (off Clephane Rd.)
Lisselton Ho. *NW4* —4F **27**
  (off Belle Vue Est.)
Lissenden Gdns. *NW5* —4E **44**
Lissenden Mans. *NW5* —4E **44**
Lisson Gro. *NW8 & NW1*
  —4B **60** (3B **140**)
Lisson St. *NW1* —5C **60** (5C **140**)
Liss Way. *SE15* —7F **79**
Lister Clo. *W3* —5K **57**
Lister Clo. *Mitc* —1C **122**
Lister Gdns. *N18* —5H **17**
Listergate Ct. *SW15* —4E **90**
Lister Ho. *Wemb* —3J **41**
  (off Barnhill Rd.)
Lister M. *N7* —4K **45**
Lister Rd. *E11* —1G **49**
Lister St. *E13* —3J **65**
Lister Wlk. *SE28* —7D **68**
Liston Rd. *N17* —1G **31**
Liston Rd. *SW4* —3G **93**
Liston Way. *Wfd G* —7F **21**

Listowel Clo. *SW9* —7A **78**
Listowel Rd. *Dag* —3G **53**
Listria Pk. *N16* —2E **46**
Litchfield Av. *E15* —6G **49**
Litchfield Av. *Mord* —7H **121**
Litchfield Ct. *E17* —6C **32**
Litchfield Gdns. *NW10* —6C **42**
Litchfield Rd. *Sutt* —4A **132**
Litchfield St. *WC2*
  —7H **61** (2D **148**)
Litchfield Way. *NW11* —5K **27**
Lithos Rd. *NW3* —6K **43**
Lit. Acre. *Beck* —3C **126**
Lit. Albany St. *NW1*
  (in two parts) —3F **61** (2K **141**)
Lit. Argyll St. *W1*
  —6G **61** (1A **148**)
Lit. Birches. *Sidc* —2J **115**
Lit. Boltons, The. *SW5 & SW10*
  —5K **75**
Lit. Bornes. *SE21* —4E **110**
Littleburne. *SE13* —7G **97**
Lit. Britain. *EC1* —5B **62** (6B **144**)
Littlebrook Clo. *Croy* —6K **125**
Lit. Brownings. *SE23* —2H **111**
Littlebury Rd. *SW4* —3H **93**
Lit. Bury St. *N9* —7J **7**
Lit. Bushey La. *Bush* —1C **10**
Lit. Cedars. *N12* —4F **15**
Lit. Chester St. *SW1*
  —3F **77** (1J **153**)
Little Cloisters *SW1*
  —3J **77** (1E **154**)
Littlecombe. *SE7* —6K **81**
Littlecombe Clo. *SW15* —6F **91**
Lit. Common. *Stan* —3F **11**
Littlecote Clo. *SW19* —7G **91**
Littlecote Pl. *Pinn* —1C **22**
Little Ct. *W Wick* —2G **137**
Lit. Croft. *SE9* —3E **98**
Littledale. *SE2* —6A **84**
Lit. Dean's Yd. *SW1*
  —3J **77** (1E **154**)
Lit. Dimocks. *SW12* —2F **109**
Lit. Dorrit Ct. *SE1*
  —2C **78** (6D **150**)
Lit. Ealing La. *W5* —4C **72**
Lit. Edward St. *NW1*
  —3F **61** (1K **141**)
Lit. Essex St. *WC2*
  —7A **62** (2J **149**)
Lit. Ferry Rd. *Twic* —1B **104**
Littlefield Clo. *N19* —4G **45**
Littlefield Clo. *King T* —2E **118**
Littlefield Rd. *Edgw* —7D **12**
Lit. Friday Rd. *E4* —2B **20**
Lit. Gearies. *Ilf* —4F **35**
Lit. George St. *SW1*
  —2J **77** (7E **148**)
Lit. Grange. *Gnfd* —3A **56**
Little Grn. *Rich* —4D **88**
Lit. Green St. *NW5* —4F **45**
Littlegrove. *E Barn* —6H **5**
Lit. Heath. *SE7* —6C **82**
Lit. Heath. *L Hth* —4B **36**
Lit. Heath Rd. *Bexh* —1F **101**
Littleheath Rd. *S Croy* —7H **135**
Lit. Holt. *E11* —5J **33**
Lit. Ilford La. *E12* —4D **50**
Lit. John Rd. *W7* —6K **55**
Lit. Larkins. *Barn* —6B **4**
Lit. Marlborough St. *W1*
  —6G **61** (1A **148**)

Littlemede. *SE9* —3D **114**
Littlemoor Rd. *Ilf* —3H **51**
Littlemore Rd. *SE2* —3A **84**
Lit. Moss La. *Pinn* —2C **22**
Lit. Newport St. *WC2*
  —7H **61** (2D **148**)
Lit. New St. *EC4* —6A **62** (7K **143**)
Lit. Orchard Clo. *Pinn* —2C **22**
Lit. Park Dri. *Felt* —2C **102**
Lit. Park Gdns. *Enf* —3H **7**
Lit. Pluckett's Way. *Buck H*
  —1G **21**
Lit. Portland St. *W1*
  —6G **61** (7K **141**)
Lit. Potters. *Bush* —1C **10**
Lit. Queen's Rd. *Tedd* —6K **103**
Lit. Redlands. *Brom* —2C **128**
Littlers Clo. *SW19* —2B **122**
Lit. Russell St. *WC1*
  —5J **61** (6E **142**)
Lit. St James's St. *SW1*
  —1G **77** (5A **148**)
Lit. St Leonard's. *SW14* —3J **89**
Lit. Sanctuary. *SW1*
  —2H **77** (7D **148**)
Lit. Smith St. *SW1*
  —3H **77** (1D **154**)
Lit. Somerset St. *E1*
  —6F **63** (1J **151**)
Littlestone Clo. *Beck* —6C **112**
Lit. Strand. *NW9* —2B **26**
Lit. Thrift. *Orp* —4G **129**
Lit. Titchfield St. *W1*
  —5G **61** (6A **142**)
Littleton Av. *E4* —1C **20**
Littleton Cres. *Harr* —2K **39**
Littleton Rd. *Harr* —2K **39**
Littleton St. *SW18* —2A **108**
Lit. Trinity La. *EC4*
  —7C **62** (2D **150**)
Lit. Turnstile. *WC1*
  —5K **61** (6G **143**)
Lit. Venice. *W2* —5A **60**
Lit. Warkworth Ho. *Iswth* —2B **88**
Littlewood. *SE13* —6E **96**
Littlewood Clo. *W13* —3B **72**
Livermere Rd. *E8* —1F **63**
Liverpool Gro. *SE17*
  —5C **78** (6D **156**)
Liverpool Rd. *E10* —6E **32**
Liverpool Rd. *E16* —5G **65**
Liverpool Rd. *N7 & N1* —5A **46**
Liverpool Rd. *W5* —2D **72**
Liverpool Rd. *King T* —7G **105**
Liverpool Rd. *T Hth* —3C **124**
Liverpool St. *EC2*
  —5E **62** (6G **145**)
Livesey Clo. *King T* —3F **119**
Livesey Pl. *SE15* —6G **79**
Livingstone College Towers. *E10*
  —6E **32**
Livingstone Ct. *E10* —6E **32**
Livingstone Ct. *W'stone* —3K **23**
Livingstone Ho. *SE5* —7C **78**
  (off Wyndam Rd.)
Livingstone Mans. *W14* —6G **75**
  (off Queen's Club Gdns.)
Livingstone Pl. *E14* —5E **80**
Livingstone Rd. *E15* —1E **64**
Livingstone Rd. *E17* —6D **32**
Livingstone Rd. *N13* —6D **16**
Livingstone Rd. *SW11* —3B **92**
Livingstone Rd. *Houn* —4G **87**
Livingstone Rd. *S'hall* —7B **54**

Livingstone Rd. *T Hth* —2D **124**
Livonia St. *W1* —6G **61** (1B **148**)
Lizard St. *EC1* —3C **62** (2D **144**)
Lizban St. *SE3* —7K **81**
Llanelly Rd. *NW2* —2H **43**
Llanover Rd. *SE18* —6E **82**
Llanover Rd. *Wemb* —3D **40**
Llanthony Rd. *Mord* —5B **122**
Llanvanor Rd. *NW2* —2H **43**
Llewellyn St. *SE20* —1J **125**
Llewellyn St. *SE16* —2G **79**
Lloyd Av. *SW16* —1J **123**
Lloyd Baker M. *WC1*
  —3K **61** (2H **143**)
Lloyd Baker St. *WC1*
  —3A **62** (2H **143**)
Lloyd Ct. *Pinn* —5B **22**
Lloyd Pk. Av. *Croy* —4F **135**
Lloyd Pk. Ho. *E17* —3C **32**
Lloyd Rd. *E6* —1D **66**
Lloyd Rd. *E17* —4K **31**
Lloyd Rd. *Dag* —7F **53**
Lloyd Rd. *Wor Pk* —3F **131**
Lloyd's Av. *EC3* —6E **62** (1H **151**)
Lloyd's Pl. *SE3* —2G **97**
Lloyd Sq. *WC1* —3A **62** (1J **143**)
Lloyd's Row. *EC1*
  —3A **62** (2K **143**)
Lloyd St. *WC1* —3A **62** (1J **143**)
Lloyds Way. *Beck* —5A **126**
Lloyds Wharf. *SE1*
  —2F **79** (7K **151**)
Lloyd Thomas Ct. *N22* —7E **16**
Loampit Hill. *SE13* —2C **96**
Loampit Vale. *SE13* —3D **96**
Loampit Vale. (Junct.) —3E **96**
Loanda Clo. *E8* —1F **63**
Loats Rd. *SW2* —6J **93**
Lobelia Clo. *E6* —5C **66**
Locarno Rd. *W3* —1J **73**
Locarno Rd. *Gnfd* —4H **55**
Lochaber Rd. *SE13* —4G **97**
Lochaline St. *W6* —6E **74**
Lochan Clo. *Hayes* —4C **54**
Lochinvar St. *SW12* —7F **93**
Lochleven Ho. *N2* —2B **28**
  (off Grange, The)
Lochmere Clo. *Eri* —6H **85**
Lochnagar St. *E14* —5E **64**
Lock Chase. *SE3* —3G **97**
Lock Clo. *S'hall* —2G **71**
Lockesfield Pl. *E14* —5D **80**
Lockesley Dri. *Orp* —6K **129**
Lockesley Sq. *Surb* —6D **118**
Locket Rd. *Harr* —3J **23**
Lockfield Av. *Enf* —2F **9**
Lockgate Clo. *E9* —5B **48**
Lockhart Clo. *N7* —6K **45**
Lockhart Clo. *Enf* —5C **8**
Lockhart St. *E3* —4B **64**
Lockhurst St. *E5* —4K **47**
Lockie Pl. *SE25* —3G **125**
Lockier Wlk. *Wemb* —3D **40**
Lockington Rd. *SW8* —1F **93**
Lockmead Rd. *N15* —6G **31**
Lockmead Rd. *SE13* —3E **96**
Lock Rd. *Rich* —4C **104**
Locksfields. *SE17*
  —4D **78** (4F **157**)
Lockside. *E14* —7A **64**
  (off Narrow St.)
Locks La. *Mitc* —2E **122**
Locksley Est. *E14* —6B **64**
Locksley St. *E14* —5B **64**
Locksmeade Rd. *Rich* —4C **104**

Lockwood Clo. *SE26* —4K **111**
Lockwood Clo. *Cockf* —4J **5**
Lockwood Ho. *SE11*
  —6A **78** (7J **155**)
Lockwood Ind. Pk. *N17* —3H **31**
Lockwood Sq. *SE16* —3H **79**
Lockwood Way. *E17* —2K **31**
Lockyer Est. *SE1*
  —2D **78** (7F **151**)
Lockyer St. *SE1* —2D **78** (7F **151**)
Locton Grn. *E3* —1B **64**
Loddiges Rd. *E9* —7J **47**
Loder St. *SE15* —7J **79**
Lodge Av. *SW14* —3A **90**
Lodge Av. *Croy* —3A **134**
Lodge Av. *Dag* —1A **68**
Lodge Av. *Harr* —4E **24**
Lodge Clo. *N18* —5H **17**
Lodge Clo. *Edgw* —6A **12**
Lodge Clo. *Iswth* —1B **88**
Lodge Clo. *Wall* —1E **132**
Lodge Clo. *Wemb* —6E **40**
Lodge Dri. *N13* —4F **17**
Lodge Gdns. *Beck* —5B **126**
Lodge Hill. *Ilf* —4C **34**
Lodge Hill. *Well* —7B **84**
Lodgehill Pk. Clo. *Harr* —2F **39**
Lodge La. *N12* —5F **15**
Lodge La. *Bex* —6D **100**
Lodge La. *New Ad* —6C **136**
Lodge La. *Romf* —1G **37**
Lodge Pl. *Sutt* —5K **131**
Lodge Rd. *NW4* —4E **26**
Lodge Rd. *NW8* —3B **60** (2B **140**)
Lodge Rd. *Brom* —7A **114**
Lodge Rd. *Croy* —6B **124**
Lodge Rd. *Wall* —5F **133**
Lodge Rd. *Wfd G* —6C **20**
Lodore Gdns. *NW9* —5A **26**
Lodore St. *E14* —6E **64**
Loftie St. *SE16* —2G **79**
Lofting Rd. *N1* —7K **45**
Loftus Rd. *W12* —1D **74**
Logan Clo. *Enf* —1E **8**
Logan Clo. *Houn* —3D **86**
Logan M. *W8* —4J **75**
Logan Pl. *W8* —4J **75**
Logan Rd. *N9* —2C **18**
Logan Rd. *Wemb* —2D **40**
Loggetts. *SE21* —3E **110**
Logs Hill. *Chst & Brom* —7C **114**
Logs Hill Clo. *Chst* —1C **128**
Lohmann Ho. *SE11*
  —6A **78** (7J **155**)
Lolesworth Clo. *E1*
  —5F **63** (6J **145**)
Lollard St. *SE11*
  (in two parts) —4K **77** (3H **155**)
Loman St. *SE1* —2B **78** (6B **150**)
Lomas Clo. *Croy* —7E **136**
Lomas Ct. *E8* —7F **47**
Lomas St. *E1* —5G **63**
Lombard Av. *Enf* —1D **8**
Lombard Av. *Ilf* —1J **51**
Lombard Bus. Cen., The. *SW11*
  —2B **92**
Lombard Bus. Pk. *Croy* —7K **123**
Lombard Ct. *EC3*
  —7D **62** (2F **151**)
Lombard Ct. *Romf* —4J **37**
  (off Poplar St.)
Lombard La. *EC4*
  —6A **62** (1K **149**)
Lombard Rd. *N11* —5A **16**
Lombard Rd. *SW11* —2B **92**

Lombard Rd. *SW19* —2K **121**
Lombard Roundabout. (Junct.)
　　　　　—7K **123**
Lombard St. *EC3*
　　　　—6D **62** (1F **151**)
Lombard Wall. *SE7* —3K **81**
　(in two parts)
Lombardy Pl. *W2* —7K **59**
Lombardy Retail Pk. *Hayes*
　　　　　—7A **54**
Lomond Clo. *N15* —5E **30**
Lomond Clo. *Wemb* —7F **41**
Lomond Gdns. *S Croy* —7A **136**
Lomond Gro. *SE5* —7D **78**
Lomond Ho. *SE5* —7D **78**
Loncroft Rd. *SE5*
　　　　—6E **78** (7H **157**)
Londesborough Rd. *N16* —4E **46**
London Bri. *SE1 & EC4*
　　　　—1D **78** (4F **151**)
London Bri. St. *SE1*
　　　　—1D **78** (5F **151**)
London City Airport. *E16* —7C **66**
Londonderry Pde. *Eri* —7K **85**
London Fields E. Side. *E8* —7H **47**
London Fields W. Side. *E8*
　　　　—7G **47**
London Ho. NW8 —2C **60**
　(off Avenue Rd.)
London Ho. *WC1*
　　　　—4K **61** (3G **143**)
London Ind. Pk., The. *E6* —5F **67**
London La. *E8* —7H **47**
London La. *Brom* —7H **113**
London Master Bakers
　Almshouses. *E10* —6D **32**
London M. *W2* —6B **60** (7B **140**)
London Rd. *E13* —2J **65**
London Rd. *SE1*
　　　　—3B **78** (1A **156**)
London Rd. *SE23* —1H **111**
London Rd. *SW16 & T Hth*
　　　　—1K **123**
London Rd. *Bark* —7F **51**
London Rd. *Brom* —7H **113**
London Rd. *Chad H & Romf*
　　　　—6G **37**
London Rd. *Cray* —5K **101**
London Rd. *Croy* —6D **124**
London Rd. *Enf* —5J **7**
London Rd. *Ewe & Sutt* —7B **130**
London Rd. *Harr* —2J **39**
London Rd. *Houn & Iswth*
　　　　—3G **87**
London Rd. *Iswth & Bren* —2K **87**
London Rd. *King T* —2E **118**
London Rd. *Mitc & SW17*
　　　　—4C **122**
London Rd. *Mord* —5J **121**
London Rd. *Stan* —5H **11**
London Rd. *Twic* —5A **88**
London Rd. *Wall & Mitc* —4F **133**
London Rd. *Wemb* —5E **40**
London Stile. *W4* —5G **73**
London St. *EC3* —7E **62** (2H **151**)
London St. *W2* —6B **60** (7A **140**)
London Ter. *E2* —2G **63**
London Underwriting Cen. *EC3*
　　　　—7E **62** (2H **151**)
London Wall. *EC2*
　　　　—6D **60** (6D **144**)
London Wall Bldgs. *EC2*
　　　　—5D **62** (6F **145**)
London Wharf. E2 —1H **63**
　(off Wharf Pl.)

Lonesome Way. *SW16* —1G **123**
Long Acre. *WC2* —7J **61** (2E **148**)
Longacre Clo. *Enf* —3H **7**
Long Acre Clo. *W13* —5A **56**
Longacre Pl. *Cars* —6E **132**
Longacre Rd. *E17* —1F **33**
Longbeach Rd. *SW11* —3D **92**
Longberrys. *NW2* —3H **43**
Longboat Row. *S'hall* —6D **54**
Longbourne Ct. *E17* —6A **32**
Longbridge Ho. Dag —4B **52**
　(off Gainsborough Rd.)
Longbridge Rd. *Bark & Dag*
　　　　—7G **51**
Longbridge Way. *SE13* —5E **96**
Longcroft. *SE9* —3E **114**
Longcrofte Rd. *Edgw* —7J **11**
Long Deacon Rd. *E4* —1B **20**
Longdon Wood. *Kes* —3C **138**
Longdown Rd. *SE6* —4C **112**
Long Dri. *W3* —6A **58**
Long Dri. *Gnfd* —1F **55**
Long Dri. *Ruis* —5A **38**
Long Elmes. *Harr* —1F **23**
Longfellow Rd. *E3* —3A **64**
Longfellow Rd. *E17* —6B **32**
Longfellow Rd. *Wor Pk* —1C **130**
Longfellow Way. *SE1*
　　　　—4F **79** (4K **157**)
Long Field. *NW9* —7F **13**
Longfield. *Brom* —1H **127**
Longfield Av. *E17* —4A **32**
Longfield Av. *NW7* —7H **13**
Longfield Av. *W5* —7C **56**
Longfield Av. *Wall* —1E **132**
Longfield Av. *Wemb* —1E **40**
Longfield Cres. *SE26* —3J **111**
Longfield Dri. *SW14* —5H **89**
Longfield Dri. *Mitc* —1C **122**
Longfield Est. *SE1*
　　　　—4F **79** (3K **157**)
Longfield Rd. *W5* —6C **56**
Longfield St. *SW18* —7J **91**
Longfield Wlk. *W5* —6C **56**
Longford Av. *S'hall* —7F **55**
Longford Clo. *Hamp* —4E **102**
Longford Clo. *Hayes* —7B **54**
Longford Ct. *NW4* —4F **27**
Longford Ct. S'hall —1E **70**
　(off Uxbridge Rd.)
Longford Gdns. *Hayes* —7B **54**
Longford Gdns. *Sutt* —3A **132**
Longford Ho. Brom —5F **113**
　(off Brangbourne Rd.)
Longford Ho. *Hamp* —4E **102**
Longford Rd. *Twic* —1E **102**
Longford St. *NW1*
　　　　—4F **61** (3K **141**)
Longford Wlk. *SW2* —7A **94**
Longhayes Av. *Romf* —4D **36**
Longhayes Ct. *Romf* —4D **36**
Longheath Gdns. *Croy* —5J **125**
Longhedge Ho. SE26 —4G **111**
　(off High Level Dri.)
Long Hedges. *Houn* —2E **86**
Longhedge St. *SW11* —2E **92**
Longhill Rd. *SE6* —2F **113**
Longhope Clo. *SE15* —6E **78**
Longhurst Rd. *SE13* —5G **97**
Longhurst Rd. *Croy* —6H **125**
Longland Ct. *SE1*
　　　　—5G **79** (5K **157**)
Longland Dri. *N20* —3E **14**
Longlands Ct. W11 —7H **59**
　(off Westbourne Gro.)

Longlands Ct. *Sidc* —2K **115**
Longlands Pk. Cres. *Sidc*
　　　　—3J **115**
Longlands Rd. *Sidc* —3J **115**
Long La. *EC1* —5B **62** (6B **144**)
Long La. *N3 & N2* —1K **27**
Long La. *SE1* —2D **78** (7E **150**)
Long La. *Bexh* —7D **84**
Long La. *Croy* —6J **125**
Longleat Rd. *Enf* —5K **7**
Longleigh Ho. *SE5* —1E **94**
　(off Peckham Rd.)
Longleigh La. *Bexh* —6C **84**
Longley Av. *Wemb* —1F **57**
Longley Ct. *SW8* —1J **93**
Longley Rd. *SW17* —6C **108**
Longley Rd. *Croy* —7B **124**
Longley Rd. *Harr* —5G **23**
Long Leys. *E4* —6J **19**
Longley St. *SE1* —4G **79**
Longley Way. *NW2* —3E **42**
Longman Ho. *E8* —1F **63**
Long Mark Rd. *E16* —5B **66**
Long Mead. *NW9* —1B **26**
Longmead. *Chst* —2E **128**
Longmead Dri. *Sidc* —2D **116**
Longmeadow Rd. *SE27* —5G **110**
Long Meadow. *NW5* —5H **45**
Long Meadow Clo. *W Wick*
　　　　—7E **126**
Longmeadow Rd. *Sidc* —1J **115**
Longmead Rd. *SW17* —5D **108**
Longmoore St. *SW1*
　　　　—4G **77** (4A **154**)
Longmore Av. *Barn* —6F **5**
Longnor Est. *E1* —3K **63**
Longnor Rd. *E1* —3K **63**
Longreach Ct. *Bark* —2H **67**
Long Reach Rd. *Bark* —4K **67**
Longridge Ho. *SE1*
　　　　—3C **78** (2D **156**)
Longridge La. *S'hall* —6F **55**
Longridge Rd. *SW5* —4J **75**
Long Ridges. N2 —3E **28**
　(off Fortis Grn.)
Long Rd. *SW4* —4F **93**
Long's Ct. WC2 —7H **61** (3D **148**)
Longs Ct. *Rich* —4F **89**
Longshaw Rd. *E4* —3A **20**
Longshore. *SE8* —4B **80**
Longshott Ct. SW5 —4J **75**
　(off W. Cromwell Rd.)
Longstaff Cres. *SW18* —7J **91**
Longstaff Rd. *SW18* —6J **91**
Longstone Av. *NW10* —7B **42**
Longstone Rd. *SW17* —5F **109**
Long St. *E2* —3F **63** (1J **145**)
Longthornton Rd. *SW16*
　　　　—2G **123**
Longton Av. *SE26* —4G **111**
Longton Gro. *SE26* —4H **111**
Longview Vs. *Romf* —1F **37**
Longview Way. *Romf* —1K **37**
Longville Rd. *SE11*
　　　　—4B **78** (3B **156**)
Long Wlk. *SE1* —3E **78** (1H **157**)
Long Wlk. *SE18* —6F **83**
Long Wlk. *SW13* —2B **90**
Long Wlk. *N Mald* —3J **119**
Long Wall. *E15* —3F **65**
Longwood Dri. *SW15* —6C **90**
Longwood Gdns. *Ilf* —4D **34**
Longworth Clo. *SE28* —6D **68**
Long Yd. *WC1* —4K **61** (4G **143**)

Loning, The. *NW9* —4B **26**
Lonsdale Av. *E6* —3B **66**
Lonsdale Av. *Romf* —6J **37**
Lonsdale Av. *Wemb* —5E **40**
Lonsdale Clo. *E6* —4C **66**
Lonsdale Clo. *SE9* —3B **114**
Lonsdale Clo. *Edgw* —5A **12**
Lonsdale Clo. *Pinn* —1C **22**
Lonsdale Ct. *Surb* —7D **118**
Lonsdale Cres. *Ilf* —6F **35**
Lonsdale Ct. *Enf* —4C **6**
Lonsdale Gdns. *T Hth* —4K **123**
Lonsdale M. *W11* —6H **59**
　(off Lonsdale Rd.)
Lonsdale Pl. *N1* —7A **46**
Lonsdale Rd. *E11* —7H **33**
Lonsdale Rd. *NW6* —2H **59**
Lonsdale Rd. *SE25* —4H **125**
Lonsdale Rd. *SW13* —1B **90**
Lonsdale Rd. *W4* —4B **74**
Lonsdale Rd. *W11* —6H **59**
Lonsdale Rd. *Bexh* —2F **101**
Lonsdale Rd. *S'hall* —3D **70**
Lonsdale Sq. *N1* —7A **46**
Lonsdale Yd. *W11* —7J **59**
Loobert Rd. *N15* —3E **30**
Looe Gdns. *Ilf* —3F **35**
Loop Rd. *Chst* —6G **115**
Lopen Rd. *N18* —4K **17**
Lopez Ho. *SW9* —3J **93**
Lorac Ct. *Sutt* —7J **131**
Loraine Clo. *Enf* —5D **8**
Loraine Ct. *Chst* —5F **115**
Loraine Ho. Wall —4F **133**
Loraine Rd. *N7* —4K **45**
Loraine Rd. *W4* —6H **73**
Lord Av. *Ilf* —4D **34**
Lord Chancellor Wlk. *King T*
　　　　—1K **119**
Lordell Pl. *SW19* —6E **106**
Lorden Wlk. *E2* —3G **63** (2K **145**)
Lord Gdns. *Ilf* —4D **34**
Lord Hills Bri. *W2* —5K **59**
Lord Hills Rd. *W2* —5K **59**
Lord Holland La. *SW9* —2A **94**
Lord Napier Pl. *W6* —5C **74**
Lord North St. *SW1*
　　　　—3J **77** (2E **154**)
Lord Roberts M. *SW6* —7K **75**
Lord Robert's Ter. *SE18* —5E **82**
Lords Clo. *SE21* —2C **110**
Lords Clo. *Felt* —2C **102**
Lordship Gro. *N16* —2D **46**
Lordship La. *N22 & N17* —2A **30**
Lordship La. *SE22* —4F **95**
Lordship La. *SE22* —7G **95**
Lordship Pk. *N16* —2C **46**
Lordship Pk. M. *N16* —2C **46**
Lordship Pl. *SW3*
　　　　—6C **76** (7C **152**)
Lordship Rd. *N16* —1D **46**
Lordship Rd. *N'holt* —7C **38**
Lordship Ter. *N16* —2D **46**
Lordsmead Rd. *N17* —1E **30**
Lord St. *E16* —1C **82**
Lords View One. *NW8*
　　　　—3C **60** (2C **140**)
Lord Warwick St. *SE18* —3D **82**
Lorenzo Ho. *N7* —4K **45**
Lorenzo St. *WC1*
　　　　—3K **61** (1G **143**)
Loretto Gdns. *Harr* —4E **24**
Loring Rd. *N20* —2H **15**

Loring Rd. *Iswth* —2K **87**
Loris Rd. *W6* —3E **74**
Lorn Ct. *SW9* —1A **94**
Lorne Av. *Croy* —7K **125**
Lorne Clo. *NW8*
　　　　—3C **60** (2D **140**)
Lorne Gdns. *E11* —4A **34**
Lorne Gdns. *W11* —2F **75**
Lorne Gdns. *Croy* —7K **125**
Lorne Rd. *E7* —4K **49**
Lorne Rd. *E17* —5C **32**
Lorne Rd. *N4* —1K **45**
Lorne Rd. *Harr* —2K **23**
Lorne Rd. *Rich* —5F **89**
Lorne Ter. *N3* —2H **27**
Lorn Rd. *SW9* —2K **93**
Lorraine Pk. *Harr* —7D **10**
Lorrimore Rd. *SE17*
　　　　—6B **78** (7B **156**)
Lorrimore Sq. *SE17*
　　　　—6B **78** (7B **156**)
Lothair Rd. *W5* —2D **72**
Lothair Rd. N. *N4* —6B **30**
Lothair Rd. S. *N4* —7A **30**
Lothbury. *EC2* —6D **62** (7E **144**)
Lothian Av. *Hayes* —5A **54**
Lothian Clo. *Wemb* —3A **40**
Lothian Rd. *SW9* —1B **94**
Lothrop St. *W10* —3G **59**
Lots Rd. *SW10* —7A **76**
Lotus Clo. *SE21* —3D **110**
Loubet St. *SW17* —6D **108**
Loudoun Av. *Ilf* —5F **35**
Loudoun Rd. *NW8* —1A **60**
Loughborough Est. *SW9* —3B **94**
Loughborough Pk. *SW9* —4B **94**
Loughborough Rd. *SW9* —2A **94**
Loughborough St. *SE11*
　　　　—5K **77** (5H **155**)
Lough La. *NW9* —5J **25**
Lough Rd. *N7* —5K **45**
Loughton Way. *Buck H* —1G **21**
Louisa Ct. *Twic* —2J **103**
Louisa Gdns. *E1* —4K **63**
Louisa St. *E1* —4K **63**
Louise Bennett Clo. *SE24* —4B **94**
Louise Clo. *N22* —1A **30**
Louise Rd. *E15* —6G **49**
Louise White Ho. *N19* —1H **45**
Louis M. *N10* —1F **29**
Louisville Rd. *SW17* —3E **108**
Lousada Lodge. N14 —6B **6**
　(off Avenue Rd.)
Louvaine Rd. *SW11* —4B **92**
Lovage App. *E6* —5C **66**
Lovat Clo. *NW2* —3B **42**
Lovat La. *EC3* —7E **62** (3G **151**)
Lovat Clo. *Edgw* —6C **12**
Lovat Wlk. *Houn* —7C **70**
Loveday Rd. *W13* —2B **72**
Lovegrove St. *SE1* —5G **79**
Lovegrove Wlk. *E14* —1E **80**
Lovekyn Clo. *King T* —2E **118**
Lovelace Av. *Brom* —6E **128**
Lovelace Gdns. *Bark* —4A **52**
Lovelace Gdns. *Surb* —7D **118**
Lovelace Grn. *SE9* —3D **98**
Lovelace Rd. *SE21* —2C **110**
Lovelace Rd. *Barn* —7H **5**
Lovelace Rd. *Surb* —7C **118**
Loveland Mans. Bark —7K **51**
　(off Upney La.)
Love La. *EC2* —6C **62** (7D **144**)
Love La. *N17* —7A **18**
Love La. *SE18* —4E **82**

Love La. SE25 —3H **125**
(in two parts)
Love La. Bex —6F **101**
Love La. Brom —3K **127**
(off Elmfield Rd.)
Love La. Mitc —3C **122**
(in two parts)
Love La. Mord —7J **121**
Love La. Pinn —2B **22**
Love La. Sutt —6G **131**
Love La. W'd G —6J **21**
Lovel Av. Well —2A **100**
Lovelinch Clo. SE15 —6J **79**
Lovell Pl. SE16 —3A **80**
Lovell Rd. Rich —3C **104**
Lovell Rd. S'hall —6F **55**
Loveridge M. NW6 —6H **43**
Loveridge Rd. NW6 —6H **43**
Lovers Wlk. NW7 & NJ —6C **14**
Lovers Wlk. SE10 —6F **81**
Lovers' Wlk. W1
          —1E **76** (4G **147**)
Lovett Dri. Cars —7A **122**
Lovett Way. NW10 —5J **41**
Love Wlk. SE5 —2D **94**
Lowbrook Rd. Ilf —4F **51**
Low Cross Wood La. SE21
          —3F **111**
Lowden Rd. N9 —1C **18**
Lowden Rd. SE24 —4B **94**
Lowden Rd. S'hall —7C **54**
Lowe Av. E16 —5J **65**
Lowell Ho. SE5 —7C **78**
(off Wyndham Est.)
Lowell St. E14 —6A **64**
Lowen Rd. Rain —2K **69**
Lwr. Addiscombe Rd. Croy
          —1E **134**
Lwr. Addison Gdns. W14 —2G **75**
Lwr. Belgrave St. SW1
          —3F **77** (2J **153**)
Lwr. Boston Rd. W7 —1J **71**
Lwr. Broad St. Dag —1G **69**
Lwr. Camden. Chst —7D **114**
Lwr. Church St. Croy —2B **134**
Lwr. Clapton Rd. E5 —3H **47**
Lwr. Clarendon St. SW11
(off Clarendon Rd.)   —6G **59**
Lwr. Common S. SW15 —3D **90**
Lwr. Coombe St. Croy —4C **134**
Lwr. Downs Rd. SW20 —1F **121**
Lwr. Drayton Pl. Croy —2B **134**
Lwr. Fosters. NW4 —5E **26**
(off New Brent St.)
Lwr. George St. Rich —5D **88**
Lwr. Gravel Rd. Brom —1C **138**
Lwr. Green W. Mitc —3C **122**
Lwr. Grosvenor Pl. SW1
          —3F **77** (1K **153**)
Lwr. Grove Rd. Rich —6F **89**
Lwr. Hall La. E4 —5F **19**
Lwr. Ham Rd. King T —5D **104**
Lwr. James St. W1
          —7G **61** (2B **148**)
Lwr. John St. W1
          —7G **61** (2B **148**)
Lwr. Kenwood Av. Enf —5C **6**
Lwr. Lea Crossing. E14 —7G **65**
Lwr. Maidstone Rd. N11 —6B **16**
Lwr. Mall. W6 —5D **74**
Lwr. Mardyke Av. Rain —2J **69**
Lwr. Marsh. SE1
          —2A **78** (7J **149**)
Lwr. Marsh La. King T —4F **119**
Lwr. Merton Rise. NW3 —7C **44**

Lwr. Mill. Eps —7B **130**
Lwr. Morden La. Mord —6E **120**
Lwr. Mortlake Rd. Rich —4E **88**
Lwr. Park Rd. N11 —5B **16**
Lwr. Park Rd. Belv —4G **85**
Lower Pk. Trad. Est. W5 —4J **57**
Lwr. Place Bus. Cen. NW10
          —2J **57**
Lwr. Queen's Rd. Buck H —2G **21**
Lwr. Richmond Rd. SW13 &
          SW15 —3D **90**
Lwr. Richmond Rd. Rich & SW14
          —3G **89**
Lower Rd. N11 —5A **16**
Lower Rd. SE16 & SE8 —2J **79**
(in two parts)
Lwr. Rd. Belv & Eri —3H **85**
Lwr. Rd. Harr —1H **39**
Lwr. Rd. Sutt —4A **132**
Lwr. Robert St. WC2
          —7J **61** (3F **149**)
Lwr. Sloane St. SW1
          —4E **76** (4G **153**)
Lower Sq. Iswth —3B **88**
Lower Sq., The. Sutt —5K **131**
Lwr. Staithe. W4 —1J **89**
Lwr. Strand. NW9 —2B **26**
Lwr. Sydenham Ind. Est. SE26
          —5B **112**
Lwr. Teddington Rd. King T
          —1D **118**
Lower Ter. NW3 —3A **44**
Lwr. Thames St. EC3
          —7D **62** (3F **151**)
Lowerwood Ct. W11 —6G **59**
(off Westbourne Pk. Rd.)
Lowestoft Clo. E5 —2J **47**
(off Southwold Rd.)
Loweswater Clo. Wemb —2D **40**
Lowfield Rd. NW6 —7J **43**
Lowfield Rd. W3 —6H **57**
Low Hall Clo. E4 —7J **9**
Lowhall La. E17 —6A **32**
Low Hall Mnr. Bus. Cen. E17
          —6A **32**
Lowick Rd. Harr —4J **23**
Lowlands Gdns. Romf —5H **37**
Lowlands Rd. Harr —6J **23**
Lowlands Rd. Pinn —7A **22**
Lowman Rd. N7 —4K **45**
Lowndes Clo. SW1
          —3E **76** (2H **153**)
Lowndes Ct. SW1
          —3D **76** (1F **153**)
Lowndes Pl. W1
          —6G **61** (1A **148**)
Lowndes Pl. SW1
          —3E **76** (2G **153**)
Lowndes Sq. SW1
          —2D **76** (7F **147**)
Lowndes St. SW1
          —3E **76** (1F **153**)
Lownds Ct. Brom —2J **127**
Lowood St. E1 —7H **63**
Lowry Cres. Mitc —2C **122**
Lowry Ho. N17 —1F **31**
(off Pembury Rd.)
Lowry Rd. Dag —5B **52**
Lowshoe La. Romf —1G **37**
Lowther Dri. Enf —4D **6**
Lowther Gdns. SW7
          —3B **76** (1B **152**)
Lowther Hill. SE23 —7A **96**
Lowther Rd. E17 —2A **32**
Lowther Rd. N7 —5A **46**

Lowther Rd. SW13 —1B **90**
Lowther Rd. King T —1F **119**
Lowther Rd. Stan —3F **25**
Lowth Rd. SE5 —1C **94**
Low Wlk. E17 —5B **32**
Loxford Av. E6 —2B **66**
Loxford La. Ilf —5G **51**
Loxford Rd. Bark —6F **51**
Loxford Ter. Bark —6G **51**
Loxham Rd. E4 —7J **19**
Loxham St. WC1
          —3J **61** (2F **143**)
Loxley Clo. SE26 —5K **111**
Loxley Rd. SW18 —1B **108**
Loxley Rd. Hamp —4D **102**
Loxton Rd. SE23 —1K **111**
Loxwood Rd. N17 —3E **30**
Lubbock Rd. Chst —7D **114**
Lubbock St. SE14 —7J **79**
Lucan Ho. N1 —1D **62**
(off Colville Est.)
Lucan Pl. SW3 —4C **76** (4C **152**)
Lucan Rd. Barn —3B **4**
Lucas Av. E13 —1K **65**
Lucas Av. Harr —2E **38**
Lucas Ct. SE26 —5A **112**
Lucas Rd. SE20 —6J **111**
Lucas Sq. NW11 —6J **27**
Lucas St. SE8 —1C **96**
Lucerne Clo. N13 —3D **16**
Lucerne Ct. Eri —3E **84**
Lucerne Gro. E17 —4F **33**
Lucerne M. W8 —1J **75**
Lucerne Rd. N5 —4B **46**
Lucerne Rd. Orp —7K **129**
Lucerne Rd. T Hth —4C **124**
Lucey Rd. SE16 —3G **79**
Lucey Way. SE16 —3G **79**
(in two parts)
Lucien Rd. SW17 —4E **108**
Lucien Rd. SW19 —2K **107**
Lucinda Ct. Enf —4K **7**
Lucknow St. SE18 —7J **83**
Lucorn Clo. SE12 —6H **97**
Luctons Av. Buck H —1F **21**
Lucy Cres. W3 —5J **57**
Lucy Gdns. Dag —3E **52**
Luddesdon Rd. Eri —7G **85**
Ludford Clo. NW9 —2A **26**
Ludford Clo. Croy —3A **134**
Ludgate B'way. EC4
          —6B **62** (1A **150**)
Ludgate Cir. EC4
          —6B **62** (1A **150**)
Ludgate Hill. EC4
          —6B **62** (1A **150**)
Ludgate Sq. EC4
          —6B **62** (1B **150**)
Ludham Clo. SE28 —6C **68**
Ludlow Clo. Brom —3J **127**
Ludlow Clo. Harr —4D **38**
Ludlow Clo. W3 —2J **73**
Ludlow Rd. W5 —4C **56**
Ludlow Rd. SE1 —4C **62** (3C **144**)
Ludlow Way. N2 —4A **28**
Ludovick Wlk. SW15 —4B **90**
Ludwick M. SE14 —7A **80**
Luffield Rd. SE2 —3B **84**
Luffman Rd. SE12 —3K **113**
Lugard Rd. SE15 —2H **95**
Lugg App. E12 —3E **50**
Luke St. EC2 —4E **62** (3G **145**)
Lukin Cres. E4 —3A **20**
Lukin St. E1 —6J **63**
Luley La. NW7 —5E **12**

Lullingstone Clo. Orp —7B **116**
Lullingstone Cres. Orp —7A **116**
Lullingstone Rd. Belv —6F **85**
Lullington Garth. N12 —5C **14**
Lullington Garth. Brom —6J **113**
Lullington Rd. SE20 —7G **111**
Lullington Rd. Dag —7E **52**
Lulot Gdns. N19 —2F **45**
Lulworth Av. Houn —1F **87**
Lulworth Av. Wemb —7C **24**
Lulworth Clo. Harr —3D **38**
Lulworth Cres. Mitc —2C **122**
Lulworth Dri. Pinn —6B **22**
Lulworth Gdns. Harr —2C **38**
Lulworth Ho. SW8 —7K **77**
Lulworth Rd. SE9 —2H **113**
Lulworth Rd. SE15 —2H **95**
Lulworth Rd. Well —2K **99**
Lulworth Waye. Hayes —6A **54**
Lumen Rd. Wemb —2D **40**
Lumley Clo. Belv —5G **85**
Lumley Ct. WC2 —7J **61** (3F **149**)
Lumley Flats SW1
          —5E **76** (5G **153**)
(off Holbein Pl.)
Lumley Gdns. Sutt —5G **131**
Lumley Rd. Sutt —5G **131**
Lumley St. W1 —6E **60** (1H **147**)
Luna Rd. T Hth —3C **124**
Lund Point. E15 —1E **64**
Lundy Wlk. N1 —6C **46**
Lunham Rd. SE19 —6E **110**
Lupin Clo. SW2 —2B **110**
Lupin Clo. Croy —1K **135**
Lupton Clo. SE12 —3K **113**
Lupton St. NW5 —4G **45**
Lupus St. SW1 —5F **77** (6K **153**)
Luralda Gdns. E14 —5E **81**
Lurgan Av. W6 —6F **75**
Lurline Gdns. SW11 —1E **92**
Luscombe Ct. Short —2G **127**
Luscombe Way. SW8 —7J **77**
Lushington Rd. NW10 —2D **58**
Lushington Rd. SE6 —4D **112**
Lushington Ter. E8 —5G **47**
(off Wayland Av.)
Lusitania Building. E1 —7K **63**
(off Jardine Rd.)
Lutea Ho. Sutt —7A **132**
(off Walnut M.)
Luther Clo. Edgw —2D **12**
Luther King Clo. E17 —6B **32**
Luther Rd. Tedd —5K **103**
Luton Pl. SE10 —7E **80**
Luton Rd. E13 —4J **65**
Luton Rd. E17 —3B **32**
Luton Rd. Sidc —3C **116**
Luton St. NW8 —4B **60** (4B **140**)
Lutton Ter. NW3 —4A **44**
(off Heath St.)
Luttrell Av. SW15 —5D **90**
Lutwyche Rd. SE6 —2B **112**
Luxborough La. Chig —3H **21**
Luxborough St. W1
          —5E **60** (5G **141**)
Luxemburg Gdns. W6 —4F **75**
Luxfield Rd. SE9 —1C **114**
Luxford St. SE16 —4K **79**
Luxmore St. SE4 —1B **96**
Luxor St. SE5 —3C **94**
Lyall Av. SE21 —4E **110**
Lyall M. SW1 —3E **76** (2G **153**)
Lyall M. W. SW1
          —3E **76** (2G **153**)
Lyall St. SW1 —3E **76** (2G **153**)

Lyal Rd. E3 —2A **64**
Lycett Pl. W12 —2C **74**
Lyconby Gdns. Croy —7A **126**
Lydd Clo. Sidc —3J **115**
Lydden Gro. SW18 —7K **91**
Lydden Rd. SW18 —7K **91**
Lydd Rd. Bexh —7F **85**
Lydeard Rd. E6 —7D **50**
Lydford Clo. N16 —5E **46**
(off Pellerin Rd.)
Lydford Rd. N15 —5D **30**
Lydford Rd. NW2 —6E **42**
Lydford Rd. W9 —4H **59**
Lydhurst Av. SW2 —2K **109**
Lydia Ct. N12 —6F **15**
Lydney Clo. SE15 —7E **78**
Lydney Clo. SW19 —2G **107**
Lydon Rd. SW4 —3G **93**
Lydstep Rd. Chst —4E **114**
Lyford Rd. SW18 —7B **92**
Lyford St. SE7 —4C **82**
Lygon Ho. SW6 —1G **91**
(off Fulham Pal. Rd.)
Lygon Pl. SW1 —3F **77** (2J **153**)
Lyham Clo. SW2 —6J **93**
Lyham Rd. SW2 —5J **93**
Lyle Clo. Mitc —7E **122**
Lyle Farm Rd. SE12 —4J **97**
Lyme Gro. E9 —7J **47**
Lymer Av. SE19 —5F **111**
Lyme Rd. Well —1B **100**
Lymescote Gdns. Sutt —2J **131**
Lyme St. NW1 —7G **45**
Lyme Ter. NW1 —7G **45**
Lyminge Clo. Sidc —4K **115**
Lyminge Gdns. SW18 —1C **108**
Lymington Av. N22 —2A **30**
Lymington Clo. E6 —5D **66**
Lymington Clo. SW16 —2H **123**
Lymington Ct. Sutt —3A **131**
Lymington Gdns. Eps —5B **130**
Lymington Rd. NW6 —6K **43**
Lymington Rd. Dag —1D **52**
Lympne. N17 —2D **30**
(off Gloucester Rd.)
Lympstone Gdns. SE15 —7G **79**
Lynbridge Gdns. N13 —4G **17**
Lynbrook Clo. SE15 —7E **78**
Lynbrook Clo. Rain —2K **69**
Lynch Wlk. SE8 —6B **80**
Lyncott Cres. SW4 —4F **93**
Lyncourt. SE3 —2F **97**
Lyncroft Av. Pinn —5C **22**
Lyncroft Gdns. NW6 —5J **43**
Lyncroft Gdns. W13 —2C **72**
Lyncroft Gdns. Houn —5G **87**
Lyncroft Mans. NW6 —5J **43**
Lyndale. NW2 —4H **43**
Lyndale Av. NW2 —3H **43**
Lyndale Clo. SE3 —6H **81**
Lynde Ho. SW4 —3H **93**
Lyndhurst Av. N12 —6J **15**
Lyndhurst Av. NW7 —6F **13**
Lyndhurst Av. SW16 —2H **123**
Lyndhurst Av. Pinn —1A **22**
Lyndhurst Av. S'hall —1F **71**
Lyndhurst Av. Surb —7H **119**
Lyndhurst Av. Twic —1D **102**
Lyndhurst Clo. NW10 —3K **41**
Lyndhurst Clo. Bexh —3H **101**
Lyndhurst Clo. Croy —3F **135**
Lyndhurst Ct. E18 —1J **33**
Lyndhurst Dri. E10 —7E **32**
Lyndhurst Dri. N Mald —7A **120**

255

Major Rd. *E15* —5F **49**
Major Rd. *SE16* —3G **79**
Makepeace Av. *N6* —2E **44**
Makepeace Mans. *N6* —2E **44**
Makepeace Rd. *N'holt* —2C **54**
Makepiece Rd. *E11* —4J **33**
Makinen Ho. *Buck H* —1F **21**
Makins St. *SW3*
　　　　—4C **76** (4D **152**)
Malabar Ct. W12 —7D *58*
　(off India Way)
Malabar St. *E14* —2C **80**
Malam Ct. *SE11* —4A **78** (4J **155**)
Malam Gdns. *E14* —7D **64**
Malbrook Rd. *SW15* —4D **90**
Malcolm Ct. *E7* —6H **49**
Malcolm Ct. *NW4* —6C **26**
Malcolm Ct. *Stan* —5H **11**
Malcolm Cres. *NW4* —6C **26**
Malcolm Dri. *Surb* —7D **118**
Malcolm Ho. N1 —2E *62*
　(off Arden Est.)
Malcolm Pl. *E2* —4J **63**
Malcolm Rd. *E1* —4J **63**
Malcolm Rd. *SE20* —7J **111**
Malcolm Rd. *SE25* —6G **125**
Malcolm Rd. *SW19* —6G **107**
Malcolm Way. *E11* —5J **33**
Malden Av. *SE25* —3H **125**
Malden Av. *Gnfd* —5J **39**
Malden Ct. *N4* —6C **30**
Malden Ct. *N Mald* —3D **120**
Malden Cres. *NW1* —6E **44**
Malden Grn. Av. *Wor Pk* —1B **130**
Malden Hill. *N Mald* —3B **120**
Malden Hill Gdns. *N Mald*
　　　　—3B **120**
Malden Junction. (Junct.)
　　　　—6B **120**
Malden La. *NW1* —7H **45**
Malden Pk. *N Mald* —6B **120**
Malden Pl. *NW5* —5E **44**
Malden Rd. *NW5* —5D **44**
Malden Rd. *N Mald & Wor Pk*
　　　　—5A **120**
Malden Rd. *Sutt* —4F **131**
Malden Way. *N Mald* —6A **120**
Maldon Clo. *N1* —1C **62**
Maldon Clo. *SE5* —3E **94**
Maldon Ct. E6 —1E *66*
　(off Langdon Rd.)
Maldon Ct. *Wall* —5G **133**
Maldon Rd. *N9* —3A **18**
Maldon Rd. *W3* —7J **57**
Maldon Rd. *Romf* —7J **37**
Maldon Rd. *Wall* —5F **133**
Maldon Wlk. *Wfd G* —6F **21**
Malet Pl. *WC1* —4H **61** (4C **142**)
Malet St. *WC1* —4H **61** (4C **142**)
Maley Av. *SE27* —2B **110**
Malford Ct. *E18* —2J **33**
Malford Gro. *E18* —4H **33**
Malfort Rd. *SE5* —3E **94**
Malham Rd. *SE23* —1K **111**
Malham Ter. N18 —6C *18*
　(off Dysons Rd.)
Malibu Ct. *SE26* —3H **111**
Mallams M. *SW9* —3B **94**
Mallard Clo. *E9* —6B **48**
Mallard Clo. *NW6* —1J **59**
Mallard Clo. *W7* —2J **71**
Mallard Clo. *New Bar* —6G **5**
Mallard Clo. *Twic* —7E **86**
Mallard Ct. *E17* —3F **33**

Mallard Path. *SE28* —3H *83*
　(off Goosander Way)
Mallard Pl. *N22* —2K **29**
Mallard Pl. *Twic* —3A **104**
Mallards. E11 —7J *33*
　(off Blake Hall Rd.)
Mallards Rd. *Wfd G* —7E **20**
Mallard Wlk. *Beck* —5K **125**
Mallard Wlk. *Sidc* —6C **116**
Mallard Way. *NW9* —7J **25**
Mallard Way. *Wall* —7G **133**
Mall Chambers. W8 —1J *75*
　(off Kensington Mall)
Mallet Dri. *N'holt* —5D **38**
Mallet Rd. *SE13* —6F **97**
Malling Clo. *Croy* —6J **125**
Malling Gdns. *Mord* —6A **122**
Malling Way. *Brom* —7H **127**
Mallinson Rd. *SW11* —5C **92**
Mallinson Rd. *Croy* —3H **133**
Mallord St. *SW3*
　　　　—6B **76** (7B **152**)
Mallory Clo. *SE4* —4A **96**
Mallory Gdns. *E Barn* —7K **5**
Mallory St. *NW8*
　　　　—4C **60** (3D **140**)
Mallow Clo. *Croy* —1K **135**
Mallow Mead. *NW7* —7B **14**
Mallow St. *EC1* —4D **62** (3E **144**)
Mall Rd. *W6* —5D **74**
Mall, The. *E15* —7F **49**
Mall, The. *N14* —2D **16**
Mall, The. *SW1* —1H **77** (5D **148**)
Mall, The. *SW14* —5J **89**
Mall, The. *W5* —7E **56**
Mall, The. *Bexh* —4G **101**
Mall, The. *Bren* —6D **72**
Mall, The. *Brom* —3J **127**
Mall, The. *Croy* —2C **134**
Mall, The. *Dag* —6G **53**
Mall, The. *Harr* —6F **25**
Mall, The. *Surb* —6D **118**
Malmains Clo. *Beck* —4F **127**
Malmains Way. *Beck* —4E **126**
Malmesbury Rd. *E3* —3B **64**
Malmesbury Rd. *E16* —5G **65**
Malmesbury Rd. *E18* —1H **33**
Malmesbury Rd. *Mord* —7A **122**
Malmesbury Ter. *E16* —5H **65**
Malmsey Ho. *SE11*
　　　　—5K **77** (5H **155**)
Malmsmead Ho. E9 —5A *48*
　(off Homerton Rd.)
Malpas Dri. *Pinn* —5B **22**
Malpas Rd. *E8* —5H **47**
Malpas Rd. *SE4* —2B **96**
Malpas Rd. *Dag* —6D **52**
Malta Rd. *E10* —1C **48**
Malta St. *EC1* —4B **62** (3B **144**)
Maltby Clo. *Orp* —7K **129**
Maltby Dri. *Enf* —1C **8**
Maltby St. *SE1* —2F **79** (7J **151**)
Malthouse Dri. *W4* —6A **74**
Malthouse Dri. *Felt* —5B **102**
Malthouse Pas. SW13 —2B *90*
　(off Maltings Clo.)
Malthus Path. *SE28* —1C **84**
Maltings. *W4* —5G **73**
Maltings Clo. *SW13* —2B **90**
Maltings Lodge. W4 —6A *74*
　(off Corney Reach Way)
Maltings M. *Sidc* —3A **116**
Maltings Pl. *SW6* —1K **91**
Malting Way. *Iswth* —3K **87**
Malton M. *SE18* —6J **83**

Malton M. *W10* —6G **59**
Malton Rd. *W10* —6G **59**
Malton St. *SE18* —6J **83**
Maltravers St. *WC2*
　　　　—7K **61** (2H **149**)
Malt St. *SE1* —6G **79**
Malva Clo. *SW18* —5K **91**
Malvern Av. *E4* —7A **20**
Malvern Av. *Bexh* —7E **84**
Malvern Av. *Harr* —3C **38**
Malvern Clo. *SE20* —2J **125**
Malvern Clo. *W10* —5II **59**
Malvern Clo. *Mitc* —3G **123**
Malvern Ct. W12 —2C *74*
　(off Hadyn Pk. Rd.)
Malvern Ct. *Sutt* —7J **131**
Malvern Dri. *Felt* —5B **102**
Malvern Dri. *Ilf* —4K **51**
Malvern Dri. *Wfd G* —5F **21**
Malvern Gdns. *NW2* —2G **43**
Malvern Gdns. *Harr* —4E **24**
Malvern Ho. *N16* —1F **47**
Malvern M. *NW6* —3J **59**
Malvern Pl. *NW6* —3H **59**
Malvern Rd. *E6* —1C **66**
Malvern Rd. *E8* —7G **47**
Malvern Rd. *E11* —2G **49**
Malvern Rd. *N8* —3A **30**
Malvern Rd. *N17* —3G **31**
Malvern Rd. *NW6* —3J **59**
　(in two parts)
Malvern Rd. *Hamp* —7E **102**
Malvern Rd. *T Hth* —4A **124**
Malvern Ter. *N1* —1A **62**
Malvern Ter. *N9* —1A **18**
Malvern Way. *W13* —5B **56**
Malwood Rd. *SW12* —6F **93**
Malyons Rd. *SE13* —6D **96**
Malyons Ter. *SE13* —5D **96**
Managers St. *E14* —1E **80**
Manaton Clo. *SE15* —3H **95**
Manaton Cres. *S'hall* —6E **54**
Manbey Gro. *E15* —6G **49**
Manbey Pk. Rd. *E15* —6G **49**
Manbey Rd. *E15* —6G **49**
Manbey St. *E15* —6G **49**
Manbre Rd. *W6* —6E **74**
Manbrough Av. *E6* —3E **66**
Manchester Dri. *W1U* —4G **59**
Manchester Gro. *E14* —5E **80**
Manchester Ho. *SE17*
　　　　—5C **78** (5D **156**)
Manchester M. *W1*
　　　　—5E **60** (6G **141**)
Manchester Rd. *E14* —5E **80**
Manchester Rd. *N15* —6D **30**
Manchester Rd. *T Hth* —3C **124**
Manchester Sq. *W1*
　　　　—6E **60** (7G **141**)
Manchester St. *W1*
　　　　—5E **60** (6G **141**)
Manchester Way. *Dag* —4H **53**
Manchuria Rd. *SW11* —6E **92**
Manciple St. *SE1*
　　　　—2D **78** (7E **150**)
Mandalay Rd. *SW4* —5G **93**
Mandarin Ct. *NW10* —6K *41*
　(off Mitchellbrook Way)
Mandarin St. *E14* —7C **64**
Mandarin Way. *Hayes* —6B **54**
Mandela Clo. *NW10* —7J **41**
Mandela Clo. *W12* —7D **58**
Mandela Ho. *SE5* —2B **94**
Mandela Rd. *E16* —6J **65**
Mandela St. *NW1* —1G **61**

Mandela St. *SW9* —7A **78**
Mandela Way. *SE1*
　　　　—4E **78** (3G **157**)
Mandeville Clo. *SE3* —7H **81**
Mandeville Clo. *SW20* —1G **121**
Mandeville Ct. *E4* —4F **19**
Mandeville Ho. *SW4* —5G **93**
Mandeville Pl. *W1*
　　　　—6E **60** (7H **141**)
Mandeville Rd. *N14* —2A **16**
Mandeville Rd. *Iswth* —2A **88**
Mandeville Rd. *N'holt* —7E **38**
Mandeville St. *E5* —3A **48**
Mandrake Rd. *SW17* —2D **108**
Mandrake Way. *E15* —7G **49**
Mandrell Rd. *SW2* —5J **93**
Manesty Ct. N14 —7C *6*
　(off Ivy Rd.)
Manette St. *W1* —6H **61** (1D **148**)
Manfred Rd. *SW15* —5H **91**
Manger Rd. *N7* —6J **45**
Mangold Way. *Eri* —3D **84**
Manilla St. *E14* —2C **80**
Manister Rd. *SE2* —3A **84**
Manley Ct. *N16* —3F **47**
Manley Ho. *SE11*
　　　　—5A **78** (5J **155**)
Manley St. *NW1* —1E **60**
Mann Clo. *Croy* —4C **124**
Manningford Clo. *EC1*
　　　　—3B **62** (1A **144**)
Manning Gdns. *Harr* —7D **24**
Manning Pl. *Rich* —6F **89**
Manning Rd. *E17* —5A **32**
Manning Rd. *Dag* —6G **53**
Manningtree Clo. *SW19* —1G **107**
Manningtree Rd. *Ruis* —4A **38**
Manningtree St. *E1*
　　　　—6G **63** (7K **145**)
Mannin Rd. *Romf* —7B **36**
Mannock Rd. *N22* —3B **30**
Mann's Clo. *Iswth* —5K **87**
Manns Rd. *Edgw* —6B **12**
Manny Shinwell Ho. SW6 —6H *75*
　(off Clem Attlee Ct.)
Manoel Rd. *Twic* —3G **103**
Manor Av. *E7* —4A **50**
Manor Av. *SE4* —2B **96**
Manor Av. *Houn* —3B **86**
Manor Av. *N'holt* —7D **38**
Manor Brook. *SE3* —4J **97**
Manor Circus. (Junct.) —3G **89**
Manor Clo. *E17* —2A **32**
Manor Clo. *NW7* —5E **12**
Manor Clo. *NW9* —5H **25**
Manor Clo. *SE28* —7C **68**
Manor Clo. *Barn* —4B **4**
Manor Clo. *Cray* —4K **101**
Manor Clo. *Dag* —6K **53**
Manor Clo. *Wor Pk* —1A **130**
Manor Cotts. *N2* —2A **28**
Manor Cotts. App. *N2* —2A **28**
Manor Ct. *E4* —1B **20**
Manor Ct. *E10* —1D **48**
Manor Ct. N2 —5D *28*
　(off Aylmer Rd.)
Manor Ct. *N14* —2C **16**
Manor Ct. N20 —3J *15*
　(off York Way)
Manor Ct. *SW2* —5K **93**
Manor Ct. *SW16* —3J **109**
Manor Ct. *W3* —4G **73**
Manor Ct. *Bark* —7K **51**
Manor Ct. *Bexh* —5H **101**
Manor Ct. *Harr* —6K **23**

Manor Ct. *King T* —1G **119**
Manor Ct. *Twic* —2G **103**
Manor Ct. *Wemb* —5E **40**
Manor Ct. *W Wick* —1D **136**
Manor Ct. Rd. *W7* —7J **55**
Manor Cres. *Surb* —6G **119**
Manor Deerfield Cotts. *NW9*
　　　　—5B **26**
Manor Dene. *SE28* —6C **68**
Manordene Rd. *SE28* —6D **68**
Manor Dri. *N14* —1A **16**
Manor Dri. *N20* —4H **15**
Manor Dri. *NW7* —5E **12**
Manor Dri. *Eps* —6A **130**
Manor Dri. *Felt* —5B **102**
Manor Dri. *Surb* —6F **119**
Manor Dri. *Wemb* —4F **41**
Manor Dri. *N. N Mald & Wor Pk*
　　　　—7K **119**
Manor Dri., The. *Wor Pk*
　　　　—1A **130**
Manor Est. *SE16* —4H **79**
Manor Farm Clo. *Wor Pk*
　　　　—1A **130**
Manor Farm Ct. E6 —3D *66*
　(off Holloway Rd.)
Manor Farm Dri. *E4* —3B **20**
Manor Farm Rd. *SW16* —2A **124**
Manor Farm Rd. *Wemb* —2D **56**
Manorfield Clo. N19 —4G *45*
　(off Fulbeck M.)
Manor Fields. *SW15* —6F **91**
Manorfields Clo. *Chst* —3K **129**
Manor Gdns. *N7* —3J **45**
Manor Gdns. *SW20* —2H **121**
Manor Gdns. *W3* —4G **73**
Manor Gdns. *W4* —5A **74**
Manor Gdns. *Hamp* —7F **103**
Manor Gdns. *Rich* —4F **89**
Manor Gdns. *Ruis* —5A **38**
Manor Gdns. *S Croy* —6F **135**
Manor Ga. *N'holt* —7C **38**
Manorgate Rd. *King T* —1G **119**
Manor Gro. *SE15* —6J **79**
Manor Gro. *Beck* —2D **126**
Manor Gro. *Rich* —4G **89**
Manor Hall Av. *NW4* —2F **27**
Manor Hall Dri. *NW4* —2F **27**
Manorhall Gdns. *E10* —1C **48**
Manor House. (Junct.) —1C **46**
Manor Ho. Dri. *NW6* —7F **43**
Manor Ho. Est. *Stan* —5G **11**
Manor Ho. Way. *Iswth* —3B **88**
Manor La. *SE13 & SE12* —5G **97**
Manor La. *Sutt* —5A **132**
Manor La. Ter. *SE13* —4G **97**
Manor M. NW6 —2J *59*
　(off Cambridge Av.)
Manor M. *SE4* —2B **96**
Manor Mt. *SE23* —1J **111**
Manor Pde. *N16* —3F **47**
Manor Pde. *Harr* —6K **23**
Manor Pk. *SE13* —4F **97**
Manor Pk. *Chst* —2H **129**
Manor Pk. *Rich* —4F **89**
Manor Pk. Clo. *W Wick* —1D **136**
Manor Pk. Cres. *Edgw* —6B **12**
Manor Pk. Dri. *Harr* —3F **23**
Manor Pk. Gdns. *Edgw* —5B **12**
Manor Pk. Pde. SE13 —4F *97*
　(off Lee High Rd.)
Manor Pk. Rd. *E12* —4B **50**
Manor Pk. Rd. *N2* —3A **28**
Manor Pk. Rd. *NW10* —1B **58**
Manor Pk. Rd. *Chst* —1G **129**

Markham Ho. *Dag* —3G **53**
(off Uvedale Rd.)
Markham Pl. *SW3*
—5D 76-(5E **152**)
Markham Sq. *SW3*
—5D 76 (5E **152**)
Markham St. *SW3*
—5C 76 (5D **152**)
Markhole Clo. *Hamp* —7D **102**
Markhouse Av. *E17* —6A **32**
Markhouse Pas. *E17* —6B **32**
(off Markhouse Rd.)
Markhouse Rd. *E17* —6B **32**
Mark La. *EC3* —7E **62** (2H **151**)
Markmanor Av. *E17* —7A **32**
Mark Rd. *N22* —1B **30**
Marksbury Av. *Rich* —3G **89**
Marks Lodge. *Romf* —5K **37**
Mark Sq. *EC2* —4E **62** (3G **145**)
Marks Rd. *Romf* —5J **37**
Mark St. *E15* —7G **49**
Mark St. *EC2* —4E **62** (3G **145**)
Markwell Clo. *SE26* —4H **111**
Markyate Rd. *Dag* —5B **52**
Marlands Rd. *Ilf* —3C **34**
Marlborough Av. *E8* —1G **63**
(in two parts)
Marlborough Av. *N14* —3B **16**
Marlborough Av. *Edgw* —3C **12**
Marlborough Clo. *N20* —3J **15**
Marlborough Clo. *SE17*
—4C 78 (4B **156**)
Marlborough Clo. *SW19* —6C **108**
Marlborough Clo. *Orp* —6K **129**
Marlborough Ct. *W1*
—7G 61 (2A **148**)
Marlborough Ct. *W8* —4J **75**
(off Pembroke Rd.)
Marlborough Ct. *Buck H* —2F **21**
Marlborough Ct. *Enf* —5K **7**
Marlborough Ct. *Harr* —4H **23**
Marlborough Cres. *W4* —3K **73**
Marlborough Dri. *Ilf* —3C **34**
Marlborough Flats. *SW3*
—4C 76 (3D **152**)
Marlborough Gdns. *N20* —3J **15**
Marlborough Gdns. *Surb*
—7D **118**
Marlborough Ga. Stables. *W2*
—7B 60 (2A **146**)
Marlborough Gro. *SE1* —5G **79**
Marlborough Hill. *NW8* —1B **60**
Marlborough Hill. *Harr* —4H **23**
Marlborough La. *SE7* —7A **82**
Marlborough Mans. *NW6* —5J **43**
Marlborough Pk. Av. *Sidc*
—7A **100**
Marlborough Pl. *NW8* —2A **60**
Marlborough Rd. *E4* —6J **19**
Marlborough Rd. *E7* —7A **50**
Marlborough Rd. *E15* —4G **49**
Marlborough Rd. *E18* —2J **33**
Marlborough Rd. *N9* —1A **18**
Marlborough Rd. *N19* —2H **45**
Marlborough Rd. *N22* —7D **16**
Marlborough Rd. *SW1*
—1G 77 (5B **148**)
Marlborough Rd. *SW19* —6C **108**
Marlborough Rd. *W4* —5J **73**
Marlborough Rd. *W5* —2D **72**
Marlborough Rd. *Bexh* —3D **100**
Marlborough Rd. *Brom* —4A **128**
Marlborough Rd. *Dag* —4B **52**
Marlborough Rd. *Felt* —2B **102**
Marlborough Rd. *Hamp* —6E **102**

Marlborough Rd. *Iswth* —1B **88**
Marlborough Rd. *Rich* —6F **89**
Marlborough Rd. *Romf* —4G **37**
Marlborough Rd. *S'hall* —3A **70**
Marlborough Rd. *S Croy*
—7C **134**
Marlborough Rd. *Sutt* —3J **131**
Marlborough St. *SW3*
—4C 76 (4C **152**)
Marlborough Yd. *N19* —2H **45**
Marler Rd. *SE23* —1A **112**
Marley Av. *Bexh* —6D **84**
Marley Clo. *N15* —4B **30**
Marley Clo. *Gnfd* —3E **54**
Marley Wlk. *NW2* —5E **42**
Marlingdene Clo. *Hamp* —6E **102**
Marlings Clo. *Chst* —4J **129**
Marlings Pk. Av. *Chst* —4J **129**
Marlins Clo. *Sutt* —5A **132**
Marloes Clo. *Wemb* —4D **40**
Marloes Rd. *W8* —3K **75**
Marlow Clo. *SE20* —3H **125**
Marlow Ct. *N14* —7B **6**
Marlow Ct. *NW9* —3B **26**
Marlow Cres. *Twic* —6K **87**
Marlow Dri. *Sutt* —2F **131**
Marlowe Clo. *Chst* —6H **115**
Marlowe Clo. *Ilf* —1G **35**
Marlowe Gdns. *SE9* —6E **98**
Marlowe Rd. *E17* —4E **32**
Marlowe Sq. *Mitc* —4G **123**
Marlowes, The. *NW8* —1B **60**
Marlowes, The. *Dart* —4K **101**
Marlowe Way. *Croy* —2J **133**
Marlow Rd. *E6* —3D **66**
Marlow Rd. *SE20* —3H **125**
Marlow Rd. *S'hall* —3D **70**
Marlow Way. *SE16* —2K **79**
Marl Rd. *SW18* —4A **92**
Marlton St. *SE10* —5H **81**
Marlwood Clo. *Sidc* —2J **115**
Marmadon Rd. *SE18* —4K **83**
Marmion App. *E4* —4H **19**
Marmion Av. *E4* —4G **19**
Marmion Clo. *E4* —4G **19**
Marmion M. *SW11* —3E **92**
Marmion Rd. *SW11* —4E **92**
Marmont Rd. *SE15* —1G **95**
Marmora Rd. *SE22* —6J **95**
Marmot Rd. *Houn* —3B **86**
Marne Av. *N11* —4A **16**
Marne Av. *Well* —3A **100**
Marne Ho. *SE15* —7G **79**
(off Sumner Est.)
Marnell Way. *Houn* —3B **86**
Marne St. *W10* —3G **59**
Marney Rd. *SW11* —4E **92**
Marnfield Cres. *SW2* —1K **109**
Marnham Av. *NW2* —4G **43**
Marnham Ct. *Wemb* —5C **40**
Marnham Cres. *Gnfd* —3F **55**
Marnock Rd. *SE4* —5B **96**
Maroon St. *E14* —5A **64**
Maroons Way. *SE6* —5C **112**
Marqueen Towers. *SW16*
—7J **109**
Marquess Rd. *N1* —6D **46**
Marquess Rd. N. *N1* —6D **46**
Marquess Rd. S. *N1* —6C **46**
Marquis Clo. *Wemb* —7F **41**
Marquis Ct. *N4* —1A **30**
(off Marquis Rd.)
Marquis Ct. *Bark* —5J **51**
Marquis Rd. *N4* —1K **45**
Marquis Rd. *N22* —6E **16**

Marquis Rd. *NW1* —6H **45**
Marandon Clo. *Sidc* —1A **116**
Marrick Clo. *SW15* —4C **90**
Marriett Ho. *SE6* —4E **112**
Marrilyne Av. *Enf* —1G **9**
Marriott Rd. *E15* —1G **65**
Marriott Rd. *N4* —1K **45**
Marriott Rd. *N10* —1D **28**
Marriott Rd. *Barn* —3A **4**
Marriotts Clo. *NW9* —6B **26**
Marryat Pl. *SW19* —4G **107**
Marryat Rd. *SW19* —5F **107**
Marryat Sq. *SW6* —1G **91**
Marsala Rd. *SE13* —4D **96**
Marsden Rd. *N9* —2C **18**
Marsden Rd. *SE15* —3F **95**
Marsden St. *NW5* —6E **44**
Marshall Clo. *SW18* —6A **92**
Marshall Clo. *Harr* —7H **23**
Marshall Clo. *Houn* —5D **86**
Marshall Est. *NW7* —4H **13**
Marshall Ho. *N1* —2D **62**
(off Cranston Est.)
Marshall Ho. *SE1*
—3E 78 (2H **157**)
Marshall Path. *SE28* —7B **68**
Marshall Rd. *N17* —1D **30**
Marshalls Clo. *N11* —4A **16**
Marshalls Dri. *Romf* —3K **37**
Marshalls Gro. *SE18* —4C **82**
Marshall's Pl. *SE16*
—3F 79 (2K **157**)
Marshalls Rd. *Romf* —4K **37**.
Marshall's Rd. *Sutt* —4K **131**
Marshall St. *W1* —6G 61 (1B **148**)
Marshalsea Rd. *SE1*
—2C 78 (6D **150**)
Marsham Clo. *Chst* —5F **115**
Marsham Ct. *SW1*
—4H 77 (3D **154**)
Marsham St. *SW1*
—3H 77 (2D **154**)
Marsh Av. *Mitc* —2D **122**
Marshbrook Clo. *SE3* —3B **98**
Marsh Clo. *NW7* —3G **13**
Marsh Ct. *E8* —7G **47**
March Dri. *NW9* —6B **26**
Marsh Farm Rd. *Twic* —1K **103**
Marshfield St. *E14* —3E **80**
Marsh Ga. Bus. Cen. *E15* —2E **64**
Marshgate La. *E15* —1D **64**
Marshgate Path. *SE18* —3G **83**
Marshgate Trad. Est. *E15* —7D **48**
Marsh Grn. Rd. *Dag* —1G **69**
Marsh Hall. *Wemb* —3F **41**
Marsh Hill. *E9* —5A **48**
Marsh La. *E10* —2B **48**
Marsh La. *N17* —1H **31**
Marsh La. *NW7* —3F **13**
Marsh La. *Stan* —5H **11**
Marsh Rd. *Pinn* —4C **22**
Marsh Rd. *Wemb* —3D **56**
Marshside Clo. *N9* —1D **18**
Marsh St. *E14* —4D **80**
Marsh Wall. *E14* —1C **80**
Marsh Way. *Rain* —3K **69**
(in two parts)
Marsland Clo. *SE17*
—5B 78 (6B **156**)
Marston Av. *Dag* —2G **53**
Marston Clo. *NW6* —7A **44**
Marston Clo. *Dag* —3G **53**
Marston Ho. *SW9* —2A **94**
Marston Rd. *Ilf* —1C **34**

Marston Rd. *Tedd* —5B **104**
Marston Way. *SE19* —7B **110**
Marsworth Av. *Pinn* —1B **22**
Marsworth Clo. *Hayes* —5C **54**
Martaban Rd. *N16* —2F **47**
Martello St. *E8* —7H **47**
Martello Ter. *E8* —7H **47**
Martell Rd. *SE21* —3D **110**
Martel Pl. *E8* —6F **47**
Marten Rd. *E17* —2C **32**
Martens Av. *Bexh* —4H **101**
Martens Clo. *Bexh* —4J **101**
Martha Ct. *E2* —2H **63**
Martham Clo. *SE28* —7D **68**
Martha Rd. *E4* —6G **19**
Martha Rd. *E15* —6G **49**
Martha St. *E1* —6J **63**
Marthorne Cres. *Harr* —2H **23**
Martin Bowes Rd. *SE9* —3D **98**
Martinbridge Trad. Est. *Enf* —5B **8**
Martin Clo. *N9* —1E **18**
Martin Cres. *Croy* —1A **134**
Martindale. *SW14* —5J **89**
Martindale Av. *E16* —7J **65**
Martindale Rd. *SW12* —7F **93**
Martindale Rd. *Houn* —3C **86**
Martin Dene. *Bexh* —5F **101**
Martin Dri. *N'holt* —5D **38**
Martineau Est. *E1* —6J **63**
Martineau M. *N5* —4B **46**
Martineau Rd. *N5* —4B **46**
Martingales Clo. *Rich* —3D **104**
Martin Gdns. *Dag* —4C **52**
Martin Gro. *Mord* —4J **121**
Martin Ho. *SE1* —3C 78 (2D **156**)
Martin Ho. *SW8* —7J **77**
(off Wyvil Rd.)
Martin La. *EC4* —7D **62** (2F **151**)
Martin Rise. *Bexh* —5F **101**
Martin Rd. *Dag* —4C **52**
Martins Clo. *W Wick* —2F **137**
Martins Mt. *New Bar* —4D **4**
Martin's Rd. *Brom* —2H **127**
Martins, The. *Wemb* —3F **41**
Martins Wlk. *N10* —1E **28**
Martin Way. *SW20 & Mord*
—3G **121**
Martlesham. *N17* —2E **30**
(off Adams Rd.)
Martlet Gro. *N'holt* —3B **54**
Martlett Ct. *WC2* —6J 61 (1F **149**)
Martley Dri. *Ilf* —5F **35**
Martock Clo. *Harr* —4A **24**
Marton Clo. *SE6* —3C **112**
Marton Rd. *N16* —2E **46**
Mart St. *WC2* —7J 61 (2F **149**)
Martynside. *NW9* —1B **26**
(off Concourse, The)
Martys Yd. *NW3* —4B **44**
Marvell Ho. *SE5* —7D **78**
(off Camberwell Rd.)
Marvels Clo. *SE12* —2K **113**
Marvels La. *SE12* —2K **113**
Marville Rd. *SW6* —7H **75**
Marvin St. *E8* —6H **47**
Marwell Clo. *W Wick* —2H **137**
Marwood Clo. *Well* —3B **100**
Mary Adelaide Clo. *SW15*
—4A **106**
Mary Ann Gdns. *SE8* —6C **80**
Maryatt Av. *Harr* —2F **39**
Mary Bank. *SE18* —4D **82**
Mary Clo. *Stan* —4F **25**
Mary Datchelor Clo. *SE5* —1D **94**

Maryfield Clo. *Bex* —3K **117**
Mary Grn. *NW8* —1K **59**
Maryland Ho. *E15* —6G **49**
(off Manbey Pk. Rd.)
Maryland Ind. Est. *E15* —5G **49**
(off Maryland Rd.)
Maryland Pk. *E15* —5G **49**
Maryland Rd. *E15* —5F **49**
Maryland Rd. *N22* —6E **16**
Maryland Rd. *T Hth* —1B **124**
Maryland Sq. *E15* —5G **49**
Marylands Rd. *W9* —4J **59**
Maryland St. *E15* —5F **49**
Maryland Wlk. *N1* —1C **62**
(off Popham St.)
Mary Lawrenson Pl. *SE3* —7J **81**
Marylebone Fly-Over. *W2 & NW8*
—5C 60 (6B **140**)
Marylebone Fly-Over. (Junct.)
—5C **60**
Marylebone High St. *W1*
—5E 60 (5H **141**)
Marylebone La. *W1*
—5E 60 (6H **141**)
Marylebone M. *W1*
—5F 61 (6J **141**)
Marylebone Pas. *W1*
—6G 61 (7B **142**)
Marylebone Rd. *NW1*
—5C 60 (5D **140**)
Marylebone St. *W1*
—5E 60 (6H **141**)
Marylee Way. *SE11*
—4K 77 (4H **155**)
Mary Macarthur Ho. *W6* —6G **75**
Mary Macarthur Ho. *Dag* —3G **53**
(off Wythenshawe Rd.)
Maryon Gro. *SE7* —4C **82**
Maryon M. *NW3* —4C **44**
Maryon Rd. *SE7* —4C **82**
Mary Peters Dri. *Gnfd* —5H **39**
Mary Pl. *W11* —7G **59**
Mary Rose Clo. *Hamp* —7E **102**
Mary Rose Mall. *E6* —5D **66**
Mary Rose Way. *N20* —1G **15**
Mary Seacole Clo. *E8* —1F **63**
Mary's Ter. *Twic* —7A **88**
Mary St. *E16* —5H **65**
Mary St. *N1* —1C **62**
Mary Ter. *NW1* —1F **61**
Maryville. *Well* —2K **99**
Marzena Ct. *Houn* —6G **87**
Masbro Rd. *W14* —3F **75**
Mascalls Rd. *SE7* —6A **82**
Mascotte Rd. *SW15* —4F **91**
Mascotts Clo. *NW2* —3D **42**
Masefield Av. *S'hall* —7E **54**
Masefield Av. *Stan* —5E **10**
Masefield Ct. *New Bar* —4F **5**
Masefield Ct. *Surb* —7D **118**
Masefield Cres. *N14* —6B **6**
Masefield Gdns. *E6* —4E **66**
Masefield La. *Hayes* —4K **54**
Masefield Rd. *Hamp* —4D **102**
Mashie Rd. *W3* —6A **58**
Mashiters Hill. *Romf* —1K **37**
Maskall Clo. *SW2* —1A **110**
Maskani Wlk. *SW16* —7G **109**
Maskell Rd. *SW17* —3A **108**
Maskelyne Clo. *SW11* —1C **92**
Mason Clo. *E16* —7J **65**
Mason Clo. *SE16* —5G **79**
Mason Clo. *Bexh* —3H **101**
Mason Rd. *Wfd G* —4B **20**

Mason's Arms M. *W1*
—6F **61** (1K **147**)
Mason's Av. *EC2*
—6D **62** (7E **144**)
Masons Av. *Croy* —3C **134**
Masons Av. *Harr* —4K **23**
Masons Grn. La. *W5* —4G **57**
(in two parts)
Masons Hill. *SE18* —4F **83**
Masons Hill. *Brom* —3J **127**
Mason's Pl. *EC1*
—3C **62** (1C **144**)
Masons Pl. *Mitc* —1D **122**
Mason St. *SE17* —4D **78** (3F **157**)
Masons Yd. *SW1*
—1G **77** (4B **148**)
Mason's Yd. *SW19* —5F **107**
Massey Clo. *N11* —5A **16**
Massey Ct. E6 —1A **66**
(off Florence Rd.)
Massie Rd. *E8* —6G **47**
Massinger St. *SE17*
—4E **78** (4G **157**)
Massingham St. *E1* —4K **63**
Masson Av. *Ruis* —6A **38**
Master Gunners Pl. *SE18* —7C **82**
Masterman Rd. *E6* —3C **66**
Masters Dri. *SE16* —5H **79**
Master's St. *E1* —5K **63**
Masthouse Ter. *E14* —4C **80**
Mastmaker Ct. *E14* —2C **80**
Mastmaker Rd. *E14* —1C **80**
Maswell Pk. Cres. *Houn* —5G **87**
Maswell Pk. Rd. *Houn* —5F **87**
Matcham Rd. *E11* —3G **49**
Matchless Dri. *SE18* —7E **82**
Matfield Clo. *Brom* —5J **127**
Matfield Rd. *Belv* —6G **85**
Matham Gro. *SE22* —4F **95**
Matheson Long Ho. *SE1*
—2A **78** (7J **149**)
Matheson Rd. *W14* —4H **75**
Mathews Pk. Av. *E15* —6H **49**
Mathews Yd. *WC2*
—6J **61** (1E **148**)
Matilda Clo. *SE19* —7D **110**
Matilda St. *N1* —1K **61**
Matlock Clo. *Barn* —5A **4**
Matlock Ct. *SE5* —4C **94**
Matlock Cres. *Sutt* —4G **131**
Matlock Gdns. *Sutt* —4G **131**
Matlock Pl. *Sutt* —4G **131**
Matlock Rd. *E10* —6E **32**
Matlock St. *E14* —6A **64**
Matlock Way. *N Mald* —1K **119**
Matrimony Pl. *SW4* —2G **93**
Matson Ct. *E4* —7B **20**
Matthew Clo. *W10* —4F **59**
Matthew Rd. *E17* —3E **32**
Matthew Ct. *Mitc* —5H **123**
Matthew Parker St. *SW1*
—2H **77** (7D **148**)
Matthews Av. *E6* —2E **66**
Matthews Rd. *Gnfd* —5H **39**
Matthews St. *SW11* —2D **92**
Matthews Wlk. E17 —1C **32**
(off Chingford Rd.)
Matthias Rd. *N16* —5E **46**
Mattingley Way. SE15 —7F **79**
(off Longhope Clo.)
Mattison Rd. *N4* —6A **30**
Mattock La. *W13 & W5* —1B **72**
Maud Cashmore Way. *SE18*
—3D **82**
Maude Rd. *E17* —5A **32**

Maude Rd. *SE5* —1E **94**
Maude Ter. *E17* —5A **32**
Maud Gdns. *E13* —1H **65**
Maud Gdns. *Bark* —2K **67**
Maudlins Grn. *E1*
—1G **79** (4K **151**)
Maud Rd. *E10* —3E **48**
Maud Rd. *E13* —2H **65**
Maudslay Rd. *SE9* —3D **98**
Maudsley Ho. *Bren* —5E **72**
Maud St. *E16* —5H **65**
Maudsville Cotts. *W7* —1J **71**
Maugham Ct. W3 —3J **73**
(off Palmerston Rd.)
Mauleverer Rd. *SW2* —5J **93**
Maundeby Wlk. *NW10* —6A **42**
Maunder Rd. *W7* —1K **71**
Maunsel St. *SW1*
—4H **77** (3C **154**)
Maureen Ct. *Beck* —2J **125**
Mauretania Building. E1 —7K **63**
(off Jardine Rd.)
Maurice Av. *N22* —2B **30**
Maurice Brown Clo. *NW7* —5A **14**
Maurice Ct. *Bren* —7D **72**
Maurice St. *W12* —6D **58**
Maurice Wlk. *NW11* —4A **28**
Maurier Clo. *N'holt* —1A **54**
Mauritius Rd. *SE10* —4G **81**
Maury Rd. *N16* —2G **47**
Mavelstone Clo. *Brom* —1C **128**
Mavelstone Rd. *Brom* —1B **128**
Maverton Rd. *E3* —1C **64**
Mavis Av. *Eps* —5A **130**
Mavis Clo. *Eps* —5A **130**
Mavis Wlk. E6 —5C **66**
(off Greenwich Cres.)
Mawbey Ho. *SE1*
—5F **79** (6K **157**)
Mawbey Pl. *SE1* —5F **79** (6K **157**)
Mawbey Rd. *SE1*
—5F **79** (6K **157**)
Mawbey St. *SW8* —7J **77**
Mawney Clo. *Romf* —2H **37**
Mawney Rd. *Romf* —2H **37**
Mawson Clo. *SW20* —2G **121**
Mawson La. *W4* —6B **74**
Maxden Ct. *SE15* —3G **95**
Maxey Gdns. *Dag* —4E **52**
Maxey Rd. *SE18* —4G **83**
Maxey Rd. *Dag* —4E **52**
Maxfield Clo. *N20* —7F **5**
Maxilla Wlk. *W10* —6F **59**
Maximfeldt Rd. *Eri* —5K **85**
Maxim Rd. *N21* —6F **7**
Maxim Rd. *Eri* —4K **85**
Maxted Pk. *Harr* —7J **23**
Maxted Rd. *SE15* —3F **95**
Maxwell Clo. *Croy* —1J **133**
Maxwell Rd. *SW4* —5H **93**
Maxwell Rd. *SW6* —7K **75**
Maxwell Rd. *Well* —3K **99**
Maxwelton Av. *NW7* —5E **12**
Maxwelton Clo. *NW7* —5E **12**
Maya Angelou Ct. *E4* —4K **19**
Mayall Rd. *SE24* —4B **94**
Maya Rd. *N2* —4A **28**
Maybank Av. *E18* —2K **33**
Maybank Av. *Wemb* —5K **39**
Maybank Rd. *E18* —1K **33**
Maybells Commercial Est. *Bark*
—2D **68**
Mayberry Ct. *Beck* —7B **112**
Mayberry Pl. *Surb* —7F **119**
Maybourne Clo. *SE26* —6H **111**

Maybury Clo. *Orp* —5F **129**
Maybury Ct. *Harr* —6H **23**
Maybury Gdns. *NW10* —6D **42**
Maybury M. *N6* —7G **29**
Maybury Rd. *E13* —4A **66**
Maybury Rd. *Bark* —2K **67**
Maybury St. *SW17* —5C **108**
Maychurch Clo. *Stan* —7J **11**
Maycross Av. *Mord* —4H **121**
Mayday Gdns. *SE3* —2C **98**
Mayday Rd. *T Hth* —6B **124**
Mayerne Rd. *SE9* —5B **98**
Mayesbrook Rd. *Bark* —1K **67**
Mayesbrook Rd. *Ilf & Dag*
—3A **52**
Mayesford Rd. *Romf* —7C **36**
Mayes Rd. *N22* —2K **29**
Mayeswood Rd. *SE12* —4A **114**
Mayfair Av. *Bexh* —1D **100**
Mayfair Av. *Ilf* —2D **50**
Mayfair Av. *Romf* —6D **36**
Mayfair Av. *Twic* —7G **87**
Mayfair Av. *Wor Pk* —1C **130**
Mayfair Clo. *Beck* —1D **126**
Mayfair Clo. *Surb* —7E **118**
Mayfair Gdns. *N17* —6H **17**
Mayfair Gdns. *Wfd G* —7D **20**
Mayfair M. NW1 —7D **44**
(off Regents Pk. Rd.)
Mayfair Pl. *W1* —1F **77** (4K **147**)
Mayfair Ter. *N14* —7C **6**
Mayfield. *Bexh* —3F **101**
Mayfield Av. *N12* —4F **15**
Mayfield Av. *N14* —2C **16**
Mayfield Av. *W4* —4A **74**
Mayfield Av. *W13* —3B **72**
Mayfield Av. *Harr* —5B **24**
Mayfield Av. *Orp* —7K **129**
Mayfield Av. *Wfd G* —6D **20**
Mayfield Clo. *E8* —6F **47**
Mayfield Clo. *SE20* —1H **125**
Mayfield Clo. *SW4* —5H **93**
Mayfield Cres. *N9* —6C **8**
Mayfield Cres. *T Hth* —4K **123**
Mayfield Dri. *Pinn* —4D **22**
Mayfield Gdns. *NW4* —6F **27**
Mayfield Gdns. *W7* —6H **55**
Mayfield Rd. *E4* —2K **19**
Mayfield Rd. *E8* —7F **47**
Mayfield Rd. *E13* —4H **65**
Mayfield Rd. *E17* —2A **32**
Mayfield Rd. *N8* —5A **29**
Mayfield Rd. *SW19* —1H **121**
Mayfield Rd. *W3* —7H **57**
Mayfield Rd. *W12* —2A **74**
Mayfield Rd. *Belv* —4J **85**
Mayfield Rd. *Brom* —5C **128**
Mayfield Rd. *Dag* —1C **52**
Mayfield Rd. *Enf* —2E **8**
Mayfield Rd. *S Croy* —7D **134**
Mayfield Rd. *Sutt* —6B **132**
Mayfield Rd. *T Hth* —4K **123**
Mayfield Rd. Flats. *N8* —6K **29**
Mayfields. *Wemb* —2G **41**
Mayfields Clo. *Wemb* —2G **41**
Mayflower Clo. *SE16* —4K **79**
Mayflower Ct. *SE16* —2H **79**
Mayflower Ho. Bark —1H **67**
(off Westbury Rd.)
Mayflower Rd. *SW9* —3J **93**
Mayflower St. *SE16* —2J **79**
Mayfly Clo. *Eastc* —7A **22**
Mayfly Gdns. *N'holt* —3B **54**
Mayford Clo. *SW12* —7D **92**
Mayford Clo. *Beck* —3K **125**

Mayford Rd. *SW12* —7D **92**
May Gdns. *Wemb* —3C **56**
Maygood St. *N1* —2A **62**
Maygrove Rd. *NW6* —6H **43**
Mayhew Clo. *E4* —3H **19**
Mayhew Ct. *SE5* —4D **94**
Mayhill Rd. *SE7* —6K **81**
Mayhill Rd. *Barn* —6B **4**
Mayland Mans. *Bark* —7F **51**
(off Whiting Av.)
Maylands Dri. *Sidc* —3D **116**
Maynard Clo. *N15* —5E **30**
Maynard Clo. *SW6* —7K **75**
Maynard Path. *E17* —5E **32**
Maynard Rd. *E17* —5E **32**
Maynards Quay. *E1* —7J **63**
Maynooth Gdns. *Cars* —7D **122**
Mayo Ct. *W13* —3B **72**
Mayola Rd. *E5* —4J **47**
Mayor Ho. *N1* —1K **61**
(off Barnsbury Est.)
Mayo Rd. *NW10* —6A **42**
Mayow Rd. *SE26 & SE23*
—4K **111**
Mayplace Clo. *Bexh* —3H **101**
Mayplace La. *SE18* —7F **83**
Mayplace Rd. E. *Bexh & Dart*
—3H **101**
Mayplace Rd. W. *Bexh* —4G **101**
May Rd. *E4* —6H **19**
May Rd. *E13* —2J **65**
May Rd. *Twic* —1J **103**
May's Bldgs. M. *SE10* —7F **81**
May's Ct. *SE10* —7F **81**
Mays Ct. *WC2* —7J **61** (3E **148**)
Mays Hill Rd. *Brom* —2G **127**
Mays La. *Barn* —1J **13**
(in two parts)
Maysoule Rd. *SW11* —4B **92**
Mays Rd. *Tedd* —5H **103**
May St. *W14* —5H **75**
Mayswood Gdns. *Dag* —6J **53**
Mayton St. *N7* —3K **45**
Maytree Clo. *Edgw* —3D **12**
Maytree Ct. *N'holt* —3C **54**
Maytree Gdns. *W5* —2D **72**
May Tree Ho. SE4 —3B **96**
(off Wickham Rd.)
Maytree La. *Stan* —7F **11**
Maytree Wlk. *SW2* —2A **110**
Mayville Est. *N16* —5E **46**
Mayville Rd. *E11* —2G **49**
Mayville Rd. *Ilf* —5F **51**
May Wlk. *E13* —2K **65**
Mayward Ho. SE5 —1E **94**
(off Peckham Rd.)
Maywood Clo. *Beck* —7D **112**
Maze Hill. *SE10 & SE3* —6G **81**
Mazenod Av. *NW6* —7J **43**
Maze Rd. *Rich* —6G **73**
Mead Clo. *Harr* —1H **23**
Mead Ct. *NW9* —5J **25**
Mead Cres. *E4* —4K **19**
Mead Cres. *Sutt* —3C **132**
Meadcroft Rd. *SE11*
—6B **78** (7A **156**)
Meade Clo. *W4* —6G **73**
Meader Ct. *SE14* —7K **79**
Meadfield. *Edgw* —2C **12**
Mead Field. *Harr* —3D **38**
Meadfield Grn. *Edgw* —2C **12**
Meadfoot Rd. *SW16* —7G **109**
Meadgate Av. *Wfd G* —5H **21**
Mead Gro. *Romf* —3D **36**

Meadlands Dri. *Rich* —2D **104**
Mead Lodge. *W4* —2K **73**
Meadow Av. *Croy* —6K **125**
Meadow Bank. *N21* —6E **6**
Meadowbank. *NW3* —7D **44**
Meadow Bank. *SE3* —3H **97**
Meadowbank. *Surb* —6F **119**
Meadowbank Clo. *SW6* —7E **74**
Meadowbank Rd. *NW9* —7K **25**
Meadow Clo. *E4* —1J **19**
Meadow Clo. *E9* —5B **48**
Meadow Clo. *SE6* —5C **112**
Meadow Clo. *SW20* —4E **120**
Meadow Clo. *Barn* —6C **4**
Meadow Clo. *Bexh* —5F **101**
Meadow Clo. *Chst* —5F **115**
Meadow Clo. *Enf* —1F **9**
Meadow Clo. *Houn* —7E **86**
Meadow Clo. *N'holt* —2E **54**
Meadow Clo. *Rich* —1E **104**
Meadow Clo. *Sutt* —2A **132**
Meadow Ct. N1 —2E **62**
(off Ivy St.)
Meadow Ct. *Houn* —6H **87**
Meadowcourt Rd. *SE3* —4H **97**
Meadowcroft. W4 —5G **73**
(off Brooks Rd.)
Meadowcroft. *Brom* —3D **128**
Meadowcroft Clo. *N13* —2F **17**
Meadowcroft Rd. *N13* —2F **17**
Meadow Dri. *N10* —3F **29**
Meadow Dri. *NW4* —2E **26**
Meadow Gdns. *Edgw* —6C **12**
Meadow Garth. *NW10* —6J **41**
Meadow Hill. *N Mald* —6A **120**
Meadow M. *SW8* —6K **77**
Meadow Pl. *SW8* —7J **77**
Meadow Pl. *W4* —7A **74**
Meadow Rd. *SW8* —7K **77**
Meadow Rd. *SW19* —1A **122**
Meadow Rd. *Bark* —7K **51**
Meadow Rd. *Brom* —1G **127**
Meadow Rd. *Dag* —6F **53**
Meadow Rd. *Felt* —2C **102**
Meadow Rd. *Pinn* —4B **22**
Meadow Rd. *Romf* —1J **53**
Meadow Rd. *S'hall* —7D **54**
Meadow Rd. *Sutt* —4C **132**
Meadow Row. *SE1*
—3C **78** (2C **156**)
Meadows Clo. *E10* —2C **48**
Meadows Ct. *Sidc* —6B **116**
Meadowside. *SE9* —4A **98**
Meadowside. *Twic* —7D **88**
Meadow Stile. *Croy* —3C **134**
Meadowsweet Clo. *E16* —5B **66**
Meadow, The. *N10* —3F **29**
Meadow, The. *Chst* —6G **115**
Meadow View. *Harr* —1J **39**
Meadow View. *Sidc* —7B **100**
Meadowview Rd. *SE6* —5B **112**
Meadowview Rd. *Bex* —6E **100**
Meadowview Rd. *Eps* —7A **130**
Meadow View Rd. *T Hth* —5B **124**
Meadow Wlk. E18 —4J **33**
(off Chigwell Rd.)
Meadow Wlk. *Dag* —6F **53**
Meadow Wlk. *Eps* —7B **130**
(Ewell)
Meadow Wlk. *Eps* —6A **130**
(West Ewell)
Meadow Wlk. *Wall* —3F **133**
Meadow Way. *NW9* —5K **25**
Meadow Way. *Orp* —3E **138**
Meadow Way. *Ruis* —6A **22**
Meadow Way. *Wemb* —4D **40**

Meadow Waye. Houn —6C **70**
Meadow Way, The. Harr —1J **23**
Mead Path. SW17 —4A **108**
Mead Pl. E9 —6J **47**
Mead Pl. Croy —1C **134**
Mead Plat. NW10 —6J **41**
Mead Rd. Chst —6G **115**
Mead Rd. Edgw —6B **12**
Mead Rd. Rich —3C **104**
Mead Row. SE1 —3A **78** (1J **155**)
Meads Ct. E15 —6H **49**
Meadside Clo. Beck —1A **126**
Meads La. Ilf —7J **35**
Meads Rd. N22 —2B **30**
Meads Rd. Enf —1F **9**
Meads, The. Edgw —6E **12**
Meads, The. Mord —5C **122**
Meads, The. Sutt —3G **131**
Mead Ter. Wemb —4D **40**
Mead, The. N2 —2A **28**
Mead, The. W13 —5B **56**
Mead, The. Beck —1E **126**
Mead, The. Wall —6H **133**
Meadvale Rd. W5 —4B **56**
Meadvale Rd. Croy —7F **125**
Meadway. N14 —2C **16**
Meadway. NW11 —6J **27**
Mead Way. SW20 —4E **120**
Meadway. Barn —4D **4**
Meadway. Beck —1E **126**
Mead Way. Brom —6H **127**
Mead Way. Croy —2A **136**
Meadway. Ilf —4J **51**
Mead Way. Wfd G —5F **21**
Meadway Clo. NW11 —6K **27**
Meadway Clo. Barn —3D **4**
Meadway Clo. Pinn —6A **10**
Meadway Ct. NW11 —6K **27**
Meadway Ct. W5 —4F **57**
Meadway Ct. Dag —2F **53**
Meadway Ct. Tedd —5C **104**
Meadway Ga. NW11 —6J **27**
Meadway, The. SE3 —2F **97**
Meadway, The. Buck H —1G **21**
Meaford Way. SE20 —7H **111**
Meakin Est. SE1
　　　—3E **78** (1G **157**)
Meanley Rd. E12 —4C **50**
Meard St. W1 —6H **61** (1C **148**)
Meath Rd. E15 —2H **65**
Meath Rd. Ilf —3G **51**
Meath St. SW11 —1F **93**
Mechanics Path. SE8 —7C **80**
Mecklenburgh Pl. WC1
　　　—4K **61** (3G **143**)
Mecklenburgh Sq. WC1
　　　—4K **61** (3G **143**)
Mecklenburgh St. WC1
　　　—4K **61** (3G **143**)
Medburn St. NW1 —2H **61**
Medcroft Gdns. SW14 —4J **89**
Medebourne Clo. SE3 —3J **97**
Mede Ho. Brom —5K **113**
Medesenge Way. N13 —6G **17**
Medfield St. SW15 —7C **90**
Medhurst Clo. E3 —2A **64**
Median Rd. E5 —5J **47**
Medina Gro. N7 —3A **46**
Medina Rd. N7 —3A **46**
Medland Clo. Wall —1E **132**
Medlar Clo. N'holt —2B **54**
Medlar Ho. Sidc —3A **116**
Medlar St. SE5 —1C **94**

Medley Rd. NW6 —6J **43**
Medora Rd. SW2 —7K **93**
Medora Rd. Romf —4K **37**
Medusa Rd. SE6 —6D **96**
Medway Clo. Croy —6J **125**
Medway Clo. Ilf —5G **51**
Medway Dri. Gnfd —2K **55**
Medway Gdns. Wemb —4A **40**
Medway M. E3 —2A **64**
Medway Pde. Gnfd —2K **55**
Medway Rd. E3 —2A **64**
Medway St. SW1
　　　—3H **77** (2D **154**)
Medwin St. SW4 —4K **93**
Meek Clo. E8 —1H **63**
Meek Rd. SW10 —7A **76**
　(off Tadema Rd.)
Meerbrook Rd. SE3 —3A **98**
Meeson Rd. E15 —1H **65**
Meeson St. E5 —4A **48**
Meeting Field Path. E9 —6J **47**
Meetinghouse All. E1 —1H **79**
Meeting Ho. La. SE15 —1H **95**
Mehetabel Rd. E9 —6J **47**
Meister Clo. Ilf —1H **51**
Melancholy Wlk. Rich —2C **104**
Melanda Clo. Chst —5D **114**
Melanie Clo. Bexh —1E **100**
Melba Way. SE13 —1D **96**
Melbourne Av. N13 —6E **16**
Melbourne Av. W13 —1A **72**
Melbourne Av. Pinn —3F **23**
Melbourne Clo. SE20 —7G **111**
Melbourne Clo. Orp —7J **129**
Melbourne Clo. Wall —5G **133**
Melbourne Ct. N10 —7A **16**
Melbourne Gdns. Romf —5E **36**
Melbourne Gro. SE22 —4E **94**
Melbourne Ho. Hayes —4A **54**
Melbourne M. SE6 —7E **96**
Melbourne M. SW9 —1A **94**
Melbourne Pl. WC2
　　　—6K **61** (1H **149**)
Melbourne Rd. E6 —2D **66**
Melbourne Rd. E10 —7D **32**
Melbourne Rd. E17 —4A **32**
Melbourne Rd. SW19 —1J **121**
Melbourne Rd. Ilf —1F **51**
Melbourne Rd. Tedd —6C **104**
Melbourne Rd. Wall —5F **133**
Melbourne Sq. SW9 —1A **94**
Melbourne Way. Enf —6A **8**
Melbury Av. S'hall —3F **71**
Melbury Av. Chst —6D **114**
Melbury Ct. W8 —3H **75**
Melbury Dri. SE5 —7E **78**
Melbury Gdns. SW20 —1C **120**
Melbury Ho. SW8 —7K **77**
　(off Richborne Ter.)
Melbury Rd. W14 —3H **75**
Melbury Rd. Harr —5F **25**
Melbury Ter. NW1
　　　—4C **60** (4D **140**)
Melchester Ho. N19 —3H **45**
　(off Wedmore St.)
Melcombe Gdns. Harr —6F **25**
Melcombe Ho. SW8 —7K **77**
　(off Dorset Rd.)
Melcombe Pl. NW1
　　　—5D **60** (5E **140**)
Melcombe St. NW1
　　　—4D **60** (4F **141**)
Meldon Clo. SW6 —1K **91**
Meldone Clo. Surb —6H **119**
Meldrum Rd. Ilf —2A **52**

Melfield Gdns. SE6 —4E **112**
Melford Av. Bark —6J **51**
Melford Ct. SE1 —3F **79** (1J **157**)
Melford Ct. SE22 —1G **111**
Melford Pas. SE22 —7G **95**
Melford Rd. E6 —3D **66**
Melford Rd. E11 —2G **49**
Melford Rd. E17 —4A **32**
Melford Rd. SE22 —7G **95**
Melford Rd. Ilf —2H **51**
Melfort Av. T Hth —3B **124**
Melfort Rd. T Hth —3B **124**
Melgund Rd. N5 —5A **46**
Melina Ct. SW15 —3C **90**
Melina Pl. NW8 —3B **60** (2A **140**)
Melina Rd. W12 —2D **74**
Melior Ct. N6 —6G **29**
Melior Pl. SE1 —2E **78** (6G **151**)
Melior St. SE1 —2E **78** (6G **151**)
Meliot Rd. SE6 —2F **113**
Meller Clo. Croy —3J **133**
Melling Dri. Enf —1B **8**
Melling St. SE18 —6J **83**
Mellish Clo. Bark —1K **67**
Mellish Flats. E10 —7C **32**
Mellish Gdns. Wfd G —5D **20**
Mellish Ind. Est. SE18 —3B **82**
Mellish St. E14 —3C **80**
Mellison Rd. SW17 —5C **108**
Mellitus St. W12 —5B **58**
Mellows Rd. Ilf —3D **34**
Mellows Rd. Wall —5H **133**
Mells Cres. SE9 —4D **114**
Mell St. SE10 —5G **81**
Melody La. N5 —5B **46**
Melody Rd. SW18 —5A **92**
Melon Pl. W8 —2J **75**
Melon Rd. E11 —3G **49**
Melon Rd. SE15 —1G **95**
Melrose Av. N22 —1B **30**
Melrose Av. NW2 —5D **42**
Melrose Av. SW16 —3A **124**
Melrose Av. SW19 —2H **107**
Melrose Av. Gnfd —2F **55**
Melrose Av. Mitc —7F **109**
Melrose Av. Twic —7F **87**
Melrose Clo. SE12 —1J **113**
Melrose Clo. Gnfd —2F **55**
Melrose Dri. S'hall —1E **70**
Melrose Gdns. W6 —3E **74**
Melrose Gdns. Edgw —3H **25**
Melrose Gdns. N Mald —3K **119**
Melrose Rd. SW13 —2B **90**
Melrose Rd. SW18 —6H **91**
Melrose Rd. SW19 —1J **121**
Melrose Rd. W3 —3J **73**
Melrose Rd. Pinn —4D **22**
Melrose Ter. W6 —3E **74**
Melrose Tudor. Wall —5J **133**
　(off Plough La.)
Melthorne Dri. Ruis —3A **38**
Melthorpe Gdns. SE3 —1C **98**
Melton Clo. Ruis —1A **38**
Melton Ct. SW7 —4B **76** (4B **152**)
Melton Ct. Sutt —7A **132**
Melton Pl. Eps —7A **130**
Melton St. NW1 —3G **61** (2B **142**)
Melville Av. SW20 —7C **106**
Melville Av. Gnfd —5K **39**
Melville Av. S Croy —5F **135**
Melville Ct. SE8 —4A **80**
Melville Ct. W12 —2D **74**
　(off Goldhawk Rd.)
Melville Gdns. N13 —5G **17**

Melville Ho. SE10 —1E **96**
Melville Ho. New Bar —5G **5**
Melville Pl. N1 —7C **46**
Melville Rd. E17 —3B **32**
Melville Rd. NW10 —7K **41**
Melville Rd. SW13 —1C **90**
Melville Rd. Romf —1H **37**
Melville Rd. Sidc —2C **116**
Melvin Rd. SE20 —1J **125**
Melyn Clo. N7 —4G **45**
Memel Ct. EC1 —4C **62** (4C **144**)
Memel St. EC1 —4C **62** (4C **144**)
Memess Path. SE18 —6E **82**
Memorial Av. E15 —3G **65**
Memorial Clo. Houn —6D **70**
Mendip Clo. SE26 —4J **111**
Mendip Clo. SW19 —2G **107**
Mendip Clo. Wor Pk —2E **130**
Mendip Ct. SW11 —3A **92**
Mendip Dri. NW2 —2G **43**
Mendip Houses. E2 —3J **63**
　(off Welwyn St.)
Mendip Rd. SW11 —3A **92**
Mendip Rd. Bexh —1K **101**
Mendip Rd. Ilf —5J **35**
Mendora Rd. SW6 —7G **75**
Menelik Rd. NW2 —4G **43**
Menlo Gdns. SE19 —7D **110**
Menlo Lodge. N13 —3E **16**
　(off Crothall Clo.)
Menotti St. E2 —4G **63**
Mentmore Clo. Harr —6C **24**
Mentmore Ter. E8 —7H **47**
Meon Ct. Iswth —2J **87**
Meon Rd. W3 —2J **73**
Meopham Rd. Mitc —1G **123**
Mepham Cres. Harr —7B **10**
Mepham Gdns. Harr —7B **10**
Mepham St. SE1
　　　—1A **78** (5H **149**)
Mera Dri. Bexh —4G **101**
Merantun Way. SW19 —1K **121**
Merbury Clo. SE13 —5F **97**
Merbury Rd. SE28 —2J **83**
Mercator Rd. SE13 —4F **97**
Mercer Clo. Th Dit —7A **118**
Merceron Houses. E2 —3J **63**
　(off Globe Rd.)
Merceron St. E1 —4H **63**
Mercer Pl. Pinn —2A **22**
Mercers Clo. SE10 —4H **81**
Mercers Pl. W6 —4E **74**
Mercers Rd. N19 —3H **45**
Mercer St. WC2 —6J **61** (1E **148**)
Merchant Ind. Est. NW10 —4J **57**
Merchants Lodge. E17 —4C **32**
　(off Westbury Rd.)
Merchant St. E3 —3B **64**
Merchiston Rd. SE6 —2F **113**
Merchland Rd. SE9 —1G **115**
Mercia Gro. SE13 —4E **96**
Mercia Ho. SE5 —2C **94**
Mercier Rd. SW15 —5G **91**
Mercury. NW9 —1B **26**
　(off Concourse, The)
Mercury Ho. Bren —6C **72**
　(off Glenhurst Rd.)
Mercury Rd. Bren —6C **72**
Mercury Way. SE14 —6K **79**
Mercy Ter. SE13 —5D **96**
Merebank La. Croy —5K **133**
Mere Clo. SW15 —7F **91**
Meredith Av. NW2 —5E **42**
Meredith Clo. Pinn —1B **22**
Meredith Ho. N16 —5E **46**

Meredith M. SE4 —4B **96**
Meredith St. E13 —3J **65**
Meredith St. EC1
　　　—3B **62** (2A **144**)
Meredyth Rd. SW13 —2C **90**
Mere End. Croy —7K **125**
Meretone Clo. SE4 —4A **96**
Merevale Cres. Mord —6A **122**
Mereway Rd. Twic —1H **103**
Merewood Clo. Brom —2E **128**
Merewood Rd. Bexh —2J **101**
Mereworth Clo. Brom —5H **127**
Mereworth Dri. SE18 —7F **83**
Merganser Ct. SE8 —6B **80**
　(off Edward St.)
Merganser Gdns. SE28 —3H **83**
Meriden Clo. Brom —7B **114**
Meriden Clo. Ilf —1G **35**
Meriden Ct. SW3
　　　—5C **76** (6C **152**)
Meridian Ga. E14 —2E **80**
Meridian Rd. SE7 —7B **82**
Meridian Trad. Est. SE7 —4K **81**
Meridian Wlk. N17 —6K **17**
Meridian Way. N18, N9 & Enf
　　　—5D **18**
Merifield Rd. SE9 —4A **98**
Merino Clo. E11 —4A **34**
Merino Pl. Sidc —6A **100**
Merioneth Ct. W7 —5K **55**
　(off Copley Clo.)
Merivale Rd. SW15 —4G **91**
Merivale Rd. Harr —7G **23**
Merlewood Dri. Chst —1D **128**
Merlewood Pl. SE9 —6D **98**
Merley Ct. NW9 —1J **41**
Merlin. NW9 —1B **26**
　(off Concourse, The)
Merlin Clo. Croy —4E **134**
Merlin Clo. Mitc —3C **122**
Merlin Clo. N'holt —3A **54**
Merlin Ct. SE8 —6B **80**
Merlin Ct. Short —3H **127**
Merlin Cres. Edgw —1F **25**
Merlin Gdns. Brom —3J **113**
Merlin Gro. Beck —4B **126**
Merlin Rd. E12 —2B **50**
Merlin Rd. Well —4A **100**
Merlin Rd. N. Well —4A **100**
Merlins Av. Harr —3D **38**
Merlin St. WC1 —3A **62** (2J **143**)
Mermaid Ct. SE1
　　　—2D **78** (6E **150**)
Mermaid Ct. SE16 —1B **80**
Mermaid Tower. SE8 —6B **80**
　(off Abinger Gro.)
Meroe Ct. N16 —2E **46**
Merredene St. SW2 —6K **93**
Merriam Clo. E4 —5K **19**
Merrick Ho. SE8 —4B **80**
Merrick Rd. S'hall —3D **70**
Merrick Sq. SE1
　　　—3D **78** (1E **156**)
Merridene. N21 —6G **7**
Merrielands Cres. Dag —2F **69**
Merrilands Rd. Wor Pk —1E **130**
Merrilees Rd. Sidc —7J **99**
Merriman Rd. SE3 —1A **98**
Merrington Rd. SW6 —6J **75**
Merrion Av. Stan —5J **11**
Merritt Rd. SE4 —5B **96**
Merritt's Bldgs. EC2
　　　—4E **62** (4G **145**)
Merrivale. N14 —6C **6**

Merrivale Av. Ilf —4B **34**
Merrow Rd. Sutt —7F **131**
Merrow St. SE17
   —5D **78** (6E **156**)
Merrow Wlk. SE17
   —5D **78** (5F **157**)
Merrow Way. New Ad —6E **136**
Merrydown Way. Chst —1C **128**
Merryfield. SE3 —2H **97**
Merryfield Gdns. Stan —5H **11**
Merryfield Ho. SE9 —3A **114**
   (off Grove Pk. Rd.)
Merryfields Way. SE6 —7D **96**
Merryhill Clo. E4 —7J **9**
Merry Hill Mt. Bush —1A **10**
Merry Hill Rd. Bush —1A **10**
Merryhills Ct. N14 —5B **6**
Merryhills Dri. Enf —4C **6**
Merryweather Ct. N19 —3G **45**
Mersey Rd. E17 —3B **32**
Mersey Wlk. N'holt —2E **54**
Mersham Dri. NW9 —5G **25**
Mersham Pl. SE20 —1H **125**
Mersham Rd. T Hth —3D **124**
Merten Rd. Romf —7E **36**
Merthyr Ter. SW13 —6D **74**
Merton Av. W4 —4B **74**
Merton Av. N'holt —5G **39**
Merton Ct. Ilf —6C **34**
Merton Ct. Sidc —2B **100**
Merton Gdns. Orp —5F **129**
Merton Hall Gdns. SW20
   —1G **121**
Merton Hall Rd. SW19 —7G **107**
Merton High St. SW19 —7K **107**
Merton Ind. Pk. SW19 —1K **121**
Merton La. N6 —2D **44**
Merton Lodge. New Bar —5F **5**
Merton Mans. SW20 —2F **121**
Merton Pk. Ind. Est. SW19
   —1K **121**
Merton Pl. SW19 —1A **122**
   (off Nelson Gro. Rd.)
Merton Rise. SW3 —7C **44**
Merton Rd. E17 —5E **32**
Merton Rd. SE25 —5G **125**
Merton Rd. SW18 —6J **91**
Merton Rd. SW19 —7K **107**
Merton Rd. Bark —7K **51**
Merton Rd. Enf —1J **7**
Merton Rd. Harr —1G **39**
Merton Rd. Ilf —7K **35**
Merttins Rd. SE15 & SE4 —5K **95**
Meru Clo. NW5 —4E **44**
Mervan Rd. SW2 —4A **94**
Mervyn Av. SE9 —3G **115**
Mervyn Rd. W13 —3A **72**
Messaline Av. W3 —6J **57**
Messent Rd. SE9 —5A **98**
Messeter Pl. SE9 —6E **98**
Messina Av. NW6 —7J **43**
Messiter Ho. N1 —1K **61**
   (off Barnsbury Est.)
Metcalf Wlk. Felt —4C **102**
Meteor St. SW11 —4E **92**
Meteor Way. Wall —7J **133**
Metheringham Way. NW9
   —1A **26**
Methley St. SE11
   —5A **78** (6K **155**)
Methuen Clo. Edgw —7B **12**
Methuen Pk. N10 —3F **29**
Methuen Rd. Belv —4H **85**
Methuen Rd. Bexh —4F **101**
Methuen Rd. Edgw —7B **12**

Methwold Rd. W10 —5F **59**
Metro Bus. Cen., The. Beck
   —6B **112**
Metro Bus. Pk. Wemb —4H **41**
Metro Ind. Cen. Iswth —2J **87**
Metropolis. SE11
   —4B **78** (3B **156**)
Mews Pl. Wfd G —4D **20**
Mews St. E1 —1G **79** (4K **151**)
Mews, The. N1 —1C **62**
Mews, The. Ilf —5B **34**
Mews, The. Romf —4K **37**
Mews, The. Sidc —4A **116**
Mews, The. Twic —6B **88**
Mexfield Rd. SW15 —5H **91**
Meyer Grn. Enf —1B **8**
Meyer Rd. Eri —6K **85**
Meymott St. SE1
   —1B **78** (5A **150**)
Meynell Cres. E9 —7K **47**
Meynell Gdns. E9 —7K **47**
Meynell Rd. E9 —7K **47**
Meyrick Rd. NW10 —6C **42**
Meyrick Rd. SW11 —3B **92**
Miah Ter. E1 —1G **79**
Miall Wlk. SE26 —4A **112**
Micawber Ho. SE16 —2G **79**
   (off Llewellyn St.)
Micawber St. N1
   —3C **62** (1D **144**)
Michael Cliffe Ho. EC1
   —3A **62** (2K **143**)
Michael Gaynor Clo. W7 —1K **71**
Michael Manley Ind. Est. SW8
   —2H **93**
Michaelmas Clo. SW20 —3E **120**
Michael Rd. E11 —1G **49**
Michael Rd. SE25 —3E **124**
Michael Rd. SW6 —1K **91**
Michael's Clo. SE13 —4G **97**
Michael's Row. Rich —4E **88**
Michael Stewart Ho. SW6
   (off Clem Attlee Ct.) —6H **75**
Micheldever Rd. SE12 —6H **97**
Michelham Gdns. Twic —3K **103**
Michelle Ct. N12 —5F **15**
Michelle Ct. W3 —7K **57**
Michelson Ho. SE11
   —4K **77** (4H **155**)
Michel's Row. Rich —4E **88**
Michigan Av. E12 —4D **50**
Michigan Ho. E14 —4C **80**
Mickleham Down. N12 —4C **14**
Mickleham Clo. Orp —2K **129**
Mickleham Gdns. Sutt —6G **131**
Mickleham Rd. Orp —1K **129**
Mickleham Way. New Ad
   —7F **137**
Micklethwaite Rd. SW6 —6J **75**
Midas Metropolitan Ind. Est. Mord
   —7E **120**
Middle Dene. NW7 —3E **12**
Middlefield. NW8 —1B **60**
Middlefielde. W13 —5B **56**
Middlefields Gdns. Ilf —6F **35**
Middlefields. Croy —7A **136**
Middle Grn. Clo. Surb —6F **119**
Middleham Gdns. N18 —6B **18**
Middleham Rd. N18 —6B **18**
Middle La. N8 —5J **29**
Middle La. Tedd —6K **103**
Middle La. M. N8 —5J **29**
Middle Pk. Av. SE9 —6B **98**
Middle Path. Harr —1H **39**
Middle Rd. E13 —2J **65**

Middle Rd. SW16 —2H **123**
Middle Rd. E Barn —6H **5**
Middle Rd. Harr —2H **39**
Middle Row. W10 —4G **59**
Middlesborough Rd. N18
   —6B **18**
Middlesex Bus. Cen. S'hall
   —2D **70**
Middlesex Ct. W4 —5B **74**
Middlesex Ct. Harr —5K **23**
Middlesex Pas. EC1
   —5B **62** (6B **144**)
Middlesex Rd. Mitc —5J **123**
Middlesex St. E1
   —5E **62** (6H **145**)
Middlesex Wharf. E5 —2J **47**
Middle St. EC1 —5C **62** (5C **144**)
Middle St. Croy —3C **134**
   (in two parts)
Middle Temple La. EC4
   —6A **62** (1J **149**)
Middleton Av. E4 —4G **19**
Middleton Av. Gnfd —2H **55**
Middleton Av. Sidc —6B **116**
Middleton Bldgs. W1
   —5G **61** (6A **142**)
Middleton Clo. E4 —3G **19**
Middleton Dri. SE16 —2K **79**
Middleton Gdns. Ilf —6F **35**
Middleton Gro. N7 —5J **45**
Middleton M. N7 —5J **45**
Middleton Rd. E8 —7F **47**
Middleton Rd. NW11 —7J **27**
Middleton Rd. Mord & Cars
   —6K **121**
Middleton Rd. N Mald —2J **119**
Middleton St. E2 —3H **63**
Middleton Way. SE13 —4F **97**
Middleway. NW11 —5K **27**
Middle Way. SW16 —2H **123**
Middle Way. Eri —3D **84**
Middle Way. Hayes —4A **54**
Middle Way, The. Harr —2K **23**
Middle Yd. SE1 —1E **78** (4G **151**)
Midfield Av. Bexh —3J **101**
Midfield Pl. Bexh —3J **101**
Midfield Way. Orp —7B **116**
Midford Ho. NW4 —4F **27**
   (off Belle Vue Est.)
Midford Pl. W1 —4G **61** (4B **142**)
Midholm. Wemb —1G **41**
Midholm Clo. N2 —4K **27**
Midholm Clo. NW11 —4K **27**
Midholm Rd. Croy —2A **136**
Midhope St. WC1
   —3J **61** (2F **143**)
Midhurst. SE26 —6J **111**
Midhurst Av. N10 —3E **28**
Midhurst Av. Croy —7A **124**
Midhurst Hill. Bexh —6G **101**
Midhurst Rd. W13 —2A **72**
Midhurst Rd. N10 —3E **28**
   (off Fortis Grn.)
Midhurst Rd. W13 —2A **72**
Midland Cres. NW3 —6A **44**
Midland Pde. NW6 —6K **43**
Midland Pl. E14 —5E **80**
Midland Rd. E10 —7E **32**
Midland Rd. NW1
   —2H **61** (1D **142**)
Midland Ter. NW2 —3F **43**
Midland Ter. NW10 —4A **58**
Midlothian Rd. E3 —5B **64**
Midmoor Rd. SW12 —1G **109**
Midmoor Rd. SW19 —1G **121**
Midship Clo. SE16 —1K **79**

Midship Point. E14 —2C **80**
   (off Quarterdeck, The)
Midstrath Rd. NW10 —4A **42**
Midsummer Av. Houn —4D **86**
Midway. Sutt —7H **121**
Midway Ho. EC1 —3B **62** (1B **144**)
Midwinter Clo. Well —3A **100**
Midwood Clo. NW2 —3D **42**
Miers Clo. E6 —1E **66**
Mighell Av. Ilf —5B **34**
Milan Rd. S'hall —2D **70**
Milborne Gro. SW10 —5A **76**
Milborne St. E9 —6J **47**
Milborough Cres. SE12 —6G **97**
Milcote St. SE1 —2B **78** (7A **150**)
Mildenhall Rd. E5 —4J **47**
Mildmay Av. N1 —6D **46**
Mildmay Gro. N. N1 —5D **46**
Mildmay Gro. S. N1 —5D **46**
Mildmay Pk. N1 —5D **46**
Mildmay Pl. N16 —5E **46**
Mildmay Rd. N1 —5D **46**
Mildmay Rd. Ilf —3F **51**
Mildmay Rd. Romf —5J **37**
Mildmay St. N1 —6D **46**
Mildred Av. N'holt —5F **39**
Mildred Rd. Eri —5K **85**
Mildura Ct. N8 —4K **29**
Mile End Pl. E1 —4K **63**
Mile End Rd. E1 & E3 —5J **63**
Mile End, The. E17 —1K **31**
Mile Rd. Wall —1F **133**
Miles Lodge. Harr —5H **23**
Milespit Hill. NW7 —5J **13**
Miles Pl. NW8 —5C **60** (5B **140**)
Miles Pl. Surb —4F **119**
Miles Rd. N8 —3J **29**
Miles Rd. Mitc —3C **122**
Miles St. SW8 —6J **77** (7E **154**)
Milestone Clo. N9 —2B **18**
Milestone Clo. Sutt —7B **132**
Milestone Green. (Junct.) —4J **89**
Milestone Rd. SE19 —6F **111**
Mile Way. N20 —2H **15**
Milfoil St. W12 —7C **58**
Milford Clo. SE2 —6E **84**
Milford Gdns. Croy —5K **125**
Milford Gdns. Edgw —7B **12**
Milford Gdns. Wemb —4D **40**
Milford Gro. Sutt —4A **132**
Milford La. WC2 —7A **62** (2J **149**)
Milford M. SW16 —3K **109**
Milford Rd. W13 —1B **72**
Milford Rd. S'hall —7E **54**
Milford Towers. SE6 —7D **96**
Milford Way. SE15 —1F **95**
Milk St. E16 —1F **83**
Milk St. EC2 —6C **62** (1D **150**)
Milk St. Brom —6K **113**
Milkwell Gdns. Wfd G —7E **20**
Milkwell Yd. SE5 —1C **94**
Milkwood Rd. SE24 —5B **94**
Milk Yd. E1 —7J **63**
Millais Av. E12 —5E **50**
Millais Ct. N'holt —2B **54**
   (off Academy Gdns.)
Millais Gdns. Edgw —2G **25**
Millais Rd. E11 —4E **48**
Millais Rd. Enf —5A **8**
Millais Rd. N Mald —7A **120**
Millard Clo. N16 —5E **46**
Millard Ter. Dag —6G **53**
Millbank. SW1 —3J **77** (2E **154**)
Millbank Tower. SW1
   —4J **77** (4E **154**)

Millbank Way. SE12 —5J **97**
Millbourne Rd. Felt —4C **102**
Mill Bri. Barn —6C **4**
Millbrook Av. Well —4H **99**
Millbrook Gdns. Chad H —6F **37**
Millbrook Pas. SW9 —3B **94**
Millbrook Pl. NW1 —2G **61**
   (off Hampstead Rd.)
Millbrook Rd. N9 —1C **18**
Millbrook Rd. SW9 —3B **94**
Mill Clo. Cars —2E **132**
Mill Corner. Barn —1C **4**
Mill Ct. E10 —3E **48**
Millcroft Ho. SE6 —4D **112**
   (off Melfield Gdns.)
Millender Wlk. SE16 —4J **79**
Millenium Sq. SE1
   —2F **79** (6K **151**)
Millennium Pl. E2 —2H **63**
Miller Clo. Mitc —7D **122**
Miller Clo. Pinn —2A **22**
Miller Ct. Bexh —3H **101**
Miller Rd. SW19 —6B **108**
Miller Rd. Croy —1K **133**
Miller's Av. E8 —5F **47**
Millers Clo. NW7 —4H **13**
Miller's Ct. W4 —5B **74**
Millers Ct. Wemb —2E **56**
   (off Vicars Bri. Clo.)
Millers Grn. Clo. Enf —3G **7**
Millers Meadow Clo. SE12
   —5H **97**
Miller's Ter. E8 —5F **47**
Miller St. NW1 —2G **61**
Millers Way. W6 —2E **74**
Miller Wlk. SE1 —1A **78** (5K **149**)
Millet Rd. Gnfd —3F **55**
Mill Farm Bus. Pk. Houn —1C **102**
Mill Farm Clo. Pinn —2A **22**
Mill Farm Cres. Houn —1C **102**
Millfield. N4 —2A **46**
Millfield Av. E17 —1A **32**
Millfield La. N6 —1C **44**
Millfield Pl. N6 —2E **44**
Millfield Rd. Edgw —2J **25**
Millfield Rd. Houn —1C **102**
Millfields Rd. E5 —4J **47**
Mill Gdns. SE26 —3H **111**
Mill Grn. Mitc —7E **122**
Mill Grn. Bus. Pk. Mitc —7E **122**
Mill Grn. Rd. Mitc —7E **122**
Millgrove St. SW11 —1E **92**
Millharbour. E14 —2D **80**
Millhaven Clo. Romf —6B **36**
Mill Hill. SW13 —2C **90**
Mill Hill Circus. (Junct.) —5G **13**
Mill Hill Gro. W3 —1H **73**
Mill Hill Ind. Est. NW7 —6G **13**
Mill Hill Rd. SW13 —2C **90**
Mill Hill Rd. W3 —2H **73**
Mill Hill Yd. W3 —2H **73**
Mill Ho. Wfd G —5C **20**
Millhouse Pl. SE27 —4B **110**
Millicent Fawcett Ct. N17 —1F **31**
Millicent Rd. E10 —1B **48**
Milligan St. E14 —7B **64**
Milling Rd. Edgw —7E **12**
Millington Ho. N16 —3D **46**
Mill La. E4 —3J **9**
Mill La. NW6 —5H **43**
Mill La. SE18 —5E **82**
Mill La. Cars —4D **132**
Mill La. Croy —3K **133**
Mill La. Eps —7B **130**

Monkville Av. *NW11* —4H **27**
Monkville Pde. *NW11* —4H **27**
Monkwell Sq. *EC2*
　　　　—5C **62** (6D **144**)
Monmouth Av. *E18* —3K **33**
Monmouth Av. *King T* —7C **104**
Monmouth Clo. *W4* —3J **73**
Monmouth Clo. *Mitc* —4J **123**
Monmouth Clo. *Well* —4A **100**
Monmouth Ct. W7 —5K 55
　(off Copley Clo.)
Monmouth Gro. *Bren* —4E **72**
Monmouth Pl. W2 —6K 59
　(off Monmouth Rd.)
Monmouth Rd. *E6* —3D **66**
Monmouth Rd. *N9* —2C **18**
Monmouth Rd. *W2* —6J **59**
Monmouth Rd. *Dag* —5F **53**
Monmouth St. *WC2*
　　　　—6J **61** (1E **148**)
Monnery Rd. *N19* —3G **45**
Monnow Rd. *SE1* —4G **79**
Monoux Almshouses. *E17*
　　　　—4D **32**
Monoux Gro. *E17* —1C **32**
Monroe Cres. *Enf* —1C **8**
Monroe Dri. *SW14* —5H **89**
Monro Gdns. *Harr* —7D **10**
Monsell Rd. *N4* —3B **46**
Monson Rd. *NW10* —2C **58**
Monson Rd. *SE14* —7K **79**
Mons Way. *Brom* —6C **128**
Montacute Rd. *SE6* —7B **96**
Montacute Rd. *Bush* —1D **10**
Montacute Rd. *New Ad* —7E **136**
Montagu Cres. *N18* —4C **18**
Montague Av. *SE4* —4B **96**
Montague Av. *W7* —1K **71**
Montague Clo. *SE1*
　　　　—1D **78** (4E **150**)
Montague Ct. *Sidc* —3A **116**
Montague Gdns. *W3* —7G **57**
Montague Pl. *WC1*
　　　　—5H **61** (5D **142**)
Montague Rd. *E8* —5G **47**
Montague Rd. *E11* —2H **49**
Montague Rd. *N8* —5K **29**
Montague Rd. *N15* —4G **31**
Montague Rd. *SW19* —7K **107**
Montague Rd. *W7* —1K **71**
Montague Rd. *W13* —6B **56**
Montague Rd. *Croy* —1B **134**
Montague Rd. *Houn* —3F **87**
Montague Rd. *Rich* —6E **88**
Montague Rd. *S'hall* —4C **70**
Montague Sq. *SE15* —7J **79**
Montague St. *EC1*
　　　　—5C **62** (6C **144**)
Montague St. *WC1*
　　　　—5J **61** (5E **142**)
Montague Ter. *Brom* —3H **127**
Montague Waye. *S'hall* —3C **70**
Montagu Gdns. *N18* —4C **18**
Montagu Gdns. *Wall* —4G **133**
Montagu Mans. *W1*
　　　　—5D **60** (5F **141**)
Montagu M. N. *W1*
　　　　—5D **60** (6F **141**)
Montagu M. S. *W1*
　　　　—6D **60** (7F **141**)
Montagu M. W. *W1*
　　　　—6D **60** (7F **141**)
Montagu Pl. *W1*
　　　　—5D **60** (6E **140**)

Montagu Rd. *N18 & N9* —5C **18**
Montagu Rd. *NW4* —6C **26**
Montagu Rd. Ind. Est. *N18*
　　　　—4D **18**
Montagu Row. *W1*
　　　　—5D **60** (6F **141**)
Montagu Sq. *W1*
　　　　—5D **60** (6F **141**)
Montagu St. *W1*
　　　　—6D **60** (7F **141**)
Montalt Rd. *Wfd G* —5C **20**
Montana Gdns. *Sutt* —5A **132**
Montana Rd. *SW17* —3E **108**
Montana Rd. *SW20* —1E **120**
Montbelle Rd. *SE9* —3F **115**
Montcalm Clo. *Brom* —6J **127**
Montcalm Ho. *E14* —4B **80**
Montcalm Rd. *SE7* —7B **82**
Montclare St. *E2* —4F **63** (3J **145**)
Monteagle Av. *Bark* —6G **51**
Monteagle Ct. *N1* —2E **62**
Monteagle Way. *E5* —3G **47**
Monteagle Way. *SE15* —3H **95**
Montefiore St. *SW8* —2F **93**
Montego Clo. *SE24* —4A **94**
Monteith Rd. *E3* —1B **64**
Montem Rd. *SE23* —7B **96**
Montem Rd. *N Mald* —4A **120**
Montem St. *N4* —1K **45**
Montenotte Rd. *N8* —5G **29**
Monterey Clo. *Bex* —2J **117**
Monterey Pl. Shop. Cen. *NW7*
　　　　—5F **13**
Montesole Ct. *Pinn* —2A **22**
Montesquieu Ter. E16 —6H 65
　(off Clarkson Rd.)
Montford Pl. *SE11*
　　　　—5A **78** (6J **155**)
Montfort Pl. *SW19* —1F **107**
Montgolfier Wlk. *N'holt* —3C **54**
Montgomery Clo. *Mitc* —4J **123**
Montgomery Clo. *Sidc* —6K **99**
Montgomery Rd. *W4* —4J **73**
Montgomery Rd. *Edgw* —6A **12**
Montholme Rd. *SW11* —6D **92**
Monthope Rd. *E1*
　　　　—5G **63** (6K **145**)
Montolieu Gdns. *SW15* —5D **90**
Montpelier Av. *W5* —5C **56**
Montpelier Av. *Bex* —7D **100**
Montpelier Ct. *W5* —5D **56**
Montpelier Gdns. *E6* —3B **66**
Montpelier Gdns. *Romf* —7C **36**
Montpelier Gro. *NW5* —5G **45**
Montpelier M. *SW7*
　　　　—3C **76** (1D **152**)
Montpelier Pl. *SW7*
　　　　—3C **76** (1D **152**)
Montpelier Rise. *NW11* —7G **27**
Montpelier Rise. *Wemb* —1D **40**
Montpelier Rd. *N3* —1A **28**
Montpelier Rd. *SE15* —1H **95**
Montpelier Rd. *W5* —5D **56**
Montpelier Rd. *Sutt* —4A **132**
Montpelier Row. *SE3* —2H **97**
Montpelier Row. *Twic* —7C **88**
Montpelier Sq. *SW7*
　　　　—2C **76** (7D **146**)
Montpelier St. *SW7*
　　　　—3C **76** (1D **152**)
Montpelier Ter. *SW7*
　　　　—2C **76** (7D **146**)
Montpelier Vale. *SE3* —2H **97**
Montpelier Wlk. *SW7*
　　　　—3C **76** (1D **152**)

Montpelier Way. *NW11* —7G **27**
Montrave Rd. *SE20* —6J **111**
Montreal Pl. *WC2*
　　　　—7K **61** (2G **149**)
Montreal Rd. *Ilf* —7G **35**
Montrell Rd. *SW2* —1J **109**
Montrose Av. *NW6* —2G **59**
Montrose Av. *Edgw* —2J **25**
Montrose Av. *Sidc* —7A **100**
Montrose Av. *Twic* —7F **87**
Montrose Av. *Well* —3H **99**
Montrose Clo. *Well* —3K **99**
Montrose Clo. *Wfd G* —4D **20**
Montrose Ct. *NW9* —2J **25**
Montrose Ct. *NW11* —4H **27**
Montrose Ct. *SW7*
　　　　—2B **76** (7B **146**)
Montrose Ct. *Harr* —5F **23**
Montrose Cres. *N12* —6F **15**
Montrose Cres. *Wemb* —6E **40**
Montrose Gdns. *Mitc* —2D **122**
Montrose Gdns. *Sutt* —2K **131**
Montrose Ho. *E14* —3C **80**
Montrose Pl. *SW1*
　　　　—2E **76** (7H **147**)
Montrose Rd. *Harr* —2J **23**
Montrose Wlk. *Stan* —6G **11**
Montrose Way. *SE23* —1K **111**
Montserrat Av. *Wfd G* —7A **20**
Montserrat Clo. *SE19* —5D **110**
Montserrat Rd. *SW15* —4G **91**
Monument Gdns. *SE13* —5E **96**
Monument St. *EC3*
　　　　—7D **62** (2F **151**)
Monument Way. *N17* —3F **31**
Monza St. *E1* —7J **63**
Moodkee St. *SE16* —3J **79**
Moody St. *E1* —3K **63**
Moon Ct. *SE12* —4J **97**
Moon La. *Barn* —3C **4**
Moon St. *N1* —1B **62**
Moorcroft. *Edgw* —1H **25**
Moorcroft Gdns. *Brom* —5C **128**
Moorcroft Rd. *SW16* —3J **109**
Moorcroft Way. *Pinn* —5C **22**
Moordown. *SE18* —1E **98**
Moore Clo. *SW14* —3J **89**
Moore Clo. *Mitc* —2F **123**
Moore Clo. *Wall* —7J **133**
Moore Cres. *Dag* —1B **68**
Moore Ho. N8 —4J 29
　(off Pembroke Rd.)
Mooreland Rd. *Brom* —7H **113**
Moore Pk. Rd. *SW6* —7J **75**
Moore Rd. *SE19* —6C **110**
Moore St. *SW3* —4D **76** (3E **152**)
Moore Wlk. *E7* —4J **49**
Moore Way. *Sutt* —7J **131**
Moorey Clo. *E15* —1H **65**
Moorfield Av. *W5* —4D **56**
Moorfield Rd. *N17* —2F **31**
Moorfield Rd. *Enf* —1D **8**
Moorfields. *EC2*
　　　　—5D **62** (6E **144**)
Moorgate. *EC2* —6D **62** (7E **144**)
Moorgate Pl. *EC2*
　　　　—6D **62** (7E **144**)
Moorgreen Ho. *EC1*
　　　　—3B **62** (1A **144**)
Moorhead Way. *SE3* —3K **97**
Moorhouse. *NW9* —1B **26**
Moorhouse Rd. *W2* —6J **59**
Moorhouse Rd. *Harr* —3D **24**
Moorings, The. E16 —5A 66
　(off Prince Regent La.)

Moorland Clo. *Romf* —1H **37**
Moorland Clo. *Twic* —7E **86**
Moorland Rd. *SW9* —4B **94**
Moorlands. *N'holt* —1C **54**
Moorlands Av. *NW7* —6J **13**
Moor La. *EC2* —5D **62** (6E **144**)
Moormead Dri. *Eps* —5A **130**
Moor Mead Rd. *Twic* —6A **88**
Moor Pk. Gdns. *King T* —7A **106**
Moor Pl. *EC2* —5D **62** (6E **144**)
Moorside Rd. *Brom* —3G **113**
Moor St. *W1* —6H **61** (1D **148**)
Moot Ct. *NW9* —5G **25**
Morant Pl. *N22* —1K **29**
Morant St. *E14* —7C **64**
Mora Rd. *NW2* —4E **42**
Mora St. *EC1* —3C **62** (1D **144**)
Morat St. *SW9* —1K **93**
Moravian Clo. *SW10*
　　　　—6B **76** (7A **152**)
Moravian Pl. *SW10* —6B **76**
Moravian St. *E2* —2J **63**
Moray Clo. *Edgw* —2C **12**
Moray Ho. *Romf* —1K **37**
Moray M. *N7* —2K **45**
Moray Rd. *N4* —2K **45**
Moray Way. *Romf* —1K **37**
Mordaunt Gdns. *Dag* —7E **52**
Mordaunt Rd. *NW10* —1K **57**
Mordaunt St. *SW9* —3K **93**
Morden Ct. *Mord* —4K **121**
Morden Ct. Pde. *Mord* —4K **121**
Morden Gdns. *Gnfd* —5K **39**
Morden Gdns. *Mitc* —4B **122**
Morden Hall Rd. *Mord* —3K **121**
Morden Hill. *SE13* —2E **96**
Morden La. *SE13* —1E **96**
Morden Rd. *SE3* —2J **97**
Morden Rd. *SW19* —1K **121**
Morden Rd. *Mord & Mitc*
　　　　—4A **122**
Morden Rd. *Romf* —7E **36**
Morden Rd. M. *SE3* —2J **97**
Morden Rd. M. *SE3* —2J **97**
Morden St. *SE13* —1D **96**
Morden Way. *Sutt* —7J **121**
Morden Wharf Rd. *SE10* —3G **81**
Mordon Rd. *Ilf* —7K **35**
Mordred Rd. *SE6* —2G **113**
Morecambe Clo. *E1* —5K **63**
Morecambe Gdns. *Stan* —4J **11**
Morecambe St. *SE17*
　　　　—5C **78** (4D **156**)
Morecambe Ter. N18 —4J 17
　(off Gt. Cambridge Rd.)
More Clo. *E16* —6H **65**
More Clo. *W14* —4F **75**
Morecoombe Clo. *King T*
　　　　—7H **105**
Moree Way. *N18* —4B **18**
Moreland Ct. *NW2* —3J **43**
Moreland St. *EC1*
　　　　—3B **62** (1B **144**)
Moreland Way. *E4* —3J **19**
Morella Rd. *SW12* —7D **92**
Moremead Rd. *SE6* —4B **112**
Morena St. *SE6* —7D **96**
Moresby Av. *Surb* —7H **119**
Moresby Rd. *E5* —1H **47**
Moresby Wlk. *SW8* —2G **93**
More's Gdns. SW3 —6B 76
　(off Cheyne Wlk.)
Moreton Av. *Iswth* —1J **87**
Moreton Clo. *E5* —2H **47**
Moreton Clo. *N15* —6D **30**
Moreton Clo. *NW7* —6K **13**

Moreton Ct. *N'holt* —5G **39**
Moreton Gdns. *Wfd G* —5H **21**
Moreton Pl. *SW1*
　　　　—5G **77** (5B **154**)
Moreton Rd. *N15* —6D **30**
Moreton Rd. *S Croy* —5D **134**
Moreton Rd. *Wor Pk* —2C **130**
Moreton St. *SW1*
　　　　—5G **77** (5B **154**)
Moreton Ter. *SW1*
　　　　—5G **77** (5B **154**)
Moreton Ter. M. N. *SW1*
　　　　—5G **77** (5B **154**)
Moreton Ter. M. S. *SW1*
　　　　—5G **77** (5B **154**)
Moreton Tower. *W3* —1H **73**
Morfe Way. *N18* —4B **18**
Morford Clo. *Ruis* —7A **22**
Morford Way. *Ruis* —7A **22**
Morgan Av. *E17* —4F **33**
Morgan Clo. *Dag* —7G **53**
Morgan Mans. N7 —5A 46
　(off Morgan Rd.)
Morgan Rd. *N7* —5A **46**
Morgan Rd. *W10* —5H **59**
Morgan Rd. *Brom* —7J **113**
Morgan Rd. *Tedd* —6J **103**
Morgan's La. *SE1*
　　　　—1E **78** (5G **151**)
Morgan St. *E3* —3A **64**
Morgan St. *E16* —5H **65**
Morgan St. *SE18* —3F **83**
Morgan Way. *Wfd G* —6H **21**
Moriarty Clo. *N7* —4J **45**
Morie St. *SW18* —5K **91**
Morieux Rd. *E10* —1B **48**
Moring Rd. *SW17* —4E **108**
Morkyns Wlk. *SE21* —3E **110**
Morland Av. *Croy* —1E **134**
Morland Clo. *NW11* —1K **43**
Morland Clo. *Hamp* —5D **102**
Morland Clo. *Mitc* —3C **122**
Morland Est. *E8* —7G **47**
Morland Gdns. *NW10* —7K **41**
Morland Gdns. *S'hall* —1F **71**
Morland M. *N1* —7A **46**
Morland Rd. *E17* —5K **31**
Morland Rd. *SE20* —6K **111**
Morland Rd. *Croy* —1E **134**
Morland Rd. *Dag* —7G **53**
Morland Rd. *Harr* —5E **24**
Morland Rd. *Ilf* —2F **51**
Morland Rd. *Sutt* —5A **132**
Morley Av. *E4* —7A **20**
Morley Av. *N18* —4B **18**
Morley Av. *N22* —2A **30**
Morley Clo. *E4* —5G **19**
Morley Ct. *Short* —4H **127**
Morley Cres. *Edgw* —2D **12**
Morley Cres. *Ruis* —2A **38**
Morley Cres. E. *Stan* —2C **24**
Morley Cres. W. *Stan* —3C **24**
Morley Hill. *Enf* —1J **7**
Morley Ho. *N16* —2G **47**
Morley Rd. *E10* —1E **48**
Morley Rd. *E15* —2H **65**
Morley Rd. *SE13* —4E **96**
Morley Rd. *Bark* —1H **67**
Morley Rd. *Chst* —1G **129**
Morley Rd. *Romf* —5E **36**
Morley Rd. *Sutt* —1H **131**
Morley Rd. *Twic* —6D **88**
Morley St. *SE1* —3A **78** (1K **155**)
Morna Rd. *SE5* —2C **94**
Morning La. *E9* —6J **47**

Morningside Rd. Wor Pk
—2E 130
Mornington Av. W14 —4H 75
Mornington Av. Brom —3A 128
Mornington Av. Ilf —7E 34
Mornington Clo. Wfd G —4D 20
Mornington Ct. Bex —1K 117
Mornington Cres. NW1 —2G 61
Mornington Cres. Houn —1A 86
Mornington Gro. E3 —3C 64
Mornington M. SE5 —1C 94
Mornington Pl. NW1 —2F 61
Mornington Rd. E4 —7H 9
Mornington Rd. E11 —7H 33
Mornington Rd. SE8 —7B 80
Mornington Rd. Gnfd —5F 55
Mornington Rd. Wfd G —4C 20
Mornington St. NW1 —2F 61
Mornington Ter. NW1 —1F 61
Mornington Wlk. Rich —4C 104
Morocco St. SE1
—2E 78 (7G 151)
Morpeth Gro. E9 —1K 63
Morpeth Mans. SW1
—4G 77 (3A 154)
(off Morpeth Ter.)
Morpeth Rd. E9 —1J 63
Morpeth St. E2 —3K 63
Morpeth Ter. SW1
—3G 77 (2A 154)
Morpeth Wlk. N17 —7C 18
Morrab Gdns. Ilf —3K 51
Morrell Clo. New Bar —3F 5
Morris Av. E12 —5D 50
Morris Blitz Ct. N16 —4F 47
Morris Clo. Croy —5A 126
Morris Ct. E4 —3J 19
Morris Gdns. SW18 —7J 91
Morrish Rd. SW2 —7J 93
Morrison Av. N17 —3E 30
Morrison Bldgs. N. E1 —6G 63
(off Commercial Rd.)
Morrison Bldgs. S. E1 —6G 63
(off Commercial Rd.)
Morrison Rd. Bark —2E 68
Morrison St. SW11 —3E 92
Morris Pl. N4 —2A 46
Morris Rd. E14 —5D 64
Morris Rd. E15 —4G 49
Morris Rd. Dag —2F 53
Morris Rd. Iswth —3K 87
Morriss Ho. SE16 —2H 79
(off Cherry Garden St.)
Morris St. E1 —6H 63
Morse Clo. E13 —3J 65
Morshead Mans. W9 —3K 59
(off Morshead Rd.)
Morshead Rd. W9 —3J 59
Morson Rd. Enf —6F 9
Morston Gdns. SE9 —4D 114
Mortain Ho. SE16 —4H 79
(off Roseberry St.)
Morten Clo. SW4 —6H 93
Morteyne Rd. N17 —1D 30
Mortgramit Sq. SE18 —3E 82
Mortham St. E15 —1G 65
Mortimer Clo. NW2 —2H 43
Mortimer Clo. SW16 —2H 109
Mortimer Cres. Wor Pk —3A 130
Mortimer Dri. Enf —5K 7
Mortimer Est. NW6 —1K 59
(off Mortimer Pl.)
Mortimer Ho. W11 —1F 75
(off Queensdale Cres.)

Mortimer Mkt. WC1
—4G 61 (4B 142)
Mortimer Pl. NW6 —1K 59
Mortimer Rd. E6 —3D 66
Mortimer Rd. N1 —7E 46
(in two parts)
Mortimer Rd. NW10 —3E 58
Mortimer Rd. W13 —6C 56
Mortimer Rd. Eri —6K 85
Mortimer Rd. Mitc —1D 122
Mortimer Sq. W11 —7F 59
Mortimer St. W1
—6G 61 (7K 141)
Mortimer Ter. NW5 —4F 45
Mortlake Clo. Croy —3J 133
Mortlake Dri. Mitc —1C 122
Mortlake High St. SW14 —3K 89
Mortlake Rd. E16 —6K 65
Mortlake Rd. Ilf —4G 51
Mortlake Rd. Rich —7G 73
Mortlake Ter. Rich —7G 73
(off Mortlake Rd.)
Mortlock Clo. SE15 —1H 95
Mortlock Ct. E12 —4B 50
Morton Cres. N14 —4C 16
Morton Gdns. Wall —5G 133
Morton M. SW5 —4K 75
Morton Pl. SE1 —3A 78 (2J 155)
Morton Rd. E15 —7H 49
Morton Rd. N1 —7C 46
Morton Rd. Mord —5B 122
Morton Way. N14 —3B 16
Morvale Clo. Belv —4F 85
Morval Rd. SW2 —5A 94
Morven Rd. SW17 —3D 108
Morville St. E3 —2C 64
Morwell St. WC1
—5H 61 (6C 142)
Moscow Pl. W2 —7K 59
Moscow Rd. W2 —7J 59
Moselle Av. N22 —2A 30
Moselle Clo. N8 —3K 29
Moselle Ho. N17 —7A 18
(off William St.)
Moselle Pl. N17 —7A 18
Moselle St. N17 —7A 18
Mossborough Ct. N12 —6E 14
Mossbury Rd. SW11 —3C 92
Moss Clo. E1 —5G 63
Moss Clo. Pinn —2D 22
Mossdown Clo. Belv —4G 85
Mossford Clo. Ilf —2F 35
Mossford Grn. Ilf —2F 35
Mossford La. Ilf —2F 35
Mossford St. E3 —4B 64
Moss Gdns. S Croy —7K 135
Moss Hall Ct. N12 —6E 14
Moss Hall Cres. N12 —6E 14
Moss Hall Gro. N12 —6E 14
Mossington Gdns. SE16 —4J 79
Moss La. Pinn —1C 22
Mosslea Rd. SE20 —6J 111
(in two parts)
Mosslea Rd. Brom —5B 128
Mossop St. SW3
—4C 76 (3D 152)
Moss Rd. Dag —7G 53
Mossville Gdns. Mord —3H 121
Mosswell Ho. N10 —1E 28
Mostyn Av. Wemb —5F 41
Mostyn Gdns. NW10 —2F 59
Mostyn Gro. E3 —2C 64
Mostyn Rd. SW9 —1A 94
Mostyn Rd. SW19 —1H 121

Mostyn Rd. Edgw —7F 13
Mosul Way. Brom —6C 128
Mota M. N3 —1J 27
Motcomb St. SW1
—3E 76 (1G 153)
Mothers Sq. E5 —4J 47
Motley Av. EC2 —4E 62 (4G 145)
Motley St. SW8 —2G 93
Motspur Pk. N Mald —6B 120
Mottingham Gdns. SE9 —1B 114
Mottingham La. SE12 & SE9
—1A 114
Mottingham Rd. N9 —6E 8
Mottingham Rd. SE9 —2C 114
Mottisfont Rd. SE2 —3A 84
Mott St. E4 & Lou —1K 9
Moules Ct. SE5 —7C 78
Moulins Rd. E9 —7J 47
Moulsford Ho. N7 —5H 45
Moulton Av. Houn —2C 86
Moundfield Rd. N16 —6G 31
Mound, The. SE9 —3E 114
Mountacre Clo. SE26 —4F 111
Mt. Adon Rd. SE22 —7G 95
Mountague Pl. E14 —7E 64
Mountain Ho. SE11
—5K 77 (4H 155)
Mt. Angelus Rd. SW15 —7B 90
Mt. Ararat Rd. Rich —5E 88
Mt. Arlington. Short —2G 127
(off Park Hill Rd.)
Mt. Ash Rd. SE26 —3H 111
Mount Av. E4 —3H 19
Mount Av. W5 —5C 56
Mount Av. S'hall —6E 54
Mt. Baton Ct. W5 —5C 56
(off Mount Av.)
Mountbatten Clo. SE18 —6J 83
Mountbatten Clo. SE19 —5E 110
Mountbatten Ct. Buck H —2G 21
Mountbatten Gdns. Beck
—4A 126
Mountbatten Ho. N6 —7E 28
(off Hillcrest)
Mountbatten M. SW18 —7A 92
Mountball Rd. Stan —1A 24
Mount Clo. W5 —5C 56
Mount Clo. Brom —1C 128
Mount Clo. Cars —7E 132
Mount Clo. Cockf —4K 5
Mountcombe Clo. Surb —7E 118
Mount Ct. SW15 —3G 91
Mount Ct. W Wick —2G 137
Mt. Culver Av. Sidc —6D 116
Mount Dri. Bexh —5E 100
Mount Dri. Harr —5D 22
Mount Dri. Wemb —2J 41
Mountearl Gdns. SW16 —3K 109
Mt. Echo Av. E4 —1J 19
Mt. Echo Dri. E4 —1J 19
Mt. Ephraim La. SW16 —3H 109
Mt. Ephraim Rd. SW16 —3H 109
Mountfield Rd. E6 —2E 66
Mountfield Rd. N3 —3H 27
Mountfield Rd. W5 —6D 56
Mountford Rd. E8 —5G 47
Mountford St. E1 —6G 63
Mountfort Cres. N1 —7A 46
Mountfort Ter. N1 —7A 46
Mount Gdns. SE26 —3H 111
Mount Gro. Edgw —3D 12
Mountgrove Rd. N5 —3B 46
Mounthurst Rd. Brom —7H 127
Mountington Pk. Clo. Harr
—6D 24

Mountjoy Clo. SE2 —2B 84
Mountjoy Ho. EC2
—5C 62 (6C 144)
Mt. Lodge. N6 —6G 29
Mt. Mills. EC1 —3B 62 (2B 144)
Mt. Nod Rd. SW16 —3K 109
Mt. Olive Ct. W7 —2J 71
Mount Pk. Av. Harr —2H 39
Mount Pk. Av. S Croy —7B 134
Mount Pk. Cres. W5 —6D 56
Mount Pk. Rd. W5 —5D 56
Mount Pk. Rd. Harr —3H 39
Mount Pl. W3 —1H 73
Mt. Pleasant. SE27 —4C 110
Mt. Pleasant. WC1
—4A 62 (4J 143)
Mt. Pleasant. Barn —4H 5
Mt. Pleasant. Ilf —5G 51
Mt. Pleasant. Ruis —2A 38
Mt. Pleasant. Wemb —1E 56
Mt. Pleasant Cotts. N14 —1C 16
(off Wells, The)
Mt. Pleasant Cres. N4 —1K 45
Mt. Pleasant Hill. E5 —2H 47
Mt. Pleasant La. E5 —2H 47
Mt. Pleasant Rd. SE18 —4H 83
Mt. Pleasant Rd. E17 —2A 32
Mt. Pleasant Rd. N17 —2E 30
Mt. Pleasant Rd. NW10 —7E 42
Mt. Pleasant Rd. SE13 —6D 96
Mt. Pleasant Rd. W5 —4C 56
Mt. Pleasant Rd. N Mald —3J 119
Mt. Pleasant Vs. N4 —7K 29
Mt. Pleasant Wlk. Bex —5J 101
Mount Rd. NW2 —3D 42
Mount Rd. NW4 —6C 26
Mount Rd. SW19 —2J 107
Mount Rd. Barn —5H 5
Mount Rd. Bexh —5D 100
Mount Rd. Dag —1F 53
Mount Rd. Felt —3C 102
Mount Rd. Ilf —5F 51
Mount Rd. Mitc —2B 122
Mount Rd. N Mald —3K 119
Mount Row. W1
—7F 61 (3J 147)
Mountsfield Ct. SE13 —6F 97
Mountside. Stan —1K 23
Mounts Pond Rd. SE3 —2F 97
(in two parts)
Mount Sq., The. NW3 —3A 44
Mt. Stewart Av. Harr —7D 24
Mount St. SW1 —7E 60 (3G 147)
Mount St. M. W1
—7F 61 (3J 147)
Mount Ter. E1 —5H 63
Mount, The. E5 —2H 47
Mount, The. N20 —2F 15
Mount, The. NW3 —4A 44
Mount, The. W3 —1H 73
Mount, The. Bexh —5H 101
Mount, The. N Mald —3B 120
Mount, The. Wemb —2J 41
Mount, The. Wor Pk —4D 130
Mt. Vernon. NW3 —4A 44
Mount View. NW7 —3E 12
Mount View. W5 —4D 56
Mount View. Enf —1E 6
Mountview. Ct. N15 —4B 30
Mt. View Rd. E4 —7K 9
Mt. View Rd. N4 —7J 29
Mt. View Rd. NW9 —5K 25

Mountview Rd. Orp —7K 129
(in two parts)
Mount Vs. SE27 —3B 110
Mount Way. Cars —7E 132
Movers La. Bark —1H 67
Movers Lane. (Junct.) —2J 67
Mowat Corner. Wor Pk —2B 130
Mowat Ct. Wor Pk —2B 130
(off Avenue, The)
Mowatt Clo. N19 —2H 45
Mowbray Ct. N22 —1A 30
Mowbray Ct. SE19 —7F 111
Mowbray Gdns. N'holt —1E 54
Mowbray Ho. N2 —2B 28
(off Grange, The)
Mowbray Pde. Edgw —4B 12
Mowbray Rd. N'holt —1E 54
Mowbray Rd. NW6 —7G 43
Mowbray Rd. SE19 —1F 125
Mowbray Rd. Edgw —4B 12
Mowbray Rd. New Bar —4F 5
Mowbray Rd. Rich —3C 104
Mowbrays Clo. Romf —1J 37
Mowbrays Rd. Romf —2J 37
Mowlem St. E2 —2H 63
Mowlem Trad. Est. N17 —7D 18
Mowll St. SW9 —7A 78
Moxon Clo. E13 —2H 65
Moxon St. W1 —5E 60 (6G 141)
Moxon St. Barn —3C 4
Moye Clo. E2 —2G 63
Moyers Rd. E10 —7E 32
Moylan Rd. W6 —6G 75
Moyne Ho. SE24 —5B 94
Moyne Pl. NW10 —2G 57
Moynihan Dri. N21 —5D 6
Moys Clo. Croy —6J 123
Moyser Rd. SW16 —5F 109
Mozart St. W10 —3H 59
Mozart Ter. SW1
—4E 76 (4H 153)
Muchelney Rd. Mord —6A 122
Mudlarks Way. SE10 & SE7
—3H 81
Muggeridge Clo. S Croy
—5D 134
Muggeridge Rd. Dag —4H 53
Muirdown Av. SW14 —4K 89
Muir Dri. SW18 —6C 92
Muirfield. W3 —6A 58
Muirfield Clo. SE16 —5H 79
Muirfield Cres. E14 —3D 80
Muirkirk Rd. SE6 —1E 112
Muir Rd. E5 —4G 47
Muir St. E16 —1C 82
Mulberry Bus. Pk. SE16 —2K 79
Mulberry Clo. E4 —2H 19
Mulberry Clo. N8 —5J 29
Mulberry Clo. NW3 —4B 44
Mulberry Clo. Barn —4G 5
Mulberry Clo. N'holt —2C 54
Mulberry Clo. Bark —7K 51
Mulberry Clo. Surb —7D 118
Mulberry Clo. Twic —3H 103
Mulberry Cres. Bren —7B 72
Mulberry Ho. SE8 —6B 80
Mulberry Ho. Short —2G 127
Mulberry La. Croy —1F 135
Mulberry M. SE14 —1B 96
Mulberry M. Wall —6G 133

New Pk. Rd. *SW2* —1H **109**
New Pl. *New Ad* —6C **136**
New Pl. Sq. *SE16* —3H **79**
New Plaistow Rd. *E15* —1G **65**
Newport Av. *E13* —4K **65**
Newport Ct. *WC2*
　　　　—7H **61** (2D **148**)
Newport Lodge. Enf —5K **7**
　(off Village Rd.)
Newport Pl. *WC2*
　　　　—7H **61** (2D **148**)
Newport Rd. *E10* —2E **48**
Newport Rd. *E17* —4A **32**
Newport Rd. *SW13* —1C **90**
Newport St. *SE11*
　　　　—4K **77** (4G **155**)
Newquay Cres. *Harr* —2C **38**
Newquay Ho. *SE11*
　　　　—5A **78** (5H **155**)
Newquay Rd. *SE6* —2D **112**
New Quebec St. *W1*
　　　　—6D **60** (1F **147**)
New Ride. *SW7 & SW1*
　　　　—2B **76** (6B **146**)
New River Ct. *N5* —4C **46**
New River Cres. *N13* —4G **17**
New River Head. *EC1*
　　　　—3A **62** (2K **143**)
New River Wlk. *N1* —6C **46**
New River Way. *N4* —7D **30**
New Rd. *E1* —5H **63**
New Rd. *E4* —4J **19**
New Rd. *N8* —5J **29**
New Rd. *N9* —3B **18**
New Rd. *N17* —1F **31**
New Rd. *N22* —1C **30**
New Rd. *NW7* —7B **14**
New Rd. *SE2* —4D **84**
New Rd. *Bren* —6D **72**
New Rd. *Dag & Rain* —2G **69**
New Rd. *Hanw* —5C **102**
New Rd. *Harr* —4K **39**
New Rd. *Houn* —4F **87**
New Rd. *Ilf* —2J **51**
New Rd. *King T* —7G **105**
New Rd. *Mitc* —1D **132**
New Rd. *Rich* —4C **104**
New Rd. *Well* —2B **100**
New Rd. Hill. *Kes & Orp* —7C **138**
New Rochford St. *NW5* —5D **44**
New Row. *WC2* —7J **61** (2E **148**)
Newry Rd. *Twic* —5A **88**
Newsam Av. *N15* —5D **30**
New Southgate Ind. Est. *N11*
　　　　—5B **16**
New Spitalfields Mkt. *E10* —3D **48**
New Spring Gdns. Wlk. *SE11*
　　　　—5J **77** (6F **155**)
New Sq. *WC2* —6K **61** (7J **143**)
New Sq. Pas. *WC2*
　　　　—6A **62** (7J **143**)
Newstead Clo. *N12* —6H **15**
Newstead Ct. *N'holt* —3C **54**
Newstead Rd. *SE12* —7H **97**
Newstead Wlk. *Cars* —7J **121**
Newstead Way. *SW19* —4F **107**
New St. *EC2* —5E **62** (6H **145**)
New St. Hill. *Brom* —5K **113**
New St. Sq. *EC4*
　　　　—6A **62** (7K **143**)
Newton Av. *N10* —1E **28**
Newton Av. *W3* —2J **73**
Newton Clo. *E17* —6A **32**
Newton Clo. *Harr* —2E **38**
Newton Gro. *W4* —4A **74**

Newton Ho. *E17* —3D **32**
　(off Prospect Hill)
Newton Ho. *SE20* —1K **125**
Newton Ind. Est. *Romf* —4D **36**
Newton Mans. W14 —6G **75**
　(off Queen's Club Gdns.)
Newton Point. E16 —6H **65**
　(off Clarkson Rd.)
Newton Rd. *E15* —5F **49**
Newton Rd. *N15* —5G **31**
Newton Rd. *NW2* —4E **42**
Newton Rd. *SW19* —7G **107**
Newton Rd. *W2* —6K **59**
Newton Rd. *Harr* —2J **23**
Newton Rd. *Iswth* —2K **87**
Newton Rd. *Well* —3A **100**
Newton Rd. *Wemb* —7F **41**
Newton St. *WC2* —6J **61** (7F **143**)
Newton's Yd. *SW18* —5J **91**
Newton Ter. *Brom* —6B **128**
Newton Wlk. *Edgw* —1H **25**
Newton Way. *N18* —5H **17**
Newtown St. *SW11* —1F **93**
New Trinity Rd. *N2* —3B **28**
New Turnstile. *WC1*
　　　　—5K **61** (6G **143**)
New Union Clo. *E14* —3E **80**
New Union St. *EC2*
　　　　—5D **62** (6E **144**)
New Wanstead. *E11* —1G **79**
New Way Rd. *NW9* —4A **26**
New Wharf Rd. *N1* —2J **61**
New Zealand Way. *W12* —7D **58**
Niagara Av. *W5* —4C **72**
Niagra Clo. *N1* —2C **62**
Nibthwaite Rd. *Harr* —5J **23**
Nicholas Clo. *Gnfd* —2F **55**
Nicholas Ct. W4 —6A **74**
　(off Corney Reach Way)
Nicholas Gdns. *W5* —2D **72**
Nicholas La. *EC4*
　　　　—7D **62** (2F **151**)
Nicholas Pas. *EC4*
　　　　—7D **62** (1F **151**)
Nicholas Rd. *E1* —4J **63**
Nicholas Rd. *Croy* —4J **133**
Nicholas Rd. *Dag* —2F **53**
Nicholas St. *SE8* —1B **96**
Nicholay Rd. *N19* —1H **45**
Nichol Clo. *N14* —1C **16**
Nicholes Rd. *Houn* —4E **86**
Nichol La. *Brom* —7J **113**
Nicholl Ho. *N4* —1C **46**
Nichollsfield Wlk. *N7* —5K **45**
Nicholls Point. E15 —1J **65**
　(off Park Gro.)
Nicholl St. *E2* —1G **63**
Nichols Clo. N4 —1A **46**
　(off Osborne Rd.)
Nichols Grn. *W5* —5D **56**
Nicholson Ct. *E17* —4A **32**
Nicholson Dri. *Bush* —1B **10**
Nicholson Ho. *SE17*
　　　　—5D **78** (5E **156**)
Nicholson Rd. *Croy* —1F **135**
Nicholson St. *SE1*
　　　　—1B **78** (5A **150**)
Nichol's Sq. E2 —2F **63** (1J **145**)
Nickelby Clo. *SE28* —6C **68**
Nickleby Ho. SE16 —2G **79**
　(off George Row)
Nicola Clo. *Harr* —2H **23**
Nicola Clo. *S Croy* —6C **134**
Nicola Ter. Bexh —1E **100**
　(off Long La.)

Nicol Clo. *Twic* —6B **88**
Nicoll Ct. *N10* —7A **16**
Nicoll Ct. *NW10* —1A **58**
Nicoll Pl. *NW4* —6D **26**
Nicoll Rd. *NW10* —1A **58**
Nicolson. *NW9* —1A **26**
Nicosia Rd. *SW18* —7C **92**
Niederwald Rd. *SE26* —4A **112**
Nigel Clo. *N'holt* —1C **54**
Nigel Ct. *N3* —7E **14**
Nigel Fisher Way. *Chess* —7C **130**
Nigel Ho. *EC1* —4B **62** (4B **144**)
Nigel Playfair Av. *W6* —5D **74**
Nigel Rd. *E7* —5A **50**
Nigel Rd. *SE15* —3G **95**
Nigeria Rd. *SE7* —7A **82**
Nighthawk. *NW9* —1B **26**
Nightingale Av. *E4* —5B **20**
Nightingale Clo. *E4* —4A **20**
Nightingale Clo. *W4* —6J **73**
Nightingale Clo. *Cars* —2E **132**
Nightingale Clo. *Pinn* —5A **22**
Nightingale Ct. N4 —2K **45**
　(off Tollington Pk.)
Nightingale Ct. SW6 —1K **91**
　(off Maltings Pl.)
Nightingale Ct. *Short* —2G **127**
Nightingale Gro. *SE13* —5F **97**
Nightingale Heights. *SE18*
　　　　—6F **83**
Nightingale Ho. E1 —1G **79**
　(off Thomas More St.)
Nightingale Ho. N1 —1E **62**
　(off Wilmer Gdns.)
Nightingale Ho. SE18 —5E **82**
　(off Connaught M.)
Nightingale La. *E11* —5J **33**
Nightingale La. *N8* —4J **29**
Nightingale La. *SW12 & SW4*
　　　　—7D **92**
Nightingale La. *Brom* —2A **128**
Nightingale La. *Rich* —7E **88**
Nightingale M. *E3* —2A **64**
Nightingale Pl. *SE18* —6E **82**
Nightingale Pl. *SW10*
　　　　—6A **76** (7A **152**)
Nightingale Rd. *E5* —3H **47**
Nightingale Rd. *N9* —6D **8**
Nightingale Rd. *N22* —7D **16**
Nightingale Rd. *NW10* —2B **58**
Nightingale Rd. *W7* —1K **71**
Nightingale Rd. *Cars* —3D **132**
Nightingale Rd. *Hamp* —5E **102**
Nightingale Rd. *Orp* —6G **129**
Nightingale Sq. *SW12* —7E **92**
Nightingale Vale. *SE18* —6E **82**
Nightingale Wlk. *SW4* —6F **93**
Nightingale Way. *E6* —5C **66**
Nikols Wlk. *SW18* —4K **91**
Nile Clo. *N16* —3F **47**
Nile Path. *SE18* —6E **82**
Nile Rd. *E13* —2A **66**
Nile St. *N1* —3C **62** (1D **144**)
Nile Ter. *SE15* —5F **79** (6J **157**)
Nimegen Way. *SE22* —5E **94**
Nimmo Dri. *Bush* —1C **10**
Nimrod. *NW9* —1A **26**
Nimrod Clo. *N'holt* —3B **54**
Nimrod Pas. *N1* —6E **46**
Nimrod Rd. *SW16* —6F **109**
Nine Acres Clo. *E12* —5C **50**
Nine Elms La. *SW8* —7G **77**
Nineteenth Rd. *Mitc* —4J **123**
Ninhams Wood. *Orp* —4E **138**
Nita Ct. *SE12* —1J **113**
Nithdale Rd. *SE18* —7F **83**

Niton Clo. *Barn* —6A **4**
Niton Rd. *Rich* —3G **89**
Niton St. *SW6* —7F **75**
Nobel Ho. *SE5* —2C **94**
Nobel Rd. *N18* —4D **18**
Noble Corner. *Houn* —1E **86**
Noble Ct. E1 —7G **63**
　(off Cable St.)
Noble Ct. *Mitc* —2B **122**
Noblefield Heights. *N2* —5C **28**
Noble St. *EC2* —6C **62** (7C **144**)
Noel. *NW9* —1A **26**
Noel Ct. *Houn* —3D **86**
Noel Pk. Rd. *N22* —2A **30**
Noel Rd. *E6* —4C **66**
Noel Rd. *N1* —2B **62**
Noel Rd. *W3* —7G **57**
Noel Sq. *Dag* —4C **52**
Noel St. *W1* —6G **61** (1B **148**)
Noel Ter. *SE23* —2J **111**
Noel Ter. *Sidc* —4B **116**
Nolan Way. *E5* —4G **47**
Nolton Pl. *Edgw* —1F **25**
Nonsuch Wlk. *Sutt* —7F **131**
Noorwood Gdns. *Hayes* —4A **54**
Nora Gdns. *NW4* —4F **27**
Norbiton Av. *King T* —1G **119**
Norbiton Comn. Rd. *King T*
　　　　—3H **119**
Norbiton Rd. *E14* —6B **64**
Norbreck Gdns. *NW10* —3F **57**
Norbreck Pde. *NW10* —3E **56**
Norbroke St. *W12* —7B **58**
Norburn St. *W10* —5G **59**
Norbury Av. *SW16 & T Hth*
　　　　—1K **123**
Norbury Av. *Houn* —4H **87**
Norbury Clo. *SW16* —1A **124**
Norbury Ct. Rd. *SW16* —3J **123**
Norbury Cres. *SW16* —1K **123**
Norbury Cross. *SW16* —3J **123**
Norbury Gdns. *Romf* —5D **36**
Norbury Gro. *NW7* —3F **13**
Norbury Hill. *SW16* —7A **110**
Norbury Rise. *SW16* —3J **123**
Norbury Rd. *E4* —5H **19**
Norbury Rd. *T Hth* —2C **124**
Norbury Trad. Est. *SW16*
　　　　—2K **123**
Norcombe Gdns. *Harr* —6C **24**
Norcombe Ho. N19 —3H **45**
　(off Wedmore St.)
Norcott Clo. *Hayes* —4A **54**
Norcott Rd. *N16* —2G **47**
Norcroft Gdns. *SE22* —7G **95**
Norcutt Rd. *Twic* —1J **103**
Nordenfeldt Rd. *Eri* —5K **85**
Norfield Rd. *Dart* —4J **117**
Norfolk Av. *N13* —6G **17**
Norfolk Av. *N15* —6F **31**
Norfolk Clo. *N2* —3C **28**
Norfolk Clo. *N13* —6G **17**
Norfolk Clo. *Barn* —4K **5**
Norfolk Clo. *Twic* —6B **88**
Norfolk Cres. *W2*
　　　　—6C **60** (7C **140**)
Norfolk Cres. *Sidc* —7J **99**
Norfolk Gdns. *Bexh* —1F **101**
Norfolk Gdns. *Houn* —5D **86**
Norfolk Ho. *SE8* —1C **96**
Norfolk Ho. *Beck* —1J **125**
Norfolk Ho. Rd. *SW16* —3H **109**
Norfolk Mans. SW11 —1D **92**
　(off Prince of Wales Dri.)
Norfolk Pl. *W2* —6B **60** (7B **140**)

Norfolk Pl. *Well* —2A **100**
Norfolk Rd. *E6* —1D **66**
Norfolk Rd. *E17* —2K **31**
Norfolk Rd. *NW8* —1B **60**
Norfolk Rd. *NW10* —7A **42**
Norfolk Rd. *SW19* —7C **108**
Norfolk Rd. *Bark* —7J **51**
Norfolk Rd. *Barn* —3D **4**
Norfolk Rd. *Dag* —5H **53**
Norfolk Rd. *Enf* —6C **8**
Norfolk Rd. *Felt* —1A **102**
Norfolk Rd. *Harr* —5F **23**
Norfolk Rd. *Ilf* —1J **51**
Norfolk Rd. *Romf* —6J **37**
Norfolk Rd. *T Hth* —3C **124**
Norfolk Row. *SE1*
　　　　—4K **77** (3G **155**)
Norfolk Sq. *W2* —6B **60** (1B **146**)
Norfolk Sq. M. *W2*
　　　　—6B **60** (1B **146**)
Norfolk St. *E7* —5J **49**
Norfolk Ter. *W6* —5G **75**
Norgrove St. *SW12* —7E **92**
Norhyrst Av. *SE25* —3F **125**
Norland Pl. *W11* —1G **75**
Norland Rd. *W11* —1F **75**
Norlands Cres. *Chst* —1F **129**
Norland Sq. *W11* —1G **75**
Norley Vale. *SW15* —1C **106**
Norlington Rd. *E10 & E11*
　　　　—1E **48**
Norman Av. *N22* —1B **30**
Norman Av. *Felt* —2C **102**
Norman Av. *S'hall* —7C **54**
Norman Av. *Twic* —7C **88**
Normanby Clo. *SW15* —5H **91**
Normanby Rd. *NW10* —4B **42**
Norman Clo. *Romf* —2C **36**
Norman Clo. *Romf* —1H **37**
Norman Ct. *N4* —7A **30**
Norman Ct. *NW10* —7C **42**
Norman Ct. *W13* —1B **72**
　(off Kirkfield Clo.)
Norman Ct. *Ilf* —7H **35**
Norman Cres. *Houn* —7B **70**
Norman Cres. *Pinn* —1A **22**
Normand Gdns. W14 —6G **75**
　(off Greyhound Rd.)
Normand M. W14 —6G **75**
Normand Rd. *W14* —6H **75**
Normandy Av. *Barn* —5C **4**
Normandy Rd. *SW9* —1A **94**
Normandy Ter. *E16* —6K **65**
Normandy Way. *Eri* —1K **101**
Norman Gro. *E3* —2A **64**
Norman Ho. *SW8* —7J **77**
　(off Wyvil Rd.)
Norman Ho. *Felt* —2D **102**
Normanhurst Av. *Bexh* —1D **100**
Normanhurst Dri. *Twic* —5A **88**
Normanhurst Rd. *SW2* —2K **109**
Norman Rd. *E6* —4D **66**
Norman Rd. *E11* —2F **49**
Norman Rd. *N15* —5F **31**
Norman Rd. *SE10* —7D **80**
Norman Rd. *SW19* —7A **108**
Norman Rd. *Belv* —3H **85**
Norman Rd. *Ilf* —5F **51**
Norman Rd. *Sutt* —5J **131**
Norman Rd. *T Hth* —5B **124**
Norman's Bldgs. *EC1*
　　　　—3C **62** (2C **144**)
Normans Clo. *NW10* —6K **41**
Normansfield Av. *Tedd* —7C **104**
Normanshire Av. *E4* —4K **19**

Normanshire Dri. *E4* —4H **19**
Norman's Mead. *NW10* —6K **41**
Norman St. *EC1* —3C **62** (2C **144**)
Normanton Av. *SW19* —2J **107**
Normanton Pk. *E4* —2B **20**
Normanton Rd. *S Croy* —6E **134**
Normanton St. *SE23* —2K **111**
Norman Way. *N14* —2D **16**
Norman Way. *W3* —5H **57**
Normington Clo. *SW16* —5A **110**
Norrice Lea. *N2* —5B **28**
Norris. *NW9* —1B **26**
(off Concourse, The)
Norris St. *SW1* —7H **61** (3C **148**)
Norroy Rd. *SW15* —4F **91**
Norry's Clo. *Cockf* —4J **5**
Norry's Rd. *Cockf* —4J **5**
Norseman Clo. *Ilf* —1B **52**
Norseman Way. *Gnfd* —1F **55**
Norstead Pl. *SW15* —2C **106**
N. Access Rd. *E17* —6K **31**
North Acre. *NW9* —1A **26**
N. Acton Rd. *NW10* —2K **57**
Northall Rd. *Bexh* —2J **101**
Northampton Gro. *N1* —5D **46**
Northampton Pk. *N1* —6C **46**
Northampton Rd. *EC1*
—4A **62** (3K **143**)
Northampton Rd. *Croy* —2G **135**
Northampton Rd. *Enf* —4F **9**
Northampton Row. *EC1*
—4A **62** (3K **143**)
Northampton Sq. *EC1*
—3B **62** (2A **144**)
Northampton St. *N1* —7C **46**
Northanger Rd. *SW16* —6J **109**
N. Audley St. *W1*
—6E **60** (1G **147**)
North Av. *N18* —4B **18**
North Av. *NW10* —3E **58**
North Av. *W13* —5B **56**
North Av. *Cars* —7E **132**
North Av. *Harr* —6F **23**
North Av. *Rich* —1G **89**
North Av. *S'hall* —7D **54**
North Bank. *NW8*
—3C **60** (2C **140**)
Northbank Rd. *E17* —2E **32**
N. Birkbeck Rd. *E11* —3F **49**
Northborough Rd. *SW16*
—3H **123**
Northbourne. *Brom* —7J **127**
Northbourne Rd. *SW4* —5H **93**
Northbrook Rd. *N22* —7D **16**
Northbrook Rd. *SE13* —5G **97**
Northbrook Rd. *Barn* —6B **4**
Northbrook Rd. *Croy* —5D **124**
Northbrook Rd. *Ilf* —2E **50**
Northburgh St. *EC1*
—4B **62** (4B **144**)
N. Carriage Dri. *W2*
—7C **60** (2C **146**)
Northchurch. *SE17*
—5D **78** (5F **157**)
Northchurch Rd. *N1* —7D **46**
Northchurch Rd. *Wemb* —6G **41**
Northchurch Ter. *N1* —7E **46**
N. Circular Rd. *E18* —2A **34**
N. Circular Rd. *N3* —4H **27**
N. Circular Rd. *N12* —1B **28**
N. Circular Rd. *N13* —5F **17**
N. Circular Rd. *NW2* —3A **42**
N. Circular Rd. *NW4* —1D **42**
N. Circular Rd. *NW10* —3F **57**

N. Circular Rd. *NW11* —6F **27**
Northcliffe Clo. *Wor Pk* —3A **130**
Northcliffe Dri. *N20* —1C **14**
North Clo. *Bexh* —4D **100**
North Clo. *Dag* —1G **69**
North Clo. *Mord* —4G **121**
N. Colonnade. *E14* —1C **80**
N. Common Rd. *W5* —7E **56**
Northcote. *Pinn* —2A **22**
Northcote Av. *W5* —7E **56**
Northcote Av. *Iswth* —5A **88**
Northcote Av. *S'hall* —7C **54**
Northcote Av. *Surb* —7H **119**
Northcote M. *SW11* —4C **92**
Northcote Rd. *E17* —4A **32**
Northcote Rd. *NW10* —7A **42**
Northcote Rd. *SW11* —5C **92**
Northcote Rd. *Croy* —6D **124**
Northcote Rd. *N Mald* —3J **119**
Northcote Rd. *Sidc* —4J **115**
Northcote Rd. *Twic* —5A **88**
Northcott Av. *N22* —1J **29**
N. Countess Rd. *E17* —2B **32**
North Ct. *SE24* —3B **94**
Northcourt. *W1* —5G **61** (5B **142**)
N. Cray Rd. *Sidc & Bex* —6E **116**
North Cres. *E16* —4F **65**
North Cres. *N3* —2H **27**
North Cres. *WC1*
—5H **61** (5C **142**)
Northcroft. *W13* —2B **72**
Northcroft Rd. *Eps* —7A **130**
N. Crofts. *SE23* —1H **111**
Northcroft Ter. *W4* —2B **72**
N. Cross Rd. *SE22* —5F **95**
N. Cross Rd. *Ilf* —4G **35**
Northdale Ct. *SE25* —3F **125**
North Dene. *NW7* —3E **12**
North Dene. *Houn* —1F **87**
Northdene Gdns. *N15* —6F **31**
Northdown Gdns. *Ilf* —5J **35**
Northdown Rd. *Well* —2B **100**
Northdown St. *N1*
—2J **61** (1G **143**)
North Dri. *SW16* —4G **109**
North Dri. *Houn* —2G **87**
N. East Pier. *E1* —1H **79**
Northeast Pl. N1 —2A 62
(off Chapel Mkt.)
North End. *NW3* —2A **44**
North End. *Buck H* —1F **21**
North End. *Croy* —2C **134**
N. End Av. *NW3* —2A **44**
N. End Ho. *W14* —4G **75**
(off Fitzjames Av.)
N. End Pde. *W14* —4G **75**
(off N. End Rd.)
N. End Rd. *NW11* —1J **43**
N. End Rd. *W14 & SW6* —4G **75**
N. End Rd. *Wemb* —3G **41**
N. End Way. *NW3* —2A **44**
Northern Av. *N9* —2K **17**
Northernhay Wlk. Mord —4G 121
Northern Rd. *E13* —2K **65**
Northern Rd. *E1* —5H **47**
(off Tent St.)
N. Eyot Gdns. *W6* —5B **74**
Northey St. *E14* —7A **64**
N. Feltham Trad. Est. *Felt* —5A **86**
Northfield Av. *W13 & W5* —1B **72**
Northfield Av. *Pinn* —4B **22**
Northfield Gdns. *Dag* —4F **53**

Northfield Ho. *SE15* —6G **79**
Northfield Ind. Est. *NW10 & HA0*
(in two parts) —3G **57**
Northfield Ind. Est. *Wemb*
—1G **57**
Northfield Path. *Dag* —2F **53**
Northfield Rd. *E6* —7D **50**
Northfield Rd. *N16* —7E **30**
Northfield Rd. *W13* —2B **72**
Northfield Rd. *Barn* —3H **5**
Northfield Rd. *Dag* —4F **53**
Northfield Rd. *Enf* —5C **8**
Northfield Rd. *Houn* —6B **70**
Northfields. *SW18* —4J **91**
Northfields Prospect Bus. Cen.
SW18 —4J **91**
Northfields Rd. *W3* —5H **57**
N. Flockton St. *SE16* —2G **79**
N. Flower Wlk. *W2* —7A **60**
North Gdns. *SW19* —7B **108**
North Ga. *NW8* —3C **60** (1C **140**)
Northgate Bus. Pk. *Enf* —3C **8**
Northgate Dri. *NW9* —6A **26**
N. Glade, The. *Bex* —1F **117**
N. Gower St. *NW1*
—3G **61** (2B **142**)
North Grn. *NW9* —7F **13**
North Gro. *N6* —7E **28**
North Gro. *N15* —5D **30**
North Hill. *N6* —6D **28**
N. Hill Av. *N6* —6E **28**
North Ho. *NW8* —2C **60** (1C **140**)
North St. *SE8* —5B **80**
N. Hyde La. *S'hall & Houn*
—5B **70**
Northiam. *N12* —4D **14**
(in two parts)
Northiam St. *E8 & E9* —1H **63**
Northington St. *WC1*
—4K **61** (4H **143**)
N. Kent Gro. *SE18* —4D **82**
Northlands St. *SE5* —2C **94**
North La. *Tedd* —6K **103**
Northleach Ct. SE15 —6E 78
(off Birdlip Clo.)
N. Lodge. *New Bar* —5F **5**
N. Lodge Clo. *SW15* —5F **91**
North Mall. N9 —2C 18
(off Plevna Rd.)
North M. *WC1* —4K **61** (4H **143**)
North Mt. N20 —2F 15
(off High Rd.)
Northolm. *Edgw* —4E **12**
Northolme Gdns. *Edgw* —1G **25**
Northolme Rd. *N5* —4C **46**
Northolt. N17 —2E 30
(off Griffin Rd.)
Northolt Av. *Ruis* —5A **38**
Northolt Gdns. *Gnfd* —5K **39**
Northolt Rd. *Harr* —4F **39**
Northover. *Brom* —3H **113**
North Pde. *Edgw* —2G **25**
North Pde. S'hall —6E 54
(off North Rd.)
North Pk. *SE9* —6D **98**
North Pl. *SW18* —5J **91**
North Pl. *Mitc* —7D **108**
North Pl. *Tedd* —6K **103**
N. Pole La. *Kes* —6H **137**
N. Pole Rd. *W10* —5E **58**
Northport St. *N1* —1D **62**
North Ride. *W2* —7B **60** (3C **146**)
North Rise. *W2* —6C **60** (1D **146**)
North Rd. *N2* —2C **28**
North Rd. *N6* —7E **28**

North Rd. *N7* —6J **45**
North Rd. *N9* —1C **18**
North Rd. *SE18* —4J **83**
North Rd. *SW19* —6A **108**
North Rd. *W5* —3D **72**
North Rd. *Belv* —3H **85**
North Rd. *Bren* —6E **72**
North Rd. *Brom* —1K **127**
North Rd. *Chad H* —5E **36**
North Rd. *Edgw* —1H **25**
North Rd. *Ilf* —2J **51**
North Rd. *Rich* —3G **89**
North Rd. *S'hall* —7E **54**
North Rd. *Surb* —6D **118**
North Rd. *W Wick* —1D **136**
North Row. *W1* —7D **60** (2F **147**)
North Several. *SE3* —2F **97**
Northside Rd. *Brom* —1J **127**
North-South Route. *N17* —2H **31**
Northspur Rd. *Sutt* —3J **131**
North Sq. *N9* —2C **18**
(off Hertford Rd.)
North Sq. *NW11* —5J **27**
Northstead Rd. *SW2* —2A **110**
North St. *E13* —2K **65**
North St. *NW4* —5E **26**
North St. *SW4* —3G **93**
North St. *Bark* —6F **51**
North St. *Bexh* —4G **101**
North St. *Brom* —1J **127**
North St. *Cars* —3D **132**
North St. *Iswth* —3A **88**
North St. *Romf* —3K **37**
North St. Pas. *E13* —2K **65**
N. Tenter St. *E1* —6F **63** (1K **151**)
North Ter. *SW3* —3D **76** (2C **152**)
Northumberland All. *EC3*
—6E **62** (1H **151**)
Northumberland Av. *E12* —1A **50**
Northumberland Av. *WC2*
—1J **77** (4E **148**)
Northumberland Av. *Enf* —1C **8**
Northumberland Av. *Iswth*
—1K **87**
Northumberland Av. *Well* —3J **99**
Northumberland Clo. *Eri* —7J **85**
Northumberland Gdns. *N9*
—3A **18**
Northumberland Gdns. *Brom*
—4E **128**
Northumberland Gdns. *Iswth*
—7A **72**
Northumberland Gdns. *Mitc*
—5H **123**
Northumberland Gro. *N17*
—7C **18**
Northumberland Pk. *N17* —7A **18**
Northumberland Pk. *Eri* —7J **85**
Northumberland Pk. Ind. Est. *N17*
—7C **18**
Northumberland Pl. *W2* —6J **59**
Northumberland Pl. *Rich* —6D **88**
Northumberland Rd. *E6* —6C **66**
Northumberland Rd. *E17* —7C **32**
Northumberland Rd. *Harr*
—5D **22**
Northumberland Rd. *New Bar*
—6F **5**
Northumberland Row. *Twic*
—1J **103**
Northumberland St. *WC2*
—1J **77** (4E **148**)
Northumberland Way. *Eri*
—1J **101**
Northumbria St. *E14* —6C **64**

N. Verbena Gdns. *W6* —5C **74**
Northview. *N7* —3J **45**
North View. *SW19* —5E **106**
North View. *W5* —4C **56**
North View. *Pinn* —7A **22**
N. View Cres. *NW10* —4B **42**
Northview Dri. *Wfd G* —2B **34**
N. View Rd. *N8* —4H **29**
North Vs. *NW1* —6H **45**
North Wlk. W2 —7K 59
(off Bayswater Rd.)
North Wlk. *New Ad* —6D **136**
(in two parts)
North Way. *N9* —2E **18**
North Way. *N11* —6B **16**
North Way. *NW9* —3H **25**
Northway. *NW11* —5K **27**
Northway. *Mord* —4G **121**
Northway. *Wall* —4G **133**
Northway Cir. *NW7* —4E **12**
Northway Cres. *NW7* —4E **12**
Northway Gdns. *NW11* —5K **27**
Northway Rd. *SE5* —3C **94**
Northway Rd. *Croy* —6F **125**
Northways Pde. NW3 —7B 44
(off College Cres.)
Northweald La. *King T* —5D **104**
N. West Pier. *E1* —1H **79**
Northwest Pl. *N1* —1A **62**
N. Wharf Rd. *W2*
—5B **60** (6A **140**)
Northwick Av. *Harr* —6A **24**
Northwick Circ. *Harr* —6C **24**
Northwick Clo. *NW8*
—4B **60** (3A **140**)
Northwick Pk. Rd. *Harr* —6K **23**
Northwick Rd. *Wemb* —1D **56**
Northwick Ter. *NW8*
—4B **60** (3A **140**)
Northwick Wlk. *Harr* —7K **23**
Northwold Dri. *Pinn* —2A **22**
Northwold Est. *E5* —2G **47**
Northwold Rd. *N16 & E5* —2F **47**
N. Wood Ct. *SE25* —3G **125**
Northwood Gdns. *N12* —5G **15**
Northwood Gdns. *Gnfd* —5K **39**
Northwood Gdns. *Ilf* —4E **34**
Northwood Ho. *SE27* —4D **110**
Northwood Pl. *Eri* —3F **85**
Northwood Rd. *N6* —7F **29**
Northwood Rd. *SE23* —1B **112**
Northwood Rd. *Cars* —6E **132**
Northwood Rd. *T Hth* —2B **124**
Northwood Rd. *Way. SE19* —6D **110**
N. Woolwich Rd. *E16* —1J **81**
N. Worple Way. *SW14* —3K **89**
Norton Av. *Surb* —7H **119**
Norton Clo. *E4* —5H **19**
Norton Clo. *Enf* —2C **8**
Norton Folgate. *E1*
—5E **62** (5H **145**)
Norton Gdns. *SW16* —2J **123**
Norton Ho. *SW9* —2K **93**
(off Aytoun Rd.)
Norton Rd. *E10* —1B **48**
Norton Rd. *Dag* —6K **53**
Norton Rd. *Wemb* —6D **40**
Norway Ga. *SE16* —3A **80**
Norway Pl. *E14* —6B **64**
Norway St. *SE10* —6D **80**
Norwich M. *Ilf* —1A **52**
Norwich Pl. *Bexh* —4G **101**
Norwich Rd. *E7* —5J **49**

Norwich Rd. *Dag* —2G **69**
Norwich Rd. *Gnfd* —1F **55**
Norwich Rd. *T Hth* —3C **124**
Norwich St. *EC4* —6A **62** (7J **143**)
Norwich Wlk. *Edgw* —7D **12**
Norwood Av. *Romf* —7K **37**
Norwood Av. *Wemb* —1F **57**
Norwood Clo. *S'hall* —4E **70**
Norwood Clo. *Twic* —2H **103**
Norwood Dri. *Harr* —6D **22**
Norwood Gdns. *Hayes* —4A **54**
Norwood Gdns. *S'hall* —4D **70**
Norwood Grn. Rd. *S'hall* —4E **70**
Norwood High St. *SE27* —3B **110**
Norwood Pk. Rd. *SE27* —5C **110**
Norwood Rd. *SE24* —1B **110**
Norwood Rd. *SE27* —2B **110**
Norwood Rd. *S'hall* —3C **70**
Norwood Ter. *S'hall* —4F **71**
Noss Clo. *Sutt* —5C **132**
Notley St. *SE5* —7D **78**
Notson Rd. *SE25* —4H **125**
Notting Barn Rd. *W10* —4F **59**
Nottingdale Sq. *W11* —1G **75**
Nottingham Av. *E16* —5A **66**
Nottingham Ct. *WC2*
    —6J **61** (1E **148**)
Nottingham Pl. *W1*
    —5E **60** (4G **141**)
Nottingham Rd. *E10* —6E **32**
Nottingham Rd. *SW17* —1D **108**
Nottingham Rd. *Iswth* —2K **87**
Nottingham Rd. *S Croy* —4C **134**
Nottingham St. *W1*
    —5E **60** (5G **141**)
Nottingham Ter. *NW1*
    —4E **60** (4G **141**)
Notting Hill Ga. *W11* —1J **75**
Nottingwood Ho. *W11* —7G **59**
    (off Clarendon Rd.)
Nova M. *Sutt* —1G **131**
Novar Clo. *Orp* —7K **129**
Nova Rd. *Croy* —7B **124**
Novar Rd. *SE9* —1G **115**
Novello St. *SW6* —1J **91**
Nowell Rd. *SW13* —6C **74**
Nower Ct. *Pinn* —4D **22**
Nower Hill. *Pinn* —4D **22**
Noyna Rd. *SW17* —3D **108**
Nuding Clo. *SE13* —3C **96**
Nuffield Lodge. *N6* —6G **29**
Nugent Rd. *N19* —1J **45**
Nugent Rd. *SE25* —3F **125**
Nugents Clo. *Pinn* —1C **22**
Nugents Pk. *Pinn* —1C **22**
Nugent Ter. *NW8* —2A **60**
Numa Ct. *Bren* —7D **72**
Nun Ct. *EC2* —6D **62** (6E **144**)
Nuneaton Rd. *Dag* —7E **52**
Nunhead Cres. *SE15* —3H **95**
Nunhead Est. *SE15* —4H **95**
Nunhead Grn. *SE15* —3H **95**
Nunhead Gro. *SE15* —3J **95**
Nunhead La. *SE15* —3H **95**
Nunhead Pas. *SE15* —4H **95**
Nunnington Clo. *SE9* —3C **114**
Nunns Rd. *Enf* —2H **7**
Nupton Dri. *Barn* —6A **4**
Nursery App. *N12* —6H **15**
Nursery Av. *N3* —2A **28**
Nursery Av. *Bexh* —3F **101**
Nursery Av. *Croy* —2K **135**
Nursery Clo. *SE4* —2B **96**
Nursery Clo. *SW15* —4F **91**
Nursery Clo. *Croy* —2K **135**

Nursery Clo. *Enf* —1E **8**
Nursery Clo. *Orp* —7K **129**
Nursery Clo. *Romf* —6D **36**
Nursery Clo. *Wfd G* —5E **20**
Nursery Ct. *N17* —7A **18**
Nursery Ct. *W13* —5A **56**
Nursery Gdns. *Chst* —6F **115**
Nursery Gdns. *Enf* —1E **8**
Nursery La. *E2* —1F **63**
Nursery La. *E7* —6J **49**
Nursery La. *W10* —5E **58**
Nurserymans Rd. *N11* —2K **15**
Nursery Rd. *E9* —6J **47**
Nursery Rd. *N2* —1B **28**
Nursery Rd. *N14* —7B **6**
Nursery Rd. *SW9* —4K **93**
Nursery Rd. *SW19* —2K **121**
    (Merton)
Nursery Rd. *SW19* —7G **107**
    (Wimbledon)
Nursery Rd. *Pinn* —3A **22**
Nursery Rd. *Sutt* —4A **132**
Nursery Rd. *T Hth* —4D **124**
Nursery Row. *Barn* —3B **4**
Nursery St. *N17* —7A **18**
Nursery Wlk. *NW4* —3D **26**
Nursery Wlk. *Romf* —7K **37**
Nurstead Rd. *Eri* —7G **85**
Nutbourne St. *W10* —3G **59**
Nutbrook St. *SE15* —3G **95**
Nutbrowne Rd. *Dag* —1F **69**
Nutcroft Rd. *SE15* —7H **79**
Nutfield Clo. *N18* —6A **18**
Nutfield Clo. *Cars* —3C **132**
Nutfield Gdns. *Ilf* —2K **51**
Nutfield Gdns. *N'holt* —2A **54**
Nutfield Rd. *E15* —4E **48**
Nutfield Rd. *NW2* —3C **42**
Nutfield Rd. *SE22* —4F **95**
Nutfield Rd. *T Hth* —4B **124**
Nutford Pl. *W1* —6D **60** (7D **140**)
Nuthatch Gdns. *SE28* —2H **83**
Nuthurst Av. *SW2* —2K **109**
Nutley Ter. *NW3* —6A **44**
Nutmead Clo. *Bex* —1J **117**
Nutmeg Clo. *E16* —4G **65**
Nutmeg La. *E14* —6F **65**
Nuttall St. *N1* —2E **62**
Nutter La. *E11* —6A **34**
Nutt Gro. *Edgw* —2J **11**
Nutt St. *SE15* —7F **79**
Nutwell St. *SW17* —5C **108**
Nuxley Rd. *Belv* —6F **85**
Nyanza St. *SE18* —6H **83**
Nye Bevan Est. *E5* —3K **47**
Nye Bevan Ho. *SW6* —7H **75**
    (off Clem Attlee Est.)
Nylands Av. *Rich* —1G **89**
Nymans Gdns. *SW20* —3D **120**
Nynehead St. *SE14* —7A **80**
Nyon Gro. *SE6* —2B **112**
Nyssa Clo. *Wfd G* —6J **21**
Nyssa Ct. *E15* —3G **65**
    (off Teasel Way)
Nyton Clo. *N19* —1J **45**

O

Oak Apple Ct. *SE12* —1J **113**
Oak Av. *N8* —4J **29**
Oak Av. *N10* —7A **16**
Oak Av. *N17* —7J **17**
Oak Av. *Croy* —2C **136**
Oak Av. *Enf* —1E **6**
Oak Av. *Hamp* —5C **102**
Oak Av. *Houn* —7B **70**

Oak Bank. *New Ad* —6E **136**
Oakbank Gro. *SE24* —4C **94**
Oakbrook Clo. *Brom* —4K **113**
Oakbury Rd. *SW6* —2K **91**
Oak Clo. *N14* —7A **6**
Oak Clo. *Sutt* —2A **132**
Oakcombe Clo. *N Mald* —1A **120**
Oak Cottage Clo. *SE6* —1H **113**
Oak Cotts. *W7* —2J **71**
Oak Ct. *SE15* —7F **79**
    (off Sumner Rd.)
Oak Cres. *E16* —5G **65**
Oakcroft Clo. *Pinn* —2A **22**
Oakcroft Rd. *SE13* —2F **97**
Oakdale. *N14* —1A **16**
Oakdale Av. *Harr* —5E **24**
Oakdale Ct. *E4* —5K **19**
Oakdale Gdns. *E4* —5K **19**
Oakdale Rd. *E7* —7K **49**
Oakdale Rd. *E11* —2F **49**
Oakdale Rd. *E18* —2K **33**
Oakdale Rd. *N4* —6C **30**
Oakdale Rd. *SE15 & SE4* —3J **95**
Oakdale Rd. *SW16* —5J **109**
Oakdale Rd. *Eps* —7A **130**
Oakdale Way. *Mitc* —7E **122**
Oak Dene. *SE15* —1H **95**
Oakdene. *W13* —5B **56**
Oakdene Av. *Chst* —5E **114**
Oakdene Av. *Eri* —6J **85**
Oakdene Av. *Th Dit* —7A **118**
Oakdene Clo. *Pinn* —1D **22**
Oakdene Dri. *Surb* —7J **119**
Oakdene M. *Sutt* —1H **131**
Oakdene Pk. *N3* —7C **14**
Oakdene Rd. *Orp* —5K **129**
Oakden St. *SE11*
    —4A **78** (3K **155**)
Oakhurst Av. *Barn* —7H **5**
Oakhurst Av. *Bexh* —7E **84**
Oakhurst Clo. *Ilf* —1G **35**
Oakhurst Clo. *Tedd* —5J **103**
Oakhurst Gdns. *E4* —1C **20**
Oakhurst Gdns. *Bexh* —7E **84**
Oakhurst Gro. *SE22* —4G **95**
Oakington Av. *Harr* —7E **22**
Oakington Av. *Wemb* —3F **41**
Oakington Mnr. Dri. *Wemb*
    —5G **41**
Oakington Rd. *W9* —4J **59**
Oakington Way. *N8* —7J **29**
Oakland Rd. *E15* —4F **49**
Oaklands. *N21* —2E **16**
Oaklands. *W13* —5A **56**
Oaklands. *Beck* —1D **126**
Oaklands Av. *N9* —6C **8**
Oaklands Av. *Iswth* —6K **71**
Oaklands Av. *Sidc* —7K **99**
Oaklands Av. *T Hth* —4A **124**
Oaklands Av. *W Wick* —3D **136**
Oaklands Clo. *Bexh* —5F **101**
Oaklands Clo. *Orp* —6J **129**
Oaklands Clo. *Wemb* —5D **40**
Oaklands Ct. *NW10* —7K **41**
    (off Nicoll Rd.)
Oaklands Ct. *Wemb* —5D **40**
Oaklands Dri. *Twic* —7G **87**
Oaklands Est. *SW4* —6G **93**
Oaklands Gro. *W12* —1C **74**
Oaklands Pk. Av. *Ilf* —2G **51**
Oaklands Pl. *SW4* —4H **93**
Oaklands Rd. *N20* —7C **4**
Oaklands Rd. *NW2* —4F **43**
Oaklands Rd. *SW14* —3K **89**
Oaklands Rd. *W7* —2K **71**
Oaklands Rd. *Bexh* —4F **101**

Oaklands Rd. *Brom* —7G **113**
Oaklands Way. *Wall* —7H **133**
Oakland Way. *Eps* —6A **130**
Oak La. *E14* —7B **64**
Oak La. *N2* —2B **28**
Oak La. *N11* —6C **16**
Oak La. *Iswth* —4J **87**
Oak La. *Twic* —7A **88**
Oak La. *Wfd G* —4C **20**
Oakleafe Gdns. *Ilf* —3F **35**
Oaklea Pas. *King T* —3D **118**
Oakleigh Av. *N20* —2G **15**
Oakleigh Av. *Edgw* —2H **25**
Oakleigh Clo. *N20* —3J **15**
Oakleigh Ct. *Barn* —6H **5**
Oakleigh Ct. *Edgw* —2J **25**
Oakleigh Ct. *S'hall* —1D **70**
Oakleigh Cres. *N20* —2H **15**
Oakleigh Gdns. *N20* —1F **15**
Oakleigh Gdns. *Edgw* —5A **12**
Oakleigh M. *N20* —1F **15**
Oakleigh Pk. Av. *Chst* —1E **128**
Oakleigh Pk. N. *N20* —1G **15**
Oakleigh Pk. S. *N20* —2H **15**
Oakleigh Rd. N. *N20* —2G **15**
Oakleigh Rd. S. *N11* —3K **15**
Oakleigh Way. *Mitc* —1F **123**
Oakley Av. *W5* —7G **57**
Oakley Av. *Bark* —7K **51**
Oakley Av. *Croy* —4K **133**
Oakley Clo. *E4* —3K **19**
Oakley Clo. *E6* —6C **66**
Oakley Clo. *W7* —7J **55**
Oakley Clo. *Iswth* —1H **87**
Oakley Cres. *EC1*
    —2B **62** (1B **144**)
Oakley Dri. *SE9* —1H **115**
Oakley Dri. *Brom* —3C **138**
Oakley Gdns. *N8* —5K **29**
Oakley Gdns. *SW3*
    —6C **76** (7D **152**)
Oakley Grange. *Harr* —3G **39**
Oakley Ho. *W5* —7D **56**
Oakley Pk. *Bex* —7C **100**
Oakley Pl. *SE1* —5F **79** (6J **157**)
Oakley Rd. *N1* —7D **46**
Oakley Rd. *SE25* —5H **125**
Oakley Rd. *Brom* —3C **138**
Oakley Rd. *Harr* —6J **23**
Oakley Sq. *NW1* —2G **61**
Oakley St. *SW3* —6C **76** (7C **152**)
Oakley Wlk. *W6* —6F **75**
Oak Lodge. *E11* —6J **33**
Oak Lodge. *W8* —3K **75**
    (off Chantry Sq.)
Oak Lodge Clo. *Stan* —5H **11**
Oak Lodge Dri. *W Wick* —7D **126**
Oaklodge Way. *NW7* —6G **13**
Oakmead Av. *Brom* —6J **127**
Oakmead Ct. *Stan* —4H **11**
Oak Meade. *Pinn* —6A **10**
Oakmead Gdns. *Edgw* —4E **12**
Oakmead Pl. *Mitc* —1C **122**
Oakmead Rd. *SW12* —1E **108**
Oakmead Rd. *Croy* —6H **123**
Oakmede. *Barn* —4A **4**
Oakmere Rd. *SE2* —6A **84**
Oakmont Pl. *Orp* —7H **129**
Oak Pk. Gdns. *SW19* —1F **107**
Oak Pk. M. *N16* —3F **47**
Oak Pl. *SW18* —5K **91**
Oakridge Dri. *N2* —3B **28**
Oakridge La. *Brom* —5F **113**
Oakridge Rd. *Brom* —4F **113**
Oak Rise. *Buck H* —3G **21**

Oak Rd. *W5* —7D **56**
Oak Rd. *N Mald* —2K **119**
Oak Rd. *N Hth* —7J **85**
Oak Row. *SW16* —2G **123**
Oaks Av. *SE19* —5E **110**
Oaks Av. Felt —2C **102**
Oaks Av. *Romf* —2J **37**
Oaks Av. *Wor Pk* —3D **130**
Oaksford Av. *SE26* —3H **111**
Oaks Gro. *E4* —2B **20**
Oakshade Rd. *Brom* —4F **113**
Oakshaw Rd. *SW18* —7K **91**
Oaks La. *Croy* —3J **135**
Oaks La. *Ilf* —5J **35**
Oaks Rd. *Croy* —5H **135**
Oaks, The. *E4* —7B **20**
Oaks, The. *N12* —4E **14**
Oaks, The. *NW10* —7D **42**
Oaks, The. *SE18* —5G **83**
Oaks, The. Enf —3G **7**
(off Bycullah Rd.)
Oaks, The. *Mord* —4G **121**
Oak St. *Romf* —5J **37**
Oaks Way. *Cars* —7D **132**
Oakthorpe Ct. *N18* —5H **17**
Oakthorpe Pk. Est. *N13* —5H **17**
Oakthorpe Rd. *N13* —5F **17**
Oaktree Av. *N13* —3G **17**
Oak Tree Clo. *W5* —6C **56**
Oak Tree Clo. *Stan* —7H **11**
Oak Tree Ct. *W3* —7H **57**
Oak Tree Ct. *N'holt* —2A **54**
Oak Tree Dell. *NW9* —5K **25**
Oak Tree Dri. *N20* —1E **14**
Oak Tree Gdns. *Brom* —5K **113**
Oaktree Gro. *Ilf* —5H **51**
Oak Tree Rd. *NW8*
—3C **60** (2B **140**)
Oakview Gdns. *N2* —4B **28**
Oakview Gro. *Croy* —1A **136**
Oakview Lodge. NW11 —7H **27**
(off Beechcroft Av.)
Oakview Rd. *SE6* —5D **112**
Oak Village. *NW5* —4E **44**
Oak Way. *N14* —7A **6**
Oak Way. *SW20* —4E **120**
Oak Way. *W3* —1A **74**
Oakway. *Brom* —2F **127**
Oakway. *Croy* —6K **125**
Oakway Clo. *Bex* —6E **100**
Oakways. *SE9* —6F **99**
Oakwood. *Wall* —7F **133**
Oakwood Av. *N14* —7C **6**
Oakwood Av. *Beck* —2E **126**
Oakwood Av. *Brom* —3K **127**
Oakwood Av. *Mitc* —2B **122**
Oakwood Av. *S'hall* —7E **54**
Oakwood Bus. Pk. *NW10* —4K **57**
Oakwood Clo. *N14* —6B **6**
Oakwood Clo. *Chst* —6D **114**
Oakwood Clo. *Wfd G* —6H **21**
Oakwood Ct. *E6* —1C **66**
Oakwood Ct. *W14* —3H **75**
Oakwood Ct. *Harr* —6H **23**
Oakwood Cres. *N21* —6D **6**
Oakwood Cres. *Gnfd* —6A **40**
Oakwood Dri. *SE19* —6D **110**
Oakwood Dri. *Bexh* —4K **101**
Oakwood Dri. *Edgw* —6D **12**
Oakwood Dri. *S'hall* —7E **54**
Oakwood Gdns. *Ilf* —2K **51**
Oakwood Gdns. *Surt* —2J **131**
Oakwood La. *W14* —3H **75**
Oakwood Lodge. N14 —6B **6**
(off Avenue Rd.)

Oakwood Pk. Rd. *N14* —7C **6**
Oakwood Pl. *Croy* —6A **124**
Oakwood Rd. *NW11* —4J **27**
Oakwood Rd. *SW20* —1C **120**
Oakwood Rd. *Croy* —6A **124**
Oakwood View. *N14* —6C **6**
Oakworth Rd. *W10* —5E **58**
Oasis, The. *Brom* —2A **128**
Oast Lodge. W4 —7A **74**
(off Corney Reach Way)
Oast Lodge Clo. *Brom* —3H **127**
Oatfield Ho. *N15* —6E **30**
(off Perry Ct.)
Oatfield Rd. *Orp* —7K **129**
Oatland Rise. *E17* —2A **32**
Oatlands Rd. *Enf* —1D **8**
Oat La. *EC2* —6C **62** (7D **144**)
Oban Clo. *E13* —4A **66**
Oban Ho. *Bark* —2H **67**
Oban Rd. *E13* —3A **66**
Oban Rd. *SE25* —4D **124**
Oban St. *E14* —6F **65**
Oberon Ho. N1 —2E **62**
(off Arden Est.)
Oberstein Rd. *SW11* —4B **92**
Oborne Clo. *SE24* —5B **94**
Observatory Gdns. *W8* —2J **75**
Observatory Rd. *SW14* —4J **89**
Occupation La. *SE18* —1F **99**
Occupation La. *W5* —4D **72**
Occupation Rd. *SE17*
—5C **78** (5C **156**)
Occupation Rd. *W13* —2B **72**
Occupation Rd. *Eps* —7A **130**
Ocean Est. *E1* —4K **63**
(in two parts)
Ocean St. *E1* —5K **63**
Ockendon Rd. *N1* —6D **46**
Ockham Dri. *Orp* —7A **116**
Ockley Ct. *Sidc* —3J **115**
Ockley Ct. *Surt* —4A **132**
Ockley Rd. *SW16* —4J **109**
Ockley Rd. *Croy* —7K **123**
Octagon Arc. *EC2*
—5E **62** (6G **145**)
Octavia Clo. *Mitc* —5C **122**
Octavia Ho. W10 —4G **59**
(off Southern Row)
Octavia Rd. *Iswth* —3J **87**
Octavia St. *SW11* —1C **92**
Octavia Way. *SE28* —7B **68**
Octavius St. *SE8* —7C **80**
Oddmark Rd. *Bark* —2H **67**
Odeon Ct. *E16* —5J **65**
Odeon Ct. *NW10* —1A **58**
Odeon Pde. Gnfd —6B **40**
(off Allendale Rd.)
Odessa Rd. *E7* —3H **49**
Odessa Rd. *NW10* —2C **58**
Odessa St. *SE16* —3B **80**
Odger St. *SW11* —2D **92**
Odham's Wlk. *WC2*
—6J **61** (1F **149**)
Odin Ho. *SE5* —2C **94**
O'Donnell Ct. *WC1*
—4J **61** (3F **143**)
O'Driscoll Ho. *W12* —6D **58**
Odyssey Bus. Pk. *Ruis* —5A **38**
Offa's Mead. *E9* —4B **48**
Offenham Rd. *SE9* —4D **114**
Offenham Rd. *SE12* —4D **114**
Offerton Rd. *SW4* —3G **93**
Offham Slope. *N12* —5C **14**
Offley Rd. *SW9* —7A **78**
Offord Clo. *N17* —6B **18**

Offord Rd. *N1* —7K **45**
Offord St. *N1* —7K **45**
Ogden Ho. *Felt* —3C **102**
Ogilby St. *SE18* —4D **82**
Oglander Rd. *SE15* —4F **95**
Ogle St. *W1* —5G **61** (5A **142**)
Oglethorpe Rd. *Dag* —3G **53**
O'Grandy Ho. *E17* —3D **32**
Ohio Cotts. *Pinn* —2A **22**
Ohio Rd. *E13* —4H **65**
Oil Mill La *W6* —5C **74**
Okeburn Rd. *SW17* —5E **108**
Okehampton Clo. *N12* —5G **15**
Okehampton Cres. *Well*
—1B **100**
Okehampton Rd. *NW10* —1E **58**
Olaf St. *W11* —7F **59**
Oldacre M. *SW12* —7F **93**
Old Bailey. *EC4* —6B **62** (1B **150**)
Old Barge Ho. All. *SE1*
—7A **62** (3K **149**)
Old Barn Clo. *Surt* —7G **131**
Old Barn Way. *Bexh* —4K **101**
Old Barrack Yd. *SW1*
—2E **76** (7G **147**)
Old Barrowfield. *E15* —1G **65**
Old Belgate Wharf. *E14* —3C **80**
Old Bell Ga. *E14* —3C **80**
Oldberry Rd. *Edgw* —6E **12**
Old Bethnal Grn. Rd. *E2* —3G **63**
Old Bexley Bus. Pk. *Bex* —7H **101**
Old Bexley La. *Bex & Dart*
(in two parts) —2K **117**
Old Billingsgate Wlk. *EC3*
—7E **62** (3G **151**)
Old Bond St. *W1*
—7G **61** (3A **148**)
Oldborough Rd. *Wemb* —3C **40**
Old Brewer's Yd. *WC2*
—6J **61** (1E **148**)
Old Brewery M. *NW3* —4B **44**
Old Bri. Clo. *N'holt* —2E **54**
Old Bri. St. *Hamp W* —2D **118**
Old Broad St. *EC2*
—6D **62** (7F **145**)
Old Bromley Rd. *Brom* —5F **113**
Old Brompton Rd. *SW5 & SW7*
—5J **75**
Old Bldgs. *WC2* —6A **62** (7J **143**)
Old Burlington St. *W1*
—7G **61** (2A **148**)
Oldbury Pl. *W1* —5E **60** (5H **141**)
Oldbury Rd. *Enf* —2B **8**
Old Castle St. *E1* —6F **63** (7J **145**)
Old Cavendish St. *W1*
—6F **61** (1K **147**)
Old Change Ct. *EC4*
—6C **62** (1C **150**)
Old Chapel Pl. *SW9* —2A **94**
Old Chelsea M. *SW3*
—6C **76** (7C **152**)
Old Chu. Ct. *N11* —5A **16**
Oldchurch Gdns. *Romf* —7K **37**
Old Chu. La. *NW9* —2J **41**
Old Chu. La. *Gnfd* —3A **56**
Old Chu. La. *Stan* —5G **11**
Oldchurch Rise. *Romf* —7K **37**
Old Chu. Rd. *E1* —6K **63**
Old Chu. Rd. *E4* —4H **19**
Oldchurch Rd. *Romf* —7K **37**
Old Chu. St. *SW3*
—5B **76** (6B **152**)
Old Compton St. *W1*
—7H **61** (2C **148**)
Old Cote Dri. *Houn* —6E **70**

Old Ct. Pl. *W8* —2K **75**
Old Courtyard, The. *Brom*
—1K **127**
Old Deer Pk. Gdns. *Rich* —3E **88**
Old Devonshire Rd. *SW12*
—7F **93**
Old Dock Clo. *Rich* —6G **73**
Old Dover Rd. *SE3* —7J **81**
Oldegate Ho. *E6* —1B **66**
Old Farm Av. *N14* —7B **6**
Old Farm Av. *Sidc* —1H **115**
Old Farm Cln *Houn* —4D **86**
Old Farm Rd. *N2* —1B **28**
Old Farm Rd. *Hamp* —6D **102**
Old Farm Rd. E. *Sidc* —2A **116**
Old Farm Rd. W. *Sidc* —2K **115**
Oldfield Clo. *Brom* —4D **128**
Oldfield Clo. *Gnfd* —5J **39**
Oldfield Clo. *Stan* —5F **11**
Oldfield Farm Gdns. *Gnfd* —1H **55**
Oldfield Gro. *SE16* —4K **79**
Oldfield Ho. W4 —5A **74**
(off Devonshire Rd.)
Oldfield La. *Gnfd* —7H **39**
Oldfield La. N. *Gnfd* —2H **55**
Oldfield La. S. *Gnfd* —4G **55**
Oldfield M. *N6* —7G **29**
Oldfield Rd. *N16* —3E **46**
Oldfield Rd. *NW10* —7A **42**
Oldfield Rd. *SW19* —6G **107**
Oldfield Rd. *W3* —2B **74**
Oldfield Rd. *Bexh* —2E **100**
Oldfield Rd. *Brom* —4D **128**
Oldfield Rd. *Hamp* —7D **102**
Oldfields Cir. *N'holt* —6G **39**
Oldfields Rd. *Surt* —3H **131**
Oldfields Trad. Est. *Surt* —3J **131**
Old Fleet La. *EC4*
—6B **62** (7A **144**)
Old Ford. (Junct.) —2C **64**
Old Fold Clo. *Barn* —1C **4**
Old Fold La. *Barn* —1C **4**
Old Fold View. *Barn* —3A **4**
Old Ford Rd. *E2 & E3* —3J **63**
Old Forge Clo. *Stan* —4F **11**
Old Forge M. *W12* —2D **74**
Old Forge Rd. *Enf* —1A **8**
Old Forge Way. *Sidc* —4B **116**
Old Gloucester St. *WC1*
—5J **61** (5F **143**)
Old Hall Clo. *Pinn* —1C **22**
Old Hall Dri. *Pinn* —1C **22**
Oldham Ter. *W3* —1J **73**
Old Hill. *Chst* —1E **128**
Oldhill St. *N16* —1G **47**
Old Homesdale Rd. *Brom*
—4A **128**
Old Hospital Clo. *SW17* —1D **108**
Old Ho. Clo. *SW19* —5G **107**
Old Ho. Gdns. *Twic* —6C **88**
Old Jamaica Rd. *SE16*
—3G **79** (1K **157**)
Old James St. *SE15* —3H **95**
Old Jewry. *EC2* —6D **62** (1E **150**)
Old Kenton La. *NW9* —5H **25**
Old Kent Rd. *SE1*
—4E **78** (3G **157**)
Old Laundry, The. *Chst* —1G **129**
Old Lodge Pl. *Twic* —6B **88**
Old Lodge Way. *Stan* —5F **11**
Old London Rd. *Sidc* —7H **117**
Old Maidstone Rd. *Sidc* —6H **117**
Old Malden La. *Wor Pk* —2A **130**
Old Mnr. Dri. *Iswth* —6G **87**
Old Mnr. Way. *Bexh* —2K **101**

Old Mnr. Way. *Chst* —5D **114**
Old Mnr. Yd. *SW5* —5K **75**
Old Market Sq. *E2*
—3F **63** (1J **145**)
Old Marylebone Rd. *NW1*
—5C **60** (6D **140**)
Oldmead Ho. *Dag* —6H **53**
Old M. *Harr* —5J **23**
Old Mill Clo. *E18* —3A **34**
Old Mill Pl. *Romf* —6K **37**
Old Mill Rd. *SE18* —6H **83**
Old Montague St. *E1*
—5G **63** (6K **145**)
Old Nichol St. *E2*
—4F **63** (3J **145**)
Old North St. *WC1*
—5K **61** (5G **143**)
Old Oak Comn. La. *NW10 & W3*
—5A **58**
Old Oak La. *NW10* —3A **58**
Old Oak Rd. *W3* —7B **58**
Old Orchard Clo. *Barn* —1G **5**
Old Orchard, The. *NW3* —4C **44**
Old Pal. La. *Rich* —5C **88**
Old Pal. Rd. *Croy* —3B **134**
Old Pal. Ter. *Rich* —5D **88**
Old Palace Yd. *SW1*
—3J **77** (1E **154**)
Old Pal. Yd. *Rich* —5C **88**
Old Paradise St. *SE11*
—4K **77** (3G **155**)
Old Pk. Av. *SW12* —6E **92**
Old Pk. Av. *Enf* —5H **7**
Old Pk. Gro. *Enf* —4H **7**
Old Pk. Ho. N13 —4E **16**
(off Old Park Rd.)
Old Pk. La. *W1* —1F **77** (5J **147**)
Old Pk. M. *Houn* —7D **70**
Old Pk. Ridings. *N21* —6G **7**
Old Pk. Rd. *N13* —4E **16**
Old Pk. Rd. *SE2* —5A **84**
Old Pk. Rd. *Enf* —3G **7**
Old Pk. Rd. S. *Enf* —4G **7**
Old Pk. View. *Enf* —3F **7**
Old Perry St. *Chst* —6J **115**
Old Pound Clo. *Iswth* —2A **88**
Old Pye St. *SW1*
—3H **77** (1C **154**)
Old Pye St. Est. SW1
—3H **77** (1C **154**)
(off Old Pye St.)
Old Quebec St. *W1*
—6D **60** (1F **147**)
Old Queen St. *SW1*
—2H **77** (7D **148**)
Old Rectory Gdns. *Edgw* —6B **12**
Old Redding. *Harr* —5A **10**
Oldridge Rd. *SW12* —7E **92**
Old River Works. *N17* —6H **17**
Old Rd. *SE13* —4G **97**
Old Rd. *Dart* —5K **101**
Old Rd. *Enf* —1D **8**
Old Royal Free Pl. *N1* —1A **62**
(off Liverpool Rd.)
Old Royal Free Sq. N1 —1A **62**
(off Old Royal Free Pl.)
Old Ruislip Rd. *N'holt* —2A **54**
Old School Clo. *SW19* —2J **121**
Old School Clo. *Beck* —2A **126**
Old Schools La. *Eps* —7B **130**
Old School Ter. *Surt* —7F **131**
Old Seacoal La. *EC4*
—6B **62** (1A **150**)
Old S. Clo. *H End* —1B **22**
Old S. Lambeth Rd. *SW8* —7J **77**

Park Hill. *Rich* —6F 89
Park Hill Clo. *Cars* —5C 132
Park Hill Ct. *SW17* —3D 108
Parkhill Rd. *E4* —1K 19
Parkhill Rd. *NW3* —5D 44
Park Hill Rd. *Bex* —7F 101
Park Hill Rd. *Brom* —2G 127
Park Hill Rd. *Croy* —4E 134
Park Hill Rd. *Sidc* —3J 115
Park Hill Rd. *Wall* —7F 133
Parkhill Wlk. *NW3* —5D 44
Parkholme Rd. *E8* —6G 47
Park Ho. *N21* —7E 6
Park Ho. Gdns. *Twic* —5C 88
Park Ho. Pas. *N6* —7E 28
Parkhouse St. *SE5* —7D 78
Parkhurst Ct. *N7* —4J 45
Parkhurst Gdns. *Bex* —7G 101
Parkhurst Rd. *E12* —4E 50
Parkhurst Rd. *E17* —4A 32
Parkhurst Rd. *N7* —4J 45
Parkhurst Rd. *N11* —4K 15
Parkhurst Rd. *N17* —2G 31
Parkhurst Rd. *N22* —6E 16
Parkhurst Rd. *Bex* —7G 101
Parkhurst Rd. *Sutt* —4B 132
Parkland Ct. E15 —5G 49
(off Maryland Pk.)
Parkland Gdns. *SW19* —1F 107
Parkland Rd. *N22* —2K 29
Parkland Rd. *Wfd G* —7D 20
Parklands. *N6* —7F 29
Parklands. *Surb* —5F 119
Parklands Clo. *SW14* —5J 89
Parklands Clo. *Barn* —1G 5
Parklands Dri. *N3* —3G 27
Parklands Pde. *Houn* —2B 86
Parklands Rd. *SW16* —5F 109
Parklands Way. *Wor Pk* —2A 130
Park La. *E15* —1F 65
Park La. *N9* —3K 17
Park La. *N17* —7A 18
Park La. *W1* —7D 60 (2F 147)
Park La. *Cars & Wall* —4E 132
Park La. *Chad H* —6D 36
Park La. *Croy* —3D 134
Park La. *Harr* —3F 39
Park La. *Rich* —4D 88
Park La. *Stan* —3F 11
Park La. *Sutt* —6G 131
Park La. *Tedd* —6K 103
Park La. *Wemb* —5E 40
Park La. Clo. *N17* —7B 18
Park Lawns. *Wemb* —4F 41
Parklea Clo. *NW9* —1A 26
Park Lee Ct. *N16* —7E 30
Parkleigh Rd. *SW19* —2K 121
Parkleys. *Rich* —4D 104
Park Mnr. Sutt —7A 132
(off Christchurch Pk.)
Park Mans. *NW4* —5D 26
Park Mans. SE26 —3J 111
(off Sydenham Pk.)
Park Mans. *SW1*
—2D 76 (7E 146)
(off Brompton Rd.)
Park Mans. *SW8*
—6J 77 (7F 155)
Park Mans. SW11 —1D 92
(off Prince of Wales Dri.)
Parkmead. *SW15* —6D 90
Park Mead. *Harr* —3F 39
Park Mead. *Sidc* —5B 100

Parkmead Gdns. *NW7* —6G 13
Park M. *SE24* —7C 94
Park M. *W10* —2G 59
Park M. *Chst* —6F 115
Parkmore Clo. *Wfd G* —4D 20
Park Pde. *NW10* —2B 58
Park Pde. *W5* —3G 73
Park Pl. *E14* —1C 80
Park Pl. *SW1* —1G 77 (5A 148)
Park Pl. *W3* —4G 73
Park Pl. *W5* —1D 72
Park Pl. *Hamp H* —6G 103
Park Pl. *Wemb* —4F 41
Park Pl. Gdns. *W2*
—5A 60 (5A 140)
Park Pl. Vs. *W2* —5A 60 (5A 140)
Park Ridings. *N8* —3A 30
Park Rise. *SE23* —1A 112
Park Rise. *Harr* —1J 23
Park Rise Rd. *SE23* —1A 112
Park Rd. *E6* —1A 66
Park Rd. *E10* —1C 48
Park Rd. *E12* —1K 49
Park Rd. *E15* —1J 65
Park Rd. *E17* —5B 32
Park Rd. *N2* —3B 28
Park Rd. *N8* —4G 29
Park Rd. *N11* —7C 16
Park Rd. *N14* —1C 16
Park Rd. *N15* —4B 30
Park Rd. *N18* —4B 18
Park Rd. *NW4* —7C 26
Park Rd. *NW8 & NW1*
—3C 60 (2D 140)
Park Rd. *NW9* —7K 25
Park Rd. *NW10* —1A 58
Park Rd. *SE25* —4E 124
Park Rd. *SW19* —6B 108
Park Rd. *W4* —7J 73
Park Rd. *W7* —7K 55
Park Rd. *Beck* —7B 112
Park Rd. *Brom* —1K 127
Park Rd. *Chst* —6F 115
Park Rd. *Felt* —4B 102
Park Rd. *Hack* —2F 133
Park Rd. *Hamp H* —4F 103
Park Rd. *Hamp W* —1C 118
Park Rd. *High Bar* —4C 4
Park Rd. *Houn* —5F 87
Park Rd. *Ilf* —3H 51
Park Rd. *Iswth* —1B 88
Park Rd. *King T* —7G 105
Park Rd. *New Bar* —4G 5
Park Rd. *N Mald* —4K 119
Park Rd. *Rich* —6F 89
Park Rd. *Surb* —5F 119
Park Rd. *Sutt* —6G 131
Park Rd. *Tedd* —6K 103
Park Rd. *Twic* —6C 88
Park Rd. *Wall* —5F 133
Park Rd. *Wemb* —6E 40
Park Rd. E. *W3* —2J 73
Park Rd. Ho. *King T* —7G 105
Park Rd. Ind. Est. *Swan* —3A 118
Park Rd. N. *W3* —2H 73
Park Rd. N. *W4* —5K 73
Park Row. *SE10* —5F 81
Park Royal Junction. (Junct.)
—1G 57
Pk. Royal Metro Cen. *NW10*
—4H 57
Pk. Royal Rd. *NW10 & W3*
—3J 57
Pk. Royal S. Leisure Complex. *W3*
—4G 57

Parkshot. *Rich* —4D 88
Parkside. *N3* —1K 27
Parkside. *N17* —4D 34
Parkside. *NW2* —3C 42
Parkside. *NW7* —6H 13
Parkside. *SE3* —7H 81
Parkside. *SW19* —3F 107
Parkside. *W3* —1A 74
Parkside. *W5* —7E 56
Parkside. *Buck H* —2E 20
Parkside. *Hamp* —5H 103
Parkside. *Sidc* —6B 100
Parkside. *Sutt* —6G 131
Parkside Av. *SW19* —5F 107
Parkside Av. *Bexh* —2K 101
Parkside Av. *Brom* —4C 128
Parkside Av. *Romf* —3K 37
Parkside Clo. *SE20* —7J 111
Parkside Ct. *N22* —6E 16
Parkside Cres. *N7* —3A 46
Parkside Cres. *Surb* —6J 119
Parkside Cross. *Bexh* —2K 101
Parkside Dri. *Edgw* —3B 12
Parkside Est. *E9* —1K 63
Parkside Gdns. *SW19* —4F 107
Parkside Gdns. *E Barn* —1J 15
Parkside Ho. *Dag* —3J 53
Parkside Lodge. *Belv* —5J 85
Parkside Rd. *SW11* —1E 92
Parkside Rd. *Belv* —4H 85
Parkside Rd. *Houn* —5F 87
Parkside Ter. *N18* —4J 17
Parkside Way. *Harr* —4F 23
Park Sq. E. *NW1* —4F 61 (3J 141)
Park Sq. M. *NW1*
—4F 61 (4J 141)
Park Sq. W. *NW1*
—4F 61 (3J 141)
Parkstead Rd. *SW15* —5C 90
Park Steps. *W2* —7C 60 (2D 146)
Parkstone Av. *N18* —6A 18
Parkstone Rd. *E17* —3E 32
Parkstone Rd. *SE15* —2G 95
Park St. *SE1* —1C 78 (4C 150)
Park St. *W1* —7E 60 (2G 147)
Park St. *Croy* —2C 134
Park St. *Tedd* —6J 103
Park Ter. *Enf* —1F 9
Park Ter. *Wor Pk* —1C 130
Park, The. *N6* —6E 28
Park, The. *NW11* —1K 43
Park, The. *SE19* —7E 110
Park, The. *SE23* —1J 111
Park, The. *W5* —1D 72
Park, The. *Cars* —6D 132
Park, The. *Sidc* —5A 116
Parkthorne Clo. *Harr* —6F 23
Parkthorne Dri. *Harr* —6E 22
Parkthorne Rd. *SW12* —7H 93
Park View. *N5* —4C 46
Park View. *N21* —7E 6
Park View. *W3* —5J 57
Park View. *Chad H* —6D 36
Parkview. *Eri* —3D 84
Parkview. *Gnfd* —3A 56
(off Perivale La.)
Park View. *N Mald* —3B 120
Park View. *Pinn* —1D 22
Park View. *Wemb* —5H 41
Park View Ct. *SE20* —1H 125
Parkview Ct. *SW18* —5J 91
Parkview Ct. *Har W* —7D 10
Park View Cres. *N11* —4A 16
Parkview Dri. *Mitc* —2B 122
Park View Est. *E2* —2K 63
Park View Gdns. *N22* —1A 30

Park View Gdns. *NW4* —5E 26
Park View Gdns. *Ilf* —4D 34
Park View Gdns. *Bark* —2J 67
Park View Ho. *E4* —5H 19
Parkview Ho. *N9* —7C 8
Park View Ho. SE24 —6B 94
(off Hurst St.)
Park View Mans. *N4* —7B 30
Park View Rd. *N3* —1K 27
Park View Rd. *N17* —3G 31
Park View Rd. *NW10* —4B 42
Parkview Rd. *SE9* —1F 115
Park View Rd. *W5* —5E 56
Park View Rd. *Croy* —1G 135
Park View Rd. *S'hall* —1E 70
Park View Rd. *Well* —3C 100
Park Village E. *NW1*
—2F 61 (1K 141)
Park Village W. *NW1* —2F 61
Park Vs. *Romf* —6D 36
Park Vista. *SE10* —6F 81
Park Wlk. *N6* —7E 28
Park Wlk. *SW10*
—6A 76 (7A 152)
Park Wlk. *Barn* —3G 5
Parkway. *N14* —2D 16
Park Way. *N20* —4J 15
Parkway. *NW1* —1F 61
Park Way. *NW11* —5G 27
Parkway. *SW20* —4F 121
Park Way. *Edgw* —1H 25
Park Way. *Enf* —2F 7
Parkway. *Eri* —3E 84
Park Way. *Felt* —7A 86
Park Way. *Ilf* —3K 51
Park Way. *Wfd G* —5F 21
Parkway, The. *Hayes & N'holt*
(in two parts) —1A 70
Parkway Trad. Est. *Houn* —6A 70
Park West. *W2* —6C 60 (7D 140)
Park West Pl. *W2*
—6C 60 (7D 140)
Parkwood. *N20* —3J 15
Parkwood. *Beck* —7C 112
Parkwood Flats. *N20* —3J 15
Parkwood M. *N6* —6F 29
Parkwood Rd. *SW19* —5H 107
Park Wood Rd. *Bex* —7F 101
Parkwood Rd. *Iswth* —1K 87
Parliament Ct. *E1*
—5E 62 (6H 145)
Parliament Hill. *NW3* —4C 44
Parliament Hill Mans. *NW5*
—4E 44
Parliament M. *SW14* —2J 89
Parliament Sq. *SW1*
—2J 77 (7E 148)
Parliament St. *SW1*
—2J 77 (6E 148)
Parluke Clo. *SE7* —5B 82
Parma Cres. *SW11* —4D 92
Parmiter Ind. Cen. *E2* —2H 63
(off Parmiter St.)
Parmiter St. *E2* —2H 63
Parmoor Ct. *EC1*
—4C 62 (3C 144)
Parndon Ho. *Lou* —1H 21
Parnell Clo. *Edgw* —4C 12
Parnell Rd. *E3* —1B 64
(in two parts)
Parnham St. *E14* —6A 64
Parolles Rd. *N19* —1G 45
Paroma Rd. *Belv* —3G 85
Parr Clo. *N9 & N18* —4C 18

Parr Ct. *Felt* —4A 102
Parrington Ho. *SW4* —6H 93
Parrish Ct. *NW6* —1F 59
Parr Rd. *E6* —1B 66
Parr Rd. *Stan* —1E 24
Parrs Clo. *S Croy* —7D 134
Parrs Pl. *Hamp* —7E 102
Parr St. *N1* —2C 62
Parry Av. *E6* —6D 66
Parry Clo. *Eps* —7D 130
Parry Pl. *SE18* —4F 83
Parry Rd. *SE25* —3E 124
Parry Rd. *W10* —3G 59
(in two parts)
Parry St. *SW8* —6J 77 (7F 155)
Parsifal Rd. *NW6* —5J 43
Parsley Gdns. *Croy* —1K 135
Parsloes Av. *Dag* —4D 52
Parsonage Gdns. *Enf* —2H 7
Parsonage La. *Enf* —2H 7
Parsonage La. *Sidc* —4F 117
Parsonage Manorway. *Belv*
—6G 85
Parsonage St. *E14* —4E 80
Parson's Cres. *Edgw* —3B 12
Parson's Grn. *SW6* —1J 91
Parson's Grn. La. *SW6* —1J 91
Parson's Gro. *Edgw* —3B 12
Parsons Mead. *Croy* —1B 134
Parson's Rd. *E13* —2A 66
Parson St. *NW4* —4E 26
Parthenia Rd. *SW6* —1J 91
Partingdale La. *NW7* —5A 14
Partington Clo. *N19* —1H 45
Partridge Clo. *E16* —5B 66
Partridge Clo. *Barn* —6A 4
Partridge Clo. *Bush* —1B 10
Partridge Clo. *Stan* —4K 11
Partridge Ct. *EC1*
—4B 62 (3A 144)
Partridge Grn. *SE9* —3E 114
Partridge Rd. *Hamp* —6D 102
Partridge Rd. *Sidc* —4J 115
Partridge Sq. *E6* —5C 66
Partridge Way. *N22* —1J 29
Parvin St. *SW8* —1H 93
Pascal St. *SW8* —7H 77
Pascoe Rd. *SE13* —5F 97
Pasley Clo. *SE17*
—5C 78 (6C 156)
Pasquier Rd. *E17* —3A 32
Passage, The. *W6* —3E 74
Passage, The. *Rich* —5E 88
Passey Pl. *SE9* —6D 98
Passfield Dri. *E14* —5D 64
Passfield Path. *SE28* —7B 68
Passfields. *SE6* —3E 112
Passfields. W14 —5H 75
(off May St.)
Passing All. *EC1*
—5B 62 (4B 144)
Passingham Ho. *Houn* —6E 70
Passmore Gdns. *N11* —6C 16
Passmore St. *SW1*
—5E 76 (5G 153)
Pasteur Clo. *NW9* —2A 26
Pasteur Gdns. *N18* —5G 17
Paston Clo. *E5* —3K 47
Paston Cres. *SE12* —7K 97
Pastor St. *N6* —6G 29
Pastor St. *SE11* —4B 78 (3B 156)
(in two parts)
Pasture Clo. *Wemb* —3B 40
Pasture Rd. *SE6* —1H 113
Pasture Rd. *Dag* —4F 53

Pembroke Rd. *N10* —1E 28
Pembroke Rd. *N13* —3H 17
Pembroke Rd. *N15* —5F 31
Pembroke Rd. *SE25* —4E 124
Pembroke Rd. *W8* —4H 75
Pembroke Rd. *Brom* —2A 128
Pembroke Rd. *Eri* —5J 85
—6F 79 (7K 157)
Pembroke Rd. *Gnfd* —4F 55
Pembroke Rd. *Ilf* —1K 51
Pembroke Rd. *Mitc* —2E 122
Pembroke Rd. *Wemb* —3D 40
Pembroke Sq. *W8* —3J 75
Pembroke St. *N1* —7J 45
Pembroke Vs. *W8* —4J 75
Pembroke Vs. *Rich* —4D 88
Pembroke Wlk. *W8* —4J 75
Pembury Av. *Wor Pk* —1C 130
Pembury Clo. *E5* —5H 47
Pembury Clo. *Brom* —7H 127
Pembury Cres. *Sidc* —2E 116
Pembury Pl. *E5* —5H 47
Pembury Rd. *E5* —5H 47
Pembury Rd. *N17* —1F 31
Pembury Rd. *SE25* —4G 125
Pembury Rd. *Bexh* —7E 84
Pemdevon Rd. *Croy* —7A 124
Pemell Clo. *E1* —4J 63
Pempath Pl. *Wemb* —2D 40
Penally Pl. *N1* —1D 62
Penang St. *E1* —1H 79
Penarth Cen., The. *SE15* —6J 79
Penarth St. *SE15* —6J 79
Penberth Rd. *SE6* —2E 112
Penbury Rd. *S'hall* —4D 70
Pencombe M. *W11* —7H 59
Pencraig Way. *SE15* —6H 79
Pendall Clo. *Barn* —4H 5
Penda Rd. *Eri* —7H 85
Pendarves Rd. *SW20* —1E 120
Penda's Mead. *E9* —4A 48
Pendennis Ho. *SE8* —4A 80
Pendennis Rd. *N17* —3D 30
Penderel Rd. *Houn* —5E 86
Penderry Rise. *SE6* —2F 113
Penderyn Way. *N7* —4H 45
Pendle Ho. *SE26* —3G 111
Pendle Rd. *SW16* —6F 109
Pendlestone Rd. *E17* —5D 32
Pendragon Rd. *Brom* —3H 113
Pendragon Wlk. *NW9* —6A 26
Pendrell Rd. *SE4* —2A 96
Pendrell St. *SE18* —6H 83
Pendula Dri. *Hayes* —4B 54
Pendulum M. *E8* —5F 47
Penerley Rd. *SE6* —1D 112
Penfields Ho. *N7* —6J 45
Penfold Clo. *Croy* —3A 134
Penfold La. *Bex* —2D 116
(in two parts)
Penfold Pl. *NW1*
—5C 60 (5C 140)
Penfold Rd. *N9* —1E 18
Penfold St. *NW8*
—4B 60 (4B 140)
Penford Gdns. *SE9* —3B 98
Penford St. *SE5* —2B 94
Pengarth Rd. *Bex* —5D 100
Penge La. *SE20* —7J 111
Penge Rd. *E13* —1A 66
Penge Rd. *SE25 & SE20*
—3G 125
Penhall Rd. *SE7* —4B 82
Penhill Rd. *Bex* —6C 100
Penhurst Rd. *Ilf* —1F 35

Penifather La. *Gnfd* —3H 55
Peniston Clo. *SW17* —7J 109
Penketh Dri. *Harr* —3H 39
Penley Ct. *WC2* —7K 61 (2H 149)
Penmon Rd. *SE2* —3A 84
Pennack Rd. *SE15*
—6F 79 (7K 157)
Pennant M. *W8* —4K 75
Pennant Ter. *E17* —2B 32
Pennard Rd. *W12* —2E 74
Penn Clo. *Gnfd* —2F 55
Penn Clo. *Harr* —4C 24
Penn Ct. *NW9* —3K 25
Penner Clo. *SW19* —2G 107
Pennethorne Clo. *E9* —1J 63
Pennethorne Rd. *SE15* —7H 79
Penn Gdns. *Chst* —2F 129
Penn Gdns. *Romf* —1G 37
Pennine Dri. *NW2* —2F 43
Pennine La. *NW2* —2G 43
Pennine Pde. *NW2* —2G 43
Pennine Way. *Bexh* —1K 101
Pennington Clo. *SE27* —4D 110
Pennington Ct. *SE16* —1A 80
Pennington Dri. *N21* —5E 6
Pennington St. *E1* —7H 63
Pennington Way. *SE12* —2K 113
Penninsular Pk. Rd. *SE7* —4J 81
Penniston Clo. *N17* —2C 30
Penn La. *Bex* —5D 100
Penn Rd. *N7* —5J 45
Penn St. *N1* —1D 62
Pennycroft. *Croy* —7A 136
Pennyfields. *E14* —7C 64
Penny M. *SW12* —7F 93
Pennymoor Wlk. *W9* —3H 59
Penny Rd. *NW10* —3H 57
Penny Royal. *Wall* —6H 133
Pennyroyal Av. *E6* —6E 66
Penpoll Rd. *E8* —6H 47
Penpool La. *Well* —3B 100
Penrhyn Av. *E17* —1B 32
Penrhyn Cres. *E17* —1C 32
Penrhyn Cres. *SW14* —4J 89
Penrhyn Gdns. *King T* —4D 118
Penrhyn Gro. *E17* —1C 32
Penrhyn Rd. *King T* —4E 118
(off Wornington Rd.)
Penrith Clo. *SW15* —5G 91
Penrith Clo. *Beck* —1D 126
Penrith Pl. *SE27* —2B 110
Penrith Rd. *N15* —5D 30
Penrith Rd. *N Mald* —4K 119
Penrith Rd. *T Hth* —2C 124
Penrith St. *SW16* —6G 109
Penrose Gro. *SE17*
—5C 78 (6C 156)
Penrose St. *SE17*
—5C 78 (6C 156)
Penryn Ho. *SE11*
—5B 78 (5A 156)
Penryn St. *NW1* —2H 61
Penry Pl. *SE1* —5G 79
Penry St. *SE1* —4E 78 (4H 157)
Pensbury Pl. *SW8* —1G 93
Pensbury St. *SW8* —2G 93
Pensford Av. *Rich* —2G 89
Penshurst. *NW5* —6E 44
Penshurst Av. *Sidc* —6A 100
Penshurst Gdns. *Edgw* —5C 12
Penshurst Grn. *Brom* —5H 127
Penshurst Ho. *SE15* —6J 79
(off Lovelinch Clo.)
Penshurst Pl. *SE1*
—3K 77 (1H 155)
Penshurst Rd. *E9* —7K 47

Penshurst Rd. *N17* —7A 18
Penshurst Rd. *Bexh* —1F 101
Penshurst Rd. *T Hth* —5B 124
Penshurst Wlk. *Brom* —5H 127
Penshurst Way. *Sutt* —7J 131
Pensilver Clo. *Barn* —4H 5
Penstemon Clo. *N3* —6D 14
Pentagon, The. *W13* —7A 56
Pentavia Retail Pk. *NW7* —7G 13
Pentire Rd. *E17* —1F 33
Pentland Av. *Edgw* —2C 12
Pentland Clo. *NW11* —2G 43
Pentland Gdns. *SW18* —6A 92
Pentland Pl. *N'holt* —1C 54
Pentlands Clo. *Mitc* —3F 123
Pentland St. *SW18* —6A 92
Pentlow St. *SW15* —3E 90
Pentlow Way. *Buck H* —1H 21
Pentney Rd. *E4* —1A 20
Pentney Rd. *SW12* —1G 109
Pentney Rd. *SW19* —1G 121
Penton Gro. *N1* —2A 62
Penton Ho. *SE2* —1D 84
Penton Pl. *SE17* —5B 78 (5B 156)
Penton Rise. *WC1*
—3K 61 (1H 143)
Penton St. *N1* —2A 62
Pentonville Rd. *N1*
—2K 61 (1F 143)
Pentrich Av. *Enf* —1B 8
Pentridge St. *SE15* —7F 79
Pentyre Av. *N18* —5J 17
Penwerris Av. *Iswth* —7G 71
Penwerris Ct. *Houn* —7G 71
Penwith Rd. *SW18* —2J 107
Penwood Ct. *Pinn* —4D 22
Penwood Ho. *SW15* —6B 90
Penwortham Ct. *N22* —2A 30
Penwortham Rd. *SW16* —6F 109
Penylan Pl. *Edgw* —7B 12
Penywern Rd. *SW5* —5J 75
Penzance Pl. *W11* —1G 75
Penzance St. *W11* —1G 75
Peony Ct. *E4* —7B 20
Peony Gdns. *W12* —7C 58
Pepler Ho. *W10* —4G 59
(off Wornington Rd.)
Peploe Rd. *NW6* —2F 59
Pepper Clo. *E6* —5D 66
Peppermead Sq. *SE13* —5C 96
Peppermint Clo. *Croy* —7J 123
Peppermint Pl. *E11* —3G 49
Pepper St. *E14* —3D 80
Pepper St. *SE1* —2C 78 (6C 150)
Peppie Clo. *N16* —2E 46
Pepys Clo. *SW4* —3F 93
Pepys Cres. *E16* —1J 81
Pepys Cres. *Barn* —5A 4
Pepys Rd. *SE14* —1K 95
Pepys Rd. *SW20* —7E 106
Pepys St. *EC3* —7E 62 (2H 151)
Perceval Av. *NW3* —5C 44
Perceval Ct. *N'holt* —5E 38
Perceval Ho. *W5* —7C 56
Percheron Clo. *Iswth* —3K 87
Perch St. *E8* —4F 47
Percival Ct. *N17* —7A 18
Percival Gdns. *Romf* —6C 36
Percival Rd. *SW14* —4J 89
Percival Rd. *Enf* —4A 8
Percival Rd. *EC1* —4B 62 (3A 144)
Percy Cir. *WC1* —3K 61 (1H 143)
Percy Gdns. *Enf* —5E 8
Percy Gdns. *Iswth* —3A 88
Percy Gdns. *Wor Pk* —1A 130

Percy M. *W1* —5H 61 (6C 142)
Percy Pas. *W1* —5H 61 (6C 142)
Percy Pl. *W12* —2C 74
Percy Rd. *E11* —7G 33
Percy Rd. *E16* —5G 65
Percy Rd. *N12* —5F 15
Percy Rd. *N21* —7H 7
Percy Rd. *NW6* —3J 59
Percy Rd. *SE20* —1K 125
Percy Rd. *SE25* —5G 125
Percy Rd. *W12* —2C 74
Percy Rd. *Bexh* —2E 100
Percy Rd. *Hamp* —7E 102
Percy Rd. *Ilf* —7A 36
Percy Rd. *Iswth* —4A 88
Percy Rd. *Mitc* —7E 122
Percy Rd. *Romf* —3H 37
Percy Rd. *Twic* —1F 103
Percy St. *W1* —5H 61 (6C 142)
Percy Way. *Twic* —1G 103
Percy Yd. *WC1* —3K 61 (1H 143)
Peregrine Clo. *NW10* —5K 41
Peregrine Ct. *SE8* —6C 80
(off Edward St.)
Peregrine Ct. *SW16* —4K 109
Peregrine Ct. *Well* —1K 99
Peregrine Gdns. *Croy* —2A 136
Peregrine Way. *SW19* —7E 106
Perham Rd. *W14* —5G 75
Peridot St. *E6* —5C 66
Perifield. *SE21* —1C 110
Perimeade Rd. *Gnfd* —2C 56
Periton Rd. *SE9* —4B 98
Perivale Gdns. *W13* —4B 56
Perivale Grange. *Gnfd* —3A 56
Perivale Ind. Pk. *Gnfd* —3A 56
Perivale La. *Gnfd* —3A 56
Perivale Lodge. *Gnfd* —3A 56
(off Perivale La.)
Perivale New Bus. Cen. *Gnfd*
—2C 56
Perkin Clo. *Wemb* —5B 40
Perkin's Rents. *SW1*
—3H 77 (2C 154)
Perkins Rd. *Ilf* —5H 35
Perkins Sq. *SE1*
—1C 78 (4D 150)
Perks Clo. *SE3* —3G 97
Perpins Rd. *SE9* —6J 99
Perran Rd. *SW2* —1B 110
Perran Wlk. *Bren* —5E 72
Perren St. *NW5* —6F 45
Perrers Rd. *W6* —4D 74
Perrin Rd. *Wemb* —4B 40
Perrin's Ct. *NW3* —4A 44
Perrin's La. *NW3* —4A 44
Perrin's Wlk. *NW3* —4A 44
Perronet Ho. *SE1*
—3B 78 (2B 156)
Perrott St. *SE18* —4G 83
Perry Av. *W3* —6K 57
Perry Clo. *Rain* —2K 69
Perry Ct. *N15* —6E 30
Perryfield Way. *NW9* —6B 26
Perryfield Way. *Rich* —3B 104
Perry Gdns. *N9* —3K 17
Perry Garth. *N'holt* —1A 54
Perry Hall Rd. *Orp* —6K 129
Perry Hill. *SE6* —3B 112
Perry How. *Wor Pk* —1B 130
Perrymans Farm Rd. *Ilf* —6H 35
Perry Mead. *Enf* —2G 7
Perrymead Gdns. *Gnfd* —2F 55
Perrymead St. *SW6* —1J 91
Perryn Rd. *Twic* —7A 88

Perryn Ho. *W3* —7A 58
Perryn Rd. *SE16* —3H 79
Perryn Rd. *W3* —1K 73
Perry Rise. *SE23* —3A 112
Perry Rd. *Dag* —5F 69
Perry's Pl. *W1* —6H 61 (7C 142)
Perry St. *Chst* —7H 115
Perry St. *Dart* —4K 101
Perry St. Gdns. *Chst* —6J 115
Perry St. Shaw. *Chst* —7J 115
Perry Vale. *SE23* —2J 111
Persant Rd. *SE6* —2G 113
Perseverance Pl. *SW9* —7A 78
Perseverance Pl. *Rich* —4E 88
Perseverance Works *E2*
—3E 62 (2H 145)
(off Kingsland Rd.)
Pershore Clo. *Ilf* —5F 35
Pershore Gro. *Cars* —6B 122
Pert Clo. *N10* —6A 16
Perth Av. *NW9* —7K 25
Perth Av. *Hayes* —4A 54
Perth Clo. *SW20* —2C 120
Perth Rd. *E10* —1A 48
Perth Rd. *E13* —2K 65
Perth Rd. *N4* —1A 46
Perth Rd. *N22* —1B 30
Perth Rd. *Bark* —2H 67
Perth Rd. *Beck* —2E 126
Perth Rd. *Ilf* —6E 34
Perth Ter. *Ilf* —7G 35
Perwell Av. *Harr* —1D 38
Petauel Rd. *Tedd* —5J 103
Peter Av. *NW10* —7D 42
Peterboat Clo. *SE10* —4G 81
Peterborough Ct. *EC4*
—6A 62 (1K 149)
Peterborough Gdns. *Ilf* —7C 34
Peterborough M. *SW6* —2J 91
Peterborough Rd. *E10* —5E 32
Peterborough Rd. *SW6* —2J 91
Peterborough Rd. *Cars* —6C 122
Peterborough Rd. *Harr* —1J 39
Peterborough Vs. *SW6* —1K 91
Peter Butler Ho. *SE1*
—2G 79 (6K 151)
(off Wolseley St.)
Petergate. *SW11* —4A 92
Peterhead Ct. *S'hall* —6G 55
(off Osborne Rd.)
Peter James Enterprise Cen.
NW10 —3J 57
Peterley Cen. *E2* —2H 63
Peters Clo. *Dag* —1D 52
Peters Clo. *Stan* —6J 11
Peters Clo. *Well* —1J 99
Peters Ct. *W2* —6K 59
(off Porchester Rd.)
Petersfield Clo. *N18* —5H 17
Petersfield Rise. *SW15* —1D 106
Petersfield Rd. *W3* —2J 73
Petersham Clo. *Rich* —2D 104
Petersham Clo. *Sutt* —5J 131
Petersham Dri. *Orp* —2K 129
Petersham Gdns. *Orp* —2K 129
Petersham La. *SW7* —3A 76
Petersham M. *SW7* —3A 76
Petersham Pl. *SW7* —3A 76
Petersham Rd. *Rich* —6D 88
Petersham Ter. *Mitc* —3J 133
(off Richmond Grn.)
Peters Hill. *EC4* —7C 62 (2C 150)
Peter's La. *EC1* —5B 62 (5B 144)

Portman Sq. W1
—6E 60 (7G 141)
Portman St. W1 —6E 60 (1G 147)
Portman Towers. W1
—6D 60 (7F 141)
Portmeadow Wlk. SE2 —2D 84
Portmeers Clo. E17 —6B 32
Portnall Rd. W9 —2H 59
Portnoi Clo. Romf —2K 37
Portobello Ct. Est. W11 —6H 59
Portobello M. W11 —7J 59
Portobello Rd. W10 —5G 59
Portobello Rd. W11 —6H 59
Portpool La. EC1
—5A 62 (5J 143)
Portree Clo. N22 —7E 16
Portree St. E14 —6F 65
Portrush Ct. S'hall —6G 55
(off Whitecote Rd.)
Portsdown. Edgw —5B 12
Portsdown Av. NW11 —6H 27
Portsdown M. NW11 —6H 27
Portsea M. W2 —6C 60 (1D 146)
Portsea Pl. W2 —6C 60 (1D 146)
Portslade Rd. SW8 —2G 93
Portsmouth Av. Th Dit —7A 118
Portsmouth Rd. SW15 —7D 90
Portsmouth Rd. King T —4D 118
Portsmouth St. WC2
—6K 61 (1G 149)
Portsoken St. E1
—7F 63 (2J 151)
Portswood Pl. SW15 —6B 90
Portugal Gdns. Twic —2G 103
Portugal St. WC2
—6K 61 (1G 149)
Portway. E15 —1H 65
Portway Gdns. SE18 —7B 82
Postern Grn. Enf —2F 7
Postern, The. EC2
—5C 62 (6D 144)
Post La. Twic —1H 103
Postmill Clo. Croy —3J 135
Post Office App. E7 —5K 49
Post Office Way. SW8 —6H 77
Postway M. Ilf —3F 51
(in two parts)
Potier St. SE1 —3D 78 (2F 157)
Potter Clo. Mitc —2F 123
Potteries, The. Barn —5D 4
Potterne Clo. SW19 —7F 91
Potters Clo. Croy —1A 136
Potters Field. Enf —4K 7
(off Lincoln Rd.)
Potter's Fields. SE1
—1E 78 (5H 151)
Potters Gro. N Mald —4J 119
Potter's La. SW16 —6H 109
Potters La. Barn —4D 4
Potters Lodge. E14 —5E 80
(off Manchester Rd.)
Potters Rd. SW6 —2A 92
Potter's Rd. Barn —4E 4
Potter St. Pinn —1A 22
Pottery La. W11 —7G 59
Pottery Rd. Bex —2J 117
Pottery Rd. Bren —6E 72
Pottery St. SE16 —2H 79
Pott St. E2 —3H 63
Poulett Gdns. Twic —1A 104
Poulett Rd. E6 —2D 66
Poulner Way. SE15 —7F 79
(in two parts)
Poulters Wood. Kes —5B 138
Poulton Av. Sutt —3B 132

Poulton Clo. E8 —6H 47
Poultry. EC2 —6D 62 (1E 150)
Pound Clo. Surb —7C 118
Pound Grn. Bex —7G 101
Pound La. NW10 —6C 42
Pound Pk. Rd. SE7 —4B 82
Pound Pl. SE9 —6E 98
Pound St. Cars —5D 132
Pound Way. Chst —7G 115
Poverest Rd. Orp —5K 129
Powder Mill La. Twic —1D 102
Powell Clo. Edgw —6A 12
Powell Clo. Wall —7J 133
Powell Ct. E17 —3D 32
Powell Gdns. Dag —4G 53
Powell Rd. E5 —3H 47
Powell Rd. Buck H —1F 21
Powell's Wlk. W4 —6A 74
Power Rd. W4 —4G 73
Powers Ct. Twic —7D 88
Powerscroft Rd. E5 —4J 47
Powerscroft Rd. Sidc —6C 116
Powis Gdns. NW11 —7H 27
Powis Gdns. W11 —6H 59
Powis M. W11 —6H 59
Powis Pl. WC1 —4J 61 (4F 143)
Powis Rd. E3 —3D 64
Powis Sq. W11 —6H 59
Powis St. SE18 —3E 82
Powis Ter. W11 —6H 59
Powlett Pl. NW1 —7E 44
Pownall Gdns. Houn —4F 87
Pownall Rd. E8 —1G 63
Pownall Rd. Houn —4F 87
Pownsett Ter. Ilf —5G 51
Powster Rd. Brom —5J 113
Powys Clo. Bexh —6D 84
Powys Ct. N11 —5D 16
Powys La. N14 & N13 —4D 16
Poynders Ct. SW4 —6G 93
Poynders Gdns. SW4 —7G 93
Poynders Rd. SW4 —6G 93
Poynings Rd. N19 —3G 45
Poynings Way. N12 —5D 14
Poyntell Cres. Chst —1H 129
Poynter Ct. N'holt —2B 54
(off Gallery Gdns.)
Poynter Ho. W11 —1F 75
(off Queensdale Cres.)
Poynter Rd. Enf —5B 8
Poynton Rd. N17 —2G 31
Poyntz Rd. SW11 —2D 92
Poyser St. E2 —2H 63
Praed M. W2 —6B 60 (7B 146)
Praed St. W2 —6B 60 (1A 146)
Pragel St. E13 —2A 66
Pragnell Rd. SE12 —2K 113
Prague Pl. SW2 —5J 93
Prah Rd. N4 —2A 46
Prairie St. SW8 —2E 92
Pratt M. NW1 —1G 61
Pratts Pas. King T —2E 118
Pratt St. NW1 —1G 61
Pratt Wlk. SE11 —4K 77 (3H 155)
Prayle Gro. NW2 —1F 43
Prebend Gdns. W6 & W4 —3B 74
(in two parts)
Prebend Mans. W4 —4B 74
(off Chiswick High Rd.)
Prebend St. N1 —1C 62
Precincts, The. Mord —6J 121
Precinct, The. N1 —1C 62
Premier Corner. W9 —2H 59
Premier Ct. Enf —1D 8

Premiere Pl. E14 —7C 64
Premier Pl. SW15 —4G 91
Prendergast Rd. SE3 —3G 97
Prentice Ct. SW19 —5H 107
Prentis Rd. SW16 —4H 109
Prentiss Ct. SE7 —4B 82
Presburg Rd. N Mald —5A 120
Presburg St. E5 —3K 47
Prescelly Pl. Edgw —1F 25
Prescot St. E1 —7F 63 (2K 151)
Prescott Av. Orp —6F 129
Prescott Clo. SW16 —7J 109
Prescott Pl. SW4 —3H 93
Presentation M. SW2 —1K 109
Preshaw Cres. Mitc —3C 122
President Dri. E1 —1H 79
President Ho. EC1
—3B 62 (2B 144)
President St. EC1
—3C 62 (1C 144)
Press Ho. NW10 —3K 41
Press Rd. NW10 —3K 41
Prestage Way. E14 —7E 64
Prestbury Rd. E7 —7A 50
Prestbury Sq. SE9 —4D 114
Prestbury Sq. SE12 —4D 114
Prested Rd. SW11 —4C 92
Prestige Way. NW4 —5E 26
Preston Av. E4 —6A 20
Preston Clo. SE1
—4E 78 (3G 157)
Preston Clo. Twic —3J 103
Preston Ct. New Bar —4F 5
Preston Ct. Sidc —4K 115
(off Crescent, The)
Preston Dri. E11 —5A 34
Preston Dri. Bexh —1D 100
Preston Dri. Eps —6A 130
Preston Gdns. NW10 —6B 42
Preston Gdns. Ilf —6C 34
Preston Hill. Harr —7E 24
Preston Ho. Dag —3G 53
(off Uvedale Rd.)
Preston Ho. NW2 —6C 42
Preston Pl. Rich —5E 88
Preston Rd. E11 —6G 33
Preston Rd. SE19 —6B 110
Preston Rd. SW20 —7B 106
Preston Rd. Wemb & Harr
—1E 40
Preston's Rd. E14 —7E 64
Prestons Rd. Brom —3J 137
Preston Waye. Harr —1E 40
Prestwick Clo. S'hall —5C 70
Prestwick Ct. S'hall —7G 55
(off Baird Av.)
Prestwood Av. Harr —4B 24
Prestwood Clo. SE18 —7A 84
Prestwood Clo. Harr —4B 24
Prestwood Gdns. Croy —7C 124
Prestwood Ho. SE16 —2H 79
(off Drummond Rd.)
Prestwood St. N1
—2C 62 (1D 144)
Pretoria Av. E17 —4A 32
Pretoria Clo. N17 —7A 18
Pretoria Cres. E4 —1K 19
Pretoria Rd. E4 —1K 19
Pretoria Rd. E11 —1F 49
Pretoria Rd. E16 —4H 65
Pretoria Rd. N17 —7A 18
Pretoria Rd. SW16 —6F 109
Pretoria Rd. Ilf —5F 51
Pretoria Rd. Romf —4J 37
Pretoria Rd. N. N18 —6A 18

Prevost Rd. N11 —2K 15
Price Clo. NW7 —6B 14
Price Clo. SW17 —3D 108
Price Rd. Croy —5B 134
Price's St. SE1 —1B 78 (5B 150)
Price's Yd. N1 —1K 61
Price Way. Hamp —6C 102
Prichard Ct. N7 —5K 45
Pricklers Hill. Barn —6E 4
Prickley Wood. Brom —1H 137
Priddy's Yd. Croy —2C 134
Prideaux Pl. W3 —7K 57
Prideaux Pl. WC1
—3K 61 (1H 143)
Prideaux Rd. SW9 —3J 93
Pridham Rd. T Hth —4D 124
Priestfield Rd. SE23 —3A 112
Priestlands Pk. Rd. Sidc —3K 115
Priestley Clo. N16 —7F 31
Priestley Gdns. Romf —6B 36
Priestley Ho. Wemb —3J 41
(off Barnhill Rd.)
Priestley Rd. Mitc —2E 122
Priestley Way. E17 —3K 31
Priestley Way. NW2 —1C 42
Priest's Av. Romf —2K 37
Priest's Bri. SW14 & SW15
—3A 90
Priest's Ct. EC2
—6C 62 (7C 144)
Prima Rd. SW9 —7A 78
Primrose Av. Enf —1J 7
Primrose Av. Romf —7B 36
Primrose Clo. SE6 —5E 112
Primrose Clo. Harr —3D 38
Primrose Clo. Mitc —7F 123
Primrose Ct. SW12 —7H 93
Primrose Gdns. NW3 —6C 44
Primrose Gdns. Bush —1A 10
Primrose Gdns. Ruis —5A 38
Primrose Hill. EC4
—6A 62 (1K 149)
Primrose Hill Ct. NW3 —7D 44
Primrose Hill Rd. NW3 —7C 44
Primrose La. Croy —1J 135
Primrose Mans. SW11 —1E 92
Primrose M. NW1 —7D 44
(off Sharpleshall St.)
Primrose M. SE3 —7J 81
Primrose Rd. E10 —1D 48
Primrose Rd. E18 —2K 33
Primrose St. EC2
—5E 62 (5G 145)
Primrose Wlk. Eps —7B 130
Primrose Way. Wemb —2D 56
Primula St. W12 —6C 58
Prince Albert Rd. NW8 & NW1
—3C 60 (1C 140)
Prince Arthur M. NW3 —4A 44
Prince Arthur Rd. NW3 —5A 44
Prince Charles Dri. NW4 —7E 26
Prince Charles Rd. SE3 —2H 97
Prince Charles Way. Wall
—3F 133
Prince Consort Dri. Chst
—1H 129
Prince Consort Rd. SW7
—3A 76 (1A 152)
Princedale Rd. W11 —1G 75
Prince Edward Rd. E9 —6B 48
Prince George Av. N14 —5C 6
Prince George Rd. N16 —4E 46
Prince George's Av. SW20
—2E 120

Prince Georges Rd. SW19
—1B 122
Prince Henry Rd. SE7 —7B 82
Prince Imperial Rd. SE18 —1D 98
Prince Imperial Rd. Chst —1F 129
Prince John Rd. SE9 —5C 98
Princelet St. E1 —5F 63 (5K 145)
Prince of Orange La. SE10
—7E 80
Prince of Wales Clo. NW4
—4E 26
Prince of Wales Dri. SW11 & SW8
—1C 92
Prince of Wales Mans. SW11
—1E 92
Prince of Wales Pas. NW1
—3G 61 (2A 142)
Prince of Wales Rd. E16 —6A 66
Prince of Wales Rd. NW5 —6E 44
Prince of Wales Rd. SE3 —1H 97
Prince of Wales Rd. Sutt
—2B 132
Prince of Wales Ter. W4 —5A 74
Prince of Wales Ter. W8 —2K 75
Prince Regent Ct. NW8 —2C 60
(off Avenue Rd.)
Prince Regent La. E13 & E16
—3K 65
Prince Regent M. NW1
—3G 61 (2A 142)
Prince Regent Rd. Houn —3G 87
Prince Rd. SE25 —5E 124
Prince Rupert Rd. SE9 —4D 98
Princes Arc. SW1
—1G 77 (4B 148)
Princes Av. N3 —1J 27
Princes Av. N10 —3F 29
Princes Av. N13 —5F 17
Princes Av. N22 —1H 29
Princes Av. NW9 —4G 25
Princes Av. W3 —3G 73
Princes Av. Cars —7D 132
Prince's Av. Gnfd —6F 55
Princes Av. Orp —5J 129
Princes Av. Wfd G —4E 20
Princes Cir. WC2
—6J 61 (7E 142)
Princes Clo. N4 —1B 46
Princes Clo. NW9 —4G 25
Princes Clo. SW4 —3G 93
Princes Clo. Edgw —5B 12
Princes Clo. Sidc —3D 116
Prince's Clo. Tedd —4H 103
Princes Ct. SE16 —3B 80
Princes Ct. Wemb —5E 40
Princes Ct. Bus. Cen. E1 —7H 63
Princes Dri. Harr —3J 23
Prince's Gdns. SW7
—3B 76 (1B 152)
Princes Gdns. W3 —5G 57
Princes Gdns. W5 —4C 56
Prince's Ga. SW7
—2B 76 (7B 146)
Prince's Ga. Ct. SW7
—2B 76 (7B 146)
Prince's Ga. M. SW7
—3B 76 (1B 152)
Princes La. N10 —3F 29
Prince's M. W2 —7K 59
Princes Pk. Av. NW11 —6G 27
Princes Pl. SW1
—1G 77 (4B 148)
Princes Pl. W11 —1G 75

Ravensdale Rd. *N16* —7F **31**
Ravensdale Rd. *Houn* —3C **86**
Ravensdon St. *SE11*
　　—5A **78** (6K **155**)
Ravensfield Clo. *Dag* —4D **52**
Ravensfield Gdns. *Eps* —5A **130**
Ravenshaw St. *NW6* —5H **43**
Ravenshill. *Chst* —1F **129**
Ravenshurst Av. *NW4* —4E **26**
Ravenside Clo. *N18* —5E **18**
Ravenside Retail Pk. *N18* —5E **18**
Ravenslea Rd. *SW12* —7D **92**
Ravensleigh Gdns. *Brom*
　　—5K **113**
Ravensmead Rd. *Brom* —7F **113**
Ravensmede Way. *W4* —4B **74**
Ravens M. *SE12* —5J **97**
Ravenstone. *SE1*
　　—5E **78** (6H **157**)
Ravenstone Rd. *N8* —3A **30**
Ravenstone Rd. *NW9* —6B **26**
Ravenstone St. *SW12* —1E **108**
Ravens Way. *SE12* —5J **97**
Ravenswood. *Bex* —1E **116**
Ravenswood Av. *W Wick*
　　—1E **136**
Ravenswood Ct. *King T* —6H **105**
Ravenswood Cres. *Harr* —2D **38**
Ravenswood Cres. *W Wick*
　　—1E **136**
Ravenswood Gdns. *Iswth* —1J **87**
Ravenswood Ind. Est. *E17*
　　—4E **32**
Ravenswood Rd. *E17* —4E **32**
Ravenswood Rd. *SW12* —7F **93**
Ravenswood Rd. *Croy* —3B **134**
Ravensworth Rd. *NW10* —3D **58**
Ravensworth Rd. *SE9* —4D **114**
Ravent Rd. *SE11*
　　—4K **77** (3H **155**)
Ravey St. *EC2* —4E **62** (3G **145**)
Ravine Gro. *SE18* —6J **83**
Rawalpindi Ho. *E16* —4H **65**
Rawchester Clo. *SW18* —1H **107**
Rawlings St. *SW3*
　　—4D **76** (3E **152**)
Rawlins Clo. *N3* —3G **27**
Rawlins Clo. *S Croy* —7B **136**
Rawlinson Ct. *NW2* —7E **26**
Rawlinson Ho. *SE13* —4F **97**
　　(off Mercator Rd.)
Rawlinson Point. *E16* —5H **65**
　　(off Fox Rd.)
Rawlinson Ter. *N17* —3F **31**
Rawnsley Av. *Mitc* —5B **122**
Rawreth Wlk. *N1* —1C **62**
　　(off Basire St.)
Rawson St. *SW11* —1E **92**
　　(in two parts)
Rawsthorne Clo. *E16* —1D **82**
Rawsthorne Ct. *Houn* —4D **86**
Rawstone Wlk. *E13* —2J **65**
Rawstorne Pl. *EC1*
　　—3B **62** (1A **144**)
Rawstorne St. *EC1*
　　—3B **62** (1A **144**)
Raybell Ct. *Iswth* —2A **88**
Rayburne Ct. *W14* —3G **75**
Rayburne Ct. *Buck H* —1F **21**
Raydean Rd. *New Bar* —5E **4**
Raydons Gdns. *Dag* —5E **52**
Raydons Rd. *Dag* —5E **52**
Raydon St. *N19* —2F **45**
Rayfield Clo. *Brom* —6C **128**
Rayford Av. *SE12* —7H **97**

Ray Gdns. *Bark* —2A **68**
Ray Gdns. *Stan* —5G **11**
Ray Ho. *N1* —1E **62**
　　(off Colville Est.)
Rayleas Clo. *SE18* —1F **99**
Rayleigh Av. *Tedd* —6J **103**
Rayleigh Clo. *N13* —3J **17**
Rayleigh Ct. *N22* —1C **30**
Rayleigh Ct. *King T* —2G **119**
Rayleigh Rise. *S Croy* —6E **134**
Rayleigh Rd. *N13* —3H **17**
Rayleigh Rd. *SW19* —1H **121**
Rayleigh Rd. *Wfd G* —6F **21**
Ray Lodge Rd. *Wfd G* —6F **21**
Ray Massey Way. *E6* —1C **66**
　　(off High St. N.)
Raymead Av. *T Hth* —5A **124**
Raymede Towers. *W10* —5F **59**
　　(off Treverton St.)
Raymere Gdns. *SE18* —7H **83**
Raymond Av. *E18* —3H **33**
Raymond Av. *W13* —3B **72**
Raymond Bldgs. *WC1*
　　—5K **61** (5H **143**)
Raymond Clo. *SE26* —5J **111**
Raymond Ct. *N10* —7A **16**
Raymond Ct. *Sutt* —6K **131**
Raymond Postage Ct. *SE28*
　　—7B **68**
Raymond Rd. *E13* —1A **66**
Raymond Rd. *SW19* —6G **107**
Raymond Rd. *Beck* —4A **126**
Raymond Rd. *Ilf* —7H **35**
Raymouth Ho. *SE16* —4J **79**
　　(off Rotherhithe New Rd.)
Raymouth Rd. *SE16* —4H **79**
Raynald Ho. *SW16* —3J **109**
Rayne Ct. *E18* —4H **33**
Rayners Clo. *Wemb* —5D **40**
Rayners La. *Pinn & Harr* —5D **22**
Rayners Rd. *SW15* —5G **91**
Rayner Towers. *E10* —7C **32**
Raynes Av. *E11* —7A **34**
Raynes Pk. Bri. *SW20* —2E **120**
Raynham Av. *N18* —6B **18**
Raynham Rd. *N18* —5B **18**
Raynham Rd. *W6* —4D **74**
Raynham Ter. *N18* —5B **18**
Raynor Clo. *S'hall* —1D **70**
Raynor Pl. *N1* —1C **62**
Raynton Clo. *Harr* —1C **38**
Rays Av. *N18* —4D **18**
Rays Rd. *N18* —4D **18**
Rays Rd. *W Wick* —7E **126**
Ray St. *EC1* —4A **62** (4K **143**)
Ray St. Bri. *EC1* —4A **62** (4K **143**)
Ray Wlk. *N7* —2K **45**
Reachview Clo. *NW1* —7G **45**
Read Ct. *E17* —6C **32**
Reade Ct. *W3* —3J **73**
　　(off Stanley Rd.)
Reade Wlk. *NW10* —7A **42**
Read Ho. *SE11* —6A **78** (7J **155**)
Reading La. *E8* —6H **47**
Reading Rd. *N'holt* —5F **39**
Reading Rd. *Sutt* —5A **132**
Reading Way. *NW7* —5A **14**
Reads Clo. *Ilf* —3F **51**
Reapers Clo. *NW1* —1H **61**
Reapers Way. *Iswth* —5H **87**
Reardon Ct. *N21* —2H **17**
Reardon Path. *E1* —1H **79**
Reardon St. *E1* —1H **79**
Reaston St. *SE14* —7K **79**
Rebecca Ter. *SE16* —3J **79**

Reckitt Rd. *W4* —5A **74**
Record St. *SE15* —6J **79**
Recovery St. *SW17* —5C **108**
Recreation Av. *Romf* —5J **37**
Recreation Rd. *SE26* —4K **111**
Recreation Rd. *Brom* —2H **127**
Recreation Rd. *Sidc* —3J **115**
Recreation Rd. *S'hall* —4C **70**
Recreation Way. *Mitc* —3J **123**
Rector St. *N1* —1C **62**
Rectory Bus. Cen. *Sidc* —4B **116**
Rectory Clo. *E4* —3H **19**
Rectory Clo. *N3* —1H **27**
Rectory Clo. *SW20* —3E **120**
Rectory Clo. *Sidc* —4B **116**
Rectory Clo. *Stan* —5G **11**
Rectory Ct. *E18* —1H **33**
Rectory Ct. *Felt* —4A **102**
Rectory Ct. *Wall* —4G **133**
Rectory Cres. *E11* —6A **34**
Rectory Farm Rd. *Enf* —1E **6**
Rectory Field Cres. *SE7* —7A **82**
Rectory Gdns. *N8* —4J **29**
Rectory Gdns. *SW4* —3G **93**
Rectory Gdns. *Beck* —1C **126**
Rectory Gdns. *N'holt* —1D **54**
Rectory Grn. *Beck* —1B **126**
Rectory Gro. *SW4* —3G **93**
Rectory Gro. *Croy* —2B **134**
Rectory Gro. *Hamp* —4D **102**
Rectory La. *SW17* —6E **108**
Rectory La. *Edgw* —6B **12**
Rectory La. *Sidc* —4B **116**
Rectory La. *Stan* —5G **11**
Rectory La. *Surb* —7B **118**
Rectory La. *Wall* —4G **133**
Rectory Orchard. *SW19* —4G **107**
Rectory Pk. Av. *N'holt* —3C **54**
Rectory Pl. *SE18* —4E **82**
Rectory Rd. *E12* —5D **50**
Rectory Rd. *E17* —4D **32**
Rectory Rd. *N16* —2F **47**
Rectory Rd. *SW13* —2C **90**
Rectory Rd. *W3* —1H **73**
Rectory Rd. *Beck* —1C **126**
Rectory Rd. *Dag* —6H **53**
Rectory Rd. *Houn* —2A **86**
Rectory Rd. *Kes* —7B **138**
Rectory Rd. *S'hall* —3D **70**
Rectory Rd. *Sutt* —3J **131**
Rectory Sq. *E1* —5K **63**
Reculver Ho. *SE15* —6J **79**
　　(off Lovelinch Clo.)
Reculver M. *N18* —4B **18**
Reculver Rd. *SE16* —5K **79**
Red Anchor Clo. *SW3*
　　—6B **76** (7B **152**)
Redan Pl. *W2* —6K **59**
Redan St. *W14* —3F **75**
Redan Ter. *SE5* —2B **94**
Red Barracks Rd. *SE18* —4D **82**
Redberry Gro. *SE26* —3J **111**
Redbourne Av. *N3* —1J **27**
Redbridge Enterprise Cen. *Ilf*
　　—2G **51**
Redbridge Gdns. *SE5* —7E **78**
Redbridge La. E. *Ilf* —6B **34**
Redbridge La. W. *E11* —6K **33**
Redbridge Roundabout. (Junct.)
　　—6B **34**
Redburn St. *SW3*
　　—6D **76** (7E **152**)
Redburn Trad. Est. *Enf* —6E **8**
Redcar Clo. *N'holt* —5F **39**
Redcar St. *SE5* —7C **78**

Redcastle Clo. *E1* —7J **63**
Red Cedars Rd. *Orp* —7J **129**
Redchurch St. *E2*
　　—4F **63** (3J **145**)
Redcliffe Clo. *SW5* —5K **75**
Redcliffe Gdns. *SW5 & SW10*
　　—5K **75**
Redcliffe Gdns. *Ilf* —1E **50**
Redcliffe M. *SW10* —5K **75**
Redcliffe Pl. *SW10* —6A **76**
Redcliffe Rd. *SW10* —5A **76**
Redcliffe Sq. *SW10* —5K **75**
Redcliffe St. *SW10* —6K **75**
Redcliffe Wlk. *Wemb* —3H **41**
Redclose Av. *Mord* —5J **121**
Redclyffe Rd. *E6* —1A **66**
Redcourt. *Croy* —3E **134**
Redcroft Rd. *S'hall* —7G **55**
Redcross Way. *SE1*
　　—2C **78** (6D **150**)
Redding. *Sidc* —6B **116**
Reddings Clo. *NW7* —4G **13**
Reddings, The. *NW7* —3G **13**
Reddins Rd. *SE15* —7G **79**
Reddons Rd. *Beck* —7A **112**
Redenham Ho. *SW15* —7C **90**
　　(off Tangley Gro.)
Rede Pl. *W2* —6J **59**
Redesdale Gdns. *Iswth* —7A **72**
Redesdale St. *SW3*
　　—6C **76** (7D **152**)
Redfern Av. *Houn* —7E **86**
Redfern Ho. *E13* —1H **65**
　　(off Redriffe Rd.)
Redfern Rd. *NW10* —7A **42**
Redfern Rd. *SE6* —7E **96**
Redfield La. *SW5* —4J **75**
Redfield M. *SW5* —4K **75**
Redford Av. *T Hth* —4K **123**
Redford Av. *Wall* —6J **133**
Redford Wlk. *N1* —1C **62**
　　(off Popham St.)
Redgate Dri. *Brom* —2K **137**
Redgate Ter. *SW15* —6F **91**
Redgrave Clo. *Croy* —6F **125**
Redgrave Rd. *SW15* —3F **91**
Red Hill. *Chst* —5F **115**
Redhill Ct. *SW2* —2A **110**
Redhill Dri. *Edgw* —2H **25**
Redhill St. *NW1* —2F **61** (1K **141**)
Red Ho. La. *Bexh* —4D **100**
Redhouse Rd. *Croy* —6H **123**
Red Ho. Sq. *N1* —7C **46**
　　(off Ashby Gro.)
Redington Gdns. *NW3* —4K **43**
Redington Rd. *NW3* —3K **43**
Redlands. *N15* —4D **30**
Redlands. *Tedd* —6A **104**
Redlands Ct. *Brom* —7H **113**
Redlands Rd. *Enf* —1F **9**
Redlands, The. *Beck* —2D **126**
Redlands Way. *SW2* —7K **93**
Redleaf Clo. *Belv* —6G **85**
Redlees Clo. *Iswth* —4A **88**
Red Lion Clo. *SE17*
　　—6D **78** (7E **156**)
Red Lion Ct. *EC4*
　　—6A **62** (1K **149**)
Red Lion Ct. *SE1*
　　—1C **78** (4D **150**)
Red Lion Hill. *N2* —2B **28**
Red Lion La. *SE18* —7E **82**
Red Lion Pde. *Pinn* —3C **22**
Red Lion Pl. *SE18* —1E **98**
Red Lion Rd. *Surb* —7G **119**

Red Lion Row. *SE17*
　　—6C **78** (7D **156**)
Red Lion Sq. *SW18* —5J **91**
Red Lion Sq. *WC1*
　　—5K **61** (6G **143**)
Red Lion St. *WC1*
　　—5K **61** (5G **143**)
Red Lion St. *Rich* —5D **88**
Red Lion Yd. *W1*
　　—1F **77** (4H **147**)
Red Lodge. *W Wick* —1E **136**
Red Lodge Cres. *Bex* —3K **117**
Red Lodge Rd. *Bex* —3K **117**
Red Lodge Rd. *W Wick* —1E **136**
Redman Clo. *N'holt* —2A **54**
Redman's Rd. *E1* —5J **63**
Redmead La. *E1* —1G **79**
Redmond Ho. *N1* —1K **61**
　　(off Barnsbury Est.)
Redmore Rd. *W6* —4D **74**
Red Path. *E9* —6A **48**
Red Pl. *W1* —7E **60** (2G **147**)
Redpoll Way. *Eri* —3D **84**
Red Post Hill. *SE24 & SE21*
　　—4D **94**
Red Post Ho. *E6* —7B **50**
Redriffe Rd. *E13* —1H **65**
Redriff Est. *SE16* —3B **80**
Redriff Rd. *SE16* —4K **79**
Redriff Rd. *Romf* —2H **37**
Redroofs Clo. *Beck* —1D **126**
Redrose Trad. Cen. *Barn* —5G **5**
Red Rover. (Junct.) —4C **90**
Redruth Clo. *N22* —7E **16**
Redruth Ho. *Sutt* —7K **131**
Redruth Rd. *E9* —1J **63**
Redstart Clo. *E6* —5C **66**
Redstart Clo. *SE14* —7A **80**
Redston Rd. *N8* —4H **29**
Redvers Rd. *N22* —2A **30**
Redvers St. *N1* —3E **62** (1H **145**)
Redwald Rd. *E5* —4K **47**
Redway Dri. *Twic* —7G **87**
Redwing Path. *SE28* —3H **83**
Redwood Clo. *N14* —7C **6**
Redwood Clo. *SE16* —1A **80**
Redwood Clo. *Buck H* —2E **20**
Redwood Clo. *Sidc* —7A **100**
Redwood Ct. *N19* —7H **29**
Redwood Ct. *NW6* —7G **43**
Redwood Ct. *N'holt* —3C **54**
Redwood Ct. *Surb* —7D **118**
Redwood Est. *Houn* —6A **70**
Redwood Mans. *W8* —3K **75**
　　(off Chantry Sq.)
Redwoods. *SW15* —1C **106**
Redwood Way. *Barn* —5A **4**
Reece M. *SW7* —4B **76** (3A **152**)
Reed Clo. *E16* —5J **65**
Reed Clo. *SE12* —5J **97**
Reede Gdns. *Dag* —5H **53**
Reede Rd. *Dag* —6G **53**
Reede Way. *Dag* —6H **53**
Reedham Clo. *N17* —4H **31**
Reedham St. *SE15* —2G **95**
Reedholm Vs. *N16* —4D **46**
Reed Rd. *N17* —2F **31**
Reed's Pl. *NW1* —7G **45**
Reedworth St. *SE11*
　　—4A **78** (4K **155**)
Reenglass Rd. *Stan* —4J **11**
Rees Dri. *Stan* —4K **11**
Rees Gdns. *Croy* —6F **125**
Reesland Clo. *E12* —5E **50**
Rees St. *N1* —1C **62**

Rowan Dri. *NW9* —3C **26**
Rowan Gdns. *Croy* —3F **135**
Rowan Ho. *Hay* —2G **127**
Rowan Ho. *Sidc* —3K **115**
Rowan Rd. *SW16* —2G **123**
Rowan Rd. *W6* —4F **75**
Rowan Rd. *Bexh* —3E **100**
Rowan Rd. *Bren* —7B **72**
Rowans, The. *N13* —3G **17**
Ʀowan Ter. *W6* —4F **75**
(off Rowan Rd.)
Rowantree Clo. *N21* —1J **17**
Rowantree Rd. *N21* —1J **17**
Rowantree Rd. *Enf* —2G **7**
Rowan Wlk. *N2* —6A **28**
Rowan Wlk. *N19* —2G **45**
Rowan Wlk. *W10* —4G **59**
Rowan Wlk. *Brom* —3D **138**
Rowan Way. *Romf* —3C **36**
Rowanwood Av. *Sidc* —1A **116**
Rowben Clo. *N20* —1E **14**
Rowberry Clo. *SW6* —7E **74**
Rowcross Pl. *SE1*
—5F **79** (5J **157**)
Rowcross St. *SE1*
—5F **79** (5J **157**)
Rowdell Rd. *N'holt* —1E **54**
Rowden Pk. Gdns. *E4* —6H **19**
Rowden Rd. *E4* —6J **19**
Rowden Rd. *Beck* —1A **126**
Rowditch La. *SW11* —2E **92**
Rowdon Av. *NW10* —7D **42**
Rowdown Cres. *New Ad* —7F **137**
Rowdowns Rd. *Dag* —1F **69**
Rowe Gdns. *Bark* —2K **67**
Rowe La. *E9* —5J **47**
Rowena Cres. *SW11* —2C **92**
Rowe Wlk. *Harr* —3E **38**
Rowfant Rd. *SW17* —1E **108**
Rowhill Rd. *E5* —4H **47**
Rowington Clo. *W2* —5K **59**
Rowland Av. *Harr* —3C **24**
Rowland Ct. *E16* —4H **65**
Rowland Gro. *SE26* —3H **111**
Rowland Hill Av. *N17* —7H **17**
Rowland Hill Ho. *SE1*
—2B **78** (6A **150**)
Rowland Hill St. *NW3* —5C **44**
Rowlands Av. *Pinn* —5A **10**
Rowlands Clo. *N6* —6E **28**
Rowlands Clo. *NW7* —7H **13**
Rowlands Rd. *Dag* —2F **53**
Rowland Way. *SW19* —1K **121**
Rowley Av. *Sidc* —7B **100**
Rowley Clo. *Wemb* —7F **41**
Rowley Ct. *Enf* —5K **7**
(off Wellington Rd.)
Rowley Gdns. *N4* —7C **30**
Rowley Ind. Pk. *W3* —3H **73**
Rowley Rd. *N15* —5C **30**
Rowley Way. *NW8* —1K **59**
Rowlls Rd. *King T* —3F **119**
Rowney Gdns. *Dag* —6C **52**
Rowney Rd. *Dag* —6B **52**
Rowntree Clifford Clo. *E13*
—4K **65**
Rowntree Clo. *NW6* —6J **43**
Rowntree Path. *SE28* —1B **84**
Rowntree Rd. *Twic* —1J **103**
Rowse Clo. *E15* —1E **64**
Rowsley Av. *NW4* —3E **26**
Rowstock Gdns. *N7* —5H **45**
Rowton Rd. *SE18* —7G **83**
Roxborough Av. *Harr* —7H **23**

Roxborough Av. *Iswth* —7K **71**
Roxborough Pk. *Harr* —7J **23**
Roxborough Rd. *Harr* —5H **23**
Roxbourne Clo. *N'holt* —6C **38**
Roxburgh Rd. *SE27* —5B **110**
Roxby Pl. *SW6* —6J **75**
Roxeth Grn. Av. *Harr* —3F **39**
Roxeth Gro. *Harr* —4F **39**
Roxeth Hill. *Harr* —2H **39**
Roxley Rd. *SE13* —6D **96**
Ʀoxlon Gdns. *Croy* —5C **136**
Roxwell Rd. *W12* —2C **74**
Roxwell Rd. *Bark* —2A **68**
Roxwell Trad. Pk. *E10* —7A **32**
Roxwell Way. *Wfd G* —7F **21**
Roxy Av. *Romf* —7C **36**
Royal Albert Way. *E16* —7B **66**
Royal Arc. *W1* —7G **61** (3A **148**)
Royal Av. *SW3* —5D **76** (5E **152**)
Royal Av. *Wor Pk* —2A **130**
Royal Cir. *SE27* —3A **110**
Royal Clo. *N16* —1E **46**
Royal Clo. *Ilf* —7A **36**
Royal Clo. *Wor Pk* —2A **130**
Royal College St. *NW1* —7G **45**
Royal Ct. *EC3* —6D **62** (1F **151**)
(off Finch La.)
Royal Ct. *SE16* —3B **80**
Royal Ct. *Enf* —6K **7**
Royal Cres. *W11* —1F **75**
Royal Cres. *Ruis* —4C **38**
Royal Cres. M. *W11* —1F **75**
Royal Docks Rd. *E6 & Bark*
—5F **67**
Royal Exchange Av. *EC3*
—6D **62** (1F **151**)
Royal Exchange Bldgs. *EC3*
—6D **62** (1F **151**)
Royal Gdns. *W7* —3A **72**
Royal Herbert Pavilions. *SE18*
—1D **98**
Royal Hill. *SE10* —7E **80**
Royal Hospital Rd. *SW3*
—6D **76** (7E **152**)
Royal London Ind. Est. *NW10*
—2K **57**
Royal Mint Ct. *EC3*
—7F **63** (3K **151**)
Royal Mint Pl. *E1*
—7G **63** (3K **151**)
Royal Mint St. *E1*
—7F **63** (2K **151**)
Royal Naval Pl. *SE14* —7B **80**
Royal Oak M. *SE1*
—2E **78** (7G **151**)
Royal Oak Pl. *SE22* —6H **95**
Royal Oak Rd. *E8* —6H **47**
Royal Oak Rd. *Bexh* —5F **101**
Royal Opera Arc. *SW1*
—1H **77** (4C **148**)
Royal Orchard Clo. *SW18*
—7G **91**
Royal Pde. *SE3* —2H **97**
Royal Pde. *SW6* —7G **75**
Royal Pde. *W5* —3E **56**
Royal Pde. *Chst* —7G **115**
Royal Pde. *Dag* —6H **53**
(off Church St.)
Royal Pde. M. *Chst* —7G **115**
(off Royal Pde.)
Royal Pl. *SE10* —7E **80**
Royal Rd. *E16* —6A **66**
Royal Rd. *SE17* —6B **78** (7A **156**)
Royal Rd. *Sidc* —3D **116**

Royal Rd. *Tedd* —5H **103**
Royal Route. *Wemb* —5F **41**
Royal St. *SE1* —3K **77** (1H **155**)
Royalty M. *W1* —6H **61** (1C **148**)
Royal Victoria Patriotic Building.
SW18 —6B **92**
Royal Victor Pl. *E3* —2K **63**
Royal Wlk. *Wall* —2F **133**
Roycraft Av. *Bark* —2K **67**
Roycroft Clo. *E18* —1K **33**
Roycroft Clo. *SW2* —1A **110**
Roydene Rd. *SE18* —6J **83**
Roydon Clo. *Lou* —1H **21**
Roy Gdns. *Ilf* —4J **35**
Roy Gro. *Hamp* —6F **103**
Royle Cres. *W13* —4A **56**
Roymount Ct. *Twic* —3J **103**
Roy Sq. *E14* —7A **64**
Royston Av. *E4* —5H **19**
Royston Av. *Sutt* —3B **132**
Royston Av. *Wall* —4H **133**
Royston Ct. *E13* —1J **65**
(off Stopford Rd.)
Royston Ct. *SE24* —6C **94**
Royston Ct. *Rich* —1F **89**
Royston Gdns. *Ilf* —6B **34**
Royston Ho. *N11* —4J **15**
Royston Pde. *Ilf* —6B **34**
Royston Pk. Rd. *Pinn* —5A **10**
Royston Rd. *SE20* —1K **125**
Royston Rd. *Rich* —5E **88**
Roystons, The. *Surb* —5H **119**
Royston St. *E2* —2J **63**
Rozel Ct. *N1* —1E **62**
Rozel Rd. *SW4* —3G **93**
Rubastic Rd. *S'hall* —3A **70**
Rubens Rd. *N'holt* —2A **54**
Rubens St. *SE6* —2B **112**
Ruberoid Rd. *Enf* —3G **9**
Ruby M. *E17* —3C **32**
Ruby Rd. *E17* —3C **32**
Ruby St. *SE15* —6H **79**
Ruby Triangle. *SE15* —6H **79**
Ruckholt Clo. *E10* —3D **48**
Ruckholt Rd. *E10* —4D **48**
Rucklidge Pas. *NW10* —2B **58**
(off Rucklidge Av.)
Rudall Cres. *NW3* —4B **44**
Ruddington Clo. *E5* —4A **48**
Ruddstreet Clo. *SE18* —4F **83**
Ruddy Way. *NW7* —6G **13**
Rudge Ho. *SE16* —3G **79**
(off Llewellyn St.)
Rudgwick Ct. *SE18* —4C **82**
(off Woodville St.)
Rudland Rd. *Bexh* —3H **101**
Rudloe Rd. *SW12* —7G **93**
Rudolf Pl. *SW8* —6J **77** (7F **155**)
Rudolph Rd. *E13* —2H **65**
Rudolph Rd. *NW6* —2J **59**
Rudyard Gro. *NW7* —6D **12**
Ruffetts Clo. *S Croy* —7H **135**
Ruffetts, The. *S Croy* —7H **135**
Rufford Clo. *Harr* —6A **24**
Rufford St. *N1* —1J **61**
Rufford Tower. *W3* —1H **73**
Rufforth Ct. *NW9* —1A **26**
(off Pageant Av.)
Rufus Clo. *Ruis* —3C **38**
Rufus St. *N1* —3E **62** (2G **145**)
Rugby Av. *N9* —1A **18**
Rugby Av. *Gnfd* —6H **39**
Rugby Av. *Wemb* —5B **40**
Rugby Clo. *Harr* —4J **23**

Rugby Gdns. *Dag* —6C **52**
Rugby Rd. *NW9* —4H **25**
Rugby Rd. *W4* —2A **74**
Rugby Rd. *Dag* —7B **52**
Rugby Rd. *Twic* —5J **87**
Rugby St. *WC1* —4K **61** (4G **143**)
Rugg St. *E14* —7C **64**
Ruislip Clo. *Gnfd* —4F **55**
Ruislip Rd. *Gnfd* —3E **54**
Ruislip Rd. *N'holt & S'hall*
—1A **54**
Ruislip Rd. E. *Gnfd & W13 & W7*
—4II **55**
Ruislip St. *SW17* —4D **108**
Rumbold Rd. *SW6* —7K **75**
Rum Clo. *E1* —7J **63**
Rumney Ct. *N'holt* —2B **54**
(off Parkfield Dri.)
Rumsey Clo. *Hamp* —6D **102**
Rumsey M. *N4* —3B **46**
Rumsey Rd. *SW9* —3K **93**
Runbury Circ. *NW9* —4J **25**
Runcorn Clo. *N17* —4H **31**
Runcorn Pl. *W11* —7G **59**
Rundell Cres. *NW4* —5D **26**
Rundell Tower. *SW8* —1K **93**
Runes Clo. *Mitc* —4B **122**
Runnel Field. *Harr* —3J **39**
Running Horse Yd. *Bren* —6E **72**
Runnymede. *SW19* —1B **122**
Runnymede Ct. *SW15* —1C **106**
Runnymede Cres. *SW16*
—1H **123**
Runnymede Gdns. *Gnfd* —2J **55**
Runnymede Gdns. *Twic* —6F **87**
Runnymede Ho. *E9* —4A **48**
Runnymede Rd. *Twic* —6F **87**
Runway, The. *Ruis* —5A **38**
Rupack St. *SE16* —2J **79**
Rupert Av. *Wemb* —5E **40**
Rupert Ct. *W1* —7H **61** (2C **148**)
Rupert Gdns. *SW9* —2B **94**
Rupert Ho. *SE11*
—4A **78** (4K **155**)
Rupert Rd. *N19* —3H **45**
(in two parts)
Rupert Rd. *NW6* —2H **59**
Rupert Rd. *W4* —3A **74**
Rupert St. *W1* —7H **61** (2C **148**)
Rural Way. *SW16* —7F **109**
Ruscoe Rd. *E16* —6H **65**
Rusham Rd. *SW12* —6D **92**
Rushbrook Cres. *E17* —1B **32**
Rushbrook Rd. *SE9* —2G **115**
Rushbury Ct. *Hamp* —7E **102**
Rushcroft Rd. *E4* —7J **19**
Rushcroft Rd. *SW2* —4A **94**
Rushden Clo. *SE19* —7D **110**
Rushden Gdns. *NW7* —6H **13**
Rushden Gdns. *Ilf* —2E **34**
Rushdene. *SE2* —3D **84**
(in two parts)
Rushdene Av. *Barn* —7H **5**
Rushdene Clo. *N'holt* —2A **54**
Rushdene Cres. *N'holt* —2A **54**
Rushdene Rd. *Pinn* —6B **22**
Rushden Gdns. *NW7* —6K **13**
Rushen Wlk. *Cars* —1B **132**
Rushett Clo. *Th Dit* —7B **118**
Rushett Rd. *Th Dit* —7B **118**
Rushey Clo. *N Mald* —4K **119**
Rushey Grn. *SE6* —7D **96**
Rushey Hill. *Enf* —4E **6**
Rushey Mead. *SE4* —5C **96**
Rushford Rd. *SE4* —6B **96**

Rush Grn. Gdns. *Romf* —1J **53**
Rush Grn. Rd. *Romf* —1H **53**
Rushgrove Av. *NW9* —5A **26**
Rushgrove Pde. *NW9* —5A **26**
Rushgrove St. *SE18* —4D **82**
Rush Hill Rd. *SW11* —3E **92**
Rushley Clo. *Kes* —4B **138**
Rushmead. *E2* —3H **63**
Rushmead. *Rich* —3B **104**
Rushmead Clo. *Croy* —4F **135**
Rushmere Ct. *Wor Pk* —2C **130**
Rushmere Pl. *SW19* —5F **107**
Rushmon Pl. *Cheam* —6G **131**
Rushmoor Clo. *Pinn* —4A **22**
Rushmore Clo. *Brom* —3C **128**
Rushmore Cres. *E5* —4K **47**
Rushmore Rd. *E5* —4J **47**
(in three parts)
Rusholme Av. *Dag* —3G **53**
Rusholme Gro. *SE19* —5E **110**
Rusholme Rd. *SW15* —6F **91**
Rushout Av. *Harr* —6B **24**
Rush, The. *SW19* —2H **121**
(off Kingston Rd.)
Rushton Ho. *SW8* —2H **93**
Rushton St. *N1* —2D **62**
Rushworth Av. *NW4* —3C **26**
Rushworth Gdns. *NW4* —4C **26**
Rushworth St. *SE1*
—2B **78** (6B **150**)
Rushy Meadow La. *Cars*
—3C **132**
Ruskin Av. *E12* —6C **50**
Ruskin Av. *Rich* —7G **73**
Ruskin Av. *Well* —3A **100**
Ruskin Clo. *NW11* —6K **27**
Ruskin Ct. *N21* —7E **6**
Ruskin Ct. *SE5* —3D **94**
(off Champion Hill)
Ruskin Dri. *Well* —3A **100**
Ruskin Dri. *Wor Pk* —2D **130**
Ruskin Gdns. *W5* —4D **56**
Ruskin Gdns. *Harr* —5F **25**
Ruskin Gro. *Well* —2A **100**
Ruskin Mans. *W14* —6G **75**
(off Queen's Club Gdns.)
Ruskin Pk. Ho. *SE5* —3D **94**
Ruskin Rd. *N17* —1F **31**
Ruskin Rd. *Belv* —4G **85**
Ruskin Rd. *Cars* —5D **132**
Ruskin Rd. *Croy* —2B **134**
Ruskin Rd. *Iswth* —3K **87**
Ruskin Rd. *S'hall* —7C **54**
Ruskin Wlk. *N9* —2B **18**
Ruskin Wlk. *SE24* —5C **94**
Ruskin Wlk. *Brom* —6D **128**
Ruskin Way. *SW19* —1B **122**
Rusland Heights. *Harr* —4J **23**
Rusland Pk. Rd. *Harr* —4J **23**
Ruslip Rd. E. *W7* —4J **55**
Rusper Clo. *NW2* —3E **42**
Rusper Clo. *Stan* —4H **11**
Rusper Ct. *SW9* —2J **93**
(off Clapham Rd.)
Rusper Rd. *N22 & N17* —2C **30**
Rusper Rd. *Dag* —6C **52**
Russell Av. *N22* —2A **30**
Russell Clo. *NW10* —7J **41**
Russell Clo. *SE7* —7A **82**
Russell Clo. *W4* —6B **74**
Russell Clo. *Beck* —3E **126**
Russell Clo. *Bexh* —4G **101**
Russell Clo. *Ruis* —2A **38**
Russell Ct. *E10* —7D **32**

Russell Ct. *N14* —6C **6**
Russell Ct. *SE15* —2H **95**
 (off Heaton Rd.)
Russell Ct. *SW1*
 —1G 77 (5B **148**)
Russell Ct. *SW16* —5K **109**
Russell Ct. New Bar —4F **5**
Russell Ct. Wall —5G **133**
 (off Ross Rd.)
Russell Courtyard. *Chst* —1E **128**
Russell Gdns. *N20* —2H **15**
Russell Gdns. *NW11* —6G **27**
Russell Gdns. *W14* —3G **75**
Russell Gdns. *Ilf* —7H **35**
Russell Gdns. *Rich* —2C **104**
Russell Gdns. M. *W14* —2G **75**
Russell Gro. *NW7* —5F **13**
Russell Gro. *SW9* —7A **78**
Russell Kerr Clo. *W4* —7J **73**
Russell La. *N20* —2H **15**
Russell Lodge. *E4* —2K **19**
Russell Mead. Har W —1K **23**
Russell Pde. *NW11* —6G **27**
 (off Golders Grn. Rd.)
Russell Pl. *NW3* —5C **44**
Russell Pl. *SE16* —3A **80**
Russell Rd. *E4* —4G **19**
Russell Rd. *E10* —6D **32**
Russell Rd. *E16* —6J **65**
Russell Rd. *E17* —3B **32**
Russell Rd. *N8* —6H **29**
Russell Rd. *N13* —6E **16**
Russell Rd. *N15* —5E **30**
Russell Rd. *N20* —2H **15**
Russell Rd. *NW9* —6B **26**
Russell Rd. *SW19* —7J **107**
Russell Rd. *W14* —3G **75**
Russell Rd. Buck H —1E **20**
Russell Rd. Enf —1A **8**
Russell Rd. Mitc —3C **122**
Russell Rd. N'holt —5E **39**
Russell Rd. Twic —6K **87**
Russell's Footpath. *SW16*
 —5J **109**
Russell Sq. *WC1*
 —5J 61 (4E **142**)
Russell St. *WC2* —7J 61 (2F **149**)
Russell Wlk. Rich —6F **89**
Russell Way. Sutt —5K **131**
Russell Yd. *SW15* —4G **91**
Russet Cres. *N7* —5K **45**
Russet Dri. Croy —1A **136**
Russets Clo. *E4* —4A **20**
Russettings. Pinn —1D **22**
 (off Westfield Pk.)
Russett Way. *SE13* —2D **96**
Russia Ct. *EC2* —6C 62 (7D **144**)
Russia Dock Rd. *SE16* —1A **80**
Russia La. *E2* —2J **63**
Russia Row. *EC2*
 —6C 62 (1D **150**)
Russia Wlk. *SE16* —2A **80**
Rusthall Av. *W4* —4K **73**
Rusthall Clo. Croy —5J **125**
Rustic Av. *SW16* —7F **109**
Rustic Pl. Wemb —4D **40**
Rustic Wlk. *E16* —6K **65**
 (off Lambert Rd.)
Rustington Wlk. Mord —7H **121**
Ruston Av. Surb —7H **119**
Ruston Gdns. *N14* —6A **6**
Ruston M. *W11* —6G **59**
Ruston Rd. *SE18* —3C **82**
Ruston St. *E3* —1B **64**
Rust Sq. *SE5* —7D **78**

Rutford Rd. *SW16* —5J **109**
Ruth Clo. Stan —4F **25**
Ruth Ct. *E3* —2A **64**
Rutherford Clo. Sutt —6B **132**
Rutherford Ho. Wemb —3J **41**
 (off Barnhill Rd.)
Rutherford St. *SW1*
 —4H 77 (3C **154**)
Rutherford Tower. S'hall —6F **55**
Rutherford Way. Bush —1C **10**
Rutherford Way. Wemb —4G **41**
Rutherglen Rd. *SE2* —6A **84**
Rutherwyke Clo. Eps —6C **130**
Ruthin Clo. *NW9* —6A **26**
Ruthin Rd. *SE3* —6J **81**
Ruthven St. *E9* —1K **63**
Rutland Av. Sidc —7A **100**
Rutland Clo. *SW14* —3H **89**
Rutland Clo. *SW19* —7C **108**
Rutland Clo. Bex —2D **116**
Rutland Ct. *EC1* —4C 62 (4C **144**)
Rutland Ct. *SE5* —4D **94**
Rutland Ct. *SE9* —2G **115**
Rutland Ct. *SW7*
 —2C 76 (7D **146**)
Rutland Ct. *W3* —6G **57**
Rutland Ct. Chst —1E **128**
Rutland Ct. Enf —5C **8**
Rutland Dri. Mord —6H **121**
Rutland Dri. Rich —1E **104**
Rutland Gdns. *N4* —6B **30**
Rutland Gdns. *SW7*
 —2C 76 (7D **146**)
Rutland Gdns. *W13* —5A **56**
Rutland Gdns. Croy —4E **134**
Rutland Gdns. Dag —5C **52**
Rutland Gdns. M. *SW7*
 —2C 76 (7D **146**)
Rutland Ga. *SW7*
 —2C 76 (7D **146**)
Rutland Ga. Belv —5H **85**
Rutland Ga. Brom —4H **127**
Rutland Ga. M. *SW7*
 —2C 76 (7C **146**)
Rutland Gro. *W6* —5D **74**
Rutland Ho. *W8* —3K **75**
 (off Marloes Rd.)
Rutland Ho. N'holt —6D **38**
 (off Farmlands, The)
Rutland M. *NW8* —1K **59**
Rutland M. E. *SW7*
 —3C 76 (1D **152**)
Rutland M. S. *SW7*
 —3C 76 (1C **152**)
Rutland M. W. *SW7*
 —3C 76 (1C **152**)
Rutland Pk. *NW2* —6E **42**
Rutland Pk. *SE6* —2B **112**
Rutland Pk. Mans. *NW2* —6E **42**
Rutland Pl. *EC1* —4B 62 (5B **144**)
Rutland Pl. Bush —1C **10**
Rutland Rd. *E7* —7B **50**
Rutland Rd. *E9* —1K **63**
Rutland Rd. *E11* —5K **33**
Rutland Rd. *E17* —6C **32**
Rutland Rd. *SW19* —7C **108**
Rutland Rd. Harr —6G **23**
Rutland Rd. Ilf —3F **51**
Rutland Rd. S'hall —5E **54**
Rutland Rd. Twic —2H **103**
Rutland St. *SW7*
 —3C 76 (1D **152**)
Rutland Wlk. *SE6* —2B **112**
Rutley Clo. *SE17*
 —6B 78 (7A **156**)

Rutlish Rd. *SW19* —1J **121**
Rutter Gdns. Mitc —4A **122**
Rutt's Ter. *SE14* —1K **95**
Rutts, The. Bush —1C **10**
Ruvigny Gdns. *SW15* —3F **91**
Ruxley Clo. Sidc —6D **116**
Ruxley Corner Ind. Est. Sidc
 —6D **116**
Ruxley La. Eps —4A **130**
Ryalls Ct. *N20* —3J **15**
Ryan Clo. *SE3* —4A **98**
Ryan Ct. *SW16* —7J **109**
Ryan Dri. Bren —6B **72**
Rycott Path. *SE22* —7G **95**
Rycroft Way. *N17* —3F **31**
Ryculff Sq. *SE3* —2H **97**
Rydal Clo. *NW4* —2F **27**
Rydal Ct. Edgw —5A **12**
Rydal Ct. Wemb —7F **25**
Rydal Cres. Gnfd —3B **56**
Rydal Dri. Bexh —1G **101**
Rydal Dri. W Wick —2G **137**
Rydal Gdns. *NW9* —5A **26**
Rydal Gdns. *SW15* —5A **106**
Rydal Gdns. Houn —6F **87**
Rydal Gdns. Wemb —1C **40**
Rydal Rd. *SW16* —4H **109**
Rydal Water. *NW1*
 —3G 61 (1A **142**)
Rydal Way. Enf —6D **8**
Rydal Way. Ruis —4A **38**
Rydens Ho. *SE9* —3A **114**
Ryde Pl. Twic —6D **88**
Ryder Clo. Brom —5B **113**
Ryder Ct. *E10* —2D **48**
Ryder Ct. *SW1* —1G 77 (4B **148**)
Ryder Dri. *SE16* —5H **79**
Ryder M. *E9* —5J **47**
Ryder's Ter. *NW8* —2A **60**
Ryder St. *SW1* —1G 77 (4B **148**)
Ryde Vale Rd. *SW12* —2G **109**
Rydons Clo. *SE9* —3C **98**
Rydon St. *N1* —1C **62**
Rydston Clo. *N7* —7J **45**
Rye Clo. Bex —6H **101**
Ryecotes Mead. *SE21* —1E **110**
Ryecroft Av. Ilf —2F **35**
Ryecroft Av. Twic —7F **87**
Ryecroft Lodge. *SW16* —6B **110**
Ryecroft Rd. *SE13* —5E **96**
Ryecroft Rd. *SW16* —6A **110**
Ryecroft Rd. Orp —6H **129**
Ryecroft St. *SW6* —1K **91**
Ryedale. *SE22* —6H **95**
Ryefield Path. *SW15* —1C **106**
Ryefield Rd. *SE19* —6C **110**
Rye Hill Pk. *SE15* —4J **95**
Ryelands Cres. *SE12* —6A **98**
Rye La. *SE15* —1G **95**
Rye Pas. *SE15* —3G **95**
Rye Rd. *SE15* —4K **95**
Rye, The. *N14* —7C **6**
Rye Wlk. *SW15* —5F **91**
Rye Way. Edgw —6A **12**
Ryfold Rd. *SW19* —3J **107**
Ryhope Rd. *N11* —4A **16**
Rylandes Rd. *NW2* —3C **42**
Ryland Rd. *NW5* —6F **45**
Rylett Cres. *W12* —2B **74**
Rylett Rd. *W12* —2B **74**
Rylston Rd. *N13* —3J **17**
Rylston Rd. *SW6* —6H **75**
Rymer Rd. Croy —7E **124**
Rymer St. *SE24* —6B **94**

Rymill St. *E16* —1E **82**
Rysbrack St. *SW3*
 —3D 76 (1E **152**)
Rythe Ct. Th Dit —7A **118**

S

Sabbarton St. *E16* —6H **65**
Sabella Ct. *E3* —2B **64**
Sabine Rd. *SW11* —3D **92**
Sable Clo. Houn —3A **86**
Sable St. *N1* —7B **46**
Sach Rd. *E5* —2H **47**
Sackville Av. Brom —1J **137**
Sackville Clo. Harr —3H **39**
Sackville Gdns. Ilf —1D **50**
Sackville Ho. *SW16* —3J **109**
Sackville Rd. Sutt —7J **131**
Sackville St. *W1*
 —7G 61 (3B **148**)
Sackville Way. *SE22* —1G **111**
Saddlers Clo. Pinn —6A **10**
Saddlers M. *SW8* —1J **93**
Saddlers M. Hamp W —2C **118**
Saddlers M. Wemb —4K **39**
Saddlescombe Way. *N12* —5D **14**
Saddle Yd. *W1* —1F 77 (4J **147**)
Sadler Clo. Mitc —2D **122**
Saffron Av. *E14* —7F **65**
Saffron Clo. *NW11* —6H **27**
Saffron Clo. Croy —6J **123**
Saffron Ct. *E15* —5G **49**
 (off Maryland Pk.)
Saffron Hill. *EC1*
 —5A 62 (5K **143**)
Saffron Rd. Romf —2K **37**
Saffron St. *EC1* —5A 62 (5K **143**)
Sage Clo. *E6* —5D **66**
Sage St. *E1* —7J **63**
Sage Way. *WC1*
 —3K 61 (2G **143**)
Sahara Ct. S'hall —7C **54**
Saigasso Clo. *E16* —6B **66**
Sail St. *SE11* —4K 77 (3H **155**)
Saimet. Wemb —7G **13**
 (off Satchell Mead)
Sainfoin Rd. *SW17* —2E **108**
Sainsbury Rd. *SE19* —5E **110**
St Agatha's Dri. King T —6F **105**
St Agatha's Gro. Cars —1D **132**
St Agnes Clo. *E9* —1J **63**
St Agnes Well. *EC1*
 —4D 62 (3F **145**)
St Aidans Ct. Bark —2B **68**
St Aidan's Rd. *SE22* —6H **95**
St Aidan's Rd. *W13* —2B **72**
St Alban's Av. *E6* —3D **66**
St Alban's Av. *W4* —4K **73**
St Albans Av. Felt —5B **102**
St Albans Clo. *NW11* —1J **43**
St Albans Ct. *EC2*
 —6C 62 (6D **144**)
St Alban's Cres. *N22* —1A **30**
St Alban's Cres. Wfd G —7D **20**
St Alban's Gdns. Tedd —5A **104**
St Alban's Gro. *W8* —3K **75**
St Alban's Gro. Cars —7C **122**
St Alban's La. *NW11* —1J **43**
St Albans Mans. *W8* —3K **75**
 (off Kensington Ct. Pl.)
St Alban's M. *W2*
 —5B 60 (5B **140**)
St Alban's Pl. *N1* —1B **62**
St Alban's Rd. *NW5* —3E **44**
St Alban's Rd. *NW10* —1A **58**
St Albans Rd. Barn —1A **4**

St Albans Rd. Ilf —1K **51**
St Alban's Rd. King T —6E **104**
St Alban's Rd. Sutt —4H **131**
St Alban's Rd. Wfd G —7D **20**
St Alban's St. *SW1*
 —7H 61 (3C **148**)
St Alban's Ter. *W6* —6G **75**
St Albans Vs. *NW5* —3E **44**
St Alfege Pas. *SE10* —6E **80**
St Alfege Rd. *SE7* —6B **82**
St Alphage Garden. *EC2*
 —5C 62 (6D **144**)
St Alphage Highwalk. *EC2*
 —5C 62 (6D **144**)
St Alphage Ho. *EC2*
 —5D 62 (6E **144**)
St Alphage Wlk. Edgw —2J **25**
St Alphege Rd. *N9* —7D **8**
St Alphonsus Rd. *SW4* —4G **93**
St Amunds Clo. *SE6* —4C **112**
St Andrew's Av. Wemb —4A **40**
St Andrew's Clo. *N12* —4F **15**
St Andrew's Clo. *NW2* —3D **42**
St Andrews Clo. *SE16* —5H **79**
 (off Ryder Dri.)
St Andrew's Clo. Iswth —1J **87**
St Andrew's Clo. Ruis —2B **38**
St Andrew's Clo. Stan —2C **24**
St Andrew's Clo. *SW18* —2A **108**
St Andrew's Clo. Sutt —3C **132**
St Andrews Dri. Stan —1C **24**
St Andrew's Gro. *N16* —1D **46**
St Andrew's Hill. *EC4*
 —7B 62 (2B **150**)
St Andrews Mans. *W14* —6G **75**
 (off St Andrews Rd.)
St Andrew's M. *N16* —1E **46**
St Andrew's M. *SE3* —7J **81**
St Andrew's Pl. *NW1*
 —4F 61 (3K **141**)
St Andrews Rd. *E11* —6G **33**
St Andrew's Rd. *E13* —3K **65**
St Andrew's Rd. *E17* —2K **31**
St Andrew's Rd. *N9* —7D **8**
St Andrew's Rd. *NW9* —1K **41**
St Andrew's Rd. *NW10* —6D **42**
St Andrew's Rd. *NW11* —6H **27**
St Andrew's Rd. *W3* —7A **58**
St Andrew's Rd. *W7* —2J **71**
St Andrew's Rd. *W14* —6G **75**
St Andrew's Rd. Cars —3C **132**
St Andrew's Rd. Croy —4C **134**
St Andrew's Rd. Enf —3J **7**
St Andrew's Rd. Ilf —7D **34**
St Andrew's Rd. Romf —6K **37**
St Andrew's Rd. Sidc —3D **116**
St Andrew's Rd. Surb —6D **118**
St Andrew's Sq. *W11* —6G **59**
St Andrew's Sq. Surb —6D **118**
St Andrew's Tower. S'hall
 —7G **55**
St Andrew St. *EC4*
 —5A 62 (6K **143**)
St Andrews Way. *E3* —4D **64**
St Andrews Wharf. *SE1*
 —2F 79 (6K **151**)
St Anna Rd. Barn —5A **4**
St Anne's Clo. *N6* —3E **44**
St Annes Ct. *NW6* —1G **59**
St Anne's Ct. *W1*
 —6H 61 (1C **148**)
St Anne's Ct. W Wick —4G **137**
St Anne's Gdns. *NW10* —3F **57**
St Anne's Pas. *SW13* —3A **90**
St Anne's Rd. *E11* —2F **49**

St James St. *W6* —5E **74**
St James's Wlk. *EC1*
—4B **62** (3A **144**)
St James Ter. *SW12* —1E **108**
St James Wlk. *SE15* —1F **95**
(off Pitt St.)
St James Way. *Sidc* —5E **116**
St Joan's Rd. *N9* —2A **18**
St John Fisher Rd. *Eri* —3D **84**
St John's Av. *N11* —5J **15**
St John's Av. *NW10* —1B **58**
St John's Av. *SW15* —5F **91**
St Johns Chu. Rd. *E9* —5J **47**
St Johns Clo. *N14* —6B **6**
St John's Clo. *N20* —3F **15**
(off Rasper Rd.)
St John's Clo. *SW6* —7J **75**
St John's Clo. *Wemb* —5E **40**
St John's Cotts. *SE20* —7J **111**
St John's Ct. *N4* —2B **46**
St John's Ct. *N5* —4B **46**
St John's Ct. *SE13* —2E **96**
St John's Ct. *W6* —4D **74**
(off Glenthorne Rd.)
St John's Ct. *Buck H* —1E **20**
St John's Ct. *Eri* —5K **85**
St John's Ct. *Harr* —6K **23**
St John's Ct. *Iswth* —2K **87**
St John's Cres. *SW9* —3A **94**
St Johns Dri. *SW18* —1K **107**
St John's Est. *SE1*
—2F **79** (6J **151**)
St John's Gdns. *W11* —7G **59**
St John's Gro. *N19* —2G **45**
St John's Gro. *SW13* —2B **90**
St John's Gro. *Rich* —4E **88**
St John's Hill. *SW11* —4B **92**
St John's Hill Gro. *SW11* —4B **92**
St John's La. *EC1*
—4B **62** (4A **144**)
St Johns Pathway. *SE23* —1J **111**
St John's Pl. *EC1*
—4B **62** (4A **144**)
St John's Rd. *E4* —4J **19**
St John's Rd. *E6* —1C **66**
St John's Rd. *E16* —6J **65**
St John's Rd. *E17* —2D **32**
St John's Rd. *N15* —6E **30**
St John's Rd. *NW11* —6H **27**
St John's Rd. *SE20* —6J **111**
St John's Rd. *SW11* —4C **92**
St John's Rd. *SW19* —7G **107**
St John's Rd. *Bark* —1J **67**
St John's Rd. *Cars* —3C **132**
St John's Rd. *Croy* —3B **134**
St John's Rd. *Eri* —5K **85**
St John's Rd. *Felt* —4C **102**
St John's Rd. *Harr* —6K **23**
St John's Rd. *Ilf* —7J **35**
St John's Rd. *Iswth* —2J **87**
St John's Rd. *King T* —2C **118**
St John's Rd. *N Mald* —3J **119**
St John's Rd. *Orp* —6H **129**
St John's Rd. *Rich* —4E **88**
St John's Rd. *Sidc* —4B **116**
St John's Rd. *S'hall* —3C **70**
St John's Rd. *Sutt* —2K **131**

St John's Rd. *Well* —3B **100**
St John's Rd. *Wemb* —4D **40**
St John's Sq. *EC1*
(in two parts)
—5D **76** (6E **152**)
St John's Ter. *E7* —6K **49**
St John's Ter. *SE18* —6G **83**
St John St. *EC1* —2A **62** (1K **143**)
St John's Vale. *SE8* —2C **96**
St John's Vs. *N11* —5J **15**
(off Friern Barnet Rd.)
St John's Vs. *N19* —2H **45**
St John's Vs. *W8* —3K **75**
St John's Way. *N19* —2G **45**
St John's Wood Ct. *NW8*
—3B **60** (2B **140**)
St John's Wood High St. *NW8*
—2B **60** (1C **140**)
St John's Wood Pk. *NW8* —1B **60**
St John's Wood Rd. *NW8*
—4B **60** (3A **140**)
St John's Wood Ter. *NW8*
—2B **60**
St John's Yd. *N17* —7A **18**
St Joseph's Clo. *W10* —5G **59**
St Josephs Ct. *SE7* —6K **81**
St Joseph's Dri. *S'hall* —1C **70**
St Joseph's Gro. *NW4* —4D **26**
St Joseph's Rd. *N9* —7C **8**
St Joseph's St. *SW8* —1F **93**
St Joseph's Vale. *SE3* —3F **97**
St Jude's Rd. *E2* —2H **63**
St Jude St. *N16* —5E **46**
St Julian's Clo. *SW16* —4A **110**
St Julian's Farm Rd. *SE27*
—4A **110**
St Julian's Rd. *NW6* —1H **59**
St Katharine's Precinct. *NW1*
—2F **61**
St Katharine's Way. *E1*
—1F **79** (4K **151**)
St Katharine's Rd. *Eri* —2D **84**
St Katharine's Row. *EC3*
—7E **62** (2H **151**)
St Katherines Wlk. *W11* —1F **75**
(off St Ann's Rd.)
St Keverne Rd. *SE9* —4C **114**
St Kilda Rd. *W13* —1A **72**
St Kilda Rd. *Orp* —7K **129**
St Kilda's Rd. *N16* —1D **46**
St Kilda's Rd. *Harr* —6J **23**
St Kitts Ter. *SE19* —5E **110**
St Laurence Clo. *NW6* —1F **59**
St Lawrence Clo. *Edgw* —7A **12**
St Lawrence Ct. *N1* —1E **62**
St Lawrence Dri. *Pinn* —5A **22**
St Lawrence St. *E14* —1E **80**
St Lawrence Ter. *W10* —5G **59**
St Lawrence Way. *SW9* —2A **94**
St Leonard's Av. *E4* —6A **20**
St Leonard's Av. *Harr* —5C **24**
St Leonard's Clo. *Well* —3A **100**
St Leonard's Ct. *N1*
—3D **62** (1F **145**)
St Leonard's Gdns. *Houn* —1C **86**
St Leonard's Gdns. *Ilf* —5G **51**
St Leonard's Rd. *E14* —5E **64**
(in two parts)
St Leonard's Rd. *NW10* —4K **57**
St Leonard's Rd. *SW14* —3H **89**
St Leonard's Rd. *W13* —7C **56**
St Leonard's Rd. *Croy* —3B **134**
St Leonard's Rd. *Surb* —5D **118**
St Leonard's Rd. *Th Dit* —6A **118**
St Leonards Sq. *NW5* —6E **44**

St Leonards Sq. *Surb* —5D **118**
St Leonard's St. *E3* —3D **64**
St Leonard's Ter. *SW3*
—5D **76** (6E **152**)
St Leonard's Wlk. *SW16* —7K **109**
St Loo Av. *SW3* —6C **76** (7D **152**)
St Louis Rd. *SE27* —4D **110**
St Loy's Rd. *N17* —2E **30**
St Lucia Dri. *E15* —1H **65**
St Luke's Av. *SW4* —4H **93**
St Luke's Av. *Enf* —1J **7**
St Luke's Av. *Ilf* —5F **51**
St Luke's Clo. *EC1*
—4C **62** (3D **144**)
St Luke's Clo. *SE25* —6H **125**
St Lukes Ct. *E10* —7D **32**
(off Capworth St.)
St Luke's Est. *EC1*
—3D **62** (2E **144**)
St Luke's M. *W11* —6H **59**
St Luke's Pas. *King T* —1F **119**
St Luke's Path. *Ilf* —5F **51**
St Luke's Rd. *W11* —5H **59**
St Luke's Sq. *E16* —6H **65**
St Luke's *SW3*
—5C **76** (5D **152**)
St Luke's Yd. *W9* —2H **59**
St Malo Av. *N9* —3D **18**
St Margaret's. *Bark* —1H **67**
St Margaret's Av. *N15* —4B **30**
St Margaret's Av. *N20* —1F **15**
St Margaret's Av. *Harr* —3G **38**
St Margaret's Av. *Sidc* —3H **115**
St Margaret's Av. *Sutt* —3G **131**
St Margarets Bus. Cen. *Twic*
—6B **88**
St Margaret's Ct. *N11* —4K **15**
St Margaret's Ct. *SE1*
—1D **78** (5D **150**)
St Margarets Ct. *Edgw* —5C **12**
St Margaret's Cres. *SW15*
—5D **90**
St Margaret's Dri. *Twic* —5B **88**
St Margaret's Gro. *E11* —3H **49**
St Margaret's Gro. *SE18* —6G **83**
St Margaret's Gro. *Twic* —6A **88**
St Margaret's La. *W8* —3K **75**
St Margaret's Pas. *SE13* —3G **97**
St Margaret's Rd. *E12* —2A **50**
St Margaret's Rd. *N17* —3E **30**
St Margaret's Rd. *NW10* —3E **58**
St Margarets Rd. *SE4* —4B **96**
St Margaret's Rd. *W7* —2J **71**
St Margaret's Rd. *Edgw* —5C **12**
St Margarets Rd. *Iswth & Twic*
—4B **88**
St Margaret's Ter. *SE18* —5G **83**
St Margaret St. *SW1*
—2J **77** (7E **148**)
St Margarets Vicarage. *E11*
—3H **49**
St Mark's Clo. *SE10* —7E **80**
St Mark's Clo. *New Bar* —3E **4**
St Marks Ct. *E10* —7D **32**
(off Capworth St.)
St Marks Ct. *W7* —2J **71**
(off Lwr. Boston Rd.)
St Mark's Cres. *NW1* —1E **60**
St Mark's Ga. *E9* —7B **48**
St Mark's Gro. *SW10* —6K **75**
St Mark's Hill. *Surb* —6E **118**
St Marks Ind. Est. *E16* —1B **82**
St Mark's Pl. *SW19* —6H **107**
St Mark's Pl. *W11* —6G **59**
St Mark's Rise. *E8* —5F **47**

St Mark's Rd. *SE25* —4G **125**
St Mark's Rd. *W5* —1E **72**
St Mark's Rd. *W7* —2J **71**
St Mark's Rd. *W10 & W11*
—5F **59**
St Mark's Rd. *Brom* —3K **127**
St Marks Rd. *Enf* —6A **8**
St Marks Rd. *Mitc* —2D **122**
St Mark's Rd. *Tedd* —7B **104**
St Mark's Sq. *NW1* —1E **60**
St Mark St. *E1* —6F **63** (1K **151**)
St Martin's Av. *E6* —2B **66**
St Martin's Clo. *NW1* —1G **61**
St Martin's Clo. *Enf* —1C **8**
St Martin's Clo. *Eri* —2D **84**
St Martins Ct. *N1* —1E **62**
St Martins Ct. *WC2*
—7J **61** (2E **148**)
St Martins Est. *SW2* —1A **110**
St Martin's La. *WC2*
—7J **61** (2E **148**)
St Martin's le Grand. *EC1*
—6C **62** (7C **144**)
St Martin's Pl. *WC2*
—7J **61** (3E **148**)
St Martin's Rd. *N9* —2C **18**
St Martin's Rd. *SW9* —2K **93**
St Martin's St. *WC2*
—7H **61** (3D **148**)
St Martins Way. *SW17* —3A **108**
St Mary Abbot's Ct. *W14* —3H **75**
(off Warwick Gdns.)
St Mary Abbot's Pl. *W8* —3H **75**
St Mary Abbot's Ter. *W14*
—3H **75**
St Mary at Hill. *EC3*
—7E **62** (3G **151**)
St Mary Av. *Wall* —3F **133**
St Mary Axe. *EC3*
—6E **62** (7H **145**)
St Marychurch St. *SE16* —2J **79**
St Mary Graces Ct. *E1*
—7F **63** (3K **151**)
St Mary Newington Clo. *SE17*
—5E **78** (5H **157**)
St Mary Rd. *E17* —4C **32**
St Mary's. *Bark* —1H **67**
St Mary's App. *E12* —5D **50**
St Mary's Av. *E11* —7K **33**
St Mary's Av. *N3* —2G **27**
St Mary's Av. *Brom* —3G **127**
St Mary's Av. *S'hall* —4F **71**
St Mary's Av. *Tedd* —6K **103**
St Mary's Clo. *N17* —1F **31**
St Mary's Clo. *Eps* —7B **130**
St Mary's Clo. *E6* —4D **66**
St Mary's Clo. *SE7* —7B **82**
St Mary's Ct. *W6* —2D **72**
St Mary's Ct. *W14* —3B **74**
St Mary's Ct. *Wall* —4G **133**
St Mary's Cres. *NW4* —3D **26**
St Mary's Cres. *Iswth* —7H **71**
St Mary's Gdns. *SE11*
—4A **78** (3K **155**)
St Mary's Ga. *W8* —3K **75**
St Mary's Grn. *N2* —2A **28**
St Mary's Gro. *N1* —6B **46**
St Mary's Gro. *SW13* —3D **90**
St Mary's Gro. *W4* —6H **73**
St Mary's Gro. *Rich* —4F **89**
St Mary's Mans. *W2*
—5B **60** (5A **140**)
St Mary's M. *NW6* —7K **43**
St Marys M. *Rich* —2C **104**

St Mary's Path. *N1* —1B **62**
St Mary's Pl. *SE9* —6E **98**
St Mary's Pl. *W5* —2D **72**
St Mary's Pl. *W8* —3K **75**
St Mary's Rd. *E10* —3E **48**
St Mary's Rd. *E13* —2K **65**
St Mary's Rd. *N8* —4J **29**
St Mary's Rd. *N9* —1C **18**
St Mary's Rd. *NW10* —1A **58**
St Mary's Rd. *NW11* —7G **27**
St Mary's Rd. *SE15* —1J **95**
St Mary's Rd. *SE25* —3E **124**
St Mary's Rd. *SW19* —5G **107**
St Marys Rd. *W5* —2D **72**
St Mary's Rd. *Barn* —7J **5**
St Mary's Rd. *Bex* —1J **117**
St Mary's Rd. *Dit H* —7C **118**
St Mary's Rd. *Ilf* —2G **51**
St Mary's Rd. *Surb* —6D **118**
St Mary's Rd. *Wor Pk* —2A **130**
St Mary's Sq. *W2*
—5B **60** (5A **140**)
St Mary's Sq. *W5* —2D **72**
St Mary's Ter. *W2*
—5B **60** (5A **140**)
St Mary's Tower. *EC1*
—4C **62** (4D **144**)
(off Fortune St.)
St Mary St. *SE18* —4D **82**
St Mary's View. *Harr* —5C **24**
St Mary's Wlk. *SE11*
—4A **78** (3K **155**)
St Mary's Way. *Chig* —5K **21**
St Matthew's Av. *Surb* —7E **118**
St Matthews Ct. *E10* —7D **32**
(off Capworth St.)
St Matthews Ct. *N10* —2E **28**
St Matthews Ct. *SE1*
—3C **78** (2C **156**)
St Matthew's Dri. *Brom* —3D **128**
St Matthew's Lodge. *NW1*
(off Oakley Sq.) —2G **61**
St Matthew's Rd. *SW2* —4K **93**
St Matthew's Rd. *W5* —1E **72**
St Matthew's Row. *E2* —3G **63**
St Matthew St. *SW1*
—3H **77** (2C **154**)
St Matthias Clo. *NW9* —5B **26**
St Maur Rd. *SW6* —1H **91**
St Merryn Clo. *SE18* —7H **83**
St Merryn Ct. *Beck* —7C **112**
St Michael's All. *EC3*
—6D **62** (1F **151**)
St Michael's Av. *N9* —7D **8**
St Michael's Av. *Enf* —7D **8**
St Michael's Av. *Wemb* —6G **41**
St Michaels Clo. *E16* —5B **66**
St Michael's Clo. *N3* —2H **27**
St Michael's Clo. *N12* —5H **15**
St Michael's Clo. *Brom* —3C **128**
St Michael's Clo. *Eri* —2D **84**
St Michael's Clo. *Wor Pk*
—2B **130**
St Michaels Ct. *E14* —5E **64**
(off St Leonards Rd.)
St Michael's Cres. *Pinn* —6C **22**
St Michael's Gdns. *W10* —5G **59**
St Michael's Rise. *Well* —1B **100**
St Michael's Rd. *NW2* —4E **42**
St Michael's Rd. *SW9* —2K **93**
St Michael's Rd. *Croy* —1C **134**
St Michael's Rd. *Wall* —6G **133**
St Michael's Rd. *Well* —3B **100**
St Michael's St. *W2*
—6B **60** (7B **140**)

Samuel Lewis Trust Dwellings—School Pas.

Samuel Lewis Trust Dwellings.
  N16—6E **30**
Samuel Lewis Trust Dwellings.
  (off Warner Rd.) *SE5*—1C **94**
Samuel Lewis Trust Dwellings.
  SW3—4C **76** (4C **152**)
Samuel Lewis Trust Dwellings.
  (off Vanston Pl.) *SW6*—7J **75**
Samuel Lewis Trust Dwellings.
  (off Lisgar Ter.) *W14*—4H **75**
Samuel's Clo. *W6*—4E **74**
Samuel St. *SE18*—4D **82**
Sancroft Clo. *NW2*—3D **42**
Sancroft Ho. *SE11*
  —5K **77** (5H **155**)
Sancroft Rd. *Harr*—2K **23**
Sancroft St. *SE11*
  —5K **77** (5H **155**)
Sanctuary. *SE1*
  —2C **78** (6D **150**)
Sanctuary, The. *SW1*
  —3H **77** (1D **154**)
Sanctuary, The. *Bex*—6D **100**
Sanctuary, The. *Mord*—3J **121**
Sandale Clo. *N16*—3D **46**
Sandall Clo. *W5*—4E **56**
Sandall Rd. *NW5*—6G **45**
Sandall Rd. *W5*—4E **56**
Sandal Rd. *N18*—5B **18**
Sandal Rd. *N Mald*—5K **119**
Sandal St. *E15*—1G **65**
Sandalwood Clo. *E1*—4A **64**
Sandalwood Ho. *Sidc*—3K **115**
Sandalwood Rd. *Felt*—3A **102**
Sandbach Pl. *SE18*—4G **83**
Sandbourne Av. *SW19*—2K **121**
Sandbourne Rd. *SE4*—2A **96**
Sandbrook Clo. *NW7*—6E **12**
Sandbrook Rd. *N16*—3E **46**
Sandby Grn. *SE9*—3C **98**
Sandcliff Rd. *Eri*—4K **85**
Sandcroft Clo. *N13*—6G **17**
Sandell St. *SE1*—2A **78** (6J **149**)
Sanderling Ct. *SE8*—6B **80**
  (off Abinger Gro.)
Sanderling Ct. *SE28*—7C **68**
Sanders Clo. *Hamp*—5G **103**
Sanders La. *NW7*—7K **13**
  (in three parts)
Sanderson Clo. *NW5*—4F **45**
Sanderson Gdns. *Wfd G*—1A **34**
Sanderson Shaw. *SE28*—7D **68**
Sanderstead Av. *NW2*—2G **43**
Sanderstead Clo. *SW12*—7G **93**
Sanderstead Rd. *E10*—1A **48**
Sanderstead Rd. *S Croy*—7D **134**
Sanders Way. *N19*—1H **45**
Sandfield Gdns. *T Hth*—3B **124**
Sandfield Rd. *T Hth*—3B **124**
Sandford Av. *N22*—1C **30**
Sandford Clo. *E6*—4D **66**
Sandford Ct. *N16*—1E **46**
Sandford Ct. *New Bar*—3E **4**
Sandford Rd. *E6*—3C **66**
Sandford Rd. *Bexh*—4E **100**
Sandford Rd. *Brom*—4J **127**
Sandford St. *SW6*—7K **75**
Sandgate Clo. *Romf*—7K **37**
Sandgate Ho. *E5*—4H **47**
Sandgate Rd. *W5*—5C **56**
Sandgate La. *SW18*—1C **108**
Sandgate Rd. *Well*—7C **84**
Sandgate St. *SE15*—6H **79**
Sandham Ct. *SW4*—1J **93**
Sandhills. *Wall*—4H **133**

Sandhurst Av. *Harr*—6F **23**
Sandhurst Av. *Surb*—7H **119**
Sandhurst Clo. *NW9*—3G **25**
Sandhurst Clo. *S Croy*—7E **134**
Sandhurst Ct. *SW2*—4J **93**
Sandhurst Dri. *Ilf*—4K **51**
Sandhurst Rd. *N9*—6D **8**
Sandhurst Rd. *NW9*—3G **25**
Sandhurst Rd. *SE6*—1F **113**
Sandhurst Rd. *Bex*—5D **100**
Sandhurst Rd. *Sidc*—3K **115**
Sandhurst Way. *S Croy*—7E **134**
Sandiford Rd. *Sutt*—2H **131**
Sandiland Cres. *Brom*—2H **137**
Sandilands. *Croy*—2G **135**
Sandilands Rd. *SW6*—1K **75**
Sandison St. *SE15*—3G **95**
Sandland St. *WC1*
  —5K **61** (6H **143**)
Sandling Rise. *SE9*—3E **114**
Sandlings Clo. *SE15*—2H **95**
Sandlings, The. *N22*—3B **30**
Sandmere Rd. *SW4*—4J **93**
Sandown Av. *Dag*—6J **53**
Sandown Ct. *Stan*—5H **11**
Sandown Ct. *Sutt*—7K **131**
Sandown Dri. *Cars*—7E **132**
Sandown Rd. *SE25*—5H **125**
Sandown Way. *N'holt*—6C **38**
Sandpiper Clo. *E17*—7D **18**
Sandpiper Clo. *SE16*—2B **80**
Sandpit Pl. *SE7*—5C **82**
Sandpit Rd. *Brom*—5G **113**
Sandpits Rd. *Croy*—4K **135**
Sandpits Rd. *Rich*—2D **104**
Sandra Clo. *N22*—1C **30**
Sandra Clo. *Houn*—5F **87**
Sandridge Clo. *Harr*—4J **23**
Sandridge Ct. *N4*—2C **46**
Sandridge St. *N19*—2G **45**
Sandringham Av. *SW20*—1G **121**
Sandringham Clo. *SW19*—7F **91**
Sandringham Clo. *Enf*—2K **7**
Sandringham Clo. *Ilf*—3G **35**
Sandringham Ct. *W9*—3A **60**
  (off Maida Vale)
Sandringham Ct. *Sidc*—6K **99**
Sandringham Cres. *Harr*—2E **38**
Sandringham Dri. *Well*—2J **99**
Sandringham Flats. *WC2*
  —7H **61** (2D **148**)
  (off Charing Cross Rd.)
Sandringham Gdns. *N8*—6J **29**
Sandringham Gdns. *N12*—6G **15**
Sandringham Gdns. *Ilf*—3G **35**
Sandringham M. *W5*—7D **56**
Sandringham Rd. *E7*—5A **50**
Sandringham Rd. *E8*—5F **47**
Sandringham Rd. *E10*—6F **33**
Sandringham Rd. *N22*—3C **30**
Sandringham Rd. *NW2*—6D **42**
Sandringham Rd. *NW11*—7G **27**
Sandringham Rd. *Bark*—6K **51**
Sandringham Rd. *Brom*—5J **113**
Sandringham Rd. *N'holt*—7E **38**
Sandringham Rd. *T Hth*—5C **124**
Sandringham Rd. *Wor Pk*
Sandrock Pl. *Croy*—4K **135**
Sandrock Rd. *SE13*—3C **96**
Sand's End La. *SW6*—1K **91**
Sandstone Pl. *N19*—2F **45**
Sandstone Rd. *SE12*—2K **113**
Sands Way. *Wfd G*—6J **21**
Sandtoft Rd. *SE7*—6K **81**

Sandwell Cres. *NW6*—6J **43**
Sandwich St. *WC1*
  —3J **61** (2E **142**)
Sandycombe Rd. *Rich*—3F **89**
Sandycoombe Rd. *Twic*—6C **88**
Sandycroft. *SE2*—6A **84**
Sandy Hill Av. *SE18*—5F **83**
Sandy Hill Rd. *SE18*—4E **82**
Sandyhill Rd. *Ilf*—4F **51**
Sandy Hill Rd. *Wall*—7G **133**
Sandy La. *Harr*—6F **25**
Sandy La. *Mitc*—1E **122**
Sandy La. *Orp*—7K **129**
Sandy La. *Rich*—2C **104**
Sandy La. *St P & Sidc*—7D **116**
Sandy La. *Sutt*—7G **131**
Sandy La. *Tedd & King T*
  —7A **104**
Sandy La. N. *Wall*—5H **133**
Sandy La. S. *Wall*—7G **133**
Sandymount Av. *Stan*—5H **11**
Sandy Ridge. *Chst*—6E **114**
Sandy Rd. *NW3*—2K **43**
Sandys Row. *E1*
  —5E **62** (6H **145**)
Sandy Way. *Croy*—3B **136**
Sanford La. *N16*—2F **47**
  (in two parts)
Sanford St. *SE14*—6A **80**
Sanford Ter. *N16*—3F **47**
Sanford Wlk. *N16*—2F **47**
Sanford Wlk. *SE14*—6A **80**
Sangley Rd. *SE6*—7D **96**
Sangley Rd. *SE25*—4E **124**
Sangora Rd. *SW11*—4B **92**
Sansom Rd. *E11*—2H **49**
Sansom St. *SE5*—1D **94**
Sans Wlk. *EC1*—4A **62** (3K **143**)
Santley Ho. *SE1*—2A **78** (7K **149**)
Santley St. *SW4*—4J **93**
Santos Rd. *SW18*—5J **91**
Santway, The. *Stan*—5D **10**
Sapcote Trad. Est. *NW10*—6B **42**
Saperton Wlk. *SE11*
  —4K **77** (3H **155**)
Sapperton Ct. *EC1*
  —4C **62** (3C **144**)
Sapphire Clo. *E6*—6E **66**
Sapphire Clo. *Dag*—1C **52**
Sapphire Rd. *SE8*—4A **80**
Saracen Clo. *Croy*—6D **124**
Saracen's Head Yd. *EC3*
  —6F **63** (1J **151**)
Saracen St. *E14*—6D **64**
Sarah Ct. *N'holt*—1D **54**
Sarah St. *N1*—3E **62** (1H **145**)
Saratoga Rd. *E5*—4J **47**
Sardinia St. *WC2*
  —6K **61** (1G **149**)
Sarita Clo. *Harr*—2H **23**
Sarjant Path. *SW19*—2F **107**
  (off Blincoe Clo.)
Sark Clo. *Houn*—7E **70**
Sark Ho. *Enf*—1E **8**
Sark Wlk. *E16*—6K **65**
Sarnes Ct. *N11*—4A **16**
  (off Oakleigh Rd. S.)
Sarnesfield Ho. *SE15*—6H **79**
  (off Pencraig Way)
Sarnesfield Rd. *Enf*—4J **7**
Sarre Rd. *NW2*—5H **43**
Sarsen Av. *Houn*—2E **86**
Sarsfeld Rd. *SW12*—1D **108**
Sarsfield Rd. *Gnfd*—2B **56**
Sartor Rd. *SE15*—4K **95**

Sassoon. *NW9*—1B **26**
Satanita Clo. *E16*—6B **66**
Satchell Mead. *NW9*—1B **26**
Satchwell Rd. *E2*
  —3G **63** (2K **145**)
Satchwell St. *E2*—3G **63**
Sattar M. *N16*—3D **46**
  (off Clissold Rd.)
Saul Ct. *SE15*—6F **79**
  (off Daniel Gdns.)
Sauls Grn. *E11*—3G **49**
Saunders Hill. *Wemb*—7F **25**
Saunders Ho. *W11*—1F **75**
Saunders Ness Rd. *E14*—5E **80**
Saunders Rd. *SE18*—5K **83**
Saunders St. *SE11*
  —4A **78** (3H **155**)
Saunders Way. *SE28*—7B **68**
Saunderton Rd. *Wemb*—5B **40**
Saunton Ct. *S'hall*—7G **55**
  (off Haldane Rd.)
Savage Gdns. *E6*—6D **66**
Savage Gdns. *EC3*
  —7E **62** (2H **151**)
Savernake Ct. *Stan*—6H **11**
Savernake Ho. *N4*—7C **30**
Savernake Rd. *N9*—6B **8**
Savernake Rd. *NW3*—4D **44**
Savile Clo. *N Mald*—5A **120**
Savile Gdns. *Croy*—2F **135**
Savile Row. *W1*—7G **61** (2A **148**)
Saville Gdns. *Croy*—2F **135**
Saville Rd. *E16*—1C **82**
Saville Rd. *W4*—3K **73**
Saville Rd. *Romf*—6F **37**
Saville Rd. *Twic*—1K **103**
Saville Row. *Brom*—1H **137**
Saville Row. *Enf*—2E **8**
Savill Gdns. *SW20*—3C **120**
Savill Ho. *SW4*—6H **93**
Savill Row. *Wfd G*—6C **20**
Savin Lodge. *Sutt*—7A **132**
  (off Walnut M.)
Savona Clo. *SW19*—7F **107**
Savona Ho. *SW8*—7G **77**
Savona St. *SW8*—7G **77**
Savoy Bldgs. *WC2*
Savoy Clo. *E15*—1G **65**
Savoy Clo. *Edgw*—5B **12**
Savoy Ct. *NW3*—3A **44**
Savoy Ct. *WC2*—7K **61** (3F **149**)
Savoy Hill. *WC2*
  —7K **61** (3G **149**)
Savoy Pde. *Enf*—3K **7**
Savoy Pl. *WC2*—7K **61** (3F **149**)
Savoy Row. *WC2*
  —7K **61** (2G **149**)
Savoy Steps. *WC2*
  —7K **61** (3G **149**)
Savoy St. *WC2*—7K **61** (3G **149**)
Savoy Way. *WC2*
  —7K **61** (3G **149**)
Sawbill Clo. *Hayes*—5B **54**
Sawkins Clo. *SW19*—2G **107**
Sawley Rd. *W12*—1B **74**
Sawtry Clo. *Cars*—7C **122**
Sawyer Clo. *N9*—2B **18**
Sawyer Ct. *NW10*—7K **41**
Sawyers Clo. *Dag*—6J **53**
Sawyers Hill. *Rich*—7F **89**
Sawyers Lawn. *W13*—6A **56**
Sawyer St. *SE1*—2C **78** (6C **150**)

Saxby Rd. *SW2*—7J **93**
Saxham Rd. *Bark*—1J **67**
Saxlingham Rd. *E4*—3A **20**
Saxon Av. *Felt*—2C **102**
Saxonbury Clo. *Mitc*—3B **122**
Saxonbury Ct. *N7*—5J **45**
Saxonbury Gdns. *Surb*—7C **118**
Saxon Bus. Cen. *SW19*—2A **122**
Saxon Clo. *E17*—7C **32**
Saxon Clo. *Surb*—6D **118**
Saxon Dri. *W3*—6G **57**
Saxonfield Clo. *SW2*—1K **109**
Saxon Gdns. *S'hall*—1C **70**
Saxon Ho. *Felt*—2D **102**
Saxon Rd. *E3*—2B **64**
Saxon Rd. *E6*—4D **66**
Saxon Rd. *N22*—1B **30**
Saxon Rd. *SE25*—5D **124**
Saxon Rd. *Brom*—7H **113**
Saxon Rd. *Ilf*—6F **51**
Saxon Rd. *S'hall*—7C **54**
Saxon Rd. *Wemb*—3J **41**
Saxon Wlk. *Sidc*—6C **116**
Saxon Way. *N14*—6C **6**
Saxton Clo. *SE13*—3F **97**
Sayers Ho. *N2*—2B **28**
  (off Grange, The)
Sayer St. *SE17*—4C **78** (3C **156**)
Sayer's Wlk. *Rich*—7F **89**
Sayes Ct. *SE8*—5B **80**
Sayes Ct. St. *SE8*—6B **80**
Scads Hill Clo. *Orp*—6K **129**
Scala St. *W1*—5G **61** (5B **142**)
Scales Rd. *N17*—3F **31**
Scampston M. *W10*—6F **59**
Scandrett St. *E1*—1H **79**
Scarba Wlk. *N1*—6D **46**
  (off Marquess Rd.)
Scarborough Rd. *E11*—1F **49**
Scarborough Rd. *N4*—1A **46**
Scarborough Rd. *N9*—7B **8**
Scarborough St. *E1*
  —6F **63** (1K **151**)
Scarle Rd. *Wemb*—6D **40**
Scarlet Rd. *SE6*—3G **113**
Scarlette Mnr. Way. *SW2*—7A **94**
Scarsbrook Rd. *SE3*—3B **98**
Scarsdale Pl. *W8*—3K **75**
Scarsdale Rd. *Harr*—3G **39**
Scarsdale Vs. *W8*—3J **75**
Scarth Rd. *SW13*—3B **90**
Scawen Rd. *SE8*—5A **80**
Scawfell St. *E2*—2F **63**
Sceaux Gdns. *SE5*—1E **94**
Sceptre Ct. *EC3*—7F **63** (3K **151**)
  (off Tower Hill)
Sceptre Rd. *E2*—3J **63**
Sceynes Link. *N12*—4D **14**
Schofield Wlk. *SE3*—7K **81**
Scholars Rd. *E4*—1A **20**
Scholars Rd. *SW12*—1G **109**
Schofield Rd. *N19*—1H **45**
Schonfeld Sq. *N16*—1D **46**
School All. *Twic*—1A **104**
School App. *E2*—3E **62** (1H **145**)
Schoolbell M. *E3*—2A **64**
School Ho. La. *E1*—7K **63**
School Ho. La. *Tedd*—7B **104**
School La. *Bush*—1A **10**
School La. *King T*—1C **118**
School La. *Pinn*—4C **22**
School La. *Well*—3B **100**
School Pas. *King T*—2F **119**
School Pas. *S'hall*—7D **54**

Sherborne Rd. Sutt —2J 131
Sherborne St. N1 —1D 62
Sherboro Rd. N15 —6F 31
Sherbourne Ct. Sutt —6A 132
Sherbourne Pl. Stan —6F 11
Sherbrooke Clo. Bexh —4G 101
Sherbrooke Rd. SW6 —7G 75
Sherbrook Gdns. N21 —7G 7
Sheredan Rd. E4 — 6A 20
Shere Ho. SE1 —2D 78 (1E 156)
Shere Rd. Ilf —5E 34
Sherfield Gdns. SW15 —6B 90
Sheridan Ct. W7 —7K 55
  (off Milton Rd.)
Sheridan Ct. Harr —6H 23
Sheridan Ct. Houn —5C 86
Sheridan Ct. N'holt —5F 39
Sheridan Cres. Chst —2F 129
Sheridan Gdns. Harr —6D 24
Sheridan Lodge. Brom —4A 128
  (off Homesdale Rd.)
Sheridan Pl. SW13 —3B 90
Sheridan Pl. Hamp —7F 103
Sheridan Rd. E7 —3H 49
Sheridan Rd. E12 —5C 50
Sheridan Rd. SW19 —1H 121
Sheridan Rd. Belv —4G 85
Sheridan Rd. Bexh —3E 100
Sheridan Rd. Rich —3C 104
Sheridan St. E1 —6H 63
Sheridan Ter. N'holt —5F 39
Sheridan Wlk. NW11 —6J 27
Sheridan Wlk. Cars —5D 132
Sheridan Way. Beck —1B 126
Sheriden Pl. Harr —7J 23
Sheringham. NW8 —7B 44
Sheringham Av. E12 —4D 50
Sheringham Av. N14 —5C 6
Sheringham Av. Romf —6J 37
Sheringham Av. Twic —1D 102
Sheringham Ct. Enf —3G 7
Sheringham Dri. Bark —5K 51
Sheringham Ho. NW1
  —5C 60 (5C 140)
Sheringham Rd. N7 —6K 45
Sheringham Rd. SE20 —3J 125
Sheringham Tower. S'hall —7F 55
Sherington Av. Pinn —7A 10
Sherington Rd. SE7 —6K 81
Sherland Rd. Twic —1K 103
Sherlock M. W1 —5E 60 (5G 141)
Sherman Rd. Brom —1J 127
Shernhall St. E17 —3E 32
Sherrard Rd. E7 & E12 —6A 50
Sherrards Way. Barn —5D 4
Sherrick Grn. Rd. NW10 —5D 42
Sherriff Rd. NW6 —6J 43
Sherringham Av. N17 —2G 31
Sherrin Rd. E10 —4D 48
Sherrock Gdns. NW4 —4C 26
Sherry M. Bark —7H 51
Sherston Ct. SE1
  —4B 78 (3B 156)
Sherston Ct. WC1
  —3A 62 (2J 143)
Sherwin Ho. SE11
  —6A 78 (7J 155)
Sherwin Rd. SE14 —1K 95
Sherwood. NW6 —7G 43
Sherwood Av. E18 —3K 33
Sherwood Av. SW16 —7H 109
Sherwood Av. Gnfd —6J 39
Sherwood Clo. SW13 —3D 90
Sherwood Clo. W13 —1B 72
Sherwood Clo. Bex —6C 100

Sherwood Ct. SW11 —3A 92
Sherwood Ct. S Harr —2G 39
Sherwood Gdns. E14 —4C 80
Sherwood Gdns. SE16 —5G 79
Sherwood Gdns. Bark —7H 51
Sherwood Pk. Av. Sidc —7A 100
Sherwood Pk. Rd. Mitc —4G 123
Sherwood Pk. Rd. Sutt —5J 131
Sherwood Rd. NW4 —3E 26
Sherwood Rd. SW19 —7H 107
Sherwood Rd. Croy —7H 125
Sherwood Rd. Hamp —5G 103
Sherwood Rd. Harr —2G 39
Sherwood Rd. Ilf —4H 35
Sherwood Rd. Well —2J 99
Sherwood St. N20 —3G 15
Sherwood St. W1
  —7G 61 (2B 148)
Sherwood Ter. N20 —3G 15
Sherwood Way. W Wick —2E 136
Shetland Rd. E3 —2B 64
Shield Dri. Bren —6A 72
Shieldhall St. SE2 —4C 84
Shifford Path. SE23 —3K 111
Shillaker Ct. W3 —1B 74
Shillibeer Pl. W1
  —5C 60 (6D 140)
Shillingford St. N1 —7B 46
Shinfield St. W12 —6E 58
Shingle End. Bren —7C 72
Shinglewell Rd. Eri —7G 85
Shinners Clo. SE25 —5G 125
Ship All. W4 —6G 73
Ship & Half Moon Pas. SE18
  —3F 83
Shipka Rd. SW12 —1F 109
Ship La. SW14 —3J 89
Shipman Rd. E16 —6K 65
Shipman Rd. SE23 —2K 111
Ship & Mermaid Row. SE1
  —2D 78 (6F 151)
Ship St. SE8 —1C 96
Ship Tavern Pas. EC3
  —7E 62 (2G 151)
Shipton Clo. Dag —3D 52
Shipton Pl. NW5 —6E 44
Shipton St. E2 — 3F 63 (1K 145)
Shipway Ter. N16 —3F 47
Shipwright Rd. SE16 —2A 80
Shipwright Yd. SE1
  —1E 78 (5G 151)
Ship Yd. E14 —5D 80
Shirburn Clo. SE23 —7J 95
Shirbutt St. E14 —7D 64
Shirebrook Rd. SE3 —3B 98
Shire Ct. Eps —7B 130
Shire Ct. Eri —3D 84
Shirehall Clo. NW4 —6F 27
Shirehall Gdns. NW4 —6F 27
Shirehall La. NW4 —6F 27
Shirehall Pk. NW4 —6F 27
Shire Horse Way. Iswth —3K 87
Shire La. Kes & Orp —7D 138
  (in two parts)
Shire M. Whit —6G 87
Shire Pl. SW18 —7K 91
Shire Pl. Bren —7C 72
Shires, The. Ham —4E 104
Shirland M. W9 —3H 59
Shirland Rd. W9 —3H 59
Shirley Av. Bex —7D 100
Shirley Av. Croy —1J 135
Shirley Av. Sutt —4B 132
Shirley Chu. Rd. Croy —3K 135
Shirley Clo. Houn —5G 87

Shirley Ct. SW16 —7J 109
Shirley Cres. Beck —4A 126
Shirley Dri. Houn —5G 87
Shirley Gdns. W7 —1K 71
Shirley Gdns. Bark —6J 51
Shirley Gro. N9 —7D 8
Shirley Gro. SW11 —3E 92
Shirley Heights. Wall —7G 133
Shirley Hills Rd. Croy —5J 135
Shirley Ho. SE5 —7D 78
  (off Picton St.)
Shirley Ho. Dri. SE7 —7A 82
Shirley Oaks Rd. Croy —1K 135
Shirley Pk. Rd. Croy —1H 135
Shirley Rd. E15 —7G 49
Shirley Rd. W4 —2K 73
Shirley Rd. Enf —3H 7
Shirley Rd. Sidc —3J 115
Shirley Rd. Wall —7G 133
Shirleys Clo. E17 —5D 32
Shirley St. E16 —6H 65
Shirley Way. Croy —3A 136
Shirlock Rd. NW3 —4D 44
Shobden Rd. N17 —1D 30
Shobroke Clo. NW2 —3E 42
Shoebury Rd. E6 —7D 50
Shoelands Ct. NW9 —3K 25
Shoe La. EC4 —6A 62 (7K 143)
Shooters Av. Harr —4C 24
Shooter's Hill. SE18 & Well
  —1E 98
Shooters Hill Rd. SE3 & SE18
  —1F 97
Shooters Rd. Enf —1G 7
Shoot Up Hill. NW2 —5G 43
Shore Clo. Hamp —6C 102
Shoreditch Ct. E8 —1F 63
  (off Queensbridge Rd.)
Shoreditch High St. E1
  —4E 62 (4H 145)
Shore Gro. Felt —2E 102
Shoreham Clo. SW18 —5K 91
Shoreham Clo. Bex —1D 116
Shoreham Clo. Croy —5J 125
Shoreham Way. Brom —6J 127
Shore Ho. SW8 —3F 93
Shore Pl. E9 —7J 47
Shore Rd. E9 —7J 47
Shorncliffe Rd. SE1
  —5F 79 (5J 157)
Shorndean St. SE6 —1E 112
Shorne Clo. Sidc —6B 100
Shornefield Clo. Brom —3E 128
Shornells Way. SE2 —5C 84
Shorrold's Rd. SW6 —7H 75
Shortcroft Rd. Eps —7B 130
Shortcrofts Rd. Dag —6F 53
Shorter St. E1 —7F 63 (2K 151)
Short Ga. N12 —4C 14
Short Hedges. Houn —1E 86
Short Hill. Harr —1J 39
Shortlands. W6 —4F 75
Shortlands Clo. N18 —3J 17
Shortlands Clo. Belv —3F 85
Shortlands Gdns. Brom —2G 127
Shortlands Gro. Brom —3F 127
Shortlands Ho. E17 —5B 32
Shortlands Rd. E10 —7D 32
Shortlands Rd. Brom —3F 127
Shortlands Rd. King T —7F 105
Short Path. SE18 —6F 83
Short Rd. E11 —2G 49
Short Rd. E15 —1F 65
Short Rd. W4 —6A 74

Shorts Croft. NW9 —4H 25
Shorts Gdns. WC2
  —6J 61 (1E 148)
Shorts Rd. Cars —4C 132
Short St. NW4 —4E 26
Short St. SE1 —2A 78 (6K 149)
Short Wall. E15 —3E 64
  —3H 115
Short Way. N12 —6H 15
Short Way. SE9 —3C 98
Short Way. Twic —7G 87
Shotfield. Wall —6F 133
Shotfield Av. SW14 —4A 90
Shott Clo. Sutt —5A 132
Shottendane Rd. SW6 —1J 91
Shottery Clo. SE9 —3C 114
Shoulder of Mutton All. E14
  —7A 64
Shouldham St. W1
  —5C 60 (6D 140)
Shrapnel Clo. SE18 —7C 82
Shrapnel Rd. SE9 —3D 98
Shrewsbury Av. SW14 —4K 89
Shrewsbury Av. Harr —4E 24
Shrewsbury Ct. EC1
  —4C 62 (4D 144)
Shrewsbury Cres. NW10 —1K 57
Shrewsbury Ho. SW8
  —6K 77 (7H 155)
Shrewsbury La. SE18 —1F 99
Shrewsbury M. W2 —5J 59
  (off Chepstow Rd.)
Shrewsbury Rd. E7 —5B 50
Shrewsbury Rd. N11 —6C 16
Shrewsbury Rd. W2 —6J 59
Shrewsbury Rd. Beck —3A 126
Shrewsbury Rd. Cars —7C 122
Shrewsbury St. W10 —4E 58
Shrewsbury Wlk. Iswth —3A 88
Shrewton Rd. SW17 —7D 108
Shroffold Rd. Brom —4G 113
Shropshire Clo. Mitc —4J 123
Shropshire Ct. W7 —6K 55
  (off Copley Clo.)
Shropshire Pl. WC1
  —4G 61 (4C 142)
Shropshire Rd. N22 —7E 16
Shroton St. NW1
  —5C 60 (5D 140)
Shrubbery Clo. N1 —1C 62
Shrubberies, The. E18 —2J 33
Shrubbery Gdns. N21 —7G 7
Shrubbery Rd. N9 —3B 18
Shrubbery Rd. SW16 —4J 109
Shrubbery Rd. S'hall —1E 70
Shrubbery, The. E11 —5K 33
Shrubland Gro. Wor Pk —3E 130
Shrubland Rd. E8 —1G 63
Shrubland Rd. E10 —7C 32
Shrubland Rd. E17 —5C 32
Shrublands Av. Croy —3C 136
Shrublands Clo. N20 —1G 15
Shrublands Clo. SE26 —3J 111
Shrubsall Clo. SE9 —1C 114
Shuna Wlk. N1 —6D 46
Shurland Av. Barn —6G 5
Shurland Gdns. SE15 —7F 79
Shuters Sq. W14 —5H 75
Shuttle Clo. Sidc —7K 99
Shuttlemead. Bex —7F 101
Shuttle St. E1 —4G 63 (4K 145)
Shuttleworth Rd. SW11 —2C 92
Sibella Rd. SW4 —2H 93
Sibley Clo. Bexh —5E 100
Sibley Gro. E12 —7C 50
Sibthorp Rd. SE12 —6K 97

Sibthorp Rd. Mitc —2D 122
Sibton Rd. Cars —7C 122
Sicilian Av. WC1 —5J 61 (6F 143)
Sickle Corner. Dag —3H 69
Sidbury St. SW6 —1G 91
Sidcup By-Pass. Chst & Sidc
  —3H 115
Sidcup High St. Sidc —4A 116
Sidcup Hill. Sidc —4B 116
Sidcup Hill Gdns. Sidc —5C 116
Sidcup Pl. Sidc —5A 116
Sidcup Rd. SE12 & SE9 —6A 98
Sidcup Technical Cen. Sidc
  —6D 116
Siddons La. NW1
  —4D 60 (4F 141)
Siddons Rd. N17 —1G 31
Siddons Rd. SE23 —2A 112
Siddons Rd. Croy —3A 134
Side Rd. E17 —5B 32
Sidewood Rd. SE9 —1H 115
Sidford Ho. SE1 —3K 77 (2J 155)
Sidford Pl. SE1 —3A 78 (2H 155)
Sidgwick Ho. SW9 —2K 93
  (off Stockwell Rd.)
Sidings M. N7 —3A 46
Sidings, The. E11 —1F 49
Sidlaw Ho. N16 —1F 47
Sidmouth Av. Iswth —2J 87
Sidmouth Ho. SE15 —7G 79
  (off Friary Rd.)
Sidmouth Pde. NW10 —7E 42
Sidmouth Rd. E10 —3E 48
Sidmouth Rd. NW2 —7E 42
Sidmouth Rd. SE15 —1F 95
Sidmouth Rd. Well —7C 84
Sidmouth St. WC1
  —3K 61 (2F 143)
Sidney Av. N13 —5E 16
Sidney Boyd Ct. NW6 —7J 43
Sidney Elson Way. E6 —2E 66
Sidney Est. E1 —5J 63
  (in two parts)
Sidney Gdns. Bren —6D 72
Sidney Gro. EC1
  —2B 62 (1A 144)
Sidney Miller Ct. W3 —1H 73
  (off Crown St.)
Sidney Rd. E7 —3J 49
Sidney Rd. N22 —7E 16
Sidney Rd. SE25 —5G 125
Sidney Rd. SW9 —2K 93
Sidney Rd. Beck —2A 126
Sidney Rd. Harr —3G 23
Sidney Rd. Twic —6A 88
Sidney Sq. E1 —5J 63
Sidney St. E1 —5H 63
Sidworth St. E8 —7H 47
Siebert Rd. SE3 —6J 81
Siemens Rd. SE18 —3B 82
Sigdon Pas. E8 —5G 47
Sigdon Rd. E8 —5G 47
Sigers, The. Pinn —6A 22
Signmakers Yd. NW1 —1F 61
  (off Delancey St.)
Sigrist Sq. King T —1E 118
Silbury Av. Mitc —1C 122
Silbury Ho. SE26 —3G 111
Silbury St. N1 —3D 62 (1E 144)
Silchester Rd. W10 —6F 59
Silecroft Rd. Bexh —1G 101
Silesia Bldgs. E8 —7H 47
Silex St. SE1 —2B 78 (7B 150)
Silicone Bus. Cen. Gnfd —2C 56

Somers Rd. E17 —4B 32
Somers Rd. SW2 —6K 93
Somerton Av. Rich —3H 89
Somerton Rd. NW2 —3G 43
Somerton Rd. SE15 —4H 95
Somertrees Av. SE12 —2K 113
Somervell Rd. Harr —5D 38
Somerville Rd. SE20 —7K 111
Somerville Rd. Romf —6C 36
Sonderburg Rd. N7 —2K 45
Sondes St. SE17
—6D 78 (7E 156)
Sonia Ct. Edgw —7A 12
Sonia Ct. Harr —6K 23
Sonia Gdns. N12 —4F 15
Sonia Gdns. NW10 —4B 42
Sonia Gdns. Houn —7E 70
Sonning Gdns. Hamp —6C 102
Sonning Rd. SE25 —6G 125
Sontan Ct. Twic —1H 103
Soper Clo. E4 —5G 19
Sophia Clo. N7 —6K 45
Sophia Rd. E10 —1D 48
Sophia Rd. E16 —6K 65
Sophia Sq. SE16 —7A 64
(off Sovereign Cres.)
Sopwith. NW9 —7G 13
Sopwith Clo. King T —5F 105
Sopwith Rd. Houn —7A 70
Sopwith Way. SW8 —7F 77
Sopwith Way. King T —1E 118
Sorensen Ct. E10 —2D 48
Sorrel Clo. SE28 —1A 84
Sorrel Gdns. E6 —5C 66
Sorrel La. E14 —6F 65
Sorrell Clo. SE14 —7A 80
Sorrell Clo. SW9 —2A 94
Sorrento Rd. Sutt —3K 131
Sotheby Rd. N5 —3C 46
Sotheran Clo. E8 —1G 63
Sotheron Rd. SW6 —7K 75
Soudan Rd. SW11 —1D 92
Souldern Rd. W14 —3F 75
S. Access Rd. E17 —7A 32
South Acre. NW9 —2B 26
Southacre Way. Pinn —1A 22
S. Africa Rd. W12 —1D 74
Southall Ct. S'hall —7D 54
Southall Enterprise Cen. S'hall
—2E 70
Southall La. Houn & S'hall
—6A 70
Southall Pl. SE1 —2D 78 (7E 150)
Southampton Bldgs. WC2
—5A 62 (6J 143)
Southampton Gdns. Mitc
—5J 123
Southampton Pl. WC1
—5J 61 (6F 143)
Southampton Rd. NW5 —5D 44
Southampton Row. WC1
—5J 61 (5F 143)
Southampton St. WC2
—7J 61 (2F 149)
Southampton Way. SE5 —7D 78
Southam St. W10 —4G 59
S. Audley St. W1
—7E 60 (3H 147)
South Av. E4 —7J 9
South Av. N2 —4K 27
South Av. NW10 —4E 58
South Av. Cars —7E 132
South Av. Rich —2G 89
South Av. S'hall —7D 54
South Av. Gdns. S'hall —7D 54

South Bank. Chst —4G 115
South Bank. Surb —6E 118
Southbank. Th Dit —7B 118
Southbank Bus. Cen. SW8
—6H 77
Southbank Bus. Cen. SW11
—1D 92
S. Bank Ter. Surb —6E 118
S. Birkbeck Rd. E11 —3F 49
S. Black Lion La. W6 —5C 74
S. Bolton Gdns. SW5 —5A 76
Southborough Clo. Surb
—7D 118
Southborough La. Brom —5C 128
Southborough Rd. E9 —1K 63
Southborough Rd. Brom
—3C 128
Southborough Rd. SE12 —3D 50
Southbourne. Brom —7J 127
Southbourne Av. NW9 —2J 25
Southbourne Clo. Pinn —7C 22
Southbourne Ct. NW9 —2J 25
Southbourne Cres. NW4 —4G 27
Southbourne Gdns. SE12 —5K 97
Southbourne Gdns. Ilf —5G 51
Southbourne Gdns. Ruis —1A 38
S. Branch Av. NW10 —4E 58
Southbridge Pl. Croy —4C 134
Southbridge Rd. Croy —4C 134
Southbridge Way. S'hall —2C 70
Southbrook M. SE12 —6H 97
Southbrook Rd. SE12 —6H 97
Southbrook Rd. SW16 —1J 123
Southbury Av. Enf —4B 8
Southbury Rd. Enf —3K 7
S. Carriage Dri. SW7 & SW1
—2B 76 (7B 146)
Southchurch Ct. E6 —2D 66
(off High St. S.)
Southchurch Rd. E6 —2D 66
South Clo. N6 —6F 29
South Clo. Barn —3C 4
South Clo. Bexh —4D 100
South Clo. Dag —1G 69
South Clo. Mord —6J 121
South Clo. Pinn —7D 22
South Clo. Twic —3E 102
S. Colonnade. E14 —1C 80
Southcombe St. W14 —4G 75
Southcote Av. Surb —7H 119
Southcote Av. E17 —5K 31
Southcote Rd. N19 —4G 45
Southcote Rd. SE25 —5H 125
S. Countess Rd. E17 —3B 32
South Cres. E16 —4F 65
(in two parts)
South Cres. WC1
—5H 61 (6C 142)
Southcroft Av. Well —3J 99
Southcroft Av. W Wick —2E 136
Southcroft Rd. SW17 & SW16
—6E 108
S. Cross Rd. Ilf —5G 35
S. Croxted Rd. SE21 —3D 110
Southdean Gdns. SW19 —2H 107
South Dene. NW7 —3E 12
Southdene Ct. N11 —3A 16
Southdown. N7 —6J 45
Southdown Av. W7 —3A 72
Southdown Cres. Harr —1G 39
Southdown Cres. Ilf —5J 35
Southdown Dri. SW20 —7F 107
Southdown Rd. SW20 —1F 121
Southdown Rd. Cars —7E 132

South Dri. E12 —3C 50
S. Ealing Rd. W5 —2D 72
S. Eastern Av. N9 —3A 18
S. Eaton Pl. SW1
—4E 76 (3H 153)
S. Eden Pk. Rd. Beck —6D 126
S. Edwardes Sq. W8 —3H 75
South End. W8 —3K 75
South End. Croy —4C 134
S. End Clo. NW3 —4C 44
Southend Clo. SE9 —6F 99
Southend Cres. SE9 —6F 99
S. End Grn. NW3 —4C 44
Southend La. SE26 & SE6
—4B 112
Southend Rd. E6 —7D 50
Southend Rd. E17 & E18 —1F 33
S. End Rd. NW3 —4C 44
Southend Rd. Beck —1C 126
Southend Rd. Wfd G —2A 34
S. End Row. W8 —3K 75
Southerby Av. Enf —4B 8
Southern Av. SE25 —3F 125
Southerngate Way. SE14 —7A 80
Southern Gro. E3 —3B 64
Southern Rd. E13 —2K 65
Southern Rd. N2 —4D 28
Southern Row. W10 —4G 59
Southern St. N1 —2K 61
Southernwood Retail Pk. SE1
—5F 79 (5J 157)
Southerton Rd. W6 —4E 74
S. Esk Rd. E7 —6A 50
Southey Ho. SE17
—5C 78 (5D 156)
Southey M. E16 —1K 81
Southey Rd. N15 —5E 30
Southey Rd. SW9 —1A 94
Southey Rd. SW19 —7J 107
Southey St. SE20 —7K 111
Southfield. Barn —6A 4
Southfield Cotts. W7 —2K 71
Southfield Gdns. Twic —4K 103
Southfield Pk. Harr —4F 23
Southfield Rd. N17 —2E 30
Southfield Rd. W4 —2K 73
Southfield Rd. Chst —3K 129
Southfield Rd. Enf —6C 8
Southfields. NW4 —3D 26
Southfields Ct. Sutt —2J 131
Southfields Pas. SW18 —6J 91
Southfields Rd. SW18 —6J 91
South Gdns. SW19 —7B 108
South Gdns. Wemb —2G 41
Southgate Cir. N14 —1C 16
Southgate Gro. N1 —7D 46
Southgate Ind. Est. N14 —7B 6
Southgate Rd. N1 —1D 62
S. Gipsy Rd. Well —3D 100
S. Glade, The. Bex —1F 117
South Grn. NW9 —1A 26
South Gro. E17 —5A 32
South Gro. N6 —1E 44
South Gro. N15 —5D 30
S. Harrow Ind. Est. S Harr
—2G 39
South Hill. Chst —6D 114
S. Hill Av. S Harr & Harr —3G 39
S. Hill Gro. Harr —4J 39
S. Hill Pk. NW3 —4C 44
S. Hill Pk. Gdns. NW3 —4C 44
S. Hill Rd. Brom —3G 127

Southholme Clo. SE19 —1E 124
Southill Ct. Hay —5H 127
Southill Rd. Chst —7C 114
Southill St. E14 —6D 64
S. Island Pl. SW9 —7K 77
S. Lambeth Pl. SW8
—6J 77 (7F 155)
S. Lambeth Rd. SW8
—7J 77 (7F 155)
Southland Rd. SE18 —7K 83
Southlands Dri. SW19 —2F 107
Southlands Gro. Brom —3C 128
Southlands Rd. Brom —4B 128
Southland Way. Houn —5H 87
South La. King T —3D 118
South La. N Mald —4K 119
South La. W. N Mald —4K 119
South Lodge.
—3B 60 (1A 140)
S. Lodge. Twic —7G 87
S. Lodge Av. Mitc —4J 123
S. Lodge Cres. Enf —4C 6
(in two parts)
S. Lodge Dri. N14 —4C 6
Southly Clo. Sutt —3J 131
South Mall. N9 —3B 18
(off Plevna Rd.)
South Mead. NW9 —1B 26
South Mead. Eps —7B 130
S. Meadows. Wemb —5F 41
Southmead Rd. SW19 —1G 107
S. Molton La. W1
—6F 61 (1J 147)
S. Molton Rd. E16 —6J 65
S. Molton St. W1
—6F 61 (1J 147)
Southmoor Way. E9 —6B 48
South Mt. N20 —2F 15
(off High Rd.)
S. Norwood Hill. SE19 & SE25
—2E 124
S. Oak Rd. SW16 —4K 109
Southold Rise. SE9 —3D 114
Southolme Clo. SE19 —1E 124
Southolm St. SW11 —1F 93
Southover. N12 —3D 14
Southover. Brom —5J 113
South Pde. SW3
—5B 76 (5B 152)
South Pde. W4 —4K 73
South Pde. Edgw —2G 25
South Pde. Wall —6G 133
South Pk. Ct. Beck —7C 112
South Pk. Cres. SE6 —1H 113
South Pk. Cres. Ilf —3H 51
South Pk. Dri. Bark & Ilf —5J 51
South Pk. Gro. N Mald —4J 119
South Pk. Hill Rd. S Croy
—5D 134
South Pk. M. SW6 —3K 91
South Pk. Rd. SW19 —6J 107
South Pk. Rd. Ilf —3H 51
South Pk. Ter. Ilf —3H 51
South Pk. Way. Ruis —6A 38
South Pl. EC2 —5D 62 (6F 145)
South Pl. N Mald —4J 119
South Pl. Surb —7F 119
South Pl. M. EC2
—5D 62 (6F 145)
Southport Rd. SE18 —4H 83
S. Quay Plaza. E14 —2D 80
Southridge Pl. SW20 —7F 107
South Rise. W2 —7C 60 (2D 146)
S. Rise. Cars —7C 132
S. Rise Way. SE18 —4H 83

South Rd. N9 —1B 18
South Rd. SE23 —2K 111
South Rd. SW19 —6A 108
South Rd. W5 —4D 72
South Rd. Chad H —6E 36
South Rd. Edgw —1H 25
South Rd. Felt —5B 102
South Rd. Hamp —6C 102
South Rd. L Hth —5C 36
South Rd. S'hall —2D 70
South Rd. Twic —3H 103
South Row. SE3 —2H 97
Southsea Rd. King T —4E 118
S. Sea St. SE16 —3B 80
South Side. N15 —4F 31
South Side. W6 —3B 74
Southside Comn. SW19 —6E 106
Southspring. Sidc —7H 99
South Sq. NW11 —6K 27
South Sq. WC1 —5A 62 (6J 143)
South St. W1 —1E 76 (4H 147)
South St. Brom —2J 127
South St. Enf —5D 8
South St. Iswth —3A 88
South St. Rain —2J 69
S. Tenter St. E1 —7F 63 (2K 151)
South Ter. SW7 —4C 76 (3C 152)
South Ter. Surb —6E 118
Southvale. SE19 —6E 110
South Vale. Harr —4J 39
Southvale Rd. SE3 —2G 97
Southview. Brom —2A 128
Southview Av. NW10 —5B 42
Southview Clo. SW17 —5E 108
S. View Clo. Bex —6F 101
S. View Ct. SE19 —7C 110
Southview Cres. Ilf —6F 35
S. View Dri. E18 —3K 33
Southview Gdns. Wall —7G 133
Southview Pde. Rain —3K 69
S. View Rd. N8 —3H 29
Southview Rd. Brom —4F 113
S. View Rd. Pinn —1A 22
South Vs. NW1 —6H 45
Southville. SW8 —1H 93
Southville Clo. Eps —7A 130
Southville Rd. Th Dit —7B 118
South Wlk. W Wick —3G 137
Southwark Bri. SE1 & EC4
—7C 62 (3D 150)
Southwark Bri. Office Village. SE1
—1C 78 (4D 150)
Southwark Bri. Rd. SE1
—3B 78 (1B 156)
Southwark Gro. SE1
—1C 78 (5C 150)
Southwark Pk. Rd. SE16
—4F 79 (3K 157)
Southwark Pk. Rd. Est. SE1
—4F 79 (3K 157)
Southwark St. SE1
—1B 78 (4A 150)
Southwater Clo. E14 —6B 64
Southwater Clo. Beck —7D 112
South Way. E14 —3C 80
South Way. N9 —2D 18
South Way. N11 —6B 16
Southway. N20 —2D 14
Southway. NW11 —6K 27
Southway. SW20 —4E 120
South Way. Croy —3A 136
South Way. Harr —4E 22
South Way. Hay —7J 127
Southway. Wall —4G 133

South Way. *Wemb* —5G **41**
Southwell Av. *N'holt* —6E **38**
Southwell Gdns. *SW7* —3A **76**
Southwell Gro. Rd. *E11* —2G **49**
Southwell Ho. *SE16* —4H **79**
 (off Anchor St.)
Southwell Rd. *SE5* —3C **94**
Southwell Rd. *Croy* —6A **124**
Southwell Rd. *Kent* —6D **24**
S. Western Rd. *Twic* —6A **88**
S. W. India Dock Entrance. *E14*
 —2E **80**
Southwest Rd. *E11* —1F **49**
S. Wharf Rd. *W2*
 —6B **60** (7A **140**)
Southwick M. *W2*
 —6B **60** (7B **140**)
Southwick Pl. *W2*
 —6C **60** (1C **146**)
Southwick St. *W2*
 —6C **60** (7C **140**)
Southwick Yd. *W2*
 —6C **60** (1C **146**)
Southwold Dri. *Bark* —5A **52**
Southwold Mans. *W9* —3J **59**
 (off Widley Rd.)
Southwold Rd. *E5* —2H **47**
Southwold Rd. *Bex* —6H **101**
Southwood Av. *N6* —7F **29**
Southwood Av. *King T* —1J **119**
Southwood Av. *Brom* —4D **128**
Southwood Clo. *Wor Pk* —1F **131**
Southwood Ct. *EC1*
 —3B **62** (2A **144**)
 (off Wynyatt St.)
Southwood Ct. *NW11* —5K **27**
Southwood Dri. *Surb* —7J **119**
S. Woodford to Barking Relief Rd.
 E11 & E12 —5B **34**
Southwood Gdns. *Ilf* —4F **35**
Southwood Hall. *N6* —6F **29**
Southwood Heights. *N6* —7F **29**
Southwood La. *N6* —1E **44**
Southwood Lawn Rd. *N6* —7E **28**
Southwood Mans. *N6* —6E **28**
 (off Southwood La.)
Southwood Pk. *N6* —7E **28**
Southwood Rd. *SE9* —2F **115**
Southwood Rd. *SE28* —1B **84**
Southwood Smith St. *N1* —1B **62**
 (off Old Royal Free Sq.)
S. Worple Av. *SW14* —3A **90**
S. Worple Way. *SW14* —3K **89**
Southwyck Ho. *SW9* —4B **94**
Sovereign Bus. Cen. *Enf* —3G **9**
Sovereign Clo. *E1* —7H **63**
Sovereign Clo. *W5* —5C **56**
Sovereign Ct. *Houn* —3E **86**
Sovereign Cres. *SE16* —7A **64**
Sovereign Gro. *Wemb* —3D **40**
Sovereign M. *E2* —2F **63**
Sovereign Pk. *NW10* —4H **57**
Sovereign Pk. Trad. Est. *NW10*
 —4H **57**
Sovereign Rd. *Bark* —3C **68**
Sowerby Clo. *SE9* —5D **98**
Spa Clo. *SE19* —1E **124**
Spa Ct. *SW16* —4K **109**
Spafield St. *EC1* —4A **62** (3J **143**)
Spa Grn. Est. *EC1*
 —3B **62** (1K **143**)
Spa Hill. *SE19* —1D **124**
Spalding Ho. *SE4* —4A **96**
Spalding Rd. *NW4* —7E **26**
Spalding Rd. *SW17* —5F **109**

Spanby Rd. *E3* —4C **64**
Spaniards Clo. *NW11* —1B **44**
Spaniards End. *NW3* —1A **44**
Spaniards Rd. *NW3* —2A **44**
Spanish Pl. *W1* —6E **60** (7H **141**)
Spanish Rd. *SW18* —5B **92**
Spanswick Lodge. *N15* —4B **30**
Sparkbridge Rd. *Harr* —4J **23**
Sparkes. *Sidc* —5B **116**
Sparke Ter. *E16* —6H **65**
 (off Clarkson Rd.)
Sparks Clo. *W3* —6K **57**
Sparks Clo. *Dag* —2D **52**
Sparks Clo. *Hamp* —6C **102**
Spa Rd. *SE16* —3F **79** (2J **157**)
Sparrick's Row. *SE1*
 —2D **78** (6F **151**)
Sparrow Clo. *Hamp* —6C **102**
Sparrow Dri. *Orp* —7G **129**
Sparrow Farm Dri. *Felt* —7A **86**
Sparrow Farm Rd. *Eps* —4C **130**
Sparrow Grn. *Dag* —3H **53**
Sparrows La. *SE9* —7G **99**
Sparrows Way. *Bush* —1B **10**
Sparsholt Clo. Bark —1J **67**
 (off Sparsholt Rd.)
Sparsholt Rd. *N19* —1J **45**
Sparsholt Rd. *Bark* —1J **67**
Sparta St. *SE10* —1E **96**
Speakers Ct. *Croy* —1D **134**
Speakman Ho. *SE4* —3A **96**
 (off Arica Rd.)
Spearman St. *SE18* —6E **82**
Spear M. *SW5* —4J **75**
Spearpoint Gdns. *Ilf* —5K **35**
Spears Rd. *N19* —1J **45**
Speart La. *Houn* —7C **70**
Spedan Clo. *NW3* —3A **44**
Speed Ho. *EC2* —5D **62** (5D **144**)
Speedwell Ho. *N12* —5E **4**
Speedwell St. *SE8* —7C **80**
Speedy Pl. *WC1* —3J **61** (2E **142**)
Speirs Clo. *N Mald* —6B **120**
Speke Hill. *SE9* —3D **114**
Speke Rd. *T Hth* —2D **124**
Speldhurst Clo. *Brom* —5J **127**
Speldhurst Rd. *E9* —7K **47**
Speldhurst Rd. *W4* —3K **73**
Spellbrook Wlk. *N1* —1C **62**
 (off Basire St.)
Spelman St. *E1* —5G **63** (5K **145**)
Spence Clo. *SE16* —2B **80**
Spencer Av. *N13* —6E **16**
Spencer Clo. *N3* —2J **27**
Spencer Clo. *NW10* —3F **57**
Spencer Clo. *Wfd G* —5F **21**
Spencer Dri. *N2* —6A **28**
Spencer Gdns. *SE9* —5D **98**
Spencer Gdns. *SW14* —5J **89**
Spencer Hill. *SW19* —6G **107**
Spencer Ho. *NW4* —5D **26**
Spencer M. *W6* —6G **75**
Spencer Pk. *SW18* —5B **92**
Spencer Pas. E2 —2H **63**
 (off Coate St.)
Spencer Pl. N1 —7B **46**
 (off Tyndale Ter.)
Spencer Pl. *Croy* —7D **124**
Spencer Rise. *NW5* —4F **45**
Spencer Rd. *E6* —1B **66**
Spencer Rd. *E17* —2E **32**
Spencer Rd. *N8* —5K **29**
 (in two parts)

Spencer Rd. *N11* —4A **16**
Spencer Rd. *N17* —1G **31**
Spencer Rd. *SW18* —4B **92**
Spencer Rd. *SW20* —1D **120**
Spencer Rd. *W3* —1J **73**
Spencer Rd. *W4* —7J **73**
Spencer Rd. *Brom* —7H **113**
Spencer Rd. *Harr* —2J **23**
Spencer Rd. *Ilf* —1K **51**
Spencer Rd. *Iswth* —1G **87**
Spencer Rd. *Mitc* —3E **122**
Spencer Rd. *Mit J* —7E **122**
Spencer Rd. *Rain* —3K **69**
Spencer Rd. *S Croy* —5E **134**
Spencer Rd. *Twic* —3J **103**
Spencer Rd. *Wemb* —2C **40**
Spencer St. *EC1*
 —3B **62** (2A **144**)
Spencer St. *S'hall* —2B **70**
Spencer Wlk. *NW3* —4B **44**
Spencer Wlk. *SW15* —4F **91**
Spenlow Ho. *SE16* —3G **79**
 (off Jamaica Rd.)
Spenser Gro. *N16* —5E **46**
Spenser M. *SE21* —2D **110**
Spenser Rd. *SE24* —5B **94**
Spenser St. *SW1*
 —3G **77** (1B **154**)
Spensley Wlk. *N16* —3D **46**
Speranza St. *SE18* —5K **83**
Sperling Rd. *N17* —2E **30**
Spert St. *E14* —7A **64**
Speyside. *N14* —6B **6**
Spey St. *E14* —5E **64**
Spey Way. *Romf* —1K **37**
Spezia Rd. *NW10* —2C **58**
Spice Ct. *E1* —7G **63**
Spicer Clo. *SW9* —2B **94**
Spicer Ct. *Enf* —3K **7**
Spice's Yd. *Croy* —4C **134**
Spigurnell Rd. *N17* —1D **30**
Spikes Bri. Rd. *S'hall* —6C **54**
Spilsby Clo. *NW9* —1A **26**
Spindle Clo. *SE18* —3C **82**
Spindlewood Gdns. *Croy*
 —4E **134**
Spindrift Av. *E14* —4C **80**
Spinel Clo. *SE18* —5K **83**
Spinnells Rd. *Harr* —1D **38**
Spinney Clo. *N Mald* —5A **120**
Spinney Clo. *Wor Pk* —2B **130**
Spinney Gdns. *SE19* —5F **111**
Spinney Gdns. *Dag* —5E **52**
Spinney Oak. *Brom* —2C **128**
Spinneys, The. *Brom* —1D **128**
Spinney, The. *N21* —7F **7**
Spinney, The. *SW13* —6D **74**
Spinney, The. *SW16* —3G **109**
Spinney, The. *Barn* —2E **4**
Spinney, The. *Sidc* —5E **116**
Spinney, The. *Stan* —4K **11**
Spinney, The. *Sutt* —4E **130**
Spinney, The. *Wemb* —3A **40**
Spires Shop. Cen., The. *Barn*
 —3B **4**
Spirit Quay. *E1* —1G **79**
Spital Sq. *E1* —5E **62** (5H **145**)
Spital St. *E1* —5G **63** (5K **145**)
Spital Yd. *E1* —5E **62** (5H **145**)
Spitfire Est., The. *Houn* —5A **70**
Spitfire Way. *Houn* —5A **70**
Splendon Wlk. *SE16* —5J **79**
 (off Verne Rd.)
Spode Ho. *SE11* —3A **78** (2J **155**)
Spode Wlk. *NW6* —5K **43**

Spondon Rd. *N15* —4G **31**
Spoonbill Way. *Hayes* —5B **54**
Spooner Ho. *Houn* —6E **70**
Spooners M. *W3* —1K **73**
Spooner Wlk. *Wall* —5J **133**
Sportsbank St. *SE6* —7E **96**
Spottons Gro. *N17* —1C **30**
Spout Hill. *Croy* —5C **136**
Spratt Hall Rd. *E11* —6J **33**
Spray La. *Twic* —6J **87**
Spray St. *SE18* —4F **83**
Sprimont Pl. *SW3*
 —4D **76** (5E **152**)
Springall St. *SE15* —7H **79**
Spring Bank. *N21* —6E **6**
Springbank Rd. *SE13* —6F **97**
Springbank Wlk. *NW1* —7H **45**
Springbourne Ct. *Beck* —1E **126**
 (in two parts)
Spring Bri. M. *W5* —7D **56**
Springbridge Rd. *W5* —7D **56**
Spring Clo. *Barn* —5A **4**
Spring Clo. *Dag* —1D **52**
Spring Clo. La. *Sutt* —6G **131**
Spring Cotts. *Surb* —5D **118**
Spring Ct. *NW6* —6H **43**
Spring Ct. *Eps* —7B **130**
Spring Ct. Rd. *Enf* —1F **7**
Springcroft Av. *N2* —4D **28**
Springdale M. *N16* —4D **46**
Springdale Rd. *N16* —4D **46**
Springfield. *E5* —1H **47**
Springfield. *Bush* —1C **10**
Springfield Av. *N10* —3G **29**
Springfield Av. *SW20* —3H **121**
Springfield Av. *Hamp* —6F **103**
Springfield Clo. *N12* —5E **14**
Springfield Clo. *Stan* —3F **11**
Springfield Ct. *Ilf* —5F **51**
Springfield Ct. *Wall* —5F **133**
Springfield Dri. *Ilf* —5G **35**
Springfield Gdns. *E5* —1H **47**
Springfield Gdns. *NW9* —5K **25**
Springfield Gdns. *Brom* —4D **128**
Springfield Gdns. *Ruis* —1A **38**
Springfield Gdns. *W Wick*
 —2D **136**
Springfield Gdns. *Wfd G* —7F **21**
Springfield Gro. *SE7* —6A **82**
Springfield La. *NW6* —1K **59**
Springfield Mt. *NW9* —5A **26**
Springfield Pde. M. *N13* —4F **17**
Springfield Pl. *N Mald* —4J **119**
Springfield Rise. *SE26* —3H **111**
 (in two parts)
Springfield Rd. *E4* —1B **20**
Springfield Rd. *E6* —7D **50**
Springfield Rd. *E15* —3G **65**
Springfield Rd. *E17* —6B **32**
Springfield Rd. *N11* —5A **16**
Springfield Rd. *N15* —4G **31**
Springfield Rd. *NW8* —1A **60**
Springfield Rd. *SE26* —5H **111**
Springfield Rd. *SW19* —5H **107**
Springfield Rd. *W7* —1J **71**
Springfield Rd. *Bexh* —4H **101**
Springfield Rd. *Brom* —4D **128**
Springfield Rd. *Harr* —6J **23**
Springfield Rd. *Hayes* —1A **70**
Springfield Rd. *Tedd* —5A **104**
Springfield Rd. *T Hth* —1C **124**
Springfield Rd. *Twic* —1E **102**
Springfield Rd. *Wall* —5F **133**
Springfield Rd. *Well* —3B **100**

Springfields. New Bar —5E **4**
 (off Somerset Rd.)
Springfield Wlk. *NW6* —1K **59**
Springfield Wlk. Orp —7J **129**
 (off Andover Rd.)
Spring Gdns. *N5* —5C **46**
Spring Gdns. *SW1*
 —1H **77** (4D **148**)
Spring Gdns. *Romf* —5J **37**
Spring Gdns. *Wall* —5G **133**
Spring Gdns. *Wfd G* —7F **21**
Spring Gro. *SE19* —7F **111**
Spring Gro. *W4* —5G **73**
Spring Gro. *Mitc* —1E **122**
Spring Gro. Cres. *Houn* —1G **87**
Spring Gro. Rd. *Houn & Iswth*
 —1F **87**
Spring Gro. Rd. *Rich* —5F **89**
Spring Hill. *E5* —7G **31**
Spring Hill. *SE26* —4J **111**
Springhill Clo. *SE5* —3D **94**
Springhurst Clo. *Croy* —4B **136**
Spring Lake. *Stan* —4G **11**
Spring La. *E5* —7H **31**
Spring La. *N10* —3E **28**
Spring La. *SE25* —6H **125**
Sprimg M. *W1* —5D **60** (5F **141**)
Spring M. *Eps* —7B **130**
Spring Pk. Av. *Croy* —2K **135**
Spring Pk. Dri. *N4* —1C **46**
Springpark Dri. *Beck* —3E **126**
Spring Pk. Rd. *Croy* —2K **135**
Spring Path. *NW3* —5B **44**
Spring Pl. *N3* —2J **27**
Spring Pl. *NW5* —5F **45**
Springpond Rd. *Dag* —5E **52**
Springrice Rd. *SE13* —6F **97**
Spring Shaw Rd. *Orp* —7A **116**
Spring St. *W2* —6B **60** (1A **146**)
Spring Ter. *Rich* —5E **88**
Spring Tide Clo. *SE15* —1G **95**
Spring Vale. *Bexh* —4H **101**
Springvale Av. *Bren* —5E **72**
Spring Vale Ter. *W14* —3F **75**
Spring Villa Rd. *Edgw* —7B **12**
Spring Wlk. *E1* —5G **63**
Springwater Clo. *SE18* —1E **98**
Springway. *Harr* —7H **23**
Springwell Av. *NW10* —1B **58**
Springwell Clo. *SW16* —4K **109**
Springwell Ct. *Houn* —2B **86**
Springwell Rd. *SW16* —4A **110**
Springwell Rd. *Houn* —1B **86**
Springwood Ct. *S Croy* —4E **134**
Springwood Cres. *Edgw* —2C **12**
Sprowston M. *E7* —6J **49**
Sprowston Rd. *E7* —5J **49**
Spruce Ct. *E4* —6G **19**
Spruce Ct. *E8* —7F **47**
Spruce Ct. *W5* —3E **72**
Sprucedale Gdns. *Croy* —4K **135**
Spruce Hills Rd. *E17* —2E **32**
Spruce Pk. *Short* —4H **127**
Sprules Rd. *SE4* —2A **96**
Spurgeon Av. *SE19* —1D **124**
Spurgeon Rd. *SE19* —1D **124**
Spurgeon St. *SE1*
 —3D **78** (1E **156**)
Spurling Rd. *SE22* —4F **95**
Spurling Rd. *Dag* —6F **53**
Spurrell Av. *Bex* —4K **117**
Spur Rd. *N15* —4D **30**
Spur Rd. *SE1* —2A **78** (6J **149**)
Spur Rd. *SW1* —2G **77** (7A **148**)
Spur Rd. *Edgw* —4K **11**

Spur Rd. Felt —4A 86
Spur Rd. Iswth —7A 72
Spurstowe Rd. E8 —6H 47
Spurstowe Ter. E8 —5H 47
Square Rigger Row. SW11
—3A 92
Square, The. W6 —5E 74
Square, The. Cars —5E 132
Square, The. Ilf —7E 34
Square, Tho. Rich —5D 88
Square, The. Wfd G —5D 20
Squarey St. SW17 —3A 108
Squires Ct. SW4 —1J 93
Squires Ct. SW19 —4J 107
Squires La. N3 —2K 27
Squires Mt. NW3 —3B 44
Squires, The. Romf —6J 37
Squires Way. Dart —4K 117
Squires Wood Dri. Chst —7C 114
Squirrel Clo. Houn —3A 86
Squirrel M. N13 —7K 55
Squirrels Clo. N12 —4F 15
Squirrels Ct. Wor Pk —2B 130
(off Avenue, The)
Squirrels Drey. Short —2G 127
(off Park Hill Rd.)
Squirrels Grn. Wor Pk —2B 130
Squirrel's La. Buck H —3G 21
Squirrels, The. SE13 —3F 97
Squirrels, The. Pinn —3D 22
Squirries St. E2 —3G 63
Stable Clo. N'holt —2E 54
Stable M. SE27 —5C 110
Stables, The. W10 —6F 59
(off Bassett Rd.)
Stables, The. Buck H —1F 21
Stables Way. SE11
—5A 78 (5J 155)
Stable Wlk. N2 —1B 28
Stable Way. W10 —6E 58
Stable Yd. SW1 —2G 77 (6A 148)
Stable Yd. SW9 —2K 93
Stable Yd. SW15 —3E 90
Stable Yd. Rd. SW1
—2G 77 (6B 148)
Stacey Av. N18 —4D 18
Stacey Clo. E10 —5F 33
Stacey St. N7 —3A 46
Stacey St. WC2 —6H 61 (1D 148)
Stackhouse St. SW3
—3D 76 (1E 152)
Stacy Path. SE5 —7E 78
Stadbrook Clo. S Harr —3D 38
Stadium Bus. Cen. Wemb —3H 41
Stadium Rd. NW4 —7E 26
Stadium Rd. SE18 —7D 82
Stadium St. SW10 —7A 76
Stadium Way. Wemb —4F 41
Staffa Rd. E10 —1A 48
Stafford Clo. E17 —6B 32
Stafford Clo. N14 —5B 6
Stafford Clo. NW6 —3J 59
Stafford Clo. Sutt —6G 131
Stafford Ct. SW8 —7J 77
Stafford Ct. W7 —6K 55
(off Copley Clo.)
Stafford Cripps Ho. SW6 —6H 75
(off Clem Attlee Ct.)
Stafford Cross Bus. Pk. Croy
—5K 133
Stafford Gdns. Croy —5K 133
Stafford Pl. SW1
—3G 77 (1A 154)
Stafford Pl. Rich —7F 89
Stafford Rd. E3 —2B 64

Stafford Rd. E7 —7A 50
Stafford Rd. NW6 —3J 59
Stafford Rd. Harr —7B 10
Stafford Rd. High Bar —3B 4
Stafford Rd. N Mald —3J 119
Stafford Rd. Sidc —4J 115
Stafford Rd. Wall & Croy
—6G 133
Staffordshire St. SE15 —1G 95
Stafford St. W1 —1G 77 (4A 148)
Stafford Ter. W8 3J 75
Staff St. EC1 —3D 62 (2F 145)
Stag Clo. Edgw —2H 25
Stag La. SW15 —3B 106
Stag La. Buck H —2E 20
Stag La. Edgw & NW9 —2H 25
Stag Lane. (Junct.) —2B 106
Stag Pl. SW1 —3G 77 (1A 154)
Stags Way. Iswth —7K 71
Stainbank Rd. Mitc —3F 123
Stainby Rd. N15 —4F 31
Stainer St. SE1 —1D 78 (5F 151)
Staines Av. Sutt —2F 131
Staines Rd. Felt & Houn —6A 86
Staines Rd. Ilf —4G 51
Staines Rd. Twic —3E 102
Staines Rd. E. Sun —7A 102
Staines Wlk. Sidc —6C 116
Stainforth Rd. E17 —4C 32
Stainforth Rd. Ilf —7H 35
Staining La. EC2
—6C 62 (7D 144)
Stainmore Clo. Chst —1H 129
Stainsbury St. E2 —2J 63
Stainsby Pl. E14 —6C 64
Stainsby Rd. E14 —6C 64
Stainton Rd. SE6 —6F 97
Stainton Rd. Enf —1D 8
Stalbridge St. NW1
—5C 60 (5D 140)
Stalham St. SE16 —3H 79
Stambourne Way. SE19 —7E 110
Stambourne Way. W Wick
—2E 136
Stamford Brook Av. W6 —3B 74
Stamford Brook Gdns. W6
—3B 74
Stamford Brook Mans. W6
(off Goldhawk Rd.) —4B 74
Stamford Brook Rd. W6 —3B 74
Stamford Clo. N15 —5G 31
Stamford Clo. S Harr —3A 44
(off Heath St.)
Stamford Clo. Harr —7D 10
Stamford Clo. S'hall —7E 54
Stamford Ct. W6 —4C 74
Stamford Dri. Brom —4H 127
Stamford Gdns. Dag —7C 52
Stamford Gro. E. N16 —1G 47
Stamford Gro. W. N16 —1G 47
Stamford Hill. N16 —2F 47
Stamford Lodge. N16 —7F 31
Stamford Rd. E6 —1C 66
Stamford Rd. N1 —7E 46
Stamford Rd. N15 —5G 31
Stamford Rd. Dag —1B 68
Stamford St. SE1
—1A 78 (5J 149)
Stamford Wharf. SE1
—7A 62 (3K 149)
Stamp Pl. E2 —2F 63 (1J 145)
Stanard Clo. N16 —7F 30
Stanborough Clo. Hamp —6D 102
Stanborough Pas. E8 —6F 47
Stanborough Rd. Houn —3H 87

Stanbridge Pl. N21 —3G 17
Stanbridge Rd. SW15 —3E 90
Stanbrook Rd. SE2 —2B 84
Stanbury Ct. NW3 —6D 44
Stanbury Rd. SE15 —2H 95
(in two parts)
Stancroft. NW9 —5A 26
Standard Ind. Est. E16 —2D 82
Standard Pl. EC2
—3E 62 (2H 145)
Standard Rd. NW10 —4J 57
Standard Rd. Belv —5G 85
Standard Rd. Bexh —4E 100
Standard Rd. Houn —3C 86
Standen Rd. SW18 —7H 91
Standfield Gdns. Dag —6G 53
Standfield Rd. Dag —5G 53
Standish Ho. W6 —4C 74
(off St Peter's Gro.)
Standish Rd. W6 —4C 74
Standlake Point. SE23 —3K 111
Stane Clo. SW19 —7K 107
Stane Pas. SW16 —5J 109
Stane Way. SE18 —7B 82
Stanfield Ho. N'holt —2B 54
(off Academy Gdns.)
Stanfield Rd. E3 —2A 64
Stanford Clo. Hamp —6D 102
Stanford Clo. Romf —6H 37
Stanford Ct. SW6 —1K 91
Stanford Ho. Bark —2B 68
Stanford Pl. SE17
—4E 78 (4G 157)
Stanford Rd. N11 —5J 15
Stanford Rd. SW16 —2H 123
Stanford Rd. W8 —3K 75
Stanford St. SW1
—4H 77 (4C 154)
Stanford Way. SW16 —2H 123
Stangate. SE1 —3K 77 (1H 153)
Stangate Gdns. Stan —4G 11
Stangate Lodge. N21 —7E 6
Stanger Rd. SE25 —4G 125
Stanhill Cotts. Dart —7K 117
Stanhope Av. N3 —3H 27
Stanhope Av. Brom —1H 137
Stanhope Av. Harr —1H 23
Stanhope Clo. SE16 —2K 79
Stanhope Gdns. N4 —6B 30
Stanhope Gdns. N6 —6F 29
Stanhope Gdns. NW7 —5G 13
Stanhope Gdns. SW7
—4A 76 (3A 152)
Stanhope Gdns. Dag —3F 53
Stanhope Gdns. Ilf —1D 50
Stanhope Ga. W1
—1E 76 (5H 147)
Stanhope Gro. Beck —5B 126
Stanhope Ho. N11 —4A 16
(off Coppies Gro.)
Stanhope Ho. SE8 —7B 80
(off Adolphus St.)
Stanhope M. E. SW7
—4A 76 (3A 152)
Stanhope M. S. SW7 —4A 76
Stanhope M. W. SW7 —4A 76
Stanhope Pde. NW1
—3G 61 (1A 142)
Stanhope Pl. W2
—7D 60 (1E 146)
Stanhope Rd. E17 —5D 32
Stanhope Rd. N6 —6G 29
Stanhope Rd. N12 —5F 15

Stanhope Rd. Barn —6A 4
Stanhope Rd. Bexh —2E 100
Stanhope Rd. Cars —7E 132
Stanhope Rd. Croy —3E 134
Stanhope Rd. Dag —2F 53
Stanhope Rd. Gnfd —5G 55
Stanhope Rd. Sidc —4A 116
Stanhope Row. W1
—1F 77 (5J 147)
Stanhope St. NW1
—3G 61 (1A 142)
Stanhope Ter. W2
—7B 60 (2B 146)
Stanier Clo. W14 —5H 75
Stanlake M. W12 —1E 74
Stanlake Rd. W12 —1E 74
Stanlake Vs. W12 —1E 74
Stanley Av. Bark —2K 67
Stanley Av. Beck —3E 126
Stanley Av. Dag —1F 53
Stanley Av. Gnfd —1G 55
Stanley Av. N Mald —5C 120
Stanley Av. Wemb —7E 40
Stanley Clo. SW8
—6K 77 (7G 155)
Stanley Clo. Wemb —7E 40
Stanley Cohen Ho. EC1
—4C 62 (4C 144)
(off Golden La. Est.)
Stanley Ct. W5 —5C 56
Stanley Ct. Cars —7E 132
Stanley Ct. Sutt —7K 131
Stanley Cres. W11 —7H 59
Stanleycroft Clo. Iswth —1J 87
Stanley Gdns. NW2 —5E 42
Stanley Gdns. W3 —2A 74
Stanley Gdns. W11 —7H 59
Stanley Gdns. Mitc —1E 108
Stanley Gdns. Wall —6G 133
Stanley Gdns. M. W11 —7H 59
(off Kensington Pk. Rd.)
Stanley Gro. SW8 —2E 92
Stanley Gro. Croy —6A 124
Stanley Pk. Dri. Wemb —1F 57
Stanley Pk. Rd. Cars & Wall
—7D 132
Stanley Pas. NW1 —2J 61
Stanley Rd. E4 —1A 20
Stanley Rd. E10 —6D 32
Stanley Rd. E12 —5C 50
Stanley Rd. E15 —1F 65
Stanley Rd. E18 —1H 33
Stanley Rd. N2 —3B 28
Stanley Rd. N9 —1A 18
Stanley Rd. N10 —7A 16
Stanley Rd. N11 —6C 16
Stanley Rd. N15 —4B 30
Stanley Rd. NW9 —7C 26
Stanley Rd. SW14 —4H 89
Stanley Rd. SW19 —6J 107
Stanley Rd. W3 —3J 73
Stanley Rd. Brom —4A 128
Stanley Rd. Cars —7E 132
Stanley Rd. Croy —7A 124
Stanley Rd. Enf —3K 7
Stanley Rd. Harr —2G 39
Stanley Rd. Houn —4G 87
Stanley Rd. Ilf —2H 51
Stanley Rd. Mitc —7E 108
Stanley Rd. Mord —4J 121
Stanley Rd. Orp —7K 129
Stanley Rd. Sidc —3A 116
Stanley Rd. S'hall —7C 54

Stanley Rd. Sutt —6K 131
Stanley Rd. Twic & Tedd
—4H 103
Stanley Rd. Wemb —6F 41
Stanley Sidings. NW1 —7F 45
Stanley Sq. Cars —7D 132
Stanley St. SE8 —7B 80
Stanley Ter. N19 —2J 45
Stanmer St. SW11 —2C 92
Stanmore Gdns. Rich —3F 89
Stanmore Gdns. Sutt —3A 132
Stanmore Hill. Stan —3F 11
Stanmore Lodge. Stan —4G 11
Stanmore Pk. Stan —5G 11
Stanmore Pl. NW1 —1F 61
Stanmore Rd. E11 —1H 49
Stanmore Rd. N15 —4B 30
Stanmore Rd. Belv —4J 85
Stanmore Rd. Rich —3F 89
Stanmore St. N1 —1K 61
Stanmore Ter. Beck —2C 126
Stannard Rd. E8 —6G 47
Stannary Pl. SE11
—5A 78 (6K 155)
Stannary St. SE11
—6A 78 (7K 155)
Stannet Way. Wall —4G 133
Stansfeld Rd. E6 —5B 66
Stansfield Rd. SW9 —3K 93
Stansfield Rd. Houn —2A 86
Stansgate Rd. Dag —2G 53
Stanstead Clo. Brom —6H 127
Stanstead Gro. SE6 —1B 112
Stanstead Mnr. Sutt —6J 131
Stanstead Rd. SE23 & SE6
—1K 111
Stansted Cres. Bex —1D 116
Stanswood Gdns. SE5 —7E 78
Stanthorpe Clo. SW16 —5J 109
Stanthorpe Rd. SW16 —5J 109
Stanton Av. Tedd —6J 103
Stanton Clo. Wor Pk —1F 131
Stanton Rd. SE26 —4B 112
Stanton Rd. SW13 —2B 90
Stanton Rd. SW20 —1F 121
Stanton Rd. Croy —7C 124
Stanton Sq. SE26 —4B 112
Stanton Way. SE26 —4B 112
Stanway Ct. N1 —2E 62 (1H 145)
Stanway Gdns. W3 —1G 73
Stanway Gdns. Edgw —5D 12
Stanway St. N1 —2E 62
Stanwick Rd. W14 —4H 75
Stanworth Ct. Houn —7E 70
Stanworth St. SE1
—3F 79 (7J 151)
Stanyhurst. SE23 —1A 112
Stapenhill Rd. Wemb —3B 40
Staple Clo. Bex —3K 117
Staplefield Clo. SW2 —1J 109
Staplefield Clo. Pinn —1C 22
Stapleford. N17 —2E 30
(off Willan Rd.)
Stapleford Av. Ilf —5J 35
Stapleford Clo. E4 —3K 19
Stapleford Clo. SW19 —7G 91
Stapleford Clo. King T —2G 119
Stapleford Rd. Wemb —7D 40
Stapleford Way. Bark —3B 68
Staplehurst Rd. SE13 —5G 97
Staplehurst Rd. Cars —7E 132
Staple Inn. WC1 —5A 62 (6J 143)
Staple Inn Bldgs. WC1
—5A 62 (6J 143)

Stocks Pl. *E14* —7B **64**
Stock St. *E13* —2J **65**
Stockton Gdns. *N17* —7H **17**
Stockton Gdns. *NW7* —3F **13**
Stockton Ho. *S Harr* —1E **38**
Stockton Rd. *N17* —7H **17**
Stockton Rd. *N18* —6B **18**
Stockton Sq. *Brom* —3J **127**
Stockwell Av. *SW9* —3K **93**
Stockwell Clo. *Brom* —2K **127**
Stockwell Gdns. *SW9* —1K **93**
Stockwell Gdns. Est. *SW9*
—2J **93**
Stockwell Grn. *SW9* —2K **93**
Stockwell Grn. Ct. *SW9* —2K **93**
Stockwell La. *SW9* —2K **93**
Stockwell M. *SW9* —2K **93**
Stockwell Pk. Cres. *SW9* —2K **93**
Stockwell Pk. Est. *SW9* —2K **93**
Stockwell Pk. Rd. *SW9* —1K **93**
Stockwell Pk. Wlk. *SW9* —3K **93**
Stockwell Rd. *SW9* —2K **93**
Stockwell St. *SE10* —6E **80**
Stockwell Ter. *SW9* —1K **93**
Stodart Rd. *SE20* —1J **125**
Stoddart Ho. *SW8*
—6K **77** (7H **155**)
Stofield Gdns. *SE9* —3B **114**
Stoford Clo. *SW19* —7G **91**
Stokenchurch St. *SW6* —1K **91**
Stoke Newington Chu. St. *N16*
—3D **46**
Stoke Newington Comn. *N16*
—2F **47**
Stoke Newington High St. *N16*
—3F **47**
Stoke Newington Rd. *N16*
—5F **47**
Stoke Pl. *NW10* —3B **58**
Stoke Rd. *King T* —7J **105**
Stokes Cotts. *Ilf* —1G **35**
Stokes Ct. *N2* —4C **28**
Stokesley St. *W12* —6B **58**
Stokes Rd. *E6* —4C **66**
Stokes Rd. *Croy* —6K **125**
Stokley Ct. *N8* —4J **29**
Stoll Clo. *NW2* —3E **42**
Stoms Path. *SE6* —5C **112**
Stonard Rd. *N13* —3F **17**
Stonard Rd. *Dag* —5B **52**
Stondon Ho. *E15* —1H **65**
(off John St.)
Stondon Pk. *SE23* —6A **96**
Stondon Wlk. *E6* —2B **66**
Stonebridge Comn. *E8* —7F **47**
Stonebridge Pk. *NW10* —7K **41**
Stonebridge Rd. *N15* —5F **31**
Stonebridge Shop. Cen. *NW10*
—1K **57**
Stonebridge Way. *Wemb* —6H **41**
Stone Bldgs. *WC2*
—5K **61** (6H **143**)
Stonechat Sq. *E6* —5C **66**
Stone Clo. *SW4* —2G **93**
Stone Clo. *Dag* —2F **53**
Stonecot Clo. *Sutt* —1G **131**
Stonecot Hill. *Sutt* —1G **131**
Stonecroft Rd. *Eri* —7J **85**
Stonecroft Way. *Croy* —7J **123**
Stonecutter St. *EC4*
—6B **62** (7A **144**)
Stonefield. *N4* —2K **45**
Stonefield Clo. *Bexh* —3G **101**
Stonefield Clo. *Ruis* —5C **38**
Stonefield St. *N1* —1A **62**

Stonefield Way. *SE7* —7B **82**
Stonefield Way. *Ruis* —5C **38**
Stonegrove. *Edgw* —4K **11**
Stone Gro. Ct. *Edgw* —5A **12**
Stonegrove Gdns. *Edgw* —5A **12**
Stonehall Av. *Ilf* —6C **34**
Stone Hall Gdns. *W8* —3K **75**
Stone Hall Pl. *W8* —3K **75**
Stone Hall Rd. *N21* —7E **6**
Stoneham Rd. *N11* —5B **16**
Stonehill Clo. *SW14* —5K **89**
Stonehill Ct. *E4* —7J **9**
Stonehill Rd. *SW14* —5K **89**
Stone Hill Rd. *W4* —5G **73**
Stonehills Ct. *SE21* —3E **110**
Stonehill Woods Pk. *Sidc*
—6H **117**
Stonehorse Rd. *Enf* —5D **8**
Stone Ho. Ct. *EC3*
—6E **62** (7H **145**)
Stoneleigh Av. *Enf* —1C **8**
Stoneleigh Av. *Wor Pk* —4C **130**
Stoneleigh B'way. *Eps* —5C **130**
Stoneleigh Cres. *Eps* —5B **130**
Stoneleigh Pk. Av. *Croy* —6K **125**
Stoneleigh Pk. Rd. *Eps* —6B **130**
Stoneleigh Pl. *W11* —7F **59**
Stoneleigh Rd. *N17* —3F **31**
Stoneleigh Rd. *Cars* —7C **122**
Stoneleigh Rd. *Ilf* —3C **34**
Stoneleigh St. *W11* —7F **59**
Stoneleigh Ter. *N19* —2F **45**
Stonell's Rd. *SW11* —6D **92**
Stonenest St. *N4* —1K **45**
Stone Pk. Av. *Beck* —4C **126**
Stone Pl. *Wor Pk* —2C **130**
Stone Rd. *Brom* —5H **127**
Stones End St. *SE1*
—2C **78** (7C **150**)
Stone St. *Croy* —5A **134**
Stonewall *E6* —5E **66**
Stonewold Ct. *W5* —6D **56**
Stonewood Rd. *Eri* —5K **85**
Stoney All. *SE18* —2E **98**
Stoneyard La. *E14* —7D **64**
Stoneycroft Clo. *SE12* —7H **97**
Stoneycroft Rd. *Wfd G* —6H **21**
Stoneydeep. *Tedd* —4A **104**
Stoneydown. *E17* —4A **32**
Stoneydown Av. *E17* —4A **32**
Stoneydown Ho. *E17* —4A **32**
(off Blackhorse Rd.)
Stoneyfields Gdns. *Edgw* —4D **12**
Stoneyfields La. *Edgw* —5D **12**
Stoney La. *E1* —6E **62** (7H **145**)
Stoney La. *SE19* —6F **111**
Stoney St. *SE1* —1D **78** (4E **150**)
Stonhouse St. *SW4* —4H **93**
Stonor Rd. *W14* —4H **75**
Stonycroft Clo. *Enf* —2F **9**
Stopes St. *SE15* —7F **79**
Stopford Rd. *E13* —1J **65**
Stopford Rd. *SE17*
—5B **78** (6B **156**)
Store Rd. *E16* —2E **82**
Storers Quay. *E14* —4F **81**
Store St. *E15* —5F **49**
Store St. *WC1* —5H **61** (6C **142**)
Storey Rd. *E17* —4B **32**
Storey Rd. *N6* —6D **28**
Storey's Ga. *SW1*
—2H **77** (7D **148**)
Storey St. *E16* —1E **82**
Stories M. *SE5* —2E **94**
Stories Rd. *SE5* —3E **94**

Stork Rd. *E7* —6J **49**
Storksmead Rd. *Edgw* —7F **13**
Stork's Rd. *SE16* —3G **79**
Stormont Rd. *N6* —7D **28**
Stormont Rd. *SW11* —3E **92**
Storrington Rd. *Croy* —1F **135**
Story St. *N1* —7K **45**
Stothard Pl. *EC2*
—5E **62** (5H **145**)
Stothard St. *E1* —4J **63**
Stott Clo. *SW18* —6B **92**
Stoughton Av. *Sutt* —5F **131**
Stoughton Clo. *SE11*
—4K **77** (4H **155**)
Stoughton Clo. *SW15* —1C **106**
Stour Av. *S'hall* —3E **70**
Stourcliffe Clo. *W1*
—6D **60** (7E **140**)
Stourcliffe St. *W1*
—6D **60** (1E **146**)
Stour Clo. *Kes* —4A **138**
Stourhead Clo. *SW19* —7F **91**
Stourhead Gdns. *SW20* —3C **120**
Stour Rd. *E3* —7C **48**
Stour Rd. *Dag* —2G **53**
Stourton Av. *Felt* —4D **102**
Stowage. *SE8* —6C **80**
Stow Cres. *E17* —7F **19**
Stowe Gdns. *N9* —1A **18**
Stowe Ho. *NW11* —6A **28**
Stowe Pl. *N15* —3E **30**
Stowe Rd. *W12* —2D **74**
Stoxmead. *Harr* —1H **23**
Stracey Rd. *E7* —4J **49**
Stracey Rd. *NW10* —1K **57**
Strachan Pl. *SW19* —6E **106**
Stradbroke Dri. *Chig* —6K **21**
Stradbroke Gro. *Buck H* —1G **21**
Stradbroke Gro. *Ilf* —3C **34**
Stradbroke Pk. *Chig* —6K **21**
Stradbroke Rd. *N5* —4C **46**
Stradbrook Clo. *Harr* —3D **38**
Stradella Rd. *SE24* —6C **94**
Strafford Av. *Ilf* —2E **34**
Strafford Rd. *W3* —2J **73**
Strafford Rd. *Barn* —3B **4**
Strafford Rd. *Houn* —3D **86**
Strafford Rd. *Twic* —7A **88**
Strafford St. *E14* —2C **80**
Strahan Rd. *E3* —3A **64**
Straightsmouth. *SE10* —7E **80**
Straight, The. *S'hall* —2C **70**
Strait Rd. *E6* —7C **66**
Strakers Rd. *SE15* —4H **95**
Strale Ho. *N1* —1E **62**
(off Whitmore Est.)
Strand. *WC2* —7J **61** (3F **149**)
Strand Ct. *SE18* —5J **83**
Strandfield Clo. *SE18* —5J **83**
Strand La. *WC2* —7K **61** (2H **149**)
Strand on the Grn. *W4* —6G **73**
Strand Pl. *N18* —4K **17**
Strand School App. *W4* —6G **73**
Strang Ho. *N1* —1C **62**
Strangways Ter. *W14* —3H **75**
Stranraer Way. *N1* —7K **45**
Strasburg Rd. *SW11* —1E **92**
Stratfield Pk. Clo. *N21* —7G **7**
Stratford Av. *W8* —3J **75**
Stratford Cen. *E15* —7F **49**
Stratford Clo. *Bark* —7A **52**
Stratford Clo. *Dag* —7J **53**
Stratford Ct. *N Mald* —4K **119**
Stratford Gro. *SW15* —4F **91**
Stratford Ho. Av. *Brom* —3C **128**

Stratford Mkt. *E15* —1F **65**
Stratford Office Village, The. *E15*
(off Romford Rd.) —7G **49**
Stratford Pl. *W1* —6E **60** (1J **147**)
Stratford Rd. *E13* —1H **65**
Stratford Rd. *NW4* —4F **27**
Stratford Rd. *W3* —2J **73**
Stratford Rd. *W8* —3J **75**
Stratford Rd. *Hayes* —4A **54**
Stratford Rd. *S'hall* —4C **70**
Stratford Rd. *T Hth* —4A **124**
Stratford Vs. *NW1* —7H **45**
Strathan Clo. *SW18* —6H **91**
Strathaven Rd. *SE12* —6K **97**
Strathblaine Rd. *SW11* —4B **92**
Strathbrook Rd. *SW16* —7K **109**
Strathcona Rd. *Wemb* —2D **40**
Strathdale. *SW16* —5K **109**
Strathdon Dri. *SW17* —3B **108**
Strathearn Av. *Twic* —1F **103**
Strathearn Pl. *W2*
—6C **60** (1C **146**)
Strathearn Rd. *SW19* —5J **107**
Strathearn Rd. *Sutt* —5J **131**
Stratheden Pde. *SE3* —7J **81**
Stratheden Rd. *SE3* —7J **81**
Strathfield Gdns. *Bark* —6H **51**
Strathleven Rd. *SW2* —5J **93**
Strathmore Gdns. *N3* —1K **27**
Strathmore Gdns. *W8* —1J **75**
Strathmore Gdns. *Edgw* —2H **25**
Strathmore Rd. *SW19* —3J **107**
Strathmore Rd. *Croy* —7D **124**
Strathmore Rd. *Tedd* —4J **103**
Strathnairn St. *SE1* —4G **79**
Strathray Gdns. *NW3* —6C **44**
Strath Ter. *SW11* —4C **92**
Strathville Rd. *SW18* —2J **107**
Strathyre Av. *SW16* —3A **124**
Stratton Clo. *SW19* —2J **121**
Stratton Clo. *Bexh* —3E **100**
Stratton Clo. *Edgw* —6A **12**
Stratton Clo. *Houn* —1E **86**
Stratton Ct. Pinn —1D **22**
(off Devonshire Rd.)
Strattondale St. *E14* —3E **80**
Stratton Dri. *Bark* —5J **51**
Stratton Gdns. *S'hall* —6D **54**
Stratton Rd. *SW19* —2J **121**
Stratton Rd. *Bexh* —3E **100**
Stratton St. *W1* —1F **77** (4K **147**)
Strauss Rd. *W4* —2K **73**
Strawberry Hill. *Twic* —3K **103**
Strawberry Hill Clo. *Twic* —3K **103**
Strawberry Hill Rd. *Twic* —3K **103**
Strawberry La. *Cars* —3E **132**
Strawberry Ter. *N10* —1D **28**
Strawberry Vale. *N2* —1B **28**
Strawberry Vale. *Twic* —3A **104**
Streakes Field Rd. *NW2* —2C **42**
Streamdale. *SE2* —6B **84**
Stream La. *Edgw* —5C **12**
Streamside Clo. *N9* —1A **18**
Streamside Clo. *Brom* —4J **127**
Stream Way. *Belv* —6F **85**
Streatfield Av. *E6* —1D **66**
Streatfield Rd. *Harr* —3C **24**
Streatham Clo. *SW16* —2J **109**
Streatham Comn. N. *SW16*
—5J **109**
Streatham Comn. S. *SW16*
—6J **109**
Streatham Ct. *SW16* —3J **109**
Streatham High Rd. *SW16*
—4J **109**

Streatham Hill. *SW2* —2J **109**
Streatham Pl. *SW2* —7J **93**
Streatham Rd. *Mitc & SW16*
—1E **122**
Streatham St. *WC1*
—6J **61** (7E **142**)
Streatham Vale. *SW16* —1G **123**
Streathbourne Rd. *SW17*
—2E **108**
Streatley Pl. *NW3* —4A **44**
Streatley Rd. *NW6* —7H **43**
Streeters La. *Wall* —3H **133**
Streetfield M. *SE3* —3J **97**
Streimer Rd. *E15* —2E **64**
Strelley Way. *W3* —7A **58**
Stretton Rd. *Croy* —7E **124**
Stretton Rd. *Rich* —2C **104**
Strickland Ct. *SE15* —3G **95**
Strickland Row. *SW18* —7B **92**
Strickland St. *SE8* —1C **96**
Stride Rd. *E13* —2H **65**
Stringer Ho. *N1* —1E **62**
(off Whitmore Est.)
Strode Clo. *N10* —7K **15**
Strode Rd. *E7* —4J **49**
Strode Rd. *N17* —2E **30**
Strode Rd. *NW10* —6C **42**
Strode Rd. *SW6* —7G **75**
Strone Rd. *E7 & E12* —6A **50**
Strone Way. *Hayes* —4C **54**
Strongbow Cres. *SE9* —5D **98**
Strongbow Rd. *SE9* —5D **98**
Strongbridge Clo. *Harr* —1E **38**
Stronsa Rd. *W12* —2B **74**
Strood Av. *Romf* —1K **53**
Strood Cres. *SW15* —3C **106**
Stroudes Clo. *Wor Pk* —7A **120**
Stroud Field. *N'holt* —6C **38**
Stroud Ga. *Harr* —4F **39**
Stroud Grn. Gdns. *Croy* —7J **125**
Stroud Grn. Rd. *N4* —1K **45**
Stroud Grn. Way. *Croy* —7H **125**
Stroudley Wlk. *E3* —3D **64**
Stroud Rd. *SE25* —6G **125**
Stroud Rd. *SW19* —3J **107**
Strouts Pl. *E2* —3F **63** (1J **145**)
Strudwick Ct. *SW4* —1J **93**
(off Binfield Rd.)
Strutton Ground. *SW1*
—3H **77** (1C **154**)
Strype St. *E1* —5F **63** (6J **145**)
Stuart Av. *NW9* —7C **26**
Stuart Av. *W5* —1F **73**
Stuart Av. *Brom* —1J **137**
Stuart Av. *Harr* —3D **38**
Stuart Cres. *N22* —1K **29**
Stuart Cres. *Croy* —3B **136**
Stuart Evans Clo. *Well* —3C **100**
Stuart Gro. *Tedd* —5J **103**
Stuart Mantle Way. *Eri* —7K **85**
Stuart Pl. *Mitc* —1D **122**
Stuart Rd. *NW6* —3J **59**
(in two parts)
Stuart Rd. *SE15* —4J **95**
Stuart Rd. *SW19* —3J **107**
Stuart Rd. *W3* —1J **73**
Stuart Rd. *Bark* —7K **51**
Stuart Rd. *Barn* —1H **15**
Stuart Rd. *E Barn* —7H **5**
Stuart Rd. *Harr* —2B **24**
Stuart Rd. *Rich* —2B **104**
Stuart Rd. *T Hth* —4C **124**
Stuart Rd. *Well* —1B **100**
Stubbs Ct. *W4* —5H **73**
(off Chaseley Dri.)
Stubbs Dri. *SE16* —5H **79**

Stubbs M. Dag —4B 52
 (off Marlborough Rd.)
Stubbs Point. E13 —4K 65
Stubbs Way. SW19 —1B 122
Stucley Pl. NW1 —7F 45
Stucley Rd. Houn —7G 71
Studdridge St. SW6 —2J 91
Studd St. N1 —1B 62
Studholme Ct. NW3 —4J 43
Studholme St. SE15 —7H 79
Studio Pl. SW1 —2D 76 (7F 147)
Studland Clo. Sidc —3K 115
Studland Rd. SE26 —5K 111
Studland Rd. W7 —6H 55
Studland Rd. King T —6E 104
Studland St. W6 —4D 74
Studley Av. E4 —7A 20
Studley Clo. E5 —5A 48
Studley Ct. Sidc —5B 116
Studley Dri. Ilf —6B 34
Studley Est. SW4 —1J 93
Studley Grange Rd. W7 —2J 71
Studley Rd. E7 —6K 49
Studley Rd. SW4 —1J 93
Studley Rd. Dag —7D 52
Stukeley Rd. E7 —7K 49
Stukeley St. WC2
 —6J 61 (7F 143)
Stumps Hill La. Beck —6C 112
Sturdy Rd. SE15 —2H 95
Sturge Av. E17 —2D 32
Sturgeon Rd. SE17
 —5C 78 (6C 156)
Sturges Field. Chst —6H 115
Sturgess Av. NW4 —7D 26
Sturge St. SE1 —2C 78 (6C 150)
Sturmer Way. N7 —5K 45
Sturminster Clo. Hayes —6A 54
Sturminster Ho. SW8 —7K 77
 (off Dorset Rd.)
Sturrock Clo. N15 —4D 30
Sturry St. E14 —6D 64
Sturt St. N1 —2C 62 (1D 144)
Stutfield St. E1 —6G 63
Styles Gdns. SW9 —3B 94
Styles Ho. SE1 —1B 78 (6A 150)
Styles Way. Beck —4E 126
Sudbourne Rd. SW2 —5J 93
Sudbrooke Rd. SW12 —6D 92
Sudbrook Gdns. Rich —3E 104
Sudbrook La. Rich —1E 104
Sudbury. E6 —6E 66
Sudbury Av. Wemb —3D 40
Sudbury Ct. E5 —4A 48
Sudbury Ct. SW8 —1J 93
Sudbury Ct. Dri. Harr —3K 39
Sudbury Ct. Rd. Harr —3K 39
Sudbury Cres. Brom —6J 113
Sudbury Cres. Wemb —5B 40
Sudbury Croft. Wemb —4K 39
Sudbury Gdns. Croy —4E 134
Sudbury Heights Av. Gnfd
 —5K 39
Sudbury Hill. Harr —2J 39
Sudbury Hill Clo. Wemb —3K 39
Sudbury Rd. Bark —5K 51
Sudbury Towers. Gnfd —5J 39
Sudeley St. N1 —2B 62
Sudlow Rd. SW18 —5J 91
Sudrey St. SE1 —2C 78 (7C 150)
Suez Av. Gnfd —2K 55
Suez Rd. Enf —4F 9
Suffield Rd. E4 —4J 19
Suffield Rd. N15 —5F 31
Suffield Rd. SE20 —2J 125

Suffolk Ct. E10 —7C 32
Suffolk Ct. Ilf —6J 35
Suffolk Ho. SE20 —7K 111
 (off Croydon Rd.)
Suffolk La. EC4 —7D 62 (2E 150)
Suffolk Pk. Rd. E17 —4A 32
Suffolk Pl. SW1 —1H 77 (4D 148)
Suffolk Rd. E13 —3J 65
Suffolk Rd. N15 —5D 30
Suffolk Rd. NW10 —7A 42
Suffolk Rd. SE25 —4F 125
Suffolk Rd. SW13 —7B 74
Suffolk Rd. Bark —7H 51
Suffolk Rd. Dag —5J 53
Suffolk Rd. Enf —5C 8
Suffolk Rd. Harr —6D 22
Suffolk Rd. Sidc —6C 116
Suffolk Rd. Wor Pk —2B 130
Suffolk St. E7 —4J 49
Suffolk St. SW1
 —7H 61 (3D 148)
Sugar Baker's Ct. EC3
 —6E 62 (1H 151)
Sugar Ho. La. E15 —2E 64
Sugar Loaf Wlk. E2 —3J 63
Sugar Quay. EC3
 —7E 62 (3H 151)
Sugar Quay Wlk. EC3
 —7E 62 (3H 151)
Sugden Rd. SW11 —3E 92
Sugden Rd. Th Dit —7B 118
Sugden Way. Bark —2K 67
Sulby Ho. SE4 —4A 96
 (off Turnham Rd.)
Sulgrave Gdns. W6 —2E 74
Sulgrave Rd. W6 —3E 74
Sulina Rd. SW2 —7J 93
Sulivan Ct. SW6 —2J 91
Sulivan Enterprise Cen. SW6
 —3J 91
Sulivan Rd. SW6 —3J 91
Sullivan Av. E16 —5B 66
Sullivan Clo. SW11 —3C 92
Sullivan Ct. N16 —7F 31
Sullivan Rd. SE11
 —4B 78 (3K 155)
Sultan Rd. E11 —4K 33
Sultan St. SE5 —7C 78
Sultan St. Beck —2K 125
Sumatra Rd. NW6 —5J 43
Sumburgh Rd. SW12 —6E 92
Summercourt Rd. E1 —6J 63
Summerene Clo. SW16 —7G 109
Summerfield Av. NW6 —2G 59
Summerfield Rd. W5 —4B 56
Summerfields Av. N12 —6H 15
Summerfield St. SE12 —7H 97
Summer Hill. Chst —2E 128
Summerhill Gro. Enf —6K 7
Summerhill Rd. N15 —4D 30
Summerhill Vs. Chst —1E 128
Summerhill Way. Mitc —1E 122
Summerhouse Av. Houn —1C 86
Summerhouse Dri. Bex & Dart
 —4K 117
Summerhouse Rd. N16 —2E 46
Summerland Gdns. N10 —3F 29
Summerland Grange. N10
 —3F 29
Summerlands Av. W3 —7J 57
Summerlands Lodge. Orp
 —4E 138
Summerlee Av. N2 —4D 28
Summerlee Gdns. N2 —4D 28

Summerley St. SW18 —2K 107
Summer Rd. E Mol & Th Dit
 —6A 118
Summersby Rd. N6 —6F 29
Summers Clo. Sutt —7J 131
Summers Clo. Wemb —1H 41
Summers La. N12 —7G 15
Summers Row. N12 —6H 15
Summers St. EC1
 —4A 62 (4J 143)
Summerstown. SW17 —3A 108
Summerton Way. SE28 —6D 68
Summer Trees. Sun —1A 102
Summerville Gdns. Sutt —6H 131
Summerwood Rd. Iswth —5K 87
Summit Av. NW9 —5K 25
Summit Clo. N14 —2B 16
Summit Clo. NW2 —6G 43
Summit Clo. NW9 —4K 25
Summit Clo. Edgw —7B 12
Summit Dri. Wfd G —2B 34
Summit Est. N16 —7E 30
Summit Rd. N'holt —7E 38
Summit Rd. E17 —4D 32
Summit Way. N14 —2A 16
Summit Way. SE19 —7E 110
Sumner Av. SE15 —1F 95
Sumner Bldgs. SE1
 —1C 78 (4C 150)
Sumner Clo. SW8 —1J 93
Sumner Est. SE15 —7F 79
Sumner Gdns. Croy —1B 134
Sumner Pl. SW7
 —4B 76 (4B 152)
Sumner Pl. M. SW7
 —4B 76 (4B 152)
Sumner Rd. SE15
 —6F 79 (7K 157)
Sumner Rd. Croy —1A 134
Sumner Rd. Harr —7G 23
Sumner Rd. S. Croy —1A 134
Sumner St. SE1 —1B 78 (4B 150)
Sumpter Clo. NW3 —6A 44
Sun All. Rich —4E 88
Sunbeam Cres. W10 —4E 58
Sunbeam Rd. NW10 —4J 57
Sunbury Av. NW7 —5E 12
Sunbury Av. SW14 —4K 89
Sunbury Ct. Barn —4B 4
Sunbury Gdns. NW7 —5E 12
Sunbury La. SW11 —1B 92
Sunbury St. SE18 —3D 82
Sunbury Way. Felt —5A 102
Sun Ct. EC3 —6D 62 (1F 151)
Suncroft Pl. SE26 —3J 111
Sunderland Mt. SE23 —2K 111
Sunderland Rd. SE23 —1K 111
Sunderland Rd. W5 —3D 72
Sunderland Ter. W2 —6K 59
Sunderland Way. E12 —2B 50
Sundew Av. W12 —7C 58
Sundew Ct. Wemb —2E 56
 (off Elmore Clo.)
Sundial Av. SE25 —3F 125
Sundorne Rd. SE7 —5A 82
Sundra Wlk. E1 —4K 63
Sundridge Av. Brom & Chst
 —1B 128
Sundridge Av. Well —2H 99
Sundridge Pde. Brom —7K 113
Sundridge Pl. Croy —1G 135
Sundridge Rd. Croy —7F 125
Sunfields Pl. SE3 —7K 81
Sungate Cotts. Romf —1F 37

Sun-in-the-Sands. (Junct.)
 —7K 81
Sunkist Way. Wall —7J 133
Sunland Av. Bexh —4E 100
Sun La. SE3 —7K 81
Sunleigh Rd. Wemb —1E 56
Sunley Gdns. Gnfd —1A 56
Sunlight Clo. SW19 —6A 108
Sunningdale. N14 —5C 16
Sunningdale. W13 —5B 56
 (off Hardwick Grn.)
Sunningdale Av. W3 —7A 58
Sunningdale Av. Bark —1H 67
Sunningdale Av. Felt —2C 102
Sunningdale Av. Ruis —1A 38
Sunningdale Clo. SE16 —5H 79
 (off Ryder Dri.)
Sunningdale Clo. Stan —6F 11
Sunningdale Ct. Houn —6H 87
 (off Whitton Dene)
Sunningdale Ct. Surb —6C 118
 (off Fleming Rd.)
Sunningdale Gdns. NW9 —5J 25
Sunningdale Gdns. W8 —3J 75
 (off Stratford Rd.)
Sunningdale Rd. Brom —4C 128
Sunningdale Rd. Sutt —4H 131
Sunningfields Cres. NW4 —2D 26
Sunningfields Rd. NW4 —2D 26
Sunninghill Ct. W3 —2J 73
Sunninghill Rd. SE13 —2D 96
Sunny Bank. SE25 —3G 125
Sunny Cres. NW10 —7J 41
Sunnycroft Rd. SE25 —4G 125
Sunnycroft Rd. Houn —2F 87
Sunnycroft Rd. S'hall —5E 54
Sunnydale. Orp —2E 138
Sunnydale Gdns. NW7 —6E 12
Sunnydale Rd. SE12 —5K 97
Sunnydene Av. E4 —5A 20
Sunnydene Gdns. Wemb —6C 40
Sunnydene St. SE26 —4A 112
Sunnyfield. NW7 —4G 13
Sunnyfield Rd. Chst —3K 129
Sunny Gdns. Pde. NW4 —2D 26
Sunny Gdns. Rd. NW4 —2D 26
Sunny Hill. NW4 —3D 26
Sunnyhill Clo. E5 —4A 48
Sunnyhill Rd. SW16 —4J 109
Sunnyhurst Clo. Sutt —3J 131
Sunnymead Av. Mitc —3H 123
Sunnymead Rd. NW9 —7K 25
Sunnymead Rd. SW15 —5D 90
Sunnymede Av. Eps —7A 130
Sunnymede Dri. Ilf —5F 35
Sunny Nook Gdns. S Croy
 —6D 134
Sunny Rd., The. Enf —1E 8
Sunnyside. NW2 —3H 43
Sunnyside. SW19 —6G 107
Sunnyside Dri. E4 —7K 9
Sunnyside Houses. NW2 —3H 43
 (off Sunnyside)
Sunnyside Pas. SW19 —6G 107
Sunnyside Rd. E10 —1C 48
Sunnyside Rd. N19 —7H 29
Sunnyside Rd. W5 —1D 72
Sunnyside Rd. Ilf —3G 51
Sunnyside Rd. Tedd —4H 103
Sunnyside Rd. E. N9 —3B 18
Sunnyside Rd. N. N9 —3A 18
Sunnyside Rd. S. N9 —3A 18
Sunnyside Ter. NW9 —3K 25
Sunny View. NW9 —5K 25

Sunny Way. N12 —7H 15
Sun Pas. SE16 —3G 79
 (off Old Jamaica Rd.)
Sunray Av. SE24 —4D 94
Sunray Av. Brom —6C 128
Sunrise Clo. Felt —3D 102
Sunrise View. NW7 —6G 13
Sun Rd. W14 —5H 75
Sunset Av. E4 —1J 19
Sunset Av. Wfd G —4C 20
Sunset Ct. Wfd G —7F 21
Sunset Gdns. SE25 —2F 125
Sunset Rd. SE5 —4C 94
Sunset Rd. SE28 —1A 84
Sunset View. Barn —2B 4
Sunset Way. Mitc —2D 122
Sun St. EC2 —5D 62 (5F 145)
Sun St. Pas. EC2
 —5E 62 (6G 145)
Sun Wlk. E1 —7F 63 (3K 151)
Sunwell Clo. SE15 —1H 95
Surbiton Cres. King T —4E 118
Surbiton Hall Clo. King T
 —4E 118
Surbiton Hill Pk. Surb —5F 119
Surbiton Hill Rd. Surb —4E 118
Surbiton Pde. Surb —6E 118
Surbiton Rd. King T —4D 118
Surlingham Clo. SE28 —7D 68
Surma Clo. E1 —4H 63
Surrendale Pl. W9 —4J 59
Surrey Canal Rd. SE15 & SE14
 —6J 79
Surrey Ct. N3 —3G 27
Surrey Cres. W4 —5G 73
Surrey Gdns. N4 —6C 30
Surrey Gro. SE17
 —5E 78 (5G 157)
Surrey Gro. Sutt —3B 132
Surrey La. SW11 —1C 92
Surrey La. Est. SW11 —1C 92
Surrey M. SE27 —4E 110
Surrey Mt. SE23 —1H 111
Surrey Quays Rd. SE16 —3J 79
Surrey Quays Shop. Cen. SE16
 —3K 79
Surrey Rd. SE15 —5K 95
Surrey Rd. Bark —7J 51
Surrey Rd. Dag —5H 53
Surrey Rd. Harr —5G 23
Surrey Rd. W Wick —1D 136
Surrey Row. SE1
 —2B 78 (6A 150)
Surrey Sq. SE17
 —5E 78 (5G 157)
Surrey St. E13 —3K 65
Surrey St. WC2 —7K 61 (2H 149)
Surrey St. Croy —3C 134
Surrey Ter. SE17
 —5E 78 (5H 157)
Surrey Water Rd. SE16 —1K 79
Surridge Ct. SW9 —2J 93
 (off Clapham Rd.)
Surridge Gdns. SE19 —6D 110
Surr St. N7 —5J 45
Susan Clo. Romf —3J 37
Susan Lawrence Ho. E12 —4E 50
 (off Walton Rd.)
Susannah St. E14 —6D 64
Susan Rd. SE3 —2J 97
Susan Wood. Chst —1E 128
Sussex Av. Iswth —3J 87
Sussex Clo. N19 —2J 45
Sussex Clo. Ilf —5D 34

Sussex Clo. *N Mald* —4A **120**
Sussex Clo. *Twic* —6B **88**
Sussex Cres. *N'holt* —6E **38**
Sussex Gdns. *N4* —5C **30**
Sussex Gdns. *N6* —5D **28**
Sussex Gdns. *W2*
    —7B **60** (2A **145**)
Sussex Ga. *N6* —5D **28**
Sussex M. E. *W2*
    —6B **60** (1B **146**)
Sussex M. W. *W2*
    —7B **60** (2B **146**)
Sussex Pl. *NW1* —4D **60** (3E **140**)
Sussex Pl. *W2* —6B **60** (1B **146**)
Sussex Pl. *W6* —5E **74**
Sussex Pl. *Eri* —7H **85**
Sussex Pl. *N Mald* —4A **120**
Sussex Ring. *N12* —5D **14**
Sussex Rd. *E6* —1E **66**
Sussex Rd. *Cars* —7D **132**
Sussex Rd. *Eri* —7H **85**
Sussex Rd. *Harr* —5G **23**
Sussex Rd. *Mitc* —5J **123**
Sussex Rd. *N Mald* —4A **120**
Sussex Rd. *Sidc* —5B **116**
Sussex Rd. *S'hall* —3B **70**
Sussex Rd. *S Croy* —6D **134**
Sussex Rd. *W Wick* —1D **136**
Sussex Sq. *W2* —7B **60** (2B **146**)
Sussex St. *E13* —3K **65**
Sussex St. *SW1* —5F **77** (6K **153**)
Sussex Wlk. *SW9* —4B **94**
Sussex Way. *N19 & N7* —1J **45**
Sussex Way. *Barn* —5A **6**
Sutcliffe Clo. *NW11* —5K **27**
Sutcliffe Rd. *SE18* —6J **83**
Sutcliffe Rd. *Well* —2C **100**
Sutherland Av. *W9* —4J **59**
Sutherland Av. *W13* —6B **56**
Sutherland Av. *Orp* —6K **129**
Sutherland Av. *Well* —4J **99**
Sutherland Clo. *Barn* —4B **4**
Sutherland Ct. *N16* —3D **46**
Sutherland Ct. *NW9* —5H **25**
Sutherland Gdns. *SW14* —3A **90**
Sutherland Gdns. *Wor Pk*
    —1D **130**
Sutherland Gro. *SW18* —6G **91**
Sutherland Gro. *Tedd* —5J **103**
Sutherland Ho. *W8* —3K **75**
Sutherland Pl. *W2* —6J **59**
Sutherland Point. *E5* —4H **47**
   (off Tiger Way)
Sutherland Rd. *E17* —3K **31**
Sutherland Rd. *N9* —1C **18**
Sutherland Rd. *N17* —1G **31**
Sutherland Rd. *W4* —6A **74**
Sutherland Rd. *W13* —6A **56**
Sutherland Rd. *Belv* —3G **85**
Sutherland Rd. *Croy* —7A **124**
Sutherland Rd. *Enf* —6E **8**
Sutherland Rd. *S'hall* —6D **54**
Sutherland Rd. Path. *E17* —3K **31**
Sutherland Row. *SW1*
    —5F **77** (5K **153**)
Sutherland Sq. *SE17*
    —5C **78** (6C **156**)
Sutherland St. *SW1*
    —5F **77** (5J **153**)
Sutherland Wlk. *SE17*
    —5C **78** (6D **156**)
Sutlej Rd. *SE7* —7A **82**
Sutterton St. *N7* —6K **45**
Sutton Arc. *Sutt* —5K **131**

Sutton Clo. *Beck* —1D **126**
Sutton Clo. *Lou* —1H **21**
Sutton Comn. Rd. *Sutt* —7H **121**
Sutton Ct. *W4* —6J **73**
Sutton Ct. *Sutt* —6A **132**
Sutton Ct. Rd. *E13* —3A **66**
Sutton Ct. Rd. *W4* —7J **73**
Sutton Ct. Rd. *Sutt* —6A **132**
Sutton Cres. *Barn* —5A **4**
Sutton Dene. *Houn* —1F **87**
Sutton Est. *EC1* —3D **62** (2F **145**)
Sutton Est. *W10* —5E **58**
Sutton Est., The. *N1* —7B **46**
Sutton Est., The. *SW3*
    —5C **76** (5D **152**)
Sutton Gdns. *SE25* —5F **125**
Sutton Gdns. *Bark* —1J **67**
Sutton Gdns. *Croy* —5F **125**
Sutton Grn. *Bark* —1K **67**
Sutton Gro. *Sutt* —4B **132**
Sutton Hall Rd. *Houn* —7E **70**
Sutton La. *Houn* —3D **86**
Sutton La. N. *W4* —5J **73**
Sutton La. S. *W4* —6J **73**
Sutton Pde. *NW4* —4E **26**
   (off Church Rd.)
Sutton Pk. Rd. *Sutt* —6K **131**
Sutton Pl. *E9* —5J **47**
Sutton Rd. *E13* —4H **65**
Sutton Rd. *E17* —1K **31**
Sutton Rd. *N10* —1E **28**
Sutton Rd. *Bark* —1J **67**
Sutton Rd. *Houn* —1E **86**
Sutton Row. *W1*
    —6H **61** (7D **142**)
Suttons Bus. Pk. *Rain* —3K **69**
Sutton Sq. *E9* —5J **47**
Sutton Sq. *Houn* —1D **86**
Sutton St. *E1* —7J **63**
Sutton's Way. *EC1*
    —4C **62** (4D **144**)
Sutton Way. *W10* —4E **58**
Sutton Way. *Houn* —1D **86**
Swaby Rd. *SW18* —1A **108**
Swaffham Way. *N17* —7G **17**
Swaffield Rd. *SW18* —7K **91**
Swain Clo. *SW16* —6F **109**
Swain Rd. *T Hth* —5C **124**
Swains La. *N6* —1E **44**
Swainson Rd. *Act V* —2B **74**
Swains Rd. *SW17* —7D **108**
Swallands Rd. *SE6* —3C **112**
Swallow Clo. *SE14* —1K **95**
Swallow Clo. *Bush* —1A **10**
Swallow Clo. *Eri* —1K **101**
Swallow Ct. *SE12* —7J **97**
Swallow Ct. *Ilf* —5F **35**
Swallow Ct. *Ruis* —1A **38**
Swallow Dri. *NW10* —6K **41**
Swallow Dri. *N'holt* —2E **54**
Swallowfield Rd. *SE7* —5K **81**
Swallow Gdns. *SW16* —5H **109**
Swallow Pl. *W1* —6F **61** (1K **147**)
Swallow St. *E6* —5C **66**
Swallow St. *W1* —7G **61** (3B **148**)
Swanage Ho. *SW8* —7K **77**
   (off Dorset Rd.)
Swanage Rd. *E4* —7K **19**
Swanage Rd. *SW18* —6A **92**
Swanage Waye. *Hayes* —6A **54**
Swan App. *E6* —5C **66**
Swanbridge Rd. *Bexh* —1G **101**
Swan Cen., The. *SW17* —3A **108**

Swan Clo. *E17* —1A **32**
Swan Clo. *Croy* —7E **124**
Swan Clo. *Felt* —4C **102**
Swan Ct. *SW3* —5C **76** (6D **152**)
Swan Ct. *Iswth* —3B **88**
   (off Swan St.)
Swandon Way. *SW18* —5K **91**
Swan Dri. *NW9* —2A **26**
Swanfield St. *E2* —3F **63** (2J **145**)
Swan La. *EC4* —7D **62** (3F **151**)
Swan La. *N20* —3F **15**
Swanley Rd. *Well* —1C **100**
Swan Mead. *SE1*
    —3E **78** (2G **157**)
Swan M. *SW9* —1K **93**
Swann Ct. *Iswth* —3A **88**
   (off South St.)
Swan & Pike Rd. *Enf* —1H **9**
Swan Pl. *SW13* —2B **90**
Swan Rd. *SE16* —2J **79**
Swan Rd. *SE18* —3B **82**
Swan Rd. *Felt* —5C **102**
Swan Rd. *S'hall* —6F **55**
Swanscombe Ho. *W11* —1F **75**
   (off St Ann's Rd.)
Swanscombe Point. *E16* —5H **65**
   (off Clarkson Rd.)
Swanscombe Rd. *W4* —5A **74**
Swanscombe Rd. *W11* —1F **75**
Swansea Rd. *Enf* —4D **8**
Swansland Gdns. *E17* —1A **32**
Swans Pas. *E1* —7G **63** (3K **151**)
Swan St. *SE1* —3C **78** (1D **156**)
Swan St. *Iswth* —3B **88**
Swan, The. (Junct.) —2B **136**
Swanton Gdns. *SW19* —1F **107**
Swanton Rd. *Eri* —7H **85**
Swan Wlk. *SW3* —6D **76** (7E **152**)
Swan Way. *Enf* —2E **8**
Swanwick Clo. *SW15* —7B **90**
Sward Rd. *Orp* —6K **129**
Swaton Rd. *E3* —4C **64**
Swaylands Rd. *Belv* —6G **85**
Swaythling Clo. *N18* —4C **18**
Swaythling Ho. *SW15* —6B **90**
   (off Tunworth Cres.)
Swedeland Ct. *E1*
    —5E **62** (6H **145**)
Swedenborg Gdns. *E1* —7H **63**
Sweden Ga. *SE16* —3A **80**
Swedish Quays Development.
    SE16 —3A **80**
Sweeney Cres. *SE1*
    —2F **79** (7K **151**)
Sweet Briar Grn. *N9* —3A **18**
Sweet Briar Gro. *N9* —3A **18**
Sweet Briar Wlk. *N18* —4A **18**
Sweetland Ct. *Dag* —6B **52**
Sweetmans Av. *Pinn* —3B **22**
Sweets Way. *N20* —2G **15**
Swell Ct. *E17* —6D **32**
Swetenham Wlk. *SE18* —5G **83**
Swete St. *E13* —2J **65**
Sweyn Pl. *SE3* —2J **97**
Swift Clo. *E17* —7F **19**
Swift Clo. *Harr* —2F **39**
Swift Ct. *Sutt* —7K **131**
Swift Rd. *Felt* —4B **102**
Swift Rd. *S'hall* —3E **70**
Swiftsden Way. *Brom* —6G **113**
Swift St. *SW6* —1H **91**
Swinbrook Rd. *W10* —5G **59**
Swinburne Ct. *SE5* —4D **94**
   (off Basingdon Way)

Swinburne Cres. *Croy* —6J **125**
Swinburne Rd. *SW15* —4C **90**
Swinderby Rd. *Wemb* —6E **40**
Swindon Clo. *Ilf* —2J **51**
Swindon St. *W12* —1D **74**
Swinfield Clo. *Felt* —3C **102**
Swinford Gdns. *SW9* —3B **94**
Swingate La. *SE18* —6J **83**
Swinnerton St. *E9* —5A **48**
Swinton Clo. *Wemb* —1H **41**
Swinton Pl. *WC1*
    —3K **61** (1G **143**)
Swinton St. *WC1*
    —3K **61** (1G **143**)
Swires Shaw. *Kes* —4B **138**
Swiss Cottage. (Junct.) —7B **44**
Swiss Ct. *WC2* —7H **61** (3D **148**)
Swiss Ter. *NW6* —7B **44**
Swithland Gdns. *SE9* —4E **114**
Swyncombe Av. *W5* —4B **72**
Swynford Gdns. *NW4* —4C **26**
Sybil M. *N4* —6B **30**
Sybil Phoenix Clo. *SE8* —5K **79**
Sybourn St. *E17* —7B **32**
Sycamore Av. *W5* —3D **72**
Sycamore Av. *Sidc* —6K **99**
Sycamore Clo. *E16* —4G **65**
Sycamore Clo. *N9* —4B **18**
Sycamore Clo. *SE9* —2C **114**
Sycamore Clo. *W3* —1A **74**
Sycamore Clo. *Barn* —6G **5**
Sycamore Clo. *Cars* —4D **132**
Sycamore Clo. *N'holt* —1C **54**
Sycamore Ct. *E7* —6J **49**
Sycamore Ct. *NW6* —1J **59**
   (off Bransdale Clo.)
Sycamore Ct. *Eri* —5K **85**
   (off Sandcliff Rd.)
Sycamore Ct. *Houn* —4C **86**
Sycamore Ct. *N Mald* —3A **120**
Sycamore Gdns. *W6* —2D **74**
Sycamore Gdns. *Mitc* —2B **122**
Sycamore Gro. *NW9* —7J **25**
Sycamore Gro. *SE6* —6E **96**
Sycamore Gro. *SE20* —1G **125**
Sycamore Gro. *N Mald* —3K **119**
Sycamore Hill. *N11* —6K **15**
Sycamore Ho. *W6* —2D **74**
Sycamore Ho. *Brom* —2G **127**
Sycamore Ho. *Buck H* —2G **21**
Sycamore M. *SW4* —3G **93**
Sycamore M. *Eri* —5K **85**
   (off St John's Rd.)
Sycamore Rd. *SW19* —6E **106**
Sycamore St. *EC1*
    —4C **62** (4C **144**)
Sycamore Wlk. *W10* —4G **59**
Sycamore Wlk. *Ilf* —4G **35**
Sycamore Way. *Tedd* —6C **104**
Sycamore Way. *T Hth* —5A **124**
Sydcote. *SE21* —1C **110**
Sydenham Av. *N21* —5E **6**
Sydenham Av. *SE26* —5H **111**
Sydenham Cotts. *SE12* —2A **114**
Sydenham Hill. *SE26 & SE23*
    —4F **111**
Sydenham Pk. *SE26* —3J **111**
Sydenham Pk. Rd. *SE26* —3J **111**
Sydenham Pl. *SE27* —3B **110**
Sydenham Rise. *SE23* —2H **111**
Sydenham Rd. *SE26* —4J **111**
Sydenham Rd. *Croy* —1C **134**
Sydmons Ct. *SE23* —7J **95**
Sydner M. *N16* —4F **47**
Sydner Rd. *N16* —4F **47**

Sydney Clo. *SW3*
    —4B **76** (4B **152**)
Sydney Ct. *Hayes* —4A **54**
Sydney Gro. *NW4* —5E **26**
Sydney Pl. *SW3* —4B **76** (4B **152**)
Sydney Pl. *SW7* —4B **76** (4B **152**)
Sydney Rd. *E11* —6K **33**
Sydney Rd. *N8* —4A **30**
Sydney Rd. *N10* —1F **29**
Sydney Rd. *SE2* —3C **84**
Sydney Rd. *SW20* —2F **121**
Sydney Rd. *W13* —1A **72**
Sydney Rd. *Bexh* —4D **100**
Sydney Rd. *Enf* —4J **7**
   (in two parts)
Sydney Rd. *Ilf* —2G **35**
Sydney Rd. *Rich* —4E **88**
Sydney Rd. *Sidc* —4J **115**
Sydney Rd. *Sutt* —4J **131**
Sydney Rd. *Tedd* —5K **103**
Sydney Rd. *Wfd G* —4D **20**
Sydney St. *SW3*
    —5C **76** (5C **152**)
Sylvan Av. *N3* —2J **27**
Sylvan Av. *N22* —7E **16**
Sylvan Av. *NW7* —6F **13**
Sylvan Av. *Romf* —6F **37**
Sylvan Ct. *N12* —3E **14**
Sylvan Est. *SE19* —1F **125**
Sylvan Gdns. *Surb* —7D **118**
Sylvan Gro. *NW2* —4F **43**
Sylvan Gro. *SE15* —6H **79**
Sylvan Hill. *SE19* —1E **124**
Sylvan Rd. *E7* —6J **49**
Sylvan Rd. *E11* —5J **33**
Sylvan Rd. *E17* —5C **32**
Sylvan Rd. *SE19* —1F **125**
Sylvan Wlk. *Brom* —3C **128**
Sylvan Way. *Dag* —4B **52**
Sylvan Way. *W Wick* —4G **137**
Sylverdale Rd. *Croy* —3B **134**
Sylvester Av. *Chst* —6D **114**
Sylvester Path. *E8* —6H **47**
Sylvester Rd. *E8* —6H **47**
Sylvester Rd. *E17* —7B **32**
Sylvester Rd. *N2* —2B **28**
Sylvester Rd. *Wemb* —5C **40**
Sylvestrus Clo. *King T* —1G **119**
Sylvia Ct. *Wemb* —7H **41**
Sylvia Gdns. *Wemb* —7H **41**
Sylvia Pankhurst Ho. *Dag* —3G **53**
   (off Wythenshawe Rd.)
Symes M. *NW1* —2G **61**
Symister M. *N1* —3E **62** (2G **145**)
Symons St. *SW3*
    —4D **76** (4F **153**)
Syon Ga. Way. *Bren* —7A **72**
Syon La. *Iswth* —6J **71**
Syon Lodge. *SE12* —7J **97**
Syon Pk. Gdns. *Iswth* —7K **71**
Syringa Ho. *SE4* —3B **96**

*T*abard Ct. *E14* —6E **64**
   (off Lodore St.)
Tabard Garden Est. *SE1*
    —3D **78** (7E **150**)
Tabard St. *SE1* —2D **78** (6D **150**)
Tabernacle Av. *E13* —4J **65**
Tabernacle St. *EC2*
    —4D **62** (4F **145**)
Tableer Av. *SW4* —5H **93**
Tabley Rd. *N7* —4J **45**
Tabor Ct. *Sutt* —6G **131**
Tabor Gdns. *Sutt* —7H **131**

Waverley Rd. *Enf* —3G 7
Waverley Rd. *Eps* —5D **130**
Waverley Rd. *Harr* —2C **38**
Waverley Rd. *S'hall* —7E **54**
Waverley Vs. *N17* —2F **31**
Waverley Way. *Cars* —6C **132**
Waverton Rd. *SW18* —7A **92**
Waverton St. *W1*
—1E **76** (4J **147**)
Wavertree Ct. *SW2* —1J **109**
Wavertree Rd. *E18* —2J **33**
Wavertree Rd. *SW2* —1K **109**
Waxlow Cres. *S'hall* —6E **54**
Waxlow Ho. *Hayes* —5B **54**
Waxlow Rd. *NW10* —2J **57**
Waxwell Clo. *Pinn* —2B **22**
Waxwell Farm Ho. *Pinn* —2B **22**
Waxwell La. *Pinn* —2B **22**
Waxwell Ter. *SE1*
—2K **77** (7H **149**)
Wayfarer Rd. *N'holt* —3B **54**
Wayfield Link. *SE9* —6H **99**
Wayford St. *SW11* —2C **92**
Wayland Av. *E8* —5G **47**
Wayland Clo. *E8* —5G **47**
Wayland Ho. *SW9* —2A **94**
(off Robsart St.)
Waylands Mead. *Beck* —1D **126**
Waylett Ho. *SE11*
—5K **77** (6J **155**)
Waylett Pl. *SE27* —3B **110**
Waylett Pl. *Wemb* —4D **40**
Wayne Kirkum Way. *NW6*
—5H **43**
Waynflete Av. *Croy* —3B **134**
Waynflete Sq. *W10* —7F **59**
Waynflete St. *SW18* —2A **108**
Wayside. *NW11* —1G **43**
Wayside. *SW14* —5J **89**
Wayside. *New Ad* —6D **136**
Wayside Clo. *N14* —6B **6**
Wayside Ct. *Twic* —6C **88**
Wayside Ct. *Wemb* —3G **41**
Wayside Gdns. *SE9* —4D **114**
Wayside Gdns. *Dag* —5G **53**
Wayside Gro. *SE9* —4D **114**
Wayside M. *Ilf* —5E **34**
Weald Clo. *SE16* —5H **79**
Weald Clo. *Brom* —2C **138**
Weald La. *Harr* —2H **23**
Weald Rise. *Harr* —7E **10**
Weald Sq. *E5* —2G **47**
Wealdstone Rd. *Sutt* —2H **131**
Weald, The. *Chst* —6D **114**
Weald Way. *Romf* —6H **37**
Wealdwood Gdns. *Pinn* —6A **10**
Weale Rd. *E4* —3A **20**
Weall Ct. *Pinn* —4C **22**
Weardale Gdns. *Enf* —1J **7**
Weardale Rd. *SE13* —4F **97**
Wear Pl. *E2* —3H **63**
Wearside Rd. *SE13* —4D **96**
Weatherbury Ho. *N19* —3H **45**
(off Wedmore St.)
Weatherley Clo. *E3* —5B **64**
Weaver Clo. *E6* —7F **67**
Weavers Clo. *Iswth* —4J **87**
Weavers Ho. *E11* —6J **33**
(off New Wanstead)
Weaver's La. *SE1*
—1E **78** (5H **151**)
Weavers Ter. *SW6* —6J **75**
(off Micklethwaite Rd.)
Weavers Way. *NW1* —1H **61**
Weaver Wlk. *SE27* —4C **110**

Webber Row. *SE1*
(in two parts) —3A **78** (1K **155**)
Webber St. *SE1* —2A **78** (6K **149**)
Webb Est. *E5* —7G **31**
Webb Gdns. *E13* —4J **65**
Webb Ho. *SW8* —7H **77**
Webb Ho. *Dag* —3G **53**
(off Kershaw Rd.)
Webb Ho. *Felt* —3C **102**
Webb Pl. *NW10* —3B **58**
Webb Rd. *SE3* —6H **81**
Webbscroft Rd. *Dag* —4H **53**
Webb's Rd. *SW11* —4D **92**
Webb St. *SE1* —3E **78** (2G **157**)
Webster Gdns. *W5* —1D **72**
Webster Rd. *E11* —3E **48**
Webster Rd. *SE16* —3G **79**
Wedderburn Rd. *NW3* —5B **44**
Wedderburn Rd. *Bark* —1J **67**
Wedgwood Ho. *SE11*
—3A **78** (2J **155**)
(off Lambeth Wlk.)
Wedgwood M. *W1*
—6H **61** (1D **148**)
Wedgwood Wlk. *NW6* —5K **43**
(off Dresden Clo.)
Wedgwood Way. *SE19* —7C **110**
Wedlake St. *W10* —4G **59**
Wedmore Av. *Ilf* —1E **34**
Wedmore Ct. *N19* —3H **45**
Wedmore Gdns. *N19* —2H **45**
Wedmore M. *N19* —3H **45**
Wedmore Rd. *Gnfd* —3H **55**
Wedmore St. *N19* —3H **45**
Weech Rd. *NW6* —4J **43**
Weedington Rd. *NW5* —5E **44**
Weedon Ho. *W12* —6C **58**
Weekley Sq. *SW11* —3B **92**
Weigall Rd. *SE12* —5J **97**
Weighhouse St. *W1*
—6E **60** (1H **147**)
Weighton M. *SE20* —2H **125**
Weighton Rd. *SE20* —2H **125**
Weighton Rd. *Harr* —1H **23**
Weihurst Ct. *Sutt* —5C **132**
Weihurst Gdns. *Sutt* —5B **132**
Weimar St. *SW15* —3G **91**
Weirdale Av. *N20* —2J **15**
Weir Hall Av. *N18* —6J **17**
Weir Hall Gdns. *N18* —5J **17**
Weir Hall Rd. *N18 & N17* —5J **17**
Weir Rd. *SW12* —1G **109**
Weir Rd. *SW19* —3K **107**
Weir Rd. *Bex* —7H **101**
Weir's Pas. *NW1*
—3H **61** (1D **142**)
Weiss Rd. *SW15* —3F **91**
Welbeck Av. *Brom* —4J **113**
Welbeck Av. *Sidc* —1A **116**
Welbeck Clo. *N12* —5G **15**
Welbeck Clo. *Eps* —7C **130**
Welbeck Clo. *N Mald* —5B **120**
Welbeck Rd. *E6* —3B **66**
Welbeck Rd. *Barn* —6H **5**
Welbeck Rd. *Harr* —1F **39**
Welbeck Rd. *Sutt & Cars*
—2B **132**
Welbeck St. *W1* —5E **60** (6H **141**)
Welbeck Wlk. *Cars* —1C **132**
Welbeck Way. *W1*
—6F **61** (7J **141**)
Welbourne Rd. *N17* —3F **31**
Welby Ho. *N19* —7H **29**
Welby St. *SE5* —1B **94**
Welch Pl. *Pinn* —1A **22**

Welcome Ct. *E17* —7C **32**
(off Saxon Clo.)
Weldon Clo. *Ruis* —6A **38**
Weldon Ct. *N21* —5E **6**
Weld Pl. *N11* —5A **16**
Welfare Rd. *E15* —7G **49**
Welford Clo. *E5* —3K **47**
Welford Ct. *SW8* —2G **93**
Welford Pl. *SW19* —4G **107**
Welham Rd. *SW17 & SW16*
—5E **108**
Welhouse Rd. *Cars* —1C **132**
Wellacre Rd. *Harr* —6B **24**
Wellan Clo. *Sidc* —5B **100**
Welland Ct. *SE6* —2B **112**
(off Oakham Clo.)
Welland Gdns. *Gnfd* —2K **55**
Welland Ho. *SE15* —4J **95**
Welland M. *E1* —1G **79**
Wellands Clo. *Brom* —2D **128**
Well App. *Barn* —5A **4**
Well Clo. *SW16* —4K **109**
Well Clo. *Ruis* —3C **38**
Wellclose Sq. *E1* —7G **63**
Well Cottage Clo. *E11* —6A **34**
Well Ct. *EC4* —6C **62** (1D **150**)
Welldon Ct. *Harr* —5J **23**
Welldon Cres. *Harr* —5J **23**
Weller Ho. *SE16* —2G **79**
(off George Row)
Weller St. *SE1* —2C **78** (6C **150**)
Wellesley Av. *W6* —3D **74**
Wellesley Ct. *NW2* —2C **42**
Wellesley Ct. *W9* —3A **60**
(off Maida Vale)
Wellesley Ct. *Sutt* —1G **131**
Wellesley Ct. Rd. *Croy* —2D **134**
Wellesley Cres. *Twic* —2J **103**
Wellesley Gro. *Croy* —2D **134**
Wellesley Lodge. *Sutt* —7K **131**
(off Worcester Rd.)
Wellesley Pde. *Twic* —3K **103**
Wellesley Pk. M. *Enf* —2G **7**
Wellesley Pl. *NW1*
—3H **61** (2C **142**)
Wellesley Rd. *NW5* —5E **44**
Wellesley Rd. *E11* —5J **33**
Wellesley Rd. *E17* —6C **32**
Wellesley Rd. *N22* —2A **30**
Wellesley Rd. *NW5* —5E **44**
Wellesley Rd. *W4* —5G **73**
Wellesley Rd. *Croy* —1C **134**
Wellesley Rd. *Harr* —5J **23**
Wellesley Rd. *Ilf* —2F **51**
Wellesley Rd. *Sutt* —6A **132**
Wellesley Rd. *Twic* —3H **103**
Wellesley St. *E1* —5K **63**
Wellesley Ter. *N1*
—3C **62** (1D **144**)
Wellfield Av. *N10* —3F **29**
Wellfield Rd. *SW16* —4J **109**
Wellfield Wlk. *SW16* —5K **109**
Wellfit St. *SE24* —3B **94**
Wellgarth. *Gnfd* —6B **40**
Wellgarth Rd. *NW11* —1K **43**
Well Gro. *N20* —1F **15**
Well Hall Pde. *SE9* —4D **98**
Well Hall Rd. *SE9* —3C **98**
Well Hall Roundabout. (Junct.)
—4C **98**
Wellhouse La. *Barn* —4A **4**
Wellhouse Rd. *Beck* —4C **126**

Welling High St. *Well* —3B **100**
Wellington. *N8* —4J **29**
Wellington Av. *E4* —2H **19**
Wellington Av. *N9* —3C **18**
Wellington Av. *N15* —6F **31**
Wellington Av. *Houn* —5E **86**
Wellington Av. *Pinn* —1D **22**
Wellington Av. *Sidc* —6A **100**
Wellington Av. *Wor Pk* —3E **130**
Wellington Bldgs. *SW1*
—5F **77** (6H **153**)
Wellington Clo. *SE14* —1K **95**
Wellington Clo. *Dag* —7J **53**
Wellington Ct. *NW8* —2B **60**
(off Wellington Rd.)
Wellington Ct. *SW6* —1K **91**
(off Maltings Pl.)
Wellington Ct. *Hamp* —5H **103**
Wellington Ct. *Pinn* —1D **22**
(off Wellington Rd.)
Wellington Cres. *N Mald* —3J **119**
Wellington Dri. *Dag* —7J **53**
Wellington Est. *E2* —2J **63**
Wellington Gdns. *SE7* —6A **82**
Wellington Gdns. *Twic* —4H **103**
Wellington Gro. *SE10* —7F **81**
Wellington Ho. *W5* —3E **56**
Wellington Ho. *N'holt* —7E **38**
(off Farmlands, The)
Wellington Mans. *E11* —1C **48**
Wellington M. *SE7* —6A **82**
Wellington M. *SE22* —4G **95**
Wellington Pde. *Sidc* —5A **100**
Wellington Pk. Est. *NW2* —2C **42**
Wellington Pas. *E11* —5J **33**
(off Wellington Rd.)
Wellington Pl. *N2* —6C **28**
Wellington Pl. *NW8*
—3B **60** (1B **140**)
Wellington Rd. *E6* —1D **66**
Wellington Rd. *E7* —4H **49**
Wellington Rd. *E10* —1A **48**
Wellington Rd. *E11* —5J **33**
Wellington Rd. *E17* —4A **32**
Wellington Rd. *NW8*
—2B **60** (1B **140**)
Wellington Rd. *NW10* —3F **59**
Wellington Rd. *SW19* —2J **107**
Wellington Rd. *W5* —3C **72**
Wellington Rd. *Belv* —5F **85**
Wellington Rd. *Bex* —5D **100**
Wellington Rd. *Brom* —4A **128**
Wellington Rd. *Croy* —7B **124**
Wellington Rd. *Enf* —5K **7**
Wellington Rd. *Hamp & Twic*
—5H **103**
Wellington Rd. *Harr* —3J **23**
Wellington Rd. *Pinn* —1D **22**
Wellington Rd. N. *Houn* —3D **86**
Wellington Rd. S. *Houn* —4D **86**
Wellington Row. *E2*
—3F **63** (1K **145**)
Wellington Sq. *SW3*
—5D **76** (5E **152**)
Wellington St. *SE18* —4E **82**
Wellington St. *WC2*
—7J **61** (2G **149**)
Wellington St. *Bark* —1G **67**
Wellington Ter. *E1* —1H **79**
Wellington Ter. *N8* —3A **30**
(off Turnpike La.)
Wellington Ter. *W2* —7J **59**
Wellington Ter. *Harr* —1H **39**
Wellington Way. *E3* —3C **64**

Welling Way. *SE9 & Well* —3G **99**
Well La. *SW14* —5J **89**
Wellmeadow Rd. *SE13 & SE6*
(in two parts) —6G **97**
Wellmeadow Rd. *W7* —4A **72**
Wellow Wlk. *Cars* —1B **132**
Well Pl. *NW3* —3B **44**
Well Rd. *NW3* —3B **44**
Well Rd. *Barn* —5A **4**
Wells Clo. *N'holt* —3A **54**
Wells Dri. *NW9* —1K **41**
Wells Gdns. *Dag* —5H **53**
Wells Gdns. *Ilf* —7C **34**
Wells Ho. *W5* —7D **56**
(off Grove Rd.)
Wells Ho. *Bark* —7A **52**
(off Margaret Bondfield Av.)
Wells Ho. *Brom* —5K **113**
Wells Ho. Rd. *NW10* —5A **58**
Wellside Clo. *Barn* —4A **4**
Wellside Gdns. *SW14* —4J **89**
Wells M. *W1* —5G **61** (6B **142**)
Wellsmoor Gdns. *Brom* —3E **128**
Wells Pk. Rd. *SE26* —3G **111**
Wellsprings Cres. *Wemb* —3H **41**
Wells Rise. *NW8* —1D **60**
Wells Rd. *W12* —2E **74**
Wells Rd. *Brom* —2D **128**
Wells Sq. *WC1* —3K **61** (2G **143**)
Wells St. *W1* —5G **61** (6A **142**)
Wellstead Av. *N9* —7E **8**
Wellstead Rd. *E6* —2E **66**
Wells Ter. *N4* —2A **46**
Wells, The. *N14* —7C **6**
Well St. *E9* —7J **47**
Well St. *E15* —6G **49**
Wells Way. *SE5* —6D **78** (7F **157**)
Wells Way. *SW7*
—3B **76** (1A **152**)
Wells Yd. *N7* —5A **46**
Well Wlk. *NW3* —4B **44**
Wellwood Rd. *Ilf* —1A **52**
Welsby Ct. *W5* —5C **56**
Welsford St. *SE1* —5G **79**
Welsh Clo. *E13* —3J **65**
Welshpool St. *E8* —1G **63**
(in two parts)
Welshside Wlk. *NW9* —5A **26**
Welsingham Lodge. *SW13*
—1C **90**
Welstead Way. *W4* —4B **74**
Weltje Rd. *W6* —4C **74**
Welton Ct. *SE5* —1E **94**
Welton Rd. *SE18* —7J **83**
Welwyn St. *E2* —3J **63**
Wembley Commercial Cen. *Wemb*
—2D **40**
Wembley Hill Rd. *Wemb* —5F **41**
Wembley Pk. Bus. Cen. *Wemb*
—3H **41**
Wembley Pk. Dri. *Wemb* —4F **41**
Wembley Retail Pk. *Wemb*
—4G **41**
Wembley Rd. *Hamp* —7E **102**
Wembley Stadium Ind. Est. *Wemb*
—5G **41**
Wembley Way. *Wemb* —6H **41**
Wemborough Rd. *Stan* —1B **24**
Wembury M. *N6* —7G **29**
Wembury Rd. *N6* —7F **29**
Wemyss Rd. *SE3* —2H **97**
Wendela Ct. *Harr* —3H **39**
Wendell Rd. *W12* —3B **74**
Wendling Rd. *Sutt* —1B **132**
Wendon St. *E3* —1B **64**

Whitby Rd. *Harr* —3G **39**
Whitby Rd. *Ruis* —3A **38**
Whitby Rd. *Sutt* —2B **132**
Whitby St. *E1* —4F **63** (3J **145**)
Whitcher Clo. *SE14* —6A **80**
Whitcher Pl. *NW1* —6G **45**
Whitchurch Av. *Edgw* —7A **12**
Whitchurch Clo. *Edgw* —6A **12**
Whitchurch Gdns. *Edgw* —6A **12**
Whitchurch Ho. *W10* —6F **59**
(off Kingsdown Clo.)
Whitchurch La. *Edgw* —7J **11**
Whitchurch Pde. *Edgw* —7B **12**
Whitchurch Rd. *W11* —7F **59**
Whitcomb Ct. *WC2*
　—7H **61** (3D **148**)
Whitcomb St. *WC2*
　—7H **61** (3D **148**)
White Acre. *NW9* —2A **26**
Whiteadder Way. *E14* —4D **80**
Whitear Wlk. *E15* —6F **49**
White Av. *N2* —6B **28**
Whitebarn La. *Dag* —1G **69**
Whitebeam Av. *Brom* —7E **128**
Whitebeam Clo. *SW9* —7K **77**
White Bear Pl. *NW3* —4B **44**
White Bear Yd. *EC1*
　—4A **62** (4J **143**)
(off Clerkenwell Rd.)
White Bri. Av. *Mitc* —3B **122**
White Butts Rd. *Ruis* —3B **38**
Whitechapel High St. *E1*
　—6F **63** (7K **145**)
Whitechapel Rd. *E1*
　—5G **63** (7K **145**)
Whitechurch La. *E1*
　—6G **63** (7K **145**)
White City. (Junct.) —6E **58**
White City Clo. *W12* —7E **58**
White City Est. *W12* —7D **58**
White City Rd. *W12* —7E **58**
White Conduit St. *N1* —2A **62**
Whitecote Rd. *S'hall* —6G **55**
Whitecroft Clo. *Beck* —4F **127**
Whitecroft Way. *Beck* —5E **126**
Whitecross Pl. *EC2*
　—5D **62** (5F **145**)
Whitecross St. *EC1 & EC2*
　—4C **62** (3D **144**)
Whitefield Av. *NW2* —1E **42**
Whitefield Clo. *SW15* —6G **91**
Whitefoot La. *Brom* —4E **112**
Whitefoot Ter. *Brom* —3H **113**
Whitefriars Av. *Harr* —2J **23**
Whitefriars Ct. *N12* —5G **15**
Whitefriars Dri. *Harr* —2H **23**
Whitefriars St. *EC4*
　—6A **62** (1K **149**)
Whitefriars Trad. Est. *Harr*
　—3H **23**
White Gdns. *Dag* —6G **53**
Whitegate Gdns. *Harr* —7E **10**
Whitehall. *SW1* —1J **77** (4E **148**)
Whitehall Ct. *SW1*
　—1J **77** (5E **148**)
Whitehall Gdns. *E4* —1B **20**
Whitehall Gdns. *SW1*
　—1J **77** (5E **148**)
Whitehall Gdns. *W3* —1G **73**
Whitehall Gdns. *W4* —6H **73**
Whitehall La. *Buck H* —2D **20**
Whitehall Lodge. *N10* —2E **28**
Whitehall Pk. *N19* —1G **45**
Whitehall Pk. Rd. *W4* —6H **73**
Whitehall Pl. *E7* —5J **49**

Whitehall Pl. *SW1*
　—1J **77** (5E **148**)
Whitehall Pl. *Wall* —4F **133**
Whitehall Rd. *E4 & Wfd G*
　—2B **20**
Whitehall Rd. *W7* —2A **72**
Whitehall Rd. *Brom* —5B **128**
Whitehall Rd. *Harr* —7J **23**
Whitehall Rd. *T Hth* —5A **124**
Whitehall Rd. *Twic* —7A **18**
White Hart Ct. *EC2*
　—5E **62** (6G **145**)
White Hart La. *N22 & N17*
　—1K **29**
White Hart La. *NW10* —6B **42**
White Hart La. *SW13* —2A **90**
White Hart La. *Romf* —1G **37**
White Hart Rd. *SE18* —4J **83**
White Hart Roundabout. *N'holt*
　—2B **54**
White Hart Slip. *Brom* —2J **127**
White Hart St. *SE11*
　—5A **78** (5K **155**)
White Hart Yd. *SE1*
　—1D **78** (5E **150**)
Whitehaven Clo. *Brom* —4J **127**
Whitehaven St. *NW8*
　—4C **60** (4C **140**)
Whitehead Clo. *N18* —5J **17**
Whitehead Clo. *SW18* —7A **92**
Whitehead's Gro. *SW3*
　—5C **76** (4D **152**)
White Heron M. *Tedd* —6K **103**
Whitehorn Gdns. *Croy* —2H **135**
White Horse All. *EC1*
　—5B **62** (5A **144**)
White Horse Hill. *Chst* —4E **114**
White Horse La. *E1* —5K **63**
Whitehorse La. *SE25* —4D **124**
Whitehorse M. *SE1*
　—3A **78** (1K **155**)
White Horse Rd. *E1* —6A **64**
White Horse Rd. *E6* —3D **66**
Whitehorse Rd. *Croy & T Hth*
　—7C **124**
White Horse St. *W1*
　—1F **77** (5K **147**)
White Horse Yd. *EC2*
　—6D **62** (7E **144**)
White Ho. SW4 —7H 93
(off Clapham Pk.)
White Ho. Dri. *Stan* —4H **11**
White Ho. Dri. *Wfd G* —6C **20**
Whitehouse Est. *E10* —6E **32**
Whitehouse La. *Enf* —1H **7**
Whitehouse Way. *N14* —2A **16**
White Kennett St. *E1*
　—6E **62** (7H **145**)
Whiteledges. *W13* —6C **56**
Whitelegg Rd. *E13* —2H **65**
Whiteley Rd. *SE19* —5D **110**
Whiteley's Cotts. *W14* —4H **75**
Whiteleys Shop. Cen. *W2* —6K **59**
Whiteley's Way. *Felt* —3E **102**
White Lion Ct. *EC3*
　—6E **62** (1G **151**)
White Lion St. *SE15* —6J **79**
White Lion St. *Iswth* —3B **88**
White Lion Hill. *EC4*
　—7B **62** (2B **150**)
White Lion St. *N1* —2A **62**
White Lion Wlk. W1
(off Brook St.) —7F **61** (2J **147**)
White Lodge. *SE19* —7B **110**
White Lodge. *W5* —5C **56**

White Lodge Clo. *N2* —6B **28**
White Lodge Clo. *Sutt* —7A **132**
White Lyon Ct. *EC2*
　—5C **62** (5C **144**)
White M. *Enf* —3J **7**
Whiteoak Ct. *Chst* —6E **114**
White Oak Dri. *Beck* —2E **126**
White Oak Gdns. *Sidc* —7K **99**
White Orchards. *N20* —7C **4**
White Orchards. *Stan* —5F **11**
White Post La. *E9* —6C **48**
White Post St. *SE15* —7J **79**
White Rd. *E15* —7G **49**
Whites Av. *Ilf* —6J **35**
Whites Dri. *Brom* —6H **127**
White's Grounds. *SE1*
　—2E **78** (7H **151**)
White's Grounds Est. *SE1*
　—2E **78** (6H **151**)
White's Meadow. *Brom* —4K **129**
White's Row. *E1* —5F **63** (6J **145**)
Whites Sq. *SW4* —4H **93**
Whitestile Rd. *Bren* —5C **72**
Whitestone La. *NW3* —3A **44**
Whitestone Wlk. *NW3* —3A **44**
White St. *S'hall* —2B **70**
Whiteswan M. *W4* —5A **74**
Whitethorn Gdns. *Croy* —2H **135**
Whitethorn Gdns. *Enf* —5J **7**
Whitethorn St. *E3* —5C **64**
Whitewebbs Way. *Orp* —1K **129**
Whitfield Pl. *W1*
　—4G **61** (4A **142**)
Whitfield Rd. *E6* —7A **50**
Whitfield Rd. *SE3* —2F **97**
Whitfield Rd. *Bexh* —7F **85**
Whitfield St. *W1*
　—4G **61** (4A **142**)
Whitford Gdns. *Mitc* —3D **122**
Whitgift Av. *S Croy* —5C **134**
Whitgift Cen. *Croy* —2C **134**
Whitgift Ho. *SE11*
　—4K **77** (3G **155**)
Whitgift Sq. *Croy* —2C **134**
Whitgift St. *Croy* —3C **134**
Whitgift St. *SE11*
　—4K **77** (3G **155**)
Whiting Av. *Bark* —7F **51**
Whitings. *Ilf* —5J **35**
Whitings Rd. *Barn* —5A **4**
Whitings Way. *E6* —5E **66**
Whitland Rd. *Cars* —1B **132**
Whitley Rd. *N17* —2E **30**
Whitlock Dri. *SW19* —1G **107**
Whitman Rd. *E3* —4A **64**
Whitmead Clo. *S Croy* —6E **134**
Whitminster Ct. SE15 —6E 78
(off Brockworth Clo.)
Whitmore Clo. *N11* —5A **16**
Whitmore Est. *N1* —1E **62**
Whitmore Gdns. *NW10* —2E **58**
Whitmore Ho. N1 —1E 62
(off Whitmore Est.)
Whitmore Rd. *N1* —1E **62**
Whitmore Rd. *Beck* —3B **126**
Whitmore Rd. *Harr* —7G **23**
Whitnell Way. *SW15* —5E **90**
Whitney Av. *Ilf* —4B **34**
Whitney Rd. *E10* —7D **32**
Whitney Wlk. *Sidc* —6E **116**
Whitstable Clo. *Beck* —1B **126**
Whitstable Ho. W10 —6F 59
(off Silchester Rd.)
Whittaker Av. *Rich* —5D **88**

Whittaker Pl. *Rich* —5D **88**
(off Whittaker Av.)
Whittaker Rd. *E6* —7A **50**
Whittaker Rd. *Sutt* —3H **131**
Whittaker St. *SW1*
　—4E **76** (4G **153**)
Whittaker Way. *SE1* —4G **79**
Whitta Rd. *E12* —4B **50**
Whittell Gdns. *SE26* —3J **111**
Whittingham. *N17* —7C **18**
Whittingham Ct. *W4* —7A **74**
Whittingstall Rd. *SW6* —1H **91**
Whittington Av. *EC3*
　—6E **62** (1G **151**)
Whittington Clo. *N2* —5D **28**
Whittington M. *N12* —4K **15**
(off Fredericks Pl.)
Whittington Rd. *N22* —7D **16**
Whittington Way. *Pinn* —5C **22**
Whittlebury Clo. *Cars* —7D **132**
Whittle Clo. *E17* —6A **32**
Whittle Clo. *S'hall* —6F **55**
Whittle Rd. *Houn* —7A **70**
Whittlesea Clo. *Harr* —7B **10**
Whittlesea Path. *Harr* —1G **23**
Whittlesea Rd. *Harr* —7B **10**
Whittlesey St. *SE1*
　—1A **78** (5J **149**)
Whitton Av. E. *Gnfd* —5J **39**
Whitton Av. W. *N'holt & Gnfd*
　—5F **39**
Whitton Clo. *Gnfd* —6B **40**
Whitton Dene. *Houn & Iswth*
　—5G **87**
Whitton Dri. *Gnfd* —6A **40**
Whitton Mnr. Rd. *Iswth* —6G **87**
Whitton Rd. *Houn* —4F **87**
Whitton Rd. *Twic* —6J **87**
Whitton Wlk. *E3* —3C **64**
Whitton Waye. *Houn* —6E **86**
Whitwell Rd. *E13* —3J **65**
Whitworth Ho. *SE1*
　—3C **78** (2D **156**)
Whitworth Rd. *SE18* —7E **82**
Whitworth Rd. *SE25* —3E **124**
Whitworth St. *SE10* —5G **81**
Whorlton Rd. *SE15* —3H **95**
Whymark Av. *N22* —3A **30**
Whytecroft. *Houn* —7B **70**
Whyteville Rd. *E7* —6K **49**
Wickersley Rd. *SW11* —2E **92**
Wickers Oake. *SE19* —4F **111**
Wicker St. *E1* —6H **63**
Wicket Rd. *Gnfd* —3A **56**
Wicket, The. *Croy* —5C **136**
Wickfield Ho. SE16 —2G 79
(off Wilson Gro.)
Wickford St. *E1* —4J **63**
Wickford Way. *E17* —4K **31**
Wickham Av. *Croy* —2A **136**
Wickham Av. *Sutt* —5E **130**
Wickham Chase. *W Wick*
　—1F **137**
Wickham Clo. *Enf* —3C **8**
Wickham Clo. *N Mald* —6B **120**
Wickham Ct. Rd. *W Wick*
　—2E **136**
Wickham Cres. *W Wick* —2E **136**
Wickham Gdns. *SE4* —3B **96**
Wickham La. *SE2 & Well* —5A **84**
Wickham M. *SE4* —2B **96**
Wickham Rd. *E4* —7K **19**
Wickham Rd. *SE4* —4B **96**
Wickham Rd. *Beck* —2D **126**
Wickham Rd. *Croy* —2K **135**

Wickham Rd. *Harr* —2H **23**
Wickham St. *SE11*
　—5K **77** (5G **155**)
Wickham St. *Well* —2J **99**
Wickham Way. *Beck* —4E **126**
Wick La. *E3* —1C **64**
(in two parts)
Wickliffe Av. *N3* —2G **27**
Wickliffe Gdns. *Wemb* —2H **41**
Wicklow Ho. *N16* —1F **47**
Wicklow St. *WC1*
　—3K **61** (1G **143**)
Wick M. *E9* —6A **48**
Wick Rd. *E9* —6K **47**
Wick Rd. *Tedd* —7B **104**
Wicks Clo. *SE9* —4B **114**
Wick Sq. *E9* —6B **48**
Wicksteed Clo. *Bex* —3K **117**
Wicksteed Ho. *SE1*
　—3C **78** (2D **156**)
Wicksteed Ho. *Bren* —5F **73**
Wickway Ct. SE15 —6F 79
(off Cator St.)
Wickwood St. *SE5* —2B **94**
Widdecombe Av. *S Harr* —2C **38**
Widdenham Rd. *N7* —4K **45**
Widdin St. *E15* —7F **49**
Widecombe Gdns. *Ilf* —4C **34**
Widecombe Rd. *SE9* —3C **114**
Widecombe Way. *N2* —5B **28**
Widegate St. *E1* —5E **62** (6H **145**)
Widenham Clo. *Pinn* —5A **22**
Wide Way. *Mitc* —3H **123**
Widgeon Clo. *E16* —6K **65**
Widley Rd. *W9* —3J **59**
Widmer Ct. *Houn* —2C **86**
Widmore Lodge Rd. *Brom*
　—2B **128**
Widmore Rd. *Brom* —2J **127**
Wigan Ho. *E5* —1H **47**
Wigeon Path. *SE28* —3H **83**
Wigeon Way. *Hayes* —6C **54**
Wiggins Mead. *NW9* —7G **13**
Wigginton Av. *Wemb* —6H **41**
Wightman Rd. *N8 & N4* —4A **30**
Wigley Rd. *Felt* —2B **102**
Wigmore Ct. W13 —1A 72
(off Singapore Rd.)
Wigmore Pl. *W1* —6F **61** (7J **141**)
Wigmore Rd. *Cars* —2B **132**
Wigmore St. *W1*
　—6E **60** (7H **141**)
Wigmore Wlk. *Cars* —2B **132**
Wigram Rd. *E11* —6A **34**
Wigram Sq. *E17* —3E **32**
Wigston Clo. *N18* —5K **17**
Wigston Rd. *E13* —4K **65**
Wigton Gdns. *Stan* —1E **24**
Wigton Pl. *SE11*
　—5A **78** (6K **155**)
Wigton Rd. *E17* —1B **32**
Wilberforce Rd. *N4* —2B **46**
Wilberforce Rd. *NW9* —6C **26**
Wilberforce Way. *SW19* —6F **107**
Wilbraham Pl. *SW1*
　—4D **76** (3F **153**)
Wilbury Way. *N18* —5J **17**
Wilby M. *W11* —1H **75**
Wilcox Clo. *SW8* —7J **77**
(in two parts)
Wilcox Pl. *SW1* —3G **77** (2B **154**)
Wilcox Rd. *SW8* —7J **77**
Wilcox Rd. *Sutt* —4K **131**
Wilcox Rd. *Tedd* —4H **103**
Wild Ct. *WC2* —6K **61** (1G **149**)

Wildcroft Gdns. *Edgw* —6J **11**
Wildcroft Mnr. *SW15* —7E **90**
Wildcroft Rd. *SW15* —7E **90**
Wilde Clo. *E8* —1G **63**
Wilde Pl. *N13* —6G **17**
Wilde Pl. *SW18* —7B **92**
Wilderness Rd. *Chst* —7F **115**
Wilderness, The. *Hamp* —4F **103**
Wilde Rd. *Eri* —7H **85**
Wilderton Rd. *N16* —7E **30**
Wildfell Rd. *SE6* —7D **96**
Wild Goose Dri. *SE14* —1J **95**
Wild Hatch. *NW11* —6J **27**
Wild's Rents. *SE1*
    —3E **78** (1G **157**)
Wild St. *WC2* —6J **61** (1F **149**)
Wildwood Clo. *SE12* —7H **97**
Wildwood Gro. *NW3* —1A **44**
Wildwood Rise. *NW11* —1A **44**
Wildwood Rd. *NW11* —6K **27**
Wildwood Ter. *NW3* —1A **44**
Wilford Clo. *Enf* —3J **7**
Wilfred Owen Clo. *SW19*
    —6A **108**
Wilfred St. *SW1* —3G **77** (1A **154**)
Wilfrid Gdns. *W3* —5J **57**
Wilkes St. *E1* —5F **63** (5K **145**)
  (in two parts)
Wilkie Way. *SE22* —1G **111**
Wilkins Clo. *Mitc* —1C **122**
Wilkinson Ct. *SW17* —4B **108**
Wilkinson Ho. *N1* —2D **62**
  (off Cranston Est.)
Wilkinson Rd. *E16* —6A **66**
Wilkinson St. *SW8* —7K **77**
Wilkinson Way. *W4* —2K **73**
Wilkin St. *NW5* —6E **44**
Wilkin St. M. *NW5* —6F **45**
Wilks Gdns. *Croy* —1A **136**
Wilks Pl. *N1* —2E **62**
Willan Rd. *N17* —2D **30**
Willan Wall. *E16* —7H **65**
Willard St. *SW8* —3F **93**
Willcott Rd. *W3* —1H **73**
Will Crooks Gdns. *SE9* —4B **98**
Willenfield Rd. *NW10* —2J **57**
Willenhall Av. *New Bar* —6F **5**
Willenhall Ct. *New Bar* —6F **5**
Willenhall Rd. *SE18* —5F **83**
Willersley Av. *Sidc* —1K **115**
Willersley Clo. *Sidc* —1K **115**
Willesden La. *NW2 & NW6*
    —6E **42**
Wiles Rd. *NW5* —6F **45**
Willett Clo. *N'holt* —3A **54**
Willett Clo. *Orp* —6J **129**
Willett Ho. *E13* —2K **65**
  (off Queens Rd. W.)
Willett Pl. *T Hth* —5A **124**
Willett Rd. *T Hth* —5A **124**
Willett Way. *Orp* —5H **129**
William Allen Ho. *Edgw* —7A **12**
William Banfield Ho. *SW6*
  (off Munster Rd.) —2H **91**
William Barefoot Dri. *SE9*
    —4E **114**
William Bonney Est. *SW4* —4H **93**
William Booth Rd. *SE20* —1G **125**
William Carey Way. *Harr* —6J **23**
William Clo. *SW6* —7G **75**
  (off Dawes Rd.)
William Clo. *Romf* —1J **37**
William Clo. *S'hall* —2G **71**
William Cobbett Ho. *W8* —3K **75**
  (off Scarsdale Pl.)

William Ct. *Gnfd* —5C **56**
William Covell Clo. *Enf* —1E **6**
William Dromey Ct. *NW6* —7H **43**
William Ellis Way. *SE16* —3G **79**
William Evans Ho. *SE8* —4K **79**
  (off Haddonfield)
William IV St. *WC2*
    —7J **61** (3E **148**)
William Gdns. *SW15* —5D **90**
William Gunn Ho. *NW3* —5C **44**
William Guy Gdns. *E3* —3D **64**
William Margrie Clo. *SE15*
    —2G **95**
William M. *SW1* —2D **76** (7F **147**)
William Morley Clo. *E6* —1B **66**
William Morris Clo. *E17* —3B **32**
William Morris Ho. *W6* —6F **75**
  (off Margravine Rd.)
William Morris Way. *SW6*
    —3A **92**
William Paton Ho. *E16* —6K **65**
William Pike Ho. *Romf* —6K **37**
  (off Waterloo Gdns.)
William Pl. *E3* —2B **64**
William Rd. *NW1*
    —3F **61** (2K **141**)
William Rd. *SW19* —7G **107**
William Rd. *Sutt* —5A **132**
Williams Av. *E17* —1B **32**
Williams Clo. *N8* —6H **29**
Williams Gro. *N22* —1A **30**
Williams Ho. *NW2* —3E **42**
  (off Stoll Clo.)
William's La. *SW14* —3J **89**
Williams La. *Mord* —5A **122**
William Smith Ho. *Belv* —3G **85**
  (off Ambrooke Rd.)
Williamson Clo. *SE10* —5H **81**
Williamson Rd. *N4* —6B **30**
Williamson St. *N7* —4J **45**
Williamson Way. *NW7* —6B **14**
William Sq. *SE16* —7A **64**
  (off Sovereign Cres.)
Williams Rd. *W13* —1A **72**
Williams Rd. *S'hall* —4C **70**
Williams Ter. *Croy* —6A **134**
William St. *E10* —6D **32**
William St. *N17* —7A **18**
William St. *SW1*
    —2D **76** (7F **147**)
William St. *Bark* —7G **51**
William St. *Cars* —3C **132**
William White Ct. *E13* —1A **66**
  (off Green St.)
William Wood Ho. *SE26* —3J **111**
  (off Shrublands Clo.)
Willifield Way. *NW11* —4H **27**
Willingale Clo. *Wfd G* —6F **21**
Willingdon Rd. *N22* —2B **30**
Willingham Clo. *NW5* —5G **45**
Willingham Ter. *NW5* —5G **45**
Willingham Way. *King T* —3G **119**
Willington Ct. *E5* —3A **48**
Willington Rd. *SW9* —3J **93**
Willis Av. *Sutt* —6G **132**
Willis Ct. *T Hth* —6A **124**
Willis Rd. *E15* —2H **65**
Willis Rd. *Croy* —7C **124**
Willis Rd. *Eri* —4K **85**
Willis St. *E14* —6D **64**
Will Miles Ct. *SW19* —7A **108**
Willmore End. *SW19* —1K **121**
Willoughby Av. *Croy* —4K **133**
Willoughby Dri. *Rain* —7K **53**
Willoughby Gro. *N17* —7C **18**

Willoughby Ho. *EC2*
    —5D **62** (5E **144**)
Willoughby La. *N17* —6C **18**
Willoughby Pk. Rd. *N17* —7C **18**
  (in two parts)
Willoughby Rd. *N8* —3A **30**
Willoughby Rd. *NW3* —4B **44**
Willoughby Rd. *King T* —1F **119**
Willoughby Rd. *Twic* —5C **88**
Willoughbys, The. *SW14* —3A **90**
Willoughby St. *WC1*
    —5J **61** (6E **142**)
Willoughby Way. *SE7* —4K **81**
Willow Av. *SW13* —2B **90**
Willow Av. *Sidc* —6A **100**
Willow Bank. *SW6* —3G **91**
Willow Bank. *Rich* —3B **104**
Willow Brit. Rd. *N1* —6C **46**
Willow Brook Rd. *SE15* —7F **79**
Willowbrook Rd. *S'hall* —3E **70**
Willow Bus. Cen., The. *Mitc*
    —6D **122**
Willow Bus. Pk. *SE26* —3J **111**
Willow Clo. *SE6* —1H **113**
Willow Clo. *Bex* —6F **101**
Willow Clo. *Bren* —6C **72**
Willow Clo. *Brom* —5D **128**
Willow Clo. *Buck H* —3G **21**
Willow Cotts. *Hanw* —4C **102**
Willow Cotts. *Rich* —6G **73**
Willow Ct. *E11* —2G **49**
  (off Trinity Clo.)
Willow Ct. *EC2* —4E **62** (3G **145**)
Willow Ct. *W4* —7A **74**
  (off Corney Reach Way)
Willow Ct. *Edgw* —4K **11**
Willow Ct. *Harr* —1K **23**
Willowcourt Av. *Harr* —5B **24**
Willowdene. *N6* —7D **28**
Willowdene. *SE15* —1H **95**
Willow Dene. *Bush* —1D **10**
Willow Dene. *Pinn* —2B **22**
Willowdene Clo. *Twic* —7G **87**
Willowdene Ct. *N20* —7F **5**
  (off High Rd.)
Willow Dri. *Barn* —4B **4**
Willow End. *N20* —2D **14**
Willow End. *Surb* —7E **118**
Willow Farm La. *SW15* —3D **90**
Willow Gdns. *Houn* —1E **86**
Willow Grange. *Sidc* —3B **116**
Willow Grn. *NW9* —1A **26**
Willow Gro. *E13* —2J **65**
Willow Gro. *Chst* —6E **114**
Willowhayne Gdns. *Wor Pk*
    —3E **130**
Willow Ho. *Brom* —2G **127**
Willow La. *Mitc* —5D **122**
Willow Lodge. *SW6* —1E **90**
Willowmead Clo. *W5* —5D **56**
Willow Mt. *Croy* —3E **134**
Willow Pl. *SW1* —4G **77** (3B **154**)
Willow Rd. *E12* —3D **50**
Willow Rd. *NW3* —4B **44**
Willow Rd. *W5* —2E **72**
Willow Rd. *Enf* —3K **7**
Willow Rd. *N Mald* —4J **119**
Willow Rd. *Romf* —6E **36**
Willow Rd. *Wall* —7F **133**
Willows Av. *Mord* —5K **121**
Willows Clo. *Pinn* —2A **22**
Willowside Ct. *Enf* —3G **7**
Willows, The. *E6* —7E **50**
Willows, The. *Beck* —1C **126**
Willow St. *E4* —1A **20**

Willow St. *EC2* —4E **62** (3G **145**)
Willow St. *Romf* —4J **37**
Willow Tree Clo. *E3* —1B **64**
Willow Tree Clo. *SW18* —1K **107**
Willow Tree Clo. *Hayes* —4A **54**
Willow Tree Ct. *Sidc* —5K **115**
Willow Tree La. *Hayes* —4A **54**
Willow Tree Wlk. *Brom* —1K **127**
Willowtree Way. *T Hth* —1A **124**
Willow Vale. *W12* —1C **74**
Willow Vale. *Chst* —6F **115**
Willow View. *SW19* —1B **122**
Willow Wlk. *N2* —2B **28**
Willow Wlk. *N15* —4B **30**
Willow Wlk. *N21* —6E **6**
Willow Wlk. *SE1*
    —4E **78** (3H **157**)
Willow Wlk. *Sutt* —3H **131**
Willow Way. *N3* —7E **14**
Willow Way. *SE26* —3J **111**
Willow Way. *W11* —7F **59**
Willow Way. *Eps* —6A **130**
Willow Way. *Twic* —2F **103**
Willow Way. *Wemb* —3A **40**
Willow Wood Cres. *SE25*
    —6E **124**
Willrose Cres. *SE2* —5B **84**
Willsbridge Ct. *SE15* —6F **79**
  (off Bibury Clo.)
Wills Cres. *Houn* —6F **87**
Wills Gro. *NW7* —5G **13**
Wilman Gro. *E8* —7G **47**
Wilmar Gdns. *W Wick* —1D **136**
Wilmcote Ho. *W2* —5K **59**
  (off Woodchester Sq.)
Wilmer Clo. *King T* —5F **105**
Wilmer Cres. *King T* —5F **105**
Wilmer Gdns. *N1* —1E **62**
Wilmer Lea Clo. *E15* —7F **49**
Wilmer Pl. *N16* —2F **47**
Wilmer Way. *N14* —5C **16**
Wilmington Av. *W4* —7K **73**
Wilmington Ct. *SW16* —7J **109**
Wilmington Gdns. *Bark* —6H **51**
Wilmington Sq. *WC1*
    —3A **62** (2J **143**)
Wilmington St. *WC1*
    —3A **62** (2J **143**)
Wilmot Clo. *N2* —2A **28**
Wilmot Clo. *SE15* —7G **79**
Wilmot Pl. *NW1* —7G **45**
Wilmot Pl. *W7* —1J **71**
Wilmot Rd. *E10* —2D **48**
Wilmot Rd. *N17* —3D **30**
Wilmot Rd. *Cars* —5D **132**
Wilmot St. *E2* —4H **63**
Wilmount St. *SE18* —4F **83**
Wilna Rd. *SW18* —7A **92**
Wilsham St. *W11* —1F **75**
Wilshaw Ho. *SE8* —7C **80**
Wilshaw St. *SE14* —1C **96**
Wilsmere Dri. *Harr* —7D **10**
Wilsmere Dri. *N'holt* —6C **38**
Wilson Av. *Mitc* —7C **108**
Wilson Clo. *S Croy* —5D **134**
Wilson Dri. *Wemb* —7F **25**
Wilson Gdns. *Harr* —7G **23**
Wilson Gro. *SE16* —2H **79**
Wilson Rd. *E6* —3B **66**
Wilson Rd. *SE5* —1E **94**
Wilson Rd. *Ilf* —7D **34**
Wilson's Av. *N17* —2F **31**

Wilson's Pl. *E14* —6B **64**
Wilson's Rd. *W6* —5F **75**
Wilson St. *E17* —5E **32**
Wilson St. *EC2* —5D **62** (5F **145**)
Wilson St. *N21* —7F **7**
Wilson Wlk. *W4* —4B **74**
  (off Prebend Gdns.)
Wilson Wlk. *Stan* —5H **11**
Wilstone Clo. *Hayes* —4C **54**
Wilthorne Gdns. *Dag* —7H **53**
Wilton Av. *W4* —5A **74**
Wilton Cres. *SW1*
    —2E **76** (7G **147**)
Wilton Cres. *SW19* —7H **107**
Wilton Dri. *Romf* —1J **37**
Wilton Est. *E8* —6G **47**
Wilton Gro. *SW19* —7H **107**
Wilton Gro. *N Mald* —6B **120**
Wilton M. *SW1* —3E **76** (1H **153**)
Wilton Pl. *SW1* —2E **76** (7G **147**)
Wilton Pl. *Harr* —6K **23**
Wilton Rd. *N10* —2E **28**
Wilton Rd. *SE2* —4C **84**
Wilton Rd. *SW1*
    —3G **77** (2A **154**)
Wilton Rd. *SW19* —7C **108**
Wilton Row. *SW1*
    —2E **76** (7G **147**)
Wilton Row. *SW6* —7G **75**
Wilton Sq. *N1* —1D **62**
Wilton St. *SW1* —3F **77** (1J **153**)
Wilton Ter. *SW1*
    —3E **76** (1G **153**)
Wilton Vs. *N1* —1D **62**
  (off Wilton Sq.)
Wilton Way. *E8* —6G **47**
Wiltshire Clo. *NW7* —5G **13**
Wiltshire Clo. *SW3*
    —4D **76** (3E **152**)
Wiltshire Ct. *N4* —1K **45**
  (off Marquis Rd.)
Wiltshire Clo. *Ilf* —6G **51**
Wiltshire Gdns. *N4* —6C **30**
Wiltshire Gdns. *Twic* —1G **103**
Wiltshire Rd. *N1* —1D **62**
Wiltshire Rd. *SW9* —3A **94**
Wiltshire Rd. *Orp* —7K **129**
Wiltshire *T Hth* —3A **124**
Wiltshire Row. *N1* —1D **62**
  (off Bridport Pl.)
Wilverley Cres. *N Mald* —6A **120**
Wimbart Rd. *SW2* —7K **93**
Wimbledon Bri. *SW19* —6H **107**
Wimbledon Hill Rd. *SW19*
    —6G **107**
Wimbledon Pk. Rd. *SW19 &*
    SW18 —2G **107**
Wimbledon Pk. Side. *SW19*
    —3F **107**
Wimbledon Rd. *SW17* —4A **108**
Wimbledon Stadium Bus. Cen.
    SW17 —3K **107**
Wimbledon St. *E2* —3G **63**
Wimborne Av. *Hayes* —6A **54**
Wimborne Av. *Orp & Chst*
    —4K **129**
Wimborne Av. *S'hall* —4E **70**
Wimborne Clo. *SE12* —5H **97**
Wimborne Clo. *Buck H* —2E **20**
Wimborne Clo. *Wor Pk* —1E **130**
Wimborne Clo. *N'holt* —6E **38**
Wimborne Dri. *NW9* —3G **25**
Wimborne Dri. *Pinn* —7B **22**

Withington Ct. SE15 —6E **78**
(off Brockworth Clo.)
Withycombe Rd. SW19 —7F **91**
Withy Mead. E4 —3A **20**
Witley Cres. New Ad —6E **136**
Witley Gdns. S'hall —4D **70**
Witley Ho. SW2 —7K **93**
Witley Ind. Est. S'hall —4C **70**
Witley Rd. N19 —2G **45**
Witney Path. SE23 —3K **111**
Wittenham Way. E4 —3A **20**
Wittering Clo. King T —5D **104**
Wittersham Rd. Brom —5H **113**
Wivenhoe Clo. SE15 —3H **95**
Wivenhoe Ct. Houn —4D **86**
Wivenhoe Rd. Bark —2A **68**
Wiverton Rd. SE26 —6J **111**
Wix Rd. Dag —1D **68**
Wix's La. SW4 —3F **93**
Woburn. W13 —5B **56**
(off Clivedon Ct.)
Woburn Clo. SW19 —6A **108**
Woburn Ct. E18 —2J **33**
Woburn Ct. SE16 —5H **79**
(off Masters Dri.)
Woburn M. WC1
   —4H **61** (3D **142**)
Woburn Pl. WC1
   —4H **61** (4E **142**)
Woburn Rd. Cars —1C **132**
Woburn Rd. Croy —1C **134**
Woburn Sq. WC1
   —4H **61** (4D **142**)
Woburn Tower. N'holt —3A **54**
(off Broomcroft Av.)
Woburn Wlk. WC1
   —3H **61** (2D **142**)
Wodehouse Ct. W3 —3J **73**
(off Vincent Rd.)
Woffington Clo. King T —1C **118**
Woking Clo. SW15 —4B **90**
Woldham Pl. Brom —4A **128**
Woldham Rd. Brom —4A **128**
Wolds Dri. Orp —4E **138**
Wolfe Clo. Brom —6J **127**
Wolfe Cres. SE7 —5B **82**
Wolfe Cres. SE16 —2K **79**
Wolfe Ho. W12 —7D **58**
(off White City Est.)
Wolferton Rd. E12 —4D **50**
Wolffe Gdns. E15 —6H **49**
Wolfington Rd. SE27 —4B **110**
Wolfram Clo. SE13 —5G **97**
Wolfson Rehabilitation Cen., The.
   SW20 —7C **106**
Wolftencroft Clo. SW11 —3C **92**
Wollaston Clo. SE1
   —4C **78** (3C **156**)
Wolmer Clo. Edgw —4B **12**
Wolmer Gdns. Edgw —3B **12**
Wolseley Av. SW19 —2J **107**
Wolseley Gdns. W4 —6H **73**
Wolseley Rd. E7 —7K **49**
Wolseley Rd. N8 —6H **29**
Wolseley Rd. N22 —1K **29**
Wolseley Rd. W4 —4J **73**
Wolseley Rd. Mitc —7E **122**
Wolseley Rd. Romf —7K **37**
Wolseley Rd. W'stone —3J **23**
Wolseley St. SE1
   —2F **79** (7K **151**)
Wolsey Av. E6 —3E **66**
Wolsey Av. E17 —3B **32**
Wolsey Clo. SW20 —7D **106**

Wolsey Clo. Houn —4G **87**
Wolsey Clo. King T —1H **119**
Wolsey Clo. S'hall —3G **71**
Wolsey Clo. Wor Pk —4C **130**
Wolsey Cres. Mord —7G **121**
Wolsey Cres. New Ad —7E **136**
Wolsey Dri. King T —5E **104**
Wolsey Gro. Edgw —7E **12**
Wolsey M. NW5 —6G **45**
Wolsey Rd. N1 —5E **46**
Wolsey Rd. Enf —2C **8**
Wolsey Rd. Hamp —6F **103**
Wolsey Spring. King T —7J **105**
Wolsey St. E1 —5J **63**
Wolstonbury. N12 —5D **14**
Wolvercote Rd. SE2 —2D **84**
Wolverley St. E2 —3H **63**
Wolverton. SE17
   —5E **78** (5G **157**)
Wolverton Av. King T —1G **119**
Wolverton Gdns. W5 —7F **57**
Wolverton Gdns. W6 —4F **75**
Wolverton Rd. Stan —6G **11**
Wolverton Way. N14 —5B **6**
Wolves La. N22 & N13 —7F **17**
Womersley Rd. N8 —6K **29**
Wonersh Way. Sutt —7F **131**
Wonford Clo. King T —1A **120**
Wontner Clo. N1 —7C **46**
Wontner Rd. SW17 —2D **108**
Woodall Clo. E14 —7D **64**
Woodall Ho. N22 —1A **30**
Woodall Rd. Enf —6E **8**
Woodbank Rd. Brom —3H **113**
Woodbastwick Rd. SE26
   —5K **111**
Woodberry Av. N21 —2F **17**
Woodberry Av. Harr —4F **23**
Woodberry Cres. N10 —3F **29**
Woodberry Down. N4 —7C **30**
Woodberry Down Est. N4 —7C **30**
Woodberry Gdns. N12 —6F **15**
Woodberry Gro. N4 —7C **30**
Woodberry Gro. N12 —6F **15**
Woodberry Gro. Bex —3K **117**
Woodberry Way. E4 —7K **9**
Woodberry Way. N12 —6F **15**
Woodbine Clo. Twic —2H **103**
Woodbine Gro. SE20 —7H **111**
Woodbine Gro. Enf —1J **7**
Woodbine La. Wor Pk —3E **130**
Woodbine Pl. E11 —6J **33**
Woodbine Rd. Sidc —1J **115**
Woodbines Av. King T —3D **118**
Woodbine Ter. E9 —6J **47**
Woodborough Rd. SW15
   —4D **90**
Woodbourne Av. SW16 —3H **109**
Woodbourne Clo. SW16 —3J **109**
Woodbourne Gdns. Wall —7F **133**
Woodbridge Clo. N7 —2K **45**
Woodbridge Ct. Wfd G —7H **21**
Woodbridge Ho. E11 —1H **49**
Woodbridge Rd. Bark —5K **51**
Woodbridge St. EC1
   —4B **62** (3A **144**)
Woodbrook Rd. SE2 —6A **84**
Woodburn Clo. NW4 —5F **27**
Woodbury Clo. E11 —4K **33**
Woodbury Clo. Croy —2F **135**
Woodbury Ho. SE26 —3G **111**
Woodbury Pk. Rd. W13 —4B **56**
Woodbury Rd. E17 —4D **32**
Woodbury St. SW17 —5C **108**
Woodchester Sq. W2 —5K **59**

Woodchurch Clo. Sidc —3H **115**
Woodchurch Dri. Brom —7B **114**
Woodchurch Rd. NW6 —7J **43**
Wood Clo. E2 —4G **63**
Wood Clo. NW9 —7K **25**
Wood Clo. Harr —7H **23**
Woodclyffe Dri. Chst —2E **128**
Woodcock Ct. Harr —7E **24**
Woodcock Dell Av. Harr —7D **24**
Woodcock Hill. Harr —5C **24**
Woodcocks. E16 —5A **66**
Woodcombe Cres. SE23 —1J **111**
Woodcote Av. NW7 —6K **13**
Woodcote Av. T Hth —4B **124**
Woodcote Av. Wall —7F **133**
Woodcote Clo. Enf —6D **8**
Woodcote Clo. King T —5F **105**
Woodcote Ct. Sutt —6J **131**
Woodcote Dri. Orp —7H **129**
Woodcote Grn. Wall —7G **133**
Woodcote Ho. SE8 —6B **80**
(off Prince St.)
Woodcote M. Wall —6F **133**
Woodcote Pl. SE27 —5B **110**
Woodcote Rd. E11 —7J **33**
Woodcote Rd. Wall & Purl
   —6F **133**
Wood Crest. Sutt —7A **132**
(off Christchurch Pk.)
Woodcroft. N21 —1F **17**
Woodcroft. SE9 —3D **114**
Woodcroft. Gnfd —6A **40**
Woodcroft Av. NW7 —6F **13**
Woodcroft Av. Stan —1K **23**
Woodcroft Rd. T Hth —5B **124**
Wood Dene. SE15 —1H **95**
(off Queens Rd.)
Wood Dri. Chst —6C **114**
Woodedge Clo. E4 —1C **20**
Woodend. SE19 —6D **110**
Woodend. Sutt —2A **132**
Wood End Av. Harr —4F **39**
Wood End Clo. N'holt —5H **39**
Woodend Gdns. Enf —4D **6**
Wood End Gdns. N'holt —5G **39**
Wood End La. N'holt —6F **39**
(in two parts)
Woodend Rd. E17 —2E **32**
Wood End Rd. Harr —4H **39**
Woodend, The. Wall —7F **133**
Wood End Way. N'holt —5G **39**
Wooder Gdns. E7 —4J **49**
Wooderson Clo. SE25 —4E **124**
Woodfall Av. Barn —5C **4**
Woodfall Rd. N4 —2A **46**
Woodfall St. SW3
   —5D **76** (6E **152**)
Woodfarrs. SE5 —4D **94**
Wood Field. NW3 —5D **44**
Woodfield Av. NW9 —4A **26**
Woodfield Av. SW16 —3H **109**
Woodfield Av. W5 —4C **56**
Woodfield Av. Cars —6E **132**
Woodfield Av. Wemb —3C **40**
Woodfield Clo. SE19 —7C **110**
Woodfield Clo. Enf —3K **7**
Woodfield Cres. W5 —4C **56**
Woodfield Dri. E Barn —1H **15**
Woodfield Gdns. W9 —5J **59**
Woodfield Gdns. N Mald
   —5B **120**
Woodfield Gro. SW16 —3H **109**
Woodfield Ho. SE23 —3K **111**
(off Dacres Rd.)
Woodfield La. SW16 —3H **109**

Woodfield Pl. W9 —4H **59**
Woodfield Rise. Bush —1C **10**
Woodfield Rd. W5 —4C **56**
Woodfield Rd. W9 —5H **59**
Woodfield Rd. Houn —2A **86**
Woodfield Way. N11 —7C **16**
Woodford Av. Ilf —3B **34**
Woodford Bri. Rd. Ilf —3B **34**
Woodford Ct. W12 —2F **75**
(off Shepherd's Bush Grn.)
Woodford Cres. Pinn —2A **22**
Woodford Hall Path. E18 —1H **33**
Woodford Ho. E18 —4J **33**
Woodford New Rd. E18, E17 &
   Wfd G —4G **33**
Woodford Pl. Wemb —1E **40**
Woodford Rd. E7 —3K **49**
Woodford Rd. E18 —4J **33**
Woodford Trad. Est. Wfd G
   —3B **34**
Woodgate Dri. SW16 —7H **109**
Woodger Rd. W12 —2E **74**
Woodget Clo. E6 —6C **66**
Woodgrange Av. N12 —6G **15**
Woodgrange Av. W5 —1G **73**
Woodgrange Av. Enf —6B **8**
Woodgrange Av. Harr —5C **24**
Woodgrange Clo. Harr —5D **24**
Woodgrange Gdns. Enf —6B **8**
Woodgrange Rd. E7 —4K **49**
Woodgrange Ter. Enf —6B **8**
Wood Green Shop. City. N22
   —2A **30**
Woodhall Av. SE21 —3F **111**
Woodhall Av. Pinn —1C **22**
Woodhall Dri. SE21 —3F **111**
Woodhall Dri. Pinn —1B **22**
Woodhall Ga. Pinn —1B **22**
Woodham Ct. E18 —4H **33**
Woodham Rd. SE6 —3E **112**
Woodhams Rd. Barn —3F **5**
Woodhaven Gdns. Ilf —4G **35**
Woodhayes Rd. SW19 —7E **106**
Woodheyes Rd. NW10 —5K **41**
Woodhill. SE18 —4C **82**
Woodhouse Av. Gnfd —2K **55**
Woodhouse Clo. Gnfd —1K **55**
Woodhouse Gro. E12 —6C **50**
Woodhouse Rd. E11 —3H **49**
Woodhouse Rd. N12 —6G **15**
Woodhurst Av. Orp —6G **129**
Woodhurst Rd. SE2 —5A **84**
Woodhurst Rd. W3 —7J **57**
Woodington Clo. SE9 —6E **98**
Woodin St. E14 —5D **64**
Woodison St. E3 —4A **64**
Woodknoll Dri. Chst —1D **128**
Woodland App. Gnfd —6A **40**
Woodland Clo. NW9 —6J **25**
Woodland Clo. Eps —6A **130**
Woodland Clo. Wfd G —3E **20**
Woodland Cres. SE10 —6G **81**
Woodland Cres. SE16 —2K **79**
Woodland Gro. SE10 —5F **29**
Woodland Gro. SE10 —5G **81**
Woodland Hill. SE19 —6E **110**
Woodland Rise. N10 —4F **29**
Woodland Rise. Gnfd —6A **40**
Woodland Rd. E4 —1K **19**
Woodland Rd. N11 —5A **16**
Woodland Rd. SE19 —5E **110**
Woodland Rd. T Hth —4A **124**

Woodlands. NW11 —5G **27**
Woodlands. SW20 —4E **120**
Woodlands. Harr —4E **22**
Woodlands. Short —4H **127**
Woodlands Av. E11 —1K **49**
Woodlands Av. N3 —7F **15**
Woodlands Av. W3 —1H **73**
Woodlands Av. N Mald —1J **119**
Woodlands Av. Romf —7E **36**
Woodlands Av. Ruis —7A **22**
Woodlands Av. Sidc —1J **115**
Woodlands Av. Wor Pk —2B **130**
Woodlands Clo. NW11 —5G **27**
Woodlands Clo. Brom —2D **128**
Woodlands Ct. SE23 —7H **95**
Woodlands Ct. Brom —1H **127**
Woodlands Ct. Harr —5K **23**
Woodlands Dri. Stan —6E **10**
Woodlands Ga. SW15 —5H **91**
Woodlands Gro. Iswth —2J **87**
Woodlands Ho. NW6 —7G **43**
Woodlands Pk. Bex —4K **117**
Woodlands Pk. Rd. N15 —5B **30**
Woodlands Pk. Rd. SE10 —6G **81**
Woodlands Rd. E11 —2G **49**
Woodlands Rd. E17 —3E **32**
Woodlands Rd. N9 —1D **18**
Woodlands Rd. SW13 —3B **90**
Woodlands Rd. Bexh —2E **100**
Woodlands Rd. Brom —2C **128**
Woodlands Rd. Enf —1J **7**
Woodlands Rd. Harr —5K **23**
Woodlands Rd. Ilf —3G **51**
Woodlands Rd. Iswth —3H **87**
Woodlands Rd. S'hall —1B **70**
Woodlands Rd. Surb —7D **118**
Woodlands St. SE13 —7F **97**
Woodlands, The. N5 —4C **46**
Woodlands, The. N12 —6F **15**
Woodlands, The. N14 —1A **16**
Woodlands, The. SE13 —7F **97**
Woodlands, The. SE19 —7C **110**
Woodlands, The. Harr —2J **39**
Woodlands, The. Iswth —2K **87**
Woodlands, The. Stan —5G **11**
Woodlands, The. Wall —7F **133**
Woodland St. E8 —6F **47**
Woodlands Way. SW15 —5H **91**
Woodlands Ter. SE7 —4C **82**
Woodland Wlk. NW3 —5C **44**
Woodland Wlk. SE10 —5G **81**
Woodland Wlk. Brom —4G **113**
(in two parts)
Woodland Way. N21 —2F **17**
Woodland Way. NW7 —6F **13**
Woodland Way. SE2 —4D **84**
Woodland Way. Croy —1A **136**
Woodland Way. Mitc —7E **108**
Woodland Way. Mord —4H **121**
Woodland Way. Orp —4G **129**
Woodland Way. W Wick
   —4D **136**
Woodland Way. Wfd G —3E **20**
Wood La. N6 —6F **29**
Wood La. NW9 —7K **25**
Wood La. W12 —6E **58**
Wood La. Dag —4D **52**
Wood La. Iswth —6J **71**
Wood La. Stan —3F **11**
Wood La. Wfd G —4C **20**
Woodlawn Clo. SW15 —5H **91**
Woodlawn Cres. Twic —2F **103**
Woodlawn Dri. Felt —2B **102**
Woodlawn Rd. SW6 —7F **75**
Woodlea Dri. Brom —5G **127**

Wrights Grn. SW4 —4H 93
Wright's La. W8 —3K 75
Wrights Pl. NW10 —6J 41
Wright's Rd. E3 —2B 64
Wrights Rd. SE25 —3E 124
Wrights Row. Wall —4F 133
Wrights Wlk. SW14 —3K 89
Wrigley Clo. E4 —5A 20
Writtle Ho. NW9 —2B 26
Wrotham Ho. Beck —7B 112
　(off Sellindge Clo.)
Wrotham Rd. NW1 —7G 45
Wrotham Rd. W13 —1C 72
Wrotham Rd. Barn —2B 4
Wrotham Rd. Well —1C 100
Wrottesley Rd. NW10 —2C 58
Wrottesley Rd. SE18 —6G 83
Wroughton Rd. SW11 —6D 92
Wroughton Ter. NW4 —4D 26
Wroxall Rd. Dag —6C 52
Wroxham Gdns. N11 —7C 16
Wroxham Rd. SE28 —7D 68
Wroxton Rd. SE15 —2J 95
Wrythe Grn. Cars —3D 132
Wrythe Grn. Rd. Cars —3D 132
Wrythe La. Cars —1A 132
Wulfstan St. W12 —5B 58
Wyatt Clo. SE16 —2B 80
Wyatt Clo. Bush —1D 10
Wyatt Clo. Felt —1A 102
Wyatt Dri. SW13 —6D 74
Wyatt Ho. SE3 —2H 97
Wyatt Pk. Rd. SW2 —2J 109
Wyatt Rd. E7 —6J 49
Wyatt Rd. N5 —3C 46
Wyatts La. E17 —3E 32
Wybert St. NW1
　　　　—4G 61 (3A 142)
Wyborne Ho. NW10 —7J 41
Wyborne Way. NW10 —7J 41
Wyburn Av. Barn —3C 4
Wyche Gro. S Croy —7C 134
Wych Elm Lodge. Brom —7H 113
Wych Elm Pas. King T —7F 105
Wycherley Clo. SE3 —7H 81
Wycherley Cres. New Bar —6E 4
Wychombe Studios. NW3
　　　　　　　　—6D 44
Wychwood Av. Edgw —6J 11
Wychwood Av. T Hth —3C 124
Wychwood Clo. Edgw —6J 11
Wychwood End. N6 —7G 29
Wychwood Gdns. Ilf —4D 34
Wychwood Way. SE19 —6D 110
Wyclif Ct. EC1 —3B 62 (2A 144)
　(off Wyclif St.)
Wycliffe Clo. Well —1K 99
Wycliffe Rd. SW11 —2E 92
Wycliffe Rd. SW19 —6K 107
Wyclif St. EC1 —3B 62 (2A 144)
Wycombe Gdns. NW11 —2J 43
Wycombe Pl. SW18 —6A 92
Wycombe Rd. N17 —1G 31
Wycombe Rd. Ilf —5D 34
Wycombe Rd. Wemb —1G 57
Wydehurst Rd. Croy —7G 125
Wydell Clo. Mord —6F 121
Wydenhurst Rd. Croy —7G 125
Wydeville Mnr. Rd. SE12
　　　　　　　　—4K 113
Wye Clo. Orp —7K 129
Wye Ct. W13 —5B 56
　(off Malvern Way)

Wyemead Cres. E4 —2B 20
Wye St. SW11 —2B 92
Wyfields. Ilf —1F 35
Wyfold Ho. SE2 —2D 84
　(off Wolvercote Rd.)
Wyfold Rd. SW6 —7G 75
Wyhill Wlk. Dag —7J 53
Wyke Clo. Iswth —6K 71
Wyke Gdns. W7 —3A 72
Wykeham Av. Dag —6C 52
Wykeham Grn. Dag —6C 52
Wykeham Hill. Wemb —1F 41
Wykeham Rise. N20 —1B 14
Wykeham Rd. NW4 —4E 26
Wykeham Rd. Harr —4B 24
Wyke Rd. E3 —7C 48
Wyke Rd. SW20 —2E 120
Wyldes Clo. NW11 —1A 44
Wyldfield Gdns. N9 —2A 18
Wyld Way. Wemb —6H 41
Wyleu St. SE23 —7A 96
Wylie Rd. S'hall —3E 70
Wyllen Clo. E1 —4J 63
Wymans Way. E7 —4A 50
Wymering Mans. W9 —3J 59
　(off Wymering Rd.)
Wymering Rd. W9 —3J 59
Wymond St. SW15 —3E 90
Wynan Rd. E14 —5D 64
Wynash Gdns. Cars —5C 132
Wynaud Ct. N22 —6E 16
Wynbourne Av. Sidc —1J 115
Wyncham Ho. Sidc —2A 116
　(off Longlands Rd.)
Wynchgate. N14 & N21 —1C 16
Wynchgate. Harr —7D 10
Wynchgate. N'holt —5D 38
Wyncombe Av. W5 —4B 72
Wyncroft Clo. Brom —3D 128
Wyndale Av. NW9 —6G 25
Wyndcliff Rd. SE7 —6K 81
Wyndcroft Clo. Enf —3G 7
Wyndham Clo. Sutt —7J 131
Wyndham Ct. W7 —4A 72
Wyndham Cres. N19 —3G 45
Wyndham Cres. Houn —6E 86
Wyndham Est. SE5 —7C 78
Wyndham M. W1
　　　　　—5D 60 (6E 140)
Wyndham Pl. W1
　　　　　—5D 60 (6E 140)
Wyndham Rd. E6 —7B 50
Wyndham Rd. SE5 —7C 78
Wyndham Rd. W13 —3B 72
Wyndham Rd. Barn —1J 15
Wyndham Rd. King T —7F 105
Wyndham St. W1
　　　　　—5D 60 (5E 140)
Wyndham Yd. W1
　　　　　—5D 60 (6E 140)
Wyneham Rd. SE24 —5D 94
Wynell Rd. SE23 —3K 111
Wynford Pl. Belv —6G 85
Wynford Rd. N1 —2K 61
Wynford Way. SE9 —3D 114
Wynlie Gdns. Pinn —2A 22
Wynndale Rd. E18 —1K 33
Wynne Ho. SE14 —1K 95
Wynne Rd. SW9 —2A 94
Wynnstay Gdns. W8 —3J 75
Wynter St. SW11 —4A 92
Wynton Gdns. SE25 —5F 125
Wynton Pl. W3 —6H 57

Wynyard Ho. SE11
　　　　　—5K 77 (5H 155)
Wynyard Ter. SE11
　　　　　—5K 77 (5H 155)
Wynyatt St. EC1
　　　　　—3B 62 (2A 144)
Wyre Gro. Edgw —3C 12
Wyresdale Cres. Gnfd —3K 55
Wythburn Pl. W1
　　　　　—6D 60 (1E 146)
Wythenshawe Rd. Dag —3G 53
Wythens Wlk. SE9 —6F 99
Wythes Clo. Brom —2D 128
Wythes Rd. E16 —1C 82
Wythfield Rd. SE9 —6D 98
Wyvenhoe Rd. Harr —3G 39
Wyvern Est. N Mald —4C 120
Wyvil Rd. SW8 —6J 77
Wyvis St. E14 —5D 64

Xylon Ho. Wor Pk —2D 130

Yabsley St. E14 —1E 80
Yalding Rd. SE16
　　　　　—3G 79 (2K 157)
Yale Clo. Houn —5D 86
Yale Ct. NW6 —5K 43
Yaohan Plaza. NW9 —3K 25
Yarborough Rd. SW19 —1B 122
Yardley Clo. E4 —5J 9
Yardley Ct. Sutt —4E 130
Yardley La. E4 —5J 9
Yardley St. WC1 —3A 62 (2J 143)
Yarmouth Cres. N17 —5H 31
Yarmouth Pl. W1
　　　　　—1F 77 (5J 147)
Yarnfield Sq. SE15 —1G 95
Yarnton Way. SE2 & Eri —2C 84
Yarrow Cres. E6 —5C 66
Yateley St. SE18 —3B 82
Yatesbury Av. Harr —2C 38
Yeading Fork. Hayes —5A 54
Yeading Ho. Hayes —5B 54
Yeading La. Hayes & N'holt
　　　　　—6A 54
Yeading Wlk. N Har —5D 22
Yeames Clo. W13 —6A 56
Yeate St. N1 —7D 46
Yeatman Rd. N6 —6D 28
Yeats Clo. NW10 —5A 42
Yeats Clo. SE13 —2F 97
Yeldham Rd. W6 —5F 75
Yelverton Lodge. Twic —7C 88
Yelverton Rd. SW11 —2B 92
Yenston Clo. Mord —6J 121
Yeoman Clo. E6 —7F 67
Yeoman Clo. SE27 —3B 110
Yeoman Ct. Houn —7D 70
Yeoman Rd. N'holt —7C 38
Yeomans M. Iswth —6H 87
Yeoman's Row. SW3
　　　　　—3C 76 (2D 152)
Yeoman St. SE8 —4A 80
Yeomans Way. Enf —2D 8
Yeoman's Yd. E1
　　　　　—7F 63 (2K 151)
Yeo St. E3 —5D 64
Yeovilton Pl. King T —5D 104
Yerbury Rd. N19 —3H 45
Yester Dri. Chst —7C 114
Yester Pk. Chst —7D 114

Yester Rd. Chst —7C 114
Yew Clo. Buck H —2G 21
Yew Ct. E4 —6G 19
Yewdale Clo. Brom —6G 113
Yewfield Rd. NW10 —6B 42
Yew Gro. NW2 —4F 43
Yew Tree Clo. N21 —7F 7
Yewtree Clo. N22 —1G 29
Yew Tree Clo. N Har —4F 23
Yewtree Clo. Well —1A 100
Yew Tree Clo. Wor Pk —1A 130
Yew Tree Ct. NW11 —5H 27
　(off Bridge La.)
Yew Tree Ct. Sutt —7A 132
　(off Walnut M.)
Yew Tree Gdns. Chad H —5E 36
Yew Tree Gdns. Romf —5K 37
Yew Tree Lodge. SW16 —4G 109
Yew Tree Lodge. Romf —5K 37
　(off Yew Tree Gdns.)
Yew Tree Rd. W12 —7B 58
Yewtree Rd. Beck —3B 126
Yew Tree Wlk. Houn —5D 86
Yew Tree Way. Croy —7B 136
Yew Wlk. Harr —1J 39
Yoakley Rd. N16 —2E 46
Yoke Clo. N7 —6J 45
Yolande Gdns. SE9 —5C 98
Yonge Pk. N4 —3A 46
York Av. SE17 —5C 78 (5D 156)
York Av. SW14 —5J 89
York Av. W7 —1J 71
York Av. Sidc —2J 115
York Av. Stan —1B 24
York Bri. NW1 —4E 60 (3G 141)
York Bldgs. WC2
　　　　　—7J 61 (3F 149)
York Clo. E6 —6D 66
York Clo. SE5 —2C 94
York Clo. W7 —1J 71
York Clo. Mord —4K 121
York Ct. N13 —3D 16
York Ga. N14 —7D 6
York Ga. NW1 —4E 60 (4G 141)
York Gro. SE15 —1J 95
York Hill. SE27 —3B 110
York Ho. SE1 —3K 77 (2H 155)
York Ho. Enf —1J 7
York Ho. Wemb —5G 41
York Ho. Pl. W8 —2K 75
Yorkland Av. Well —3K 99
York Mans. SW5 —5K 75
　(off Earl's Ct. Rd.)
York Mans. SW11 —1E 92
　(off Prince Of Wales Dri.)
York M. NW5 —5F 45
York M. Ilf —3E 50
York Pde. Bren —5D 72
York Pl. SW11 —3B 92
York Pl. WC2 —7J 61 (3F 149)
York Pl. Dag —6J 53
York Pl. Ilf —2F 51
York Rise. NW5 —3F 45
York Rd. E4 —4H 19
York Rd. E7 —6J 49
York Rd. E10 —3E 48
York Rd. E17 —5K 31
York Rd. N11 —6C 16
York Rd. N18 —6C 18
York Rd. N21 —7J 7
York Rd. SE1 —2K 77 (7H 149)
York Rd. SW18 & SW11 —4A 92
York Rd. SW19 —6A 108

York Rd. W3 —6J 57
York Rd. W5 —3C 72
York Rd. Bren —5D 72
York Rd. Croy —7A 124
York Rd. Houn —3F 87
York Rd. Ilf —3E 50
York Rd. King T —7F 105
York Rd. New Bar —5F 5
York Rd. Rain —7K 53
York Rd. Rich —5F 89
York Rd. Sutt —6J 131
York Rd. Tedd —4J 103
Yorkshire Clo. N16 —3E 46
Yorkshire Gdns. N18 —5C 18
Yorkshire Grey. (Junct.) —5B 98
Yorkshire Grey Pl. NW3 —4A 44
Yorkshire Grey Yd. WC1
　　　　　—5K 61 (6G 143)
Yorkshire Pl. E14 —6A 64
Yorkshire Rd. E14 —6A 64
Yorkshire Rd. Mitc —5J 123
York Sq. E14 —6A 64
York St. W1 —5D 60 (6E 140)
York St. Bark —1G 67
York St. Mitc —7E 122
York St. Twic —1A 104
York St. Chambers. W1
　(off York St.) —5D 60 (6E 140)
York Ter. Enf —1H 7
York Ter. Eri —1J 101
York Ter. E. NW1
　　　　　—4E 60 (4H 141)
York Ter. W. NW1
　　　　　—4E 60 (4G 141)
Yorkton St. E2 —2G 63
York Way. N7 & N1
　　　　　—6H 45 (1F 143)
York Way. N20 —3J 15
York Way. Felt —3D 102
　(in two parts)
York Way Est. N7 —6J 45
Young Ct. NW6 —7G 43
Youngmans Clo. Enf —1H 7
Young Rd. E16 —6A 66
Youngs Bldgs. EC1
　　　　　—4C 62 (3D 144)
Youngs Rd. Ilf —5H 35
Young St. W8 —2K 75
Yoxley App. Ilf —6G 35
Yoxley Dri. Ilf —6G 35
Yukon Rd. SW12 —7F 93
Yuletide Clo. NW10 —6A 42
Yunus Khan Clo. E17 —5C 32

Zampa Rd. SE16 —5J 79
Zander Ct. E2 —3G 63
Zangwill Rd. SE3 —1B 98
Zealand Ho. SE5 —2C 94
Zealand Rd. E3 —2A 64
Zenith Lodge. N3 —7E 14
Zennor Rd. SW12 —1G 109
Zenoria St. SE22 —4F 95
Zermatt Rd. T Hth —4C 124
Zetland Ho. W8 —3K 75
　(off Marloes Rd.)
Zetland St. E14 —5D 64
Ziggurat. EC1 —5A 62 (5K 143)
　(off Saffron Hill)
Zion Pl. T Hth —4D 124
Zion Rd. T Hth —4D 124
Zoar St. SE1 —1C 78 (4C 150)
Zoffany St. N19 —2H 45

INDEX TO SELECTED PLACES OF INTEREST
covered by this atlas

with their map square reference

RAIL, CROYDON TRAMLINK, DOCKLANDS LIGHT RAILWAY AND LONDON UNDERGROUND STATIONS

with their map square reference

A
ABBEY WOOD, Rail —4C **84**
ACTON CENTRAL, Rail —1K **73**
ACTON MAIN LINE, Rail —6J **57**
ACTON TOWN, District & Piccadilly —2G **73**
ADDINGTON VILLAGE, Croydon Tramlink —6C **136**
(Est. opening 2000)
ALBANY PARK, Rail —2D **116**
ALDGATE, Circle & Metropolitan —6F **63** (1J **151**)
ALDGATE EAST, District & Hammersmith & City
—6F **63** (7K **145**)
ALEXANDRA PALACE, Rail —2J **29**
ALL SAINTS, Docklands Light Railway —7D **64**
ALPERTON, Piccadilly —1D **56**
ANERLEY, Rail —1H **125**
ANGEL, Northern —2A **62**
ANGEL ROAD, Rail —5D **18**
ARCHWAY, Northern —2G **45**
ARENA, Croydon Tramlink —5J **125**
(Est. opening 2000)
ARNOS GROVE, Piccadilly —5B **16**
ARSENAL, Piccadilly —3A **46**
AVENUE ROAD, Croydon Tramlink —2K **125**
(Est. opening 2000)

B
BAKER STREET, Bakerloo, Circle, Hammersmith & City,
Jubilee & Metropolitan —4D **60** (4F **141**)
BALHAM, Rail & Northern —1F **109**
BANK, Central, Docklands Light Railway, Northern &
Waterloo & City —6D **62** (1E **150**)
BARBICAN, Rail, Circle, Hammersmith & City & Metropolitan
—5C **62** (5C **144**)
BARKING, Rail, District & Hammersmith & City —7G **51**
BARKINGSIDE, Central —3H **35**
BARNES, Rail —3C **90**
BARNEHURST, Rail —2J **101**
BARNES BRIDGE, Rail —2B **90**
BARONS COURT, District & Piccadilly —5G **75**
BATTERSEA PARK, Rail —7F **77**
BAYSWATER, Circle & District —7K **59**
BECKENHAM HILL, Rail —5E **112**
BECKENHAM JUNCTION, Rail & Croydon Tramlink —1C **126**
(Est. opening 2000)
BECKENHAM ROAD, Croydon Tramlink —1A **126**
(Est. opening 2000)
BECKTON, Docklands Light Railway —5E **66**
BECKTON PARK, Docklands Light Railway —7D **66**
BECONTREE, District —6D **52**
BEDDINGTON LANE, Croydon Tramlink —6G **123**
(Est. opening 2000)
BELGRAVE WALK, Croydon Tramlink —3B **122**
(Est. opening 2000)
BELLINGHAM, Rail —3D **112**
BELSIZE PARK, Northern —5C **44**
BELVEDERE, Rail —3H **85**
BERMONDSEY, Jubilee —3G **79**
BERRYLANDS, Rail —4H **119**
BETHNAL GREEN, Central —3J **63**
BETHNAL GREEN, Rail —4H **63**
BEXLEY, Rail —1G **117**
BEXLEYHEATH, Rail —2E **100**
BICKLEY, Rail —3C **128**
BINGHAM ROAD, Croydon Tramlink —1G **135**
(Est. opening 2000)
*RKBECK, Croydon Tramlink —3J **125**
*st. opening 2000)
*CKFRIARS, Rail, Circle & District —7B **62** (2A **150**)
*KHEATH, Rail —3H **97**

BLACKHORSE LANE, Croydon Tramlink —7G **125**
(Est. opening 2000)
BLACKHORSE ROAD, Rail & Victoria —4K **31**
BLACKWALL, Docklands Light Railway —7E **64**
BOND STREET, Central & Jubilee —6F **61** (1J **147**)
BOROUGH, Northern —2C **78** (7D **150**)
BOSTON MANOR, Piccadilly —4A **72**
BOUNDS GREEN, Piccadilly —6C **16**
BOW CHURCH, Docklands Light Railway —3C **64**
BOWES PARK, Rail —7D **16**
BOW ROAD, District & Hammersmith & City —3C **64**
BRENT CROSS, Northern —7F **27**
BRENTFORD, Rail —6C **72**
BRIMSDOWN, Rail —2F **9**
BRIXTON, Rail & Victoria —4A **94**
BROCKLEY, Rail —3A **96**
BROMLEY-BY-BOW, District & Hammersmith & City
—3E **64**
BROMLEY NORTH, Rail —1J **127**
BROMLEY SOUTH, Rail —3J **127**
BRONDESBURY, Rail —7H **43**
BRONDESBURY PARK, Rail —1G **59**
BRUCE GROVE, Rail —2F **31**
BUCKHURST HILL, Central —2G **21**
BURNT OAK, Northern —1J **25**
BUSH HILL PARK, Rail —6A **8**

C
CALEDONIAN ROAD, Piccadilly —6K **45**
CALEDONIAN ROAD & BARNSBURY, Rail —7K **45**
CAMBRIDGE HEATH, Rail —2H **63**
CAMDEN ROAD, Rail —7G **45**
CAMDEN TOWN, Northern —1F **61**
CANADA WATER, East London & Jubilee —2J **79**
CANARY WHARF, Docklands Light Railway & Jubilee
—1C **80**
CANNING TOWN, Rail & Docklands Light Railway & Jubilee
—5G **65**
CANNON STREET, Rail, Circle & District —7D **62** (2E **150**)
CANONBURY, Rail —5C **46**
CANONS PARK, Jubilee —7K **11**
CARSHALTON, Rail —4D **132**
CARSHALTON BEECHES, Rail —6D **132**
CASTLE BAR PARK, Rail —5K **55**
CATFORD, Rail —7C **96**
CATFORD BRIDGE, Rail —7C **96**
CHADWELL HEATH, Rail —7D **36**
CHALK FARM, Northern —7E **44**
CHANCERY LANE, Central —5A **62** (6J **143**)
CHARING CROSS, Rail, Bakerloo & Northern
—1J **77** (4E **148**)
CHARLTON, Rail —5A **82**
CHEAM, Rail —7G **131**
CHINGFORD, Rail —1B **20**
CHISLEHURST, Rail —2E **128**
CHISWICK, Rail —7J **73**
CHISWICK PARK, District —4J **73**
CHURCH STREET, Croydon Tramlink —2C **134**
(Est. opening 2000)
CITY THAMESLINK, Rail —6B **62** (7A **144**)
CLAPHAM COMMON, Northern —4G **93**
CLAPHAM HIGH STREET, Rail —3H **93**
CLAPHAM JUNCTION, Rail —3C **92**
CLAPHAM NORTH, Northern —3J **93**
CLAPHAM SOUTH, Northern —6F **93**
CLAPTON, Rail —2H **47**
CLOCK HOUSE, Rail —1A **126**
COCKFOSTERS, Piccadilly —4K **5**

COLINDALE, Northern —3A **26**
COLLIERS WOOD, Northern —7B **108**
COOMBE LANE, Croydon Tramlink —5J **135**
(Est. opening 2000)
COVENT GARDEN, Piccadilly —7J **61** (2F **149**)
CRICKLEWOOD, Rail —4F **43**
CROFTON PARK, Rail —5B **96**
CROSSHARBOUR, Docklands Light Railway —3D **80**
CROUCH HILL, Rail —7K **29**
CROYDON CENTRAL, Croydon Tramlink —2C **134**
(Est. opening 2000)
CRYSTAL PALACE, Rail —6G **111**
CUSTOM HOUSE, Rail & Docklands Light Railway —7K **65**
CUTTY SARK, Docklands Light Railway —6E **80**
(Est. opening 2000)
CYPRUS, Docklands Light Railway —7E **66**

D
DAGENHAM DOCK, Rail —3F **69**
DAGENHAM EAST, District —5J **53**
DAGENHAM HEATHWAY, District —6F **53**
DALSTON KINGSLAND, Rail —5E **46**
DENMARK HILL, Rail —2D **94**
(Est. opening 2000)
DEPTFORD, Rail —7C **80**
DEPTFORD BRIDGE, Docklands Light Railway —1C **96**
DEVONS ROAD, Docklands Light Railway —4D **64**
DOLLIS HILL, Jubilee —5C **42**
DRAYTON GREEN, Rail —6K **55**
DRAYTON PARK, Rail —4A **46**
DUNDONALD ROAD, Croydon Tramlink —7H **107**
(Est. opening 2000)

E
EALING BROADWAY, Rail, Central & District —7D **56**
EALING COMMON, District & Piccadilly —1F **73**
EARL'S COURT, District & Piccadilly —4K **75**
EARLSFIELD, Rail —1A **108**
EAST ACTON, Central —6B **58**
EASTCOTE, Metropolitan & Piccadilly —7A **22**
EAST CROYDON, Rail & Croydon Tramlink —2D **134**
(Est. opening 2000)
EAST DULWICH, Rail —4E **94**
EAST FINCHLEY, Northern —4C **28**
EAST HAM, Rail & District & Hammersmith & City —7C **50**
EAST INDIA, Docklands Light Railway —7F **65**
EAST PUTNEY, District —5G **91**
EDEN PARK, Rail —5C **126**
EDGWARE, Northern —6C **12**
EDGWARE ROAD, Bakerloo —5C **60** (5C **140**)
EDGWARE ROAD, Circle, District & Hammersmith & City
—5C **60** (6C **140**)
EDMONTON GREEN, Rail —2B **18**
ELEPHANT & CASTLE, Rail, Bakerloo & Northern
—4C **78** (3C **156**)
ELMERS END, Rail & Croydon Tramlink —4K **125**
(Est. opening 2000)
ELMSTEAD WOODS, Rail —6C **114**
ELTHAM, Rail —5D **98**
ELVERSON ROAD, Docklands Light Railway —2D **96**
(Est. opening 2000)
EMBANKMENT, Bakerloo, Circle, District & Northern
—1J **77** (4F **149**)
ENFIELD CHASE, Rail —3H **7**
ENFIELD TOWN, Rail —3K **7**
ERITH, Rail —5K **85**
ESSEX ROAD, Rail —7C **46**
EUSTON, Rail, Northern & Victoria —3H **61** (2C **142**)

Rail, Croydon Tramlink, Docklands Light Railway & London Underground Stations

HOSPITALS, HEALTH CENTRES and HOSPICES
covered by this atlas
with their map square reference

N.B. Where Hospitals and Health Centres are not named on the map, the reference given is for the road in which they are situated.

Acton Health Centre —2J **73**
Church Rd., Acton, London. W3 8QE
Tel: 020 8896 0473

ACTON HOSPITAL —2G **73**
Gunnersbury La., London. W3 8EG
Tel: 020 8383 1133

Albion Street Health Centre —2J **79**
87 Albion St., London. SE16 1JX
Tel: 020 7231 2296

Annie Prendergast Health Centre —6E **36**
Ashton Gdns., Chadwell Heath, Essex. RM6 6RT
Tel: 020 8590 1086

ATHLONE HOUSE —1D **44**
Hampstead La., Highgate, London. N6 4RX
Tel: 020 8348 5231

ATKINSON MORLEY'S HOSPITAL —7D **106**
31 Copse Hill, Wimbledon, London. SW20 0NE
Tel: 020 8946 7711

Avenue House Mental Health Centre —2J **73**
Avenue Rd., Acton, London. W3 8NJ
Tel: 020 8993 7781

Aylesbury Health Centre —5D **78** (5F **157**)
Taplow House, Thurlow St., London. SE17 2UN
Tel: 020 7701 4251

Balham Health Centre —2F **109**
120 Bedford Hill, Balham, London. SW12 9HP
Tel: 020 8700 0600

BARKING HOSPITAL —7K **51**
Upney La., Barking, Essex. IG11 9LX
Tel: 020 8594 3898

BARNES HOSPITAL —3A **90**
South Worple Way, London. SW14 8SU
Tel: 020 8878 4981

BARNET COMMUNITY HOSPITAL —4A **4**
Wellhouse La., Barnet, Herts. EN5 3DJ
Tel: 020 8440 5111

Barton House Health Centre —2D **46**
233 Albion Rd., Stoke Newington, London. N16 9JT
Tel: 020 7249 5511

Bath Street Health Centre —3D **62** (2E **144**)
60 Bath St., London. EC1V 9JX
Tel: 020 7253 2806

BECKENHAM HOSPITAL —2B **126**
379 Croydon Rd., Beckenham, Kent. BR3 3QL
Tel: 020 8289 6600

BECONTREE DAY HOSPITAL —3E **52**
Becontree Av., Dagenham, Essex. RM8 3HR
Tel: 020 8984 1234

BEECHLAWN DAY HOSPITAL —7G **93**
Belthorn Cres., Weir Rd., London. SW12 0NS
Tel: 020 8675 3415

Belmont Health Centre —2A **24**
516 Kenton La., Kenton, Middx. HA3 7LT
Tel: 020 8863 8647

Belsize Priory Health Centre —1K **59**
208 Belsize Rd., London. NW6 4DJ
Tel: 020 7530 2600

BELVEDERE DAY HOSPITAL —1C **58**
341 Harlesden Rd., London. NW10 3RX
Tel: 020 8459 3562 .

BELVEDERE PRIVATE CLINIC —5C **84**
Knee Hill, Abbey Wood, London. SE2 0AT
Tel: 020 8311 4464

Bermondsey Health Centre —4F **79** (3K **157**)
108 Grange Rd., London. SE1 2BW
Tel: 020 7231 9031

BETHLEM ROYAL HOSPITAL, THE —7C **126**
Monks Orchard Rd., Eden Park,
Beckenham, Kent. BR3 3BX
Tel: 020 8777 6611

Bethnal Green Health Centre —3G **63**
60 Florida St., Bethnal Green, London. E2 6LL
Tel: 020 7739 1440

BEXLEY HOSPITAL —2K **117**
Old Bexley La., Bexley, Kent. DA5 2BW
Tel: (01322) 526282

BLACKHEATH HOSPITAL —3H **97**
40-42 Lee Ter., Blackheath, London. SE3 9UD
Tel: 020 8318 7722

BOLINGBROKE HOSPITAL —5C **92**
Bolingbroke Gro., Wandsworth Common,
London. SW11 6HN
Tel: 020 7223 7411

Bounds Green Health Centre —7C **16**
Gordon Rd., London. N11 2PA
Tel: 020 8889 1961

Bourne Hall Health Centre —7B **130**
Chessington Rd., Ewell, Surrey. KT17 1TG
Tel: 020 8394 1301

B. P. A. S. ST ANN'S —6C **30**
Ward K2, St Ann's Hospital, St Ann's Rd.,
South Tottenham, London. N15 3TH
Tel: 020 8809 6600

Brentford Health Centre —6C **72**
Boston Manor Rd., Brentford, Middx. TW8 8DR
Tel: 020 8321 3800

Bridge Lane Health Centre —1C **92**
20 Bridge La., Battersea, London. SW11 3AD
Tel: 020 7441 0730

BRITISH HOME & HOSPITAL FOR INCURABLES —6B **110**
Crown La., Streatham, London. SW16 3JB
Tel: 020 8670 8261

Broadwater Farm Community Health Centre —2D **30**
Adams Rd., London. N17 6HE
Tel: 020 8801 4115

Brocklebank Health Centre —7K **91**
249 Garratt La., Wandsworth,
London. SW18 4DU
Tel: 020 8870 1341

BROMLEY HOSPITAL —4K **127**
Cromwell Av., Bromley, Kent. BR2 9AJ
Tel: 020 8289 7000

Brunswick Park Health Centre —2K **15**
Brunswick Park Rd., London. N11 1EY
Tel: 020 8368 2828

BUSHEY BUPA HOSPITAL —1E **10**
Heathbourne Rd., Bushey, Watford, Herts. WD2 1RD
Tel: 020 8950 9090

CAMDEN MEWS DAY HOSPITAL —6G **45**
5 Camden Mews, London. NW1 9DB
Tel: 020 7530 4780

CARSHALTON WAR MEMORIAL HOSPITAL —6D **132**
The Park, Carshalton, Surrey. SM5 3DB
Tel: 020 8647 5534

CASSEL HOSPITAL, THE —4D **104**
1 Ham Comn., Richmond, Surrey. TW10 7JF
Tel: 020 8940 8181

Castlewood Therapy Centre —1E **98**
25 Shooter's Hill, London. SE18 4LG
Tel: 020 8856 4970

Central Lewisham Health Centre —6D **96**
410 Lewisham High St., London. SE13 6LL
Tel: 020 8690 9723

CENTRAL MIDDLESEX HOSPITAL —3J **57**
Acton La., Park Royal, London. NW10 7NS
Tel: 020 8965 5733

CHADWELL HEATH HOSPITAL —6B **36**
Grove Rd., Chadwell Heath, Essex. RM6 4XH
Tel: 020 8983 8000

Chalkhill Health Centre —3G **41**
Chalkhill Rd., Wembley, Middx. HA9 9BQ
Tel: 020 8904 0911

CHARING CROSS HOSPITAL —6F **75**
Fulham Palace Rd., London. W6 8RF
Tel: 020 8383 0000

CHARTER NIGHTINGALE HOSPITAL —5C **60** (5D **140**)
11-19 Lisson Gro., London. NW1 6SH
Tel: 020 7258 3828

CHASE FARM HOSPITAL —1F **7**
127 The Ridgeway, Enfield, Middx. EN2 8JL
Tel: 020 8366 6600

CHELSEA & WESTMINSTER HOSPITAL —6A **76**
369 Fulham Rd., Chelsea, London. SW10 9NH
Tel: 020 8746 8000

Cherington House Mental Health Centre —1K **71**
Cherington Rd., Hanwell, London. W7 3HL
Tel: 020 8566 2777

Chingford Health Centre —4G **19**
109 York Rd., London. E4 8LF
Tel: 020 8529 1660

Chiswick Health Centre —4K **73**
Fishers La., Chiswick, London. W4 1RX
Tel: 020 8995 8051

Hospitals, Health Centres & Hospices

Chrisp Street Health Centre —6D **64**
100 Chrisp St., London. E14 6PG
Tel: 020 7515 4860

CHURCHILL CLINIC —3A **78** (2K **155**)
80 Lambeth Rd., London. SE1 7PW
Tel: 020 7928 5633

CLAYPONDS HOSPITAL —4E **72**
Sterling Pl., South Ealing, London. W5 4RN
Tel: 020 8560 4013

CLEMENTINE CHURCHILL HOSPITAL, THE —3K **39**
Sudbury Hill, Harrow, Middx. HA1 3RX
Tel: 020 8872 3872

Coleridge Road Special Health Centre —4B **32**
Coleridge Rd., London. E17 6QU
Tel: 020 8521 0337

COLINDALE HOSPITAL —3A **26**
Colindale Av., London. NW9 5HG
Tel: 020 8200 1555

Colville Health Centre —6H **59**
51 Kensington Pk. Rd., London. W11 1PA
Tel: 020 7221 2650

COPPETTS WOOD HOSPITAL —1D **28**
Coppetts Rd., Muswell Hill, London. N10 1JN
Tel: 020 8883 9792

COTTAGE DAY HOSPITAL —3C **108**
Springfield University Hospital,
61 Glenburnie Rd., London. SW17 7DJ
Tel: 020 8682 6514

Covent Garden Health Centre —6J **61** (1F **149**)
8-12 Neal St., London. WC2H 9LZ
Tel: 020 7240 8484

Craven Park Health Centre —1K **57**
Shakespeare Cres., London. NW10 8XW
Tel: 020 8965 0151

Crawford Avenue Health Centre —5D **40**
Crawford Av., Wembley, Middx. HA0 2HX
Tel: 020 8903 6411

CROMWELL HOSPITAL, THE —4K.**75**
162-174 Cromwell Rd., London. SW5 0TU
Tel: 020 7460 2000

Crouch End Health Centre —5J **29**
45 Middle La., London. N8 8PH
Tel: 020 8341 2045

Crowndale Health Centre —2G **61**
59 Crowndale Rd., London. NW1 1TY
Tel: 020 7530 3800

David Cousins Mental Health Centre —5G **55**
Windmill La., Greenford,
Middx. UB6 9DZ
Tel: 020 8575 5550

DEVONSHIRE HOSPITAL —5E **60** (5H **141**)
29 Devonshire St., London. W1N 1RF
Tel: 020 7486 7131

nham Health Centre —4H **113**
Churchdown, Downham, Bromley. Kent. BR1 5PT
20 8695 6644

Treatment Centre —6E **54**
Southall, Middx. UB1 2SH
1143

—2H **71**
all, Middx. UB1 3HW

East Barnet Health Centre —5G **5**
149 East Barnet Rd., Barnet, London. EN4 8QZ
Tel: 020 8440 1251

Eastcote Health Centre —1A **22**
Devonshire Lodge, Abbotsbury Gdns.,
Eastcote, Middx. HA5 1TG
Tel: 020 8868 1166

EAST HAM MEMORIAL HOSPITAL —7B **50**
Shrewsbury Rd., Forest Gate, London. E7 8QR
Tel: 020 8586 5000

EASTMAN DENTAL HOSPITAL & EASTMAN DENTAL
INSTITUTE, THE —4K **61** (3G **143**)
256 Gray's Inn Rd., London. WC1X 8LD
Tel: 020 7915 1000

Edenhall Marie Curie Centre —5B **44**
11 Lyndhurst Gdns., Hampstead, London. NW3 5NS
Tel: 020 7794 0066

EDGWARE COMMUNITY HOSPITAL —7C **12**
Burnt Oak Broadway, Edgware, Middx. HA8 0AD
Tel: 020 8952 2381

Elsdale Street Health Centre —7J **47**
28 Elsdale St., Hackney, London. E9 6QY
Tel: 020 8533 0031

ENFIELD COMMUNITY CARE CENTRE —1J **7**
Chase Side Cres., Enfield, Middx. EN2 0JB
Tel: 020 8366 6600

ERITH & DISTRICT HOSPITAL —6K **85**
Park Cres., Erith, Kent. DA8 3EE
Tel: 020 8302 2678

FARNBOROUGH HOSPITAL —3E **138**
Farnborough Comn., Locksbottom,
Orpington, Kent. BR6 8ND
Tel: (01689) 814000

FINCHLEY MEMORIAL HOSPITAL —7F **15**
Granville Rd., North Finchley,
London. N12 0JE
Tel: 020 8349 3121

Finsbury Health Centre —4A **62** (3J **143**)
Pine St., London. EC1R 0JH
Tel: 020 7530 4200

Five Elms Health Centre —3F **53**
Five Elms Rd., Dagenham, Essex. RM9 5TT
Tel: 020 8593 7241

FLORENCE HOUSE DAY HOSPITAL —5C **60** (5D **140**)
1 Harewood Row, London. NW1 6SE
Tel: 020 7724 5430

Forest Road Health Centre —1C **18**
2a Forest Rd., London. N9 8RX
Tel: 020 8804 7757

Fountayne Road Health Centre —2G **47**
Fountayne Rd., London. N16 7EA
Tel: 020 8806 3311

Fulwell Cross Health Centre —2G **35**
1 Tomswood Hill, Ilford, Essex. IG6 2HL
Tel: 020 8491 1580

Gallions Reach Health Centre —7A **68**
Bentham Rd., Thamesmead,
London. SE28 8BE
Tel: 020 8311 1010

GARDEN HOSPITAL, THE —3E **26**
46-50 Sunny Gdns. Rd., Hendon,
London. NW4 1RX
Tel: 020 8203 0111

Gill Street Health Centre —7B **64**
11 Gill St., London. E14 8HQ
Tel: 020 7987 4433

GOLDIE LEIGH HOSPITAL —6C **84**
Bostall House, Lodge Hill, Abbey Wood, London. SE2 0AY
Tel: 020 8319 7111

Goodinge Health Centre —6J **45**
Gooding Clo., North Rd., London. N7 9EW
Tel: 020 7530 4900

GOODMAYES HOSPITAL —5A **36**
Barley La., Goodmayes, Ilford, Essex. IG3 8XJ
Tel: 020 8983 8000

GORDON HOSPITAL —4H **77** (4C **154**)
Bloomburg St., London. SW1V 2RH
Tel: 020 8746 8710

Grahame Park Health Centre —1B **26**
The Concourse, Grahame Park Est., London. NW9 5XT
Tel: 020 8205 6204

GREAT ORMOND STREET HOSPITAL FOR CHILDREN
—4J **61** (4F **143**)
Gt. Ormond St., London. WC1N 3JH
Tel: 020 7405 9200

Greenwich & Bexley Cottage Hospice —5C **84**
185 Bostall Hill, Abbey Wood, London. SE2 0QX
Tel: 020 8312 2244

GREENWICH DISTRICT HOSPITAL —5H **81**
Vanbrugh Hill, Greenwich, London. SE10 9HE
Tel: 020 8858 8141

GROVELANDS PRIORY HOSPITAL —1D **16**
The Bourne, Southgate, London. N14 6RA
Tel: 020 8882 8191

GUY'S HOSPITAL —1D **78** (5E **150**)
St Thomas St., London. SE1 9RT
Tel: 020 7955 5000

GUY'S NUFFIELD HOUSE —2D **78** (6E **150**)
Newcomen St., London. SE1 1YR
Tel: 020 7955 5000

HAMMERSMITH HOSPITAL —6C **58**
Du Cane Rd., London. W12 0HS
Tel: 020 8383 1000

Hampton Community Health Centre —6D **102**
Tangley Park Rd., Hampton Nurserylands,
Hampton, Middx. TW12 3YH
Tel: 020 8979 1726

Handsworth Avenue Health Centre —6A **20**
Handsworth Av., London. E4 9PD
Tel: 020 8527 0913

HARLEY STREET CLINIC, THE —5F **61** (5J **141**)
35 Weymouth St., London. W1N 4BJ
Tel: 020 7935 7700

HARROW HOSPITAL —2H **39**
Roxeth Hill, Harrow, Middx. HA2 0JX
Tel: 020 8864 5432

HAYES GROVE PRIORY HOSPITAL —2J **137**
Prestons Rd., Hayes, Bromley. Kent. BR2 7AS
Tel: 020 8462 7722

HEART HOSPITAL, THE —5E **60** (6H **141**)
Westmoreland St., London. W1M 7HN
Tel: 020 7573 8888

Heathside Health Centre —1E **96**
Landale Cl., Sparta St., London. SE10 8DY
Tel: 020 8692 1757

HENDERSON HOSPITAL —7K **131**
Homeland Dri., Sutton, Surrey. SM2 5LY
Tel: 020 8661 1611

Heston Health Centre —7C **70**
Cranford La., Heston, Middx. TW5 9ER
Tel: 020 8570 5891

Highbury Grange Health Centre —4C **46**
Highbury Grange, London. N5 2QB
Tel: 020 7530 2888

HIGHGATE PRIVATE HOSPITAL —6D **28**
17-19 View Rd., Highgate, London. N6 4DJ
Tel: 020 8341 4182

HOLLY HOUSE HOSPITAL —2E **20**
High Rd., Buckhurst Hill, Essex. IG9 5HX
Tel: 020 8505 3311

HOMERTON HOSPITAL —5K **47**
Homerton Row, Homerton, London. E9 6SR
Tel: 020 8919 5555

Honor Oak Health Centre —4A **96**
20 Turnham Rd., London. SE4 2LA
Tel: 020 7639 8811

HORNSEY CENTRAL HOSPITAL —5H **29**
Park Rd., Crouch End, London. N8 8JL
Tel: 020 8219 1702

Hornsey Rise Health Centre —7J **29**
Hornsey Rise, London. N19 3YU
Tel: 020 8530 2400

HOSPITAL FOR TROPICAL DISEASES —1H **61**
4 St Pancras Way, London. NW1 0PE
Tel: 020 7530 3500

HOSPITAL OF ST JOHN & ST ELIZABETH —2B **60**
60 Grove End Rd., St John's Wood, London. NW8 9NH
Tel: 020 7286 5126

Hunter Street Health Centre —4J **61** (3F **143**)
8 Hunter St., London. WC1N 1BN
Tel: 020 7530 4300

Hurst Road Health Centre —3D **32**
36a Hurst Rd., London. E17 3BL
Tel: 020 8520 8513

Island Health Centre —3D **80**
145 East Ferry Rd., Isle of Dogs,
London. E14 3BQ
Tel: 020 7363 1111

Jenner Health Centre —1A **112**
201 Stanstead Rd., London. SE23 1HU
Tel: 020 7771 4110

John Scott Health Centre —1C **46**
Green Lanes, London. N4 2NU
Tel: 020 8800 0111

Julia Engwell Health Centre —7C **52**
Woodward Rd., Dagenham, Essex. RM9 4SR
Tel: 020 8592 2588

Kennard Street Health Centre —1D **82**
1 Kennard St., North Woolwich, London. E16 2HR
Tel: 020 7445 7150

Kentish Town Health Centre —6G **45**
2 Bartholomew Rd., London. NW5 2AJ
Tel: 020 7530 4700

KING EDWARD VII'S HOSPITAL —5E **60** (5H **141**)
Beaumont House, 10 Beaumont St.,
London. W1N 2AA
Tel: 020 7486 4411

KING GEORGE HOSPITAL —5A **36**
Barley La., Goodmayes, Ilford, Essex. IG3 8YB
Tel: 020 8983 8000

KINGSBURY COMMUNITY HOSPITAL —4G **25**
Honeypot La., Kingsbury, London. NW9 9QY
Tel: 020 8903 1323

KING'S COLLEGE HOSPITAL —2D **94**
Denmark Hill, London. SE5 9RS
Tel: 020 7737 4000

KING'S COLLEGE HOSPITAL, DULWICH —4E **94**
East Dulwich Gro., London. SE22 8PT
Tel: 020 7737 4000

KING'S OAK HOSPITAL —1F **7**
The Ridgeway, Enfield, Middx. EN2 8SD
Tel: 020 8364 5520

KINGSTON HOSPITAL —1H **119**
Galsworthy Rd., Kingston-upon-Thames,
Surrey. KT2 7QB
Tel: 020 8546 7711

Lakeside Health Centre —2D **84**
Tavy Bri., Thamesmead, London. SE2 9UQ
Tel: 020 8310 3281

LANGTHORNE HOSPITAL —4F **49**
1 Langthorne Rd., London. E11 4HJ
Tel: 020 8539 5511

LATIMER DAY HOSPITAL —5G **61** (5A **142**)
40 Hanson St., London. W1P 7DE
Tel: 020 7380 9187

Lee Health Centre —5H **97**
2 Handen Rd., London. SE12 8NE
Tel: 020 8318 4431

Lewin Road Community Mental Health Centre —6H **109**
55-57 Lewin Rd., London. SW16 6JZ
Tel: 020 8664 6406

LEWISHAM HOSPITAL —5D **96**
Lewisham High St., Lewisham,
London. SE13 6LH
Tel: 020 8333 3000

Lisson Grove Health Centre —4C **60** (4C **140**)
Gateforth St., London. NW8 8EG
Tel: 020 7724 2391

Lister Health Centre —1F **95**
1 Camden Sq., London. SE15 5LW
Tel: 020 7701 6291

LISTER HOSPITAL, THE —6F **77** (7J **153**)
Chelsea Bridge Rd., London. SW1W 8RH
Tel: 020 7730 3417

LONDON BRIDGE HOSPITAL —1D **78** (4F **151**)
27 Tooley St., London. SE1 2PR
Tel: 020 7407 3100

LONDON CHEST HOSPITAL —2J **63**
Bonner Rd., London. E2 9JX
Tel: 020 8980 4433

LONDON CLINIC, THE —4E **60** (4H **141**)
20 Devonshire Pl., London. W1N 2DH
Tel: 020 7935 4444

LONDON FOOT HOSPITAL —5G **61** (5A **142**)
33 Fitzroy Sq., London. W1P 6AY
Tel: 020 7530 4500

LONDON INDEPENDENT HOSPITAL —5K **63**
1 Beaumont Sq., Stepney Green, London. E1 4NL
Tel: 020 7790 0990

London Lighthouse —6G **59**
111-117 Lancaster Rd., Ladbroke Gro.,
London. W11 1QT
Tel: 020 7792 1200

LONDON WELBECK HOSPITAL —5E **60** (6H **141**)
27 Welbeck St., London. W1M 7PG
Tel: 020 7224 224

Lord Lister Health Centre —4J **49**
121 Woodgrange Rd., Forest Gate,
London. E7 0EP
Tel: 020 8250 7200

Lower Clapton Health Centre —5J **47**
36 Lower Clapton Rd., Clapton,
London. E5 0PQ
Tel: 020 8986 7111

MAITLAND DAY HOSPITAL —4J **47**
143-153 Lower Clapton Rd.,
Clapton, London. E5 8EQ
Tel: 020 8919 5600

Manor Drive Health Centre —1C **130**
3 The Manor Dri., Worcester Park,
Surrey. KT4 7LG
Tel: 020 8337 0246

Manor Gardens Health Centre —3J **45**
6-9 Manor Gdns., London. N7 6LA
Tel: 020 7275 4231

Manor Gate Mental Health Centre —7C **38**
1a Manor Ga., Northolt, Middx. UB5 5TG
Tel: 020 8841 5271

Manor Health Centre —3H **93**
Clapham Manor St., London. SW4 6EB
Tel: 020 7622 2293

MANOR HOUSE HOSPITAL —1K **43**
North End Rd., Golders Green,
London. NW11 7HX
Tel: 020 8455 6601

Marks Gate Health Centre —3E **36**
Lawn Farm Gro., Chadwell Heath,
Essex. RM6 5LL
Tel: 020 8590 9181

Marvels Lane Health Centre —2K **113**
37 Marvels La., Grove Park,
London. SE12 9PN
Tel: 020 8857 0042

Maswell Park Health Centre —5G **87**
Hounslow Av., Hounslow,
Middx. TW3 2DY
Tel: 020 8898 2321

Mattock Lane Health Centre —1C **72**
78 Mattock La., Ealing, London. W13 9NZ
Tel: 020 8574 2444

MAUDSLEY HOSPITAL, THE —2D **94**
Denmark Hill, London. SE5 8AZ
Tel: 020 7703 6333

Mawbey Brough Health Centre —7J **77**
39 Wilcox Clo., London. SW8 2UD
Tel: 020 7627 4444

MAYDAY UNIVERSITY HOSPITAL —6B **124**
Mayday Rd., Thornton Heath,
Surrey. CR7 7YE
Tel: 020 8401 3000

Meadow House Hospice —2H **71**
Uxbridge Rd., Southall, Middx. UB1 3EU
Tel: 020 8967 5179

Hospitals, Health Centres & Hospices

MEMORIAL HOSPITAL —2E **98**
Shooters Hill, Woolwich, London. SE18 3RZ
Tel: 020 8856 5511

MIDDLESEX HOSPITAL, THE —5G **61** (6A **142**)
Mortimer St., London. W1N 8AA
Tel: 020 7636 8333

Mildmay Mission Hospital —3F **63** (2J **145**)
Hackney Rd., Bethnal Green, London. E2 7NA
Tel: 020 7739 2331

Milson Road Health Centre —3F **75**
1-13 Milson Rd., London. W14 0LJ
Tel: 020 8846 6262

Mollison Drive Health Centre —7J **133**
Mollison Dri., Wallington,
Surrey. SM6 9HF
Tel: 020 8773 2820

MONTPELIER HOSPITAL, THE —5E **56**
19 Montpelier Rd., Ealing, London. W5 2QT
Tel: 020 8998 2848

Moorfield Road Health Centre —1D **8**
Moorfield Rd., Enfield, Middx. EN3 5TU
Tel: 020 8805 5500

MOORFIELDS EYE HOSPITAL —3D **62** (2E **144**)
162 City Rd., London. EC1V 2PD
Tel: 020 7253 3411

MORLAND ROAD DAY HOSPITAL —1G **69**
Morland Rd., Dagenham, Essex. RM10 9HU
Tel: 020 8593 2343

Mortimer Market Centre —4G **61** (4B **142**)
Mortimer Mkt., London. WC1E 6AU
Tel: 020 7530 5000

Myatts Field Health Centre —1B **94**
Patmos Rd., London. SW9 6SE
Tel: 020 7735 9171

NATIONAL HOSPITAL FOR NEUROLOGY &
NEUROSURGERY (FINCHLEY) , THE —4C **28**
Gt. North Rd., East Finchley, London. N2 0NW
Tel: 020 7837 3611

NATIONAL HOSPITAL FOR NEUROLOGY &
NEUROSURGERY, THE —5J **61** (5F **143**)
Queen Sq., London. WC1N 3BG
Tel: 020 7837 3611

NATIONAL TEMPERANCE HOSPITAL —3J **61** (2A **142**)
108-110 Hampstead Rd., London. NW1 2LT
Tel: 020 7530 3000

NELSON HOSPITAL —2H **121**
Kingston Rd., Merton,
London. SW20 8DB
Tel: 020 8296 2000

Newbury Park Health Centre —6H **35**
40 Perrymans Farm Rd., Newbury Park,
Ilford, Essex. IG2 7LB
Tel: 020 8491 1550

Newby Place Health Centre —7E **64**
21 Newby Pl., Poplar, London. E14 0EY
Tel: 020 7515 8893

NEWHAM GENERAL HOSPITAL —4A **66**
Glen Rd., Plaistow, London. E13 8SL
Tel: 020 7476 4000

~~ ~TORIA HOSPITAL —1A **120**
~~~ La. W., Kingston-upon-Thames,

Norbury Health Centre —2K **123**
2b Pollards Hill N., Norbury, London. SW16 4NL
Tel: 020 8679 1700

NORMANSFIELD HOSPITAL —7C **104**
Kingston Rd., Teddington, Middx. TW11 9JH
Tel: 020 8977 7583

North London Hospice —4F **15**
47 Woodside Av., North Finchley,
London. N12 8TF
Tel: 020 8343 8841

NORTH LONDON NUFFIELD HOSPITAL, THE —2F **7**
Cavell Dri., Uplands Pk. Rd.,
Enfield, Middx. EN2 7PR
Tel: 020 8366 2122

NORTH MIDDLESEX HOSPITAL, THE —5K **17**
Sterling Way, London. N18 1QX
Tel: 020 8887 2000

NORTHWICK PARK HOSPITAL —7A **24**
Watford Rd., Harrow, Middx. HA1 3UJ
Tel: 020 8864 3232

Oakhill Health Centre —6E **118**
Oakhill Rd., Surbiton, Surrey. KT6 6EN
Tel: 020 8390 6755

Oakleigh Road Health Centre —3J **15**
Oakleigh Rd. N., Whetstone,
London. N20 0DH
Tel: 020 8368 8350

OBSTETRIC HOSPITAL, THE —4G **61** (4B **142**)
Huntley St., London. WC1E 6DH
Tel: 020 7387 9300

OLDCHURCH HOSPITAL —6K **37**
Oldchurch Rd., Romford, Essex. RM7 0BE
Tel: (01708) 746090

Orchards Health Centre —1G **67**
Gascoigne Rd., Barking, Essex. IG11 7RS
Tel: 020 8594 1311

PADDINGTON COMMUNITY HOSPITAL —5J **59**
7a Woodfield Rd., London. W9 2BB
Tel: 020 7286 6669

PARKSIDE HOSPITAL —3F **107**
53 Parkside, Wimbledon,
London. SW19 5NX
Tel: 020 8971 8000

Parson's Green Health Centre —1J **91**
5-7 Parson's Grn., London. SW6 4UL
Tel: 020 8846 6767

Paxton Green Health Centre —4E **110**
1 Alleyn Pk., London. SE21 8AU
Tel: 020 8761 1923

PENNY SANGHAM DAY HOSPITAL —3D **70**
Osterley Park Rd., Southall, Middx. UB2 4EU
Tel: 020 8571 9676

PLAISTOW HOSPITAL —2A **66**
Samson St., Plaistow, London. E13 9EH
Tel: 020 8586 6200

Plumstead Health Centre —5J **83**
Tewson Rd., Plumstead,
London. SE18 1BH
Tel: 020 8855 9341

PORTLAND HOSPITAL FOR WOMEN & CHILDREN, THE
—5F **61** (5K **141**)
209 Gt. Portland St., London. W1N 6AH
Tel: 020 7580 4400

PRINCESS GRACE HOSPITAL —4E **60** (4G **141**)
42-52 Nottingham Pl., London. W1M 3FD
Tel: 020 7486 1234

PRINCESS LOUISE HOSPITAL —5F **59**
St Quintin Av., London. W10 6DL
Tel: 020 8969 0133

PRIORY HOSPITAL —4B **90**
Priory La., Roehampton,
London. SW15 5JJ
Tel: 020 8876 8261

PUTNEY HOSPITAL —3E **90**
Commondale, Lower Richmond Rd.,
Putney, London. SW15 1HW
Tel: 020 8789 6633

QUEEN CHARLOTTE'S & CHELSEA HOSPITAL —4C **74**
Goldhawk Rd., London. W6 0XG
Tel: 020 8383 1111

QUEEN ELIZABETH HOSPITAL —7C **82**
Stadium Rd., Woolwich, London. SE18 4QH
Tel: 020 8856 5533

QUEEN ELIZABETH HOSPITAL FOR CHILDREN —2G **63**
Hackney Rd., London. E2 8PS
Tel: 020 7377 7000

QUEEN MARY'S HOSPITAL —3A **44**
124 Heath St., Hampstead, London. NW3 1DU
Tel: 020 7431 4111

QUEEN MARY'S HOSPITAL —6A **116**
Frognal Av., Sidcup, Kent. DA14 6LT
Tel: 020 8302 2678

QUEEN MARY'S HOSPITAL FOR CHILDREN —1A **132**
Wrythe La., Carshalton, Surrey. SM5 1AA
Tel: 020 8296 2000

QUEEN MARY'S UNIVERSITY HOSPITAL —6C **90**
Roehampton La., Roehampton, London. SW15 5PN
Tel: 020 8789 6611

QUEENS HOSPITAL —6C **124**
66a Queens Rd., Croydon, Surrey. CR9 2PQ
Tel: 020 8401 3000

Queen's Park Health Centre —3G **59**
Dart St., London. W10 4LD
Tel: 020 8968 8899

Railton Road Health Centre —5B **94**
143-149 Railton Rd., London. SE24 0LT
Tel: 020 7274 1083

Rathmell Drive Health Centre —6H **93**
9A Rathmell Dri., London. SW4 8JG
Tel: 020 8674 7400

REDFORD LODGE HOSPITAL —2B **18**
15 Church St., Edmonton, London. N9 9DY
Tel: 020 8956 1234

RICHMOND HEALTHCARE HAMLET —3E **88**
Kew Foot Rd., Richmond, Surrey. TW9 2TE
Tel: 020 8940 3331

River Place Health Centre —7C **46**
River Pl., Essex Rd., London. N1 2DE
Tel: 020 7530 2900

Robin Hood Lane Health Centre —5K **131**
Camden Rd., Sutton, Surrey. SM1 2RJ
Tel: 020 8643 8611

RODING HOSPITAL (BUPA) —3B **34**
Roding La. S., Redbridge, Essex. IG4 5PZ
Tel: 020 8551 1100

Hospitals, Health Centres & Hospices

Rosslyn Clinic —6C **88**
15 Rosslyn Rd., East Twickenham,
Middx. TW1 2AR
Tel: 020 8891 3173

Roxbourne Complex —2F **39**
Rayners La., South Harrow,
Middx. HA2 0UE
Tel: 020 8422 5602

ROYAL BROMPTON HOSPITAL —5C **76** (5C **152**)
Sydney St., London. SW3 6NP
Tel: 020 7352 8121

ROYAL BROMPTON HOSPITAL (ANNEXE) —5B **76** (5B **152**)
Fulham Rd., London. SW3 6HP
Tel: 020 7352 8121

ROYAL FREE HOSPITAL, THE —5C **44**
Pond St., London. NW3 2QG
Tel: 020 7794 0500

ROYAL HOSPITAL FOR NEURO-DISABILITY —7G **91**
West Hill, Putney,
London. SW15 3SW
Tel: 020 8780 4500

ROYAL LONDON HOMOEOPATHIC HOSPITAL, THE
—5J **61** (5F **143**)
Gt. Ormond St., London. WC1N 3HR
Tel: 020 7833 7220

ROYAL LONDON HOSPITAL MILE END —5K **63**
Bancroft Rd., London. E1 4DG
Tel: 020 7377 7000

ROYAL LONDON HOSPITAL ST CLEMENT'S —4B **64**
3a Bow Rd., London. E3 4LL
Tel: 020 7377 7000

ROYAL LONDON HOSPITAL WHITECHAPEL —5H **63**
Whitechapel Rd., London. E1 1BB
Tel: 020 7377 7000

ROYAL MARSDEN HOSPITAL (FULHAM) , THE
—5B **76** (5B **152**)
Fulham Rd., London. SW3 6JJ
Tel: 020 7352 8171

ROYAL NATIONAL ORTHOPAEDIC HOSPITAL —2G **11**
Brockley Hill, Stanmore, Middx. HA7 4LP
Tel: 020 8954 2300

ROYAL NATIONAL ORTHOPAEDIC HOSPITAL
(OUTPATIENTS) —4F **61** (4K **141**)
45-51 Bolsover St.,
London. W1P 8AQ
Tel: 020 7387 5070

ROYAL NATIONAL THROAT, NOSE & EAR HOSPITAL
—3K **61** (1G **143**)
330 Gray's Inn Rd., London. WC1X 8DA
Tel: 020 7915 1300

ROYAL NATIONAL THROAT, NOSE & EAR HOSPITAL-
SPEECH & LANGUAGE UNIT —5C **56**
6 Castlebar Hill, Ealing, London. W5 1TD
Tel: 020 8997 8480

ST ANDREW'S AT HARROW —2J **39**
Bowden House Clinic, London Rd.,
Harrow, Middx. HA1 3JL
Tel: 020 8966 7000

ST ANDREW'S HOSPITAL —4D **64**
Devons Rd., Bow, London. E3 3NT
Tel: 020 7476 4000

ST ANN'S HOSPITAL —6C **30**
St Ann's Rd., Sth. Tottenham,
London. N15 3TH
Tel: 020 8442 6000

ST ANTHONY'S HOSPITAL —2F **131**
London Rd., North Cheam, Surrey. SM3 9DW
Tel: 020 8337 6691

ST BARTHOLOMEW'S AT SMITHFIELD —6B **62** (7B **144**)
West Smithfield, London. EC1A 7BE
Tel: 020 7601 8888

ST BERNARD'S HOSPITAL —2H **71**
Uxbridge Rd., Southall, Middx. UB1 3EU
Tel: 020 8574 2444

ST CHARLES HOSPITAL —5F **59**
Exmoor St., London. W10 6DZ
Tel: 020 8969 2488

St Christopher's Hospice —5J **111**
51 Lawrie Pk. Rd., Sydenham, London. SE26 6DZ
Tel: 020 8778 9252

ST GEORGE'S HOSPITAL —5B **108**
Blackshaw Rd., Tooting, London. SW17 0QT
Tel: 020 8672 1255

ST HELIER HOSPITAL —1A **132**
Wrythe La., Carshalton, Surrey. SM5 1AA
Tel: 020 8296 2000

St James Health Centre —5A **32**
47 St James's St., London. E17 7NH
Tel: 020 8520 9286

St John's Health Centre —7A **88**
Oak La., Twickenham, Middx. TW1 3PH
Tel: 020 8891 3101

St John's Hospice —2B **60**
Hospital of St John & St Elizabeth, 60 Grove End Rd.,
St John's Wood, London. NW8 9NH
Tel: 020 7286 5126 ext 321

ST JOHN'S HOUSE HOSPITAL —7A **88**
Strafford Rd., London. SW1 3HQ
Tel: 020 8744 9943

St Joseph's Hospice —1H **63**
Mare St., Hackney, London. E8 4SA
Tel: 020 8985 0861

St Leonards Primary Care Centre —2E **62**
Nuttall St., London. N1 5LZ
Tel: 020 7790 4711

St Luke's Hospice —5H **23**
59 Harrow View, Harrow, Middx. HA1 1RF
Tel: 020 8427 1713 / 6755

ST LUKE'S HOSPITAL FOR THE CLERGY —4G **61** (4A **142**)
14 Fitzroy Sq., London. W1P 6AH
Tel: 020 7388 4954

ST LUKE'S WOODSIDE HOSPITAL —4E **28**
Woodside Av., London. N10 3HU
Tel: 020 8219 1800

St Mark's Health Centre —6F **83**
24 Wrottesley Rd., Plumstead,
London. SE18 3EP
Tel: 020 8317 3540

ST MARY'S HOSPITAL —6B **60** (7B **140**)
Praed St., London. W2 1NY
Tel: 020 7725 6666

ST PANCRAS HOSPITAL —1H **61**
4 St Pancras Way, London. NW1 0PE
Tel: 020 7530 3500

St Quintin Avenue Health Centre —5F **59**
St Quintin Av., London. W10 6PU
Tel: 020 8960 5677

St Raphael's Hospice —1F **131**
London Rd., North Cheam, Surrey. SM3 9DX
Tel: 020 8337 7475

ST THOMAS' HOSPITAL —3K **77** (1G **155**)
Lambeth Palace Rd., London. SE1 7EH
Tel: 020 7928 9292

Seven Kings Health Centre —2J **51**
1 Salisbury Rd., Seven Kings, Ilford, Essex. IG3 8BE
Tel: 020 8924 6290

Sheen Lane Health Centre —3J **89**
Sheen La., London. SW14 8LP
Tel: 020 8878 7561

SHIRLEY OAKS HOSPITAL —1J **135**
Poppy La., Shirley Oaks, Croydon,
Surrey. CR9 8AB
Tel: 020 8655 2255

Shotfield Health Centre —5F **133**
Shotfield, Wallington, Surrey. SM6 0HY
Tel: 020 8647 0031

Shrewsbury Road Health Centre —7B **50**
East Ham Memorial Hospital, Shrewsbury Rd.,
Forest Gate, London. E7 8QP
Tel: 020 8586 5142

Sidcup Health Centre —4A **116**
43 Granville Rd., Sidcup, Kent. DA14 4TA
Tel: 020 8302 7811

Silverthorne Health Centre —3K **19**
2 Friars Clo., Larkshall Rd., Chingford,
Essex. E4 6UN
Tel: 020 8529 3706

SLOANE HOSPITAL, THE —1F **127**
125-133 Albemarle Rd.,
Beckenham, Kent. BR3 5HS
Tel: 020 8466 6911

Solent Road Health Centre —6J **43**
9 Solent Rd., London. NW6 1TP
Tel: 020 7530 2550

Somerford Grove Health Centre —4F **47**
Somerford Gro., London. N16 7UA
Tel: 020 7249 2071

Sorsby Health Centre —4A **48**
Mandeville St., London. E5 0DH
Tel: 020 8985 7671

Southall Norwood Mental Health Centre —3D **70**
The Green, Southall, Middx. UB2 4BH
Tel: 020 8571 6110

South Kensington & Chelsea Mental Health Centre —6A **76**
1 Nightingale Pl., London. SW10 8RP
Tel: 020 8846 6025

South Lewisham Health Centre —4E **112**
50 Conisborough Cres., London. SE6 2SP
Tel: 020 8698 8921

SOUTH WESTERN HOSPITAL —3J **93**
108 Landor Rd., London. SW9 9NT
Tel: 020 7346 5400

South Westminster Health Centre —4H **77** (3C **154**)
St George's House, 82 Vincent Sq.,
London. SW1P 2PF
Tel: 020 8746 5757

South Woodford Health Centre —1J **33**
114 High Rd., South Woodford,
Essex. E18 2QS
Tel: 020 8491 3333

Hospitals, Health Centres & Hospices

SOUTHWOOD HOSPITAL —7E **28**
70 Southwood La., Highgate,
London. N6 5SP
Tel: 020 8340 8778

Speedwell Mental Health Centre —7C **80**
Speedwell St., Deptford,
London. SE8 4AT
Tel: 020 8691 4535

Spindrift Medical Centre —4C **80**
100 Spindrift Av., Isle of Dogs,
London. E14 9WU
Tel: 020 7537 0071

Spitalfields Health Centre —5F **63** (6K **145**)
9-11 Brick La., London. E1 6PU
Tel: 020 7247 8251

SPRINGFIELD UNIVERSITY HOSPITAL —3C **108**
61 Glenburnie Rd.,
London. SW17 7DJ
Tel: 020 8672 9911

Steel's Lane Health Centre —6J **63**
384-388 Commercial Rd.,
London. E1 0LR
Tel: 020 7790 7171

STEPNEY DAY HOSPITAL —6J **63**
Ronald St., London. E1 0DT
Tel: 020 7702 8199

Stuart Crescent Health Centre —1A **30**
Stuart Cres., London. N22 5NJ
Tel: 020 8889 4311

SURBITON HOSPITAL —6E **118**
Ewell Rd., Surbiton, Surrey. KT6 6EZ
Tel: 020 8399 7111

Surrey Docks Health Centre —2A **80**
Downtown Rd., London. SE16 1NP
Tel: 020 7231 3085

Sydenham Green Health Centre —4A **112**
26 Holmshaw Clo., London. SE26 4TH
Tel: 020 8778 1333

Tavistock Clinic —6B **44**
120 Belsize La., London. NW3 5BA
Tel: 020 7435 7111

TEDDINGTON MEMORIAL HOSPITAL —6J **103**
Hampton Rd., Teddington, Middx. TW11 0JL
Tel: 020 8977 2212

Temple Fortune Health Centre —6J **27**
23 Temple Fortune La.,
London. NW11 7TE
Tel: 020 8458 4431

Thames View Health Centre —2K **67**
Bastable Av., Barking,
Essex. IG11 0LG
Tel: 020 8594 4233

Thornton Heath Health Centre —4D **124**
61a Gillett Rd., Thornton Heath,
Surrey. CR7 8RL
Tel: 020 8684 2424

THORPE COOMBE HOSPITAL —3E **32**
714 Forest Rd., Walthamstow,
London. E17 3HP
Tel: 020 8520 8971

Tollgate Health Centre —5D **66**
220 Tollgate Rd., Beckton,
London. E6 4JS
Tel: 020 7474 5656

Torrington Park Health Centre —5F **15**
16 Torrington Pk.,
London. N12 9SS
Tel: 020 8446 4201

Trinity Hospice —4F **93**
30 Clapham Comn. N. Side,
Clapham, London. SW4 0RN
Tel: 020 7622 9481

Tudor Lodge Health Centre —1F **107**
8c Victoria Dr., Wimbledon Park,
London. SW19 6AE
Tel: 020 8788 1525

Tynemouth Road Health Centre —4F **31**
24 Tynemouth Rd.,
London. N15 4RH
Tel: 020 8275 4000

UNITED ELIZABETH GARRETT ANDERSON & SOHO
                          HOSPITALS FOR WOMEN —3Hb **61** (2D **142**)
144 Euston Rd., London. NW1 2AP
Tel: 020 7387 2501

UNIVERSITY COLLEGE HOSPITAL —4G **61** (4B **142**)
Gower St., London. WC1E 6AU
Tel: 020 7387 9300

UPTON ROAD DAY HOSPITAL —4E **100**
14 Upton Rd., Bexleyheath,
Kent. DA6 8LQ
Tel: 020 8301 7900

Vanbrugh Hill Health Centre —5H **81**
Vanbrugh Hill, Greenwich,
London. SE10 9HE
Tel: 020 8853 3434

Vicarage Fields Health Centre —7G **51**
Vicarage Dri., Barking,
Essex. IG11 7NR
Tel: 020 8591 5466

Waldron Health Centre —7B **80**
Stanley St., London. SE8 4BS
Tel: 020 8691 4621

Walpole House Mental Health Centre —7C **56**
13 Mattock La., Ealing, London. W5 5BG
Tel: 020 8840 6900

Wapping Health Centre —1H **79**
22 Wapping La., London. E1 9RL
Tel: 020 7488 0404

WELLINGTON HOSPITAL, THE —2B **60**
Wellington Pl., London. NW8 9LE
Tel: 020 7586 5959

Wellington Way Health Centre —3C **64**
1a Wellington Way, London. E3 4NE
Tel: 020 8980 3510

WEMBLEY COMMUNITY HOSPITAL —6D **40**
Fairview Av., Wembley, Middx. HA0 4UH
Tel: 020 8903 1323

West Beckton Health Centre —5B **66**
90 Lawson Clo., West Beckton,
London. E16 3LU
Tel: 020 7445 7080

WESTERN OPHTHALMIC HOSPITAL —5D **60** (5E **140**)
Marylebone Rd., London. NW1 5QH
Tel: 020 7402 4211

West Ham Health Centre —1G **65**
84 West Ham La., Stratford,
London. E15 4PT
Tel: 020 8250 7300

WEST MIDDLESEX UNIVERSITY HOSPITAL —2A **88**
Twickenham Rd., Isleworth,
Middx. TW7 6AF
Tel: 020 8560 2121

WHIPPS CROSS HOSPITAL —6F **33**
Whipps Cross Rd., Leytonstone,
London. E11 1NR
Tel: 020 8539 5522

White City Health Centre —7D **58**
Australia Rd., London. W12 7PH
Tel: 020 8846 6464

WHITTINGTON HOSPITAL —2G **45**
Highgate Hill, London. N19 5NF
Tel: 020 7272 3070

Wick Health Centre —6A **48**
200 Wick Rd., Hackney,
London. E9 5AN
Tel: 020 8986 6341

WILLESDEN COMMUNITY HOSPITAL —1C **58**
Harlesden Rd., Willesden,
London. NW10 3RY
Tel: 020 8459 1292

Woodside Health Centre —5G **125**
3 Enmore Rd., South Norwood,
London. SE25 5NT
Tel: 020 8656 0213

World's End Health Centre —7A **76**
529 King's Rd., London. SW10 0UD
Tel: 020 8846 6333